Maḥzor
for Rosh Hashanah
and Yom Kippur

מַחֲזוֹר
לַיָּמִים
הַנּוֹרָאִים

edited by RABBI JULES HARLOW

Maḥzor

for Rosh Hashanah

and Yom Kippur

A PRAYER BOOK FOR THE DAYS OF AWE

The Rabbinical Assembly   *New York*

We are grateful to the publishers and authors listed below for having granted us permission to print excerpts from the following works:

The Psalms of Sir Philip Sidney and the Countess of Pembroke, edited by J. C. A. Rathmell. Copyright © 1963 by John C. A. Rathmell. Published by Doubleday and Company, Inc. Reprinted by permission of the publisher.

O the Chimneys, by Nelly Sachs, translated by Ruth and Matthew Mead. Copyright © 1967 by Farrar, Straus and Giroux, Inc. Reprinted by permission of the publisher.

The Third Pillar, by Soma Morgenstern. Copyright © 1955 by Farrar, Straus and Cudahy, Inc. Reprinted by permission of the publisher.

The Hard Hours, by Anthony Hecht. Copyright © 1967 by Anthony Hecht. Published by Atheneum, 1968. Reprinted by permission of the author.

Judaism and Modern Man, by Will Herberg. Copyright © 1951 by Will Herberg. Published by The Jewish Publication Society of America. Reprinted by permission of the author.

The Inner Eye, by Hayyim Greenberg. Copyright © 1953 by The Jewish Frontier Publishing Association. Reprinted by permission of the publisher.

The Five Megilloth and Jonah. Copyright © 1969; and *The Torah.* Copyright © 1962, 1967 by The Jewish Publication Society of America. Reprinted by permission of the publisher.

God in Search of Man: A Philosophy of Judaism, by Abraham Joshua Heschel. Copyright © 1955 by Abraham Joshua Heschel. Reprinted by permission of Farrar, Straus and Giroux, Inc.

Poems, by A. M. Klein. Copyright © 1944 by The Jewish Publication Society of America. Reprinted by permission of the publisher.

The Second Scroll, by A. M. Klein. Copyright © 1951 by A. M. Klein. Published by Alfred A. Knopf, Inc. Reprinted by permission of the publisher.

Hebrew text of Torah Readings and Haftarot. Copyright © 1969 by Koren Publishers Jerusalem Ltd. Reprinted by permission of the publisher.

Monologues with God (Monologim Im Elohim), by Miriam Kubovy. Copyright © 1962 by Miriam Kubovy. Reprinted by permission of the author.

The Way of Man, by Martin Buber. Copyright © 1966 by the Citadel Press. Reprinted by permission of Robinson and Watkins Books Ltd.

Israel and the World, by Martin Buber. Copyright © 1948, 1963 by Schocken Books Inc. Reprinted by permission of the publisher.

The Essence of Judaism, by Leo Baeck. Copyright © 1948 by Schocken Books Inc. Reprinted by permission of the publisher.

Horeb: A Philosophy of Jewish Laws and Observances, by Samson Raphael Hirsch, translated by I. Grunfeld. Copyright © 1962 by the Soncino Press, Limited. Reprinted by permission of the publisher.

Judaism Eternal: Selected Essays, by Samson Raphael Hirsch, translated by I. Grunfeld. Copyright © 1956 by The Soncino Press, Limited. Reprinted by permission of the publisher.

Second Edition, 1978 ***1995 Printing***

Library of Congress Catalog Card Number: 72-80338
International Standard Book Number: 0-87441-148-3

Preface

Praised is the Lord our God, King of the universe,
for granting us life, for sustaining us,
and for helping us to reach this day.

It is a privilege to present this new edition of the Maḥzor for Rosh Hashanah and Yom Kippur on behalf of the Rabbinical Assembly, with the hope that it will enhance the experience of the High Holy Days for many Jews. This edition seeks to continue the tradition in a meaningful way for contemporary Jews. It maintains and expands upon Hebrew textual changes introduced in the *Sabbath and Festival Prayer Book* first published in 1946 by the Rabbinical Assembly and the United Synagogue, the *Weekday Prayer Book* first published in 1961 by the Rabbinical Assembly and the *Seliḥot* Service first published in 1964 by the Rabbinical Assembly. Our editorial approach demands not only a new translation but editing the Hebrew text and introducing a variety of prose and poetry as well as explanatory notes and rubrics.

Prose and poetry from the ancient, medieval and modern periods have been added to the basic text throughout the volume, many of these selections appearing here for the first time in a prayer book. The sources of this material are listed at the end of this volume, arranged according to pagination.

Congregational life today reflects a variety of approaches to the service. This volume makes alternate services and readings available, so that each congregation may follow what it feels to be the most appropriate arrangement. Because of varying practices, there is a minimum of instruction concerning opening and closing the Ark. Individual congregants may select among options for the silent Amidah where noted.

In the Yom Kippur section, the Yizkor Service is printed preceding Ne'ilah, and the Avodah Service appears at the end of Musaf. Each may of course be inserted at other times during the day, at the discretion of the rabbi.

Fresh translations are necessary to make the meaning of the text available to those for whom the Hebrew Maḥzor is a closed book, and to help them become involved in a service. The new English translation in this volume would not have been possible without the work of Rabbi Gershon Hadas. The final version, which is the work of the editor, contains extensive passages from the translations of Rabbi Hadas. It benefits from the model of his general approach as well as from his specific criticisms. We are all indebted to him for his insights and for the fruit of his labors as well as for his devotion in his liturgical efforts on behalf of the Rabbinical Assembly.

The editor is especially grateful to a number of other people as well. Rabbi Avraham Holtz and Rabbi Stanley Schachter, who accepted an assignment to read the manuscript on behalf of the Rabbinical Assembly, offered solutions to problems of text and translation and have been responsible for many improvements. Rabbi Yoḥanan Muffs has been generous with his concern and his learned insights. Rabbi Herman Kieval has shared his knowledge and helpful reactions. The manuscript has also benefited from the suggestions of Jacob Behrman, Miles Cohen, Navah Harlow and Rabbi David J. Jacobs. Sections of the text were improved by the criticism and suggestions of Rabbi Simon Greenberg and Rabbi Moshe Greenberg and by the comments of Dr. Henny Wenkart.

The staff of Behrman House, Inc. has given invaluable assistance in matters of production. Andrew Amsel's unique knowledge and judgment have enhanced the volume greatly. Together with the designer they have helped to add the dimension of *hiddur mitzvah* to this Maḥzor. The volume has benefited from the excellent craft of the staff of Maurice Jacobs, Inc.

The Hebrew text has benefited from the meticulous attentions of Miles Cohen. The source of spelling and vocalization of Biblical passages is the handsome and accurate Koren Bible. The Torah and Haftarah portions in Hebrew are photographic reproductions of the original Koren Bible.

Special thanks are due to Rabbi Wolfe Kelman for his constant encouragement, counsel and comradeship, as well as for his specific reactions to the manuscript and suggestions concerning the Maḥzor. I also want to record my gratitude to the Presidents of the Rabbinical Assembly for their support during my years of work on various liturgical projects for the Rabbinical Assembly: Rabbis Eli A. Bohnen, Theodore Friedman, Isaac Klein, S. Gershon Levi, Judah Nadich, Max J. Routtenberg, Edward T. Sandrow and Ralph Simon.

Praise the Lord; His love endures forever.
His glory is His nature: slow to anger, ready to forgive.
May He be hallowed through His creation.

JULES HARLOW

Contents

Rosh Hashanah

Yom Kippur

רֹאשׁ הַשָּׁנָה

Note on the shofar

For the shofar of Rosh Hashanah, whose purpose it is to rouse the purely Divine in man, no artificially constructed piece of work may be sounded. It must be an instrument in its natural form [naturally hollow], with life given to it by the breath of man, speaking to the spirit of man. For you cannot attain to God by artificial means or by artifice. And no sound which charms the senses, but which does not appeal to man's better self, can raise you to God—indeed, you might surrender yourself again to your low, base way of living. The pure, unaffected sound of the natural shofar should stir your heart and mind and attune them to the significance and call of its tones.

All naturally hollow horns of clean animals are valid for the shofar of Rosh Hashanah except for the horn of the bull, which is linked with the memory, sad for our nation, of the sin of the Golden Calf and which in fact is not called shofar. One should take, if possible, the bent horn of a ram—bent, in conformity with the contrite mood of the day evoked by the *teruah;* of a ram, because it preserves the noble memory of Abraham's sacrifice, the prototype in history of the subservience of the self to God.

Note on the Musaf service

God's kingship is the central subject of the Rosh Hashanah liturgy, whose dominant theme is the acknowledgement of His sovereignty. What does this mean to us? The idea of God as King had significance for our ancestors when kingship was an important institution in the real world they lived in. But can it speak to us moderns who live in a world where this institution is no longer part of our life experience? It is the greatness of our tradition that ideas derived from the special experiences of our forefathers can teach all generations truths of universal validity. The concept of God as King, first formulated in antiquity, still has the power to illumine our experience and to transform our lives. We confront anew the age-old question: What does it mean to assert God's kingship?

To affirm God as Ruler of the universe is to affirm that the world is not an accident, the result of purely mechanical forces. Rosh Hashanah celebrates the birthday of the world. It commemorates the time when the cosmic Ruler established His realm in which everything and everyone has a task. To affirm God as King is to affirm that the Power which brought this world into being has a will and a purpose. What is man's place in this scheme of things? The Torah teaches that man has been created in the image and likeness of God, with dominion over all of nature. God has placed us as subjects and representatives in His kingdom, with the duty of administering its affairs in accordance with His wishes. The world is not ours merely to exploit and plunder. It is our duty to preserve and to enhance the planet on which we live and to consider the lives of the other creatures with whom we share it.

To affirm God as King is to affirm a mutual relationship between God and man. It means that He is concerned with what we do, and that we as His subjects must pledge our ultimate loyalty to Him. Unlike the rest of creation, man has the gift of freedom which God has conferred upon him. The laws of nature govern the behavior of all non-human creatures and objects, but the laws governing human behavior depend on us. We have the choice of obeying or disobeying the laws which apply in the sphere of morality and spirit. God does not want to build His kingdom through automata with no will of their own, but through the co-operation of persons who have freely decided to enlist in His service as His willing partners and helpers. It is the dignity of being human that we are free to pledge our loyalty to the King by making His commandments [mitzvot] effective in human affairs.

These distinctive ideas, reflecting the essence of Israel's faith, find their classic expression in the three central sections of the Musaf service for Rosh Hashanah. They proclaim that God is King (malkhuyot), that He remembers (zikhronot), and that He reveals and redeems (shofarot).

I. *The Kingship section (malkhuyot) declares that God reigns* (page 259). As members of the people Israel we pledge allegiance to the Lord of the universe, affirming His rule, in contrast to idolatrous nations and groups who worship the forces of nature and other powers within the world, such as the acquisition of wealth and influence, pleasure and success, which they idolize and serve. Israel worships exclusively the one and only God, Creator of heaven and earth.

This section includes the *Aleinu* prayer in which we rededicate ourselves to the service of the supreme King of kings. We reaffirm our conviction that the day will come when united together all men will acknowledge the true God, so that His rule will embrace all creation. This idea has found its classic expression in the words of the *Sh'ma:* "Hear O Israel: The Lord our God, the Lord is One!" This verse not only asserts our faith in God's unity but constitutes a commitment to accept His rule over our lives. Thus it is called the "acceptance of the yoke of God's kingship" by our Sages.

II. *The Remembrance section (zikhronot) declares that God remembers* (page 267). To affirm God's kingship is to affirm that there is One who is concerned with all that happens on earth. God remembers all our deeds; nothing is hidden from Him. This awareness inspires both fear and hope. To realize that all our inadequacies and failures lie exposed to His view makes us humble; it leads to contrition and repentance. On this Day of Judgment (yom ha-din) we are especially aware of our responsibility for every hurt we have inflicted upon others and upon ourselves, for every opportunity we have missed. This could easily lead to despair. But the awareness that we always have the opportunity to change our life is a source of courage and comfort on this awe-inspiring day. We can show that we are loyal subjects of the King by turning away from wrong paths and by turning back to paths of service in His kingdom. This turning is repentance (teshuvah).

It is not only God who remembers. We too remember, and we even remind God to remember. The fate of Noah is recalled, for in a time of chaos and catastrophe he was singled out to re-establish mankind. On the Day of Remembrance (yom ha-zikaron) we remind God of His covenant with Noah and His covenant with the patriarchs, for He has promised to save their descendants. On this awesome day no Jew stands alone before His King and Creator. Each Jew is a link in the unbroken chain that stretches from Abraham to the present moment. This gives us hope and comfort in God the King and Judge who "remembers the covenant."

III. The Shofar section (shofarot) declares that God reveals and redeems (page 275). The central event of our tradition, Revelation, took place at Mount Sinai amidst the sound of the shofar, as related in the Book of Exodus. God the King revealed His commandments to His subjects and concluded a covenant with His people. Ever since Sinai we have been the standard-bearers for the kingdom of God. We have been the custodians of the Torah which is the blueprint for human perfection and the instrument of the covenant which our ancestors freely and willingly accepted.

But despite the Sinai event we still live in an unredeemed world of oppression, war, injustice and inhumanity. In the concluding passage of the *shofarot* section we ask God to sound the great shofar which will signal our freedom. We pray for the ingathering of our exiles and for the full and final establishment of God's rule over all the world, when all men will recognize Him as the only King and themselves as His subjects.

By pledging our loyalty to God the King in solemn assembly we transcend our own narrow interests and become part of a great enterprise, the Community of Israel, a people united in God's service. We become aware of our failures and sins, but we also realize our potential to set out on the path of improvement and renewal. And as we let the shofar's sound remind us of the love and care of the God who gave His Torah to our ancestors in the past, we are cheered and strengthened in the exultant hope that the God of our fathers will fulfill His promise to redeem us in the future.

Note on the Kaddish

Kaddish originally referred to a brief prayer and response recited at the close of rabbinic lessons in the ancient synagogue and house of study. Such lessons would end with a discourse containing a message of comfort and consolation. The kaddish extended that message as a prayer of messianic hope. The earliest kaddish consisted of several words recited by the teacher or preacher:

> Hallowed and enhanced may He be throughout the world of His own creation. May He cause His sovereignty soon to be accepted, during our life and the life of all Israel. And let us say: Amen.

This was followed by a congregational response:

> Amen. May He be praised throughout all time.

The name of God is not mentioned in the kaddish, which emphasizes hallowing and praising Him through redemption of life in this world and through the universal acceptance of His kingship.

By the seventh century, the kaddish held a fixed place in written books of prayer. Today we know the kaddish in several variations, even the shortest of which is longer than the original version. The shortest form today, known as ḤATZI KADDISH, adds to the brief prayer and response cited above one passage:

> Glorified and celebrated, lauded and praised, acclaimed and honored, extolled and exalted may the Holy One be, far beyond all song and psalm, beyond all tributes which man can utter. And let us say: Amen.

This form is part of every kaddish. ḤATZI KADDISH is recited at the conclusion of certain sections of the synagogue service.

KADDISH SHALEM serves the same function. It consists of ḤATZI KADDISH plus three lines:

> May the prayers and pleas of the whole House of Israel be accepted by our Father in Heaven. / Let there be abundant peace from Heaven, with life's goodness for us and for all the people Israel. / He who brings peace to His universe will bring peace to us and to all the people Israel. / ("And let us say: Amen." concludes each line.)

The first of these lines is deleted to make the variation known as MOURNER'S KADDISH, which is recited by mourners for the first eleven months after burial of the deceased, at every anniversary of the death, and at memorial services.

KADDISH DERABANAN deletes that same line and adds a special paragraph concerning teachers and disciples:

> Heavenly Father, grant lasting peace to our people and their leaders, to our teachers and their disciples, to all who engage

in the study of Torah in this land and in all other lands. Let there be grace and kindness, compassion and love for them and for us all. Grant us fullness of life, and sustenance. Save us from all danger and distress. And let us say: Amen.

This kaddish continues the original intent of praising God in public assembly after study of a text from the written or the oral tradition (see page 72).

Kaddish is an Aramaic word meaning holy (like the Hebrew *kadosh*). Recitation of the kaddish is an act of hallowing and praising God and His name. In Jewish tradition such an act, to have significance, must take place in public assembly, which is defined as a minimum quorum of ten adults. Thus the kaddish, in any variation, is recited only in the presence of a *minyan*.

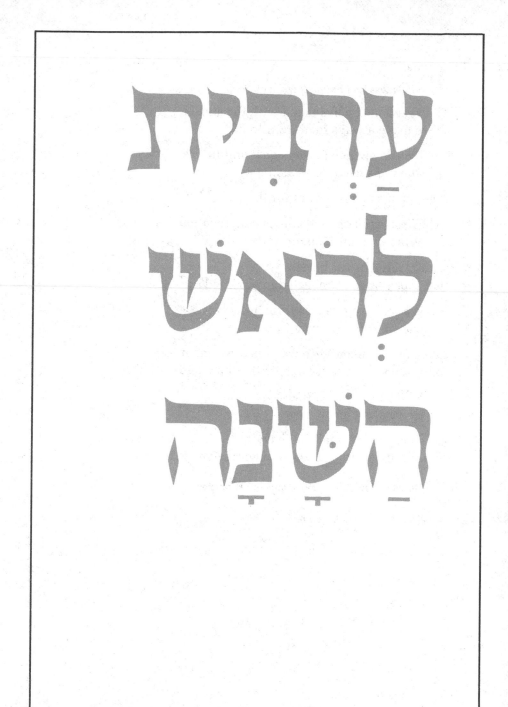

עַרְבִית לְרֹאשׁ הַשָּׁנָה

ROSH HASHANAH EVENING SERVICE

First day:

Wholeness and holiness we seek

The year gone by has faded with the sunset
as we move always forward into life.

This day which borders past and future
summons us to this sanctuary.

It summons us to account for the gift of life.

This sacred day we join as congregation
with repentance on our tongue,

with resolve in our heart
that repentance be reflected in our deeds.

We seek forgiveness from ourselves,
from others and from God.

In cleansing repentance we seek atonement,
to be at one with ourselves, with others and with God

Wholeness and holiness we seek
as we enter a new year.

Help us, Lord, to realize the truth
that we are as holy as we allow ourselves to be.

On weekdays, the service continues on page 18.

Second day:

To join with others in prayer is a privilege. We must try to deserve it.

מִזְמוֹר לְדָוִד. יְיָ מִי יָגוּר בְּאָהֳלֶֽךָ, מִי יִשְׁכֹּן בְּהַר קָדְשֶֽׁךָ.

Do we deserve to enter God's sanctuary?
How can we merit a place in His Presence?

הוֹלֵךְ תָּמִים וּפֹעֵל צֶֽדֶק וְדֹבֵר אֱמֶת בִּלְבָבוֹ.

Live with integrity, do what is right,
speak the truth without deceit.

לֹא רָגַל עַל לְשֹׁנוֹ, לֹא עָשָׂה לְרֵעֵֽהוּ רָעָה
וְחֶרְפָּה לֹא נָשָׂא עַל קְרֹבוֹ.

Have no slander upon your tongue,
do no evil to your fellow man,
do not mistreat your neighbor.

נִבְזֶה בְּעֵינָיו נִמְאָס, וְאֶת־יִרְאֵי יְיָ יְכַבֵּד.

Spurn a contemptible person,
but honor those who revere the Lord.

נִשְׁבַּע לְהָרַע וְלֹא יָמִר.

Never retract a promise once made,
though it may bring you harm.

כַּסְפּוֹ לֹא נָתַן בְּנֶֽשֶׁךְ, וְשֹֽׁחַד עַל נָקִי לֹא לָקָח.

Lend no money at usurious interest,
accept no bribes against the innocent.

עֹשֵׂה אֵֽלֶּה לֹא יִמּוֹט לְעוֹלָם.

Make these deeds your own;
then shall you stand firm forever.

Psalm 15

On weekdays, the service continues on page 18.

On Shabbat, the following two psalms are recited.

מִזְמוֹר שִׁיר לְיוֹם הַשַּׁבָּת.

טוֹב לְהֹדוֹת לַייָ, וּלְזַמֵּר לְשִׁמְךָ עֶלְיוֹן.

לְהַגִּיד בַּבֹּקֶר חַסְדֶּךָ, וֶאֱמוּנָתְךָ בַּלֵּילוֹת.
עֲלֵי עָשׂוֹר וַעֲלֵי נָבֶל, עֲלֵי הִגָּיוֹן בְּכִנּוֹר.

כִּי שִׂמַּחְתַּנִי יְיָ בְּפָעֳלֶךָ, בְּמַעֲשֵׂי יָדֶיךָ אֲרַנֵּן.

מַה־גָּדְלוּ מַעֲשֶׂיךָ יְיָ, מְאֹד עָמְקוּ מַחְשְׁבֹתֶיךָ.
אִישׁ בַּעַר לֹא יֵדָע, וּכְסִיל לֹא יָבִין אֶת־זֹאת.

בִּפְרֹחַ רְשָׁעִים כְּמוֹ עֵשֶׂב וַיָּצִיצוּ כָּל־פֹּעֲלֵי אָוֶן,
לְהִשָּׁמְדָם עֲדֵי עַד. וְאַתָּה מָרוֹם לְעֹלָם יְיָ.

כִּי הִנֵּה אֹיְבֶיךָ יְיָ, כִּי הִנֵּה אֹיְבֶיךָ יֹאבֵדוּ,
יִתְפָּרְדוּ כָּל־פֹּעֲלֵי אָוֶן.

וַתָּרֶם כִּרְאֵים קַרְנִי, בַּלֹּתִי בְּשֶׁמֶן רַעֲנָן.
וַתַּבֵּט עֵינִי בְּשׁוּרָי, בַּקָּמִים עָלַי מְרֵעִים תִּשְׁמַעְנָה אָזְנָי.

צַדִּיק כַּתָּמָר יִפְרָח, כְּאֶרֶז בַּלְּבָנוֹן יִשְׂגֶּה.
שְׁתוּלִים בְּבֵית יְיָ, בְּחַצְרוֹת אֱלֹהֵינוּ יַפְרִיחוּ.

עוֹד יְנוּבוּן בְּשֵׂיבָה, דְּשֵׁנִים וְרַעֲנַנִּים יִהְיוּ.
לְהַגִּיד כִּי יָשָׁר יְיָ, צוּרִי וְלֹא עַוְלָתָה בּוֹ.

On Shabbat, the following two psalms are recited.

A SONG FOR SHABBAT.

It is good to give You thanks, O Lord,
to sing Your praise, exalted God,

> *to proclaim Your love each morning,*
> *to tell of Your faithfulness each night,*
> *with the sounds of instrumental music.*

Your works, O Lord, make me glad;
I sing with joy of Your creation.

> *How intricate Your works, O Lord.*
> *Your designs are beyond our grasp.*

The thoughtless cannot comprehend,
the foolish cannot fathom this:

> *The wicked may flourish,*
> *they may spring up like grass,*
> *but their doom is forever sealed,*
> *for You are supreme forever.*

Your enemies, Lord, Your enemies shall perish;
all the wicked shall be scattered.

> *But You have greatly exalted me;*
> *I am as anointed with fragrant oil.*

I have seen the downfall of my foes,
I have heard the doom of my attackers.

> *The righteous shall flourish like the palm tree,*
> *they shall thrive like the cedar of Lebanon.*

Planted in the house of the Lord,
they shall flourish in the courts of our God.

> *They shall bear fruit even in old age;*
> *they shall be ever fresh and fragrant.*

They shall proclaim: The Lord is just.
He is my Rock; there is no flaw in Him.

> *Psalm 92*

יְיָ מָלָךְ גֵּאוּת לָבֵשׁ,
לָבֵשׁ יְיָ, עֹז הִתְאַזָּר,
אַף תִּכּוֹן תֵּבֵל בַּל תִּמּוֹט.

נָכוֹן כִּסְאֲךָ מֵאָז, מֵעוֹלָם אָתָּה.

נָשְׂאוּ נְהָרוֹת יְיָ, נָשְׂאוּ נְהָרוֹת קוֹלָם,
יִשְׂאוּ נְהָרוֹת דָּכְיָם.

מִקֹּלוֹת מַיִם רַבִּים אַדִּירִים מִשְׁבְּרֵי־יָם,
אַדִּיר בַּמָּרוֹם יְיָ.

עֵדֹתֶיךָ נֶאֶמְנוּ מְאֹד,
לְבֵיתְךָ נַאֲוָה קֹדֶשׁ יְיָ לְאֹרֶךְ יָמִים.

The Mourner's Kaddish may be recited (page 50).

The Lord is King, crowned with splendor.
The Lord reigns, robed in strength.

> *He set the earth on a sure foundation.*
> *He created a world that stands firm.*

His kingdom stands from earliest time.
He is eternal.

> *The rivers may rise and rage,*
> *the waters may pound and roar,*
> *the floods may spread and storm.*

Above the waves of the raging sea,
awesome is the Lord our God.

> *Your decrees, O Lord, never fail.*
> *Holiness describes Your house for eternity.*
>
> Psalm 93

The Mourner's Kaddish may be recited (page 51).

Our faith includes a questioning of faith.

בְּצַלְמְךָ כִּדְמוּתְךָ יְצַרְתָּנוּ, וְעָלֶיךָ הֱיוֹת עִמָּנוּ,
לְמַעַן נוּכַל הִשְׁתַּחֲווֹת לְךָ, לְמַעַן נוּכַל חַלּוֹת פָּנֶיךָ,
לְמַעַן נוּכַל חַיֶּבְךָ,
לְמַעַן נוּכַל הִתְמוֹדֵד עִמְּךָ עַל הַנִּדְמֶה כְּעָוֶל וְכִזְוָעָה,
לְמַעַן נוּכַל הֵאָבֵק עִמְּךָ,
לְמַעַן נֵרָתַע מֵהִדַּמּוֹת אֵלֶיךָ,
לְמַעַן נִתְנַעֵר מִן הַמֻּפְלָא מִמֶּנּוּ,
לְמַעַן שׁוּב נִדְבַּק בְּךָ,
אֲסִירֵי תוֹדָה לְךָ עַל שֶׁמְּשַׁנֶּה עִתִּים אָתָּה,
וּמַחֲלִיף אֶת־הַזְּמַנִּים, וּמְסַדֵּר אֶת־הַכּוֹכָבִים בְּמִשְׁמְרוֹתֵיהֶם,
בּוֹרֵא יוֹם וָלָיְלָה . . .

בִּפְנֵי פִּלְאֵי עוֹלָם אָנוּ מִשְׁתָּאִים
וּבִפְנֵי בִּינָתְךָ שֶׁחוֹנַנְתָּנוּ,
מַכִּירֵי טוֹבָה אָנוּ עַל חֲלוֹמוֹתֵינוּ וְעַל תִּקְווֹתֵינוּ,
עַל אַשְׁלָיוֹתֵינוּ הַחוֹזְרוֹת וְנִשְׁנוֹת,
עַל נִשְׁמָתֵנוּ – בַּת אַלְמָוֶת – כִּי יָפָתָה.
אָכֵן, אֱלוֹהַּ הַכּוֹפְרִים וְאֵל הַמַּאֲמִינִים,
אֱלוֹהַּ בְּכָל־הַדְּמוּיוֹת וּלְלֹא דְמוּת,
אֲדוֹן עוֹלָם אַתָּה, אֲשֶׁר הָיָה, הֹוֶה וְיִהְיֶה.

Meditation

תַּעַזְרֵנוּ, יְיָ אֱלֹהֵינוּ, בְּרַחֲמֶיךָ הָרַבִּים שֶׁנִּזְכֶּה לְקַבֵּל אֶת־רֹאשׁ הַשָּׁנָה, מַתָּנָה טוֹבָה שֶׁנָּתַתָּ לָנוּ, בְּאַהֲבָה וּבְשִׂמְחָה רַבָּה. וּבִזְכוּת קְדֻשַּׁת רֹאשׁ הַשָּׁנָה נִזְכֶּה לֶאֱמוּנָה שְׁלֵמָה בֶּאֱמֶת. וְתַעַזְרֵנוּ וְתוֹשִׁיעֵנוּ שֶׁיִּתְקַבְּצוּ יַחַד כָּל־נִיצוֹצוֹת הָאֱמוּנָה הַקְּדוֹשָׁה שֶׁבְּתוֹכֵנוּ, עַל יְדֵי קִבּוּץ הַקָּדוֹשׁ שֶׁל עַמְּךָ יִשְׂרָאֵל הַמִּתְקַבְּצִים בְּכָל־הַקְּהִלֹּת יַחַד בְּכָל־מְקוֹמוֹת מוֹשְׁבוֹתֵיהֶם בִּימֵי רֹאשׁ הַשָּׁנָה הַקְּדוֹשִׁים לְבָרֵךְ אֶת־שֵׁם קָדְשֶׁךָ.

Our faith includes a questioning of faith.

In Your image did You fashion us,
and You are obliged to be with us.

> *Thus we can worship You,*
> *we can ask Your forgiveness,*

and we can hold You responsible, we can struggle
with You for all that seems unjust and ugly.

> *We can contend with You,*
> *we can refrain from resembling You,*
> *we can reject what we do not understand,*

and we can turn to You more fervently,
bound in gratitude

> *because You set the succession of seasons,*
> *change the day's divisions,*
> *arrange the stars in the sky,*
> *create day and night . . .*

We are overwhelmed by the wonder of the world,
and by the power of reason You have given us.

> *We are grateful for our dreams, our hopes,*
> *even our illusions, which constantly return,*
> *and our soul so beautiful, which death cannot touch.*

God of the faithless
and God of the faithful,

> *God in all forms and formless,*
> *who was and is and will be,*
> *You are the Lord eternal.*

Meditation

*May we embrace God's sacred gift of Rosh Hashanah in love
and in joy. May the holiness of the day bring fullness to our
faith. Help us, Lord, to gather together all those scattered sparks
of faith which are lost within ourselves, as Your people Israel
gather in congregations everywhere to praise Your name this
day.*

Barkhu

We rise for the call to public worship.

Ḥazzan:

בָּרְכוּ אֶת־יְיָ הַמְבֹרָךְ.

Congregation and Ḥazzan:

בָּרוּךְ יְיָ הַמְבֹרָךְ לְעוֹלָם וָעֶד.

We are seated.

The first benediction before K'riat Sh'ma.

בָּרוּךְ אַתָּה יְיָ אֱלֹהֵינוּ מֶלֶךְ הָעוֹלָם אֲשֶׁר בִּדְבָרוֹ מַעֲרִיב עֲרָבִים. בְּחָכְמָה פּוֹתֵחַ שְׁעָרִים וּבִתְבוּנָה מְשַׁנֶּה עִתִּים וּמַחֲלִיף אֶת־הַזְּמַנִּים וּמְסַדֵּר אֶת־הַכּוֹכָבִים בְּמִשְׁמְרוֹתֵיהֶם בָּרָקִיעַ כִּרְצוֹנוֹ. בּוֹרֵא יוֹם וָלָיְלָה, גּוֹלֵל אוֹר מִפְּנֵי חֹשֶׁךְ וְחֹשֶׁךְ מִפְּנֵי אוֹר, וּמַעֲבִיר יוֹם וּמֵבִיא לָיְלָה וּמַבְדִּיל בֵּין יוֹם וּבֵין לָיְלָה, יְיָ צְבָאוֹת שְׁמוֹ. אֵל חַי וְקַיָּם, תָּמִיד יִמְלֹךְ עָלֵינוּ לְעוֹלָם וָעֶד. בָּרוּךְ אַתָּה יְיָ הַמַּעֲרִיב עֲרָבִים.

The second benediction before K'riat Sh'ma.

אַהֲבַת עוֹלָם בֵּית יִשְׂרָאֵל עַמְּךָ אָהָבְתָּ. תּוֹרָה וּמִצְוֹת חֻקִּים וּמִשְׁפָּטִים אוֹתָנוּ לִמַּדְתָּ. עַל כֵּן יְיָ אֱלֹהֵינוּ בְּשָׁכְבֵנוּ וּבְקוּמֵנוּ נָשִׂיחַ בְּחֻקֶּיךָ, וְנִשְׂמַח בְּדִבְרֵי תוֹרָתֶךָ וּבְמִצְוֹתֶיךָ לְעוֹלָם וָעֶד. כִּי הֵם חַיֵּינוּ וְאֹרֶךְ יָמֵינוּ וּבָהֶם נֶהְגֶּה יוֹמָם וָלָיְלָה. וְאַהֲבָתְךָ אַל תָּסִיר מִמֶּנּוּ לְעוֹלָמִים. בָּרוּךְ אַתָּה יְיָ אוֹהֵב עַמּוֹ יִשְׂרָאֵל.

Barkhu

We rise for the call to public worship.

Ḥazzan:

PRAISE THE LORD, SOURCE OF BLESSING.

Congregation and Ḥazzan:

PRAISED BE THE LORD, SOURCE OF BLESSING, THROUGHOUT ALL TIME.

Barukh Adonai ha-mevorakh l'olam va'ed.

We are seated.

In the first benediction before K'riat Sh'ma we praise God for His gift of Creation.

Praised are You, Lord our God, King of the universe whose word brings the evening dusk. You open the gates of dawn with wisdom, change the day's divisions with understanding, set the succession of seasons, and arrange the stars in the sky according to Your will. Lord of the heavenly hosts, You create day and night, rolling light away from darkness and darkness away from light. Eternal God, Your rule shall embrace us forever. Praised are You, Lord, for each evening's dusk.

In the second benediction before K'riat Sh'ma we praise God for His gift of Torah, sign of His love.

With constancy You have loved Your people Israel, teaching us Torah and *mitzvot*, statutes and laws. Therefore, Lord our God, when we lie down to sleep and when we rise, we shall think of Your laws and speak of them, rejoicing in Your Torah and *mitzvot* always. For they are our life and the length of our days; we will meditate on them day and night. Never take away Your love from us. Praised are You, Lord who loves His people Israel.

K'riat Sh'ma

If there is no minyan, add:

אֵל מֶלֶךְ נֶאֱמָן

We formally affirm God's sovereignty.

שְׁמַ֖ע יִשְׂרָאֵ֑ל יְהֹוָ֥ה אֱלֹהֵ֖ינוּ יְהֹוָ֥ה ׀ אֶחָֽד׃

Silently:

בָּרוּךְ שֵׁם כְּבוֹד מַלְכוּתוֹ לְעוֹלָם וָעֶד.

וְאָ֣הַבְתָּ֔ אֵ֖ת יְהֹוָ֣ה אֱלֹהֶ֑יךָ בְּכׇל־לְבָבְךָ֥ וּבְכׇל־נַפְשְׁךָ֖ וּבְכׇל־
מְאֹדֶֽךָ׃ וְהָי֞וּ הַדְּבָרִ֣ים הָאֵ֗לֶּה אֲשֶׁ֨ר אָנֹכִ֧י מְצַוְּךָ֛ הַיּ֖וֹם עַל־לְבָבֶֽךָ׃
וְשִׁנַּנְתָּ֣ם לְבָנֶ֔יךָ וְדִבַּרְתָּ֖ בָּ֑ם בְּשִׁבְתְּךָ֤ בְּבֵיתֶ֙ךָ֙ וּבְלֶכְתְּךָ֣ בַדֶּ֔רֶךְ
וּֽבְשׇׁכְבְּךָ֖ וּבְקוּמֶֽךָ׃ וּקְשַׁרְתָּ֥ם לְא֖וֹת עַל־יָדֶ֑ךָ וְהָי֥וּ לְטֹטָפֹ֖ת בֵּ֥ין
עֵינֶֽיךָ׃ וּכְתַבְתָּ֛ם עַל־מְזֻז֥וֹת בֵּיתֶ֖ךָ וּבִשְׁעָרֶֽיךָ׃

וְהָיָ֗ה אִם־שָׁמֹ֤עַ תִּשְׁמְעוּ֙ אֶל־מִצְוֺתַ֔י אֲשֶׁ֧ר אָנֹכִ֛י מְצַוֶּ֥ה אֶתְכֶ֖ם
הַיּ֑וֹם לְאַהֲבָ֞ה אֶת־יְהֹוָ֤ה אֱלֹֽהֵיכֶם֙ וּלְעׇבְד֔וֹ בְּכׇל־לְבַבְכֶ֖ם וּבְכׇל־
נַפְשְׁכֶֽם׃ וְנָתַתִּ֧י מְטַֽר־אַרְצְכֶ֛ם בְּעִתּ֖וֹ יוֹרֶ֣ה וּמַלְק֑וֹשׁ וְאָסַפְתָּ֣ דְגָנֶ֔ךָ
וְתִֽירֹשְׁךָ֖ וְיִצְהָרֶֽךָ׃ וְנָתַתִּ֛י עֵ֥שֶׂב בְּשָׂדְךָ֖ לִבְהֶמְתֶּ֑ךָ וְאָכַלְתָּ֖ וְשָׂבָֽעְתָּ׃
הִשָּׁמְר֣וּ לָכֶ֔ם פֶּ֥ן־יִפְתֶּ֖ה לְבַבְכֶ֑ם וְסַרְתֶּ֗ם וַעֲבַדְתֶּם֙ אֱלֹהִ֣ים אֲחֵרִ֔ים
וְהִשְׁתַּחֲוִיתֶ֖ם לָהֶֽם׃ וְחָרָ֨ה אַף־יְהֹוָ֜ה בָּכֶ֗ם וְעָצַ֤ר אֶת־הַשָּׁמַ֙יִם֙
וְלֹא־יִהְיֶ֣ה מָטָ֔ר וְהָ֣אֲדָמָ֔ה לֹ֥א תִתֵּ֖ן אֶת־יְבוּלָ֑הּ וַאֲבַדְתֶּ֣ם מְהֵרָ֗ה
מֵעַל֙ הָאָ֣רֶץ הַטֹּבָ֔ה אֲשֶׁ֥ר יְהֹוָ֖ה נֹתֵ֥ן לָכֶֽם׃ וְשַׂמְתֶּם֙ אֶת־דְּבָרַ֣י אֵ֔לֶּה
עַל־לְבַבְכֶ֖ם וְעַל־נַפְשְׁכֶ֑ם וּקְשַׁרְתֶּ֨ם אֹתָ֤ם לְאוֹת֙ עַל־יֶדְכֶ֔ם וְהָי֥וּ

K'riat Sh'ma

If there is no minyan, add:

God is a faithful King

We formally affirm God's sovereignty, freely pledging
Him our loyalty. We are His witnesses.

HEAR, O ISRAEL: THE LORD OUR GOD, THE LORD IS ONE.

Silently:

Praised be His glorious sovereignty throughout all time.

Love the Lord your God with all your heart, with all your soul, with all your might. And these words which I command you this day shall you take to heart. You shall diligently teach them to your children. You shall repeat them at home and away, morning and night. You shall bind them as a sign upon your hand, they shall be a reminder above your eyes, and you shall inscribe them upon the doorposts of your homes and upon your gates.

Deuteronomy 6:4–9

If you will earnestly heed the commandments I give you this day, to love the Lord your God and to serve Him with all your heart and all your soul, then I will favor your land with rain at the proper season—rain in autumn and rain in spring—and you will have an ample harvest of grain and wine and oil. I will assure abundance in the fields for your cattle. You will eat to contentment. Take care lest you be tempted to forsake God and turn to false gods in worship. For then the wrath of the Lord will be directed against you. He will close the heavens and hold back the rain; the earth will not yield its produce. You will soon disappear from the good land which the Lord gives you.

Therefore, impress these words of Mine upon your heart. Bind them as a sign upon your hand, and let them be a reminder

לְטוֹטָפֹת בֵּין עֵינֵיכֶם: וְלִמַּדְתֶּם אֹתָם אֶת־בְּנֵיכֶם לְדַבֵּר בָּם
בְּשִׁבְתְּךָ בְּבֵיתֶךָ וּבְלֶכְתְּךָ בַדֶּרֶךְ וּבְשָׁכְבְּךָ וּבְקוּמֶךָ: וּכְתַבְתָּם
עַל־מְזוּזוֹת בֵּיתֶךָ וּבִשְׁעָרֶיךָ: לְמַעַן יִרְבּוּ יְמֵיכֶם וִימֵי בְנֵיכֶם עַל
הָאֲדָמָה אֲשֶׁר נִשְׁבַּע יְהוָה לַאֲבֹתֵיכֶם לָתֵת לָהֶם כִּימֵי הַשָּׁמַיִם
עַל־הָאָרֶץ:

וַיֹּאמֶר יְהוָה אֶל־מֹשֶׁה לֵּאמֹר: דַּבֵּר אֶל־בְּנֵי יִשְׂרָאֵל וְאָמַרְתָּ
אֲלֵהֶם וְעָשׂוּ לָהֶם צִיצִת עַל־כַּנְפֵי בִגְדֵיהֶם לְדֹרֹתָם וְנָתְנוּ עַל־
צִיצִת הַכָּנָף פְּתִיל תְּכֵלֶת: וְהָיָה לָכֶם לְצִיצִת וּרְאִיתֶם אֹתוֹ
וּזְכַרְתֶּם אֶת־כָּל־מִצְוֺת יְהוָה וַעֲשִׂיתֶם אֹתָם וְלֹא תָתוּרוּ אַחֲרֵי
לְבַבְכֶם וְאַחֲרֵי עֵינֵיכֶם אֲשֶׁר־אַתֶּם זֹנִים אַחֲרֵיהֶם: לְמַעַן תִּזְכְּרוּ
וַעֲשִׂיתֶם אֶת־כָּל־מִצְוֺתָי וִהְיִיתֶם קְדֹשִׁים לֵאלֹהֵיכֶם: אֲנִי יְהוָה
אֱלֹהֵיכֶם אֲשֶׁר הוֹצֵאתִי אֶתְכֶם מֵאֶרֶץ מִצְרַיִם לִהְיוֹת לָכֶם לֵאלֹהִים
אֲנִי יְהוָה אֱלֹהֵיכֶם:

The first benediction after K'riat Sh'ma.

אֱמֶת וֶאֱמוּנָה כָּל־זֹאת וְקַיָּם עָלֵינוּ כִּי הוּא יְיָ אֱלֹהֵינוּ וְאֵין זוּלָתוֹ
וַאֲנַחְנוּ יִשְׂרָאֵל עַמּוֹ. הַפּוֹדֵנוּ מִיַּד מְלָכִים, מַלְכֵּנוּ הַגּוֹאֲלֵנוּ מִכַּף כָּל־
הֶעָרִיצִים, הָאֵל הַנִּפְרָע לָנוּ מִצָּרֵינוּ וְהַמְשַׁלֵּם גְּמוּל לְכָל־אֹיְבֵי
נַפְשֵׁנוּ, הָעוֹשֶׂה גְדוֹלוֹת עַד אֵין חֵקֶר וְנִפְלָאוֹת עַד אֵין מִסְפָּר, הַשָּׂם
נַפְשֵׁנוּ בַּחַיִּים וְלֹא נָתַן לַמּוֹט רַגְלֵנוּ, הַמַּדְרִיכֵנוּ עַל בָּמוֹת אוֹיְבֵינוּ
וַיָּרֶם קַרְנֵנוּ עַל כָּל־שׂוֹנְאֵינוּ, הָעוֹשֶׂה לָנוּ נִסִּים וּנְקָמָה בְּפַרְעֹה אוֹתוֹת
וּמוֹפְתִים בְּאַדְמַת בְּנֵי חָם, הַמַּכֶּה בְעֶבְרָתוֹ כָּל־בְּכוֹרֵי מִצְרָיִם
וַיּוֹצֵא אֶת־עַמּוֹ יִשְׂרָאֵל מִתּוֹכָם לְחֵרוּת עוֹלָם, הַמַּעֲבִיר בָּנָיו בֵּין גִּזְרֵי
יַם סוּף, אֶת־רוֹדְפֵיהֶם וְאֶת־שׂוֹנְאֵיהֶם בִּתְהוֹמוֹת טִבַּע, וְרָאוּ בָנָיו

above your eyes. Teach them to your children. Repeat them at home and away, morning and night. Inscribe them upon the doorposts of your homes and upon your gates. Then your days and the days of your children will endure as the days of the heavens over the earth, on the land which the Lord swore to give to your fathers.

Deuteronomy 11:13–21

The Lord said to Moses: Instruct the people Israel that in every generation they shall put fringes on the corners of their garments, and bind a thread of blue to the fringe of each corner. Looking upon these fringes you will be reminded of all the commandments of the Lord and fulfill them, and not be seduced by your heart or led astray by your eyes. Then you will remember and observe all My commandments and be holy before your God. I am the Lord your God who brought you out of the land of Egypt to be your God. I, the Lord, am your God.

Numbers 15:37–41

In the first benediction after K'riat Sh'ma we praise God alone as the people Israel's redeemer, past and present.

We affirm the truth that He is our God, that there is no other, and that we are His people Israel. He redeems us from the power of kings, delivers us from the hand of all tyrants. He brings judgment upon our oppressors, retribution upon all our mortal enemies. He performs wonders beyond understanding, marvelous things beyond all reckoning. He has maintained us among the living. He has not allowed our steps to falter. He guided us to triumph over mighty foes, exalted our strength over all our enemies. He vindicated us with miracles before Pharaoh, with signs and wonders in the land of Egypt. In wrath He smote all of Egypt's firstborn, bringing His people to lasting freedom. He led His children through divided waters as their pursuers sank in the sea.

גְּבוּרָתוֹ שִׁבְּחוּ וְהוֹדוּ לִשְׁמוֹ. וּמַלְכוּתוֹ בְּרָצוֹן קִבְּלוּ עֲלֵיהֶם. מֹשֶׁה וּבְנֵי יִשְׂרָאֵל לְךָ עָנוּ שִׁירָה בְּשִׂמְחָה רַבָּה, וְאָמְרוּ כֻלָּם:

מִי־כָמֹכָה בָּאֵלִם יְיָ,
מִי כָּמֹכָה נֶאְדָּר בַּקֹּדֶשׁ,
נוֹרָא תְהִלֹּת, עֹשֵׂה פֶלֶא.

מַלְכוּתְךָ רָאוּ בָנֶיךָ בּוֹקֵעַ יָם לִפְנֵי מֹשֶׁה, זֶה אֵלִי עָנוּ וְאָמְרוּ:

יְיָ יִמְלֹךְ לְעֹלָם וָעֶד.

וְנֶאֱמַר: כִּי פָדָה יְיָ אֶת־יַעֲקֹב וּגְאָלוֹ מִיַּד חָזָק מִמֶּנּוּ. בָּרוּךְ אַתָּה יְיָ גָּאַל יִשְׂרָאֵל.

The second benediction after K'riat Sh'ma.

הַשְׁכִּיבֵנוּ יְיָ אֱלֹהֵינוּ לְשָׁלוֹם וְהַעֲמִידֵנוּ מַלְכֵּנוּ לְחַיִּים, וּפְרֹשׂ עָלֵינוּ סֻכַּת שְׁלוֹמֶךָ וְתַקְּנֵנוּ בְּעֵצָה טוֹבָה מִלְּפָנֶיךָ וְהוֹשִׁיעֵנוּ לְמַעַן שְׁמֶךָ. וְהָגֵן בַּעֲדֵנוּ וְהָסֵר מֵעָלֵינוּ אוֹיֵב דֶּבֶר וְחֶרֶב וְרָעָב וְיָגוֹן, וְהָסֵר שָׂטָן מִלְּפָנֵינוּ וּמֵאַחֲרֵינוּ. וּבְצֵל כְּנָפֶיךָ תַּסְתִּירֵנוּ כִּי אֵל שׁוֹמְרֵנוּ וּמַצִּילֵנוּ אָתָּה, כִּי אֵל מֶלֶךְ חַנּוּן וְרַחוּם אָתָּה. וּשְׁמֹר צֵאתֵנוּ וּבוֹאֵנוּ לְחַיִּים וּלְשָׁלוֹם מֵעַתָּה וְעַד עוֹלָם. וּפְרֹשׂ עָלֵינוּ סֻכַּת שְׁלוֹמֶךָ. בָּרוּךְ אַתָּה יְיָ הַפּוֹרֵשׂ סֻכַּת שָׁלוֹם עָלֵינוּ וְעַל כָּל־עַמּוֹ יִשְׂרָאֵל וְעַל יְרוּשָׁלָיִם.

When His children beheld His might they sang in praise of Him, gladly accepting His sovereignty. Moses and the people Israel sang with great joy this song to the Lord:

Mi khamokha ba-eilim Adonai, mi kamokha nedar bakodesh nora te-hilot oseh feleh.

Who is like You, Lord, among all that is worshipped?
Who is like You, majestic in holiness,
awesome in splendor, working wonders?

Your children beheld Your sovereignty as You divided the sea before Moses. "This is my God," they responded, declaring:

Adonai yimlokh l'olam va'ed.

"The Lord shall reign throughout all time."

And thus it is written: "The Lord has rescued Jacob; He redeemed him from those more powerful." Praised are You, Lord, Redeemer of the people Israel.

In the second benediction after K'riat Sh'ma we praise God for His peace and protection.

Help us, our Father, to lie down in peace; and awaken us to life again, our King. Spread over us Your shelter of peace, guide us with Your good counsel. Save us for the sake of Your mercy. Shield us from enemies and pestilence, from starvation, sword and sorrow. Remove the evil forces that surround us, shelter us in the shadow of Your wings. You, O God, guard us and deliver us. You are a gracious and merciful King. Guard our coming and our going, grant us life and peace, now and always. Spread over us the shelter of Your peace. Praised are You, Lord who spreads a shelter of peace over us, over all His people Israel and over Jerusalem.

We rise.

On Shabbat only:

וְשָׁמְרוּ בְנֵי יִשְׂרָאֵל אֶת־הַשַּׁבָּת, לַעֲשׂוֹת אֶת־הַשַּׁבָּת לְדֹרֹתָם בְּרִית עוֹלָם. בֵּינִי וּבֵין בְּנֵי יִשְׂרָאֵל אוֹת הִיא לְעֹלָם, כִּי שֵׁשֶׁת יָמִים עָשָׂה יְיָ אֶת־הַשָּׁמַיִם וְאֶת־הָאָרֶץ, וּבַיּוֹם הַשְּׁבִיעִי שָׁבַת וַיִּנָּפַשׁ.

תִּקְעוּ בַחֹדֶשׁ שׁוֹפָר בַּכֶּסֶה לְיוֹם חַגֵּנוּ.
כִּי חֹק לְיִשְׂרָאֵל הוּא מִשְׁפָּט לֵאלֹהֵי יַעֲקֹב.

Ḥatzi Kaddish

Ḥazzan:

יִתְגַּדַּל וְיִתְקַדַּשׁ שְׁמֵהּ רַבָּא בְּעָלְמָא דִּי בְרָא כִרְעוּתֵהּ, וְיַמְלִיךְ מַלְכוּתֵהּ בְּחַיֵּיכוֹן וּבְיוֹמֵיכוֹן וּבְחַיֵּי דְכָל־בֵּית יִשְׂרָאֵל בַּעֲגָלָא וּבִזְמַן קָרִיב, וְאִמְרוּ אָמֵן.

Congregation and Ḥazzan:

יְהֵא שְׁמֵהּ רַבָּא מְבָרַךְ לְעָלַם וּלְעָלְמֵי עָלְמַיָּא.

Ḥazzan:

יִתְבָּרַךְ וְיִשְׁתַּבַּח וְיִתְפָּאַר וְיִתְרוֹמַם וְיִתְנַשֵּׂא וְיִתְהַדַּר וְיִתְעַלֶּה וְיִתְהַלַּל שְׁמֵהּ דְּקֻדְשָׁא בְּרִיךְ הוּא, לְעֵֽלָּא לְעֵֽלָּא מִכָּל־בִּרְכָתָא וְשִׁירָתָא תֻּשְׁבְּחָתָא וְנֶחֱמָתָא דַּאֲמִירָן בְּעָלְמָא, וְאִמְרוּ אָמֵן.

We rise.

On Shabbat only:

The people Israel shall observe Shabbat, to maintain it as an everlasting covenant through all generations. It is a sign between Me and the people Israel for all time, that in six days the Lord made heaven and earth, and on the seventh day He ceased from work and rested.

Exodus 31:16–17

SOUND THE SHOFAR ON THE NEW MOON, ANNOUNCING OUR SOLEMN FESTIVAL. IT IS ISRAEL'S ETERNAL RITUAL; THE GOD OF JACOB CALLS US TO JUDGMENT.

Psalm 81:4–5

Ḥatzi Kaddish

Ḥazzan:

Hallowed and enhanced may He be throughout the world of His own creation. May He cause His sovereignty soon to be accepted, during our life and the life of all Israel. And let us say: Amen.

Congregation and Ḥazzan:

Ye-hei *shmei raba meva-rakh l'alam ul'almei 'almaya.*

May He be praised throughout all time.

Ḥazzan:

Glorified and celebrated, lauded and praised, acclaimed and honored, extolled and exalted may the Holy One be, far beyond all song and psalm, beyond all tributes which man can utter. And let us say: Amen.

Amidah

We stand in silent prayer, which ends on page 38.

אֲדֹנָי שְׂפָתַי תִּפְתָּח וּפִי יַגִּיד תְּהִלָּתֶךָ.

God of our fathers

בָּרוּךְ אַתָּה יְיָ אֱלֹהֵינוּ וֵאלֹהֵי אֲבוֹתֵינוּ, אֱלֹהֵי אַבְרָהָם אֱלֹהֵי יִצְחָק וֵאלֹהֵי יַעֲקֹב, הָאֵל הַגָּדוֹל הַגִּבּוֹר וְהַנּוֹרָא אֵל עֶלְיוֹן גּוֹמֵל חֲסָדִים טוֹבִים וְקוֹנֵה הַכֹּל, וְזוֹכֵר חַסְדֵי אָבוֹת וּמֵבִיא גוֹאֵל לִבְנֵי בְנֵיהֶם לְמַעַן שְׁמוֹ בְּאַהֲבָה.

זָכְרֵנוּ לְחַיִּים מֶלֶךְ חָפֵץ בַּחַיִּים,
וְכָתְבֵנוּ בְּסֵפֶר הַחַיִּים לְמַעַנְךָ אֱלֹהִים חַיִּים.

מֶלֶךְ עוֹזֵר וּמוֹשִׁיעַ וּמָגֵן. בָּרוּךְ אַתָּה יְיָ מָגֵן אַבְרָהָם.

Master of nature

אַתָּה גִּבּוֹר לְעוֹלָם אֲדֹנָי מְחַיֵּה מֵתִים אַתָּה רַב לְהוֹשִׁיעַ. מְכַלְכֵּל חַיִּים בְּחֶסֶד מְחַיֵּה מֵתִים בְּרַחֲמִים רַבִּים, סוֹמֵךְ נוֹפְלִים וְרוֹפֵא חוֹלִים וּמַתִּיר אֲסוּרִים וּמְקַיֵּם אֱמוּנָתוֹ לִישֵׁנֵי עָפָר. מִי כָמוֹךָ בַּעַל גְּבוּרוֹת וּמִי דוֹמֶה לָּךְ, מֶלֶךְ מֵמִית וּמְחַיֶּה וּמַצְמִיחַ יְשׁוּעָה.

מִי כָמוֹךָ אַב הָרַחֲמִים, זוֹכֵר יְצוּרָיו לְחַיִּים בְּרַחֲמִים.

וְנֶאֱמָן אַתָּה לְהַחֲיוֹת מֵתִים. בָּרוּךְ אַתָּה יְיָ מְחַיֵּה הַמֵּתִים.

Holy, awesome God

אַתָּה קָדוֹשׁ וְשִׁמְךָ קָדוֹשׁ וּקְדוֹשִׁים בְּכָל־יוֹם יְהַלְלוּךָ סֶּלָה.

וּבְכֵן תֵּן פַּחְדְּךָ יְיָ אֱלֹהֵינוּ עַל כָּל־מַעֲשֶׂיךָ וְאֵימָתְךָ עַל כָּל־מַה־שֶּׁבָּרָאתָ, וְיִירָאוּךָ כָּל־הַמַּעֲשִׂים וְיִשְׁתַּחֲווּ לְפָנֶיךָ כָּל־הַבְּרוּאִים,

Amidah

We stand in silent prayer, which ends on page 39.

Open my mouth, O Lord, and my lips will proclaim Your praise.

God of our fathers

Praised are You, Lord our God and God of our fathers, God of Abraham, of Isaac and of Jacob, great, mighty, awesome, exalted God, bestowing lovingkindness and creating all things. You remember the pious deeds of our fathers, and will send a redeemer to their children's children because of Your love and for the sake of Your glory.

Remember us that we may live, O King who delights in life. Inscribe us in the Book of Life, for Your sake, living God.

You are the King who helps and saves and shields. Praised are You, Lord, Shield of Abraham.

Master of nature

Your might, O Lord, is boundless. Your lovingkindness sustains the living, Your great mercies give life to the dead. You support the falling, heal the ailing, free the fettered. You keep Your faith with those who sleep in dust. Whose power can compare with Yours? You are the master of life and death and deliverance.

Whose mercy can compare with Yours, merciful Father?
In mercy You remember Your creatures with life.

Faithful are You in giving life to the dead. Praised are You, Lord, Master of life and death.

Holy, awesome God

Holy are You and holy is Your name. Holy are those who praise You daily.

O Lord our God, let all Your creatures sense Your awesome power, let all that You have fashioned stand in fear and trem-

וְיֵעָשׂוּ כֻלָּם אֲגֻדָּה אַחַת לַעֲשׂוֹת רְצוֹנְךָ בְּלֵבָב שָׁלֵם, כְּמוֹ שֶׁיָּדַעְנוּ
יְיָ אֱלֹהֵינוּ שֶׁהַשִּׁלְטוֹן לְפָנֶיךָ, עֹז בְּיָדְךָ וּגְבוּרָה בִּימִינֶךָ וְשִׁמְךָ נוֹרָא
עַל כָּל־מַה־שֶּׁבָּרָאתָ.

וּבְכֵן תֵּן כָּבוֹד יְיָ לְעַמֶּךָ תְּהִלָּה לִירֵאֶיךָ וְתִקְוָה לְדוֹרְשֶׁיךָ
וּפִתְחוֹן פֶּה לַמְיַחֲלִים לָךְ, שִׂמְחָה לְאַרְצֶךָ וְשָׂשׂוֹן לְעִירֶךָ וּצְמִיחַת
קֶרֶן לְדָוִד עַבְדֶּךָ וַעֲרִיכַת נֵר לְבֶן־יִשַׁי מְשִׁיחֶךָ בִּמְהֵרָה בְיָמֵינוּ.

וּבְכֵן צַדִּיקִים יִרְאוּ וְיִשְׂמָחוּ וִישָׁרִים יַעֲלֹזוּ וַחֲסִידִים בְּרִנָּה יָגִילוּ,
וְעוֹלָתָה תִּקְפָּץ־פִּיהָ וְכָל־הָרִשְׁעָה כֻּלָּהּ כְּעָשָׁן תִּכְלֶה כִּי תַעֲבִיר
מֶמְשֶׁלֶת זָדוֹן מִן הָאָרֶץ.

וְתִמְלֹךְ אַתָּה יְיָ לְבַדֶּךָ עַל כָּל־מַעֲשֶׂיךָ בְּהַר צִיּוֹן מִשְׁכַּן כְּבוֹדֶךָ
וּבִירוּשָׁלַיִם עִיר קָדְשֶׁךָ, כַּכָּתוּב בְּדִבְרֵי קָדְשֶׁךָ: יִמְלֹךְ יְיָ לְעוֹלָם
אֱלֹהַיִךְ צִיּוֹן לְדֹר וָדֹר, הַלְלוּיָהּ.

קָדוֹשׁ אַתָּה וְנוֹרָא שְׁמֶךָ וְאֵין אֱלוֹהַּ מִבַּלְעָדֶיךָ, כַּכָּתוּב: וַיִּגְבַּהּ יְיָ
צְבָאוֹת בַּמִּשְׁפָּט, וְהָאֵל הַקָּדוֹשׁ נִקְדַּשׁ בִּצְדָקָה. בָּרוּךְ אַתָּה יְיָ
הַמֶּלֶךְ הַקָּדוֹשׁ.

You sanctify this Day of Remembrance

אַתָּה בְחַרְתָּנוּ מִכָּל־הָעַמִּים, אָהַבְתָּ אוֹתָנוּ וְרָצִיתָ בָּנוּ וְרוֹמַמְתָּנוּ
מִכָּל־הַלְּשׁוֹנוֹת וְקִדַּשְׁתָּנוּ בְּמִצְוֹתֶיךָ וְקֵרַבְתָּנוּ מַלְכֵּנוּ לַעֲבוֹדָתֶךָ
וְשִׁמְךָ הַגָּדוֹל וְהַקָּדוֹשׁ עָלֵינוּ קָרָאתָ.

On Saturday night only:

וַתּוֹדִיעֵנוּ יְיָ אֱלֹהֵינוּ אֶת־מִשְׁפְּטֵי צִדְקֶךָ וַתְּלַמְּדֵנוּ לַעֲשׂוֹת חֻקֵּי רְצוֹנֶךָ. וַתִּתֶּן־לָנוּ
יְיָ אֱלֹהֵינוּ מִשְׁפָּטִים יְשָׁרִים וְתוֹרוֹת אֱמֶת חֻקִּים וּמִצְוֹת טוֹבִים, וַתַּנְחִילֵנוּ זְמַנֵּי שָׂשׂוֹן
וּמוֹעֲדֵי קֹדֶשׁ וְחַגֵּי נְדָבָה, וַתּוֹרִישֵׁנוּ קְדֻשַּׁת שַׁבָּת וּכְבוֹד מוֹעֵד וַחֲגִיגַת הָרֶגֶל. וַתַּבְדֵּל יְיָ

bling. Let all mankind pledge You their allegiance, united whole-heartedly to carry out Your will. For we know, Lord our God, that Your sovereignty, Your power and Your awesome majesty are supreme over all creation.

Grant honor, Lord, to Your people, glory to those who revere You, hope to those who seek You and confidence to those who await You. Grant joy to Your land and gladness to Your city. Kindle the lamp of Your anointed servant, David, by fulfilling our prayers for the days of Messiah soon, in our days.

Then will the righteous be glad, the upright rejoice, the pious celebrate in song. When You remove the tyranny of arrogance from the earth, evil will be silenced, all wickedness will vanish like smoke.

Then You alone will rule all creation from Mount Zion, Your glorious throne, from Jerusalem, Your holy city. So is it written in the Psalms of David: The Lord will reign through all generations; your God, Zion, will reign forever. Halleluyah!

Holy, awesome, there is no God but You. Thus is it written by Your prophet: The Lord is exalted in justice, His holiness is seen in lovingkindness. Praised are You, Lord, holy King.

You sanctify this Day of Remembrance

You have chosen us of all nations for Your service by loving and favoring us as bearers of Your Torah. You have exalted us as a people by sanctifying us with Your commandments, identifying us with Your great and holy name.

On Saturday night only:

You, Lord our God, have enlightened us with just laws and precepts, and have taught us to obey them in accordance with Your will. You have given us laws and doctrines, precepts and statutes which are true and just and good. You have given us seasons of joy and days of holiness for a heritage. You have enriched us with the sanctity of Shabbat, the glory of festivals and the delight of days of pilgrimage.

אֱלֹהֵינוּ בֵּין קֹֽדֶשׁ לְחוֹל, בֵּין אוֹר לְחֹֽשֶׁךְ, בֵּין יִשְׂרָאֵל לָעַמִּים, בֵּין יוֹם הַשְּׁבִיעִי
לְשֵֽׁשֶׁת יְמֵי הַמַּעֲשֶׂה, בֵּין קְדֻשַּׁת שַׁבָּת לִקְדֻשַּׁת יוֹם טוֹב הִבְדַּֽלְתָּ וְאֶת־יוֹם הַשְּׁבִיעִי
מִשֵּֽׁשֶׁת יְמֵי הַמַּעֲשֶׂה קִדַּֽשְׁתָּ. הִבְדַּֽלְתָּ וְקִדַּֽשְׁתָּ אֶת־עַמְּךָ יִשְׂרָאֵל בִּקְדֻשָּׁתֶֽךָ.

וַתִּתֶּן־לָֽנוּ יְיָ אֱלֹהֵֽינוּ בְּאַהֲבָה אֶת־יוֹם הַשַּׁבָּת הַזֶּה וְאֶת־יוֹם הַזִּכָּרוֹן
הַזֶּה, יוֹם זִכְרוֹן תְּרוּעָה בְּאַהֲבָה מִקְרָא קֹֽדֶשׁ זֵֽכֶר לִיצִיאַת מִצְרָֽיִם.

אֱלֹהֵֽינוּ וֵאלֹהֵי אֲבוֹתֵֽינוּ, יַעֲלֶה וְיָבֹא וְיַגִּֽיעַ וְיֵרָאֶה וְיֵרָצֶה וְיִשָּׁמַע
וְיִפָּקֵד וְיִזָּכֵר זִכְרוֹנֵֽנוּ וּפִקְדוֹנֵֽנוּ, וְזִכְרוֹן אֲבוֹתֵֽינוּ וְזִכְרוֹן מָשִֽׁיחַ בֶּן־דָּוִד
עַבְדֶּֽךָ וְזִכְרוֹן יְרוּשָׁלַֽיִם עִיר קָדְשֶֽׁךָ וְזִכְרוֹן כָּל־עַמְּךָ בֵּית יִשְׂרָאֵל
לְפָנֶֽיךָ, לִפְלֵיטָה וּלְטוֹבָה וּלְחֵן וּלְחֶֽסֶד וּלְרַחֲמִים וּלְחַיִּים וּלְשָׁלוֹם
בְּיוֹם הַזִּכָּרוֹן הַזֶּה. זָכְרֵֽנוּ יְיָ אֱלֹהֵֽינוּ בּוֹ לְטוֹבָה, וּפָקְדֵֽנוּ בוֹ לִבְרָכָה,
וְהוֹשִׁיעֵֽנוּ בוֹ לְחַיִּים. וּבִדְבַר יְשׁוּעָה וְרַחֲמִים חוּס וְחָנֵּֽנוּ וְרַחֵם עָלֵֽינוּ
וְהוֹשִׁיעֵֽנוּ כִּי אֵלֶֽיךָ עֵינֵֽינוּ, כִּי אֵל מֶֽלֶךְ חַנּוּן וְרַחוּם אָֽתָּה.

אֱלֹהֵֽינוּ וֵאלֹהֵי אֲבוֹתֵֽינוּ, מְלֹךְ עַל כָּל־הָעוֹלָם כֻּלּוֹ בִּכְבוֹדֶֽךָ וְהִנָּשֵׂא
עַל כָּל־הָאָֽרֶץ בִּיקָרֶֽךָ, וְהוֹפַע בַּהֲדַר גְּאוֹן עֻזֶּֽךָ עַל כָּל־יוֹשְׁבֵי תֵבֵל
אַרְצֶֽךָ. וְיֵדַע כָּל־פָּעוּל כִּי אַתָּה פְעַלְתּוֹ וְיָבִין כָּל־יְצוּר כִּי אַתָּה
יְצַרְתּוֹ, וְיֹאמַר כֹּל אֲשֶׁר נְשָׁמָה בְאַפּוֹ: יְיָ אֱלֹהֵי יִשְׂרָאֵל מֶֽלֶךְ,
וּמַלְכוּתוֹ בַּכֹּל מָשָֽׁלָה. אֱלֹהֵֽינוּ וֵאלֹהֵי אֲבוֹתֵֽינוּ, רְצֵה בִמְנוּחָתֵֽנוּ
קַדְּשֵֽׁנוּ בְּמִצְוֹתֶֽיךָ וְתֵן חֶלְקֵֽנוּ בְּתוֹרָתֶֽךָ, שַׂבְּעֵֽנוּ מִטּוּבֶֽךָ וְשַׂמְּחֵֽנוּ
בִּישׁוּעָתֶֽךָ וְהַנְחִילֵֽנוּ יְיָ אֱלֹהֵֽינוּ בְּאַהֲבָה וּבְרָצוֹן שַׁבַּת קָדְשֶֽׁךָ וְיָנֽוּחוּ
בָה יִשְׂרָאֵל מְקַדְּשֵׁי שְׁמֶֽךָ וְטַהֵר לִבֵּֽנוּ לְעָבְדְּךָ בֶּאֱמֶת, כִּי אַתָּה
אֱלֹהִים אֱמֶת וּדְבָרְךָ אֱמֶת וְקַיָּם לָעַד. בָּרוּךְ אַתָּה יְיָ מֶֽלֶךְ עַל כָּל־
הָאָֽרֶץ מְקַדֵּשׁ הַשַּׁבָּת וְ יִשְׂרָאֵל וְיוֹם הַזִּכָּרוֹן.

You set apart the sacred from the profane even as You separated light from darkness, singled out Israel from among the nations and distinguished Shabbat from all other days. You set distinctions between Shabbat and holidays by filling the seventh day with a sanctity above that of all other days, even as You endowed Your people Israel with holiness.

Lord our God, lovingly have You given us *this Shabbat and this Day of Remembrance*, a day for *recalling* the shofar sound, a day for holy assembly and for recalling the Exodus from Egypt.

Our God and God of our fathers, on this Day of Remembrance remember our fathers and be gracious to us. Consider the people standing before You praying for the days of Messiah and for Jerusalem Your holy city. Grant us life, well-being, lovingkindness and peace. Bless us, Lord our God, with all that is good. Remember Your promise of mercy and redemption. Be merciful to us and save us, for we place our hope in You, gracious and merciful God and King.

Our God and God of our fathers, cause Your sovereignty to be acknowledged throughout the world. May Your splendor and dignity be reflected in the lives of all who dwell on earth. Then all creatures will know that You created them, all living things will comprehend that You gave them life, everything that breathes will proclaim: The Lord God of Israel is King, and His dominion embraces all.

Our God and God of our fathers, *accept our Shabbat offering of rest*, make our lives holy with Your commandments and let Your Torah be our portion. Fill our lives with Your goodness and gladden us with Your triumph. *Lovingly and willingly, Lord our God, grant that we inherit the gift of Shabbat forever, so that Your people Israel who hallow Your name will always find rest on this day.* Cleanse our hearts to serve You faithfully, for You are faithful and Your word endures forever. Praised are You, Lord, King of all the earth who sanctifies *Shabbat*, the people Israel and the Day of Remembrance.

Accept our prayer

רְצֵה יְיָ אֱלֹהֵינוּ בְּעַמְּךָ יִשְׂרָאֵל וּבִתְפִלָּתָם וְהָשֵׁב אֶת־הָעֲבוֹדָה לִדְבִיר בֵּיתֶךָ, וּתְפִלָּתָם בְּאַהֲבָה תְקַבֵּל בְּרָצוֹן וּתְהִי לְרָצוֹן תָּמִיד עֲבוֹדַת יִשְׂרָאֵל עַמֶּךָ. וְתֶחֱזֶינָה עֵינֵינוּ בְּשׁוּבְךָ לְצִיּוֹן בְּרַחֲמִים. בָּרוּךְ אַתָּה יְיָ הַמַּחֲזִיר שְׁכִינָתוֹ לְצִיּוֹן.

We thank You for life and for Your love

מוֹדִים אֲנַחְנוּ לָךְ שָׁאַתָּה הוּא יְיָ אֱלֹהֵינוּ וֵאלֹהֵי אֲבוֹתֵינוּ לְעוֹלָם וָעֶד, צוּר חַיֵּינוּ מָגֵן יִשְׁעֵנוּ אַתָּה הוּא. לְדוֹר וָדוֹר נוֹדֶה לְּךָ וּנְסַפֵּר תְּהִלָּתֶךָ עַל חַיֵּינוּ הַמְּסוּרִים בְּיָדֶךָ וְעַל נִשְׁמוֹתֵינוּ הַפְּקוּדוֹת לָךְ וְעַל נִסֶּיךָ שֶׁבְּכָל־יוֹם עִמָּנוּ וְעַל נִפְלְאוֹתֶיךָ וְטוֹבוֹתֶיךָ שֶׁבְּכָל־עֵת עֶרֶב וָבֹקֶר וְצָהֳרָיִם. הַטּוֹב כִּי לֹא כָלוּ רַחֲמֶיךָ וְהַמְרַחֵם כִּי לֹא תַמּוּ חֲסָדֶיךָ מֵעוֹלָם קִוִּינוּ לָךְ.

וְעַל כֻּלָּם יִתְבָּרַךְ וְיִתְרוֹמַם שִׁמְךָ מַלְכֵּנוּ תָּמִיד לְעוֹלָם וָעֶד.

וּכְתֹב לְחַיִּים טוֹבִים כָּל־בְּנֵי בְרִיתֶךָ.

וְכֹל הַחַיִּים יוֹדוּךָ סֶּלָה וִיהַלְלוּ אֶת־שִׁמְךָ בֶּאֱמֶת הָאֵל יְשׁוּעָתֵנוּ וְעֶזְרָתֵנוּ סֶלָה. בָּרוּךְ אַתָּה יְיָ הַטּוֹב שִׁמְךָ וּלְךָ נָאֶה לְהוֹדוֹת.

Bless us with peace

שָׁלוֹם רָב עַל יִשְׂרָאֵל עַמְּךָ וְעַל כָּל־יוֹשְׁבֵי תֵבֵל תָּשִׂים לְעוֹלָם כִּי אַתָּה הוּא מֶלֶךְ אָדוֹן לְכָל־הַשָּׁלוֹם. וְטוֹב בְּעֵינֶיךָ לְבָרֵךְ אֶת־עַמְּךָ יִשְׂרָאֵל בְּכָל־עֵת וּבְכָל־שָׁעָה בִּשְׁלוֹמֶךָ.

בְּסֵפֶר חַיִּים בְּרָכָה וְשָׁלוֹם וּפַרְנָסָה טוֹבָה נִזָּכֵר וְנִכָּתֵב לְפָנֶיךָ אֲנַחְנוּ וְכָל־עַמְּךָ בֵּית יִשְׂרָאֵל לְחַיִּים טוֹבִים וּלְשָׁלוֹם.

בָּרוּךְ אַתָּה יְיָ עוֹשֵׂה הַשָּׁלוֹם.

Accept our prayer

Accept the prayer of Your people Israel as lovingly as it is offered. Restore worship to Your sanctuary. May the worship of Your people Israel always be acceptable to You. May we bear witness to Your merciful return to Zion. Praised are You, Lord who restores His Presence to Zion.

We thank You for life and for Your love

We proclaim that You are the Lord our God and God of our fathers throughout all time. You are the Rock of our lives, the Shield of our salvation. We thank You and praise You through all generations, for our lives are in Your hand, our souls are in Your charge. We thank You for Your miracles which daily attend us, for Your wondrous kindness, morning, noon and night. Your mercy and love are boundless. We have always placed our hope in You.

For all these blessings we shall ever praise and exalt You.

Inscribe all the people of Your covenant for a good life.

May every living creature thank You and praise You faithfully, our deliverance and our help. Praised are You, beneficent Lord to whom all praise is due.

Bless us with peace

Grant true and lasting peace to Your people Israel and to all who dwell on earth, for You are the King of supreme peace. May it please You to bless Your people Israel at all times with Your gift of peace.

May we and the entire House of Israel be remembered and recorded in the Book of life, blessing, sustenance and peace.

Praised are You, Lord, Source of peace.

At the conclusion of the Amidah, personal prayers may be added, before or instead of the following.

First day:

אֱלֹהַי, נְצֹר לְשׁוֹנִי מֵרָע וּשְׂפָתַי מִדַּבֵּר מִרְמָה, וְלִמְקַלְלַי נַפְשִׁי תִדֹּם וְנַפְשִׁי כֶּעָפָר לַכֹּל תִּהְיֶה. פְּתַח לִבִּי בְּתוֹרָתֶךָ וּבְמִצְוֹתֶיךָ תִּרְדֹּף נַפְשִׁי. וְכֹל הַחוֹשְׁבִים עָלַי רָעָה, מְהֵרָה הָפֵר עֲצָתָם וְקַלְקֵל מַחֲשַׁבְתָּם. עֲשֵׂה לְמַעַן שְׁמֶךָ, עֲשֵׂה לְמַעַן יְמִינֶךָ, עֲשֵׂה לְמַעַן קְדֻשָּׁתֶךָ, עֲשֵׂה לְמַעַן תּוֹרָתֶךָ, לְמַעַן יֵחָלְצוּן יְדִידֶיךָ הוֹשִׁיעָה יְמִינְךָ וַעֲנֵנִי. יִהְיוּ לְרָצוֹן אִמְרֵי־פִי וְהֶגְיוֹן לִבִּי לְפָנֶיךָ, יְיָ צוּרִי וְגֹאֲלִי. עֹשֶׂה שָׁלוֹם בִּמְרוֹמָיו הוּא יַעֲשֶׂה שָׁלוֹם עָלֵינוּ וְעַל כָּל־יִשְׂרָאֵל, וְאִמְרוּ אָמֵן.

Second day:

יְהִי רָצוֹן מִלְּפָנֶיךָ יְיָ אֱלֹהַי וֵאלֹהֵי אֲבוֹתַי, יוֹצֵר בְּרֵאשִׁית, כְּשֵׁם שֶׁהִמְצֵאתָ עוֹלָמְךָ בְּיוֹם זֶה וְנִתְיַחַדְתָּ בְּעוֹלָמֶךָ וְתָלִיתָ בּוֹ עֶלְיוֹנִים וְתַחְתּוֹנִים בְּמַאֲמָרֶיךָ, כֵּן בְּרַחֲמֶיךָ הָרַבִּים תְּיַחֵד לְבָבִי וּלְבַב כָּל־עַמְּךָ בֵּית יִשְׂרָאֵל לְאַהֲבָה וּלְיִרְאָה אֶת־שְׁמֶךָ. וְהָאֵר עֵינֵינוּ בִּמְאוֹר תּוֹרָתֶךָ, כִּי עִמְּךָ מְקוֹר חַיִּים, בְּאוֹרְךָ נִרְאֶה אוֹר. וְזַכֵּנוּ לִרְאוֹת בְּאוֹר פָּנֶיךָ בְּאוֹר הַצָּפוּן לַצַּדִּיקִים לֶעָתִיד לָבוֹא. יִהְיוּ לְרָצוֹן אִמְרֵי־פִי וְהֶגְיוֹן לִבִּי לְפָנֶיךָ, יְיָ צוּרִי וְגֹאֲלִי.

On weekdays, continue on page 42.

*At the conclusion of the Amidah, personal prayers
may be added, before or instead of the following.*

First day:

My God, keep my tongue from telling evil, my lips from speaking lies. Help me ignore those who slander me. Let me be humble before all. Open my heart to Your Torah, so that I may pursue Your commandments. Frustrate the designs of those who plot evil against me. Make nothing of their schemes. Do so for the sake of Your power, Your holiness and Your Torah. Answer my prayer for the deliverance of Your people. May the words of my mouth and the meditations of my heart be acceptable to You, my Rock and my Redeemer. He who brings peace to His universe will bring peace to us, to the people Israel and to all mankind. Amen.

Second day:

Creator of beginnings, as You created Your world on this day, uniting fragments into a universe, so may it be Your will to help unite my fragmented heart and the heart of all Your people Israel to love and revere You together. Illumine our lives with the light of Your Torah, for in Your light do we see light. Grant us this year a hint of the light of redemption, the light of healing and of peace. Amen.

On weekdays, continue on page 43.

On Shabbat only:

וַיְכֻלּוּ הַשָּׁמַיִם וְהָאָרֶץ וְכָל־צְבָאָם. וַיְכַל אֱלֹהִים בַּיּוֹם הַשְּׁבִיעִי מְלַאכְתּוֹ אֲשֶׁר עָשָׂה, וַיִּשְׁבֹּת בַּיּוֹם הַשְּׁבִיעִי מִכָּל־מְלַאכְתּוֹ אֲשֶׁר עָשָׂה. וַיְבָרֶךְ אֱלֹהִים אֶת־יוֹם הַשְּׁבִיעִי וַיְקַדֵּשׁ אֹתוֹ, כִּי בוֹ שָׁבַת מִכָּל־מְלַאכְתּוֹ אֲשֶׁר בָּרָא אֱלֹהִים לַעֲשׂוֹת.

Ḥazzan:

בָּרוּךְ אַתָּה יְיָ אֱלֹהֵינוּ וֵאלֹהֵי אֲבוֹתֵינוּ, אֱלֹהֵי אַבְרָהָם אֱלֹהֵי יִצְחָק וֵאלֹהֵי יַעֲקֹב, הָאֵל הַגָּדוֹל הַגִּבּוֹר וְהַנּוֹרָא, אֵל עֶלְיוֹן קוֹנֵה שָׁמַיִם וָאָרֶץ.

Congregation and Ḥazzan:

מָגֵן אָבוֹת בִּדְבָרוֹ, מְחַיֵּה מֵתִים בְּמַאֲמָרוֹ, הַמֶּלֶךְ הַקָּדוֹשׁ שֶׁאֵין כָּמוֹהוּ הַמֵּנִיחַ לְעַמּוֹ בְּיוֹם שַׁבַּת קָדְשׁוֹ, כִּי בָם רָצָה לְהָנִיחַ לָהֶם, לְפָנָיו נַעֲבֹד בְּיִרְאָה וָפַחַד, וְנוֹדֶה לִשְׁמוֹ בְּכָל־יוֹם תָּמִיד מֵעֵין הַבְּרָכוֹת. אֵל הַהוֹדָאוֹת, אֲדוֹן הַשָּׁלוֹם, מְקַדֵּשׁ הַשַּׁבָּת וּמְבָרֵךְ שְׁבִיעִי וּמֵנִיחַ בִּקְדֻשָּׁה לְעַם מְדֻשְּׁנֵי־עֹנֶג, זֵכֶר לְמַעֲשֵׂה בְרֵאשִׁית.

Ḥazzan:

אֱלֹהֵינוּ וֵאלֹהֵי אֲבוֹתֵינוּ, רְצֵה בִמְנוּחָתֵנוּ קַדְּשֵׁנוּ בְּמִצְוֹתֶיךָ וְתֵן חֶלְקֵנוּ בְּתוֹרָתֶךָ, שַׂבְּעֵנוּ מִטּוּבֶךָ וְשַׂמְּחֵנוּ בִּישׁוּעָתֶךָ, וְטַהֵר לִבֵּנוּ לְעָבְדְּךָ בֶּאֱמֶת, וְהַנְחִילֵנוּ יְיָ אֱלֹהֵינוּ בְּאַהֲבָה וּבְרָצוֹן שַׁבַּת קָדְשֶׁךָ וְיָנוּחוּ בָהּ יִשְׂרָאֵל מְקַדְּשֵׁי שְׁמֶךָ. בָּרוּךְ אַתָּה יְיָ מְקַדֵּשׁ הַשַּׁבָּת.

On Shabbat only:

The heavens and the earth, and all they contain, were completed. On the seventh day God finished the work which He had been doing; He ceased on the seventh day from all the work which He had done. Then God blessed the seventh day and called it holy, because on it He ceased from all His work of creation.

Genesis 2:1–3

Ḥazzan:

Praised are You, Lord our God and God of our fathers, God of Abraham, of Isaac and of Jacob, great, mighty, awesome, exalted God, Creator of heaven and earth.

Congregation and Ḥazzan:

His word was a shield to our fathers. His decree sustains eternal life. God, holy King, beyond compare, desired to favor His people with rest, and gave them the holy Shabbat. We shall worship Him with reverence and awe. With blessings befitting the day and the season we shall thank Him every day. Gratitude is due Him; He is the Lord of peace. He hallows Shabbat, blesses the seventh day, and gives to His joyful people the delights of Shabbat rest, commemorating the act of Creation.

Ḥazzan:

Our God and God of our fathers, accept our offering of rest, make our lives holy with Your commandments and let Your Torah be our portion. Fill our lives with Your goodness and gladden us with Your triumph. Cleanse our hearts to serve You faithfully. Lovingly and willingly, Lord our God, grant that we inherit the gift of Shabbat forever, so that Your people Israel who hallow Your name will always find rest on this day. Praised are You, Lord who hallows Shabbat.

Kaddish Shalem

Ḥazzan:

יִתְגַּדַּל וְיִתְקַדַּשׁ שְׁמֵהּ רַבָּא בְּעָלְמָא דִּי בְרָא כִרְעוּתֵהּ, וְיַמְלִיךְ מַלְכוּתֵהּ בְּחַיֵּיכוֹן וּבְיוֹמֵיכוֹן וּבְחַיֵּי דְכָל־בֵּית יִשְׂרָאֵל בַּעֲגָלָא וּבִזְמַן קָרִיב, וְאִמְרוּ אָמֵן.

Congregation and Ḥazzan:

יְהֵא שְׁמֵהּ רַבָּא מְבָרַךְ לְעָלַם וּלְעָלְמֵי עָלְמַיָּא.

Ḥazzan:

יִתְבָּרַךְ וְיִשְׁתַּבַּח וְיִתְפָּאַר וְיִתְרוֹמַם וְיִתְנַשֵּׂא וְיִתְהַדַּר וְיִתְעַלֶּה וְיִתְהַלַּל שְׁמֵהּ דְּקֻדְשָׁא בְּרִיךְ הוּא, לְעֵלָּא לְעֵלָּא מִכָּל־בִּרְכָתָא וְשִׁירָתָא תֻּשְׁבְּחָתָא וְנֶחֱמָתָא דַּאֲמִירָן בְּעָלְמָא, וְאִמְרוּ אָמֵן.

תִּתְקַבַּל צְלוֹתְהוֹן וּבָעוּתְהוֹן דְּכָל־יִשְׂרָאֵל קֳדָם אֲבוּהוֹן דִּי בִשְׁמַיָּא, וְאִמְרוּ אָמֵן.

יְהֵא שְׁלָמָא רַבָּא מִן־שְׁמַיָּא וְחַיִּים עָלֵינוּ וְעַל כָּל־יִשְׂרָאֵל, וְאִמְרוּ אָמֵן.

עוֹשֶׂה שָׁלוֹם בִּמְרוֹמָיו הוּא יַעֲשֶׂה שָׁלוֹם עָלֵינוּ וְעַל כָּל־יִשְׂרָאֵל, וְאִמְרוּ אָמֵן.

He renews creation

אָמַר לָהֶם הַקָּדוֹשׁ בָּרוּךְ הוּא לְיִשְׂרָאֵל: בָּנַי, אִם אַתֶּם שָׁבִים בְּיוֹם זֶה אֵינְכֶם אוֹתָם בְּנֵי אָדָם שֶׁהֱיִיתֶם וּמַעְלָה אֲנִי עֲלֵיכֶם כְּאִלּוּ הַיּוֹם נַעֲשֵׂיתֶם לְפָנַי, כְּאִלּוּ הַיּוֹם בְּרָאתִי אֶתְכֶם בְּרִיָּה חֲדָשָׁה. כִּי כַּאֲשֶׁר הַשָּׁמַיִם הַחֲדָשִׁים וְהָאָרֶץ הַחֲדָשָׁה אֲשֶׁר אֲנִי עוֹשֶׂה עוֹמְדִים לְפָנַי, נְאֻם יְיָ, כֵּן יַעֲמֹד זַרְעֲכֶם וְשִׁמְכֶם.

Kaddish Shalem

Ḥazzan:

Hallowed and enhanced may He be throughout the world of His own creation. May He cause His sovereignty soon to be accepted, during our life and the life of all Israel. And let us say: Amen.

Congregation and Ḥazzan:

Ye-hei shmei raba meva-rakh l'alam ul'almei 'almaya.

May He be praised throughout all time.

Ḥazzan:

Glorified and celebrated, lauded and praised, acclaimed and honored, extolled and exalted may the Holy One be, far beyond all song and psalm, beyond all tributes which man can utter. And let us say: Amen.

May the prayers and pleas of the whole House of Israel be accepted by our Father in Heaven. And let us say: Amen.

Let there be abundant peace from Heaven, with life's goodness for us and for all the people Israel. And let us say: Amen.

He who brings peace to His universe will bring peace to us and to all the people Israel. And let us say: Amen.

He renews creation

Said the Holy One to Israel: "My children, if you turn this day, changing your bad ways, you will become new creatures, not the same people as before. Then will I consider you as if I had created you anew. And then shall you, newborn, be as the new heavens and the new earth which I shall create."

אָב גָּדוֹל וְקָדוֹשׁ, אֲבִי כָּל־בָּאֵי עוֹלָם:
אַתָּה בּוֹרֵא אֶת־עוֹלָמְךָ בְּנִךָ, בְּכָל־מְעוּף עָיִן.
אִם כְּהֶרֶף עַיִן תָּסִיר אֶת־חֶסֶד יְצִירָתְךָ וְהָיָה הַכֹּל אַיִן וָאֶפֶס.
אֲבָל אַתָּה מֵרִיק עַל יְצִירֶיךָ־בָּנֶיךָ צִנּוֹרֵי בְרָכָה בְּכָל־רֶגַע וָרֶגַע.

וְעוֹד הַפַּעַם יוֹפִיעוּ כּוֹכְבֵי שַׁחַר וְשָׁרוּ שִׁירַת אַהֲבָה לְפָנֶיךָ
וְעוֹד הַפַּעַם יֵצֵא שֶׁמֶשׁ בִּגְבוּרָתוֹ וְשָׁר שִׁירַת אוֹר לְפָנֶיךָ
וְעוֹד הַפַּעַם יָשִׁירוּ מַלְאָכִים שִׁירַת קֹדֶשׁ לְפָנֶיךָ
וְעוֹד הַפַּעַם תָּשֵׁרְנָה נְשָׁמוֹת שִׁירַת צִמָּאוֹן לְפָנֶיךָ
וְעוֹד הַפַּעַם יָשִׁירוּ עִשְּׂבֵי שָׂדֶה שִׁירַת גַּעֲגוּעִים לְפָנֶיךָ
וְעוֹד הַפַּעַם תָּשֵׁרְנָה צִפֳּרִים שִׁירַת גִּיל לְפָנֶיךָ
וְעוֹד הַפַּעַם יָשִׁירוּ אֶפְרוֹחִים עֲזוּבִים שִׁירַת יְתוֹמִים לְפָנֶיךָ
וְעוֹד הַפַּעַם יִלְחַשׁ מַעְיָן אֶת־תְּפִלָּתוֹ.

וְעוֹד הַפַּעַם יַעֲטֹף עָנִי וְשָׁפַךְ אֶת־שִׂיחוֹ לְפָנֶיךָ
וְעוֹד הַפַּעַם נִשְׁמָתוֹ־תְפִלָּתוֹ בּוֹקַעַת רְקִיעֶךָ־שְׁחָקֶיךָ
בַּעֲלוֹתָהּ לְפָנֶיךָ
וְעוֹד הַפַּעַם פָּרוּר יִתְפּוֹרֵר גֵּווֹ מֵאֵימַת כְּבוֹדֶךָ
וְעוֹד הַפַּעַם עֵינוֹ נְשׂוּאָה אֵלֶיךָ.

רַק קַו אֶחָד מֵאוֹרְךָ וְהָיִיתִי חֲדוּר אוֹרָה.
רַק דָּבָר אֶחָד מִדְּבָרֶיךָ וְקַמְתִּי לִתְחִיָּה.
רַק תְּנוּעָה אַחַת מֵחַיֵּי נִצְחֲךָ וְהָיִיתִי רְווּי טַל יַלְדוּת.

הֲלֹא אַתָּה בּוֹרֵא הַכֹּל מֵחָדָשׁ, בְּרָא נָא אָבִי אוֹתִי, יַלְדְּךָ, מֵחָדָשׁ.
נְשֹׁם בִּי מִנִּשְׁמַת אַפְּךָ וְחָיִיתִי חַיִּים חֲדָשִׁים, חַיֵּי יַלְדוּת חֲדָשָׁה.

Father, great and holy Father of all mankind,
You create Your child the world every instant.

> *If for an instant You withdrew*
> *The gift of Your creation,*
> *Emptiness would replace it.*

But You shower Your children
With blessing every moment.

> *Once again the morning stars appear,*
> *Singing a song of love to You,*

Once again the sun bursts forth,
Singing a song of light to You.

> *Once again angels sing of holiness to You,*
> *Once again souls sing of yearning to You,*

And once again grass sings of longing to You.

> *Once again birds sing of joy to You,*
> *Once again orphaned nestlings sing of loneliness to You,*

And once again a brook whispers its prayer.

> *Once again the afflicted pours out his complaint to You.*
> *Once again his soul-prayer splits Your heavens,*

Once again he trembles in awe of Your glory
And once again he hopefully awaits You.

> *One ray of Your light and I am immersed in light,*
> *One word from You and I am reborn.*

One hint of Your eternal Presence
And I am refreshed with the dew of youth.

> *For You create everything anew.*
> *Father, please, create me, Your child, anew.*

Breathe into me of Your spirit
That I may begin a new life.

Kiddush

We rise

בָּרוּךְ אַתָּה יְיָ אֱלֹהֵינוּ מֶלֶךְ הָעוֹלָם בּוֹרֵא פְּרִי הַגָּפֶן.

בָּרוּךְ אַתָּה יְיָ אֱלֹהֵינוּ מֶלֶךְ הָעוֹלָם אֲשֶׁר בָּחַר בָּנוּ מִכָּל־עָם
וְרוֹמְמָנוּ מִכָּל־לָשׁוֹן וְקִדְּשָׁנוּ בְּמִצְוֹתָיו. וַתִּתֶּן־לָנוּ יְיָ אֱלֹהֵינוּ בְּאַהֲבָה
אֶת־יוֹם הַשַּׁבָּת הַזֶּה וְאֶת־יוֹם הַזִּכָּרוֹן הַזֶּה, יוֹם זִכְרוֹן תְּרוּעָה
בְּאַהֲבָה מִקְרָא קֹדֶשׁ זֵכֶר לִיצִיאַת מִצְרָיִם. כִּי בָנוּ בָחַרְתָּ וְאוֹתָנוּ
קִדַּשְׁתָּ מִכָּל־הָעַמִּים, וּדְבָרְךָ אֱמֶת וְקַיָּם לָעַד. בָּרוּךְ אַתָּה יְיָ מֶלֶךְ
עַל כָּל־הָאָרֶץ מְקַדֵּשׁ הַשַּׁבָּת וְ יִשְׂרָאֵל וְיוֹם הַזִּכָּרוֹן.

On Saturday night only:

בָּרוּךְ אַתָּה יְיָ אֱלֹהֵינוּ מֶלֶךְ הָעוֹלָם בּוֹרֵא מְאוֹרֵי הָאֵשׁ.

בָּרוּךְ אַתָּה יְיָ אֱלֹהֵינוּ מֶלֶךְ הָעוֹלָם, הַמַּבְדִּיל בֵּין קֹדֶשׁ לְחוֹל בֵּין אוֹר לְחֹשֶׁךְ
בֵּין יִשְׂרָאֵל לָעַמִּים, בֵּין יוֹם הַשְּׁבִיעִי לְשֵׁשֶׁת יְמֵי הַמַּעֲשֶׂה, בֵּין קְדֻשַּׁת שַׁבָּת לִקְדֻשַּׁת
יוֹם טוֹב הִבְדַּלְתָּ, וְאֶת־יוֹם הַשְּׁבִיעִי מִשֵּׁשֶׁת יְמֵי הַמַּעֲשֶׂה קִדַּשְׁתָּ, הִבְדַּלְתָּ וְקִדַּשְׁתָּ
אֶת־עַמְּךָ יִשְׂרָאֵל בִּקְדֻשָּׁתֶךָ. בָּרוּךְ אַתָּה יְיָ הַמַּבְדִּיל בֵּין קֹדֶשׁ לְקֹדֶשׁ.

בָּרוּךְ אַתָּה יְיָ אֱלֹהֵינוּ מֶלֶךְ הָעוֹלָם שֶׁהֶחֱיָנוּ וְקִיְּמָנוּ וְהִגִּיעָנוּ לַזְּמַן הַזֶּה.

Kiddush

We rise

Praised are You, Lord our God, King of the universe who creates fruit of the vine.

Praised are You, Lord our God, King of the universe who has chosen and distinguished us by sanctifying our lives with His commandments. Lovingly have You given us *this Shabbat and* this Day of Remembrance, a day for *recalling* the shofar sound, a day for holy assembly and for recalling the Exodus from Egypt. Thus have You chosen us, sanctifying us among all people. Your faithful word endures forever. Praised are You, Lord, King of all the earth who sanctifies *Shabbat,* the people Israel and the Day of Remembrance.

On Saturday night only:

Praised are You, Lord our God, King of the universe who creates the lights of fire.

Praised are You, Lord our God, King of the universe. You have set apart the sacred from the profane even as You have separated light from darkness, singled out Israel from among the nations and distinguished Shabbat from all other days. You set distinction between Shabbat and festivals, filling the seventh day with a sanctity above all other days even as You have endowed Your people Israel with holiness. Praised are You, Lord who sets apart one holy day from another.

PRAISED ARE YOU, LORD OUR GOD, KING OF THE UNIVERSE, FOR GRANTING US LIFE, FOR SUSTAINING US, AND FOR HELPING US REACH THIS DAY.

Aleinu

The splendor of God will be revealed to all when
all the world embraces love and unity, when all
men recognize each other as brothers,
children of one Father, the King.

עָלֵינוּ לְשַׁבֵּחַ לַאֲדוֹן הַכֹּל, לָתֵת גְּדֻלָּה לְיוֹצֵר בְּרֵאשִׁית, שֶׁלֹּא עָשָׂנוּ
כְּגוֹיֵי הָאֲרָצוֹת וְלֹא שָׂמָנוּ כְּמִשְׁפְּחוֹת הָאֲדָמָה, שֶׁלֹּא שָׂם חֶלְקֵנוּ כָּהֶם
וְגוֹרָלֵנוּ כְּכָל־הֲמוֹנָם. וַאֲנַחְנוּ כּוֹרְעִים וּמִשְׁתַּחֲוִים וּמוֹדִים לִפְנֵי מֶלֶךְ
מַלְכֵי הַמְּלָכִים הַקָּדוֹשׁ בָּרוּךְ הוּא, שֶׁהוּא נוֹטֶה שָׁמַיִם וְיוֹסֵד אָרֶץ
וּמוֹשַׁב יְקָרוֹ בַּשָּׁמַיִם מִמַּעַל וּשְׁכִינַת עֻזּוֹ בְּגָבְהֵי מְרוֹמִים. הוּא אֱלֹהֵינוּ
אֵין עוֹד. אֱמֶת מַלְכֵּנוּ אֶפֶס זוּלָתוֹ, כַּכָּתוּב בְּתוֹרָתוֹ: וְיָדַעְתָּ הַיּוֹם
וַהֲשֵׁבֹתָ אֶל לְבָבֶךָ כִּי יְיָ הוּא הָאֱלֹהִים בַּשָּׁמַיִם מִמַּעַל וְעַל הָאָרֶץ
מִתָּחַת, אֵין עוֹד.

עַל כֵּן נְקַוֶּה לְךָ יְיָ אֱלֹהֵינוּ לִרְאוֹת מְהֵרָה בְּתִפְאֶרֶת עֻזֶּךָ, לְהַעֲבִיר
גִּלּוּלִים מִן הָאָרֶץ וְהָאֱלִילִים כָּרוֹת יִכָּרֵתוּן, לְתַקֵּן עוֹלָם בְּמַלְכוּת
שַׁדַּי וְכָל־בְּנֵי בָשָׂר יִקְרְאוּ בִשְׁמֶךָ, לְהַפְנוֹת אֵלֶיךָ כָּל־רִשְׁעֵי־אָרֶץ.
יַכִּירוּ וְיֵדְעוּ כָּל־יוֹשְׁבֵי תֵבֵל כִּי לְךָ תִּכְרַע כָּל־בֶּרֶךְ תִּשָּׁבַע כָּל־
לָשׁוֹן. לְפָנֶיךָ יְיָ אֱלֹהֵינוּ יִכְרְעוּ וְיִפֹּלוּ וְלִכְבוֹד שִׁמְךָ יְקָר יִתֵּנוּ,
וִיקַבְּלוּ כֻלָּם אֶת־עֹל מַלְכוּתֶךָ וְתִמְלֹךְ עֲלֵיהֶם מְהֵרָה לְעוֹלָם וָעֶד,
כִּי הַמַּלְכוּת שֶׁלְּךָ הִיא וּלְעוֹלְמֵי עַד תִּמְלֹךְ בְּכָבוֹד, כַּכָּתוּב
בְּתוֹרָתֶךָ: יְיָ יִמְלֹךְ לְעֹלָם וָעֶד. וְנֶאֱמַר: וְהָיָה יְיָ לְמֶלֶךְ עַל כָּל־
הָאָרֶץ, בַּיּוֹם הַהוּא יִהְיֶה יְיָ אֶחָד וּשְׁמוֹ אֶחָד.

Aleinu

When hatred and division reign on earth, and men refuse to see each other as brothers, even Heaven is forced to hide its face. But the splendor of God will be revealed to all when all the world embraces love and unity, when all men recognize each other as brothers, children of one Father, the King.

We rise to our duty to praise the Lord of all the world, to acclaim the Creator. He made our lot unlike that of other people, assigning us a unique destiny. We bend the knee and bow, proclaiming Him as King of kings, the Holy One praised be He, who stretched forth the heavens and established the earth. He is God, our King. There is no other.

Va'anaḥnu kor'im u-mish-taḥavim u-modim
lifnei melekh malkhei ha-melakhim ha-kadosh barukh hu.

And so we hope in You, Lord our God, soon to see Your splendor, sweeping idolatry away so that false gods will be utterly destroyed, perfecting earth by Your kingship so that all mankind will invoke Your name, bringing all the earth's wicked back to You, repentant. Then all who live will know that to You every knee must bend, every tongue pledge loyalty. To You, Lord, may all men bow in worship, may they give honor to Your glory. May everyone accept the rule of Your kingship. Reign over all, soon and for all time. Sovereignty is Yours in glory, now and forever. Thus is it written in Your Torah: The Lord reigns for ever and ever. Such is the assurance of Your prophet Zechariah: The Lord shall be acknowledged King of all the earth. On that day the Lord shall be One and His name One.

Ve-ne'emar ve-haya Adonai le-melekh 'al kol ha'aretz,
bayom ha-hu yiyeh Adonai eḥad u-she-mo eḥad.

Mourner's Kaddish

Mourners and those observing Yahrzeit rise.

יִתְגַּדַּל וְיִתְקַדַּשׁ שְׁמֵהּ רַבָּא בְּעָלְמָא דִּי בְרָא כִרְעוּתֵהּ, וְיַמְלִיךְ מַלְכוּתֵהּ בְּחַיֵּיכוֹן וּבְיוֹמֵיכוֹן וּבְחַיֵּי דְכָל־בֵּית יִשְׂרָאֵל בַּעֲגָלָא וּבִזְמַן קָרִיב, וְאִמְרוּ אָמֵן.

Congregation and mourner:

יְהֵא שְׁמֵהּ רַבָּא מְבָרַךְ לְעָלַם וּלְעָלְמֵי עָלְמַיָּא.

Mourner:

יִתְבָּרַךְ וְיִשְׁתַּבַּח וְיִתְפָּאַר וְיִתְרוֹמַם וְיִתְנַשֵּׂא וְיִתְהַדַּר וְיִתְעַלֶּה וְיִתְהַלַּל שְׁמֵהּ דְּקֻדְשָׁא בְּרִיךְ הוּא, לְעֵלָּא לְעֵלָּא מִכָּל־בִּרְכָתָא וְשִׁירָתָא תֻּשְׁבְּחָתָא וְנֶחֱמָתָא דַּאֲמִירָן בְּעָלְמָא, וְאִמְרוּ אָמֵן.

יְהֵא שְׁלָמָא רַבָּא מִן שְׁמַיָּא וְחַיִּים עָלֵינוּ וְעַל כָּל־יִשְׂרָאֵל, וְאִמְרוּ אָמֵן.

עוֹשֶׂה שָׁלוֹם בִּמְרוֹמָיו הוּא יַעֲשֶׂה שָׁלוֹם עָלֵינוּ וְעַל כָּל־יִשְׂרָאֵל, וְאִמְרוּ אָמֵן.

Hallowed and enhanced may He be throughout the world of His own creation. May He cause His sovereignty soon to be accepted, during our life and the life of all Israel. And let us say: Amen.

Congregation and mourner:

May He be praised throughout all time.

Mourner:

Glorified and celebrated, lauded and praised, acclaimed and honored, extolled and exalted may the Holy One be, far beyond all song and psalm, beyond all tributes which man can utter. And let us say: Amen.

Let there be abundant peace from Heaven, with life's goodness for us and for all the people Israel. And let us say: Amen.

He who brings peace to His universe will bring peace to us and to all the people Israel. And let us say: Amen.

Mourner's Kaddish

Mourners and those observing Yahrzeit rise.

*In recalling our dead, of blessed memory, we confront our loss
with faith by rising to praise God's name in public assembly,
praying that all men recognize His kingship soon. For when His
sovereignty is felt in the world, peace, blessing and song fill the
world, as well as great consolation.*

Yit-gadal ve-yit-kadash shmei raba, b'alma divra khir'utei ve-
yamlikh mal-khutei be-ḥayei-khon uve'yomei-khon uve-ḥayei
di-khol beit yisrael ba-agala u-vizman kariv v'imru amen.

Congregation and mourner:

Ye-hei shmei raba meva-rakh l'alam ul'almei 'almaya.

Mourner:

Yit-barakh ve-yish-tabaḥ ve-yitpa'ar ve-yitromam ve-yitnasei
ve-yit-hadar ve-yit'aleh ve-yit-halal shmei di-kudsha brikh hu,
l'eila l'eila mikol bir-khata ve-shirata tush-be-ḥata ve-neḥe-
mata da-amiran b'alma, v'imru amen.

Ye-hei shlama raba min shmaya ve-ḥayim aleinu v'al kol yisrael
v'imru amen.

Oseh shalom bimromav hu ya'aseh shalom aleinu v'al kol
yisrael v'imru amen.

We live in the light of God's compassion.

לְדָוִד. יְיָ אוֹרִי וְיִשְׁעִי מִמִּי אִירָא, יְיָ מָעוֹז חַיַּי מִמִּי אֶפְחָד. בִּקְרֹב
עָלַי מְרֵעִים לֶאֱכֹל אֶת־בְּשָׂרִי, צָרַי וְאֹיְבַי לִי הֵמָּה כָשְׁלוּ וְנָפָלוּ.
אִם תַּחֲנֶה עָלַי מַחֲנֶה לֹא יִירָא לִבִּי, אִם תָּקוּם עָלַי מִלְחָמָה בְּזֹאת
אֲנִי בוֹטֵחַ. אַחַת שָׁאַלְתִּי מֵאֵת יְיָ אוֹתָהּ אֲבַקֵּשׁ, שִׁבְתִּי בְּבֵית יְיָ כָּל־
יְמֵי חַיַּי, לַחֲזוֹת בְּנֹעַם יְיָ וּלְבַקֵּר בְּהֵיכָלוֹ. כִּי יִצְפְּנֵנִי בְּסֻכֹּה בְּיוֹם
רָעָה, יַסְתִּרֵנִי בְּסֵתֶר אָהֳלוֹ בְּצוּר יְרוֹמְמֵנִי. וְעַתָּה יָרוּם רֹאשִׁי עַל
אֹיְבַי סְבִיבוֹתַי, וְאֶזְבְּחָה בְאָהֳלוֹ זִבְחֵי תְרוּעָה, אָשִׁירָה וַאֲזַמְּרָה לַיְיָ.
שְׁמַע יְיָ קוֹלִי אֶקְרָא, וְחָנֵּנִי וַעֲנֵנִי. לְךָ אָמַר לִבִּי בַּקְּשׁוּ פָנָי, אֶת־פָּנֶיךָ
יְיָ אֲבַקֵּשׁ. אַל תַּסְתֵּר פָּנֶיךָ מִמֶּנִּי אַל תַּט בְּאַף עַבְדֶּךָ, עֶזְרָתִי הָיִיתָ,
אַל תִּטְּשֵׁנִי וְאַל תַּעַזְבֵנִי אֱלֹהֵי יִשְׁעִי. כִּי אָבִי וְאִמִּי עֲזָבוּנִי, וַיְיָ
יַאַסְפֵנִי. הוֹרֵנִי יְיָ דַּרְכֶּךָ וּנְחֵנִי בְּאֹרַח מִישׁוֹר לְמַעַן שׁוֹרְרָי. אַל
תִּתְּנֵנִי בְּנֶפֶשׁ צָרָי, כִּי קָמוּ בִי עֵדֵי שֶׁקֶר וִיפֵחַ חָמָס. לוּלֵא הֶאֱמַנְתִּי
לִרְאוֹת בְּטוּב יְיָ בְּאֶרֶץ חַיִּים. קַוֵּה אֶל יְיָ, חֲזַק וְיַאֲמֵץ לִבֶּךָ וְקַוֵּה
אֶל יְיָ.

We live in the light of God's compassion.

A Psalm of David. The Lord is my light and my help. Whom shall I fear? The Lord is the strength of my life. Whom shall I dread? When evildoers draw near to devour me, when foes threaten, they stumble and fall. Though armies be arrayed against me, I have no fear. Though wars threaten, I remain steadfast in my faith.

One thing I ask of the Lord, for this I yearn: To dwell in the House of the Lord all the days of my life, to pray in His sanctuary, to behold the Lord's beauty. He will hide me in His shrine, safe from peril. He will shelter me, and put me beyond the reach of disaster. He will raise my head high above my enemies about me. I will bring Him offerings with shouts of joy. I will sing, I will chant praise to the Lord.

O Lord, hear my voice when I call; be gracious, and answer me. "It is You that I seek," says my heart. It is Your Presence that I crave, O Lord. Hide not Your Presence from me, reject not Your servant. You are my help, do not desert me. Forsake me not, God of my deliverance. Though my father and mother forsake me, the Lord will gather me in, and care for me. Teach me Your way, O Lord. Guide me on the right path, to confound those who mock me. Deceivers have risen against me, men who breathe out violence. Abandon me not to the will of my foes. Mine is the faith that I surely will see the Lord's goodness in the land of the living. Hope in the Lord and be strong. Hope in the Lord and take courage.

Psalm 27

Yigdal

The hymn Yigdal is based upon thirteen principles of faith articulated by Maimonides.

יִגְדַּל אֱלֹהִים חַי וְיִשְׁתַּבַּח   נִמְצָא וְאֵין עֵת אֶל מְצִיאוּתוֹ.

אֶחָד וְאֵין יָחִיד כְּיִחוּדוֹ   נֶעְלָם וְגַם אֵין סוֹף לְאַחְדּוּתוֹ.

אֵין לוֹ דְּמוּת הַגּוּף וְאֵינוֹ גּוּף   לֹא נַעֲרֹךְ אֵלָיו קְדֻשָּׁתוֹ.

קַדְמוֹן לְכָל־דָּבָר אֲשֶׁר נִבְרָא   רִאשׁוֹן וְאֵין רֵאשִׁית לְרֵאשִׁיתוֹ.

הִנּוֹ אֲדוֹן עוֹלָם, וְכָל־נוֹצָר   יוֹרֶה גְדֻלָּתוֹ וּמַלְכוּתוֹ.

שֶׁפַע נְבוּאָתוֹ נְתָנוֹ, אֶל   אַנְשֵׁי סְגֻלָּתוֹ וְתִפְאַרְתּוֹ.

לֹא קָם בְּיִשְׂרָאֵל כְּמֹשֶׁה עוֹד   נָבִיא, וּמַבִּיט אֶת־תְּמוּנָתוֹ.

תּוֹרַת אֱמֶת נָתַן לְעַמּוֹ אֵל   עַל יַד נְבִיאוֹ נֶאֱמַן בֵּיתוֹ.

לֹא יַחֲלִיף הָאֵל וְלֹא יָמִיר   דָּתוֹ, לְעוֹלָמִים לְזוּלָתוֹ.

צוֹפֶה וְיוֹדֵעַ סְתָרֵינוּ   מַבִּיט לְסוֹף דָּבָר בְּקַדְמָתוֹ.

גּוֹמֵל לְאִישׁ חֶסֶד כְּמִפְעָלוֹ   נוֹתֵן לְרָשָׁע רָע כְּרִשְׁעָתוֹ.

יִשְׁלַח לְקֵץ יָמִין מְשִׁיחֵנוּ   לִפְדּוֹת מְחַכֵּי־קֵץ יְשׁוּעָתוֹ.

מֵתִים יְחַיֶּה אֵל בְּרֹב חַסְדּוֹ   בָּרוּךְ עֲדֵי עַד שֵׁם תְּהִלָּתוֹ.

Yigdal

The hymn Yigdal is based upon thirteen principles of faith articulated by Maimonides, a summary of which follows: There is a Creator who alone created and creates all things. He is one, unique. He has no body, no form. He is eternal. He alone is to be worshipped. The words of the prophets are true. Moses was the greatest prophet. The source of the Torah is divine. The Torah is immutable. God knows the deeds and the thoughts of men. God rewards and punishes. The Messiah will come. God, forever praised, will resurrect the dead.

Yig-dal Elohim ḥai ve-yish-tabaḥ, nimtza v'ein et el metzi'uto.

Eḥad v'ein yaḥid ke-yiḥudo, nelam ve-gam ein sof l'aḥduto.

Ein lo de-mut haguf v'eino guf, lo na'arokh eilav kedushato.

Kadmon le-khol davar asher nivra, rishon v'ein reisheet le-rei-sheeto.

Hino Adon Olam ve-khol notzar yoreh gedulato umal-khuto.

Shefa ne-vu'ato netano el anshei segulato ve-tif'arto.

Lo kam be-yisrael ke-Mosheh od navi u-mabeet et temunato.

Torat emet natan l'amo El, al yad ne-vi'o ne'eman beito.

Lo yaḥalif ha'El ve-lo yamir dato l'olamim le-zulato.

Tzofeh ve-yodei'a se-tareinu, mabit le-sof davar be-kadmato.

Gomel l'ish ḥesed ke-mif'alo, notein le-rasha ra ke-rish'ato.

Yishlaḥ le-keitz yamin me-shiḥeinu, lifdot me-ḥakei keitz ye-shu'ato.

Meitim ye-ḥayeh Eil be-rov ḥasdo, barukh adei ad sheim te-hilato.

שַׁחֲרִית לְרֹאשׁ הַשָּׁנָה וּלְיוֹם כִּפּוּר

**ROSH HASHANAH AND YOM KIPPUR
MORNING SERVICE**

Birkhot Hashaḥar

Our morning benedictions celebrate the renewal of life and the blessings of each day.

We put on the tallit, which reminds us of all the commandments.

בָּרוּךְ אַתָּה יְיָ אֱלֹהֵינוּ מֶלֶךְ הָעוֹלָם
אֲשֶׁר קִדְּשָׁנוּ בְּמִצְוֹתָיו וְצִוָּנוּ לְהִתְעַטֵּף בַּצִּיצִת.

בָּרְכִי נַפְשִׁי אֶת־יְיָ, יְיָ אֱלֹהַי גָּדַלְתָּ מְּאֹד, הוֹד וְהָדָר לָבָשְׁתָּ. עֹטֶה
אוֹר כַּשַּׂלְמָה, נוֹטֶה שָׁמַיִם כַּיְרִיעָה.

To join with others in prayer is a privilege. We must try to deserve it.

מִזְמוֹר לְדָוִד. יְיָ, מִי יָגוּר בְּאָהֳלֶךָ, מִי יִשְׁכֹּן בְּהַר קָדְשֶׁךָ. הוֹלֵךְ
תָּמִים וּפֹעֵל צֶדֶק, וְדֹבֵר אֱמֶת בִּלְבָבוֹ. לֹא רָגַל עַל לְשֹׁנוֹ, לֹא עָשָׂה
לְרֵעֵהוּ רָעָה, וְחֶרְפָּה לֹא נָשָׂא עַל קְרֹבוֹ. נִבְזֶה בְּעֵינָיו נִמְאָס וְאֶת־
יִרְאֵי יְיָ יְכַבֵּד, נִשְׁבַּע לְהָרַע וְלֹא יָמִר. כַּסְפּוֹ לֹא נָתַן בְּנֶשֶׁךְ וְשֹׁחַד
עַל נָקִי לֹא לָקָח, עֹשֵׂה אֵלֶּה לֹא יִמּוֹט לְעוֹלָם.

הֲרֵינִי מְקַבֵּל עָלַי מִצְוַת הַבּוֹרֵא: וְאָהַבְתָּ לְרֵעֲךָ כָּמוֹךָ.

We are grateful for the gift of our body

בָּרוּךְ אַתָּה יְיָ אֱלֹהֵינוּ מֶלֶךְ הָעוֹלָם אֲשֶׁר יָצַר אֶת־הָאָדָם בְּחָכְמָה
וּבָרָא בוֹ נְקָבִים נְקָבִים חֲלוּלִים חֲלוּלִים. גָּלוּי וְיָדוּעַ לִפְנֵי כִסֵּא
כְבוֹדֶךָ שֶׁאִם יִפָּתֵחַ אֶחָד מֵהֶם אוֹ יִסָּתֵם אֶחָד מֵהֶם אִי אֶפְשַׁר

Birkhot Hashaḥar

*Our morning benedictions celebrate the renewal
of life and the blessings of each day.*

*We put on the tallit, which reminds us
of all the commandments.*

Praised are You, Lord our God, King of the universe who sanctified our life with His commandments, commanding us to wear the *tallit* with fringes.

Let all my being praise the Lord who is clothed in magnificence, arrayed in majesty. He wraps Himself in light as in a garment. He unfolds the heavens as a curtain.

*To join with others in prayer is a privilege.
We must try to deserve it.*

Do we deserve to enter God's sanctuary? How can we merit a place in His Presence?

Live with integrity, do what is right, speak the truth without deceit. Have no slander upon your tongue, do no evil to your fellow man, do not mistreat your neighbor. Spurn a contemptible person, but honor those who revere the Lord. Never retract a promise once made, though it may bring you harm. Lend no money at usurious interest, accept no bribes against the innocent. Make these deeds your own; then shall you stand firm forever.

Psalm 15

I hereby accept the obligation of fulfilling my Creator's commandment in the Torah: Love your neighbor as yourself.

We are grateful for the gift of our body

Praised are You, Lord our God, King of the universe who has fashioned the body with wisdom, creating veins and arteries and all vital organs, a delicately balanced complex, marvelous

לְהִתְקַיֵּם וְלַעֲמֹד לְפָנֶיךָ. בָּרוּךְ אַתָּה יְיָ רוֹפֵא כָל־בָּשָׂר וּמַפְלִיא לַעֲשׂוֹת.

We are grateful for the gift of our soul

אֱלֹהַי, נְשָׁמָה שֶׁנָּתַתָּ בִּי טְהוֹרָה הִיא. אַתָּה בְרָאתָהּ אַתָּה יְצַרְתָּהּ אַתָּה נְפַחְתָּהּ בִּי וְאַתָּה מְשַׁמְּרָהּ בְּקִרְבִּי וְאַתָּה עָתִיד לִטְּלָהּ מִמֶּנִּי וּלְהַחֲזִירָהּ בִּי לֶעָתִיד לָבוֹא. כָּל־זְמַן שֶׁהַנְּשָׁמָה בְקִרְבִּי מוֹדֶה אֲנִי לְפָנֶיךָ יְיָ אֱלֹהַי וֵאלֹהֵי אֲבוֹתַי רִבּוֹן כָּל־הַמַּעֲשִׂים אֲדוֹן כָּל־הַנְּשָׁמוֹת. בָּרוּךְ אַתָּה יְיָ הַמַּחֲזִיר נְשָׁמוֹת לִפְגָרִים מֵתִים.

We are grateful for the renewal of each day

בָּרוּךְ אַתָּה יְיָ אֱלֹהֵינוּ מֶלֶךְ הָעוֹלָם,
אֲשֶׁר נָתַן לַשֶּׂכְוִי בִינָה לְהַבְחִין בֵּין יוֹם וּבֵין לָיְלָה.
בָּרוּךְ אַתָּה יְיָ אֱלֹהֵינוּ מֶלֶךְ הָעוֹלָם, שֶׁעָשַׂנִי בְּצַלְמוֹ.
בָּרוּךְ אַתָּה יְיָ אֱלֹהֵינוּ מֶלֶךְ הָעוֹלָם, שֶׁעָשַׂנִי יִשְׂרָאֵל.
בָּרוּךְ אַתָּה יְיָ אֱלֹהֵינוּ מֶלֶךְ הָעוֹלָם, שֶׁעָשַׂנִי בֶּן־חוֹרִין.
בָּרוּךְ אַתָּה יְיָ אֱלֹהֵינוּ מֶלֶךְ הָעוֹלָם, פּוֹקֵחַ עִוְרִים.
בָּרוּךְ אַתָּה יְיָ אֱלֹהֵינוּ מֶלֶךְ הָעוֹלָם, מַלְבִּישׁ עֲרֻמִּים.
בָּרוּךְ אַתָּה יְיָ אֱלֹהֵינוּ מֶלֶךְ הָעוֹלָם, מַתִּיר אֲסוּרִים.
בָּרוּךְ אַתָּה יְיָ אֱלֹהֵינוּ מֶלֶךְ הָעוֹלָם, זוֹקֵף כְּפוּפִים.
בָּרוּךְ אַתָּה יְיָ אֱלֹהֵינוּ מֶלֶךְ הָעוֹלָם, רוֹקַע הָאָרֶץ עַל הַמָּיִם.
בָּרוּךְ אַתָּה יְיָ אֱלֹהֵינוּ מֶלֶךְ הָעוֹלָם, שֶׁעָשָׂה לִי כָּל־צָרְכִּי.
בָּרוּךְ אַתָּה יְיָ אֱלֹהֵינוּ מֶלֶךְ הָעוֹלָם, אֲשֶׁר הֵכִין מִצְעֲדֵי־גָבֶר.
בָּרוּךְ אַתָּה יְיָ אֱלֹהֵינוּ מֶלֶךְ הָעוֹלָם, אוֹזֵר יִשְׂרָאֵל בִּגְבוּרָה.
בָּרוּךְ אַתָּה יְיָ אֱלֹהֵינוּ מֶלֶךְ הָעוֹלָם, עוֹטֵר יִשְׂרָאֵל בְּתִפְאָרָה.
בָּרוּךְ אַתָּה יְיָ אֱלֹהֵינוּ מֶלֶךְ הָעוֹלָם, הַנּוֹתֵן לַיָּעֵף כֹּחַ.

in structure, intricate in design. The failure of a single part can cause the collapse of this complex. Praised are You, Lord, Healer of all flesh who sustains our bodies with wondrous ways.

We are grateful for the gift of our soul

The soul You have given me is pure, my God. You created it, You formed it, You breathed it into me and You preserve it within me. You will also take it from me, and You will restore it to me in time to come. So long as this soul is within me I acknowledge You, Lord my God and God of my fathers, Master of all creation, Lord of all souls. Praised are You, Lord who restores the soul to the lifeless, exhausted body.

We are grateful for the renewal of each day

Praised are You, Lord our God, King of the universe

who enables His creatures to distinguish between night and day,

who made me in His image,

who made me a Jew,

who made me free,

who gives sight to the blind,

who clothes the naked,

who releases the bound,

who raises the downtrodden,

who creates heaven and earth,

who provides for all my needs,

who guides man on his path,

who strengthens the people Israel with courage,

who crowns the people Israel with glory,

who restores vigor to the weary.

We are grateful for compassion, for which we pray

בָּרוּךְ אַתָּה יְיָ אֱלֹהֵֽינוּ מֶֽלֶךְ הָעוֹלָם הַמַּעֲבִיר שֵׁנָה מֵעֵינַי וּתְנוּמָה מֵעַפְעַפָּי. וִיהִי רָצוֹן מִלְּפָנֶֽיךָ יְיָ אֱלֹהֵֽינוּ וֵאלֹהֵי אֲבוֹתֵֽינוּ שֶׁתַּרְגִּילֵֽנוּ בְּתוֹרָתֶֽךָ וְדַבְּקֵֽנוּ בְּמִצְוֹתֶֽיךָ, וְאַל תְּבִיאֵֽנוּ לֹא לִידֵי חֵטְא וְלֹא לִידֵי עֲבֵרָה וְעָוֹן וְלֹא לִידֵי נִסָּיוֹן וְלֹא לִידֵי בִזָּיוֹן, וְאַל תַּשְׁלֶט־בָּֽנוּ יֵֽצֶר הָרָע וְהַרְחִיקֵֽנוּ מֵאָדָם רָע וּמֵחָבֵר רָע. וְדַבְּקֵֽנוּ בְּיֵֽצֶר הַטּוֹב וּבְמַעֲשִׂים טוֹבִים וְכֹף אֶת־יִצְרֵֽנוּ לְהִשְׁתַּעְבֶּד־לָךְ. וּתְנֵֽנוּ הַיּוֹם וּבְכָל־יוֹם לְחֵן וּלְחֶֽסֶד וּלְרַחֲמִים בְּעֵינֶֽיךָ וּבְעֵינֵי כָל־רוֹאֵֽינוּ וְתִגְמְלֵֽנוּ חֲסָדִים טוֹבִים. בָּרוּךְ אַתָּה יְיָ גוֹמֵל חֲסָדִים טוֹבִים לְעַמּוֹ יִשְׂרָאֵל.

For an alternate service, continue on page 90.

יְהִי רָצוֹן מִלְּפָנֶֽיךָ יְיָ אֱלֹהַי וֵאלֹהֵי אֲבוֹתַי, שֶׁתַּצִּילֵֽנִי הַיּוֹם וּבְכָל־יוֹם מֵעַזֵּי פָנִים וּמֵעַזּוּת פָּנִים, מֵאָדָם רָע וּמֵחָבֵר רָע וּמִשָּׁכֵן רָע וּמִפֶּֽגַע רָע וּמִשָּׂטָן הַמַּשְׁחִית, מִדִּין קָשֶׁה וּמִבַּֽעַל דִּין קָשֶׁה, בֵּין שֶׁהוּא בֶן־בְּרִית וּבֵין שֶׁאֵינוֹ בֶן־בְּרִית.

Aware of our mortality, we are grateful
for the covenant

לְעוֹלָם יְהֵא אָדָם יְרֵא שָׁמַֽיִם בַּסֵּֽתֶר וּבַגָּלוּי וּמוֹדֶה עַל הָאֱמֶת וְדוֹבֵר אֱמֶת בִּלְבָבוֹ וְיַשְׁכֵּם וְיֹאמַר:

רִבּוֹן כָּל־הָעוֹלָמִים, לֹא עַל צִדְקוֹתֵֽינוּ אֲנַֽחְנוּ מַפִּילִים תַּחֲנוּנֵֽינוּ לְפָנֶֽיךָ כִּי עַל רַחֲמֶֽיךָ הָרַבִּים. מָה אָֽנוּ, מֶה חַיֵּֽינוּ, מֶה חַסְדֵּֽנוּ, מַה־צִּדְקֵֽנוּ, מַה־יְּשׁוּעָתֵֽנוּ, מַה־כֹּחֵֽנוּ, מַה־גְּבוּרָתֵֽנוּ. מַה־נֹּאמַר לְפָנֶֽיךָ יְיָ אֱלֹהֵֽינוּ וֵאלֹהֵי אֲבוֹתֵֽינוּ, הֲלֹא כָל־הַגִּבּוֹרִים כְּאַֽיִן לְפָנֶֽיךָ וְאַנְשֵׁי הַשֵּׁם כְּלֹא הָיוּ וַחֲכָמִים כִּבְלִי מַדָּע וּנְבוֹנִים כִּבְלִי הַשְׂכֵּל, כִּי רֹב מַעֲשֵׂיהֶם

We are grateful for compassion, for which we pray

Praised are You, Lord our God, King of the universe who removes sleep from my eyes and slumber from my eyelids. May we feel at home with Your Torah and cling to Your commandments. Keep us from error, from sin and transgression. Bring us not to trial or to disgrace. Let no evil impulse master us. Keep us far from wicked men and corrupt companions. Strengthen our desire to do good deeds; teach us humility, that we may serve You. May we find grace, love and compassion in Your sight and in the sight of all who look upon us, this day and every day. Grant us a full measure of lovingkindness. Praised are You, Lord who bestows lovingkindness upon His people Israel.

For an alternate service, continue on page 91.

May it be Your will, Lord my God and God of my fathers, to protect me this day and every day from insolence in others and from arrogance in myself. Save me from vicious people, from bad neighbors, and from corrupt companions. Preserve me from misfortune and from powers of destruction. Save me from harsh judgments; spare me from ruthless opponents, be they members of the covenant or not.

Aware of our mortality, we are grateful
for the covenant

A person should always revere God, in private as in public. He should acknowledge the truth and practice it in thought as in deed. On arising he should declare:

Lord of all worlds! Not upon our merit do we rely in supplication, but upon Your boundless compassion. What are we? What is our piety? What is our righteousness? What is our attainment, our power, our might? What can we say, Lord our God and God of our fathers? Compared to You, all the mighty are nothing, the famous are non-existent, the wise lack wisdom, the clever lack reason. For most of their actions are meaninglessness, the

תֹּהוּ וִימֵי חַיֵּיהֶם הֶבֶל לְפָנֶיךָ. וּמוֹתַר הָאָדָם מִן הַבְּהֵמָה אָיִן, כִּי הַכֹּל הָבֶל.

אֲבָל אֲנַחְנוּ עַמְּךָ בְּנֵי בְרִיתֶךָ, בְּנֵי אַבְרָהָם אֹהַבְךָ שֶׁנִּשְׁבַּעְתָּ לּוֹ בְּהַר הַמֹּרִיָּה, זֶרַע יִצְחָק יְחִידוֹ שֶׁנֶּעֱקַד עַל גַּב הַמִּזְבֵּחַ, עֲדַת יַעֲקֹב בִּנְךָ בְּכוֹרֶךָ שֶׁמֵּאַהֲבָתְךָ שֶׁאָהַבְתָּ אוֹתוֹ וּמִשִּׂמְחָתְךָ שֶׁשָּׂמַחְתָּ בּוֹ קָרָאתָ אֶת־שְׁמוֹ יִשְׂרָאֵל וִישֻׁרוּן.

לְפִיכָךְ אֲנַחְנוּ חַיָּבִים לְהוֹדוֹת לְךָ וּלְשַׁבֵּחֲךָ וּלְפָאֶרְךָ וּלְבָרֵךְ וּלְקַדֵּשׁ וְלָתֵת שֶׁבַח וְהוֹדָיָה לִשְׁמֶךָ. אַשְׁרֵינוּ, מַה־טּוֹב חֶלְקֵנוּ וּמַה־נָּעִים גּוֹרָלֵנוּ וּמַה־יָּפָה יְרֻשָּׁתֵנוּ. אַשְׁרֵינוּ שֶׁאֲנַחְנוּ מַשְׁכִּימִים וּמַעֲרִיבִים עֶרֶב וָבֹקֶר וְאוֹמְרִים פַּעֲמַיִם בְּכָל־יוֹם:

שְׁמַע יִשְׂרָאֵל יְיָ אֱלֹהֵינוּ יְיָ אֶחָד.
בָּרוּךְ שֵׁם כְּבוֹד מַלְכוּתוֹ לְעוֹלָם וָעֶד.

We are grateful for holiness

אַתָּה הוּא עַד שֶׁלֹּא נִבְרָא הָעוֹלָם, אַתָּה הוּא מִשֶּׁנִּבְרָא הָעוֹלָם, אַתָּה הוּא בָּעוֹלָם הַזֶּה וְאַתָּה הוּא לָעוֹלָם הַבָּא. קַדֵּשׁ אֶת־שִׁמְךָ עַל מַקְדִּישֵׁי שְׁמֶךָ וְקַדֵּשׁ אֶת־שִׁמְךָ בְּעוֹלָמֶךָ. וּבִישׁוּעָתְךָ תָּרִים וְתַגְבִּיהַּ קַרְנֵנוּ. בָּרוּךְ אַתָּה יְיָ מְקַדֵּשׁ אֶת־שִׁמְךָ בָּרַבִּים.

We are grateful for Torah, which we now study

בָּרוּךְ אַתָּה יְיָ אֱלֹהֵינוּ מֶלֶךְ הָעוֹלָם
אֲשֶׁר קִדְּשָׁנוּ בְּמִצְוֹתָיו וְצִוָּנוּ לַעֲסֹק בְּדִבְרֵי תוֹרָה.

וְהַעֲרֶב־נָא יְיָ אֱלֹהֵינוּ אֶת־דִּבְרֵי תוֹרָתְךָ בְּפִינוּ וּבְפִי עַמְּךָ בֵּית יִשְׂרָאֵל, וְנִהְיֶה אֲנַחְנוּ וְצֶאֱצָאֵינוּ וְצֶאֱצָאֵי עַמְּךָ בֵּית יִשְׂרָאֵל כֻּלָּנוּ יוֹדְעֵי שְׁמֶךָ וְלוֹמְדֵי תוֹרָתֶךָ לִשְׁמָהּ. בָּרוּךְ אַתָּה יְיָ הַמְלַמֵּד תּוֹרָה

days of their lives emptiness. Man's superiority to the beast is an illusion. All life is a fleeting breath.

But we are Your people, partners to Your covenant, descendants of Your beloved Abraham to whom You made a pledge on Mount Moriah. We are the heirs of Isaac, his son bound upon the altar. We are Your firstborn people, the congregation of Isaac's son Jacob whom You named Israel and Jeshurun, because of Your love for him and Your delight in him.

Therefore it is our duty to thank You and praise You, to glorify and sanctify Your name among men. How good is our portion, how pleasant our lot, how beautiful our heritage. How blessed are we that twice each day, morning and evening, we are privileged to declare:

HEAR, O ISRAEL: THE LORD OUR GOD, THE LORD IS ONE.

Praised be His glorious sovereignty throughout all time.

We are grateful for holiness

You are the Lord eternal, before Creation and since Creation, in this world and in the world to come. Manifest Your holiness through those who hallow You, raising us to dignity and strength. Praised are You, Lord who manifests His holiness to all mankind.

We are grateful for Torah, which we now study

Praised are You, Lord our God, King of the universe who sanctified our life with His commandments, commanding us to study Torah.

May the words of Torah, Lord our God, be sweet in our mouth and in the mouth of all Your people so that we, our children, and all the children of the House of Israel may come to know You and to study Your Torah with selfless devotion. Praised are You, Lord who teaches Torah to His people Israel. Praised are

לְעַמּוֹ יִשְׂרָאֵל. בָּרוּךְ אַתָּה יְיָ אֱלֹהֵינוּ מֶלֶךְ הָעוֹלָם אֲשֶׁר בָּחַר בָּנוּ מִכָּל־הָעַמִּים וְנָתַן לָנוּ אֶת־תּוֹרָתוֹ. בָּרוּךְ אַתָּה יְיָ נוֹתֵן הַתּוֹרָה.

קְדֹשִׁים תִּהְיוּ כִּי קָדוֹשׁ אֲנִי יְיָ אֱלֹהֵיכֶם. לֹא תְקַלֵּל חֵרֵשׁ וְלִפְנֵי עִוֵּר לֹא תִתֵּן מִכְשֹׁל. לֹא תַעֲשׂוּ עָוֶל בַּמִּשְׁפָּט, לֹא תִשָּׂא פְנֵי דָל וְלֹא תֶהְדַּר פְּנֵי גָדוֹל, בְּצֶדֶק תִּשְׁפֹּט עֲמִיתֶךָ. לֹא תַעֲמֹד עַל דַּם רֵעֶךָ. לֹא תִשְׂנָא אֶת־אָחִיךָ בִּלְבָבֶךָ. וְאָהַבְתָּ לְרֵעֲךָ כָּמוֹךָ, אֲנִי יְיָ.

אֵלּוּ דְבָרִים שֶׁאֵין לָהֶם שִׁעוּר: הַפֵּאָה וְהַבִּכּוּרִים וְהָרֵאָיוֹן וּגְמִילוּת חֲסָדִים וְתַלְמוּד תּוֹרָה.

אֵלּוּ דְבָרִים שֶׁאָדָם אוֹכֵל פֵּרוֹתֵיהֶם בָּעוֹלָם הַזֶּה וְהַקֶּרֶן קַיֶּמֶת לוֹ לָעוֹלָם הַבָּא, וְאֵלּוּ הֵן: כִּבּוּד אָב וָאֵם וּגְמִילוּת חֲסָדִים וְהַשְׁכָּמַת בֵּית הַמִּדְרָשׁ שַׁחֲרִית וְעַרְבִית וְהַכְנָסַת אוֹרְחִים וּבִקּוּר חוֹלִים וְהַכְנָסַת כַּלָּה וּלְוָיַת הַמֵּת וְעִיּוּן תְּפִלָּה וַהֲבָאַת שָׁלוֹם בֵּין אָדָם לַחֲבֵרוֹ, וְתַלְמוּד תּוֹרָה כְּנֶגֶד כֻּלָּם.

On Rosh Hashanah:

לְפִיכָךְ נִבְרָא אָדָם יְחִידִי, לְלַמֶּדְךָ שֶׁכָּל־הַמְאַבֵּד נֶפֶשׁ אַחַת מַעֲלֶה עָלָיו הַכָּתוּב כְּאִלּוּ אִבֵּד עוֹלָם מָלֵא, וְכָל־הַמְקַיֵּם נֶפֶשׁ אַחַת מַעֲלֶה עָלָיו הַכָּתוּב כְּאִלּוּ קִיֵּם עוֹלָם מָלֵא. וּמִפְּנֵי שְׁלוֹם הַבְּרִיּוֹת, שֶׁלֹּא יֹאמַר אָדָם לַחֲבֵרוֹ: אַבָּא גָדוֹל מֵאָבִיךָ. וְשֶׁלֹּא יְהוּ הַמִּינִין אוֹמְרִים: הַרְבֵּה רְשׁוּיוֹת בַּשָּׁמַיִם. וּלְהַגִּיד גְּדֻלָּתוֹ

You, Lord our God, King of the universe who has chosen us by giving us His Torah. Praised are You, Lord who gives the Torah.

You shall be holy, for I, the Lord your God, am holy. You shall not insult the deaf, or put a stumbling block before the blind. You shall not render an unjust decision; do not be partial to the poor or show deference to the rich; judge your neighbor fairly. Do not stand idly by the blood of your neighbor. You shall not hate your brother in your heart. Love your neighbor as yourself; I am the Lord.

Leviticus 19:1, 14–18

These are the commandments for which there is no prescribed measure: leaving crops at the corner of a field for the poor, offering first fruit as a gift to the Temple, bringing special offerings to the Temple on the three festivals, doing deeds of lovingkindness, and studying Torah.

Mishnah Peah 1:1

These are the commandments which yield immediate fruit and continue to yield fruit in time to come: honoring parents, doing deeds of lovingkindness, attending the house of study punctually, morning and evening, providing hospitality, visiting the sick, helping the needy bride, attending the dead, devotion in prayer, and making peace between people. And the study of Torah is basic to them all.

Shabbat 127a

On Rosh Hashanah:

The Bible relates that God created Adam, a single human being, as the forefather of all mankind. This teaches us that to destroy a single life is to destroy a whole world, even as to save a single life is to save a whole world. That all people have a common ancestor should make for peace, since no one can say to anyone else: "My father was greater than your father." That mankind began with a single human being is an answer to heretics who

שֶׁלְּהַקָּדוֹשׁ בָּרוּךְ הוּא: שֶׁאָדָם טוֹבֵעַ כַּמָּה מַטְבְּעוֹת בְּחוֹתָם אֶחָד וְכֻלָּן דּוֹמִין זֶה לָזֶה, וּמֶלֶךְ מַלְכֵי הַמְּלָכִים הַקָּדוֹשׁ בָּרוּךְ הוּא טָבַע כָּל־הָאָדָם בְּחוֹתָמוֹ שֶׁלְּאָדָם הָרִאשׁוֹן וְאֵין אֶחָד מֵהֶן דּוֹמֶה לַחֲבֵרוֹ. לְפִיכָךְ כָּל־אֶחָד וְאֶחָד חַיָּב לוֹמַר: בִּשְׁבִילִי נִבְרָא הָעוֹלָם.

On Yom Kippur:

הָאוֹמֵר: אֶחֱטָא וְאָשׁוּב אֶחֱטָא וְאָשׁוּב, אֵין מַסְפִּיקִין בְּיָדוֹ לַעֲשׂוֹת תְּשׁוּבָה. אֶחֱטָא וְיוֹם הַכִּפּוּרִים מְכַפֵּר, אֵין יוֹם הַכִּפּוּרִים מְכַפֵּר. עֲבֵרוֹת שֶׁבֵּין אָדָם לַמָּקוֹם, יוֹם הַכִּפּוּרִים מְכַפֵּר. עֲבֵרוֹת שֶׁבֵּין אָדָם לַחֲבֵרוֹ, אֵין יוֹם הַכִּפּוּרִים מְכַפֵּר עַד שֶׁיְּרַצֶּה אֶת־חֲבֵרוֹ. אֶת־זוֹ דָּרַשׁ רַבִּי אֶלְעָזָר בֶּן־עֲזַרְיָה: „מִכֹּל חַטֹּאתֵיכֶם לִפְנֵי יְיָ תִּטְהָרוּ״. עֲבֵרוֹת שֶׁבֵּין אָדָם לַמָּקוֹם, יוֹם הַכִּפּוּרִים מְכַפֵּר. עֲבֵרוֹת שֶׁבֵּין אָדָם לַחֲבֵרוֹ, אֵין יוֹם הַכִּפּוּרִים מְכַפֵּר עַד שֶׁיְּרַצֶּה אֶת־חֲבֵרוֹ.

could claim the existence of more than one Creator. That mankind began with a single human being proclaims forever the greatness of the Holy One. For man stamps many coins with one die and they all look alike, but the Holy One stamped every human being with the die of Adam, yet no person is like any other. Therefore, every human being must declare, "It is for my sake that the world was created."

Mishnah Sanhedrin 4:5

On Yom Kippur:

Whoever says, "I shall sin and repent, and sin again and repent," will have no opportunity to repent. Whoever says, "I shall sin and gain atonement through Yom Kippur," will gain no atonement through Yom Kippur. Yom Kippur brings atonement only for transgressions between people and God. Atonement for transgressions between one person and another can be gained only when the wrong has been righted and the offended person has been reconciled. "For on this day shall He grant you atonement, to cleanse you; of all your sins you shall be cleansed before the Lord" (Leviticus 16:30). Rabbi Elazar ben Azariah has expounded this verse in the following way: Yom Kippur brings atonement for transgressions between people and God (i.e., "before the Lord"), but Yom Kippur can bring atonement for transgressions between one person and another only if the person offended has first been reconciled.

Mishnah Yoma 8:9

Kaddish Derabanan

After the study of Torah, we praise God and we pray for teachers and students. For such praise and prayer sustain the world.

Mourner:

יִתְגַּדַּל וְיִתְקַדַּשׁ שְׁמֵהּ רַבָּא בְּעָלְמָא דִּי בְרָא כִרְעוּתֵהּ, וְיַמְלִיךְ מַלְכוּתֵהּ בְּחַיֵּיכוֹן וּבְיוֹמֵיכוֹן וּבְחַיֵּי דְכָל־בֵּית יִשְׂרָאֵל בַּעֲגָלָא וּבִזְמַן קָרִיב, וְאִמְרוּ אָמֵן.

Congregation and mourner:

יְהֵא שְׁמֵהּ רַבָּא מְבָרַךְ לְעָלַם וּלְעָלְמֵי עָלְמַיָּא.

Mourner:

יִתְבָּרַךְ וְיִשְׁתַּבַּח וְיִתְפָּאַר וְיִתְרוֹמַם וְיִתְנַשֵּׂא וְיִתְהַדַּר וְיִתְעַלֶּה וְיִתְהַלַּל שְׁמֵהּ דְּקֻדְשָׁא בְּרִיךְ הוּא, לְעֵלָּא לְעֵלָּא מִכָּל־בִּרְכָתָא וְשִׁירָתָא תֻּשְׁבְּחָתָא וְנֶחֱמָתָא דַּאֲמִירָן בְּעָלְמָא, וְאִמְרוּ אָמֵן.

עַל יִשְׂרָאֵל וְעַל רַבָּנָן וְעַל תַּלְמִידֵיהוֹן וְעַל כָּל־תַּלְמִידֵי תַלְמִידֵיהוֹן וְעַל כָּל־מָאן דְּעָסְקִין בְּאוֹרַיְתָא, דִּי בְאַתְרָא הָדֵין וְדִי בְכָל־אֲתַר וַאֲתַר, יְהֵא לְהוֹן וּלְכוֹן שְׁלָמָא רַבָּא, חִנָּא וְחִסְדָּא וְרַחֲמִין וְחַיִּין אֲרִיכִין וּמְזוֹנָא רְוִיחָא וּפוּרְקָנָא מִן קֳדָם אֲבוּהוֹן דִּי בִשְׁמַיָּא, וְאִמְרוּ אָמֵן.

יְהֵא שְׁלָמָא רַבָּא מִן שְׁמַיָּא וְחַיִּים טוֹבִים עָלֵינוּ וְעַל כָּל־יִשְׂרָאֵל, וְאִמְרוּ אָמֵן.

עוֹשֶׂה שָׁלוֹם בִּמְרוֹמָיו הוּא בְּרַחֲמָיו יַעֲשֶׂה שָׁלוֹם עָלֵינוּ וְעַל כָּל־יִשְׂרָאֵל, וְאִמְרוּ אָמֵן.

Kaddish Derabanan

After the study of Torah, we praise God and we
pray for teachers and students. For such
praise and prayer sustain the world.

Mourner:

Yit-gadal ve-yit-kadash shmei raba, b'alma divra khir'utei ve-yamlikh mal-khutei be-ḥayei-khon uve'yomei-khon uve-ḥayei di-khol beit yisrael ba-agala u-vizman kariv, v'imru amen.

Congregation and mourner:

Ye-hei shmei raba meva-rakh l'alam ul'almei 'almaya.

Mourner:

Yit-barakh ve-yish-tabaḥ ve-yitpa'ar ve-yitromam ve-yitnasei ve-yit-hadar ve-yit'aleh ve-yit-halal shmei di-kudsha brikh hu, l'eila l'eila mikol bir-khata ve-shirata tush-be-ḥata ve-neḥe-mata da-amiran b'alma, v'imru amen.

'Al yisrael v'al rabanan v'al talmidei-hon v'al kol talmidei tal-midei-hon v'al kol man d'askin b'oraita, di v'atra ha-dein v'di v'khol atar va-atar, ye-hei le-hon ule-khon shlama raba, ḥina ve-ḥisda ve-raḥamin ve-ḥayin arikhin u-mezona re-viḥa u-fur-kana min kodam avu-hon di vi-shmaya, v'imru amen.

Ye-hei shlama raba min shmaya ve-ḥayim tovim aleinu v'al kol yisrael, v'imru amen.

Oseh shalom bimromav hu b'raḥamav ya'aseh shalom aleinu v'al kol yisrael, v'imru amen.

For translation, see the following page.

Kaddish Derabanan

After the study of Torah, we praise God and we
pray for teachers and students. For such
praise and prayer sustain the world.

Mourner:

Hallowed and enhanced may He be throughout the world of His own creation. May He cause His sovereignty soon to be accepted, during our life and the life of all Israel. And let us say: Amen.

Congregation and mourner:

Ye-hei shmei raba mevarakh l'alam ul'almei 'almaya.

May He be praised throughout all time.

Mourner:

Glorified and celebrated, lauded and praised, acclaimed and honored, extolled and exalted may the Holy One be, far beyond all song and psalm, beyond all tributes which man can utter. And let us say: Amen.

Heavenly Father, grant lasting peace to our people and their leaders, to our teachers and their disciples, to all who engage in the study of Torah in this land and in all other lands. Let there be grace and kindness, compassion and love for them and for us all. Grant us fullness of life, and sustenance. Save us from all danger and distress. And let us say: Amen.

Let there be abundant peace from Heaven, with life's goodness for us and for all the people Israel. And let us say: Amen.

He who brings peace to His universe mercifully will bring peace to us, and to all the people Israel. And let us say: Amen.

מִזְמוֹר שִׁיר חֲנֻכַּת הַבַּיִת לְדָוִד. אֲרוֹמִמְךָ יְיָ כִּי דִלִּיתָנִי וְלֹא שִׂמַּחְתָּ
אֹיְבַי לִי. יְיָ אֱלֹהָי, שִׁוַּעְתִּי אֵלֶיךָ וַתִּרְפָּאֵנִי. יְיָ הֶעֱלִיתָ מִן שְׁאוֹל נַפְשִׁי,
חִיִּיתַנִי מִיָּרְדִי־בוֹר. זַמְּרוּ לַיְיָ חֲסִידָיו, וְהוֹדוּ לְזֵכֶר קָדְשׁוֹ. כִּי רֶגַע
בְּאַפּוֹ חַיִּים בִּרְצוֹנוֹ, בָּעֶרֶב יָלִין בֶּכִי וְלַבֹּקֶר רִנָּה. וַאֲנִי אָמַרְתִּי
בְשַׁלְוִי, בַּל אֶמּוֹט לְעוֹלָם. יְיָ בִּרְצוֹנְךָ הֶעֱמַדְתָּה לְהַרְרִי עֹז, הִסְתַּרְתָּ
פָנֶיךָ הָיִיתִי נִבְהָל. אֵלֶיךָ יְיָ אֶקְרָא, וְאֶל אֲדֹנָי אֶתְחַנָּן. מַה־בֶּצַע
בְּדָמִי בְּרִדְתִּי אֶל שָׁחַת, הֲיוֹדְךָ עָפָר הֲיַגִּיד אֲמִתֶּךָ. שְׁמַע יְיָ וְחָנֵּנִי,
יְיָ הֱיֵה עֹזֵר לִי. הָפַכְתָּ מִסְפְּדִי לְמָחוֹל לִי, פִּתַּחְתָּ שַׂקִּי וַתְּאַזְּרֵנִי
שִׂמְחָה. לְמַעַן יְזַמֶּרְךָ כָבוֹד וְלֹא יִדֹּם, יְיָ אֱלֹהַי לְעוֹלָם אוֹדֶךָּ.

The Mourner's Kaddish may be recited (page 50).

For an alternate service, continue on page 90.

A Psalm of David. I extol You, Lord. You raised me up. You did
not permit foes to rejoice over me. I cried out to You, Lord, and
You healed me. You brought up my soul from the grave; You
saved me from the pit of death. Sing to the Lord, you faithful.
Praise the holiness of His glory. His anger lasts a moment; His
love is for a lifetime. Tears may linger for a night, but joy
comes with the dawn. I once thought, while at ease: Nothing
can shake my security. Favor me, and I am a mountain of
strength. Hide Your face, Lord, and I am terrified. To You, Lord,
would I call; before the Lord would I plead. What profit is there
if I am silenced? What benefit if I go to my grave? Will the dust
praise You? Will it proclaim Your faithfulness? Hear me, Lord.
Be gracious to me. Hear me, Lord, and be my help. You turned
my mourning into dancing. You changed my sackcloth into robes
of joy. I shall never be silent, Lord my God. I shall always sing
of Your glory.

Psalm 30

The Mourner's Kaddish may be recited (page 51).

For an alternate service, continue on page 91.

A Psalm for Rosh Hashanah:

לְדָוִד. יְיָ אוֹרִי וְיִשְׁעִי מִמִּי אִירָא, יְיָ מָעוֹז חַיַּי מִמִּי אֶפְחָד.
בִּקְרֹב עָלַי מְרֵעִים לֶאֱכֹל אֶת־בְּשָׂרִי, צָרַי וְאֹיְבַי לִי הֵמָּה כָּשְׁלוּ
וְנָפָלוּ. אִם תַּחֲנֶה עָלַי מַחֲנֶה לֹא יִירָא לִבִּי, אִם תָּקוּם עָלַי
מִלְחָמָה בְּזֹאת אֲנִי בוֹטֵחַ. אַחַת שָׁאַלְתִּי מֵאֵת יְיָ אוֹתָהּ אֲבַקֵּשׁ,
שִׁבְתִּי בְּבֵית יְיָ כָּל־יְמֵי חַיַּי, לַחֲזוֹת בְּנֹעַם יְיָ וּלְבַקֵּר בְּהֵיכָלוֹ.
כִּי יִצְפְּנֵנִי בְּסֻכֹּה בְּיוֹם רָעָה יַסְתִּרֵנִי בְּסֵתֶר אָהֳלוֹ בְּצוּר יְרוֹמְמֵנִי.
וְעַתָּה יָרוּם רֹאשִׁי עַל אֹיְבַי סְבִיבוֹתַי, וְאֶזְבְּחָה בְאָהֳלוֹ זִבְחֵי
תְרוּעָה, אָשִׁירָה וַאֲזַמְּרָה לַייָ. שְׁמַע יְיָ קוֹלִי אֶקְרָא, וְחָנֵּנִי וַעֲנֵנִי.
לְךָ אָמַר לִבִּי בַּקְּשׁוּ פָנָי, אֶת־פָּנֶיךָ יְיָ אֲבַקֵּשׁ. אַל תַּסְתֵּר פָּנֶיךָ
מִמֶּנִּי אַל תַּט בְּאַף עַבְדֶּךָ, עֶזְרָתִי הָיִיתָ, אַל תִּטְּשֵׁנִי וְאַל תַּעַזְבֵנִי
אֱלֹהֵי יִשְׁעִי. כִּי אָבִי וְאִמִּי עֲזָבוּנִי, וַייָ יַאַסְפֵנִי. הוֹרֵנִי יְיָ דַּרְכֶּךָ
וּנְחֵנִי בְּאֹרַח מִישׁוֹר לְמַעַן שׁוֹרְרָי. אַל תִּתְּנֵנִי בְּנֶפֶשׁ צָרָי, כִּי קָמוּ
בִי עֵדֵי שֶׁקֶר וִיפֵחַ חָמָס. לוּלֵא הֶאֱמַנְתִּי לִרְאוֹת בְּטוּב יְיָ בְּאֶרֶץ
חַיִּים. קַוֵּה אֶל יְיָ, חֲזַק וְיַאֲמֵץ לִבֶּךָ וְקַוֵּה אֶל יְיָ.

Psalm 27

A Psalm for Yom Kippur:

לְדָוִד מַשְׂכִּיל. אַשְׁרֵי נְשׂוּי פֶּשַׁע כְּסוּי חֲטָאָה. אַשְׁרֵי אָדָם לֹא יַחְשֹׁב
יְיָ לוֹ עָוֹן וְאֵין בְּרוּחוֹ רְמִיָּה. כִּי הֶחֱרַשְׁתִּי בָּלוּ עֲצָמָי, בְּשַׁאֲגָתִי כָּל־
הַיּוֹם. כִּי יוֹמָם וָלַיְלָה תִּכְבַּד עָלַי יָדֶךָ, נֶהְפַּךְ לְשַׁדִּי בְּחַרְבֹנֵי קַיִץ
סֶלָה. חַטָּאתִי אוֹדִיעֲךָ וַעֲוֹנִי לֹא כִסִּיתִי, אָמַרְתִּי אוֹדֶה עֲלֵי פְשָׁעַי
לַייָ, וְאַתָּה נָשָׂאתָ עֲוֹן חַטָּאתִי סֶלָה. עַל זֹאת יִתְפַּלֵּל כָּל־חָסִיד
אֵלֶיךָ לְעֵת מְצֹא רַק לְשֵׁטֶף מַיִם רַבִּים, אֵלָיו לֹא יַגִּיעוּ. אַתָּה סֵתֶר
לִי מִצַּר תִּצְּרֵנִי, רָנֵּי פַלֵּט תְּסוֹבְבֵנִי סֶלָה. אַשְׂכִּילְךָ וְאוֹרְךָ בְּדֶרֶךְ
זוּ תֵלֵךְ, אִיעֲצָה עָלֶיךָ עֵינִי. אַל תִּהְיוּ כְּסוּס, כְּפֶרֶד אֵין הָבִין,
בְּמֶתֶג וָרֶסֶן עֶדְיוֹ לִבְלוֹם, בַּל קְרֹב אֵלֶיךָ. רַבִּים מַכְאוֹבִים
לָרָשָׁע, וְהַבּוֹטֵחַ בַּייָ חֶסֶד יְסוֹבְבֶנּוּ. שִׂמְחוּ בַייָ וְגִילוּ צַדִּיקִים
וְהַרְנִינוּ כָּל־יִשְׁרֵי־לֵב.

Psalm 32

בָּרוּךְ שֶׁאָמַר וְהָיָה הָעוֹלָם, בָּרוּךְ הוּא
בָּרוּךְ עוֹשֶׂה בְרֵאשִׁית, בָּרוּךְ אוֹמֵר וְעוֹשֶׂה,
בָּרוּךְ גּוֹזֵר וּמְקַיֵּם, בָּרוּךְ מְרַחֵם עַל הָאָרֶץ,
בָּרוּךְ מְרַחֵם עַל הַבְּרִיּוֹת, בָּרוּךְ מְשַׁלֵּם שָׂכָר טוֹב לִירֵאָיו,
בָּרוּךְ חַי לָעַד וְקַיָּם לָנֶצַח, בָּרוּךְ פּוֹדֶה וּמַצִּיל, בָּרוּךְ שְׁמוֹ.

בָּרוּךְ אַתָּה יְיָ אֱלֹהֵינוּ מֶלֶךְ הָעוֹלָם, הָאֵל הָאָב הָרַחֲמָן הַמְהֻלָּל בְּפִי עַמּוֹ, מְשֻׁבָּח וּמְפֹאָר בִּלְשׁוֹן חֲסִידָיו וַעֲבָדָיו. וּבְשִׁירֵי דָוִד עַבְדֶּךָ נְהַלֶּלְךָ יְיָ אֱלֹהֵינוּ, בִּשְׁבָחוֹת וּבִזְמִירוֹת נְגַדֶּלְךָ וּנְשַׁבֵּחֲךָ וּנְפָאֶרְךָ וְנַזְכִּיר שִׁמְךָ וְנַמְלִיכְךָ מַלְכֵּנוּ אֱלֹהֵינוּ, יָחִיד חֵי הָעוֹלָמִים. מֶלֶךְ מְשֻׁבָּח וּמְפֹאָר עֲדֵי עַד שְׁמוֹ הַגָּדוֹל. בָּרוּךְ אַתָּה יְיָ מֶלֶךְ מְהֻלָּל בַּתִּשְׁבָּחוֹת.

הוֹדוּ לַייָ, קִרְאוּ בִשְׁמוֹ, הוֹדִיעוּ בָעַמִּים עֲלִילֹתָיו. שִׁירוּ לוֹ זַמְּרוּ־לוֹ, שִׂיחוּ בְּכָל־נִפְלְאוֹתָיו. הִתְהַלְלוּ בְּשֵׁם קָדְשׁוֹ, יִשְׂמַח לֵב מְבַקְשֵׁי יְיָ. דִּרְשׁוּ יְיָ וְעֻזּוֹ, בַּקְּשׁוּ פָנָיו תָּמִיד. זִכְרוּ נִפְלְאֹתָיו אֲשֶׁר עָשָׂה, מֹפְתָיו וּמִשְׁפְּטֵי־פִיהוּ. זֶרַע יִשְׂרָאֵל עַבְדּוֹ, בְּנֵי יַעֲקֹב בְּחִירָיו. הוּא יְיָ אֱלֹהֵינוּ, בְּכָל־הָאָרֶץ מִשְׁפָּטָיו. זִכְרוּ לְעוֹלָם בְּרִיתוֹ, דָּבָר צִוָּה לְאֶלֶף דּוֹר. אֲשֶׁר כָּרַת אֶת־אַבְרָהָם, וּשְׁבוּעָתוֹ לְיִצְחָק. וַיַּעֲמִידֶהָ לְיַעֲקֹב לְחֹק, לְיִשְׂרָאֵל בְּרִית עוֹלָם. לֵאמֹר לְךָ אֶתֵּן אֶרֶץ כְּנָעַן, חֶבֶל נַחֲלַתְכֶם. בִּהְיוֹתְכֶם מְתֵי מִסְפָּר, כִּמְעַט וְגָרִים בָּהּ. וַיִּתְהַלְּכוּ מִגּוֹי אֶל גּוֹי, וּמִמַּמְלָכָה אֶל עַם אַחֵר. לֹא הִנִּיחַ לְאִישׁ לְעָשְׁקָם וַיּוֹכַח עֲלֵיהֶם מְלָכִים. אַל תִּגְּעוּ בִּמְשִׁיחָי, וּבִנְבִיאַי אַל תָּרֵעוּ. שִׁירוּ לַייָ כָּל־הָאָרֶץ, בַּשְּׂרוּ מִיּוֹם אֶל יוֹם יְשׁוּעָתוֹ. סַפְּרוּ בַגּוֹיִם אֶת־כְּבוֹדוֹ, בְּכָל־הָעַמִּים נִפְלְאֹתָיו. כִּי גָדוֹל יְיָ וּמְהֻלָּל מְאֹד וְנוֹרָא הוּא עַל כָּל־אֱלֹהִים. כִּי כָּל־אֱלֹהֵי הָעַמִּים אֱלִילִים, וַייָ שָׁמַיִם עָשָׂה.

הוֹד וְהָדָר לְפָנָיו, עֹז וְחֶדְוָה בִּמְקֹמוֹ. הָבוּ לַייָ מִשְׁפְּחוֹת עַמִּים, הָבוּ לַייָ כָּבוֹד וָעֹז. הָבוּ לַייָ כְּבוֹד שְׁמוֹ, שְׂאוּ מִנְחָה וּבֹאוּ לְפָנָיו, הִשְׁתַּחֲווּ לַייָ בְּהַדְרַת־קֹדֶשׁ. חִילוּ מִלְּפָנָיו כָּל־הָאָרֶץ, אַף תִּכּוֹן תֵּבֵל בַּל תִּמּוֹט. יִשְׂמְחוּ הַשָּׁמַיִם וְתָגֵל הָאָרֶץ וְיֹאמְרוּ בַגּוֹיִם יְיָ מָלָךְ. יִרְעַם הַיָּם וּמְלוֹאוֹ, יַעֲלֹץ הַשָּׂדֶה וְכָל־אֲשֶׁר בּוֹ. אָז יְרַנְּנוּ עֲצֵי הַיָּעַר מִלִּפְנֵי יְיָ כִּי בָא לִשְׁפּוֹט אֶת־הָאָרֶץ. הוֹדוּ לַייָ כִּי טוֹב, כִּי לְעוֹלָם חַסְדּוֹ. וְאִמְרוּ הוֹשִׁיעֵנוּ אֱלֹהֵי יִשְׁעֵנוּ וְקַבְּצֵנוּ וְהַצִּילֵנוּ מִן הַגּוֹיִם, לְהֹדוֹת לְשֵׁם קָדְשֶׁךָ לְהִשְׁתַּבֵּחַ בִּתְהִלָּתֶךָ. בָּרוּךְ יְיָ אֱלֹהֵי יִשְׂרָאֵל מִן הָעוֹלָם וְעַד הָעֹלָם, וַיֹּאמְרוּ כָל־הָעָם אָמֵן וְהַלֵּל לַייָ.

I Chronicles 16:8-36

רוֹמְמוּ יְיָ אֱלֹהֵינוּ וְהִשְׁתַּחֲווּ לַהֲדֹם רַגְלָיו, קָדוֹשׁ הוּא. רוֹמְמוּ יְיָ אֱלֹהֵינוּ וְהִשְׁתַּחֲווּ לְהַר קָדְשׁוֹ, כִּי קָדוֹשׁ יְיָ אֱלֹהֵינוּ.

וְהוּא רַחוּם יְכַפֵּר עָוֹן וְלֹא יַשְׁחִית, וְהִרְבָּה לְהָשִׁיב אַפּוֹ וְלֹא יָעִיר כָּל־חֲמָתוֹ. אַתָּה יְיָ לֹא תִכְלָא רַחֲמֶיךָ מִמֶּנִּי, חַסְדְּךָ וַאֲמִתְּךָ תָּמִיד יִצְּרוּנִי. זְכֹר רַחֲמֶיךָ יְיָ וַחֲסָדֶיךָ, כִּי מֵעוֹלָם הֵמָּה. תְּנוּ עֹז לֵאלֹהִים, עַל יִשְׂרָאֵל גַּאֲוָתוֹ, וְעֻזּוֹ בַּשְּׁחָקִים. נוֹרָא אֱלֹהִים מִמִּקְדָּשֶׁיךָ, אֵל יִשְׂרָאֵל הוּא נֹתֵן עֹז וְתַעֲצֻמוֹת לָעָם, בָּרוּךְ אֱלֹהִים. אֵל נְקָמוֹת יְיָ, אֵל נְקָמוֹת הוֹפִיעַ. הִנָּשֵׂא שֹׁפֵט הָאָרֶץ, הָשֵׁב גְּמוּל עַל גֵּאִים. לַייָ הַיְשׁוּעָה, עַל עַמְּךָ בִרְכָתֶךָ סֶּלָה. יְיָ צְבָאוֹת עִמָּנוּ, מִשְׂגָּב לָנוּ אֱלֹהֵי יַעֲקֹב סֶלָה. יְיָ צְבָאוֹת, אַשְׁרֵי אָדָם בֹּטֵחַ בָּךְ. יְיָ הוֹשִׁיעָה, הַמֶּלֶךְ יַעֲנֵנוּ בְיוֹם קָרְאֵנוּ.

הוֹשִׁיעָה אֶת־עַמֶּךָ וּבָרֵךְ אֶת־נַחֲלָתֶךָ וּרְעֵם וְנַשְּׂאֵם עַד הָעוֹלָם. נַפְשֵׁנוּ חִכְּתָה לַייָ, עֶזְרֵנוּ וּמָגִנֵּנוּ הוּא. כִּי בוֹ יִשְׂמַח לִבֵּנוּ, כִּי בְשֵׁם קָדְשׁוֹ בָטָחְנוּ. יְהִי חַסְדְּךָ יְיָ עָלֵינוּ כַּאֲשֶׁר יִחַלְנוּ לָךְ. הַרְאֵנוּ יְיָ

חַסְדֶּךָ, וְיֶשְׁעֲךָ תִּתֶּן־לָנוּ. קוּמָה עֶזְרָתָה לָּנוּ וּפְדֵנוּ לְמַעַן חַסְדֶּךָ.
אָנֹכִי יְיָ אֱלֹהֶיךָ הַמַּעַלְךָ מֵאֶרֶץ מִצְרָיִם, הַרְחֶב־פִּיךָ וַאֲמַלְאֵהוּ.
אַשְׁרֵי הָעָם שֶׁכָּכָה לּוֹ, אַשְׁרֵי הָעָם שֶׁיְיָ אֱלֹהָיו. וַאֲנִי בְּחַסְדְּךָ
בָטַחְתִּי, יָגֵל לִבִּי בִּישׁוּעָתֶךָ, אָשִׁירָה לַיְיָ כִּי גָמַל עָלָי.

לַמְנַצֵּחַ מִזְמוֹר לְדָוִד. הַשָּׁמַיִם מְסַפְּרִים כְּבוֹד אֵל וּמַעֲשֵׂה יָדָיו מַגִּיד
הָרָקִיעַ. יוֹם לְיוֹם יַבִּיעַ אֹמֶר וְלַיְלָה לְּלַיְלָה יְחַוֶּה־דָּעַת. אֵין אֹמֶר
וְאֵין דְּבָרִים בְּלִי נִשְׁמָע קוֹלָם. בְּכָל־הָאָרֶץ יָצָא קַוָּם וּבִקְצֵה תֵבֵל
מִלֵּיהֶם, לַשֶּׁמֶשׁ שָׂם אֹהֶל בָּהֶם וְהוּא כְּחָתָן יֹצֵא מֵחֻפָּתוֹ, יָשִׂישׂ כְּגִבּוֹר
לָרוּץ אֹרַח. מִקְצֵה הַשָּׁמַיִם מוֹצָאוֹ וּתְקוּפָתוֹ עַל קְצוֹתָם וְאֵין נִסְתָּר
מֵחַמָּתוֹ. תּוֹרַת יְיָ תְּמִימָה, מְשִׁיבַת נָפֶשׁ. עֵדוּת יְיָ נֶאֱמָנָה, מַחְכִּימַת
פֶּתִי. פִּקּוּדֵי יְיָ יְשָׁרִים, מְשַׂמְּחֵי־לֵב. מִצְוַת יְיָ בָּרָה, מְאִירַת עֵינָיִם.
יִרְאַת יְיָ טְהוֹרָה, עוֹמֶדֶת לָעַד. מִשְׁפְּטֵי יְיָ אֱמֶת, צָדְקוּ יַחְדָּו.
הַנֶּחֱמָדִים מִזָּהָב וּמִפַּז רָב, וּמְתוּקִים מִדְּבַשׁ וְנֹפֶת צוּפִים. גַּם עַבְדְּךָ
נִזְהָר בָּהֶם, בְּשָׁמְרָם עֵקֶב רָב. שְׁגִיאוֹת מִי יָבִין, מִנִּסְתָּרוֹת נַקֵּנִי.
גַּם מִזֵּדִים חֲשֹׂךְ עַבְדֶּךָ, אַל יִמְשְׁלוּ בִי, אָז אֵיתָם וְנִקֵּיתִי מִפֶּשַׁע
רָב. יִהְיוּ לְרָצוֹן אִמְרֵי־פִי וְהֶגְיוֹן לִבִּי לְפָנֶיךָ, יְיָ צוּרִי וְגֹאֲלִי.

Psalm 19

לְדָוִד בְּשַׁנּוֹתוֹ אֶת־טַעְמוֹ לִפְנֵי אֲבִימֶלֶךְ וַיְגָרְשֵׁהוּ וַיֵּלַךְ. אֲבָרְכָה
אֶת־יְיָ בְּכָל־עֵת, תָּמִיד תְּהִלָּתוֹ בְּפִי. בַּיְיָ תִּתְהַלֵּל נַפְשִׁי, יִשְׁמְעוּ
עֲנָוִים וְיִשְׂמָחוּ. גַּדְּלוּ לַיְיָ אִתִּי וּנְרוֹמְמָה שְׁמוֹ יַחְדָּו. דָּרַשְׁתִּי אֶת־יְיָ
וְעָנָנִי, וּמִכָּל־מְגוּרוֹתַי הִצִּילָנִי. הִבִּיטוּ אֵלָיו וְנָהָרוּ, וּפְנֵיהֶם אַל
יֶחְפָּרוּ. זֶה עָנִי קָרָא וַיְיָ שָׁמֵעַ, וּמִכָּל־צָרוֹתָיו הוֹשִׁיעוֹ. חֹנֶה מַלְאַךְ
יְיָ סָבִיב לִירֵאָיו וַיְחַלְּצֵם. טַעֲמוּ וּרְאוּ כִּי טוֹב יְיָ, אַשְׁרֵי הַגֶּבֶר יֶחֱסֶה
בּוֹ. יְראוּ אֶת־יְיָ קְדֹשָׁיו, כִּי אֵין מַחְסוֹר לִירֵאָיו. כְּפִירִים רָשׁוּ וְרָעֵבוּ
וְדֹרְשֵׁי יְיָ לֹא יַחְסְרוּ כָל־טוֹב. לְכוּ בָנִים שִׁמְעוּ־לִי, יִרְאַת יְיָ

אֲלַמֶּדְכֶם. מִי הָאִישׁ הֶחָפֵץ חַיִּים, אֹהֵב יָמִים לִרְאוֹת טוֹב. נְצֹר לְשׁוֹנְךָ מֵרָע וּשְׂפָתֶיךָ מִדַּבֵּר מִרְמָה. סוּר מֵרָע וַעֲשֵׂה טוֹב, בַּקֵּשׁ שָׁלוֹם וְרָדְפֵהוּ. עֵינֵי יְיָ אֶל צַדִּיקִים וְאָזְנָיו אֶל שַׁוְעָתָם. פְּנֵי יְיָ בְּעֹשֵׂי רָע, לְהַכְרִית מֵאֶרֶץ זִכְרָם. צָעֲקוּ וַיְיָ שָׁמֵעַ, וּמִכָּל־צָרוֹתָם הִצִּילָם. קָרוֹב יְיָ לְנִשְׁבְּרֵי־לֵב וְאֶת־דַּכְּאֵי־רוּחַ יוֹשִׁיעַ. רַבּוֹת רָעוֹת צַדִּיק וּמִכֻּלָּם יַצִּילֶנּוּ יְיָ. שֹׁמֵר כָּל־עַצְמוֹתָיו, אַחַת מֵהֵנָּה לֹא נִשְׁבָּרָה. תְּמוֹתֵת רָשָׁע רָעָה, וְשֹׂנְאֵי צַדִּיק יֶאְשָׁמוּ. פּוֹדֶה יְיָ נֶפֶשׁ עֲבָדָיו, וְלֹא יֶאְשְׁמוּ כָּל־הַחֹסִים בּוֹ.

Psalm 34

תְּפִלָּה לְמֹשֶׁה אִישׁ הָאֱלֹהִים. אֲדֹנָי, מָעוֹן אַתָּה הָיִיתָ לָּנוּ בְּדֹר וָדֹר. בְּטֶרֶם הָרִים יֻלָּדוּ וַתְּחוֹלֵל אֶרֶץ וְתֵבֵל, וּמֵעוֹלָם עַד עוֹלָם אַתָּה אֵל. תָּשֵׁב אֱנוֹשׁ עַד דַּכָּא וַתֹּאמֶר שׁוּבוּ בְנֵי אָדָם. כִּי אֶלֶף שָׁנִים בְּעֵינֶיךָ כְּיוֹם אֶתְמוֹל כִּי יַעֲבֹר וְאַשְׁמוּרָה בַלָּיְלָה. זְרַמְתָּם שֵׁנָה יִהְיוּ, בַּבֹּקֶר כֶּחָצִיר יַחֲלֹף. בַּבֹּקֶר יָצִיץ וְחָלָף, לָעֶרֶב יְמוֹלֵל וְיָבֵשׁ. כִּי כָלִינוּ בְאַפֶּךָ, וּבַחֲמָתְךָ נִבְהָלְנוּ. שַׁתָּ עֲוֹנֹתֵינוּ לְנֶגְדֶּךָ, עֲלֻמֵנוּ לִמְאוֹר פָּנֶיךָ. כִּי כָל־יָמֵינוּ פָּנוּ בְעֶבְרָתֶךָ, כִּלִּינוּ שָׁנֵינוּ כְמוֹ הֶגֶה. יְמֵי שְׁנוֹתֵינוּ בָהֶם שִׁבְעִים שָׁנָה, וְאִם בִּגְבוּרֹת שְׁמוֹנִים שָׁנָה וְרָהְבָּם עָמָל וָאָוֶן, כִּי גָז חִישׁ וַנָּעֻפָה. מִי יוֹדֵעַ עֹז אַפֶּךָ וּכְיִרְאָתְךָ עֶבְרָתֶךָ. לִמְנוֹת יָמֵינוּ כֵּן הוֹדַע, וְנָבִא לְבַב חָכְמָה. שׁוּבָה יְיָ, עַד מָתָי, וְהִנָּחֵם עַל עֲבָדֶיךָ. שַׂבְּעֵנוּ בַבֹּקֶר חַסְדֶּךָ וּנְרַנְּנָה וְנִשְׂמְחָה בְּכָל־יָמֵינוּ. שַׂמְּחֵנוּ כִּימוֹת עִנִּיתָנוּ, שְׁנוֹת רָאִינוּ רָעָה. יֵרָאֶה אֶל עֲבָדֶיךָ פָעֳלֶךָ, וַהֲדָרְךָ עַל בְּנֵיהֶם. וִיהִי נֹעַם אֲדֹנָי אֱלֹהֵינוּ עָלֵינוּ, וּמַעֲשֵׂה יָדֵינוּ כּוֹנְנָה עָלֵינוּ, וּמַעֲשֵׂה יָדֵינוּ כּוֹנְנֵהוּ.

Psalm 90

יֹשֵׁב בְּסֵתֶר עֶלְיוֹן, בְּצֵל שַׁדַּי יִתְלוֹנָן. אֹמַר לַייָ מַחְסִי וּמְצוּדָתִי, אֱלֹהַי אֶבְטַח בּוֹ. כִּי הוּא יַצִּילְךָ מִפַּח יָקוּשׁ, מִדֶּבֶר הַוּוֹת. בְּאֶבְרָתוֹ יָסֶךְ לָךְ וְתַחַת כְּנָפָיו תֶּחְסֶה, צִנָּה וְסֹחֵרָה אֲמִתּוֹ. לֹא תִירָא מִפַּחַד לָיְלָה, מֵחֵץ יָעוּף יוֹמָם. מִדֶּבֶר בָּאֹפֶל יַהֲלֹךְ, מִקֶּטֶב יָשׁוּד צָהֳרָיִם. יִפֹּל מִצִּדְּךָ אֶלֶף וּרְבָבָה מִימִינֶךָ, אֵלֶיךָ לֹא יִגָּשׁ. רַק בְּעֵינֶיךָ תַבִּיט וְשִׁלֻּמַת רְשָׁעִים תִּרְאֶה. כִּי אַתָּה יְיָ מַחְסִי, עֶלְיוֹן שַׂמְתָּ מְעוֹנֶךָ. לֹא תְאֻנֶּה אֵלֶיךָ רָעָה וְנֶגַע לֹא יִקְרַב בְּאָהֳלֶךָ. כִּי מַלְאָכָיו יְצַוֶּה־לָּךְ לִשְׁמָרְךָ בְּכָל־דְּרָכֶיךָ. עַל כַּפַּיִם יִשָּׂאוּנְךָ פֶּן תִּגֹּף בָּאֶבֶן רַגְלֶךָ. עַל שַׁחַל וָפֶתֶן תִּדְרֹךְ, תִּרְמֹס כְּפִיר וְתַנִּין. כִּי בִי חָשַׁק וַאֲפַלְּטֵהוּ, אֲשַׂגְּבֵהוּ כִּי יָדַע שְׁמִי. יִקְרָאֵנִי וְאֶעֱנֵהוּ, עִמּוֹ אָנֹכִי בְצָרָה, אֲחַלְּצֵהוּ וַאֲכַבְּדֵהוּ. אֹרֶךְ יָמִים אַשְׂבִּיעֵהוּ, וְאַרְאֵהוּ בִּישׁוּעָתִי. (אֹרֶךְ יָמִים אַשְׂבִּיעֵהוּ, וְאַרְאֵהוּ בִּישׁוּעָתִי.)

Psalm 91

הַלְלוּיָהּ. הַלְלוּ אֶת־שֵׁם יְיָ, הַלְלוּ עַבְדֵי יְיָ. שֶׁעֹמְדִים בְּבֵית יְיָ בְּחַצְרוֹת בֵּית אֱלֹהֵינוּ. הַלְלוּיָהּ כִּי טוֹב יְיָ, זַמְּרוּ לִשְׁמוֹ כִּי נָעִים. כִּי יַעֲקֹב בָּחַר לוֹ יָהּ, יִשְׂרָאֵל לִסְגֻלָּתוֹ. כִּי אֲנִי יָדַעְתִּי כִּי גָדוֹל יְיָ וַאֲדֹנֵינוּ מִכָּל־אֱלֹהִים. כֹּל אֲשֶׁר חָפֵץ יְיָ עָשָׂה, בַּשָּׁמַיִם וּבָאָרֶץ בַּיַּמִּים וְכָל־תְּהֹמוֹת. מַעֲלֶה נְשִׂאִים מִקְצֵה הָאָרֶץ, בְּרָקִים לַמָּטָר עָשָׂה, מוֹצֵא רוּחַ מֵאוֹצְרוֹתָיו. שֶׁהִכָּה בְּכוֹרֵי מִצְרָיִם, מֵאָדָם עַד בְּהֵמָה. שָׁלַח אוֹתֹת וּמֹפְתִים בְּתוֹכֵכִי מִצְרָיִם, בְּפַרְעֹה וּבְכָל־עֲבָדָיו. שֶׁהִכָּה גּוֹיִם רַבִּים וְהָרַג מְלָכִים עֲצוּמִים. לְסִיחוֹן מֶלֶךְ הָאֱמֹרִי וּלְעוֹג מֶלֶךְ הַבָּשָׁן וּלְכֹל מַמְלְכוֹת כְּנָעַן. וְנָתַן אַרְצָם נַחֲלָה, נַחֲלָה לְיִשְׂרָאֵל עַמּוֹ. יְיָ שִׁמְךָ לְעוֹלָם, יְיָ זִכְרְךָ לְדֹר וָדֹר. כִּי יָדִין יְיָ עַמּוֹ וְעַל עֲבָדָיו יִתְנֶחָם. עֲצַבֵּי הַגּוֹיִם כֶּסֶף וְזָהָב, מַעֲשֵׂה יְדֵי אָדָם. פֶּה לָהֶם וְלֹא יְדַבֵּרוּ, עֵינַיִם לָהֶם וְלֹא יִרְאוּ. אָזְנַיִם לָהֶם

וְלֹא יַאֲזִינוּ, אַף אֵין יֶשׁ־רוּחַ בְּפִיהֶם. כְּמוֹהֶם יִהְיוּ עֹשֵׂיהֶם, כֹּל אֲשֶׁר בֹּטֵחַ בָּהֶם. בֵּית יִשְׂרָאֵל בָּרְכוּ אֶת־יְיָ, בֵּית אַהֲרֹן בָּרְכוּ אֶת־יְיָ. בֵּית הַלֵּוִי בָּרְכוּ אֶת־יְיָ, יִרְאֵי יְיָ בָּרְכוּ אֶת־יְיָ. בָּרוּךְ יְיָ מִצִּיּוֹן שֹׁכֵן יְרוּשָׁלָיִם. הַלְלוּיָהּ.

Psalm 135

הוֹדוּ לַייָ כִּי טוֹב | כִּי לְעוֹלָם חַסְדּוֹ.
הוֹדוּ לֵאלֹהֵי הָאֱלֹהִים | כִּי לְעוֹלָם חַסְדּוֹ.
הוֹדוּ לַאֲדֹנֵי הָאֲדֹנִים | כִּי לְעוֹלָם חַסְדּוֹ.
לְעֹשֵׂה נִפְלָאוֹת גְּדֹלוֹת לְבַדּוֹ | כִּי לְעוֹלָם חַסְדּוֹ.
לְעֹשֵׂה הַשָּׁמַיִם בִּתְבוּנָה | כִּי לְעוֹלָם חַסְדּוֹ.
לְרוֹקַע הָאָרֶץ עַל הַמָּיִם | כִּי לְעוֹלָם חַסְדּוֹ.
לְעֹשֵׂה אוֹרִים גְּדֹלִים | כִּי לְעוֹלָם חַסְדּוֹ.
אֶת־הַשֶּׁמֶשׁ לְמֶמְשֶׁלֶת בַּיּוֹם | כִּי לְעוֹלָם חַסְדּוֹ.
אֶת־הַיָּרֵחַ וְכוֹכָבִים לְמֶמְשְׁלוֹת בַּלָּיְלָה | כִּי לְעוֹלָם חַסְדּוֹ.
לְמַכֵּה מִצְרַיִם בִּבְכוֹרֵיהֶם | כִּי לְעוֹלָם חַסְדּוֹ.
וַיּוֹצֵא יִשְׂרָאֵל מִתּוֹכָם | כִּי לְעוֹלָם חַסְדּוֹ.
בְּיָד חֲזָקָה וּבִזְרוֹעַ נְטוּיָה | כִּי לְעוֹלָם חַסְדּוֹ.
לְגֹזֵר יַם סוּף לִגְזָרִים | כִּי לְעוֹלָם חַסְדּוֹ.
וְהֶעֱבִיר יִשְׂרָאֵל בְּתוֹכוֹ | כִּי לְעוֹלָם חַסְדּוֹ.
וְנִעֵר פַּרְעֹה וְחֵילוֹ בְיַם סוּף | כִּי לְעוֹלָם חַסְדּוֹ.
לְמוֹלִיךְ עַמּוֹ בַּמִּדְבָּר | כִּי לְעוֹלָם חַסְדּוֹ.
לְמַכֵּה מְלָכִים גְּדֹלִים | כִּי לְעוֹלָם חַסְדּוֹ.
וַיַּהֲרֹג מְלָכִים אַדִּירִים | כִּי לְעוֹלָם חַסְדּוֹ.
לְסִיחוֹן מֶלֶךְ הָאֱמֹרִי | כִּי לְעוֹלָם חַסְדּוֹ.

וּלְעוֹג מֶלֶךְ הַבָּשָׁן כִּי לְעוֹלָם חַסְדּוֹ.
וְנָתַן אַרְצָם לְנַחֲלָה כִּי לְעוֹלָם חַסְדּוֹ.
נַחֲלָה לְיִשְׂרָאֵל עַבְדּוֹ כִּי לְעוֹלָם חַסְדּוֹ.
שֶׁבְּשִׁפְלֵנוּ זָכַר לָנוּ כִּי לְעוֹלָם חַסְדּוֹ.
וַיִּפְרְקֵנוּ מִצָּרֵינוּ כִּי לְעוֹלָם חַסְדּוֹ.
נֹתֵן לֶחֶם לְכָל־בָּשָׂר כִּי לְעוֹלָם חַסְדּוֹ.
הוֹדוּ לְאֵל הַשָּׁמָיִם כִּי לְעוֹלָם חַסְדּוֹ.

Psalm 136

רַנְּנוּ צַדִּיקִים בַּייָ, לַיְשָׁרִים נָאוָה תְהִלָּה. הוֹדוּ לַייָ בְּכִנּוֹר, בְּנֵבֶל עָשׂוֹר זַמְּרוּ־לוֹ. שִׁירוּ לוֹ שִׁיר חָדָשׁ, הֵיטִיבוּ נַגֵּן בִּתְרוּעָה. כִּי יָשָׁר דְּבַר יְיָ, וְכָל־מַעֲשֵׂהוּ בֶּאֱמוּנָה. אֹהֵב צְדָקָה וּמִשְׁפָּט, חֶסֶד יְיָ מָלְאָה הָאָרֶץ. בִּדְבַר יְיָ שָׁמַיִם נַעֲשׂוּ וּבְרוּחַ פִּיו כָּל־צְבָאָם. כֹּנֵס כַּנֵּד מֵי הַיָּם, נֹתֵן בְּאוֹצָרוֹת תְּהוֹמוֹת. יִירְאוּ מֵייָ כָּל־הָאָרֶץ, מִמֶּנּוּ יָגוּרוּ כָּל־יֹשְׁבֵי תֵבֵל. כִּי הוּא אָמַר וַיֶּהִי, הוּא צִוָּה וַיַּעֲמֹד. יְיָ הֵפִיר עֲצַת גּוֹיִם, הֵנִיא מַחְשְׁבוֹת עַמִּים. עֲצַת יְיָ לְעוֹלָם תַּעֲמֹד, מַחְשְׁבוֹת לִבּוֹ לְדֹר וָדֹר. אַשְׁרֵי הַגּוֹי אֲשֶׁר יְיָ אֱלֹהָיו, הָעָם בָּחַר לְנַחֲלָה לוֹ. מִשָּׁמַיִם הִבִּיט יְיָ, רָאָה אֶת־כָּל־בְּנֵי הָאָדָם. מִמְּכוֹן שִׁבְתּוֹ הִשְׁגִּיחַ, אֶל כָּל־יֹשְׁבֵי הָאָרֶץ. הַיֹּצֵר יַחַד לִבָּם, הַמֵּבִין אֶל כָּל־מַעֲשֵׂיהֶם. אֵין הַמֶּלֶךְ נוֹשָׁע בְּרָב־חָיִל, גִּבּוֹר לֹא יִנָּצֵל בְּרָב־כֹּחַ. שֶׁקֶר הַסּוּס לִתְשׁוּעָה, וּבְרֹב חֵילוֹ לֹא יְמַלֵּט. הִנֵּה עֵין יְיָ אֶל יְרֵאָיו, לַמְיַחֲלִים לְחַסְדּוֹ. לְהַצִּיל מִמָּוֶת נַפְשָׁם, וּלְחַיּוֹתָם בָּרָעָב. נַפְשֵׁנוּ חִכְּתָה לַייָ, עֶזְרֵנוּ וּמָגִנֵּנוּ הוּא. כִּי בוֹ יִשְׂמַח לִבֵּנוּ, כִּי בְשֵׁם קָדְשׁוֹ בָטָחְנוּ. יְהִי חַסְדְּךָ יְיָ עָלֵינוּ כַּאֲשֶׁר יִחַלְנוּ לָךְ.

Psalm 33

מִזְמוֹר שִׁיר לְיוֹם הַשַּׁבָּת. טוֹב לְהֹדוֹת לַיְיָ וּלְזַמֵּר לְשִׁמְךָ עֶלְיוֹן. לְהַגִּיד בַּבֹּקֶר חַסְדֶּךָ וֶאֱמוּנָתְךָ בַּלֵּילוֹת. עֲלֵי עָשׂוֹר וַעֲלֵי נָבֶל, עֲלֵי הִגָּיוֹן בְּכִנּוֹר. כִּי שִׂמַּחְתַּנִי יְיָ בְּפָעֳלֶךָ, בְּמַעֲשֵׂי יָדֶיךָ אֲרַנֵּן. מַה־גָּדְלוּ מַעֲשֶׂיךָ יְיָ, מְאֹד עָמְקוּ מַחְשְׁבֹתֶיךָ. אִישׁ בַּעַר לֹא יֵדָע וּכְסִיל לֹא יָבִין אֶת־זֹאת. בִּפְרֹחַ רְשָׁעִים כְּמוֹ עֵשֶׂב וַיָּצִיצוּ כָּל־פֹּעֲלֵי אָוֶן, לְהִשָּׁמְדָם עֲדֵי עַד. וְאַתָּה מָרוֹם לְעֹלָם יְיָ. כִּי הִנֵּה אֹיְבֶיךָ יְיָ, כִּי הִנֵּה אֹיְבֶיךָ יֹאבֵדוּ, יִתְפָּרְדוּ כָּל־פֹּעֲלֵי אָוֶן. וַתָּרֶם כִּרְאֵים קַרְנִי, בַּלֹּתִי בְּשֶׁמֶן רַעֲנָן. וַתַּבֵּט עֵינִי בְּשׁוּרָי בַּקָּמִים עָלַי מְרֵעִים תִּשְׁמַעְנָה אָזְנָי. צַדִּיק כַּתָּמָר יִפְרָח, כְּאֶרֶז בַּלְּבָנוֹן יִשְׂגֶּה. שְׁתוּלִים בְּבֵית יְיָ, בְּחַצְרוֹת אֱלֹהֵינוּ יַפְרִיחוּ. עוֹד יְנוּבוּן בְּשֵׂיבָה, דְּשֵׁנִים וְרַעֲנַנִּים יִהְיוּ. לְהַגִּיד כִּי יָשָׁר יְיָ, צוּרִי וְלֹא עַוְלָתָה בּוֹ.

Psalm 92

יְיָ מָלָךְ גֵּאוּת לָבֵשׁ, לָבֵשׁ יְיָ עֹז הִתְאַזָּר, אַף תִּכּוֹן תֵּבֵל בַּל תִּמּוֹט. נָכוֹן כִּסְאֲךָ מֵאָז, מֵעוֹלָם אָתָּה. נָשְׂאוּ נְהָרוֹת יְיָ, נָשְׂאוּ נְהָרוֹת קוֹלָם, יִשְׂאוּ נְהָרוֹת דָּכְיָם. מִקֹּלוֹת מַיִם רַבִּים אַדִּירִים מִשְׁבְּרֵי־יָם, אַדִּיר בַּמָּרוֹם יְיָ. עֵדֹתֶיךָ נֶאֶמְנוּ מְאֹד, לְבֵיתְךָ נַאֲוָה קֹדֶשׁ יְיָ לְאֹרֶךְ יָמִים.

Psalm 93

יְהִי כְבוֹד יְיָ לְעוֹלָם, יִשְׂמַח יְיָ בְּמַעֲשָׂיו. יְהִי שֵׁם יְיָ מְבֹרָךְ מֵעַתָּה וְעַד עוֹלָם. מִמִּזְרַח שֶׁמֶשׁ עַד מְבוֹאוֹ מְהֻלָּל שֵׁם יְיָ. רָם עַל כָּל־גּוֹיִם יְיָ, עַל הַשָּׁמַיִם כְּבוֹדוֹ. יְיָ שִׁמְךָ לְעוֹלָם, יְיָ זִכְרְךָ לְדֹר וָדֹר. יְיָ בַּשָּׁמַיִם הֵכִין כִּסְאוֹ וּמַלְכוּתוֹ בַּכֹּל מָשָׁלָה. יִשְׂמְחוּ הַשָּׁמַיִם וְתָגֵל הָאָרֶץ וְיֹאמְרוּ בַגּוֹיִם יְיָ מָלָךְ. יְיָ מֶלֶךְ יְיָ מָלָךְ יְיָ יִמְלֹךְ לְעֹלָם וָעֶד. יְיָ מֶלֶךְ עוֹלָם וָעֶד, אָבְדוּ גוֹיִם מֵאַרְצוֹ. יְיָ הֵפִיר עֲצַת גּוֹיִם, הֵנִיא

מַחְשְׁבוֹת עַמִּים. רַבּוֹת מַחֲשָׁבוֹת בְּלֶב־אִישׁ וַעֲצַת יְיָ הִיא תָקוּם.
עֲצַת יְיָ לְעוֹלָם תַּעֲמֹד, מַחְשְׁבוֹת לִבּוֹ לְדֹר וָדֹר. כִּי הוּא אָמַר
וַיֶּהִי, הוּא צִוָּה וַיַּעֲמֹד. כִּי בָחַר יְיָ בְּצִיּוֹן, אִוָּהּ לְמוֹשָׁב לוֹ. כִּי יַעֲקֹב
בָּחַר לוֹ יָהּ, יִשְׂרָאֵל לִסְגֻלָּתוֹ. כִּי לֹא יִטֹּשׁ יְיָ עַמּוֹ וְנַחֲלָתוֹ לֹא יַעֲזֹב.
וְהוּא רַחוּם יְכַפֵּר עָוֹן וְלֹא יַשְׁחִית, וְהִרְבָּה לְהָשִׁיב אַפּוֹ וְלֹא יָעִיר
כָּל־חֲמָתוֹ. יְיָ הוֹשִׁיעָה, הַמֶּלֶךְ יַעֲנֵנוּ בְיוֹם קָרְאֵנוּ.

אַשְׁרֵי יוֹשְׁבֵי בֵיתֶךָ, עוֹד יְהַלְלוּךָ סֶּלָה.
אַשְׁרֵי הָעָם שֶׁכָּכָה לּוֹ, אַשְׁרֵי הָעָם שֶׁיְיָ אֱלֹהָיו.

תְּהִלָּה לְדָוִד.

אֲרוֹמִמְךָ אֱלוֹהַי הַמֶּלֶךְ וַאֲבָרְכָה שִׁמְךָ לְעוֹלָם וָעֶד.
בְּכָל־יוֹם אֲבָרְכֶךָּ וַאֲהַלְלָה שִׁמְךָ לְעוֹלָם וָעֶד.
גָּדוֹל יְיָ וּמְהֻלָּל מְאֹד וְלִגְדֻלָּתוֹ אֵין חֵקֶר.
דּוֹר לְדוֹר יְשַׁבַּח מַעֲשֶׂיךָ וּגְבוּרֹתֶיךָ יַגִּידוּ.
הֲדַר כְּבוֹד הוֹדֶךָ וְדִבְרֵי נִפְלְאֹתֶיךָ אָשִׂיחָה.
וֶעֱזוּז נוֹרְאֹתֶיךָ יֹאמֵרוּ וּגְדוּלָּתְךָ אֲסַפְּרֶנָּה.
זֵכֶר רַב טוּבְךָ יַבִּיעוּ וְצִדְקָתְךָ יְרַנֵּנוּ.
חַנּוּן וְרַחוּם יְיָ, אֶרֶךְ אַפַּיִם וּגְדָל־חָסֶד.
טוֹב יְיָ לַכֹּל וְרַחֲמָיו עַל כָּל־מַעֲשָׂיו.
יוֹדוּךָ יְיָ כָּל־מַעֲשֶׂיךָ וַחֲסִידֶיךָ יְבָרְכוּכָה.
כְּבוֹד מַלְכוּתְךָ יֹאמֵרוּ וּגְבוּרָתְךָ יְדַבֵּרוּ.
לְהוֹדִיעַ לִבְנֵי הָאָדָם גְּבוּרֹתָיו וּכְבוֹד הֲדַר מַלְכוּתוֹ.
מַלְכוּתְךָ מַלְכוּת כָּל־עֹלָמִים וּמֶמְשַׁלְתְּךָ בְּכָל־דּוֹר וָדֹר.
סוֹמֵךְ יְיָ לְכָל־הַנֹּפְלִים וְזוֹקֵף לְכָל־הַכְּפוּפִים.
עֵינֵי כֹל אֵלֶיךָ יְשַׂבֵּרוּ וְאַתָּה נוֹתֵן לָהֶם אֶת־אָכְלָם בְּעִתּוֹ.

פּוֹתֵחַ אֶת־יָדֶךָ וּמַשְׂבִּיעַ לְכָל־חַי רָצוֹן.
צַדִּיק יְיָ בְּכָל־דְּרָכָיו וְחָסִיד בְּכָל־מַעֲשָׂיו.
קָרוֹב יְיָ לְכָל־קֹרְאָיו, לְכֹל אֲשֶׁר יִקְרָאֻהוּ בֶאֱמֶת.
רְצוֹן יְרֵאָיו יַעֲשֶׂה וְאֶת־שַׁוְעָתָם יִשְׁמַע וְיוֹשִׁיעֵם.
שׁוֹמֵר יְיָ אֶת־כָּל־אֹהֲבָיו וְאֵת כָּל־הָרְשָׁעִים יַשְׁמִיד.
תְּהִלַּת יְיָ יְדַבֶּר־פִּי וִיבָרֵךְ כָּל־בָּשָׂר שֵׁם קָדְשׁוֹ לְעוֹלָם וָעֶד.

וַאֲנַחְנוּ נְבָרֵךְ יָהּ מֵעַתָּה וְעַד עוֹלָם. הַלְלוּיָהּ.

Psalm 145, Psalm 115:18

הַלְלוּיָהּ. הַלְלִי נַפְשִׁי אֶת־יְיָ. אֲהַלְלָה יְיָ בְּחַיָּי, אֲזַמְּרָה לֵאלֹהַי בְּעוֹדִי. אַל תִּבְטְחוּ בִנְדִיבִים, בְּבֶן־אָדָם שֶׁאֵין לוֹ תְשׁוּעָה. תֵּצֵא רוּחוֹ יָשֻׁב לְאַדְמָתוֹ, בַּיּוֹם הַהוּא אָבְדוּ עֶשְׁתֹּנֹתָיו. אַשְׁרֵי שֶׁאֵל יַעֲקֹב בְּעֶזְרוֹ, שִׂבְרוֹ עַל יְיָ אֱלֹהָיו. עֹשֶׂה שָׁמַיִם וָאָרֶץ אֶת־הַיָּם וְאֶת־כָּל־אֲשֶׁר בָּם, הַשֹּׁמֵר אֱמֶת לְעוֹלָם. עֹשֶׂה מִשְׁפָּט לַעֲשׁוּקִים, נֹתֵן לֶחֶם לָרְעֵבִים, יְיָ מַתִּיר אֲסוּרִים. יְיָ פֹּקֵחַ עִוְרִים, יְיָ זֹקֵף כְּפוּפִים, יְיָ אֹהֵב צַדִּיקִים. יְיָ שֹׁמֵר אֶת־גֵּרִים, יָתוֹם וְאַלְמָנָה יְעוֹדֵד וְדֶרֶךְ רְשָׁעִים יְעַוֵּת. יִמְלֹךְ יְיָ לְעוֹלָם, אֱלֹהַיִךְ צִיּוֹן לְדֹר וָדֹר. הַלְלוּיָהּ.

Psalm 146

הַלְלוּיָהּ. כִּי טוֹב זַמְּרָה אֱלֹהֵינוּ, כִּי נָעִים נָאוָה תְהִלָּה. בּוֹנֵה יְרוּשָׁלַיִם יְיָ, נִדְחֵי יִשְׂרָאֵל יְכַנֵּס. הָרוֹפֵא לִשְׁבוּרֵי לֵב וּמְחַבֵּשׁ לְעַצְּבוֹתָם. מוֹנֶה מִסְפָּר לַכּוֹכָבִים, לְכֻלָּם שֵׁמוֹת יִקְרָא. גָּדוֹל אֲדוֹנֵינוּ וְרַב כֹּחַ, לִתְבוּנָתוֹ אֵין מִסְפָּר. מְעוֹדֵד עֲנָוִים יְיָ, מַשְׁפִּיל רְשָׁעִים עֲדֵי אָרֶץ. עֱנוּ לַייָ בְּתוֹדָה, זַמְּרוּ לֵאלֹהֵינוּ בְכִנּוֹר. הַמְכַסֶּה שָׁמַיִם בְּעָבִים, הַמֵּכִין לָאָרֶץ מָטָר, הַמַּצְמִיחַ הָרִים חָצִיר. נוֹתֵן לִבְהֵמָה לַחְמָהּ, לִבְנֵי עֹרֵב אֲשֶׁר יִקְרָאוּ. לֹא בִגְבוּרַת הַסּוּס

יַחְפָּץ, לֹא בְשׁוֹקֵי הָאִישׁ יִרְצֶה. רוֹצֶה יְיָ אֶת־יְרֵאָיו, אֶת־הַמְיַחֲלִים לְחַסְדּוֹ. שַׁבְּחִי יְרוּשָׁלַיִם אֶת־יְיָ, הַלְלִי אֱלֹהַיִךְ צִיּוֹן. כִּי חִזַּק בְּרִיחֵי שְׁעָרָיִךְ, בֵּרַךְ בָּנַיִךְ בְּקִרְבֵּךְ. הַשָּׂם גְּבוּלֵךְ שָׁלוֹם, חֵלֶב חִטִּים יַשְׂבִּיעֵךְ. הַשֹּׁלֵחַ אִמְרָתוֹ אָרֶץ, עַד מְהֵרָה יָרוּץ דְּבָרוֹ. הַנֹּתֵן שֶׁלֶג כַּצָּמֶר, כְּפוֹר כָּאֵפֶר יְפַזֵּר. מַשְׁלִיךְ קַרְחוֹ כְפִתִּים, לִפְנֵי קָרָתוֹ מִי יַעֲמֹד. יִשְׁלַח דְּבָרוֹ וְיַמְסֵם, יַשֵּׁב רוּחוֹ יִזְּלוּ־מָיִם. מַגִּיד דְּבָרָיו לְיַעֲקֹב, חֻקָּיו וּמִשְׁפָּטָיו לְיִשְׂרָאֵל. לֹא עָשָׂה כֵן לְכָל־גּוֹי וּמִשְׁפָּטִים בַּל יְדָעוּם. הַלְלוּיָהּ.

Psalm 147

הַלְלוּיָהּ. הַלְלוּ אֶת־יְיָ מִן הַשָּׁמַיִם, הַלְלוּהוּ בַּמְּרוֹמִים. הַלְלוּהוּ כָל־מַלְאָכָיו, הַלְלוּהוּ כָּל־צְבָאָו. הַלְלוּהוּ שֶׁמֶשׁ וְיָרֵחַ, הַלְלוּהוּ כָּל־כּוֹכְבֵי אוֹר. הַלְלוּהוּ שְׁמֵי הַשָּׁמָיִם וְהַמַּיִם אֲשֶׁר מֵעַל הַשָּׁמָיִם. יְהַלְלוּ אֶת־שֵׁם יְיָ כִּי הוּא צִוָּה וְנִבְרָאוּ. וַיַּעֲמִידֵם לָעַד לְעוֹלָם, חָק־נָתַן וְלֹא יַעֲבוֹר. הַלְלוּ אֶת־יְיָ מִן הָאָרֶץ, תַּנִּינִים וְכָל־תְּהֹמוֹת. אֵשׁ וּבָרָד שֶׁלֶג וְקִיטוֹר רוּחַ סְעָרָה עֹשָׂה דְבָרוֹ, הֶהָרִים וְכָל־גְּבָעוֹת, עֵץ פְּרִי וְכָל־אֲרָזִים, הַחַיָּה וְכָל־בְּהֵמָה, רֶמֶשׂ וְצִפּוֹר כָּנָף, מַלְכֵי־אֶרֶץ וְכָל־לְאֻמִּים שָׂרִים וְכָל־שֹׁפְטֵי אָרֶץ, בַּחוּרִים וְגַם בְּתוּלוֹת, זְקֵנִים עִם נְעָרִים. יְהַלְלוּ אֶת־שֵׁם יְיָ כִּי נִשְׂגָּב שְׁמוֹ לְבַדּוֹ, הוֹדוֹ עַל אֶרֶץ וְשָׁמָיִם. וַיָּרֶם קֶרֶן לְעַמּוֹ, תְּהִלָּה לְכָל־חֲסִידָיו, לִבְנֵי יִשְׂרָאֵל עַם קְרֹבוֹ. הַלְלוּיָהּ.

Psalm 148

הַלְלוּיָהּ. שִׁירוּ לַיְיָ שִׁיר חָדָשׁ, תְּהִלָּתוֹ בִּקְהַל חֲסִידִים. יִשְׂמַח יִשְׂרָאֵל בְּעֹשָׂיו, בְּנֵי צִיּוֹן יָגִילוּ בְמַלְכָּם. יְהַלְלוּ שְׁמוֹ בְמָחוֹל, בְּתֹף וְכִנּוֹר יְזַמְּרוּ־לוֹ. כִּי רוֹצֶה יְיָ בְּעַמּוֹ, יְפָאֵר עֲנָוִים בִּישׁוּעָה. יַעְלְזוּ

חֲסִידִים בְּכָבוֹד, יְרַנְּנוּ עַל מִשְׁכְּבוֹתָם. רוֹמְמוֹת אֵל בִּגְרוֹנָם וְחֶרֶב
פִּיפִיּוֹת בְּיָדָם. לַעֲשׂוֹת נְקָמָה בַּגּוֹיִם, תּוֹכֵחוֹת בַּלְאֻמִּים. לֶאְסֹר
מַלְכֵיהֶם בְּזִקִּים וְנִכְבְּדֵיהֶם בְּכַבְלֵי בַרְזֶל. לַעֲשׂוֹת בָּהֶם מִשְׁפָּט
כָּתוּב, הָדָר הוּא לְכָל־חֲסִידָיו. הַלְלוּיָהּ.

Psalm 149

הַלְלוּיָהּ. הַלְלוּ אֵל בְּקָדְשׁוֹ, הַלְלוּהוּ בִּרְקִיעַ עֻזּוֹ.
הַלְלוּהוּ בִגְבוּרֹתָיו, הַלְלוּהוּ כְּרֹב גֻּדְלוֹ.
הַלְלוּהוּ בְּתֵקַע שׁוֹפָר, הַלְלוּהוּ בְּנֵבֶל וְכִנּוֹר.
הַלְלוּהוּ בְּתֹף וּמָחוֹל, הַלְלוּהוּ בְּמִנִּים וְעֻגָב.
הַלְלוּהוּ בְצִלְצְלֵי־שָׁמַע, הַלְלוּהוּ בְּצִלְצְלֵי תְרוּעָה.
כֹּל הַנְּשָׁמָה תְּהַלֵּל יָהּ. הַלְלוּיָהּ.
כֹּל הַנְּשָׁמָה תְּהַלֵּל יָהּ. הַלְלוּיָהּ.

Psalm 150

בָּרוּךְ יְיָ לְעוֹלָם, אָמֵן וְאָמֵן. בָּרוּךְ יְיָ מִצִּיּוֹן, שֹׁכֵן יְרוּשָׁלָיִם.
הַלְלוּיָהּ. בָּרוּךְ יְיָ אֱלֹהִים אֱלֹהֵי יִשְׂרָאֵל, עֹשֵׂה נִפְלָאוֹת לְבַדּוֹ.
וּבָרוּךְ שֵׁם כְּבוֹדוֹ לְעוֹלָם וְיִמָּלֵא כְבוֹדוֹ אֶת־כָּל־הָאָרֶץ, אָמֵן
וְאָמֵן.

וַיְבָרֶךְ דָּוִיד אֶת־יְיָ לְעֵינֵי כָּל־הַקָּהָל וַיֹּאמֶר דָּוִיד: בָּרוּךְ אַתָּה
יְיָ אֱלֹהֵי יִשְׂרָאֵל אָבִינוּ מֵעוֹלָם וְעַד עוֹלָם. לְךָ יְיָ הַגְּדֻלָּה וְהַגְּבוּרָה
וְהַתִּפְאֶרֶת וְהַנֵּצַח וְהַהוֹד, כִּי כֹל בַּשָּׁמַיִם וּבָאָרֶץ, לְךָ יְיָ הַמַּמְלָכָה
וְהַמִּתְנַשֵּׂא לְכֹל לְרֹאשׁ. וְהָעֹשֶׁר וְהַכָּבוֹד מִלְּפָנֶיךָ וְאַתָּה מוֹשֵׁל בַּכֹּל
וּבְיָדְךָ כֹּחַ וּגְבוּרָה, וּבְיָדְךָ לְגַדֵּל וּלְחַזֵּק לַכֹּל. וְעַתָּה אֱלֹהֵינוּ מוֹדִים
אֲנַחְנוּ לָךְ וּמְהַלְלִים לְשֵׁם תִּפְאַרְתֶּךָ.

I Chronicles 29:10-13

אַתָּה הוּא יְיָ לְבַדֶּךָ, אַתָּה עָשִׂיתָ אֶת־הַשָּׁמַיִם, שְׁמֵי הַשָּׁמַיִם וְכָל־
צְבָאָם, הָאָרֶץ וְכָל־אֲשֶׁר עָלֶיהָ, הַיַּמִּים וְכָל־אֲשֶׁר בָּהֶם, וְאַתָּה
מְחַיֶּה אֶת־כֻּלָּם, וּצְבָא הַשָּׁמַיִם לְךָ מִשְׁתַּחֲוִים. אַתָּה הוּא יְיָ
הָאֱלֹהִים אֲשֶׁר בָּחַרְתָּ בְּאַבְרָם וְהוֹצֵאתוֹ מֵאוּר כַּשְׂדִּים וְשַׂמְתָּ שְּׁמוֹ
אַבְרָהָם, וּמָצָאתָ אֶת־לְבָבוֹ נֶאֱמָן לְפָנֶיךָ

וְכָרוֹת עִמּוֹ הַבְּרִית לָתֵת אֶת־אֶרֶץ הַכְּנַעֲנִי הַחִתִּי הָאֱמֹרִי וְהַפְּרִזִּי
וְהַיְבוּסִי וְהַגִּרְגָּשִׁי לָתֵת לְזַרְעוֹ, וַתָּקֶם אֶת־דְּבָרֶיךָ כִּי צַדִּיק אָתָּה.
וַתֵּרֶא אֶת־עֳנִי אֲבֹתֵינוּ בְּמִצְרָיִם וְאֶת־זַעֲקָתָם שָׁמַעְתָּ עַל יַם סוּף.
וַתִּתֵּן אֹתֹת וּמֹפְתִים בְּפַרְעֹה וּבְכָל־עֲבָדָיו וּבְכָל־עַם אַרְצוֹ כִּי
יָדַעְתָּ כִּי הֵזִידוּ עֲלֵיהֶם, וַתַּעַשׂ לְךָ שֵׁם כְּהַיּוֹם הַזֶּה. וְהַיָּם
בָּקַעְתָּ לִפְנֵיהֶם וַיַּעַבְרוּ בְתוֹךְ הַיָּם בַּיַּבָּשָׁה, וְאֶת־רֹדְפֵיהֶם הִשְׁלַכְתָּ
בִמְצוֹלֹת כְּמוֹ אֶבֶן בְּמַיִם עַזִּים.

Nehemiah 9:6-11

וַיּוֹשַׁע יְיָ בַּיּוֹם הַהוּא אֶת־יִשְׂרָאֵל מִיַּד מִצְרָיִם, וַיַּרְא יִשְׂרָאֵל אֶת־
מִצְרַיִם מֵת עַל שְׂפַת הַיָּם. וַיַּרְא יִשְׂרָאֵל אֶת־הַיָּד הַגְּדֹלָה אֲשֶׁר
עָשָׂה יְיָ בְּמִצְרַיִם וַיִּירְאוּ הָעָם אֶת־יְיָ וַיַּאֲמִינוּ בַּייָ וּבְמֹשֶׁה עַבְדּוֹ.

אָז יָשִׁיר מֹשֶׁה וּבְנֵי יִשְׂרָאֵל אֶת־הַשִּׁירָה הַזֹּאת לַייָ וַיֹּאמְרוּ לֵאמֹר:
אָשִׁירָה לַייָ כִּי גָאֹה גָּאָה, סוּס וְרֹכְבוֹ רָמָה בַיָּם. עָזִּי וְזִמְרָת יָהּ וַיְהִי
לִי לִישׁוּעָה. זֶה אֵלִי וְאַנְוֵהוּ, אֱלֹהֵי אָבִי וַאֲרֹמְמֶנְהוּ. יְיָ אִישׁ מִלְחָמָה,
יְיָ שְׁמוֹ. מַרְכְּבֹת פַּרְעֹה וְחֵילוֹ יָרָה בַיָּם וּמִבְחַר שָׁלִשָׁיו טֻבְּעוּ בְיַם
סוּף. תְּהֹמֹת יְכַסְיֻמוּ, יָרְדוּ בִמְצוֹלֹת כְּמוֹ אָבֶן. יְמִינְךָ יְיָ נֶאְדָּרִי
בַּכֹּחַ, יְמִינְךָ יְיָ תִּרְעַץ אוֹיֵב. וּבְרֹב גְּאוֹנְךָ תַּהֲרֹס קָמֶיךָ, תְּשַׁלַּח
חֲרֹנְךָ יֹאכְלֵמוֹ כַּקַּשׁ. וּבְרוּחַ אַפֶּיךָ נֶעֶרְמוּ מַיִם, נִצְּבוּ כְמוֹ נֵד
נֹזְלִים, קָפְאוּ תְהֹמֹת בְּלֶב־יָם. אָמַר אוֹיֵב: אֶרְדֹּף אַשִּׂיג אֲחַלֵּק

שָׁלָל, תִּמְלָאֵמוֹ נַפְשִׁי אָרִיק חַרְבִּי תּוֹרִישֵׁמוֹ יָדִי. נָשַׁפְתָּ בְרוּחֲךָ כִּסָּמוֹ יָם, צָלְלוּ כַּעוֹפֶרֶת בְּמַיִם אַדִּירִים. מִי־כָמֹכָה בָּאֵלִם יְיָ, מִי כָּמֹכָה נֶאְדָּר בַּקֹּדֶשׁ, נוֹרָא תְהִלֹּת עֹשֵׂה פֶלֶא. נָטִיתָ יְמִינְךָ תִּבְלָעֵמוֹ אָרֶץ. נָחִיתָ בְחַסְדְּךָ עַם זוּ גָּאָלְתָּ, נֵהַלְתָּ בְעָזְּךָ אֶל נְוֵה קָדְשֶׁךָ. שָׁמְעוּ עַמִּים יִרְגָּזוּן, חִיל אָחַז יֹשְׁבֵי פְּלָשֶׁת. אָז נִבְהֲלוּ אַלּוּפֵי אֱדוֹם, אֵילֵי מוֹאָב יֹאחֲזֵמוֹ רָעַד, נָמֹגוּ כֹּל יֹשְׁבֵי כְנָעַן. תִּפֹּל עֲלֵיהֶם אֵימָתָה וָפַחַד, בִּגְדֹל זְרוֹעֲךָ יִדְּמוּ כָּאָבֶן, עַד יַעֲבֹר עַמְּךָ יְיָ, עַד יַעֲבֹר עַם זוּ קָנִיתָ. תְּבִאֵמוֹ וְתִטָּעֵמוֹ בְּהַר נַחֲלָתְךָ, מָכוֹן לְשִׁבְתְּךָ פָּעַלְתָּ יְיָ, מִקְּדָשׁ אֲדֹנָי כּוֹנְנוּ יָדֶיךָ. יְיָ יִמְלֹךְ לְעֹלָם וָעֶד. (יְיָ יִמְלֹךְ לְעֹלָם וָעֶד.)

Exodus 14:30-15:18

כִּי לַייָ הַמְּלוּכָה וּמוֹשֵׁל בַּגּוֹיִם. וְעָלוּ מוֹשִׁעִים בְּהַר צִיּוֹן לִשְׁפֹּט אֶת־הַר עֵשָׂו וְהָיְתָה לַייָ הַמְּלוּכָה. וְהָיָה יְיָ לְמֶלֶךְ עַל כָּל־הָאָרֶץ, בַּיּוֹם הַהוּא יִהְיֶה יְיָ אֶחָד וּשְׁמוֹ אֶחָד.

The service continues on page 102.

Pesukei De-zimra

Prayer requires awareness and voluntary involvement; it demands inner participation as well as the reading of words. We do not recite the central core of our service—K'riat Sh'ma with its benedictions, and the Amidah—without preparation. We do not approach prayer casually. To help prepare, we now read, study and chant Biblical verses, mostly from the Book of Psalms. Thus we hope to approach prayer in the proper spirit, with an informed heart, freely, openly and gladly.

Barukh Sheh-amar

In the benediction introducing Pesukei De-zimra we praise the eternal, compassionate Creator who redeems our lives. Our chanting of Psalms proclaims His Kingship.

בָּרוּךְ שֶׁאָמַר וְהָיָה הָעוֹלָם, בָּרוּךְ הוּא,

בָּרוּךְ עוֹשֶׂה בְרֵאשִׁית, בָּרוּךְ אוֹמֵר וְעוֹשֶׂה,

בָּרוּךְ גּוֹזֵר וּמְקַיֵּם, בָּרוּךְ מְרַחֵם עַל הָאָרֶץ,

בָּרוּךְ מְרַחֵם עַל הַבְּרִיּוֹת, בָּרוּךְ מְשַׁלֵּם שָׂכָר טוֹב לִירֵאָיו,

בָּרוּךְ חַי לָעַד וְקַיָּם לָנֶצַח, בָּרוּךְ פּוֹדֶה וּמַצִּיל, בָּרוּךְ שְׁמוֹ.

בָּרוּךְ אַתָּה יְיָ אֱלֹהֵינוּ מֶלֶךְ הָעוֹלָם, הָאֵל הָאָב הָרַחֲמָן הַמְהֻלָּל בְּפִי עַמּוֹ, מְשֻׁבָּח וּמְפֹאָר בִּלְשׁוֹן חֲסִידָיו וַעֲבָדָיו. וּבְשִׁירֵי דָוִד עַבְדֶּךָ נְהַלֶּלְךָ יְיָ אֱלֹהֵינוּ, בִּשְׁבָחוֹת וּבִזְמִירוֹת נְגַדֶּלְךָ וּנְשַׁבֵּחֲךָ וּנְפָאֶרְךָ וְנַזְכִּיר שִׁמְךָ וְנַמְלִיכְךָ מַלְכֵּנוּ אֱלֹהֵינוּ, יָחִיד חֵי הָעוֹלָמִים. מֶלֶךְ מְשֻׁבָּח וּמְפֹאָר עֲדֵי עַד שְׁמוֹ הַגָּדוֹל. בָּרוּךְ אַתָּה יְיָ מֶלֶךְ מְהֻלָּל בַּתִּשְׁבָּחוֹת.

Pesukei De-zimra

*Prayer requires awareness and voluntary involvement; it
demands inner participation as well as the reading of words. We
do not recite the central core of our service—K'riat Sh'ma with its
benedictions, and the Amidah—without preparation. We do not
approach prayer casually. To help prepare, we now read, study
and chant Biblical verses, mostly from the Book of Psalms. Thus
we hope to approach prayer in the proper spirit, with an
informed heart, freely, openly and gladly.*

Barukh Sheh-amar

*In the benediction introducing Pesukei De-zimra we praise the
eternal, compassionate Creator who redeems our lives. Our
chanting of Psalms proclaims His Kingship.*

He created the world with His word.

Praise Him.

Praise Him, Author of beginnings.

His word is performance.

His decree is fulfillment. Praise Him.

His mercy embraces the world and all creatures.

Praise Him. He rewards those who revere Him.

He redeems, He rescues. Praise Him.

Praise Him. He lives forever.

We praise You, Lord our God, King of the universe, compassionate Father. We laud You with the Psalms of Your servant David. We extol You in song, we celebrate Your fame in melody. We proclaim You King, singular, eternal God. Praised are You, Lord, King extolled with songs of praise.

לַמְנַצֵּחַ מִזְמוֹר לְדָוִד.

הַשָּׁמַיִם מְסַפְּרִים כְּבוֹד אֵל וּמַעֲשֵׂה יָדָיו מַגִּיד הָרָקִיעַ. יוֹם לְיוֹם יַבִּיעַ אֹמֶר וְלַיְלָה לְּלַיְלָה יְחַוֶּה־דָּעַת. אֵין אֹמֶר וְאֵין דְּבָרִים בְּלִי נִשְׁמָע קוֹלָם. בְּכָל־הָאָרֶץ יָצָא קַוָּם וּבִקְצֵה תֵבֵל מִלֵּיהֶם, לַשֶּׁמֶשׁ שָׂם אֹהֶל בָּהֶם וְהוּא כְּחָתָן יֹצֵא מֵחֻפָּתוֹ, יָשִׂישׂ כְּגִבּוֹר לָרוּץ אֹרַח, מִקְצֵה הַשָּׁמַיִם מוֹצָאוֹ וּתְקוּפָתוֹ עַל קְצוֹתָם וְאֵין נִסְתָּר מֵחַמָּתוֹ.

תּוֹרַת יְיָ תְּמִימָה, מְשִׁיבַת נָפֶשׁ,
עֵדוּת יְיָ נֶאֱמָנָה, מַחְכִּימַת פֶּתִי.
פִּקּוּדֵי יְיָ יְשָׁרִים, מְשַׂמְּחֵי־לֵב,
מִצְוַת יְיָ בָּרָה, מְאִירַת עֵינָיִם.
יִרְאַת יְיָ טְהוֹרָה, עוֹמֶדֶת לָעַד,
מִשְׁפְּטֵי יְיָ אֱמֶת, צָדְקוּ יַחְדָּו.
הַנֶּחֱמָדִים מִזָּהָב וּמִפַּז רָב,
וּמְתוּקִים מִדְּבַשׁ וְנֹפֶת צוּפִים.

גַּם עַבְדְּךָ נִזְהָר בָּהֶם, בְּשָׁמְרָם עֵקֶב רָב. שְׁגִיאוֹת מִי יָבִין, מִנִּסְתָּרוֹת נַקֵּנִי. גַּם מִזֵּדִים חֲשֹׂךְ עַבְדֶּךָ, אַל יִמְשְׁלוּ בִי, אָז אֵיתָם וְנִקֵּיתִי מִפֶּשַׁע רָב. יִהְיוּ לְרָצוֹן אִמְרֵי־פִי וְהֶגְיוֹן לִבִּי לְפָנֶיךָ, יְיָ צוּרִי וְגֹאֲלִי.

תְּפִלָּה לְמֹשֶׁה אִישׁ הָאֱלֹהִים.

אֲדֹנָי, מָעוֹן אַתָּה הָיִיתָ לָּנוּ בְּדֹר וָדֹר.
בְּטֶרֶם הָרִים יֻלָּדוּ וַתְּחוֹלֵל אֶרֶץ וְתֵבֵל
וּמֵעוֹלָם עַד עוֹלָם אַתָּה אֵל.

A PSALM OF DAVID.

The heavens declare the glory of God, vaulted skies proclaim His handiwork. Day after day the word goes forth, night after night the story is told. Soundless the speech, voiceless the talk, yet there is none who cannot hear. The tale is echoed throughout the earth, the story resounds to the world's end. The sun, which He tented in the heavens, sallies forth like a bridegroom from his chamber, exulting like a powerful runner, eager to run the course before him, starting at one end of the heavens, rounding the circuit to the other. Nothing can escape its burning heat.

The Torah of the Lord is perfect; it revives the spirit.

The testimony of the Lord is sure; it brightens the dull.

The precepts of the Lord are right; they gladden the heart.

The command of the Lord is clear; it opens the eyes.

The decree of the Lord is pure; it endures forever.

The laws of the Lord are true; they are altogether just.

More precious are they than gold, priceless beyond purest gold,

Sweeter than sweetest honey, drippings of the honeycomb.

Your servant strives to keep them; to observe them brings great reward. Yet who can discern his own faults? Cleanse me of hidden faults, and restrain Your servant from willful sins; may they not control me. Then shall I be innocent of wrongs, wholly clear of all transgression. May the words of my mouth and the meditations of my heart be acceptable to You, Lord, my Rock and my Redeemer.

Psalm 19

A PRAYER OF MOSES, MAN OF GOD.

O Lord, You have been our refuge
From generation to generation.

Before the mountains were born,
Before the earth was fashioned,

From age to age, everlastingly You are God.

תָּשֵׁב אֱנוֹשׁ עַד דַּכָּא וַתֹּאמֶר שׁוּבוּ בְנֵי אָדָם.

כִּי אֶלֶף שָׁנִים בְּעֵינֶיךָ כְּיוֹם אֶתְמוֹל כִּי יַעֲבֹר
וְאַשְׁמוּרָה בַלָּיְלָה.

זְרַמְתָּם שֵׁנָה יִהְיוּ, בַּבֹּקֶר כֶּחָצִיר יַחֲלֹף.

בַּבֹּקֶר יָצִיץ וְחָלָף, לָעֶרֶב יְמוֹלֵל וְיָבֵשׁ.

כִּי כָלִינוּ בְאַפֶּךָ, וּבַחֲמָתְךָ נִבְהָלְנוּ.

שַׁתָּ עֲוֹנֹתֵינוּ לְנֶגְדֶּךָ, עֲלֻמֵנוּ לִמְאוֹר פָּנֶיךָ.

כִּי כָל־יָמֵינוּ פָּנוּ בְעֶבְרָתֶךָ,
כִּלִּינוּ שָׁנֵינוּ כְמוֹ הֶגֶה.

יְמֵי שְׁנוֹתֵינוּ בָהֶם שִׁבְעִים שָׁנָה
וְאִם בִּגְבוּרֹת שְׁמוֹנִים שָׁנָה
וְרָהְבָּם עָמָל וָאָוֶן, כִּי גָז חִישׁ וַנָּעֻפָה.

מִי יוֹדֵעַ עֹז אַפֶּךָ וּכְיִרְאָתְךָ עֶבְרָתֶךָ.

לִמְנוֹת יָמֵינוּ כֵּן הוֹדַע, וְנָבִא לְבַב חָכְמָה.

שׁוּבָה יְיָ, עַד מָתָי, וְהִנָּחֵם עַל עֲבָדֶיךָ.

שַׂבְּעֵנוּ בַבֹּקֶר חַסְדֶּךָ
וּנְרַנְּנָה וְנִשְׂמְחָה בְּכָל־יָמֵינוּ.

שַׂמְּחֵנוּ כִּימוֹת עִנִּיתָנוּ, שְׁנוֹת רָאִינוּ רָעָה.

יֵרָאֶה אֶל עֲבָדֶיךָ פָעֳלֶךָ, וַהֲדָרְךָ עַל בְּנֵיהֶם.

וִיהִי נֹעַם אֲדֹנָי אֱלֹהֵינוּ עָלֵינוּ
וּמַעֲשֵׂה יָדֵינוּ כּוֹנְנָה עָלֵינוּ
וּמַעֲשֵׂה יָדֵינוּ כּוֹנְנֵהוּ.

But man You crumble to dust.
You say: "Return, O mortals."
A thousand years are in Your sight
As a passing day, an hour of night.

You sweep men away and they sleep.
They flourish for a day, like grass.
In the morning it sprouts afresh;
By nightfall it fades and withers.

By Your anger we are consumed,
By Your wrath we are overcome.
You set out our sins before You,
Our secrets before Your Presence.

Your wrath darkens our days,
Our lives expire like a sigh.
Three score and ten our years may number,
Four score years if granted the vigor.

Laden with trouble and travail,
Life quickly passes and flies away.
Who can know the power of Your wrath?
Who can measure the reverence due You?

Teach us to use all of our days,
That we may attain a heart of wisdom.
Relent, O Lord! How long must we suffer?
Have compassion upon Your servants.

Grant us of Your love in the morning
That we may joyously sing all of our days.
Match days of sorrow with days of joy,
Equal to the years we have suffered.

Then Your servants will see Your power,
Then their children will know Your glory.
May the Lord our God show us compassion,
And may He establish the work of our hands.

May He firmly establish the work of our hands.

Psalm 90

On Rosh Hashanah:

לְדָוִד. יְיָ אוֹרִי וְיִשְׁעִי מִמִּי אִירָא, יְיָ מָעוֹז חַיַּי מִמִּי אֶפְחָד. בִּקְרֹב עָלַי מְרֵעִים לֶאֱכֹל אֶת־בְּשָׂרִי, צָרַי וְאֹיְבַי לִי הֵמָּה כָשְׁלוּ וְנָפָלוּ. אִם תַּחֲנֶה עָלַי מַחֲנֶה לֹא יִירָא לִבִּי, אִם תָּקוּם עָלַי מִלְחָמָה בְּזֹאת אֲנִי בוֹטֵחַ. אַחַת שָׁאַלְתִּי מֵאֵת יְיָ אוֹתָהּ אֲבַקֵּשׁ, שִׁבְתִּי בְּבֵית יְיָ כָּל־יְמֵי חַיַּי, לַחֲזוֹת בְּנֹעַם יְיָ וּלְבַקֵּר בְּהֵיכָלוֹ. כִּי יִצְפְּנֵנִי בְּסֻכֹּה בְּיוֹם רָעָה, יַסְתִּרֵנִי בְּסֵתֶר אָהֳלוֹ בְּצוּר יְרוֹמְמֵנִי. וְעַתָּה יָרוּם רֹאשִׁי עַל אֹיְבַי סְבִיבוֹתַי, וְאֶזְבְּחָה בְאָהֳלוֹ זִבְחֵי תְרוּעָה, אָשִׁירָה וַאֲזַמְּרָה לַייָ. שְׁמַע יְיָ קוֹלִי אֶקְרָא, וְחָנֵּנִי וַעֲנֵנִי. לְךָ אָמַר לִבִּי בַּקְּשׁוּ פָנָי, אֶת־פָּנֶיךָ יְיָ אֲבַקֵּשׁ. אַל תַּסְתֵּר פָּנֶיךָ מִמֶּנִּי אַל תַּט בְּאַף עַבְדֶּךָ, עֶזְרָתִי הָיִיתָ, אַל תִּטְּשֵׁנִי וְאַל תַּעַזְבֵנִי אֱלֹהֵי יִשְׁעִי. כִּי אָבִי וְאִמִּי עֲזָבוּנִי, וַייָ יַאַסְפֵנִי. הוֹרֵנִי יְיָ דַּרְכֶּךָ וּנְחֵנִי בְּאֹרַח מִישׁוֹר לְמַעַן שׁוֹרְרָי. אַל תִּתְּנֵנִי בְּנֶפֶשׁ צָרָי, כִּי קָמוּ בִי עֵדֵי שֶׁקֶר וִיפֵחַ חָמָס. לוּלֵא הֶאֱמַנְתִּי לִרְאוֹת בְּטוּב יְיָ בְּאֶרֶץ חַיִּים. קַוֵּה אֶל יְיָ, חֲזַק וְיַאֲמֵץ לִבֶּךָ וְקַוֵּה אֶל יְיָ.

On Yom Kippur:

לְדָוִד מַשְׂכִּיל. אַשְׁרֵי נְשׂוּי פֶּשַׁע כְּסוּי חֲטָאָה. אַשְׁרֵי אָדָם לֹא יַחְשֹׁב יְיָ לוֹ עָוֹן וְאֵין בְּרוּחוֹ רְמִיָּה. כִּי הֶחֱרַשְׁתִּי בָּלוּ עֲצָמָי, בְּשַׁאֲגָתִי כָּל־הַיּוֹם. כִּי יוֹמָם וָלַיְלָה תִּכְבַּד עָלַי יָדֶךָ, נֶהְפַּךְ לְשַׁדִּי בְּחַרְבֹנֵי קַיִץ סֶלָה. חַטָּאתִי אוֹדִיעֲךָ וַעֲוֹנִי לֹא כִסִּיתִי, אָמַרְתִּי אוֹדֶה עֲלֵי פְשָׁעַי

On Rosh Hashanah:

A Psalm of David. The Lord is my light and my help. Whom shall I fear? The Lord is the strength of my life. Whom shall I dread? When evildoers draw near to devour me, when foes threaten, they stumble and fall. Though armies be arrayed against me, I have no fear. Though wars threaten, I remain steadfast in my faith.

One thing I ask of the Lord, for this I yearn: To dwell in the House of the Lord all the days of my life, to pray in His sanctuary, to behold the Lord's beauty. He will hide me in His shrine, safe from peril. He will shelter me, and put me beyond the reach of disaster. He will raise my head above all my enemies. I will bring Him offerings with shouts of joy. I will sing, I will chant praise to the Lord.

O Lord, hear my voice when I call; be gracious, and answer me. "It is You that I seek," says my heart. It is Your Presence that I crave, O Lord. Hide not Your Presence from me, reject not Your servant. You are my help; do not desert me. Forsake me not, God of my deliverance. Though my father and mother forsake me, the Lord will gather me in and care for me. Teach me Your way, O Lord. Guide me on the right path, to confound those who mock me. Deceivers have risen against me, men who breathe out violence. Abandon me not to the will of my foes. Mine is the faith that I surely will see the Lord's goodness in the land of the living. Hope in the Lord and be strong. Hope in the Lord and take courage.

Psalm 27

On Yom Kippur:

Blessed the person whose sin is pardoned, whose offence is forgiven. Blessed the person whom the Lord has absolved, whose spirit is cleansed of secret sin. When I kept my sin quiet, I wasted away; I cried out in torment all the day long. Day and night Your hand lay heavy upon me; I was ravaged as by summer heat. I decided to confess to You, I openly admitted my guilt. Then You forgave my sin, the error of my way. Let the

לַייָ, וְאַתָּה נָשָׂאתָ עֲוֹן חַטָּאתִי סֶלָה. עַל זֹאת יִתְפַּלֵּל כָּל־חָסִיד אֵלֶיךָ לְעֵת מְצֹא רַק לְשֵׁטֶף מַיִם רַבִּים, אֵלָיו לֹא יַגִּיעוּ. אַתָּה סֵתֶר לִי מִצַּר תִּצְּרֵנִי, רָנֵּי פַלֵּט תְּסוֹבְבֵנִי סֶלָה. אַשְׂכִּילְךָ וְאוֹרְךָ בְּדֶרֶךְ זוּ תֵלֵךְ, אִיעֲצָה עָלֶיךָ עֵינִי. אַל תִּהְיוּ כְּסוּס, כְּפֶרֶד אֵין הָבִין, בְּמֶתֶג וָרֶסֶן עֶדְיוֹ לִבְלוֹם, בַּל קְרֹב אֵלֶיךָ. רַבִּים מַכְאוֹבִים לָרָשָׁע, וְהַבּוֹטֵחַ בַּייָ חֶסֶד יְסוֹבְבֶנּוּ. שִׂמְחוּ בַייָ וְגִילוּ צַדִּיקִים וְהַרְנִינוּ כָּל־יִשְׁרֵי־לֵב.

I praise the Lord

הַלְלוּיָהּ. הַלְלִי נַפְשִׁי אֶת־יְיָ. אֲהַלְלָה יְיָ בְּחַיָּי, אֲזַמְּרָה לֵאלֹהַי בְּעוֹדִי. אַל תִּבְטְחוּ בִנְדִיבִים, בְּבֶן־אָדָם שֶׁאֵין לוֹ תְשׁוּעָה. תֵּצֵא רוּחוֹ יָשֻׁב לְאַדְמָתוֹ, בַּיּוֹם הַהוּא אָבְדוּ עֶשְׁתֹּנֹתָיו. אַשְׁרֵי שֶׁאֵל יַעֲקֹב בְּעֶזְרוֹ, שִׂבְרוֹ עַל יְיָ אֱלֹהָיו. עֹשֶׂה שָׁמַיִם וָאָרֶץ אֶת־הַיָּם וְאֶת־כָּל־אֲשֶׁר בָּם, הַשֹּׁמֵר אֱמֶת לְעוֹלָם. עֹשֶׂה מִשְׁפָּט לָעֲשׁוּקִים, נֹתֵן לֶחֶם לָרְעֵבִים, יְיָ מַתִּיר אֲסוּרִים. יְיָ פֹּקֵחַ עִוְרִים יְיָ זֹקֵף כְּפוּפִים, יְיָ אֹהֵב צַדִּיקִים. יְיָ שֹׁמֵר אֶת־גֵּרִים, יָתוֹם וְאַלְמָנָה יְעוֹדֵד וְדֶרֶךְ רְשָׁעִים יְעַוֵּת. יִמְלֹךְ יְיָ לְעוֹלָם, אֱלֹהַיִךְ צִיּוֹן לְדֹר וָדֹר. הַלְלוּיָהּ.

Let all creation praise Him

הַלְלוּיָהּ. הַלְלוּ אֶת־יְיָ מִן הַשָּׁמַיִם, הַלְלוּהוּ בַּמְּרוֹמִים. הַלְלוּהוּ כָל־מַלְאָכָיו, הַלְלוּהוּ כָּל־צְבָאָו. הַלְלוּהוּ שֶׁמֶשׁ וְיָרֵחַ, הַלְלוּהוּ כָּל־כּוֹכְבֵי אוֹר. הַלְלוּהוּ שְׁמֵי הַשָּׁמָיִם וְהַמַּיִם אֲשֶׁר מֵעַל הַשָּׁמָיִם. יְהַלְלוּ אֶת־שֵׁם יְיָ כִּי הוּא צִוָּה וְנִבְרָאוּ. וַיַּעֲמִידֵם לָעַד לְעוֹלָם, חָק־נָתַן וְלֹא יַעֲבוֹר. הַלְלוּ אֶת־יְיָ מִן הָאָרֶץ, תַּנִּינִים וְכָל־תְּהֹמוֹת.

devoted know You and pray to You. Floods of trouble surely will not reach them. You are my shelter, protecting me from trouble. You surround me with songs of deliverance. You give men counsel, constantly watching over them. You instruct men to be not like horses, to act not like senseless mules. They must be curbed with bridle and bit, and cannot be taught in any other way. Many torments come upon the ungodly; mercy embraces the Lord's faithful. Let the just rejoice in the Lord. Let the upright sing with gladness.

Psalm 32

I praise the Lord

Halleluyah! Let my life praise the Lord. I shall praise the Lord all my days, I shall sing to God while I live. Put not your trust in princes, in mortal man who cannot save. His breath departs, he returns to dust, and there is the end of all his plans. Happy is he whose help is the God of Jacob, whose hope is the Lord our God. He created heaven, earth and sea, and all they contain. He keeps faith forever, bringing justice to the oppressed, providing food for the hungry. The Lord frees the bound. He gives sight to the blind. The Lord raises those bowed down. He loves the just. The Lord protects the stranger. He supports the orphan and the widow, He frustrates the designs of the wicked. The Lord will reign through all generations; your God, Zion, will reign forever. Halleluyah!

Psalm 146

Let all creation praise Him

Halleluyah! Praise the Lord from the heavens; praise Him, angels on high. Praise Him, all shining stars, the sun, the moon, and all His hosts. Praise Him, highest heavens; praise Him, waters above the heavens. Let them all praise the glory of the Lord, for they were created by His command. He established them to endure forever. It is His decree, never to be changed. Praise the Lord, all who share the earth: monsters of the sea and all its depths, fire and hail, snow and mist, storms which

אֵשׁ וּבָרָד שֶׁלֶג וְקִיטוֹר רְוּחַ סְעָרָה עֹשָׂה דְבָרוֹ, הֶהָרִים וְכָל־גְּבָעוֹת, עֵץ פְּרִי וְכָל־אֲרָזִים, הַחַיָּה וְכָל־בְּהֵמָה, רֶמֶשׂ וְצִפּוֹר כָּנָף, מַלְכֵי־אֶרֶץ וְכָל־לְאֻמִּים שָׂרִים וְכָל־שֹׁפְטֵי אָרֶץ, בַּחוּרִים וְגַם בְּתוּלוֹת, זְקֵנִים עִם נְעָרִים. יְהַלְלוּ אֶת־שֵׁם יְיָ כִּי נִשְׂגָּב שְׁמוֹ לְבַדּוֹ, הוֹדוֹ עַל אֶרֶץ וְשָׁמָיִם. וַיָּרֶם קֶרֶן לְעַמּוֹ, תְּהִלָּה לְכָל־חֲסִידָיו, לִבְנֵי יִשְׂרָאֵל עַם קְרֹבוֹ. הַלְלוּיָהּ.

A symphony to celebrate the Lord of all

הַלְלוּיָהּ. הַלְלוּ אֵל בְּקָדְשׁוֹ, הַלְלוּהוּ בִּרְקִיעַ עֻזּוֹ.

הַלְלוּהוּ בִגְבוּרֹתָיו, הַלְלוּהוּ כְּרֹב גֻּדְלוֹ.

הַלְלוּהוּ בְּתֵקַע שׁוֹפָר, הַלְלוּהוּ בְּנֵבֶל וְכִנּוֹר.

הַלְלוּהוּ בְּתֹף וּמָחוֹל, הַלְלוּהוּ בְּמִנִּים וְעֻגָב.

הַלְלוּהוּ בְצִלְצְלֵי־שָׁמַע, הַלְלוּהוּ בְּצִלְצְלֵי תְרוּעָה.

כֹּל הַנְּשָׁמָה תְּהַלֵּל יָהּ. הַלְלוּיָהּ.

כֹּל הַנְּשָׁמָה תְּהַלֵּל יָהּ. הַלְלוּיָהּ.

בָּרוּךְ יְיָ לְעוֹלָם, אָמֵן וְאָמֵן. בָּרוּךְ יְיָ מִצִּיּוֹן, שֹׁכֵן יְרוּשָׁלָיִם. הַלְלוּיָהּ. בָּרוּךְ יְיָ אֱלֹהִים אֱלֹהֵי יִשְׂרָאֵל, עֹשֵׂה נִפְלָאוֹת לְבַדּוֹ. וּבָרוּךְ שֵׁם כְּבוֹדוֹ לְעוֹלָם וְיִמָּלֵא כְבוֹדוֹ אֶת־כָּל־הָאָרֶץ, אָמֵן וְאָמֵן.

obey His command, all mountains and hills, all fruitbearing trees and cedars, all wild beasts and cattle, creeping creatures, birds, kings of all the people of the world, princes and all the judges of the earth, men and women, young and old! Let all creatures praise the glory of God. He alone is supreme. His glory is over heaven and earth. He exalted the fame of His people, He called for praise for all His faithful. He exalted the people Israel, the people drawn close to Him. Halleluyah!

Psalm 148

A symphony to celebrate the Lord of all

O laud the Lord, the God of hosts commend,

> *Exalt His power, advance His holiness;*
> *With all your might lift His almightiness,*
> *Your greatest praise upon His greatness spend.*

Make trumpet's noise in shrillest notes ascend,

> *Make lute and lyre His loved fame express;*
> *Him let the pipe, Him let the tabret bless,*

Him organ's breath, that winds or waters lend.
Let ringing timbrels so His honor sound,

> *Let sounding cymbals so His glory ring*

That in their tunes such melody be found

> *As fits the pomp of most triumphant King.*

Conclude: by all that air, or life enfold,
Let high Lord God most highly be extolled.

Psalm 150

Praised be the Lord forever. Amen! Amen!
Praised from Zion be the Lord who abides in Jerusalem.
Praised be the Lord, the God of Israel, who alone works wonders.
Praised be His glory throughout all time.
Let His glory fill the whole world.
And let us say: Amen! Amen!

שַׁחַר אֲבַקֶּשְׁךָ צוּרִי וּמִשְׂגַּבִּי
אֶעֱרֹךְ לְפָנֶיךָ שַׁחְרִי וְגַם עַרְבִּי.
לִפְנֵי גְדֻלָּתְךָ אֶעֱמֹד וְאֶבָּהֵל
כִּי עֵינְךָ תִרְאֶה כָּל־מַחְשְׁבוֹת לִבִּי.
מַה־זֶּה אֲשֶׁר יוּכַל הַלֵּב וְהַלָּשׁוֹן לַעֲשׂוֹת
וּמַה־כֹּחַ רוּחִי בְּתוֹךְ קִרְבִּי.
הִנֵּה לְךָ תִיטַב זִמְרַת אֱנוֹשׁ
עַל כֵּן אוֹדְךָ בְּעוֹד תִּהְיֶה נִשְׁמַת אֱלוֹהַּ בִּי.

נִשְׁמַת כָּל־חַי תְּבָרֵךְ אֶת־שִׁמְךָ יְיָ אֱלֹהֵינוּ, וְרוּחַ כָּל־בָּשָׂר תְּפָאֵר וּתְרוֹמֵם זִכְרְךָ מַלְכֵּנוּ תָּמִיד. מִן הָעוֹלָם וְעַד הָעוֹלָם אַתָּה אֵל, וּמִבַּלְעָדֶיךָ אֵין לָנוּ מֶלֶךְ גּוֹאֵל וּמוֹשִׁיעַ, פּוֹדֶה וּמַצִּיל וּמְפַרְנֵס וּמְרַחֵם בְּכָל־עֵת צָרָה וְצוּקָה. אֵין לָנוּ מֶלֶךְ אֶלָּא אָתָּה. אֱלֹהֵי הָרִאשׁוֹנִים וְהָאַחֲרוֹנִים, אֱלוֹהַּ כָּל־בְּרִיּוֹת, אֲדוֹן כָּל־תּוֹלָדוֹת, הַמְהֻלָּל בְּרֹב הַתִּשְׁבָּחוֹת, הַמְנַהֵג עוֹלָמוֹ בְּחֶסֶד וּבְרִיּוֹתָיו בְּרַחֲמִים. וַיְיָ לֹא יָנוּם וְלֹא יִישָׁן, הַמְעוֹרֵר יְשֵׁנִים וְהַמֵּקִיץ נִרְדָּמִים וְהַמֵּשִׂיחַ אִלְּמִים וְהַמַּתִּיר אֲסוּרִים וְהַסּוֹמֵךְ נוֹפְלִים וְהַזּוֹקֵף כְּפוּפִים. לְךָ לְבַדְּךָ אֲנַחְנוּ מוֹדִים.

אִלּוּ פִינוּ מָלֵא שִׁירָה כַּיָּם
וּלְשׁוֹנֵנוּ רִנָּה כַּהֲמוֹן גַּלָּיו
וְשִׂפְתוֹתֵינוּ שֶׁבַח כְּמֶרְחֲבֵי רָקִיעַ
וְעֵינֵינוּ מְאִירוֹת כַּשֶּׁמֶשׁ וְכַיָּרֵחַ
וְיָדֵינוּ פְרוּשׂוֹת כְּנִשְׁרֵי שָׁמָיִם
וְרַגְלֵינוּ קַלּוֹת כָּאַיָּלוֹת
אֵין אֲנַחְנוּ מַסְפִּיקִים לְהוֹדוֹת לְךָ יְיָ אֱלֹהֵינוּ וֵאלֹהֵי אֲבוֹתֵינוּ
וּלְבָרֵךְ אֶת־שִׁמְךָ עַל אַחַת מֵאָלֶף אֶלֶף אַלְפֵי אֲלָפִים
וְרִבֵּי רְבָבוֹת פְּעָמִים הַטּוֹבוֹת שֶׁעָשִׂיתָ עִם אֲבוֹתֵינוּ וְעִמָּנוּ.

At dawn I seek You, Refuge, Rock sublime;
My prayers to You I offer, now and at evening time.
I tremble in Your awesome Presence, deep in fright,
For my deepest secrets lie stripped before Your sight.

My tongue, what can it say? My heart, what can it do?
What is my strength, what is my spirit too?
But should music, Lord, be sweet to You in mortal key,
Your praises will I sing so long as breath's in me.

The breath of all that lives praises You, Lord God. The force
that drives all flesh exalts You, our King, always. In eternity
You are God. Except for You, there is no King to rescue and
redeem, to show compassion in all disaster and distress. Lord
of all ages, God of all creatures, endlessly extolled, You guide
the world with kindness, Your creatures with compassion. The
Lord neither slumbers nor sleeps. You arouse the sleeping, sup-
port the falling, free the fettered, raise those bowed down and
give voice to the speechless. You alone do we acknowledge.

Could song fill our mouth as water fills the sea

 And could joy flood our tongue like countless waves,

Could our lips utter praise as limitless as sky

 And could our eyes match the splendor of the sun,

Could we soar with arms like eagle's wings

 And run with swiftest grace of gentle deer,

Never could we fully state our gratitude
For one ten-thousandth of the lasting love

 Which is Your precious blessing, dearest God,
 Granted to our fathers and to us.

מִמִּצְרַיִם גְּאַלְתָּנוּ יְיָ אֱלֹהֵינוּ וּמִבֵּית עֲבָדִים פְּדִיתָנוּ, בְּרָעָב זַנְתָּנוּ
וּבְשָׂבָע כִּלְכַּלְתָּנוּ, מֵחֶרֶב הִצַּלְתָּנוּ וּמִדֶּבֶר מִלַּטְתָּנוּ, וּמֵחֳלָיִים רָעִים
וְנֶאֱמָנִים דִּלִּיתָנוּ. עַד הֵנָּה עֲזָרוּנוּ רַחֲמֶיךָ וְלֹא עֲזָבוּנוּ חֲסָדֶיךָ וְאַל
תִּטְּשֵׁנוּ, יְיָ אֱלֹהֵינוּ, לָנֶצַח. עַל כֵּן אֵיבָרִים שֶׁפִּלַּגְתָּ בָּנוּ וְרוּחַ וּנְשָׁמָה
שֶׁנָּפַחְתָּ בְּאַפֵּינוּ וְלָשׁוֹן אֲשֶׁר שַׂמְתָּ בְּפִינוּ, הֵן הֵם יוֹדוּ וִיבָרְכוּ וִישַׁבְּחוּ
וִיפָאֲרוּ וִירוֹמְמוּ וְיַעֲרִיצוּ וְיַקְדִּישׁוּ וְיַמְלִיכוּ אֶת־שִׁמְךָ מַלְכֵּנוּ. כִּי
כָל־פֶּה לְךָ יוֹדֶה וְכָל־לָשׁוֹן לְךָ תִשָּׁבַע וְכָל־בֶּרֶךְ לְךָ תִכְרַע וְכָל־
קוֹמָה לְפָנֶיךָ תִשְׁתַּחֲוֶה וְכָל־לְבָבוֹת יִירָאוּךָ וְכָל־קֶרֶב וּכְלָיוֹת
יְזַמְּרוּ לִשְׁמֶךָ. כַּדָּבָר שֶׁכָּתוּב: כָּל־עַצְמֹתַי תֹּאמַרְנָה יְיָ מִי כָמוֹךָ,
מַצִּיל עָנִי מֵחָזָק מִמֶּנּוּ וְעָנִי וְאֶבְיוֹן מִגֹּזְלוֹ. מִי יִדְמֶה־לָּךְ וּמִי יִשְׁוֶה־
לָּךְ וּמִי יַעֲרָךְ־לָךְ, הָאֵל הַגָּדוֹל הַגִּבּוֹר וְהַנּוֹרָא אֵל עֶלְיוֹן, קוֹנֵה
שָׁמַיִם וָאָרֶץ. נְהַלֶּלְךָ וּנְשַׁבֵּחֲךָ וּנְפָאֶרְךָ וּנְבָרֵךְ אֶת־שֵׁם קָדְשֶׁךָ,
כָּאָמוּר: לְדָוִד, בָּרְכִי נַפְשִׁי אֶת־יְיָ, וְכָל־קְרָבַי אֶת־שֵׁם קָדְשׁוֹ.

הָאֵל בְּתַעֲצוּמוֹת עֻזֶּךָ, הַגָּדוֹל בִּכְבוֹד שְׁמֶךָ, הַגִּבּוֹר לָנֶצַח וְהַנּוֹרָא
בְּנוֹרְאוֹתֶיךָ.

From Egypt You redeemed us, from the house of bondage You delivered us. In famine You nourished us, in prosperity You sustained us. You rescued us from the sword, protected us from pestilence and saved us from severe and lingering disease. To this day Your compassion has helped us, Your kindness has not forsaken us. Never abandon us, Lord our God.

These limbs which You have given us, this force which You have breathed into us, this tongue which You have set in our mouth, must thank You and sing of Your holiness and sovereignty. Every mouth shall thank You, every tongue shall pledge devotion. Every knee shall bend to You, all men shall bow to You. All hearts shall revere You, every fiber of our being shall sing Your glory. You rescue the weak from the powerful, the poor from those who would rob them. Who can equal You, who can be compared to You, great, mighty, awesome, exalted God, Creator of heaven and earth? We extol You even as David sang: Praise the Lord; let every fiber of my being praise Him.

You are God through the vastness of Your eternal power, awesome through Your awesome works.

הַמֶּֽלֶךְ

יוֹשֵׁב עַל כִּסֵּא רָם וְנִשָּׂא.

שׁוֹכֵן עַד, מָרוֹם וְקָדוֹשׁ שְׁמוֹ. וְכָתוּב: רַנְּנוּ צַדִּיקִים בַּייָ לַיְשָׁרִים נָאוָה תְהִלָּה.

בְּפִי יְשָׁרִים תִּתְרוֹמָם
וּבְדִבְרֵי צַדִּיקִים תִּתְבָּרַךְ
וּבִלְשׁוֹן חֲסִידִים תִּתְקַדָּשׁ
וּבְקֶרֶב קְדוֹשִׁים תִּתְהַלָּל.

וּבְמַקְהֲלוֹת רִבְבוֹת עַמְּךָ בֵּית יִשְׂרָאֵל בְּרִנָּה יִתְפָּאַר שִׁמְךָ מַלְכֵּנוּ בְּכָל־דּוֹר וָדוֹר. שֶׁכֵּן חוֹבַת כָּל־הַיְצוּרִים לְפָנֶיךָ יְיָ אֱלֹהֵינוּ וֵאלֹהֵי אֲבוֹתֵינוּ לְהוֹדוֹת לְהַלֵּל לְשַׁבֵּחַ לְפָאֵר לְרוֹמֵם לְהַדֵּר לְבָרֵךְ לְעַלֵּה וּלְקַלֵּס עַל כָּל־דִּבְרֵי שִׁירוֹת וְתִשְׁבְּחוֹת דָּוִד בֶּן־יִשַׁי עַבְדְּךָ מְשִׁיחֶךָ.

In this benediction we pray that our eternal King will always be praised.

יִשְׁתַּבַּח שִׁמְךָ לָעַד, מַלְכֵּנוּ הָאֵל הַמֶּלֶךְ הַגָּדוֹל וְהַקָּדוֹשׁ בַּשָּׁמַיִם וּבָאָרֶץ. כִּי לְךָ נָאֶה, יְיָ אֱלֹהֵינוּ וֵאלֹהֵי אֲבוֹתֵינוּ, שִׁיר וּשְׁבָחָה הַלֵּל וְזִמְרָה עֹז וּמֶמְשָׁלָה נֶצַח גְּדֻלָּה וּגְבוּרָה תְּהִלָּה וְתִפְאֶרֶת קְדֻשָּׁה וּמַלְכוּת בְּרָכוֹת וְהוֹדָאוֹת מֵעַתָּה וְעַד עוֹלָם. בָּרוּךְ אַתָּה יְיָ אֵל מֶלֶךְ גָּדוֹל בַּתִּשְׁבָּחוֹת, אֵל הַהוֹדָאוֹת אֲדוֹן הַנִּפְלָאוֹת הַבּוֹחֵר בְּשִׁירֵי זִמְרָה, מֶלֶךְ אֵל חֵי הָעוֹלָמִים.

GOD IS KING

enthroned supreme.

He inhabits eternity, sacred and exalted. As the Psalmist has written: Rejoice in the Lord, you righteous. It is fitting for the upright to praise Him.

By the mouth of the upright are You acclaimed
By the words of the righteous are You praised
By the tongue of the faithful are You hallowed
In the heart of the saintly are You extolled.

Among assembled throngs of the House of Israel in every generation, Your name shall be glorified in song, our King. For it is the duty of all creatures to thank, laud and glorify You, to add our praise to the songs of David, Your anointed servant.

In this benediction we pray that our eternal King
will always be praised.

May You be praised forever, great and holy God, our King in heaven and on earth. Songs of praise and psalms of gratitude become You, acknowledging Your might and Your dominion. Yours are strength and sovereignty, Yours are glory and grandeur and holiness. Always we look to You for our blessings; always we offer You our thanksgiving. Praised are You, exalted God, Lord of wonders delighting in song and psalm, eternal King of the universe.

Ḥatzi Kaddish

Ḥazzan:

יִתְגַּדַּל וְיִתְקַדַּשׁ שְׁמֵהּ רַבָּא בְּעָלְמָא דִּי בְרָא כִרְעוּתֵהּ, וְיַמְלִיךְ מַלְכוּתֵהּ בְּחַיֵּיכוֹן וּבְיוֹמֵיכוֹן וּבְחַיֵּי דְכָל־בֵּית יִשְׂרָאֵל בַּעֲגָלָא וּבִזְמַן קָרִיב, וְאִמְרוּ אָמֵן.

Congregation and Ḥazzan:

יְהֵא שְׁמֵהּ רַבָּא מְבָרַךְ לְעָלַם וּלְעָלְמֵי עָלְמַיָּא.

Ḥazzan:

יִתְבָּרַךְ וְיִשְׁתַּבַּח וְיִתְפָּאַר וְיִתְרוֹמַם וְיִתְנַשֵּׂא וְיִתְהַדַּר וְיִתְעַלֶּה וְיִתְהַלַּל שְׁמֵהּ דְּקֻדְשָׁא בְּרִיךְ הוּא, לְעֵלָּא לְעֵלָּא מִכָּל־בִּרְכָתָא וְשִׁירָתָא תֻּשְׁבְּחָתָא וְנֶחֱמָתָא דַּאֲמִירָן בְּעָלְמָא, וְאִמְרוּ אָמֵן.

Barkhu

We rise for the call to public worship.

Ḥazzan:

בָּרְכוּ אֶת־יְיָ הַמְבֹרָךְ.

Congregation and Ḥazzan:

בָּרוּךְ יְיָ הַמְבֹרָךְ לְעוֹלָם וָעֶד.

We are seated.

In the first benediction before K'riat Sh'ma we praise God for His gift of Creation.

בָּרוּךְ אַתָּה יְיָ אֱלֹהֵינוּ מֶלֶךְ הָעוֹלָם

On Yom Kippur add this line:

הַפּוֹתֵחַ לָנוּ שַׁעֲרֵי רַחֲמִים וּמֵאִיר עֵינֵי הַמְחַכִּים לִסְלִיחָתוֹ,

יוֹצֵר אוֹר וּבוֹרֵא חֹשֶׁךְ עוֹשֶׂה שָׁלוֹם וּבוֹרֵא אֶת־הַכֹּל.

Ḥatzi Kaddish

Ḥazzan:

Hallowed and enhanced may He be throughout the world of His own creation. May He cause His sovereignty soon to be accepted, during our life and the life of all Israel. And let us say: Amen.

Congregation and Ḥazzan:

Ye-hei shmei raba meva-rakh l'alam ul'almei 'almaya.

May He be praised throughout all time.

Ḥazzan:

Glorified and celebrated, lauded and praised, acclaimed and honored, extolled and exalted may the Holy One be, far beyond all song and psalm, beyond all tributes which man can utter. And let us say: Amen.

Barkhu

We rise for the call to public worship.

Ḥazzan:

PRAISE THE LORD, SOURCE OF BLESSING.

Congregation and Ḥazzan:

PRAISED BE THE LORD, SOURCE OF BLESSING, THROUGHOUT ALL TIME.
We are seated.

In the first benediction before K'riat Sh'ma we praise God for His gift of Creation.

Praised are You, Lord our God, King of the universe,

On Yom Kippur add these two lines:

opening gates of mercy for us, giving light to those who await Your forgiveness,

forming light and creating darkness, ordaining the order of all creation.

אוֹר עוֹלָם בְּאוֹצַר חַיִּים אוֹרוֹת מֵאֹפֶל אָמַר וַיֶּהִי.

On weekdays only:

הַמֵּאִיר לָאָרֶץ וְלַדָּרִים עָלֶיהָ בְּרַחֲמִים וּבְטוּבוֹ מְחַדֵּשׁ בְּכָל־יוֹם תָּמִיד מַעֲשֵׂה בְרֵאשִׁית. מָה רַבּוּ מַעֲשֶׂיךָ יְיָ, כֻּלָּם בְּחָכְמָה עָשִׂיתָ, מָלְאָה הָאָרֶץ קִנְיָנֶךָ. הַמֶּלֶךְ הַמְרוֹמָם לְבַדּוֹ מֵאָז, הַמְשֻׁבָּח וְהַמְפֹאָר וְהַמִּתְנַשֵּׂא מִימוֹת עוֹלָם, אֱלֹהֵי עוֹלָם בְּרַחֲמֶיךָ הָרַבִּים רַחֵם עָלֵינוּ, אֲדוֹן עֻזֵּנוּ צוּר מִשְׂגַּבֵּנוּ מָגֵן יִשְׁעֵנוּ מִשְׂגָּב בַּעֲדֵנוּ. אֵל בָּרוּךְ גְּדוֹל דֵּעָה. הֵכִין וּפָעַל זָהֳרֵי חַמָּה. טוֹב יָצַר כָּבוֹד לִשְׁמוֹ. מְאוֹרוֹת נָתַן סְבִיבוֹת עֻזּוֹ. פִּנּוֹת צְבָאָיו קְדוֹשִׁים רוֹמְמֵי שַׁדַּי תָּמִיד מְסַפְּרִים כְּבוֹד אֵל וּקְדֻשָּׁתוֹ. תִּתְבָּרַךְ יְיָ אֱלֹהֵינוּ עַל שֶׁבַח מַעֲשֵׂה יָדֶיךָ וְעַל מְאוֹרֵי אוֹר שֶׁעָשִׂיתָ יְפָאֲרוּךָ סֶּלָה.

(Continue at top of page 114.)

On Shabbat only:

הַכֹּל יוֹדוּךָ וְהַכֹּל יְשַׁבְּחוּךָ, וְהַכֹּל יֹאמְרוּ אֵין קָדוֹשׁ כַּייָ. הַכֹּל יְרוֹמְמוּךָ סֶּלָה יוֹצֵר הַכֹּל, הָאֵל הַפּוֹתֵחַ בְּכָל־יוֹם דַּלְתוֹת שַׁעֲרֵי מִזְרָח וּבוֹקֵעַ חַלּוֹנֵי רָקִיעַ, מוֹצִיא חַמָּה מִמְּקוֹמָהּ וּלְבָנָה מִמְּכוֹן שִׁבְתָּהּ, וּמֵאִיר לָעוֹלָם כֻּלּוֹ וּלְיוֹשְׁבָיו שֶׁבָּרָא בְּמִדַּת רַחֲמִים. הַמֵּאִיר לָאָרֶץ וְלַדָּרִים עָלֶיהָ בְּרַחֲמִים וּבְטוּבוֹ מְחַדֵּשׁ בְּכָל־יוֹם תָּמִיד מַעֲשֵׂה בְרֵאשִׁית. הַמֶּלֶךְ הַמְרוֹמָם לְבַדּוֹ מֵאָז, הַמְשֻׁבָּח וְהַמְפֹאָר וְהַמִּתְנַשֵּׂא מִימוֹת עוֹלָם, אֱלֹהֵי עוֹלָם בְּרַחֲמֶיךָ הָרַבִּים רַחֵם עָלֵינוּ, אֲדוֹן עֻזֵּנוּ צוּר מִשְׂגַּבֵּנוּ מָגֵן יִשְׁעֵנוּ מִשְׂגָּב בַּעֲדֵנוּ. אֵין כְּעֶרְכְּךָ וְאֵין זוּלָתֶךָ, אֶפֶס בִּלְתְּךָ וּמִי דּוֹמֶה לָּךְ. אֵין כְּעֶרְכְּךָ יְיָ אֱלֹהֵינוּ בָּעוֹלָם הַזֶּה וְאֵין זוּלָתְךָ מַלְכֵּנוּ לְחַיֵּי הָעוֹלָם הַבָּא. אֶפֶס בִּלְתְּךָ גּוֹאֲלֵנוּ לִימוֹת הַמָּשִׁיחַ וְאֵין דּוֹמֶה לְּךָ מוֹשִׁיעֵנוּ לִתְחִיַּת הַמֵּתִים.

God spoke and there was light out of darkness,
life-giving treasure, eternal light.

On weekdays only:

With mercy You give light to the world and to its inhabitants.
In Your goodness You renew creation day after day. How mani-
fold Your works, O Lord. With wisdom You fashioned them all.
The earth abounds with Your creations. You alone are worthy
of praise and glory since the world began. Eternal God, our
shield and protection, Lord of our strength, Rock of our de-
fense, with Your infinite mercy continue to love us. You created
the sun and sent forth its rays, magnificently reflecting Your
splendor. The lights of the heavens radiate Your glory. The
hosts of heaven exalt You, always recounting Your holiness.
For the stars so radiant with light, for the wonder of all that
You have created, we glorify You, Lord our God.

(Continue at top of page 115.)

On Shabbat only:

All creatures praise You, declaring: There is none holy like the
Lord. All extol You, Creator of all. Daily You open the gates of
the heavens, the casements of the eastern sky, bringing forth
the sun from its abode and the moon from its fixed orbit. With
mercy You give light to the world and to its inhabitants. In
Your goodness You renew creation day after day. You alone
deserve being glorified since the world began. Eternal God,
our shield and protection, Lord of our strength, Rock of our
defense, with Your infinite mercy continue to love us. There is
none like You. Who could be Your peer? You are incomparable,
Lord our God, King in this world and in the world to come.
You will be our Redeemer in the days of Messiah; You alone
assure immortal life.

On Shabbat only:

אֵל אָדוֹן עַל כָּל־הַמַּעֲשִׂים, בָּרוּךְ וּמְבֹרָךְ בְּפִי כָּל־נְשָׁמָה.
גָּדְלוֹ וְטוּבוֹ מָלֵא עוֹלָם, דַּעַת וּתְבוּנָה סוֹבְבִים אוֹתוֹ.
הַמִּתְגָּאֶה עַל חַיּוֹת הַקֹּדֶשׁ, וְנֶהְדָּר בְּכָבוֹד עַל הַמֶּרְכָּבָה.
זְכוּת וּמִישׁוֹר לִפְנֵי כִסְאוֹ, חֶסֶד וְרַחֲמִים לִפְנֵי כְבוֹדוֹ.
טוֹבִים מְאוֹרוֹת שֶׁבָּרָא אֱלֹהֵינוּ, יְצָרָם בְּדַעַת בְּבִינָה וּבְהַשְׂכֵּל.
כֹּחַ וּגְבוּרָה נָתַן בָּהֶם, לִהְיוֹת מוֹשְׁלִים בְּקֶרֶב תֵּבֵל.
מְלֵאִים זִיו וּמְפִיקִים נֹגַהּ, נָאֶה זִיוָם בְּכָל־הָעוֹלָם.
שְׂמֵחִים בְּצֵאתָם וְשָׂשִׂים בְּבוֹאָם, עוֹשִׂים בְּאֵימָה רְצוֹן קוֹנָם.
פְּאֵר וְכָבוֹד נוֹתְנִים לִשְׁמוֹ, צָהֳלָה וְרִנָּה לְזֵכֶר מַלְכוּתוֹ.
קָרָא לַשֶּׁמֶשׁ וַיִּזְרַח אוֹר, רָאָה וְהִתְקִין צוּרַת הַלְּבָנָה.
שֶׁבַח נוֹתְנִים לוֹ כָּל־צְבָא מָרוֹם, תִּפְאֶרֶת וּגְדֻלָּה שְׂרָפִים וְאוֹפַנִּים
וְחַיּוֹת הַקֹּדֶשׁ.

לָאֵל אֲשֶׁר שָׁבַת מִכָּל־הַמַּעֲשִׂים, בַּיּוֹם הַשְּׁבִיעִי הִתְעַלָּה וְיָשַׁב עַל כִּסֵּא כְבוֹדוֹ. תִּפְאֶרֶת עָטָה לְיוֹם הַמְּנוּחָה, עֹנֶג קָרָא לְיוֹם הַשַּׁבָּת. זֶה שֶׁבַח שֶׁלַּיּוֹם הַשְּׁבִיעִי שֶׁבּוֹ שָׁבַת אֵל מִכָּל־מְלַאכְתּוֹ. וְיוֹם הַשְּׁבִיעִי מְשַׁבֵּחַ וְאוֹמֵר: מִזְמוֹר שִׁיר לְיוֹם הַשַּׁבָּת, טוֹב לְהֹדוֹת לַייָ. לְפִיכָךְ יְפָאֲרוּ וִיבָרְכוּ לָאֵל כָּל־יְצוּרָיו. שֶׁבַח יְקָר וּגְדֻלָּה יִתְּנוּ לָאֵל מֶלֶךְ יוֹצֵר כֹּל, הַמַּנְחִיל מְנוּחָה לְעַמּוֹ יִשְׂרָאֵל בִּקְדֻשָּׁתוֹ בְּיוֹם שַׁבַּת קֹדֶשׁ. שִׁמְךָ יְיָ אֱלֹהֵינוּ יִתְקַדַּשׁ וְזִכְרְךָ מַלְכֵּנוּ יִתְפָּאַר בַּשָּׁמַיִם מִמַּעַל וְעַל הָאָרֶץ מִתָּחַת. תִּתְבָּרַךְ מוֹשִׁיעֵנוּ עַל שֶׁבַח מַעֲשֵׂה יָדֶיךָ וְעַל מְאוֹרֵי אוֹר שֶׁעָשִׂיתָ יְפָאֲרוּךָ סֶּלָה.

On Shabbat only:

God is the Lord of all creation, praised by all that breathes. His greatness and goodness fill the world; knowledge and wisdom attest to His glory. He is exalted above all the celestial host. Equity and justice determine His judgment; gentleness and compassion are ever before Him. Lovely are the luminaries created by our God; with knowledge and wisdom did He fashion them. With power and energy did He endow them, that they should have dominion in the world. Radiating light, they abound in beauty, rejoicing in rising, exulting in setting, fulfilling with awe the will of their Maker. Glory and honor they bring to His name. With songs of praise they acclaim His kingship. He summoned the sun and it sent forth light, He fashioned the moon and set its cycles. The galaxies of heaven sing praises to Him; the celestial host gives glory to God.

Celestial creatures sing to God who ceased all His work on the seventh day, ascending His glorious throne. He robed the day of rest in beauty, calling Shabbat a delight. It is the distinction of Shabbat that on it God ceased all His labors. The seventh day itself hymns praise to God: "A psalm, a song of Shabbat: It is good to thank the Lord." Let all His creatures likewise sing His praise, let them honor their King and Creator. In His holiness He assigned the holy Shabbat as a day of rest and repose for His people Israel. In the heavens above and on earth below shall Your name be hallowed and acclaimed, Lord our God, our King. We praise You, our Deliverer, for Your wondrous works, for the luminaries which You have fashioned, for the sun and the moon which reflect Your glory.

תִּתְבָּרַךְ צוּרֵנוּ מַלְכֵּנוּ וְגוֹאֲלֵנוּ בּוֹרֵא קְדוֹשִׁים, יִשְׁתַּבַּח שִׁמְךָ לָעַד מַלְכֵּנוּ יוֹצֵר מְשָׁרְתִים וַאֲשֶׁר מְשָׁרְתָיו כֻּלָּם עוֹמְדִים בְּרוּם עוֹלָם וּמַשְׁמִיעִים בְּיִרְאָה יַחַד בְּקוֹל דִּבְרֵי אֱלֹהִים חַיִּים וּמֶלֶךְ עוֹלָם. כֻּלָּם אֲהוּבִים כֻּלָּם בְּרוּרִים כֻּלָּם גִּבּוֹרִים וְכֻלָּם עוֹשִׂים בְּאֵימָה וּבְיִרְאָה רְצוֹן קוֹנָם, וְכֻלָּם פּוֹתְחִים אֶת־פִּיהֶם בִּקְדֻשָּׁה וּבְטָהֳרָה בְּשִׁירָה וּבְזִמְרָה, וּמְבָרְכִים וּמְשַׁבְּחִים וּמְפָאֲרִים וּמַעֲרִיצִים וּמַקְדִּישִׁים וּמַמְלִיכִים

אֶת־שֵׁם הָאֵל הַמֶּלֶךְ הַגָּדוֹל הַגִּבּוֹר וְהַנּוֹרָא קָדוֹשׁ הוּא. וְכֻלָּם מְקַבְּלִים עֲלֵיהֶם עֹל מַלְכוּת שָׁמַיִם זֶה מִזֶּה, וְנוֹתְנִים רְשׁוּת זֶה לָזֶה לְהַקְדִּישׁ לְיוֹצְרָם בְּנַחַת רוּחַ בְּשָׂפָה בְרוּרָה וּבִנְעִימָה קְדוֹשָׁה כֻּלָּם כְּאֶחָד עוֹנִים וְאוֹמְרִים בְּיִרְאָה:

קָדוֹשׁ קָדוֹשׁ קָדוֹשׁ יְיָ צְבָאוֹת, מְלֹא כָל־הָאָרֶץ כְּבוֹדוֹ.

וְהָאוֹפַנִּים וְחַיּוֹת הַקֹּדֶשׁ בְּרַעַשׁ גָּדוֹל מִתְנַשְּׂאִים לְעֻמַּת שְׂרָפִים, לְעֻמָּתָם מְשַׁבְּחִים וְאוֹמְרִים:

בָּרוּךְ כְּבוֹד יְיָ מִמְּקוֹמוֹ.

לְאֵל בָּרוּךְ נְעִימוֹת יִתֵּנוּ, לַמֶּלֶךְ אֵל חַי וְקַיָּם זְמִירוֹת יֹאמֵרוּ וְתִשְׁבָּחוֹת יַשְׁמִיעוּ כִּי הוּא לְבַדּוֹ פּוֹעֵל גְּבוּרוֹת עוֹשֶׂה חֲדָשׁוֹת בַּעַל מִלְחָמוֹת זוֹרֵעַ צְדָקוֹת מַצְמִיחַ יְשׁוּעוֹת בּוֹרֵא רְפוּאוֹת נוֹרָא תְהִלּוֹת אֲדוֹן הַנִּפְלָאוֹת, הַמְחַדֵּשׁ בְּטוּבוֹ בְּכָל־יוֹם תָּמִיד מַעֲשֵׂה בְרֵאשִׁית, כָּאָמוּר: לְעֹשֵׂה אוֹרִים גְּדֹלִים, כִּי לְעוֹלָם חַסְדּוֹ. אוֹר חָדָשׁ עַל צִיּוֹן תָּאִיר וְנִזְכֶּה כֻלָּנוּ מְהֵרָה לְאוֹרוֹ. בָּרוּךְ אַתָּה יְיָ יוֹצֵר הַמְּאוֹרוֹת.

In the second benediction before K'riat Sh'ma, we praise
God for His gift of Torah, sign of His love.

אַהֲבָה רַבָּה אֲהַבְתָּנוּ יְיָ אֱלֹהֵינוּ, חֶמְלָה גְדוֹלָה וִיתֵרָה חָמַלְתָּ עָלֵינוּ. אָבִינוּ מַלְכֵּנוּ, בַּעֲבוּר אֲבוֹתֵינוּ שֶׁבָּטְחוּ בְךָ וַתְּלַמְּדֵם חֻקֵּי חַיִּים כֵּן תְּחָנֵּנוּ וּתְלַמְּדֵנוּ. אָבִינוּ הָאָב הָרַחֲמָן, הַמְרַחֵם, רַחֵם עָלֵינוּ וְתֵן

Our King, our Rock, our Redeemer, Creator of celestial creatures, You shall be praised forever. You fashion angelic seraphim who await Your word beyond the heavens. In chorus they proclaim with awe the words of living God, eternal King. Beloved, pure and mighty are they, reverently doing the will of their Creator. In purity and holiness they raise their voices, singing praise and adoration. One to another they vow loyalty to His kingship; one to another they join to hallow their Creator. With clear, sweet tones they all sing in harmony, proclaiming:

HOLY, HOLY, HOLY IS THE LORD OF HOSTS;
THE WHOLE WORLD IS FILLED WITH HIS GLORY.

As in the prophet's vision, soaring celestial creatures respond with a chorus of praise:

PRAISED BE THE LORD'S GLORY THROUGHOUT THE UNIVERSE.

To hallowed God they sweetly sing, to living God they render melody, to eternal God they sound praise. He is singular, performing mighty deeds, creating all that is new. He is the champion of justice, sowing righteousness, reaping victory. He brings healing, He is beyond all praise. He is the Lord of wonders, renewing creation day after day. So sang the Psalmist: "Give thanks to the Creator of the great lights, for His love is everlasting." Cause a new light to shine on Zion. May we all soon be worthy of its radiance. Praised are You, Lord, Creator of lights.

In the second benediction before K'riat Sh'ma we praise
God for His gift of Torah, sign of His love.

Deep is Your love for us, Lord our God, boundless Your tender compassion. You taught our fathers the laws of life. They trusted in You, our Father and King. For their sake graciously teach us. Father, merciful Father, show us mercy; grant us dis-

בְּלִבֵּנוּ לְהָבִין וּלְהַשְׂכִּיל לִשְׁמֹעַ לִלְמֹד וּלְלַמֵּד לִשְׁמֹר וְלַעֲשׂוֹת
וּלְקַיֵּם אֶת־כָּל־דִּבְרֵי תַלְמוּד תּוֹרָתֶךָ בְּאַהֲבָה. וְהָאֵר עֵינֵינוּ
בְּתוֹרָתֶךָ וְדַבֵּק לִבֵּנוּ בְּמִצְוֹתֶיךָ וְיַחֵד לְבָבֵנוּ לְאַהֲבָה וּלְיִרְאָה שְׁמֶךָ
וְלֹא נֵבוֹשׁ לְעוֹלָם וָעֶד. כִּי בְשֵׁם קָדְשְׁךָ הַגָּדוֹל וְהַנּוֹרָא בָּטָחְנוּ,
נָגִילָה וְנִשְׂמְחָה בִּישׁוּעָתֶךָ. וַהֲבִיאֵנוּ לְשָׁלוֹם מֵאַרְבַּע כַּנְפוֹת הָאָרֶץ
וְתוֹלִיכֵנוּ קוֹמְמִיּוּת לְאַרְצֵנוּ כִּי אֵל פּוֹעֵל יְשׁוּעוֹת אָתָּה, וּבָנוּ בָחַרְתָּ
מִכָּל־עַם וְלָשׁוֹן וְקֵרַבְתָּנוּ לְשִׁמְךָ הַגָּדוֹל סֶלָה בֶּאֱמֶת לְהוֹדוֹת לְךָ
וּלְיַחֶדְךָ בְּאַהֲבָה. בָּרוּךְ אַתָּה יְיָ הַבּוֹחֵר בְּעַמּוֹ יִשְׂרָאֵל בְּאַהֲבָה.

K'riat Sh'ma

If there is no minyan, add:

אֵל מֶלֶךְ נֶאֱמָן

We formally affirm God's sovereignty, freely pledging
Him our loyalty. We are His witnesses.

שְׁמַע יִשְׂרָאֵל יְהֹוָה אֱלֹהֵינוּ יְהֹוָה ׀ אֶחָד׃

On Rosh Hashanah, silently:
On Yom Kippur, aloud:

בָּרוּךְ שֵׁם כְּבוֹד מַלְכוּתוֹ לְעוֹלָם וָעֶד.

וְאָהַבְתָּ אֵת יְהֹוָה אֱלֹהֶיךָ בְּכָל־לְבָבְךָ וּבְכָל־נַפְשְׁךָ וּבְכָל־
מְאֹדֶךָ׃ וְהָיוּ הַדְּבָרִים הָאֵלֶּה אֲשֶׁר אָנֹכִי מְצַוְּךָ הַיּוֹם עַל־לְבָבֶךָ׃
וְשִׁנַּנְתָּם לְבָנֶיךָ וְדִבַּרְתָּ בָּם בְּשִׁבְתְּךָ בְּבֵיתֶךָ וּבְלֶכְתְּךָ בַדֶּרֶךְ
וּבְשָׁכְבְּךָ וּבְקוּמֶךָ׃ וּקְשַׁרְתָּם לְאוֹת עַל־יָדֶךָ וְהָיוּ לְטֹטָפֹת בֵּין
עֵינֶיךָ׃ וּכְתַבְתָּם עַל־מְזֻזוֹת בֵּיתֶךָ וּבִשְׁעָרֶיךָ׃

וְהָיָה אִם־שָׁמֹעַ תִּשְׁמְעוּ אֶל־מִצְוֹתַי אֲשֶׁר אָנֹכִי מְצַוֶּה אֶתְכֶם
הַיּוֹם לְאַהֲבָה אֶת־יְהֹוָה אֱלֹהֵיכֶם וּלְעָבְדוֹ בְּכָל־לְבַבְכֶם וּבְכָל־

cernment and understanding. Then will we study Your Torah, heed its words, teach its precepts and follow its instruction, lovingly fulfilling all its teachings. Open our eyes to Your Torah, help our hearts cleave to Your commandments. Unite all our thoughts to love and revere You. Then shall we never be brought to shame. For we trust in Your awesome holiness. We will delight in Your deliverance. Bring us safely from the corners of the earth, and lead us in dignity to our holy land. You are the Source of deliverance. You have called us from all peoples and tongues, constantly drawing us nearer to You, that we may lovingly offer You praise, proclaiming Your Oneness. Praised are You, Lord who loves His people Israel.

K'riat Sh'ma

If there is no minyan, add:

God is a faithful King

We formally affirm God's sovereignty, freely pledging Him our loyalty. We are His witnesses.

HEAR, O ISRAEL: THE LORD OUR GOD, THE LORD IS ONE.

On Rosh Hashanah, silently:

On Yom Kippur, aloud:

Praised be His glorious sovereignty throughout all time.

Love the Lord Your God with all your heart, with all your soul, with all your might. And these words which I command you this day shall you take to heart. You shall diligently teach them to your children. You shall repeat them at home and away, morning and night. You shall bind them as a sign upon your hand, they shall be a reminder above your eyes, and you shall inscribe them upon the doorposts of your homes and upon your gates.

Deuteronomy 6:4–9

If you will earnestly heed the commandments I give you this day, to love the Lord your God and to serve Him with all your

נַפְשְׁכֶם: וְנָתַתִּי מְטַר־אַרְצְכֶם בְּעִתּוֹ יוֹרֶה וּמַלְקוֹשׁ וְאָסַפְתָּ דְגָנֶ֫ךָ
וְתִירֹשְׁךָ וְיִצְהָרֶ֫ךָ: וְנָתַתִּי עֵשֶׂב בְּשָׂדְךָ לִבְהֶמְתֶּ֫ךָ וְאָכַלְתָּ וְשָׂבָ֫עְתָּ:
הִשָּׁמְרוּ לָכֶם פֶּן־יִפְתֶּה לְבַבְכֶם וְסַרְתֶּם וַעֲבַדְתֶּם אֱלֹהִים אֲחֵרִים
וְהִשְׁתַּחֲוִיתֶם לָהֶם: וְחָרָה אַף־יְהֹוָה בָּכֶם וְעָצַר אֶת־הַשָּׁמַ֫יִם
וְלֹא־יִהְיֶה מָטָר וְהָאֲדָמָה לֹא תִתֵּן אֶת־יְבוּלָהּ וַאֲבַדְתֶּם מְהֵרָה
מֵעַל הָאָ֫רֶץ הַטֹּבָה אֲשֶׁר יְהֹוָה נֹתֵן לָכֶם: וְשַׂמְתֶּם אֶת־דְּבָרַי אֵ֫לֶּה
עַל־לְבַבְכֶם וְעַל־נַפְשְׁכֶם וּקְשַׁרְתֶּם אֹתָם לְאוֹת עַל־יֶדְכֶם וְהָיוּ
לְטוֹטָפֹת בֵּין עֵינֵיכֶם: וְלִמַּדְתֶּם אֹתָם אֶת־בְּנֵיכֶם לְדַבֵּר בָּם
בְּשִׁבְתְּךָ בְּבֵיתֶ֫ךָ וּבְלֶכְתְּךָ בַדֶּ֫רֶךְ וּבְשָׁכְבְּךָ וּבְקוּמֶ֫ךָ: וּכְתַבְתָּם
עַל־מְזוּזוֹת בֵּיתֶ֫ךָ וּבִשְׁעָרֶ֫יךָ: לְמַ֫עַן יִרְבּוּ יְמֵיכֶם וִימֵי בְנֵיכֶם עַל
הָאֲדָמָה אֲשֶׁר נִשְׁבַּע יְהֹוָה לַאֲבֹתֵיכֶם לָתֵת לָהֶם כִּימֵי הַשָּׁמַ֫יִם
עַל־הָאָ֫רֶץ:

וַיֹּ֫אמֶר יְהֹוָה אֶל־מֹשֶׁה לֵּאמֹר: דַּבֵּר אֶל־בְּנֵי יִשְׂרָאֵל וְאָמַרְתָּ
אֲלֵהֶם וְעָשׂוּ לָהֶם צִיצִת עַל־כַּנְפֵי בִגְדֵיהֶם לְדֹרֹתָם וְנָתְנוּ עַל־
צִיצִת הַכָּנָף פְּתִיל תְּכֵלֶת: וְהָיָה לָכֶם לְצִיצִת וּרְאִיתֶם אֹתוֹ
וּזְכַרְתֶּם אֶת־כָּל־מִצְוֹת יְהֹוָה וַעֲשִׂיתֶם אֹתָם וְלֹא תָת֫וּרוּ אַחֲרֵי
לְבַבְכֶם וְאַחֲרֵי עֵינֵיכֶם אֲשֶׁר־אַתֶּם זֹנִים אַחֲרֵיהֶם: לְמַ֫עַן תִּזְכְּרוּ
וַעֲשִׂיתֶם אֶת־כָּל־מִצְוֹתָי וִהְיִיתֶם קְדֹשִׁים לֵאלֹהֵיכֶם: אֲנִי יְהֹוָה
אֱלֹהֵיכֶם אֲשֶׁר הוֹצֵ֫אתִי אֶתְכֶם מֵאֶ֫רֶץ מִצְרַ֫יִם לִהְיוֹת לָכֶם לֵאלֹהִים
אֲנִי יְהֹוָה אֱלֹהֵיכֶם:

In the benediction after K'riat Sh'ma, we praise God
alone as the people Israel's redeemer, past and present.

אֱמֶת וְיַצִּיב וְנָכוֹן וְקַיָּם וְיָשָׁר וְנֶאֱמָן וְאָהוּב וְחָבִיב וְנֶחְמָד וְנָעִים וְנוֹרָא
וְאַדִּיר וּמְתֻקָּן וּמְקֻבָּל וְטוֹב וְיָפֶה הַדָּבָר הַזֶּה עָלֵ֫ינוּ לְעוֹלָם וָעֶד.

heart and all your soul, then I will favor your land with rain at the proper season—rain in autumn and rain in spring—and you will have an ample harvest of grain and wine and oil. I will assure abundance in the fields for your cattle. You will eat to contentment. Take care lest you be tempted to forsake God and turn to false gods in worship. For then the wrath of the Lord will be directed against you. He will close the heavens and hold back the rain; the earth will not yield its produce. You will soon disappear from the good land which the Lord is giving you.

Therefore, impress these words of Mine upon your very heart. You shall bind them as a sign upon your hand, and they shall be a symbol above your eyes. Teach them to your children. Repeat them at home and away, morning and night. Inscribe them upon the doorposts of your homes and upon your gates. Then your days and the days of your children will endure as the days of the heavens over the earth, on the land which the Lord swore to give to your fathers.

Deuteronomy 11:13–21

The Lord said to Moses: Instruct the people Israel that in every generation they shall put fringes on the corners of their garments, and bind a thread of blue to the fringe of each corner. Looking upon these fringes you will be reminded of all the commandments of the Lord and fulfill them, and not be seduced by your heart or led astray by your eyes. Then you will remember and observe all My commandments and be holy before your God. I am the Lord your God who brought you out of the land of Egypt to be your God. I, the Lord, am your God.

Numbers 15:37–41

In the benediction after K'riat Sh'ma, we praise God alone as the people Israel's redeemer, past and present.

Your teaching is true and enduring, Your words are established forever. Awesome and revered are they, eternally right; well

אֱמֶת אֱלֹהֵי עוֹלָם מַלְכֵּנוּ, צוּר יַעֲקֹב מָגֵן יִשְׁעֵנוּ. לְדֹר וָדֹר הוּא קַיָּם וּשְׁמוֹ קַיָּם וְכִסְאוֹ נָכוֹן וּמַלְכוּתוֹ וֶאֱמוּנָתוֹ לָעַד קַיֶּמֶת. וּדְבָרָיו חָיִים וְקַיָּמִים נֶאֱמָנִים וְנֶחֱמָדִים לָעַד וּלְעוֹלְמֵי עוֹלָמִים, עַל אֲבוֹתֵינוּ וְעָלֵינוּ עַל בָּנֵינוּ וְעַל דּוֹרוֹתֵינוּ וְעַל כָּל־דּוֹרוֹת זֶרַע יִשְׂרָאֵל עֲבָדֶיךָ.

עַל הָרִאשׁוֹנִים וְעַל הָאַחֲרוֹנִים דָּבָר טוֹב וְקַיָּם לְעוֹלָם וָעֶד. אֱמֶת וֶאֱמוּנָה, חֹק וְלֹא יַעֲבֹר. אֱמֶת שָׁאַתָּה הוּא יְיָ אֱלֹהֵינוּ וֵאלֹהֵי אֲבוֹתֵינוּ, מַלְכֵּנוּ מֶלֶךְ אֲבוֹתֵינוּ גּוֹאֲלֵנוּ גּוֹאֵל אֲבוֹתֵינוּ יוֹצְרֵנוּ צוּר יְשׁוּעָתֵנוּ פּוֹדֵנוּ וּמַצִּילֵנוּ, מֵעוֹלָם שְׁמֶךָ, אֵין אֱלֹהִים זוּלָתֶךָ.

עֶזְרַת אֲבוֹתֵינוּ אַתָּה הוּא מֵעוֹלָם, מָגֵן וּמוֹשִׁיעַ לִבְנֵיהֶם אַחֲרֵיהֶם בְּכָל־דּוֹר וָדוֹר. בְּרוּם עוֹלָם מוֹשָׁבֶךָ וּמִשְׁפָּטֶיךָ וְצִדְקָתְךָ עַד אַפְסֵי־אָרֶץ. אַשְׁרֵי אִישׁ שֶׁיִּשְׁמַע לְמִצְוֹתֶיךָ, וְתוֹרָתְךָ וּדְבָרְךָ יָשִׂים עַל לִבּוֹ. אֱמֶת אַתָּה הוּא אָדוֹן לְעַמֶּךָ, וּמֶלֶךְ גִּבּוֹר לָרִיב רִיבָם. אֱמֶת אַתָּה הוּא רִאשׁוֹן וְאַתָּה הוּא אַחֲרוֹן, וּמִבַּלְעָדֶיךָ אֵין לָנוּ מֶלֶךְ גּוֹאֵל וּמוֹשִׁיעַ. מִמִּצְרַיִם גְּאַלְתָּנוּ יְיָ אֱלֹהֵינוּ וּמִבֵּית עֲבָדִים פְּדִיתָנוּ. כָּל־בְּכוֹרֵיהֶם הָרַגְתָּ וּבְכוֹרְךָ גָּאַלְתָּ וְיַם סוּף בָּקַעְתָּ וְזֵדִים טִבַּעְתָּ וִידִידִים הֶעֱבַרְתָּ וַיְכַסּוּ מַיִם צָרֵיהֶם, אֶחָד מֵהֶם לֹא נוֹתָר. עַל זֹאת שִׁבְּחוּ אֲהוּבִים וְרוֹמְמוּ אֵל וְנָתְנוּ יְדִידִים זְמִירוֹת שִׁירוֹת וְתִשְׁבָּחוֹת בְּרָכוֹת וְהוֹדָאוֹת לַמֶּלֶךְ אֵל חַי וְקַיָּם. רָם וְנִשָּׂא גָּדוֹל וְנוֹרָא, מַשְׁפִּיל גֵּאִים וּמַגְבִּיהַּ שְׁפָלִים מוֹצִיא אֲסִירִים וּפוֹדֶה עֲנָוִים וְעוֹזֵר דַּלִּים וְעוֹנֶה לְעַמּוֹ בְּעֵת שַׁוְּעָם אֵלָיו. תְּהִלּוֹת לְאֵל עֶלְיוֹן בָּרוּךְ הוּא וּמְבֹרָךְ. מֹשֶׁה וּבְנֵי יִשְׂרָאֵל לְךָ עָנוּ שִׁירָה בְּשִׂמְחָה רַבָּה, וְאָמְרוּ כֻלָּם:

ordered are they, always acceptable. They are sweet and pleasant and precious, good and beautiful and beloved. True it is that eternal God is our King, the Rock of Jacob is our protecting shield. He is eternal and His glory is eternal. He is God for all generations. His sovereign throne is firmly established, His faithfulness endures for all time.

His teachings are precious and abiding. They live forever. For our forefathers, for us, for our children, for every generation of the people Israel, for all ages from the first to the last, His teachings are true, everlasting. True it is that You are the Lord our God, even as You were the God of our fathers. Our King and our fathers' King, our Redeemer and our fathers' Redeemer, our Creator, our victorious stronghold, You have always helped us and saved us. Your name endures forever. There is no God but You.

You always were our fathers' help, shield for them and for their children, our Deliverer in every generation. Though You abide on the pinnacle of the universe, Your just decrees extend to the ends of the earth. Happy the man who obeys Your commandments, who takes to heart the words of Your Torah. You are, in truth, Lord of Your people, their Defender and mighty King. You are first and You are last. We have no King or Redeemer but You. You rescued us from Egypt; You redeemed us from the house of bondage. The firstborn of the Egyptians were slain, Your firstborn were saved. You split the waters of the sea. The faithful You rescued, the wicked drowned. The waters engulfed Israel's enemies; not one of the arrogant remained alive. Then Your beloved sang hymns of thanksgiving, extolling You with psalms of adoration. They acclaimed God King, great and awesome Source of all blessing, the everliving God, exalted in majesty. He humbles the proud and raises the lowly. He frees the captive and redeems the meek. He helps the needy and answers His people's call. Praises to God supreme, ever praised is He. Moses and the people Israel sang with great joy this song to the Lord:

מִי־כָמְכָה בָּאֵלִם יְיָ,
מִי כָּמְכָה נֶאְדָּר בַּקֹּדֶשׁ,
נוֹרָא תְהִלֹּת, עֹשֵׂה פֶלֶא.

שִׁירָה חֲדָשָׁה שִׁבְּחוּ גְאוּלִים לְשִׁמְךָ עַל שְׂפַת הַיָּם. יַחַד כֻּלָּם הוֹדוּ וְהִמְלִיכוּ וְאָמְרוּ:

יְיָ יִמְלֹךְ לְעֹלָם וָעֶד.

צוּר יִשְׂרָאֵל, קוּמָה בְּעֶזְרַת יִשְׂרָאֵל וּפְדֵה כִנְאֻמְךָ יְהוּדָה וְיִשְׂרָאֵל. גֹּאֲלֵנוּ יְיָ צְבָאוֹת שְׁמוֹ קְדוֹשׁ יִשְׂרָאֵל. בָּרוּךְ אַתָּה יְיָ גָּאַל יִשְׂרָאֵל.

On Rosh Hashanah, the silent Amidah begins on the following page. Some congregations continue by reciting the Amidah led by the Ḥazzan, page 132.

On Yom Kippur, the silent Amidah begins on page 430.

Mi khamokha ba-eilim Adonai, mi kamokha nedar bakodesh nora te-hilot oseh feleh.

Who is like You, Lord, among all that is worshipped?
Who is like You, majestic in holiness,
awesome in splendor, working wonders?

The redeemed sang a new song for You. They sang in chorus at the shore of the sea, acclaiming Your sovereignty with thanksgiving:

Adonai yimlokh l'olam va'ed.

The Lord shall reign throughout all time.

Rock of Israel, arise to Israel's defense. Fulfill Your promise to deliver Judah and Israel. Our Redeemer is the Holy One of Israel, the Lord of hosts is His name. Praised are You, Lord, Redeemer of the people Israel.

On Rosh Hashanah, the silent Amidah begins on the following page. Some congregations continue by reciting the Amidah led by the Ḥazzan, page 133.

On Yom Kippur, the silent Amidah begins on page 430.

Amidah

We stand in silent prayer, which ends on page 127. For a translation of the Amidah, see pages 31 to 39. For reflections on themes of the day in English, see pages 128 to 131.

אֲדֹנָי שְׂפָתַי תִּפְתָּח וּפִי יַגִּיד תְּהִלָּתֶךָ.

בָּרוּךְ אַתָּה יְיָ אֱלֹהֵינוּ וֵאלֹהֵי אֲבוֹתֵינוּ, אֱלֹהֵי אַבְרָהָם אֱלֹהֵי יִצְחָק וֵאלֹהֵי יַעֲקֹב, הָאֵל הַגָּדוֹל הַגִּבּוֹר וְהַנּוֹרָא אֵל עֶלְיוֹן גּוֹמֵל חֲסָדִים טוֹבִים וְקוֹנֵה הַכֹּל, וְזוֹכֵר חַסְדֵי אָבוֹת וּמֵבִיא גוֹאֵל לִבְנֵי בְנֵיהֶם לְמַעַן שְׁמוֹ בְּאַהֲבָה.

זָכְרֵנוּ לְחַיִּים מֶלֶךְ חָפֵץ בַּחַיִּים,
וְכָתְבֵנוּ בְּסֵפֶר הַחַיִּים לְמַעַנְךָ אֱלֹהִים חַיִּים.

מֶלֶךְ עוֹזֵר וּמוֹשִׁיעַ וּמָגֵן. בָּרוּךְ אַתָּה יְיָ מָגֵן אַבְרָהָם.

אַתָּה גִּבּוֹר לְעוֹלָם אֲדֹנָי מְחַיֵּה מֵתִים אַתָּה רַב לְהוֹשִׁיעַ. מְכַלְכֵּל חַיִּים בְּחֶסֶד מְחַיֵּה מֵתִים בְּרַחֲמִים רַבִּים, סוֹמֵךְ נוֹפְלִים וְרוֹפֵא חוֹלִים וּמַתִּיר אֲסוּרִים וּמְקַיֵּם אֱמוּנָתוֹ לִישֵׁנֵי עָפָר. מִי כָמוֹךָ בַּעַל גְּבוּרוֹת וּמִי דּוֹמֶה לָּךְ, מֶלֶךְ מֵמִית וּמְחַיֶּה וּמַצְמִיחַ יְשׁוּעָה.

מִי כָמוֹךָ אַב הָרַחֲמִים, זוֹכֵר יְצוּרָיו לְחַיִּים בְּרַחֲמִים.

וְנֶאֱמָן אַתָּה לְהַחֲיוֹת מֵתִים. בָּרוּךְ אַתָּה יְיָ מְחַיֵּה הַמֵּתִים.

אַתָּה קָדוֹשׁ וְשִׁמְךָ קָדוֹשׁ וּקְדוֹשִׁים בְּכָל־יוֹם יְהַלְלוּךָ סֶּלָה.

וּבְכֵן תֵּן פַּחְדְּךָ יְיָ אֱלֹהֵינוּ עַל כָּל־מַעֲשֶׂיךָ וְאֵימָתְךָ עַל כָּל־מַה־שֶּׁבָּרָאתָ, וְיִירָאוּךָ כָּל־הַמַּעֲשִׂים וְיִשְׁתַּחֲווּ לְפָנֶיךָ כָּל־הַבְּרוּאִים, וְיֵעָשׂוּ כֻלָּם אֲגֻדָּה אַחַת לַעֲשׂוֹת רְצוֹנְךָ בְּלֵבָב שָׁלֵם, כְּמוֹ שֶׁיָּדַעְנוּ יְיָ אֱלֹהֵינוּ שֶׁהַשִּׁלְטוֹן לְפָנֶיךָ, עֹז בְּיָדְךָ וּגְבוּרָה בִּימִינֶךָ וְשִׁמְךָ נוֹרָא עַל כָּל־מַה־שֶּׁבָּרָאתָ.

וּבְכֵן תֵּן כָּבוֹד יְיָ לְעַמֶּךָ תְּהִלָּה לִירֵאֶיךָ וְתִקְוָה לְדוֹרְשֶׁיךָ וּפִתְחוֹן פֶּה לַמְיַחֲלִים לָךְ, שִׂמְחָה לְאַרְצֶךָ וְשָׂשׂוֹן לְעִירֶךָ וּצְמִיחַת קֶרֶן לְדָוִד עַבְדֶּךָ וַעֲרִיכַת נֵר לְבֶן־יִשַׁי מְשִׁיחֶךָ בִּמְהֵרָה בְיָמֵינוּ.

וּבְכֵן צַדִּיקִים יִרְאוּ וְיִשְׂמָחוּ וִישָׁרִים יַעֲלֹזוּ וַחֲסִידִים בְּרִנָּה יָגִילוּ, וְעוֹלָתָה תִּקְפָּץ־פִּיהָ וְכָל־הָרִשְׁעָה כֻּלָּהּ כְּעָשָׁן תִּכְלֶה כִּי תַעֲבִיר מֶמְשֶׁלֶת זָדוֹן מִן הָאָרֶץ.

וְתִמְלֹךְ אַתָּה יְיָ לְבַדֶּךָ עַל כָּל־מַעֲשֶׂיךָ בְּהַר צִיּוֹן מִשְׁכַּן כְּבוֹדֶךָ וּבִירוּשָׁלַיִם עִיר קָדְשֶׁךָ, כַּכָּתוּב בְּדִבְרֵי קָדְשֶׁךָ: יִמְלֹךְ יְיָ לְעוֹלָם אֱלֹהַיִךְ צִיּוֹן לְדֹר וָדֹר, הַלְלוּיָהּ.

קָדוֹשׁ אַתָּה וְנוֹרָא שְׁמֶךָ וְאֵין אֱלוֹהַּ מִבַּלְעָדֶיךָ, כַּכָּתוּב: וַיִּגְבַּהּ יְיָ צְבָאוֹת בַּמִּשְׁפָּט, וְהָאֵל הַקָּדוֹשׁ נִקְדַּשׁ בִּצְדָקָה. בָּרוּךְ אַתָּה יְיָ הַמֶּלֶךְ הַקָּדוֹשׁ.

אַתָּה בְחַרְתָּנוּ מִכָּל־הָעַמִּים, אָהַבְתָּ אוֹתָנוּ וְרָצִיתָ בָּנוּ וְרוֹמַמְתָּנוּ מִכָּל־הַלְּשׁוֹנוֹת וְקִדַּשְׁתָּנוּ בְּמִצְוֹתֶיךָ וְקֵרַבְתָּנוּ מַלְכֵּנוּ לַעֲבוֹדָתֶךָ וְשִׁמְךָ הַגָּדוֹל וְהַקָּדוֹשׁ עָלֵינוּ קָרָאתָ.

וַתִּתֶּן־לָנוּ יְיָ אֱלֹהֵינוּ בְּאַהֲבָה אֶת־יוֹם הַשַּׁבָּת הַזֶּה וְאֶת־יוֹם הַזִּכָּרוֹן הַזֶּה, יוֹם זִכְרוֹן תְּרוּעָה בְּאַהֲבָה מִקְרָא קֹדֶשׁ זֵכֶר לִיצִיאַת מִצְרָיִם.

אֱלֹהֵינוּ וֵאלֹהֵי אֲבוֹתֵינוּ, יַעֲלֶה וְיָבוֹא וְיַגִּיעַ וְיֵרָאֶה וְיֵרָצֶה וְיִשָּׁמַע וְיִפָּקֵד וְיִזָּכֵר זִכְרוֹנֵנוּ וּפִקְדוֹנֵנוּ, וְזִכְרוֹן אֲבוֹתֵינוּ וְזִכְרוֹן מָשִׁיחַ בֶּן־דָּוִד עַבְדֶּךָ וְזִכְרוֹן יְרוּשָׁלַיִם עִיר קָדְשֶׁךָ, וְזִכְרוֹן כָּל־עַמְּךָ בֵּית יִשְׂרָאֵל לְפָנֶיךָ, לִפְלֵיטָה וּלְטוֹבָה וּלְחֵן וּלְחֶסֶד וּלְרַחֲמִים וּלְחַיִּים וּלְשָׁלוֹם בְּיוֹם הַזִּכָּרוֹן הַזֶּה. זָכְרֵנוּ יְיָ אֱלֹהֵינוּ בּוֹ לְטוֹבָה, וּפָקְדֵנוּ בוֹ לִבְרָכָה, וְהוֹשִׁיעֵנוּ בוֹ לְחַיִּים. וּבִדְבַר יְשׁוּעָה וְרַחֲמִים חוּס וְחָנֵּנוּ וְרַחֵם עָלֵינוּ וְהוֹשִׁיעֵנוּ כִּי אֵלֶיךָ עֵינֵינוּ, כִּי אֵל מֶלֶךְ חַנּוּן וְרַחוּם אָתָּה.

אֱלֹהֵינוּ וֵאלֹהֵי אֲבוֹתֵינוּ, מְלֹךְ עַל כָּל־הָעוֹלָם כֻּלּוֹ בִּכְבוֹדֶךָ וְהִנָּשֵׂא עַל כָּל־הָאָרֶץ בִּיקָרֶךָ, וְהוֹפַע בַּהֲדַר גְּאוֹן עֻזֶּךָ עַל כָּל־יוֹשְׁבֵי תֵבֵל אַרְצֶךָ. וְיֵדַע כָּל־פָּעוּל כִּי אַתָּה פְעַלְתּוֹ וְיָבִין כָּל־יָצוּר כִּי אַתָּה יְצַרְתּוֹ, וְיֹאמַר כֹּל אֲשֶׁר נְשָׁמָה בְאַפּוֹ: יְיָ אֱלֹהֵי יִשְׂרָאֵל מֶלֶךְ, וּמַלְכוּתוֹ בַּכֹּל מָשָׁלָה.

אֱלֹהֵינוּ וֵאלֹהֵי אֲבוֹתֵינוּ, רְצֵה בִמְנוּחָתֵנוּ קַדְּשֵׁנוּ בְּמִצְוֹתֶיךָ וְתֵן חֶלְקֵנוּ בְּתוֹרָתֶךָ, שַׂבְּעֵנוּ מִטּוּבֶךָ וְשַׂמְּחֵנוּ בִּישׁוּעָתֶךָ וְהַנְחִילֵנוּ יְיָ אֱלֹהֵינוּ בְּאַהֲבָה וּבְרָצוֹן שַׁבַּת קָדְשֶׁךָ וְיָנוּחוּ בָהּ יִשְׂרָאֵל מְקַדְּשֵׁי שְׁמֶךָ וְטַהֵר לִבֵּנוּ לְעָבְדְּךָ בֶּאֱמֶת, כִּי אַתָּה אֱלֹהִים אֱמֶת וּדְבָרְךָ אֱמֶת וְקַיָּם לָעַד. בָּרוּךְ אַתָּה יְיָ מֶלֶךְ עַל כָּל־הָאָרֶץ מְקַדֵּשׁ הַשַּׁבָּת וְ יִשְׂרָאֵל וְיוֹם הַזִּכָּרוֹן.

רְצֵה יְיָ אֱלֹהֵינוּ בְּעַמְּךָ יִשְׂרָאֵל וּבִתְפִלָּתָם וְהָשֵׁב אֶת־הָעֲבוֹדָה לִדְבִיר בֵּיתֶךָ וּתְפִלָּתָם בְּאַהֲבָה תְקַבֵּל בְּרָצוֹן וּתְהִי לְרָצוֹן תָּמִיד עֲבוֹדַת יִשְׂרָאֵל עַמֶּךָ. וְתֶחֱזֶינָה עֵינֵינוּ בְּשׁוּבְךָ לְצִיּוֹן בְּרַחֲמִים. בָּרוּךְ אַתָּה יְיָ הַמַּחֲזִיר שְׁכִינָתוֹ לְצִיּוֹן.

מוֹדִים אֲנַחְנוּ לָךְ שָׁאַתָּה הוּא יְיָ אֱלֹהֵינוּ וֵאלֹהֵי אֲבוֹתֵינוּ לְעוֹלָם וָעֶד, צוּר חַיֵּינוּ מָגֵן יִשְׁעֵנוּ אַתָּה הוּא. לְדוֹר וָדוֹר נוֹדֶה לְךָ וּנְסַפֵּר תְּהִלָּתֶךָ עַל חַיֵּינוּ הַמְּסוּרִים בְּיָדֶךָ וְעַל נִשְׁמוֹתֵינוּ הַפְּקוּדוֹת לָךְ וְעַל נִסֶּיךָ שֶׁבְּכָל־יוֹם עִמָּנוּ וְעַל נִפְלְאוֹתֶיךָ וְטוֹבוֹתֶיךָ שֶׁבְּכָל־עֵת עֶרֶב וָבֹקֶר וְצָהֳרָיִם. הַטּוֹב כִּי לֹא כָלוּ רַחֲמֶיךָ וְהַמְרַחֵם כִּי לֹא תַמּוּ חֲסָדֶיךָ מֵעוֹלָם קִוִּינוּ לָךְ.

וְעַל כֻּלָּם יִתְבָּרַךְ וְיִתְרוֹמַם שִׁמְךָ מַלְכֵּנוּ תָּמִיד לְעוֹלָם וָעֶד.

וּכְתֹב לְחַיִּים טוֹבִים כָּל־בְּנֵי בְרִיתֶךָ.

וְכֹל הַחַיִּים יוֹדוּךָ סֶּלָה וִיהַלְלוּ אֶת־שִׁמְךָ בֶּאֱמֶת הָאֵל יְשׁוּעָתֵנוּ וְעֶזְרָתֵנוּ סֶלָה. בָּרוּךְ אַתָּה יְיָ הַטּוֹב שִׁמְךָ וּלְךָ נָאֶה לְהוֹדוֹת.

שִׂים שָׁלוֹם בָּעוֹלָם, טוֹבָה וּבְרָכָה חֵן וָחֶסֶד וְרַחֲמִים עָלֵינוּ וְעַל כָּל־יִשְׂרָאֵל עַמֶּךָ. בָּרְכֵנוּ אָבִינוּ כֻּלָּנוּ כְּאֶחָד בְּאוֹר פָּנֶיךָ, כִּי בְאוֹר פָּנֶיךָ נָתַתָּ לָּנוּ יְיָ אֱלֹהֵינוּ תּוֹרַת חַיִּים וְאַהֲבַת חֶסֶד וּצְדָקָה וּבְרָכָה וְרַחֲמִים וְחַיִּים וְשָׁלוֹם. וְטוֹב בְּעֵינֶיךָ לְבָרֵךְ אֶת־עַמְּךָ יִשְׂרָאֵל בְּכָל־עֵת וּבְכָל־שָׁעָה בִּשְׁלוֹמֶךָ.

בְּסֵפֶר חַיִּים בְּרָכָה וְשָׁלוֹם וּפַרְנָסָה טוֹבָה נִזָּכֵר וְנִכָּתֵב לְפָנֶיךָ אֲנַחְנוּ וְכָל־עַמְּךָ בֵּית יִשְׂרָאֵל לְחַיִּים טוֹבִים וּלְשָׁלוֹם.

בָּרוּךְ אַתָּה יְיָ עוֹשֵׂה הַשָּׁלוֹם.

At the conclusion of the Amidah, personal prayers may be added, before or instead of the following.

First day:

אֱלֹהַי, נְצֹר לְשׁוֹנִי מֵרָע וּשְׂפָתַי מִדַּבֵּר מִרְמָה, וְלִמְקַלְלַי נַפְשִׁי תִדֹּם וְנַפְשִׁי כֶּעָפָר לַכֹּל תִּהְיֶה. פְּתַח לִבִּי בְּתוֹרָתֶךָ וּבְמִצְוֹתֶיךָ תִּרְדֹּף נַפְשִׁי. וְכֹל הַחוֹשְׁבִים עָלַי רָעָה, מְהֵרָה הָפֵר עֲצָתָם וְקַלְקֵל מַחֲשַׁבְתָּם. עֲשֵׂה לְמַעַן שְׁמֶךָ, עֲשֵׂה לְמַעַן יְמִינֶךָ, עֲשֵׂה לְמַעַן קְדֻשָּׁתֶךָ, עֲשֵׂה לְמַעַן תּוֹרָתֶךָ, לְמַעַן יֵחָלְצוּן יְדִידֶיךָ הוֹשִׁיעָה יְמִינְךָ וַעֲנֵנִי. יִהְיוּ לְרָצוֹן אִמְרֵי־פִי וְהֶגְיוֹן לִבִּי לְפָנֶיךָ, יְיָ צוּרִי וְגֹאֲלִי. עֹשֶׂה שָׁלוֹם בִּמְרוֹמָיו הוּא יַעֲשֶׂה שָׁלוֹם עָלֵינוּ וְעַל כָּל־יִשְׂרָאֵל, וְאִמְרוּ אָמֵן.

Second day:

יְהִי רָצוֹן מִלְּפָנֶיךָ יְיָ אֱלֹהַי וֵאלֹהֵי אֲבוֹתַי, יוֹצֵר בְּרֵאשִׁית, כְּשֵׁם שֶׁהִמְצֵאתָ עוֹלָמְךָ בְּיוֹם זֶה וְנִתְיַחַדְתָּ בְּעוֹלָמֶךָ וְתָלִיתָ בּוֹ עֶלְיוֹנִים וְתַחְתּוֹנִים בְּמַאֲמָרֶיךָ, כֵּן בְּרַחֲמֶיךָ הָרַבִּים תְּיַחֵד לְבָבִי וּלְבַב כָּל־עַמְּךָ בֵּית יִשְׂרָאֵל לְאַהֲבָה וּלְיִרְאָה אֶת־שְׁמֶךָ. וְהָאֵר עֵינֵינוּ בִּמְאוֹר תּוֹרָתֶךָ, כִּי עִמְּךָ מְקוֹר חַיִּים, בְּאוֹרְךָ נִרְאֶה אוֹר. וְזַכֵּנוּ לִרְאוֹת בְּאוֹר פָּנֶיךָ בָּאוֹר הַצָּפוּן לַצַּדִּיקִים לֶעָתִיד לָבוֹא. יִהְיוּ לְרָצוֹן אִמְרֵי־פִי וְהֶגְיוֹן לִבִּי לְפָנֶיךָ, יְיָ צוּרִי וְגֹאֲלִי.

Reflections

That life is both fleeting and uncertain is a truth that presses upon the mind with special force as the old year ends and the new begins. Time speeds on, and we go with it, and though we have seen the old year close, we can never be sure of seeing the end of the new. We are utterly in God's hands. And so we are led to turn our thoughts to Him, to remember that He has given us our lives in trust, to use in His service. But since life is so fleeting and frail, we must begin this serious use of it at once, and begin it by entering upon the task of self-examination and self-ennoblement which is its essential preliminary. A New Year, say the Rabbis, should inaugurate a new life.

Every human being must declare: For my sake was the world created.

Every person born into this world represents something new, something that never existed before, something original and unique. . . . Every man's foremost task is the actualization of his unique, unprecedented and never recurring potentialities, and not the repetition of something that another, and be it even the greatest, has already achieved.

Rabbi Susya said, a short while before his death: "In the world to come I shall not be asked: 'Why were you not Moses?' I shall be asked: 'Why were you not Susya?' "

This is a basic principle, a pillar of the Torah: "See, this day I set before you life and prosperity, death and adversity" (Deuteronomy 30:15). And it is written: "See, this day I set before you blessing and curse" (Deuteronomy 11:26). The choice lies within you. Man can do whatever he wants to do. And because this is so, it is written: "May they always be of such mind to revere Me and follow all My commandments" (Deuteronomy 5:26). The Creator does not force people, nor does He decree good or evil deeds for them. Everything lies in their own hands, to do good or evil.

I call heaven and earth to witness against you this day:
I have put before you life and death, blessing and curse.
Choose life, if you and your offspring would live.

Rabbi Eliezer said: Repent one day before your death.
His disciples asked: But does a man know the day of his death?
Rabbi Eliezer responded: That is exactly why he should repent today.

Repentance is withheld from a person only by his own mind and deceitful heart. If he sincerely wishes to draw nearer to God, the gates of repentance are not closed to him, no obstacle stands in his way.

We must begin with ourselves, but not end with ourselves. Turning (teshuvah) means something greater than repentance and acts of penance. It means that by a reversal of his whole being, a man who had been lost in the maze of selfishness, where he had set himself as his goal, finds a way to God, that is, a way to the fulfillment of the particular task for which he has been destined by God. Repentance can only be an incentive to such active reversal. He who goes on fretting himself with repentance, he who tortures himself with the idea that his acts of penance are not sufficient, withholds his best energies from the work of reversal. It is written: "Turn from evil and do good" (Psalms 34:15). You have done wrong? Then counteract it by doing right.

There are three prerequisites for turning: Eyes that see, ears that listen, and an understanding heart. If you have all three, you are ready to turn and be healed.

Man's great guilt lies in the fact that he can turn away from evil at any moment, and yet he does not.

Do not think that a person is obliged to repent only for transgressions involving acts, such as stealing and robbing and whoring. Just as a man must turn in repentance from such acts, so must he search out his evil thoughts and turn in repentance from anger, from hatred, from jealousy, from mocking thoughts. From all these thoughts he must turn in repentance. They are more serious than transgressions involving acts, for when a man is addicted to them it is difficult to give them up. Thus it is said: "Let the wicked man forsake his way, the unrighteous man his thoughts" (Isaiah 55:7).

Our Rabbis taught: A person should always see himself as though his guilt and his innocence are equally balanced.

Rabbi Elazar ben Shimon says: The world is judged by its majority, and each individual is judged by the majority of his deeds. When a person does one good deed he is blessed, for he tips the balance in his favor and in the world's favor. When he does one bad deed, he tips the balance against himself and against the world. For it is written: "But one sinner destroys much good" (Ecclesiastes 9:18). Because of a single sin, he and the whole world can lose much that is good.

Let not the repentant person imagine that he is far removed from the merit of the righteous because of the iniquities and sins he has committed. For it is not so. He is dearly loved by the Creator as if he had never sinned. Furthermore, his reward is great, since he tasted sin and then abandoned it by suppressing his impulse to evil. The Sages said: "Where repentant sinners stand, the thoroughly righteous cannot stand" (Berakhot 34b). That is, their merit exceeds that of persons who never committed a sin, because the repentant have had to exert greater effort in suppressing their impulse to evil.

"Return, O Israel, unto the Lord your God" (Hosea 14:2). Commenting on this verse, Rabbi Judah bar Simon said: Return, even if you have denied the root of all existence.

Said Rabbi Elazar: When one person insults another in public, it is customary for the injured party to demand a public apology before there can be any reconciliation. But it is not so with the Holy One. Although a person may blaspheme by denying Him in public, the Holy One declares, "Repent even in private and I shall welcome you."

And it is written, "I will heal their apostasy; I will love them freely" (Hosea 14:5).

Where are you? Whether God's question is addressed to Adam or to some other man, He does not expect to learn something He does not know. . . .

Adam hides himself to avoid rendering accounts, to escape responsibility for his way of living. Every man hides for this purpose, for every man is Adam and finds himself in Adam's situation. To escape responsibility for his life, he turns existence into a system of hideouts. And in thus hiding again and again from "the face of God" he enmeshes himself more and more deeply in perversity. A new situation thus arises, which becomes more and more questionable with every day, with every new hideout.

Man cannot escape the eye of God, but in trying to hide from Him, he is hiding from himself. True, in him there is also something that seeks God, but he makes it harder and harder for that "something" to find Him.

Adam finally faces the Voice, perceives his enmeshment, and avows: "I hid myself." This is the beginning of man's way. The decisive heartsearching is the beginning of the way in man's life; it is, again and again, the beginning of a human way.

Amidah

The Ḥazzan leads in reciting the Amidah. The Ark may be opened.

God of our fathers

בָּרוּךְ אַתָּה יְיָ אֱלֹהֵינוּ וֵאלֹהֵי אֲבוֹתֵינוּ, אֱלֹהֵי אַבְרָהָם אֱלֹהֵי יִצְחָק וֵאלֹהֵי יַעֲקֹב, הָאֵל הַגָּדוֹל הַגִּבּוֹר וְהַנּוֹרָא אֵל עֶלְיוֹן גּוֹמֵל חֲסָדִים טוֹבִים וְקוֹנֵה הַכֹּל, וְזוֹכֵר חַסְדֵי אָבוֹת וּמֵבִיא גוֹאֵל לִבְנֵי בְנֵיהֶם לְמַעַן שְׁמוֹ בְּאַהֲבָה.

מִסּוֹד חֲכָמִים וּנְבוֹנִים, וּמִלֶּמֶד דַּעַת מְבִינִים, אֶפְתְּחָה פִּי בִּתְפִלָּה וּבְתַחֲנוּנִים, לְחַלּוֹת וּלְחַנֵּן פְּנֵי מֶלֶךְ מַלְכֵי הַמְּלָכִים וַאֲדוֹנֵי הָאֲדוֹנִים.

First day:

יָרֵאתִי בִּפְצוֹתִי שִׂיחַ לְהַשְׂחִיל, קוּמִי לְחַלּוֹת פְּנֵי נוֹרָא וְדָחִיל
וְקָטֹנְתִּי מַעַשׂ לָכֵן אַזְחִיל, תְּבוּנָה חָסַרְתִּי וְאֵיךְ אוֹחִיל.
יוֹצְרִי הֲבִינֵנִי מוֹרָשָׁה לְהַנְחִיל, אַיְּלֵנִי וְאַמְּצֵנִי מֵרִפְיוֹן וָחִיל
לַחֲשִׁי יֵרָצֶה כְּמַנְטִיף וּמַשְׁחִיל, בִּטּוּיִי יְמֻתַּק כְּצוּף נָחִיל.
רָצוּי בְּיֹשֶׁר וְלֹא כְמַכְחִיל, מְשַׁלְּחַי לְהַמְצִיא כֹּפֶר וּלְהַמְחִיל
שַׁאֲגִי יֶעֱרַב וְלֹא כְמַשְׁחִיל, הֵעָתֵר לְנִגָּשִׁים וְנֶחֱשָׁבִים כְּזָחִיל.
חַנּוּן כְּהַבְטִיחָךְ לִבְנִקְרַת מְחִיל, זַעֲקִי קְשֹׁב בְּעֵת אַתְחִיל
קְרָבַי יֶחֶמְרוּ בְּחָקְרְךָ חֲלוֹחִיל, וּמֵאֵימַת הַדִּין נַפְשִׁי תַבְחִיל.
אִם כִּגְמוּל הַלֵּב יָחִיל, מְקוֹרֵי עַפְעַפַּי אַזִּיל כְּמַזְחִיל
צְדָקָה אֲקַוֶּה מִמְּךָ וְאוֹחִיל, יֹשֶׁר הוֹרַי זָכְרָה לְהַאֲחִיל.
חַם לִבִּי בַּהֲגִיגִי יַגְחִיל, יִסְתָּעֵר בְּקִרְבִּי בְּעֵת אָת חִיל.

The Ark is closed.

We continue at bottom of following page.

Amidah

The Ḥazzan leads in reciting the Amidah. The Ark may be opened.

God of our fathers

Praised are You, Lord our God and God of our fathers, God of Abraham, of Isaac and of Jacob, great, mighty, awesome, exalted God, bestowing lovingkindness and creating all things. You remember the pious deeds of our fathers, and will send a redeemer to their children's children because of Your love and for the sake of Your glory.

Prompted by teachings of our sages, guided by traditions of the ages, I open my mouth in prayer and in supplication before the King of kings, the Master of masters in every nation.

First day:

Trembling, rising to entreat the awesome One, I now begin my plea. With limited good deeds, I stand in fear; with limited wisdom, what hope is there for me? Grant me wisdom to transmit our heritage, Creator. Strengthen me as I falter in my fear. Consider as rare incense my whispered prayer, consider as sweetest honey my uttered plea. May it be acceptable, not a worthless sham, so that pardon may be granted those whose emissary I am. Hear my cry as I begin, Master of all that mercy can fashion; fulfill Your promise to Moses to show us compassion. My heart is in turmoil, I cannot rest, since You put our true motives to the test. The day of judgment I dread, I am full of fears; my faults have brought me to the point of tears. Grant me mercy, for which I hope and pray; recall our ancestors' merit on our behalf this day. My heart is astir as I offer my prayer, my cry. All my being is in turmoil, for this day judgment is nigh.

The Ark is closed.

We continue at bottom of following page.

Second day:

אָתִיתִי לְחַנְּנָךְ בְּלֵב קָרוּעַ וּמֻרְתָּח, בַּקֵּשׁ רַחֲמִים כְּעָנִי בַּפֶּתַח
גַּלְגֵּל רַחֲמֶיךָ וְדִין אַל תִּמְתַּח, אֲדֹנָי שְׂפָתַי תִּפְתָּח.

דָּבָר אֵין בְּפִי וּבִלְשׁוֹנִי מִלָּה, הֵן יְיָ יָדַעְתָּ כֻלָּהּ
וּמִמַּעֲמַקֵּי הַלֵּב לְפָנֶיךָ אוֹחִילָה, אֶחֱסֶה בְּסֵתֶר כְּנָפֶיךָ סֶלָה.

זַלְעָפָה וּפַלָּצוּת אֲחָזוּנִי בְּמוֹרָא, חַלּוֹת פְּנֵי נוֹרָא בְּנֶפֶשׁ יְקָרָה
טוּב טַעַם וָדַעַת קָטֹנְתִּי לְחַסְּרָה, עַל כֵּן זָחַלְתִּי וָאִירָא.

יָגַעְתִּי בְאַנְחָתִי אֵיךְ לַעֲמֹד לְפָנֶיךָ, כִּי אֵין מַעֲשִׂים לִזְכּוֹת בְּעֵינֶיךָ
לְחַלּוֹתְךָ שְׁלָחוּנִי מַקְהֵלוֹת הֲמוֹנֶיךָ, תָּכִין לִבָּם תַּקְשִׁיב אָזְנֶךָ.

מָה אֲנִי וּמֶה חַיַּי תּוֹלֵעָה וְרִמָּה, נִבְעָר מִדַּעַת וּבְאֶפֶס מְזִמָּה
סָמַכְתִּי יְתֵדוֹתַי בְּסֵפֶר הַחָכְמָה, מַעֲנֶה רַךְ יָשִׁיב חֵמָה.

עֻזִּי אֵלֶיךָ אֶשְׁמְרָה לְסַעֲדִי, פֵּתַח דְּבָרֶיךָ הָאֵר לְהַגִּידִי
צַדְּקֵנִי וְאַמְּצֵנִי וְתֵן לְאֵל יָדִי, כִּי אַתָּה מִשְׂגַּבִּי אֱלֹהֵי חַסְדִּי.

קְהָלֶיךָ עוֹמְדִים לְבַקֵּשׁ מְחִילָתֶךָ, רַחֲמֶיךָ יִכָּמְרוּ לְרַחֲמָם בְּחֶמְלָתֶךָ
שׁוֹפְכִים לֵב כַּמַּיִם לְעֻמָּתֶךָ, וְאַתָּה תִּשְׁמַע הַשָּׁמַיִם מְכוֹן שִׁבְתֶּךָ.

תְּחַזֵּק לְעַמְּךָ יָדַיִם הָרָפָה, שְׁלַח מֵאִתְּךָ עֵזֶר וּתְרוּפָה
נָעַמְךָ יַשִּׂיגוּ לְחַזֵּק וּלְתָקְפָּה, כָּל־אִמְרַת אֱלוֹהַּ צְרוּפָה.

The Ark is closed.

זָכְרֵנוּ לְחַיִּים מֶלֶךְ חָפֵץ בַּחַיִּים,
וְכָתְבֵנוּ בְּסֵפֶר הַחַיִּים לְמַעַנְךָ אֱלֹהִים חַיִּים.

מֶלֶךְ עוֹזֵר וּמוֹשִׁיעַ וּמָגֵן. בָּרוּךְ אַתָּה יְיָ מָגֵן אַבְרָהָם.

Second day:

With heart torn asunder I have come to implore, seeking Your mercy as a beggar at the door. May Your mercy overcome Your strict justice this day. Open my mouth, O Lord; teach me what to say. Even before I utter a sound, You know everything I could say. From the depths of my heart I entreat You. Grant me refuge and shelter with You this day. Shuddering with dismay, I somberly implore Your awesome Presence. Timid am I, afraid to approach You, for I am deficient in knowledge and good sense. I lack good deeds to plead my cause. How can I stand before You? Wearily I sigh. The congregation has sent me to implore You. Strengthen their heart, hear their cry. What am I? What is my life? Compared to You I am a maggot, a worm; the lack of knowledge and understanding blocks my path. I place my trust in the Book of Proverbs: A soft answer turns away wrath. I wait for You to sustain me. You are my strength, my stay. I await the light of Your words, that I may know what to say. Clear me of guilt, strengthen me. For God is my fortress, He shows me steadfast love in my distress. Show compassion to Your congregation who seek Your pardon and Your grace. They pour out their heart like water before You; hear them from Your dwelling place. Strengthen the weak, send us life and healing. May we find favor and strength in You. For all of Your words are true.

The Ark is closed.

Zokhrei-nu l'ḥayyim melekh ḥafeitz b'ḥayyim
v'khot-veinu b'seifer ha-ḥayyim, l'ma-ankha Elohim ḥayyim.

Remember us that we may live, O King who delights in life.
Inscribe us in the Book of Life, for Your sake, living God.

You are the King who helps and saves and shields. Praised are You, Lord, Shield of Abraham.

Master of nature

אַתָּה גִּבּוֹר לְעוֹלָם אֲדֹנָי מְחַיֵּה מֵתִים אַתָּה רַב לְהוֹשִׁיעַ. מְכַלְכֵּל חַיִּים בְּחֶסֶד מְחַיֵּה מֵתִים בְּרַחֲמִים רַבִּים, סוֹמֵךְ נוֹפְלִים וְרוֹפֵא חוֹלִים וּמַתִּיר אֲסוּרִים וּמְקַיֵּם אֱמוּנָתוֹ לִישֵׁנֵי עָפָר. מִי כָמוֹךָ בַּעַל גְּבוּרוֹת וּמִי דוֹמֶה לָּךְ, מֶלֶךְ מֵמִית וּמְחַיֶּה וּמַצְמִיחַ יְשׁוּעָה.

מִי כָמוֹךָ אַב הָרַחֲמִים, זוֹכֵר יְצוּרָיו לְחַיִּים בְּרַחֲמִים.

וְנֶאֱמָן אַתָּה לְהַחֲיוֹת מֵתִים. בָּרוּךְ אַתָּה יְיָ מְחַיֵּה הַמֵּתִים.

Holy, awesome God

יִמְלֹךְ יְיָ לְעוֹלָם אֱלֹהַיִךְ צִיּוֹן לְדֹר וָדֹר, הַלְלוּיָהּ.
וְאַתָּה קָדוֹשׁ, יוֹשֵׁב תְּהִלּוֹת יִשְׂרָאֵל.

The following three piyyutim may be chanted in various combinations on each of the two days. The Ark may be opened for all or any of these piyyutim.

אֵל נָא. אַתָּה הוּא אֱלֹהֵינוּ

בַּשָּׁמַיִם וּבָאָרֶץ גִּבּוֹר וְנַעֲרָץ.
דָּגוּל מֵרְבָבָה הוּא שָׂח וַיֶּהִי.
וְצִוָּה וְנִבְרָאוּ זִכְרוֹ לָנֶצַח.
חַי עוֹלָמִים טְהוֹר עֵינַיִם.
יוֹשֵׁב סֵתֶר כִּתְרוֹ יְשׁוּעָה.
לְבוּשׁוֹ צְדָקָה מַעֲטֵהוּ קִנְאָה.
נֶאְפַּד נְקָמָה סִתְרוֹ יֹשֶׁר.
עֲצָתוֹ אֱמוּנָה פְּעֻלָּתוֹ אֱמֶת.
צַדִּיק וְיָשָׁר קָרוֹב לְקוֹרְאָיו בֶּאֱמֶת.
רָם וּמִתְנַשֵּׂא שׁוֹכֵן שְׁחָקִים.

תּוֹלֶה אֶרֶץ עַל בְּלִימָה.
חַי וְקַיָּם נוֹרָא וּמָרוֹם וְקָדוֹשׁ.

Master of nature

Your might, O Lord, is boundless. Your lovingkindness sustains the living, Your great mercies give life to the dead. You support the falling, heal the ailing, free the fettered. You keep Your faith with those who sleep in dust. Whose power can compare with Yours? You are the master of life and death and deliverance.

Whose mercy can compare with Yours, merciful Father?
In mercy You remember Your creatures with life.

Faithful are You in giving life to the dead. Praised are You, Lord, Master of life and death.

Holy, awesome God

The Lord shall reign through all generations; your God, Zion, shall reign forever. Halleluyah. You are holy, Lord, enthroned upon the praises of the House of Israel.

The following three piyyutim may be chanted in various combinations on each of the two days. The Ark may be opened for all or any of these piyyutim.

Our God

in heaven and on earth, mighty and revered,
one among millions, whose word is power,
whose command creates, whose fame is eternal,
who lives forever, who sees everything,
enthroned in mystery, crowned with deliverance,
robed in righteousness, cloaked in zeal,
girded with justice, equity His shelter,
faithfulness His counsel, truth His work,
righteous and just, near to those calling in truth,
lofty and exalted, abiding in the heavens.

He suspends the earth in space;
He lives, awesome, exalted and holy.

יְיָ מֶלֶךְ, יְיָ מָלָךְ, יְיָ יִמְלֹךְ לְעֹלָם וָעֶד.

Ḥazzan:	*Congregation:*
אַדִּירֵי אֲיֻמָּה יַאְדִּירוּ בְקוֹל.	יְיָ מֶלֶךְ.
בְּרוּאֵי בָרָק יְבָרְכוּ בְקוֹל.	יְיָ מָלָךְ.
גִּבּוֹרֵי גֹבַהּ יַגְבִּירוּ בְקוֹל.	יְיָ יִמְלֹךְ.

יְיָ מֶלֶךְ, יְיָ מָלָךְ, יְיָ יִמְלֹךְ לְעֹלָם וָעֶד.

מַנְעִימֵי מֶלֶל יְמַלְּלוּ בְקוֹל.	יְיָ מֶלֶךְ.
נֹצְצֵי נֹגַהּ יְנַצְּחוּ בְקוֹל.	יְיָ מָלָךְ.
שְׂרָפִים סוֹבְבִים יְסַלְסְלוּ בְקוֹל.	יְיָ יִמְלֹךְ.

יְיָ מֶלֶךְ, יְיָ מָלָךְ, יְיָ יִמְלֹךְ לְעֹלָם וָעֶד.

תּוֹמְכֵי תְהִלּוֹת יַתְמִידוּ בְקוֹל.	יְיָ מֶלֶךְ.
תּוֹקְפֵי תִפְאַרְתֶּךְ יַתְמִימוּ בְקוֹל.	יְיָ מָלָךְ.
תְּמִימֵי תְעוּדָה יְתַנּוּ בְקוֹל.	יְיָ יִמְלֹךְ.

יְיָ מֶלֶךְ, יְיָ מָלָךְ, יְיָ יִמְלֹךְ לְעֹלָם וָעֶד.

THE LORD IS KING, THE LORD WAS KING,
THE LORD SHALL BE KING THROUGHOUT ALL TIME.

Adonai melekh, Adonai malakh, Adonai yimlokh l'olam va'ed.

Saints and sages celebrate His glory and proclaim: The Lord is King.

Soaring seraphim continuously exclaim: The Lord was King.

Throughout the world His faithful fervently acclaim: The Lord shall be King.

THE LORD IS KING, THE LORD WAS KING,
THE LORD SHALL BE KING THROUGHOUT ALL TIME.

Adonai melekh, Adonai malakh, Adonai yimlokh l'olam va'ed.

Poets and preachers sing His praises and proclaim: The Lord is King.

Celestial beings ceaselessly exclaim: The Lord was King.

Throughout the universe His creatures chorus in acclaim: The Lord shall be King.

THE LORD IS KING, THE LORD WAS KING,
THE LORD SHALL BE KING THROUGHOUT ALL TIME.

Adonai melekh, Adonai malakh, Adonai yimlokh l'olam va'ed.

וּבְכֵן לְךָ הַכֹּל יַכְתִּירוּ

לְאֵל עוֹרֵךְ דִּין

לְבוֹחֵן לְבָבוֹת בְּיוֹם דִּין, לְגוֹלֶה עֲמֻקוֹת בַּדִּין.

לְדוֹבֵר מֵישָׁרִים בְּיוֹם דִּין, לְהוֹגֶה דֵעוֹת בַּדִּין.

לְוָתִיק וְעוֹשֶׂה חֶסֶד בְּיוֹם דִּין, לְזוֹכֵר בְּרִיתוֹ בַּדִּין.

לְחוֹמֵל מַעֲשָׂיו בְּיוֹם דִּין, לְטַהֵר חוֹסָיו בַּדִּין.

לְיוֹדֵעַ מַחֲשָׁבוֹת בְּיוֹם דִּין, לְכוֹבֵשׁ כַּעְסוֹ בַּדִּין.

לְלוֹבֵשׁ צְדָקוֹת בְּיוֹם דִּין, לְמוֹחֵל עֲוֹנוֹת בַּדִּין.

לְנוֹרָא תְהִלּוֹת בְּיוֹם דִּין, לְסוֹלֵחַ לַעֲמוּסָיו בַּדִּין.

לְעוֹנֶה לְקוֹרְאָיו בְּיוֹם דִּין, לְפוֹעֵל רַחֲמָיו בַּדִּין.

לְצוֹפֶה נִסְתָּרוֹת בְּיוֹם דִּין, לְקוֹנֶה עֲבָדָיו בַּדִּין.

לְרַחֵם עַמּוֹ בְּיוֹם דִּין, לְשׁוֹמֵר אוֹהֲבָיו בַּדִּין.

לְתוֹמֵךְ תְּמִימָיו בְּיוֹם דִּין.

Let us now hail God's sovereignty,
acclaiming Him who sits in judgment.

He probes all hearts on the day of judgment;

He reveals the concealed, in judgment.

He ordains righteousness on the day of judgment;

He knows our deepest secrets, in judgment.

He is deliberate and merciful on the day of judgment;

He remembers His covenant in judgment.

He spares His creatures on the day of judgment;

He cleanses those who trust in Him, in judgment.

He knows man's thoughts on the day of judgment;

He suppresses His wrath, in judgment.

He is clothed in compassion on the day of judgment;

He pardons wrongdoing, in judgment.

He is deeply revered on the day of judgment;

He forgives the people He has tended, in judgment.

He answers those who call Him on the day of judgment;

He acts with compassion, in judgment.

He is aware of all mysteries on the day of judgment;

He accepts those who serve Him, in judgment.

He has mercy for His people on the day of judgment;

He guards those who love Him, in judgment.

He sustains His faithful on the day of judgment.

וּבְכֵן וּלְךָ תַּעֲלֶה קְדֻשָּׁה, כִּי אַתָּה אֱלֹהֵינוּ מֶלֶךְ.

Kedushah

*The Ark is closed. We recite Kedushah while standing,
as a community proclaiming God's holiness. The
congregation chants the indented lines aloud.*

נְקַדֵּשׁ אֶת־שִׁמְךָ בָּעוֹלָם כְּשֵׁם שֶׁמַּקְדִּישִׁים אוֹתוֹ בִּשְׁמֵי מָרוֹם כַּכָּתוּב
עַל יַד נְבִיאֶךָ, וְקָרָא זֶה אֶל זֶה וְאָמַר:

קָדוֹשׁ קָדוֹשׁ קָדוֹשׁ יְיָ צְבָאוֹת, מְלֹא כָל־הָאָרֶץ כְּבוֹדוֹ.

אָז בְּקוֹל רַעַשׁ גָּדוֹל, אַדִּיר וְחָזָק, מַשְׁמִיעִים קוֹל, מִתְנַשְּׂאִים לְעֻמַּת
שְׂרָפִים, לְעֻמָּתָם בָּרוּךְ יֹאמֵרוּ:

בָּרוּךְ כְּבוֹד יְיָ מִמְּקוֹמוֹ.

מִמְּקוֹמְךָ מַלְכֵּנוּ תוֹפִיעַ וְתִמְלֹךְ עָלֵינוּ כִּי מְחַכִּים אֲנַחְנוּ לָךְ. מָתַי
תִּמְלֹךְ בְּצִיּוֹן. בְּקָרוֹב בְּיָמֵינוּ לְעוֹלָם וָעֶד תִּשְׁכֹּן. תִּתְגַּדַּל וְתִתְקַדַּשׁ
בְּתוֹךְ יְרוּשָׁלַיִם עִירְךָ לְדוֹר וָדוֹר וּלְנֵצַח נְצָחִים. וְעֵינֵינוּ תִרְאֶינָה
מַלְכוּתֶךָ כַּדָּבָר הָאָמוּר בְּשִׁירֵי עֻזֶּךָ עַל יְדֵי דָוִד מְשִׁיחַ צִדְקֶךָ:

יִמְלֹךְ יְיָ לְעוֹלָם אֱלֹהַיִךְ צִיּוֹן לְדֹר וָדֹר, הַלְלוּיָהּ.

לְדוֹר וָדוֹר נַגִּיד גָּדְלֶךָ, וּלְנֵצַח נְצָחִים קְדֻשָּׁתְךָ נַקְדִּישׁ, וְשִׁבְחֲךָ
אֱלֹהֵינוּ מִפִּינוּ לֹא יָמוּשׁ לְעוֹלָם וָעֶד כִּי אֵל מֶלֶךְ גָּדוֹל וְקָדוֹשׁ אָתָּה.

The congregation may be seated.

*In some communities, the congregation remains
standing to conclude the Amidah in silence.*

Our *Kedushah* ascends only to You, for You, our God, are King.

Kedushah

The Ark is closed. We recite Kedushah while standing,
as a community proclaiming God's holiness. The
congregation chants the indented lines aloud.

We proclaim Your holiness on earth as it is proclaimed in the heavens above. We sing the words of heavenly voices as in Your prophet's vision. The angels called one to another:

Ka-dosh ka-dosh ka-dosh Adonai tz'va-ot, m'lo khol ha'aretz k'vodo.

Holy, holy, holy Lord of hosts. The whole world is filled with His glory.

Then seraphim responded in thundering, majestic chorus:

Barukh k'vod Adonai mi-m'komo.

Praised is the Lord's glory throughout the universe.

Throughout the universe reveal Yourself, our King, and reign over us, for we await You. When will You reign in Zion? Let it be soon, in our time, and throughout all time. May You be glorified and sanctified in Jerusalem Your city from generation to generation, eternally. May we witness the acknowledgment of Your sovereignty as described in David's psalms which sing Your splendor:

Yimlokh Adonai l'olam, Elo-hayikh tziyon l'dor vador, hal-leluyah.

The Lord shall reign through all generations; your God, Zion, shall reign forever. Halleluyah.

We declare Your greatness through all generations, hallow Your holiness to all eternity. Your praise will never leave our lips, for You are God and King, great and holy.

The congregation may be seated.

In some communities, the congregation remains
standing to conclude the Amidah in silence.

וּבְכֵן תֵּן פַּחְדְּךָ יְיָ אֱלֹהֵינוּ עַל כָּל־מַעֲשֶׂיךָ וְאֵימָתְךָ עַל כָּל־מַה־
שֶּׁבָּרָאתָ, וְיִירָאוּךָ כָּל־הַמַּעֲשִׂים וְיִשְׁתַּחֲווּ לְפָנֶיךָ כָּל־הַבְּרוּאִים,
וְיֵעָשׂוּ כֻלָּם אֲגֻדָּה אַחַת לַעֲשׂוֹת רְצוֹנְךָ בְּלֵבָב שָׁלֵם, כְּמוֹ שֶׁיָּדַעְנוּ
יְיָ אֱלֹהֵינוּ שֶׁהַשִּׁלְטוֹן לְפָנֶיךָ, עֹז בְּיָדְךָ וּגְבוּרָה בִּימִינֶךָ וְשִׁמְךָ נוֹרָא
עַל כָּל־מַה־שֶּׁבָּרָאתָ.

וּבְכֵן תֵּן כָּבוֹד יְיָ לְעַמֶּךָ תְּהִלָּה לִירֵאֶיךָ וְתִקְוָה לְדוֹרְשֶׁיךָ וּפִתְחוֹן
פֶּה לַמְיַחֲלִים לָךְ, שִׂמְחָה לְאַרְצֶךָ וְשָׂשׂוֹן לְעִירֶךָ וּצְמִיחַת קֶרֶן לְדָוִד
עַבְדֶּךָ וַעֲרִיכַת נֵר לְבֶן־יִשַׁי מְשִׁיחֶךָ בִּמְהֵרָה בְיָמֵינוּ.

וּבְכֵן צַדִּיקִים יִרְאוּ וְיִשְׂמָחוּ וִישָׁרִים יַעֲלֹזוּ וַחֲסִידִים בְּרִנָּה יָגִילוּ,
וְעוֹלָתָה תִּקְפָּץ־פִּיהָ וְכָל־הָרִשְׁעָה כֻּלָּהּ כְּעָשָׁן תִּכְלֶה כִּי תַעֲבִיר
מֶמְשֶׁלֶת זָדוֹן מִן הָאָרֶץ.

וְתִמְלֹךְ אַתָּה יְיָ לְבַדֶּךָ עַל כָּל־מַעֲשֶׂיךָ בְּהַר צִיּוֹן מִשְׁכַּן כְּבוֹדֶךָ
וּבִירוּשָׁלַיִם עִיר קָדְשֶׁךָ, כַּכָּתוּב בְּדִבְרֵי קָדְשֶׁךָ: יִמְלֹךְ יְיָ לְעוֹלָם
אֱלֹהַיִךְ צִיּוֹן לְדֹר וָדֹר, הַלְלוּיָהּ.

קָדוֹשׁ אַתָּה וְנוֹרָא שְׁמֶךָ וְאֵין אֱלוֹהַּ מִבַּלְעָדֶיךָ, כַּכָּתוּב: וַיִּגְבַּהּ יְיָ
צְבָאוֹת בַּמִּשְׁפָּט, וְהָאֵל הַקָּדוֹשׁ נִקְדַּשׁ בִּצְדָקָה. בָּרוּךְ אַתָּה יְיָ
הַמֶּלֶךְ הַקָּדוֹשׁ.

You sanctify this Day of Remembrance

אַתָּה בְחַרְתָּנוּ מִכָּל־הָעַמִּים, אָהַבְתָּ אוֹתָנוּ וְרָצִיתָ בָּנוּ וְרוֹמַמְתָּנוּ
מִכָּל־הַלְּשׁוֹנוֹת וְקִדַּשְׁתָּנוּ בְּמִצְוֹתֶיךָ וְקֵרַבְתָּנוּ מַלְכֵּנוּ לַעֲבוֹדָתֶךָ
וְשִׁמְךָ הַגָּדוֹל וְהַקָּדוֹשׁ עָלֵינוּ קָרָאתָ.

וַתִּתֶּן־לָנוּ יְיָ אֱלֹהֵינוּ בְּאַהֲבָה אֶת־יוֹם הַשַּׁבָּת הַזֶּה וְאֶת־יוֹם הַזִּכָּרוֹן
הַזֶּה, יוֹם זִכְרוֹן תְּרוּעָה בְּאַהֲבָה מִקְרָא קֹדֶשׁ, זֵכֶר לִיצִיאַת מִצְרָיִם.

O Lord our God, let all Your creatures sense Your awesome power, let all that You have fashioned stand in fear and trembling. Let all mankind pledge You their allegiance, united wholeheartedly to carry out Your will. For we know, Lord our God, that Your sovereignty, Your power and Your awesome majesty are supreme over all creation.

Grant honor, Lord, to Your people, glory to those who revere You, hope to those who seek You and confidence to those who await You. Grant joy to Your land and gladness to Your city. Kindle the lamp of Your anointed servant, David, by fulfilling our prayers for the days of Messiah soon, in our days.

Then will the righteous be glad, the upright rejoice, the pious celebrate in song. When You remove the tyranny of arrogance from the earth, evil will be silenced, all wickedness will vanish like smoke.

Then You alone will rule all creation from Mount Zion, Your glorious throne, from Jerusalem, Your holy city. So is it written in the Psalms of David: The Lord will reign through all generations; your God, Zion, will reign forever. Halleluyah!

Holy, awesome, there is no God but You. Thus is it written by Your prophet: The Lord is exalted in justice, His holiness is seen in lovingkindness. Praised are You, Lord, holy King.

You sanctify this Day of Remembrance

You have chosen us of all nations for Your service by loving and favoring us as bearers of Your Torah. You have exalted us as a people by sanctifying us with Your commandments, identifying us with Your great and holy name.

Lord our God, in love You have given us *this Shabbat and* this Day of Remembrance, a day for *recalling* the shofar sound, a day for holy assembly and for recalling the Exodus from Egypt.

אֱלֹהֵֽינוּ וֵאלֹהֵי אֲבוֹתֵֽינוּ, יַעֲלֶה וְיָבוֹא וְיַגִּֽיעַ וְיֵרָאֶה וְיֵרָצֶה וְיִשָּׁמַע
וְיִפָּקֵד וְיִזָּכֵר זִכְרוֹנֵֽנוּ וּפִקְדוֹנֵֽנוּ, וְזִכְרוֹן אֲבוֹתֵֽינוּ וְזִכְרוֹן מָשִֽׁיחַ בֶּן־דָּוִד
עַבְדֶּֽךָ וְזִכְרוֹן יְרוּשָׁלַֽיִם עִיר קָדְשֶֽׁךָ, וְזִכְרוֹן כָּל־עַמְּךָ בֵּית יִשְׂרָאֵל
לְפָנֶֽיךָ, לִפְלֵיטָה וּלְטוֹבָה וּלְחֵן וּלְחֶֽסֶד וּלְרַחֲמִים וּלְחַיִּים וּלְשָׁלוֹם
בְּיוֹם הַזִּכָּרוֹן הַזֶּה. זָכְרֵֽנוּ יְיָ אֱלֹהֵֽינוּ בּוֹ לְטוֹבָה, וּפָקְדֵֽנוּ בוֹ לִבְרָכָה,
וְהוֹשִׁיעֵֽנוּ בוֹ לְחַיִּים. וּבִדְבַר יְשׁוּעָה וְרַחֲמִים חוּס וְחָנֵּֽנוּ וְרַחֵם עָלֵֽינוּ
וְהוֹשִׁיעֵֽנוּ כִּי אֵלֶֽיךָ עֵינֵֽינוּ, כִּי אֵל מֶֽלֶךְ חַנּוּן וְרַחוּם אָֽתָּה.

אֱלֹהֵֽינוּ וֵאלֹהֵי אֲבוֹתֵֽינוּ, מְלֹךְ עַל כָּל־הָעוֹלָם כֻּלּוֹ בִּכְבוֹדֶֽךָ וְהִנָּשֵׂא
עַל כָּל־הָאָֽרֶץ בִּיקָרֶֽךָ, וְהוֹפַע בַּהֲדַר גְּאוֹן עֻזֶּֽךָ עַל כָּל־יוֹשְׁבֵי תֵבֵל
אַרְצֶֽךָ. וְיֵדַע כָּל־פָּעוּל כִּי אַתָּה פְעַלְתּוֹ וְיָבִין כָּל־יְצוּר כִּי אַתָּה
יְצַרְתּוֹ, וְיֹאמַר כֹּל אֲשֶׁר נְשָׁמָה בְאַפּוֹ: יְיָ אֱלֹהֵי יִשְׂרָאֵל מֶֽלֶךְ,
וּמַלְכוּתוֹ בַּכֹּל מָשָֽׁלָה.

אֱלֹהֵֽינוּ וֵאלֹהֵי אֲבוֹתֵֽינוּ, רְצֵה בִמְנוּחָתֵֽנוּ קַדְּשֵֽׁנוּ בְּמִצְוֹתֶֽיךָ וְתֵן חֶלְקֵֽנוּ
בְּתוֹרָתֶֽךָ, שַׂבְּעֵֽנוּ מִטּוּבֶֽךָ וְשַׂמְּחֵֽנוּ בִּישׁוּעָתֶֽךָ וְהַנְחִילֵֽנוּ יְיָ אֱלֹהֵֽינוּ
בְּאַהֲבָה וּבְרָצוֹן שַׁבַּת קָדְשֶֽׁךָ וְיָנֽוּחוּ בָה יִשְׂרָאֵל מְקַדְּשֵׁי שְׁמֶֽךָ וְטַהֵר
לִבֵּֽנוּ לְעָבְדְּךָ בֶּאֱמֶת, כִּי אַתָּה אֱלֹהִים אֱמֶת וּדְבָרְךָ אֱמֶת וְקַיָּם
לָעַד. בָּרוּךְ אַתָּה יְיָ מֶֽלֶךְ עַל כָּל־הָאָֽרֶץ מְקַדֵּשׁ הַשַּׁבָּת וְיִשְׂרָאֵל
וְיוֹם הַזִּכָּרוֹן.

Accept our prayer

רְצֵה יְיָ אֱלֹהֵֽינוּ בְּעַמְּךָ יִשְׂרָאֵל וּבִתְפִלָּתָם וְהָשֵׁב אֶת־הָעֲבוֹדָה
לִדְבִיר בֵּיתֶֽךָ וּתְפִלָּתָם בְּאַהֲבָה תְקַבֵּל בְּרָצוֹן וּתְהִי לְרָצוֹן תָּמִיד
עֲבוֹדַת יִשְׂרָאֵל עַמֶּֽךָ. וְתֶחֱזֶֽינָה עֵינֵֽינוּ בְּשׁוּבְךָ לְצִיּוֹן בְּרַחֲמִים.
בָּרוּךְ אַתָּה יְיָ הַמַּחֲזִיר שְׁכִינָתוֹ לְצִיּוֹן.

Our God and God of our fathers, on this Day of Remembrance remember our fathers and be gracious to us. Consider the people standing before You praying for the days of Messiah and for Jerusalem Your holy city. Grant us life, well-being, loving-kindness and peace. Bless us, Lord our God, with all that is good. Remember Your promise of mercy and redemption. Be merciful to us and save us, for we place our hope in You, gracious and merciful God and King.

Cause Your sovereignty to be acknowledged throughout the world. May Your splendor and dignity be reflected in the lives of all who dwell on earth. Then all creatures will know that You created them, all living things will comprehend that You gave them life, everything that breathes will proclaim: The Lord God of Israel is King, and His dominion embraces all.

Our God and God of our fathers, *accept our Shabbat offering of rest,* make our lives holy with Your commandments and let Your Torah be our portion. Fill our lives with Your goodness and gladden us with Your triumph. *Lovingly and willingly, Lord our God, grant that we inherit the gift of Shabbat forever, so that Your people Israel who hallow Your name will always find rest on this day.* Cleanse our hearts to serve You faithfully, for You are faithful and Your word endures forever. Praised are You, Lord, King of all the earth who sanctifies *Shabbat,* the people Israel and the Day of Remembrance.

Accept our prayer

Accept the prayer of Your people Israel as lovingly as it is offered. Restore worship to Your sanctuary. May the worship of Your people Israel always be acceptable to You. May we bear witness to Your merciful return to Zion. Praised are You, Lord who restores His Presence to Zion.

We thank You for life and for Your love

When Ḥazzan chants the Amidah, congregation reads this paragraph silently, while Ḥazzan chants the next paragraph.

מוֹדִים אֲנַחְנוּ לָךְ שָׁאַתָּה הוּא יְיָ אֱלֹהֵינוּ וֵאלֹהֵי אֲבוֹתֵינוּ אֱלֹהֵי כָל־בָּשָׂר יוֹצְרֵנוּ יוֹצֵר בְּרֵאשִׁית. בְּרָכוֹת וְהוֹדָאוֹת לְשִׁמְךָ הַגָּדוֹל וְהַקָּדוֹשׁ עַל שֶׁהֶחֱיִיתָנוּ וְקִיַּמְתָּנוּ. כֵּן תְּחַיֵּנוּ וּתְקַיְּמֵנוּ וְתֶאֱסֹף גָּלֻיּוֹתֵינוּ לְחַצְרוֹת קָדְשֶׁךָ לִשְׁמֹר חֻקֶּיךָ וְלַעֲשׂוֹת רְצוֹנֶךָ וּלְעָבְדְּךָ בְּלֵבָב שָׁלֵם עַל שֶׁאֲנַחְנוּ מוֹדִים לָךְ. בָּרוּךְ אֵל הַהוֹדָאוֹת.

מוֹדִים אֲנַחְנוּ לָךְ שָׁאַתָּה הוּא יְיָ אֱלֹהֵינוּ וֵאלֹהֵי אֲבוֹתֵינוּ לְעוֹלָם וָעֶד, צוּר חַיֵּינוּ מָגֵן יִשְׁעֵנוּ אַתָּה הוּא. לְדוֹר וָדוֹר נוֹדֶה לְּךָ וּנְסַפֵּר תְּהִלָּתֶךָ עַל חַיֵּינוּ הַמְּסוּרִים בְּיָדֶךָ וְעַל נִשְׁמוֹתֵינוּ הַפְּקוּדוֹת לָךְ וְעַל נִסֶּיךָ שֶׁבְּכָל־יוֹם עִמָּנוּ וְעַל נִפְלְאוֹתֶיךָ וְטוֹבוֹתֶיךָ שֶׁבְּכָל־עֵת עֶרֶב וָבֹקֶר וְצָהֳרָיִם. הַטּוֹב כִּי לֹא כָלוּ רַחֲמֶיךָ וְהַמְרַחֵם כִּי לֹא תַמּוּ חֲסָדֶיךָ מֵעוֹלָם קִוִּינוּ לָךְ.

וְעַל כֻּלָּם יִתְבָּרַךְ וְיִתְרוֹמַם שִׁמְךָ מַלְכֵּנוּ תָּמִיד לְעוֹלָם וָעֶד.

Congregation and Ḥazzan:

וּכְתֹב לְחַיִּים טוֹבִים כָּל־בְּנֵי בְרִיתֶךָ.

וְכֹל הַחַיִּים יוֹדוּךָ סֶּלָה וִיהַלְלוּ אֶת־שִׁמְךָ בֶּאֱמֶת הָאֵל יְשׁוּעָתֵנוּ וְעֶזְרָתֵנוּ סֶלָה. בָּרוּךְ אַתָּה יְיָ הַטּוֹב שִׁמְךָ וּלְךָ נָאֶה לְהוֹדוֹת.

We thank You for life and for Your love

When Ḥazzan chants the Amidah, congregation reads
this paragraph silently, while Ḥazzan chants
the next paragraph.

We proclaim that You are the Lord our God and God of our fathers, Creator of all who created us, God of all flesh. We praise You and thank You for granting us life and for sustaining us. May You continue to do so, and may You gather our exiles, that we may all fulfill Your commandments and serve You wholeheartedly, doing Your will. For this shall we thank You. Praised be God to whom thanksgiving is due.

We proclaim that You are the Lord our God and God of our fathers throughout all time. You are the Rock of our lives, the Shield of our salvation. We thank You and praise You through all generations, for our lives are in Your hand, our souls are in Your charge. We thank You for Your miracles which daily attend us, for Your wondrous kindness, morning, noon and night. Your mercy and love are boundless. We have always placed our hope in You.

For all these blessings we shall ever praise and exalt You.

Congregation and Ḥazzan:

Inscribe all the people of Your covenant for a good life.

May every living creature thank You and praise You faithfully, our deliverance and our help. Praised are You, beneficent Lord to whom all praise is due.

Bless us with peace

Ḥazzan:

אֱלֹהֵינוּ וֵאלֹהֵי אֲבוֹתֵינוּ, בָּרְכֵנוּ בַבְּרָכָה הַמְשֻׁלֶּשֶׁת בַּתּוֹרָה הַכְּתוּבָה עַל יְדֵי מֹשֶׁה עַבְדֶּךָ, הָאֲמוּרָה מִפִּי אַהֲרֹן וּבָנָיו כֹּהֲנִים עַם קְדוֹשֶׁךָ, כָּאָמוּר:

Ḥazzan:	*Congregation:*
יְבָרֶכְךָ יְיָ וְיִשְׁמְרֶךָ.	כֵּן יְהִי רָצוֹן.
יָאֵר יְיָ פָּנָיו אֵלֶיךָ וִיחֻנֶּךָּ.	כֵּן יְהִי רָצוֹן.
יִשָּׂא יְיָ פָּנָיו אֵלֶיךָ וְיָשֵׂם לְךָ שָׁלוֹם.	כֵּן יְהִי רָצוֹן.

שִׂים שָׁלוֹם בָּעוֹלָם, טוֹבָה וּבְרָכָה חֵן וָחֶסֶד וְרַחֲמִים עָלֵינוּ וְעַל כָּל־יִשְׂרָאֵל עַמֶּךָ. בָּרְכֵנוּ אָבִינוּ כֻּלָּנוּ כְּאֶחָד בְּאוֹר פָּנֶיךָ, כִּי בְאוֹר פָּנֶיךָ נָתַתָּ לָּנוּ יְיָ אֱלֹהֵינוּ תּוֹרַת חַיִּים וְאַהֲבַת חֶסֶד וּצְדָקָה וּבְרָכָה וְרַחֲמִים וְחַיִּים וְשָׁלוֹם. וְטוֹב בְּעֵינֶיךָ לְבָרֵךְ אֶת־עַמְּךָ יִשְׂרָאֵל בְּכָל־עֵת וּבְכָל־שָׁעָה בִּשְׁלוֹמֶךָ.

Congregation and Ḥazzan:

בְּסֵפֶר חַיִּים בְּרָכָה וְשָׁלוֹם וּפַרְנָסָה טוֹבָה נִזָּכֵר וְנִכָּתֵב לְפָנֶיךָ אֲנַחְנוּ וְכָל־עַמְּךָ בֵּית יִשְׂרָאֵל לְחַיִּים טוֹבִים וּלְשָׁלוֹם.

בָּרוּךְ אַתָּה יְיָ עוֹשֵׂה הַשָּׁלוֹם.

Bless us with peace

Ḥazzan:

Bless us, our God and God of our fathers, with the three-fold blessing written in the Torah by Moses, Your servant, pronounced by Aaron and by his sons, the consecrated priests of Your people:

Ḥazzan:	*Congregation:*
May the Lord bless you and guard you.	*Kein yehi ratzon.*
May the Lord show you favor and be gracious to you.	*Kein yehi ratzon.*
May the Lord show you kindness and grant you peace.	*Kein yehi ratzon.*

Grant peace, happiness and blessing to the world, with grace, love and mercy for us and for all the people Israel. Bless us, our Father, one and all, with Your light; for by that light did You teach us Torah and life, love and tenderness, justice, mercy and peace. May it please You to bless Your people Israel in every season and at all times with Your gift of peace.

Congregation and Ḥazzan:

May we and the entire House of Israel be remembered and recorded in the Book of life, blessing, sustenance and peace.

Praised are You, Lord, Source of peace.

Avinu Malkeinu

Omitted on Shabbat, when the service continues with Kaddish on page 156.

OUR FATHER, OUR KING

The Ark is opened, as we rise.

אָבִֽינוּ מַלְכֵּֽנוּ, אֵין לָֽנוּ מֶֽלֶךְ אֶלָּא אָֽתָּה.
אָבִֽינוּ מַלְכֵּֽנוּ, עֲשֵׂה עִמָּֽנוּ לְמַֽעַן שְׁמֶֽךָ.
אָבִֽינוּ מַלְכֵּֽנוּ, חַדֵּשׁ עָלֵֽינוּ שָׁנָה טוֹבָה.

אָבִֽינוּ מַלְכֵּֽנוּ, בַּטֵּל מֵעָלֵֽינוּ כָּל־גְּזֵרוֹת קָשׁוֹת.
אָבִֽינוּ מַלְכֵּֽנוּ, בַּטֵּל מַחְשְׁבוֹת שׂוֹנְאֵֽינוּ.
אָבִֽינוּ מַלְכֵּֽנוּ, הָפֵר עֲצַת אוֹיְבֵֽינוּ.
אָבִֽינוּ מַלְכֵּֽנוּ, כַּלֵּה כָּל־צַר וּמַשְׂטִין מֵעָלֵֽינוּ.
אָבִֽינוּ מַלְכֵּֽנוּ, כַּלֵּה דֶּֽבֶר וְחֶֽרֶב וְרָעָב, וּשְׁבִי וּמַשְׁחִית וְעָוֹן וּשְׁמָד מִבְּנֵי בְרִיתֶֽךָ.

אָבִֽינוּ מַלְכֵּֽנוּ, סְלַח וּמְחַל לְכָל־עֲוֹנוֹתֵֽינוּ.
אָבִֽינוּ מַלְכֵּֽנוּ, מְחֵה וְהַעֲבֵר פְּשָׁעֵֽינוּ וְחַטֹּאתֵֽינוּ מִנֶּֽגֶד עֵינֶֽיךָ.

אָבִֽינוּ מַלְכֵּֽנוּ, הַחֲזִירֵֽנוּ בִּתְשׁוּבָה שְׁלֵמָה לְפָנֶֽיךָ.
אָבִֽינוּ מַלְכֵּֽנוּ, שְׁלַח רְפוּאָה שְׁלֵמָה לְחוֹלֵי עַמֶּֽךָ.
אָבִֽינוּ מַלְכֵּֽנוּ, זָכְרֵֽנוּ בְּזִכָּרוֹן טוֹב לְפָנֶֽיךָ.

אָבִֽינוּ מַלְכֵּֽנוּ, כָּתְבֵֽנוּ בְּסֵֽפֶר חַיִּים טוֹבִים.
אָבִֽינוּ מַלְכֵּֽנוּ, כָּתְבֵֽנוּ בְּסֵֽפֶר גְּאֻלָּה וִישׁוּעָה.
אָבִֽינוּ מַלְכֵּֽנוּ, כָּתְבֵֽנוּ בְּסֵֽפֶר פַּרְנָסָה וְכַלְכָּלָה.
אָבִֽינוּ מַלְכֵּֽנוּ, כָּתְבֵֽנוּ בְּסֵֽפֶר זְכֻיּוֹת.
אָבִֽינוּ מַלְכֵּֽנוּ, כָּתְבֵֽנוּ בְּסֵֽפֶר סְלִיחָה וּמְחִילָה.

Avinu Malkeinu

*Omitted on Shabbat, when the service continues
with Kaddish on page 157.*

OUR FATHER, OUR KING

The Ark is opened, as we rise.

Avinu malkeinu, we have no King but You.

Avinu malkeinu, help us for Your own sake.

Avinu malkeinu, grant us a blessed New Year.

Avinu malkeinu, annul all evil decrees against us.

Avinu malkeinu, annul the plots of our enemies.

Avinu malkeinu, frustrate the designs of our foes.

Avinu malkeinu, rid us of tyrants.

Avinu malkeinu, rid us of pestilence, sword, famine,
captivity, sin and destruction.

Avinu malkeinu, forgive and pardon all our sins.

Avinu malkeinu, ignore the record of our transgressions.

Avinu malkeinu, help us return to You fully repentant.

Avinu malkeinu, send complete healing to the sick.

Avinu malkeinu, remember us with favor.

Avinu malkeinu, inscribe us in the Book of happiness.

Avinu malkeinu, inscribe us in the Book of deliverance.

Avinu malkeinu, inscribe us in the Book of prosperity.

Avinu malkeinu, inscribe us in the Book of merit.

Avinu malkeinu, inscribe us in the Book of forgiveness.

אָבִֽינוּ מַלְכֵּֽנוּ, הַצְמַח לָֽנוּ יְשׁוּעָה בְּקָרוֹב.
אָבִֽינוּ מַלְכֵּֽנוּ, הָרֵם קֶֽרֶן יִשְׂרָאֵל עַמֶּֽךָ.
אָבִֽינוּ מַלְכֵּֽנוּ, שְׁמַע קוֹלֵֽנוּ, חוּס וְרַחֵם עָלֵֽינוּ.
אָבִֽינוּ מַלְכֵּֽנוּ, קַבֵּל בְּרַחֲמִים וּבְרָצוֹן אֶת־תְּפִלָּתֵֽנוּ.
אָבִֽינוּ מַלְכֵּֽנוּ, נָא אַל תְּשִׁיבֵֽנוּ רֵיקָם מִלְּפָנֶֽיךָ.

אָבִֽינוּ מַלְכֵּֽנוּ, זְכֹר כִּי עָפָר אֲנָֽחְנוּ.
אָבִֽינוּ מַלְכֵּֽנוּ, חֲמֹל עָלֵֽינוּ וְעַל עוֹלָלֵֽינוּ וְטַפֵּֽנוּ.

אָבִֽינוּ מַלְכֵּֽנוּ, עֲשֵׂה לְמַֽעַן הֲרוּגִים עַל שֵׁם קָדְשֶֽׁךָ.
אָבִֽינוּ מַלְכֵּֽנוּ, עֲשֵׂה לְמַֽעַן טְבוּחִים עַל יִחוּדֶֽךָ.
אָבִֽינוּ מַלְכֵּֽנוּ, עֲשֵׂה לְמַֽעַן בָּאֵי בָאֵשׁ וּבַמַּֽיִם עַל קִדּוּשׁ שְׁמֶֽךָ.
אָבִֽינוּ מַלְכֵּֽנוּ, עֲשֵׂה לְמַעַנְךָ אִם לֹא לְמַעֲנֵֽנוּ.
אָבִֽינוּ מַלְכֵּֽנוּ, חָנֵּֽנוּ וַעֲנֵֽנוּ, כִּי אֵין בָּֽנוּ מַעֲשִׂים,
עֲשֵׂה עִמָּֽנוּ צְדָקָה וָחֶֽסֶד וְהוֹשִׁיעֵֽנוּ.

The Ark is closed, and we are seated.

Avinu malkeinu, hasten our deliverance.

Avinu malkeinu, exalt Your people Israel.

Avinu malkeinu, hear us; show us mercy and compassion.

Avinu malkeinu, accept our prayer with favor and mercy.

Avinu malkeinu, do not turn us away unanswered.

Avinu malkeinu, remember that we are dust.

Avinu malkeinu, have pity for us and for our children.

Avinu malkeinu, act for those slain for Your holy name.

Avinu malkeinu, act for those who were slaughtered for proclaiming Your unique holiness.

Avinu malkeinu, act for those who went through fire and water to sanctify You.

Avinu malkeinu, act for Your sake if not for ours.

Avinu malkeinu, answer us though we have no deeds to plead our cause; save us with mercy and lovingkindness.

Avinu malkeinu, ḥoneinu va'aneinu, kee ein banu ma'asim
Asei eemanu tzedakah vaḥesed vehoshee-einu.

The Ark is closed, and we are seated.

Kaddish Shalem

Ḥazzan:

יִתְגַּדַּל וְיִתְקַדַּשׁ שְׁמֵהּ רַבָּא בְּעָלְמָא דִּי בְרָא כִרְעוּתֵהּ, וְיַמְלִיךְ מַלְכוּתֵהּ בְּחַיֵּיכוֹן וּבְיוֹמֵיכוֹן וּבְחַיֵּי דְכָל־בֵּית יִשְׂרָאֵל בַּעֲגָלָא וּבִזְמַן קָרִיב, וְאִמְרוּ אָמֵן.

Congregation and Ḥazzan:

יְהֵא שְׁמֵהּ רַבָּא מְבָרַךְ לְעָלַם וּלְעָלְמֵי עָלְמַיָּא.

Ḥazzan:

יִתְבָּרַךְ וְיִשְׁתַּבַּח וְיִתְפָּאַר וְיִתְרוֹמַם וְיִתְנַשֵּׂא וְיִתְהַדַּר וְיִתְעַלֶּה וְיִתְהַלַּל שְׁמֵהּ דְּקֻדְשָׁא בְּרִיךְ הוּא, לְעֵלָּא לְעֵלָּא מִכָּל־בִּרְכָתָא וְשִׁירָתָא תֻּשְׁבְּחָתָא וְנֶחֱמָתָא דַּאֲמִירָן בְּעָלְמָא, וְאִמְרוּ אָמֵן.

תִּתְקַבַּל צְלוֹתְהוֹן וּבָעוּתְהוֹן דְּכָל־יִשְׂרָאֵל קֳדָם אֲבוּהוֹן דִּי בִשְׁמַיָּא, וְאִמְרוּ אָמֵן.

יְהֵא שְׁלָמָא רַבָּא מִן שְׁמַיָּא וְחַיִּים עָלֵינוּ וְעַל כָּל־יִשְׂרָאֵל, וְאִמְרוּ אָמֵן.

עוֹשֶׂה שָׁלוֹם בִּמְרוֹמָיו הוּא יַעֲשֶׂה שָׁלוֹם עָלֵינוּ וְעַל כָּל־יִשְׂרָאֵל, וְאִמְרוּ אָמֵן.

Kaddish Shalem

Ḥazzan:

Hallowed and enhanced may He be throughout the world of His own creation. May He cause His sovereignty soon to be accepted, during our life and the life of all Israel. And let us say: Amen.

Congregation and Ḥazzan:

Ye-hei shmei raba meva-rakh l'alam ul'almei 'almaya.

May He be praised throughout all time.

Ḥazzan:

Glorified and celebrated, lauded and praised, acclaimed and honored, extolled and exalted may the Holy One be, far beyond all song and psalm, beyond all tributes which man can utter. And let us say: Amen.

May the prayers and pleas of the whole House of Israel be accepted by our Father in Heaven. And let us say: Amen.

Let there be abundant peace from Heaven, with life's goodness for us and for all the people Israel. And let us say: Amen.

He who brings peace to His universe will bring peace to us and to all the people Israel. And let us say: Amen.

קְרִיאַת
הַתּוֹרָה
לְרֹאשׁ
הַשָּׁנָה

ROSH HASHANAH TORAH READING

We rise.

אֵין כָּמְוֹךָ בָאֱלֹהִים אֲדֹנָי וְאֵין כְּמַעֲשֶׂיךָ.

מַלְכוּתְךָ מַלְכוּת כָּל־עֹלָמִים וּמֶמְשַׁלְתְּךָ בְּכָל־דּוֹר וָדֹר.

יְיָ מֶלֶךְ, יְיָ מָלָךְ, יְיָ יִמְלֹךְ לְעֹלָם וָעֶד.

יְיָ עֹז לְעַמּוֹ יִתֵּן, יְיָ יְבָרֵךְ אֶת־עַמּוֹ בַשָּׁלוֹם.

אַב הָרַחֲמִים, הֵיטִיבָה בִרְצוֹנְךָ אֶת־צִיּוֹן, תִּבְנֶה חוֹמוֹת יְרוּשָׁלָיִם.

כִּי בְךָ לְבַד בָּטָחְנוּ, מֶלֶךְ אֵל רָם וְנִשָּׂא אֲדוֹן עוֹלָמִים.

The Ark is opened.

וַיְהִי בִּנְסֹעַ הָאָרֹן וַיֹּאמֶר מֹשֶׁה:

קוּמָה יְיָ וְיָפֻצוּ אֹיְבֶיךָ וְיָנֻסוּ מְשַׂנְאֶיךָ מִפָּנֶיךָ.

כִּי מִצִּיּוֹן תֵּצֵא תוֹרָה וּדְבַר יְיָ מִירוּשָׁלָיִם.

בָּרוּךְ שֶׁנָּתַן תּוֹרָה לְעַמּוֹ יִשְׂרָאֵל בִּקְדֻשָּׁתוֹ.

We rise.

None compare to You, O Lord, and nothing compares to Your creation. Your kingdom is an everlasting kingdom, Your dominion endures throughout all generations.

Adonai melekh, Adonai malakh, Adonai yimlokh l'olam va'ed.
Adonai 'oz l'amo yitein, Adonai yeva-reikh et 'amo va-shalom.

The Lord is King, the Lord was King, the Lord shall be King throughout all time. May the Lord grant His people dignity; may the Lord bless His people with peace.

Av ha-raḥamim hei-tivah vir-tzon-kha et tzion, tivneh ḥomot yeru-shalayim.
Ki ve-kha levad bataḥnu, melekh Eil ram ve-nisa Adon 'olamim.

Merciful Father, favor Zion with Your goodness; build the walls of Jerusalem. For in You alone do we put our trust, King, exalted God, eternal Lord.

The Ark is opened.

Whenever the Ark was carried forward, Moses would say: May Your enemies be scattered, Lord, may Your foes be put to flight.

Ki mi-tzion tei-tzei Torah, u-d'var Adonai miru-shalayim.

Torah shall come from Zion, the word of the Lord from Jerusalem.

Barukh sheh-natan Torah l'amo yisrael bi-ke-dushato.

Praised is He who in His holiness gave the Torah to His people Israel.

Omitted on Shabbat:

יְיָ יְיָ אֵל רַחוּם וְחַנּוּן, אֶרֶךְ אַפַּיִם וְרַב חֶסֶד וֶאֱמֶת
נֹצֵר חֶסֶד לָאֲלָפִים נֹשֵׂא עָוֹן וָפֶשַׁע וְחַטָּאָה, וְנַקֵּה.

יִהְיוּ לְרָצוֹן אִמְרֵי־פִי וְהֶגְיוֹן לִבִּי לְפָנֶיךָ, יְיָ צוּרִי וְגֹאֲלִי.

וַאֲנִי תְפִלָּתִי לְךָ יְיָ עֵת רָצוֹן, אֱלֹהִים בְּרָב־חַסְדֶּךָ, עֲנֵנִי
בֶּאֱמֶת יִשְׁעֶךָ.

Private Meditation:

אָבִינוּ מַלְכֵּנוּ, אֲדוֹן הַשָּׁלוֹם, עָזְרֵנוּ וְהוֹשִׁיעֵנוּ שֶׁנִּזְכֶּה תָּמִיד לֶאֱחֹז
בְּמִדַּת הַשָּׁלוֹם. וְיִהְיֶה שָׁלוֹם גָּדוֹל בֶּאֱמֶת בֵּין כָּל־אָדָם לַחֲבֵרוֹ
וּבֵין אִישׁ לְאִשְׁתּוֹ, וְלֹא תִהְיֶה שׁוּם מַחֲלֹקֶת אֲפִלּוּ בְּלֵב בֵּין
כָּל־בְּנֵי מִשְׁפַּחְתִּי. אַתָּה עוֹשֶׂה שָׁלוֹם בִּמְרוֹמֶיךָ, כֵּן תַּמְשִׁיךְ שָׁלוֹם
גָּדוֹל עָלֵינוּ וְעַל כָּל־הָעוֹלָם כֻּלּוֹ, וְכֻלָּנוּ נִתְקָרֵב אֵלֶיךָ וּלְתוֹרָתְךָ
בֶּאֱמֶת וְנֵעָשֶׂה כֻלָּנוּ אֲגֻדָּה אַחַת לַעֲשׂוֹת רְצוֹנְךָ בְּלֵבָב שָׁלֵם.
אֲדוֹן הַשָּׁלוֹם, בָּרְכֵנוּ בַשָּׁלוֹם. אָמֵן.

בְּרִיךְ שְׁמֵהּ דְּמָרֵא עָלְמָא, בְּרִיךְ כִּתְרָךְ וְאַתְרָךְ. יְהֵא רְעוּתָךְ עִם
עַמָּךְ יִשְׂרָאֵל לְעָלַם, וּפֻרְקַן יְמִינָךְ אַחֲזֵי לְעַמָּךְ בְּבֵית מַקְדְּשָׁךְ,
וּלְאַמְטוּיֵי לָנָא מִטּוּב נְהוֹרָךְ וּלְקַבֵּל צְלוֹתָנָא בְּרַחֲמִין. יְהֵא רַעֲוָא
קֳדָמָךְ דְּתוֹרִיךְ לָן חַיִּין בְּטִיבוּתָא וְלֶהֱוֵי אֲנָא פְקִידָא בְּגוֹ צַדִּיקַיָּא,
לְמִרְחַם עֲלַי וּלְמִנְטַר יָתִי וְיָת כָּל־דִּי לִי וְדִי לְעַמָּךְ יִשְׂרָאֵל.
אַנְתְּ הוּא זָן לְכֹלָּא וּמְפַרְנֵס לְכֹלָּא. אַנְתְּ הוּא שַׁלִּיט עַל כֹּלָּא.
אַנְתְּ הוּא דְּשַׁלִּיט עַל מַלְכַיָּא, וּמַלְכוּתָא דִּי לָךְ הִיא. אֲנָא עַבְדָּא
דְקֻדְשָׁא בְּרִיךְ הוּא, דְּסָגֵדְנָא קַמֵּהּ וּמִקַּמָּא דִּיקַר אוֹרַיְתֵהּ בְּכָל־
עִדָּן וְעִדָּן. לָא עַל אֱנָשׁ רָחִצְנָא, וְלָא עַל בַּר אֱלָהִין סָמִכְנָא, אֶלָּא

Omitted on Shabbat:

Adonai Adonai Eil raḥum v'ḥanun, erekh apayim v'rav ḥesed ve'emet, no-tzeir ḥesed la'alafim, no-sei 'avon va-fesha ve-ḥata'ah v'nakeh.

The Lord, the Lord God is gracious and compassionate, patient, abounding in kindness and faithfulness, assuring love for a thousand generations, forgiving iniquity, transgression and sin, and granting pardon.

May the words of my mouth and the meditation of my heart be acceptable to You, O Lord, my Rock and my Redeemer. I offer my prayer to You, O Lord, at this time of grace. In Your abundant mercy answer me with Your saving truth.

Private meditation:

Avinu malkeinu, bless my family with peace. Teach us to appreciate the treasure of our lives. Help us always to find contentment in one another. Save us from dissension and jealousy; shield us from pettiness and rivalry. May selfish pride not divide us; may pride in one another unite us. Help us to renew our love for one another continually. In the light of Your Torah grant us, the people Israel, and all Your creatures everywhere, health and fulfillment, harmony, peace and joy in the new year. Amen.

Praised be Your name, Lord of the universe, and praised be Your sovereignty. May Your favor abide with Your people Israel, and may Your redeeming power be revealed to them in Your sanctuary. Grant us the good gift of Your light, and with compassion accept our prayer. May it be Your will to grant us long life and well-being, to count us among the righteous and to guard us, our families and all Your people Israel with compassion. You nourish and sustain all life. You rule over all, even kings, for dominion is Yours.

We are servants of the Holy One, whom we revere and whose Torah we revere at all times. Not upon man do we rely, not upon angels do we depend, but upon the God of Heaven, the God of

בֶּאֱלָהָא דִשְׁמַיָּא, דְּהוּא אֱלָהָא קְשׁוֹט וְאוֹרַיְתֵהּ קְשׁוֹט וּנְבִיאוֹהִי קְשׁוֹט, וּמַסְגֵּא לְמֶעְבַּד טַבְוָן וּקְשׁוֹט. בֵּהּ אֲנָא רָחֵץ וְלִשְׁמֵהּ קַדִּישָׁא יַקִּירָא אֲנָא אֵמַר תֻּשְׁבְּחָן. יְהֵא רַעֲוָא קֳדָמָךְ דְּתִפְתַּח לִבִּי בְּאוֹרַיְתָא, וְתַשְׁלִים מִשְׁאֲלִין דְּלִבִּי וְלִבָּא דְכָל־עַמָּךְ יִשְׂרָאֵל, לְטָב וּלְחַיִּין וְלִשְׁלָם. אָמֵן.

Two Sifrei Torah removed from the Ark.

Ḥazzan, then congregation:

שְׁמַע יִשְׂרָאֵל יְיָ אֱלֹהֵינוּ יְיָ אֶחָד.

אֶחָד אֱלֹהֵינוּ גָּדוֹל אֲדוֹנֵינוּ קָדוֹשׁ וְנוֹרָא שְׁמוֹ.

Ḥazzan:

גַּדְּלוּ לַייָ אִתִּי, וּנְרוֹמְמָה שְׁמוֹ יַחְדָּו.

Ḥazzan and congregation:

לְךָ יְיָ הַגְּדֻלָּה וְהַגְּבוּרָה וְהַתִּפְאֶרֶת וְהַנֵּצַח וְהַהוֹד, כִּי כֹל בַּשָּׁמַיִם וּבָאָרֶץ, לְךָ יְיָ הַמַּמְלָכָה וְהַמִּתְנַשֵּׂא לְכֹל לְרֹאשׁ.

רוֹמְמוּ יְיָ אֱלֹהֵינוּ וְהִשְׁתַּחֲווּ לַהֲדֹם רַגְלָיו, קָדוֹשׁ הוּא.
רוֹמְמוּ יְיָ אֱלֹהֵינוּ וְהִשְׁתַּחֲווּ לְהַר קָדְשׁוֹ, כִּי קָדוֹשׁ יְיָ אֱלֹהֵינוּ.

Congregation is seated.

Torah Reader:

אַב הָרַחֲמִים הוּא יְרַחֵם עַם עֲמוּסִים וְיִזְכֹּר בְּרִית אֵיתָנִים וְיַצִּיל נַפְשׁוֹתֵינוּ מִן הַשָּׁעוֹת הָרָעוֹת וְיִגְעַר בְּיֵצֶר הָרָע מִן הַנְּשׂוּאִים וְיָחֹן אוֹתָנוּ לִפְלֵיטַת עוֹלָמִים וִימַלֵּא מִשְׁאֲלוֹתֵינוּ בְּמִדָּה טוֹבָה יְשׁוּעָה וְרַחֲמִים.

truth, whose Torah is truth, whose prophets are truth and who abounds in deeds of goodness and truth. In Him do we put our trust; unto His holy, precious being do we utter praise. Open our hearts to Your Torah, Lord. Answer our prayers and the prayers of all Your people Israel for goodness, for life and for peace. And let us say: Amen.

Two Sifrei Torah are removed from the Ark.

Ḥazzan, then congregation:

Sh'ma yisrael Adonai Eloheinu Adonai eḥad.

HEAR, O ISRAEL: THE LORD OUR GOD, THE LORD IS ONE.

Eḥad Eloheinu gadol Adoneinu kadosh v'nora sh'mo.

One is our God, great our Lord, holy and awesome.

Ḥazzan:

Proclaim the Lord's greatness with me; let us exalt Him together.

Ḥazzan and congregation:

L'kha Adonai ha-gedulah v'ha-gevurah v'ha-tiferet v'ha-neitzaḥ v'ha-hod ki khol basha-mayim uva'aretz l'kha Adonai ha-mam-lakhah v'ha-mitnasei l'khol l'rosh.

Yours, O Lord, is the greatness and the power and the splendor. Yours is the triumph and the majesty, for all in heaven and on earth is Yours. Yours, O Lord, is supreme sovereignty.

Exalt the Lord and worship Him, for He is holy. Exalt and worship Him at His holy mountain. The Lord our God is holy.

Congregation is seated.

Torah Reader:

May our merciful Father have mercy upon the people He has always sustained, remembering His covenant with the patriarchs. May He deliver us from evil times, restrain the impulse to evil within us, and grace our lives with enduring deliverance. May He answer our petition with an abundant measure of kindness and compassion.

וְיַעֲזֹר וְיָגֵן וְיוֹשִׁיעַ לְכֹל הַחוֹסִים בּוֹ, וְנֹאמַר אָמֵן. הַכֹּל הָבוּ גֹדֶל לֵאלֹהֵינוּ וּתְנוּ כָבוֹד לַתּוֹרָה. כֹּהֵן קְרָב. יַעֲמֹד (. . . בֶּן . . .) הַכֹּהֵן. בָּרוּךְ שֶׁנָּתַן תּוֹרָה לְעַמּוֹ יִשְׂרָאֵל בִּקְדֻשָּׁתוֹ.

תּוֹרַת יְיָ תְּמִימָה, מְשִׁיבַת נָפֶשׁ. עֵדוּת יְיָ נֶאֱמָנָה, מַחְכִּימַת פֶּתִי. פִּקּוּדֵי יְיָ יְשָׁרִים, מְשַׂמְּחֵי־לֵב. מִצְוַת יְיָ בָּרָה, מְאִירַת עֵינָיִם.

Congregation and Torah Reader:

וְאַתֶּם הַדְּבֵקִים בַּייָ אֱלֹהֵיכֶם, חַיִּים כֻּלְּכֶם הַיּוֹם.

Each congregant honored with an aliyah recites these blessings:

Before the reading:

בָּרְכוּ אֶת־יְיָ הַמְבֹרָךְ.

Congregation:

בָּרוּךְ יְיָ הַמְבֹרָךְ לְעוֹלָם וָעֶד.

Congregant repeats the above line, and continues:

בָּרוּךְ אַתָּה יְיָ אֱלֹהֵינוּ מֶלֶךְ הָעוֹלָם אֲשֶׁר בָּחַר בָּנוּ מִכָּל־הָעַמִּים וְנָתַן לָנוּ אֶת־תּוֹרָתוֹ. בָּרוּךְ אַתָּה יְיָ נוֹתֵן הַתּוֹרָה.

After the reading:

בָּרוּךְ אַתָּה יְיָ אֱלֹהֵינוּ מֶלֶךְ הָעוֹלָם אֲשֶׁר נָתַן לָנוּ תּוֹרַת אֱמֶת וְחַיֵּי עוֹלָם נָטַע בְּתוֹכֵנוּ. בָּרוּךְ אַתָּה יְיָ נוֹתֵן הַתּוֹרָה.

On the first day, the selection which follows is read.

On the second day, turn to page 174.

May He help, save and shield all who trust in Him. And let us say: Amen. Let us all declare the greatness of our God and render honor to the Torah. (Let the kohen come forward.) Praised is He who in His holiness gave the Torah to His people Israel.

The Torah of the Lord is perfect; it revives the spirit. The testimony of the Lord is sure; it brightens the dull. The precepts of the Lord are right; they gladden the heart. The command of the Lord is clear; it opens the eyes.

Congregation and Torah Reader:

V'atem ha-d'veikim ba-donai Elohei-khem ḥayyim kul-khem hayom.

You who cling to the Lord your God have been sustained to this day.

Each congregant honored with an aliyah recites these blessings:

Before the reading:

Praise the Lord, Source of blessing.

Congregation:

Praised be the Lord, Source of blessing, throughout all time.

Congregant repeats the above line, and continues:

Praised are You, Lord our God, King of the universe who has chosen us from among all peoples by giving us His Torah. Praised are You, Lord who gives the Torah.

After the reading:

Praised are You, Lord our God, King of the universe who has given us the Torah of truth, planting within us life eternal. Praised are You, Lord who gives the Torah.

On the first day, the selection which follows is read.

On the second day, turn to page 175.

Kohen

וַֽיהוָ֛ה פָּקַ֥ד אֶת־שָׂרָ֖ה כַּאֲשֶׁ֣ר אָמָ֑ר
וַיַּ֧עַשׂ יְהוָ֛ה לְשָׂרָ֖ה כַּאֲשֶׁ֥ר דִּבֵּֽר׃ וַתַּהַר֩ וַתֵּ֨לֶד שָׂרָ֧ה לְאַבְרָהָ֛ם
בֵּ֖ן לִזְקֻנָ֑יו לַמּוֹעֵ֕ד אֲשֶׁר־דִּבֶּ֥ר אֹת֖וֹ אֱלֹהִֽים׃ וַיִּקְרָ֨א אַבְרָהָ֜ם
אֶֽת־שֶׁם־בְּנ֧וֹ הַנּֽוֹלַד־ל֛וֹ אֲשֶׁר־יָלְדָה־לּ֥וֹ שָׂרָ֖ה יִצְחָֽק׃ וַיָּ֤מָל
אַבְרָהָם֙ אֶת־יִצְחָ֣ק בְּנ֔וֹ בֶּן־שְׁמֹנַ֖ת יָמִ֑ים כַּאֲשֶׁ֛ר צִוָּ֥ה אֹת֖וֹ
אֱלֹהִֽים׃

Levi

וְאַבְרָהָ֖ם בֶּן־מְאַ֣ת שָׁנָ֑ה בְּהִוָּ֣לֶד ל֔וֹ אֵ֖ת יִצְחָ֥ק בְּנֽוֹ׃
וַתֹּ֣אמֶר שָׂרָ֔ה צְחֹ֕ק עָ֥שָׂה לִ֖י אֱלֹהִ֑ים כָּל־הַשֹּׁמֵ֖עַ יִֽצְחַק־לִֽי׃
וַתֹּ֗אמֶר מִ֤י מִלֵּל֙ לְאַבְרָהָ֔ם הֵינִ֥יקָה בָנִ֖ים שָׂרָ֑ה כִּֽי־יָלַ֥דְתִּי בֵ֖ן
לִזְקֻנָֽיו׃ וַיִּגְדַּ֥ל הַיֶּ֖לֶד וַיִּגָּמַ֑ל וַיַּ֤עַשׂ אַבְרָהָם֙ מִשְׁתֶּ֣ה גָד֔וֹל בְּי֖וֹם
הִגָּמֵ֥ל אֶת־יִצְחָֽק׃

On Shabbat: Shlishi

וַתֵּ֨רֶא שָׂרָ֜ה אֶֽת־בֶּן־הָגָ֧ר הַמִּצְרִ֛ית אֲשֶׁר־
יָלְדָ֥ה לְאַבְרָהָ֖ם מְצַחֵֽק׃ וַתֹּ֙אמֶר֙ לְאַבְרָהָ֔ם גָּרֵ֛שׁ הָאָמָ֥ה הַזֹּ֖את
וְאֶת־בְּנָ֑הּ כִּ֣י לֹ֤א יִירַשׁ֙ בֶּן־הָאָמָ֣ה הַזֹּ֔את עִם־בְּנִ֖י עִם־יִצְחָֽק׃
וַיֵּ֧רַע הַדָּבָ֛ר מְאֹ֖ד בְּעֵינֵ֣י אַבְרָהָ֑ם עַ֖ל אוֹדֹ֥ת בְּנֽוֹ׃ וַיֹּ֨אמֶר אֱלֹהִ֜ים
אֶל־אַבְרָהָ֗ם אַל־יֵרַ֤ע בְּעֵינֶ֙יךָ֙ עַל־הַנַּ֣עַר וְעַל־אֲמָתֶ֔ךָ כֹּל֩ אֲשֶׁ֨ר
תֹּאמַ֥ר אֵלֶ֛יךָ שָׂרָ֖ה שְׁמַ֣ע בְּקֹלָ֑הּ כִּ֣י בְיִצְחָ֔ק יִקָּרֵ֥א לְךָ֖ זָֽרַע׃

Torah Reading for the first day

Genesis 21

Kohen

The Lord took note of Sarah as He had promised, and the Lord did for Sarah as He had spoken. Sarah conceived and bore a son to Abraham in his old age, at the set time of which God had spoken. Abraham gave his newborn son, whom Sarah had borne him, the name of Isaac. And when his son Isaac was eight days old, Abraham circumcised him, as God had commanded him.

Levi

Now Abraham was a hundred years old when his son Isaac was born to him. Sarah said, "God has brought me laughter; everyone who hears will laugh with me." And she added,

"Who would have said to Abraham
That Sarah would suckle children!
Yet I have borne a son in his old age."

The child grew up and was weaned, and Abraham held a great feast on the day that Isaac was weaned.

On Shabbat: Shlishi

Sarah saw the son whom Hagar the Egyptian had borne to Abraham, playing. She said to Abraham, "Cast out that slavewoman and her son, for the son of that slave shall not share in the inheritance with my son Isaac." The matter distressed Abraham greatly, for it concerned a son of his. But God said to Abraham, "Do not be distressed over the boy or your slave; whatever Sarah tells you, do as she says, for it is through Isaac that offspring shall be continued for you.

Shlishi

On Shabbat: Revi'i

וְגַ֥ם אֶת־בֶּן־הָאָמָ֖ה לְג֣וֹי אֲשִׂימֶ֑נּוּ כִּ֥י זַרְעֲךָ֖ הֽוּא׃ וַיַּשְׁכֵּ֣ם אַבְרָהָ֣ם ׀ בַּבֹּ֡קֶר וַיִּֽקַּֽח־לֶחֶם֩ וְחֵ֨מַת מַ֜יִם וַיִּתֵּ֣ן אֶל־הָ֠גָר שָׂ֧ם עַל־שִׁכְמָ֛הּ וְאֶת־הַיֶּ֖לֶד וַֽיְשַׁלְּחֶ֑הָ וַתֵּ֣לֶךְ וַתֵּ֔תַע בְּמִדְבַּ֖ר בְּאֵ֥ר שָֽׁבַע׃ וַיִּכְל֥וּ הַמַּ֖יִם מִן־הַחֵ֑מֶת וַתַּשְׁלֵ֣ךְ אֶת־הַיֶּ֔לֶד תַּ֖חַת אַחַ֥ד הַשִּׂיחִֽם׃ וַתֵּ֩לֶךְ֩ וַתֵּ֨שֶׁב לָ֜הּ מִנֶּ֗גֶד הַרְחֵק֙ כִּמְטַחֲוֵ֣י קֶ֔שֶׁת כִּ֣י אָֽמְרָ֔ה אַל־אֶרְאֶ֖ה בְּמ֣וֹת הַיָּ֑לֶד וַתֵּ֣שֶׁב מִנֶּ֔גֶד וַתִּשָּׂ֥א אֶת־קֹלָ֖הּ וַתֵּֽבְךְּ׃ וַיִּשְׁמַ֣ע אֱלֹהִים֮ אֶת־ק֣וֹל הַנַּ֒עַר֒ וַיִּקְרָא֩ מַלְאַ֨ךְ אֱלֹהִ֤ים ׀ אֶל־הָגָר֙ מִן־הַשָּׁמַ֔יִם וַיֹּ֥אמֶר לָ֖הּ מַה־לָּ֣ךְ הָגָ֑ר אַל־תִּ֣ירְאִ֔י כִּֽי־שָׁמַ֧ע אֱלֹהִ֛ים אֶל־ק֥וֹל הַנַּ֖עַר בַּאֲשֶׁ֥ר הוּא־שָֽׁם׃

On Shabbat: Ḥamishi

ק֚וּמִי שְׂאִ֣י אֶת־הַנַּ֔עַר וְהַחֲזִ֥יקִי אֶת־יָדֵ֖ךְ בּ֑וֹ כִּֽי־לְג֥וֹי גָּד֖וֹל אֲשִׂימֶֽנּוּ׃ וַיִּפְקַ֤ח אֱלֹהִים֙ אֶת־עֵינֶ֔יהָ וַתֵּ֖רֶא בְּאֵ֣ר מָ֑יִם וַתֵּ֜לֶךְ וַתְּמַלֵּ֤א אֶת־הַחֵ֙מֶת֙ מַ֔יִם וַתַּ֖שְׁק אֶת־הַנָּֽעַר׃ וַיְהִ֧י אֱלֹהִ֛ים אֶת־הַנַּ֖עַר וַיִּגְדָּ֑ל וַיֵּ֙שֶׁב֙ בַּמִּדְבָּ֔ר וַיְהִ֖י רֹבֶ֥ה קַשָּֽׁת׃ וַיֵּ֖שֶׁב בְּמִדְבַּ֣ר פָּארָ֑ן וַתִּֽקַּֽח־ל֥וֹ אִמּ֛וֹ אִשָּׁ֖ה מֵאֶ֥רֶץ מִצְרָֽיִם׃

Shlishi
On Shabbat: Revi'i

"As for the son of the slave-woman, I will make a nation of him, too, for he is your seed." Early next morning Abraham took some bread and a skin of water, and gave them to Hagar. He placed them on her shoulder, together with the child, and sent her away. And she wandered about in the wilderness of Beer-sheba. When the water was gone from the skin, she left the child under one of the bushes, and went and sat down at a distance, a bowshot away; for she thought, "Let me not look on as the child dies." And sitting thus afar, she burst into tears.

God heard the cry of the boy, and an angel of God called to Hagar from heaven and said to her, "What troubles you, Hagar? Fear not, for God has heeded the cry of the boy where he is.

On Shabbat: Ḥamishi

Come, lift up the boy and hold him by the hand, for I will make a great nation of him." Then God opened her eyes and she saw a well of water. She went and filled the skin with water, and let the boy drink. God was with the boy and he grew up; he dwelt in the wilderness and became a bowman. He lived in the wilderness of Paran; and his mother got a wife for him from the land of Egypt.

Revi'i
On Shabbat: Shishi

וַיְהִי֙ בָּעֵ֣ת הַהִ֔וא וַיֹּ֣אמֶר אֲבִימֶ֗לֶךְ וּפִיכֹל֙ שַׂר־צְבָא֔וֹ אֶל־אַבְרָהָ֖ם לֵאמֹ֑ר אֱלֹהִ֣ים עִמְּךָ֔ בְּכֹ֥ל אֲשֶׁר־אַתָּ֖ה עֹשֶֽׂה׃ וְעַתָּ֗ה הִשָּׁ֨בְעָה לִּ֤י בֵאלֹהִים֙ הֵ֔נָּה אִם־תִּשְׁקֹ֣ר לִ֔י וּלְנִינִ֖י וּלְנֶכְדִּ֑י כַּחֶ֜סֶד אֲשֶׁר־עָשִׂ֤יתִי עִמְּךָ֙ תַּעֲשֶׂ֣ה עִמָּדִ֔י וְעִם־הָאָ֖רֶץ אֲשֶׁר־גַּ֥רְתָּה בָּֽהּ׃ וַיֹּ֙אמֶר֙ אַבְרָהָ֔ם אָנֹכִ֖י אִשָּׁבֵֽעַ׃ וְהוֹכִ֥חַ אַבְרָהָ֖ם אֶת־אֲבִימֶ֑לֶךְ עַל־אֹדוֹת֙ בְּאֵ֣ר הַמַּ֔יִם אֲשֶׁ֥ר גָּזְל֖וּ עַבְדֵ֥י אֲבִימֶֽלֶךְ׃ וַיֹּ֣אמֶר אֲבִימֶ֔לֶךְ לֹ֣א יָדַ֔עְתִּי מִ֥י עָשָׂ֖ה אֶת־הַדָּבָ֣ר הַזֶּ֑ה וְגַם־אַתָּ֞ה לֹא־הִגַּ֣דְתָּ לִּ֗י וְגַ֧ם אָנֹכִ֛י לֹ֥א שָׁמַ֖עְתִּי בִּלְתִּ֥י הַיּֽוֹם׃ וַיִּקַּ֤ח אַבְרָהָם֙ צֹ֣אן וּבָקָ֔ר וַיִּתֵּ֖ן לַאֲבִימֶ֑לֶךְ וַיִּכְרְת֥וּ שְׁנֵיהֶ֖ם בְּרִֽית׃

Ḥamishi
On Shabbat: Shevi'i

וַיַּצֵּ֣ב
אַבְרָהָ֗ם אֶת־שֶׁ֛בַע כִּבְשֹׂ֥ת הַצֹּ֖אן לְבַדְּהֶֽן׃ וַיֹּ֥אמֶר אֲבִימֶ֖לֶךְ אֶל־אַבְרָהָ֑ם מָ֣ה הֵ֗נָּה שֶׁ֤בַע כְּבָשֹׂת֙ הָאֵ֔לֶּה אֲשֶׁ֥ר הִצַּ֖בְתָּ לְבַדָּֽנָה׃ וַיֹּ֕אמֶר כִּ֚י אֶת־שֶׁ֣בַע כְּבָשֹׂ֔ת תִּקַּ֖ח מִיָּדִ֑י בַּעֲבוּר֙ תִּֽהְיֶה־לִּ֣י לְעֵדָ֔ה כִּ֥י חָפַ֖רְתִּי אֶת־הַבְּאֵ֥ר הַזֹּֽאת׃ עַל־כֵּ֗ן קָרָ֛א לַמָּק֥וֹם הַה֖וּא בְּאֵ֣ר שָׁ֑בַע כִּ֛י שָׁ֥ם נִשְׁבְּע֖וּ שְׁנֵיהֶֽם׃ וַיִּכְרְת֥וּ בְרִ֖ית בִּבְאֵ֣ר שָׁ֑בַע וַיָּ֣קָם אֲבִימֶ֗לֶךְ וּפִיכֹל֙ שַׂר־צְבָא֔וֹ וַיָּשֻׁ֖בוּ אֶל־אֶ֥רֶץ פְּלִשְׁתִּֽים׃ וַיִּטַּ֥ע אֶ֖שֶׁל בִּבְאֵ֣ר שָׁ֑בַע וַיִּ֨קְרָא־שָׁ֔ם בְּשֵׁ֥ם יְהוָ֖ה אֵ֥ל עוֹלָֽם׃ וַיָּ֧גָר אַבְרָהָ֛ם בְּאֶ֥רֶץ פְּלִשְׁתִּ֖ים יָמִ֥ים רַבִּֽים׃

The service continues on page 178.

Revi'i

On Shabbat: Shishi

At that time Abimelech and Phicol, chief of his troops, said
to Abraham, "God is with you in everything that you do. There-
fore swear to me here by God that you will not deal falsely
with me or with my kith and kin, but will deal with me and with the
land in which you have sojourned as loyally as I have dealt
with you." And Abraham said, "I swear it." Then Abraham re-
proached Abimelech for the well of water which the servants
of Abimelech had seized. But Abimelech said, "I do not know
who did this; you did not tell me, nor have I heard of it until
today." Abraham took sheep and oxen and gave them to Abimelech,
and the two of them made a pact.

Ḥamishi

On Shabbat: Shevi'i

Abraham then set seven ewes of the flock by themselves, and
Abimelech said to Abraham, "What mean these seven ewes
which you have set apart?" He replied, "You are to accept these
seven ewes from me as proof that I dug this well." Hence that
place was called Beer-sheba, for there the two of them swore
an oath. When they had concluded the pact at Beer-sheba,
Abimelech and Phicol, chief of his troops, departed and re-
turned to the land of the Philistines. Abraham planted a tama-
risk at Beer-sheba, and invoked there the name of the Lord, the
Everlasting God. And Abraham resided in the land of the
Philistines a long time.

The service continues on page 179.

Torah Reading for the second day

וַיְהִי אַחַר הַדְּבָרִים הָאֵלֶּה וְהָאֱלֹהִים נִסָּה אֶת־אַבְרָהָם וַיֹּאמֶר
אֵלָיו אַבְרָהָם וַיֹּאמֶר הִנֵּנִי: וַיֹּאמֶר קַח־נָא אֶת־בִּנְךָ אֶת־
יְחִידְךָ אֲשֶׁר־אָהַבְתָּ אֶת־יִצְחָק וְלֶךְ־לְךָ אֶל־אֶרֶץ הַמֹּרִיָּה
וְהַעֲלֵהוּ שָׁם לְעֹלָה עַל אַחַד הֶהָרִים אֲשֶׁר אֹמַר אֵלֶיךָ: וַיַּשְׁכֵּם
אַבְרָהָם בַּבֹּקֶר וַיַּחֲבֹשׁ אֶת־חֲמֹרוֹ וַיִּקַּח אֶת־שְׁנֵי נְעָרָיו אִתּוֹ
וְאֵת יִצְחָק בְּנוֹ וַיְבַקַּע עֲצֵי עֹלָה וַיָּקָם וַיֵּלֶךְ אֶל־הַמָּקוֹם אֲשֶׁר־
אָמַר־לוֹ הָאֱלֹהִים:

בַּיּוֹם הַשְּׁלִישִׁי וַיִּשָּׂא אַבְרָהָם אֶת־עֵינָיו
וַיַּרְא אֶת־הַמָּקוֹם מֵרָחֹק: וַיֹּאמֶר אַבְרָהָם אֶל־נְעָרָיו שְׁבוּ־לָכֶם
פֹּה עִם־הַחֲמוֹר וַאֲנִי וְהַנַּעַר נֵלְכָה עַד־כֹּה וְנִשְׁתַּחֲוֶה וְנָשׁוּבָה
אֲלֵיכֶם: וַיִּקַּח אַבְרָהָם אֶת־עֲצֵי הָעֹלָה וַיָּשֶׂם עַל־יִצְחָק בְּנוֹ
וַיִּקַּח בְּיָדוֹ אֶת־הָאֵשׁ וְאֶת־הַמַּאֲכֶלֶת וַיֵּלְכוּ שְׁנֵיהֶם יַחְדָּו:
וַיֹּאמֶר יִצְחָק אֶל־אַבְרָהָם אָבִיו וַיֹּאמֶר אָבִי וַיֹּאמֶר הִנֶּנִּי בְנִי
וַיֹּאמֶר הִנֵּה הָאֵשׁ וְהָעֵצִים וְאַיֵּה הַשֶּׂה לְעֹלָה: וַיֹּאמֶר אַבְרָהָם
אֱלֹהִים יִרְאֶה־לּוֹ הַשֶּׂה לְעֹלָה בְּנִי וַיֵּלְכוּ שְׁנֵיהֶם יַחְדָּו:

וַיָּבֹאוּ
אֶל־הַמָּקוֹם אֲשֶׁר אָמַר־לוֹ הָאֱלֹהִים וַיִּבֶן שָׁם אַבְרָהָם אֶת־
הַמִּזְבֵּחַ וַיַּעֲרֹךְ אֶת־הָעֵצִים וַיַּעֲקֹד אֶת־יִצְחָק בְּנוֹ וַיָּשֶׂם אֹתוֹ
עַל־הַמִּזְבֵּחַ מִמַּעַל לָעֵצִים: וַיִּשְׁלַח אַבְרָהָם אֶת־יָדוֹ וַיִּקַּח
אֶת־הַמַּאֲכֶלֶת לִשְׁחֹט אֶת־בְּנוֹ: וַיִּקְרָא אֵלָיו מַלְאַךְ יהוה
מִן־הַשָּׁמַיִם וַיֹּאמֶר אַבְרָהָם אַבְרָהָם וַיֹּאמֶר הִנֵּנִי: וַיֹּאמֶר אַל־

Torah Reading for the second day

Genesis 22

Kohen

Some time afterward, God put Abraham to the test. He said to him, "Abraham," and he answered, "Here I am." And He said, "Take your son, your favored one, Isaac, whom you love, and go to the land of Moriah, and offer him there as a burnt offering on one of the heights which I will point out to you." So early next morning, Abraham saddled his ass and took with him two of his servants and his son Isaac. He split the wood for the burnt offering, and he set out for the place of which God had told him.

Levi

On the third day Abraham looked up and saw the place from afar. Then Abraham said to his servants, "You stay here with the ass. The boy and I will go up there; we will worship and we will return to you." Abraham took the wood for the burnt offering and put it on his son Isaac. He himself took the firestone and the knife; and the two walked off together. Then Isaac said to his father Abraham, "Father!" And he answered, "Yes, my son." And he said, "Here are the firestone and the wood; but where is the sheep for the burnt offering?" And Abraham said, "God will see to the sheep for His burnt offering, my son." And the two of them walked on together.

Shlishi

They arrived at the place of which God had told him. Abraham built an altar there; he laid out the wood; he bound his son Isaac; he laid him on the altar, on top of the wood. Abraham picked up the knife to slay his son. Then an angel of the Lord called to him from heaven: "Abraham! Abraham!" And he

תִּשְׁלַ֨ח יָֽדְךָ֙ אֶל־הַנַּ֔עַר וְאַל־תַּ֥עַשׂ ל֖וֹ מְא֑וּמָה כִּ֣י ׀ עַתָּ֣ה יָדַ֗עְתִּי
כִּֽי־יְרֵ֤א אֱלֹהִים֙ אַ֔תָּה וְלֹ֥א חָשַׂ֛כְתָּ אֶת־בִּנְךָ֥ אֶת־יְחִֽידְךָ֖ מִמֶּֽנִּי׃
וַיִּשָּׂ֨א אַבְרָהָ֜ם אֶת־עֵינָ֗יו וַיַּרְא֙ וְהִנֵּה־אַ֔יִל אַחַ֕ר נֶאֱחַ֥ז בַּסְּבַ֖ךְ
בְּקַרְנָ֑יו וַיֵּ֤לֶךְ אַבְרָהָם֙ וַיִּקַּ֣ח אֶת־הָאַ֔יִל וַיַּעֲלֵ֥הוּ לְעֹלָ֖ה תַּ֥חַת
בְּנֽוֹ׃ וַיִּקְרָ֧א אַבְרָהָ֛ם שֵֽׁם־הַמָּק֥וֹם הַה֖וּא יְהוָ֣ה ׀ יִרְאֶ֑ה אֲשֶׁר֙
יֵֽאָמֵ֣ר הַיּ֔וֹם בְּהַ֥ר יְהוָ֖ה יֵרָאֶֽה׃

וַיִּקְרָ֛א מַלְאַ֥ךְ יְהוָ֖ה אֶל־אַבְרָהָ֑ם
שֵׁנִ֖ית מִן־הַשָּׁמָֽיִם׃ וַיֹּ֕אמֶר בִּ֥י נִשְׁבַּ֖עְתִּי נְאֻם־יְהוָ֑ה כִּ֗י יַ֚עַן אֲשֶׁ֤ר
עָשִׂ֙יתָ֙ אֶת־הַדָּבָ֣ר הַזֶּ֔ה וְלֹ֥א חָשַׂ֖כְתָּ אֶת־בִּנְךָ֥ אֶת־יְחִידֶֽךָ׃ כִּֽי־
בָרֵ֣ךְ אֲבָרֶכְךָ֗ וְהַרְבָּ֨ה אַרְבֶּ֤ה אֶֽת־זַרְעֲךָ֙ כְּכוֹכְבֵ֣י הַשָּׁמַ֔יִם וְכַח֕וֹל
אֲשֶׁ֖ר עַל־שְׂפַ֣ת הַיָּ֑ם וְיִרַ֣שׁ זַרְעֲךָ֔ אֵ֖ת שַׁ֥עַר אֹיְבָֽיו׃ וְהִתְבָּרֲכ֣וּ
בְזַרְעֲךָ֔ כֹּ֖ל גּוֹיֵ֣י הָאָ֑רֶץ עֵ֕קֶב אֲשֶׁ֥ר שָׁמַ֖עְתָּ בְּקֹלִֽי׃ וַיָּ֤שָׁב אַבְרָהָם֙
אֶל־נְעָרָ֔יו וַיָּקֻ֛מוּ וַיֵּלְכ֥וּ יַחְדָּ֖ו אֶל־בְּאֵ֣ר שָׁ֑בַע וַיֵּ֥שֶׁב אַבְרָהָ֖ם
בִּבְאֵ֥ר שָֽׁבַע׃

וַיְהִ֗י אַחֲרֵי֙ הַדְּבָרִ֣ים הָאֵ֔לֶּה וַיֻּגַּ֥ד לְאַבְרָהָ֖ם לֵאמֹ֑ר הִ֠נֵּה יָלְדָ֨ה
מִלְכָּ֥ה גַם־הִ֛וא בָּנִ֖ים לְנָח֥וֹר אָחִֽיךָ׃ אֶת־ע֥וּץ בְּכֹר֖וֹ וְאֶת־בּ֣וּז
אָחִ֑יו וְאֶת־קְמוּאֵ֖ל אֲבִ֥י אֲרָֽם׃ וְאֶת־כֶּ֣שֶׂד וְאֶת־חֲז֔וֹ וְאֶת־
פִּלְדָּ֖שׁ וְאֶת־יִדְלָ֑ף וְאֵ֖ת בְּתוּאֵֽל׃ וּבְתוּאֵ֖ל יָלַ֣ד אֶת־רִבְקָ֑ה
שְׁמֹנָ֥ה אֵ֙לֶּה֙ יָלְדָ֣ה מִלְכָּ֔ה לְנָח֖וֹר אֲחִ֣י אַבְרָהָֽם׃ וּפִֽילַגְשׁ֖וֹ
וּשְׁמָ֣הּ רְאוּמָ֑ה וַתֵּ֤לֶד גַּם־הִוא֙ אֶת־טֶ֣בַח וְאֶת־גַּ֔חַם וְאֶת־
תַּ֖חַשׁ וְאֶת־מַעֲכָֽה׃

answered, "Here I am." And He said, "Do not raise your hand against the boy, or do anything to him. For now I know that you fear God, since you have not withheld your son, your favored one, from Me." When Abraham looked up, his eye fell upon a ram, caught in the thicket by its horns. So Abraham went and took the ram and offered it up as a burnt offering in place of his son. And Abraham named the site Adonai-yireh, whence the present saying, "On the mount of the Lord there is vision."

Revi'i

The angel of the Lord called to Abraham a second time from heaven, and said: "By Myself I swear, the Lord declares: because you have done this and have not withheld your son, your favored one, I will bestow My blessing upon you and make your descendants as numerous as the stars of heaven and the sands on the seashore; and your descendants shall seize the gates of their foes. All the nations of the earth shall bless themselves by your descendants, because you have obeyed My command." Abraham then returned to his servants, and they departed together for Beer-sheba; and Abraham stayed in Beer-sheba.

Ḥamishi

Some time later, Abraham was told, "Milcah too has borne children to your brother Naḥor: Uz the first-born, and Buz his brother, and Kemuel the father of Aram, and Chesed, Ḥazo, Pildash, Jidlaph, and Bethuel" —Bethuel being the father of Rebekah. These eight Milcah bore to Nahor, Abraham's brother. And his concubine, whose name was Reumah, also bore children: Tebaḥ, Gaḥam, Taḥash, and Maacah.

The congregation rises as the second Seifer Torah is placed near the Seifer Torah from which the chapter in Genesis has been read. The Torah Reader recites Ḥatzi Kaddish. Then the first Seifer Torah is raised.

Congregation:

וְזֹאת הַתּוֹרָה אֲשֶׁר שָׂם מֹשֶׁה לִפְנֵי בְּנֵי יִשְׂרָאֵל עַל פִּי יְיָ בְּיַד מֹשֶׁה.

Congregation is seated.

אָמַר אַבְרָהָם לִפְנֵי הַקָּדוֹשׁ בָּרוּךְ הוּא: רִבּוֹנוֹ שֶׁל עוֹלָם,
שֶׁמָּא חַס וְחָלִילָה יִשְׂרָאֵל חוֹטְאִים לְפָנֶיךָ וְאַתָּה עוֹשֶׂה לָהֶם כְּדוֹר הַמַּבּוּל.

אָמַר לוֹ: לָאו.

אָמַר לְפָנָיו: רִבּוֹנוֹ שֶׁל עוֹלָם, בַּמָּה אֵדַע?

אָמַר לוֹ: קְחָה לִי עֶגְלָה מְשֻׁלֶּשֶׁת וְעֵז מְשֻׁלֶּשֶׁת וְאַיִל מְשֻׁלָּשׁ וְתֹר וְגוֹזָל . . . .

אָמַר לְפָנָיו: רִבּוֹנוֹ שֶׁל עוֹלָם,
תֵּינַח בִּזְמַן שֶׁבֵּית הַמִּקְדָּשׁ קַיָּם.
בִּזְמַן שֶׁאֵין בֵּית הַמִּקְדָּשׁ קַיָּם מַה־תְּהֵא עֲלֵיהֶם?

אָמַר לוֹ: כְּבָר תִּקַּנְתִּי לָהֶם סֵדֶר קָרְבָּנוֹת.
כָּל־זְמַן שֶׁקּוֹרְאִין בָּהֶן, מַעֲלֶה אֲנִי עֲלֵיהֶן
כְּאִלּוּ מַקְרִיבִין לְפָנַי קָרְבָּן
וּמוֹחֵל אֲנִי עַל כָּל־עֲוֹנוֹתֵיהֶם.

The congregation rises as the second Seifer Torah is placed near the Seifer Torah from which the chapter in Genesis has been read. The Torah Reader recites Ḥatzi Kaddish. Then the first Seifer Torah is raised.

Congregation:

V'zot ha-torah asher sahm mosheh lifnei b'nei yisrael 'al pi Adonai b'yad mosheh.

This is the Torah given to the people Israel through Moses by the word of God.

Congregation is seated.

Said Abraham to the Holy One: Should the people Israel sin against You, Heaven forbid, You might treat them as the generation that perished in the Flood!

Said God: Not so.

Said Abraham: Give me a sign.

God then directed Abraham to offer animal sacrifices to Him, and Abraham came to understand the atoning power of that ritual act. And he was able to envision that atonement would be gained for the people Israel through the ritual of sacrifice at the Temple in Jerusalem.

Said Abraham: That will suffice while the Temple is standing. But when there is no Temple, what will become of the people Israel?

Said God: I have already arranged for them passages concerning the sacrifices. Whenever they read about the sacrifices I shall consider them as having offered sacrifices in My Presence, and I shall forgive them all their sins.

Megillah 31b

Reading from the second Seifer Torah

Maftir

וּבַחֹדֶשׁ הַשְּׁבִיעִי בְּאֶחָד לַחֹדֶשׁ מִקְרָא־קֹדֶשׁ יִהְיֶה לָכֶם כָּל־
מְלֶאכֶת עֲבֹדָה לֹא תַעֲשׂוּ יוֹם תְּרוּעָה יִהְיֶה לָכֶם׃ וַעֲשִׂיתֶם
עֹלָה לְרֵיחַ נִיחֹחַ לַיהוָה פַּר בֶּן־בָּקָר אֶחָד אַיִל אֶחָד כְּבָשִׂים
בְּנֵי־שָׁנָה שִׁבְעָה תְּמִימִם׃ וּמִנְחָתָם סֹלֶת בְּלוּלָה בַשָּׁמֶן שְׁלֹשָׁה
עֶשְׂרֹנִים לַפָּר שְׁנֵי עֶשְׂרֹנִים לָאָיִל׃ וְעִשָּׂרוֹן אֶחָד לַכֶּבֶשׂ הָאֶחָד
לְשִׁבְעַת הַכְּבָשִׂים׃ וּשְׂעִיר־עִזִּים אֶחָד חַטָּאת לְכַפֵּר עֲלֵיכֶם׃
מִלְּבַד עֹלַת הַחֹדֶשׁ וּמִנְחָתָהּ וְעֹלַת הַתָּמִיד וּמִנְחָתָהּ וְנִסְכֵּיהֶם
כְּמִשְׁפָּטָם לְרֵיחַ נִיחֹחַ אִשֶּׁה לַיהוָה׃

Congregation rises as the Seifer Torah is raised.

וְזֹאת הַתּוֹרָה אֲשֶׁר שָׂם מֹשֶׁה לִפְנֵי בְּנֵי יִשְׂרָאֵל עַל פִּי יְיָ בְּיַד מֹשֶׁה.

Congregation is seated.

Blessings before the Haftarah:

בָּרוּךְ אַתָּה יְיָ אֱלֹהֵינוּ מֶלֶךְ הָעוֹלָם אֲשֶׁר בָּחַר בִּנְבִיאִים טוֹבִים
וְרָצָה בְדִבְרֵיהֶם הַנֶּאֱמָרִים בֶּאֱמֶת. בָּרוּךְ אַתָּה יְיָ הַבּוֹחֵר בַּתּוֹרָה
וּבְמֹשֶׁה עַבְדּוֹ וּבְיִשְׂרָאֵל עַמּוֹ וּבִנְבִיאֵי הָאֱמֶת וָצֶדֶק.

On the first day, the selection which follows is chanted.

On the second day, turn to page 188.

Reading from the second Seifer Torah

Numbers 29:1–6

Maftir

In the seventh month, on the first day of the month, you shall observe a sacred occasion: you shall not work at your occupations. You shall observe it as a day when the horn is sounded. You shall present a burnt offering of pleasing odor to the Lord: one bull of the herd, one ram, and seven yearling lambs, without blemish. The meal offering with them —choice flour with oil mixed in— shall be: three-tenths of a measure for a bull, two-tenths for a ram, and one-tenth for each of the seven lambs. And there shall be one goat for a sin offering, to make expiation in your behalf—in addition to the burnt offering of the new moon with its meal offering and the regular burnt offering with its meal offering, each with its libation as prescribed, offerings by fire of pleasing odor to the Lord.

Congregation rises as the Seifer Torah is raised.

*V'zot ha-torah asher sahm mosheh lifnei b'nei yisrael
'al pi Adonai b'yad mosheh.*

Congregation is seated.

Blessings before the Haftarah:

Praised are You, Lord our God, King of the universe who has loved good prophets, messengers of truth whose teachings He has upheld. Praised are You, Lord who loves the Torah, Moses His servant, Israel His people and prophets of truth and righteousness.

On the first day, the selection which follows is chanted.
On the second day, turn to page 189.

וַיְהִי֩ אִ֨ישׁ אֶחָ֜ד מִן־הָרָמָתַ֛יִם צוֹפִ֖ים מֵהַ֣ר אֶפְרָ֑יִם וּשְׁמ֣וֹ אֶלְקָנָ֗ה
בֶּן־יְרֹחָ֧ם בֶּן־אֱלִיה֛וּא בֶּן־תֹּ֥חוּ בֶן־צ֖וּף אֶפְרָתִֽי׃ וְלוֹ֙ שְׁתֵּ֣י נָשִׁ֔ים
שֵׁ֤ם אַחַת֙ חַנָּ֔ה וְשֵׁ֥ם הַשֵּׁנִ֖ית פְּנִנָּ֑ה וַיְהִ֤י לִפְנִנָּה֙ יְלָדִ֔ים וּלְחַנָּ֖ה
אֵ֥ין יְלָדִֽים׃ וְעָלָה֩ הָאִ֨ישׁ הַה֤וּא מֵֽעִירוֹ֙ מִיָּמִ֣ים ׀ יָמִ֔ימָה
לְהִֽשְׁתַּחֲוֺ֧ת וְלִזְבֹּ֛חַ לַֽיהוָ֥ה צְבָא֖וֹת בְּשִׁלֹ֑ה וְשָׁ֞ם שְׁנֵ֣י בְנֵֽי־עֵלִ֗י
חָפְנִי֙ וּפִ֣נְחָ֔ס כֹּהֲנִ֖ים לַֽיהוָֽה׃ וַיְהִ֣י הַיּ֔וֹם וַיִּזְבַּ֖ח אֶלְקָנָ֑ה וְנָתַ֞ן
לִפְנִנָּ֣ה אִשְׁתּ֗וֹ וּֽלְכָל־בָּנֶ֛יהָ וּבְנוֹתֶ֖יהָ מָנֽוֹת׃ וּלְחַנָּ֕ה יִתֵּ֛ן מָנָ֥ה
אַחַ֖ת אַפָּ֑יִם כִּ֤י אֶת־חַנָּה֙ אָהֵ֔ב וַֽיהוָ֖ה סָגַ֥ר רַחְמָֽהּ׃ וְכִֽעֲסַ֤תָּה
צָֽרָתָהּ֙ גַּם־כַּ֔עַס בַּעֲב֖וּר הַרְּעִמָ֑הּ כִּֽי־סָגַ֥ר יְהוָ֖ה בְּעַ֥ד רַחְמָֽהּ׃
וְכֵ֨ן יַעֲשֶׂ֜ה שָׁנָ֣ה בְשָׁנָ֗ה מִדֵּ֤י עֲלֹתָהּ֙ בְּבֵ֣ית יְהוָ֔ה כֵּ֖ן תַּכְעִסֶ֑נָּה
וַתִּבְכֶּ֖ה וְלֹ֥א תֹאכַֽל׃ וַיֹּ֨אמֶר לָ֜הּ אֶלְקָנָ֣ה אִישָׁ֗הּ חַנָּה֙ לָ֣מֶה
תִבְכִּ֗י וְלָ֨מֶה֙ לֹ֣א תֹֽאכְלִ֔י וְלָ֖מֶה יֵרַ֣ע לְבָבֵ֑ךְ הֲל֤וֹא אָֽנֹכִי֙ ט֣וֹב
לָ֔ךְ מֵעֲשָׂרָ֖ה בָּנִֽים׃ וַתָּ֣קָם חַנָּ֔ה אַחֲרֵ֛י אָכְלָ֥ה בְשִׁלֹ֖ה וְאַחֲרֵ֣י
שָׁתֹ֑ה וְעֵלִ֣י הַכֹּהֵ֗ן יֹשֵׁב֙ עַל־הַכִּסֵּ֔א עַל־מְזוּזַ֖ת הֵיכַ֥ל יְהוָֽה׃ וְהִ֖יא
מָ֣רַת נָ֑פֶשׁ וַתִּתְפַּלֵּ֥ל עַל־יְהוָ֖ה וּבָכֹ֥ה תִבְכֶּֽה׃ וַתִּדֹּ֨ר נֶ֜דֶר וַתֹּאמַ֗ר
יְהוָ֨ה צְבָא֜וֹת אִם־רָאֹ֥ה תִרְאֶ֣ה ׀ בָּעֳנִ֣י אֲמָתֶ֗ךָ וּזְכַרְתַּ֙נִי֙ וְלֹֽא־
תִשְׁכַּ֣ח אֶת־אֲמָתֶ֔ךָ וְנָתַתָּ֥ה לַאֲמָתְךָ֖ זֶ֣רַע אֲנָשִׁ֑ים וּנְתַתִּ֤יו
לַֽיהוָה֙ כָּל־יְמֵ֣י חַיָּ֔יו וּמוֹרָ֖ה לֹא־יַעֲלֶ֥ה עַל־רֹאשֽׁוֹ׃ וְהָיָה֙ כִּ֣י
הִרְבְּתָ֔ה לְהִתְפַּלֵּ֖ל לִפְנֵ֣י יְהוָ֑ה וְעֵלִ֖י שֹׁמֵ֥ר אֶת־פִּֽיהָ׃ וְחַנָּ֗ה הִ֚יא
מְדַבֶּ֣רֶת עַל־לִבָּ֔הּ רַ֚ק שְׂפָתֶ֣יהָ נָּע֔וֹת וְקוֹלָ֖הּ לֹ֣א יִשָּׁמֵ֑עַ וַיַּחְשְׁבֶ֥הָ
עֵלִ֖י לְשִׁכֹּרָֽה׃ וַיֹּ֤אמֶר אֵלֶ֙יהָ֙ עֵלִ֔י עַד־מָתַ֖י תִּשְׁתַּכָּרִ֑ין הָסִ֥ירִי
אֶת־יֵינֵ֖ךְ מֵעָלָֽיִךְ׃ וַתַּ֨עַן חַנָּ֤ה וַתֹּ֙אמֶר֙ לֹ֣א אֲדֹנִ֔י אִשָּׁ֤ה קְשַׁת־

Haftarah for the first day

I Samuel 1:1–2:10

There was a man from the highlands of Ephraim (Ramatayim-Tzofim) named Elkanah ben Yeroḥam ben Elihu ben Toḥu ben Tzuf Ha'efrati. He had two wives, one named Ḥannah and the other named Peninah. Peninah had children, but Ḥannah was childless. Year after year this man would go up from his town to worship and to offer sacrifice to the Lord of hosts at Shiloh, where Eli and his two sons, Ḥophni and Phineas, were priests of the Lord. Whenever Elkanah offered his sacrifice he would give single portions to Peninah and to all her sons and daughters. But he would give a double portion to Ḥannah, for he loved her although the Lord had closed her womb. Her rival would ridicule and taunt her, to irritate her, for the Lord had closed her womb. And so it happened year after year. Whenever she went up to the house of the Lord, Peninah would so irritate her that she wept and would not eat. Her husband Elkanah would ask her, "Ḥannah, why do you weep, and why do you not eat, and why are you so sad? Am I not more to you than ten sons?"

Once Ḥannah rose after eating and drinking at Shiloh while Eli the priest was sitting at the entrance to the temple of the Lord. She was deeply distressed and she prayed to the Lord, weeping bitterly. She took a vow, saying: "O Lord of hosts, if You will look upon the plight of Your servant, if You will not forget but remember me and give Your servant a son, then I will dedicate him to the Lord for all the days of his life, and no razor shall ever touch his head."

As she continued praying before the Lord, Eli watched her mouth. For Ḥannah spoke only within her heart. Her lips moved, but she uttered no sound. Eli took her for a drunken woman, and said to her: "Enough of this drunkenness! Put away your wine from you!"

רֽוּחַ אָנֹכִי וְיַ֫יִן וְשֵׁכָ֖ר לֹ֣א שָׁתִ֑יתִי וָאֶשְׁפֹּ֥ךְ אֶת־נַפְשִׁ֖י לִפְנֵ֥י יְהוָֽה׃
אַל־תִּתֵּן֙ אֶת־אֲמָ֣תְךָ֔ לִפְנֵ֖י בַּת־בְּלִיָּ֑עַל כִּֽי־מֵרֹ֥ב שִׂיחִ֛י וְכַעְסִ֖י
דִּבַּ֥רְתִּי עַד־הֵֽנָּה׃ וַיַּ֧עַן עֵלִ֛י וַיֹּ֖אמֶר לְכִ֣י לְשָׁל֑וֹם וֵֽאלֹהֵ֣י יִשְׂרָאֵ֗ל
יִתֵּן֙ אֶת־שֵׁ֣לָתֵ֔ךְ אֲשֶׁ֥ר שָׁאַ֖לְתְּ מֵעִמּֽוֹ׃ וַתֹּ֗אמֶר תִּמְצָ֧א שִׁפְחָתְךָ֛
חֵ֖ן בְּעֵינֶ֑יךָ וַתֵּ֨לֶךְ הָאִשָּׁ֤ה לְדַרְכָּהּ֙ וַתֹּאכַ֔ל וּפָנֶ֥יהָ לֹא־הָֽיוּ־לָ֖הּ
עֽוֹד׃ וַיַּשְׁכִּ֣מוּ בַבֹּ֗קֶר וַיִּֽשְׁתַּחֲווּ֙ לִפְנֵ֣י יְהוָ֔ה וַיָּשֻׁ֖בוּ וַיָּבֹ֣אוּ אֶל־
בֵּיתָ֖ם הָרָמָ֑תָה וַיֵּ֤דַע אֶלְקָנָה֙ אֶת־חַנָּ֣ה אִשְׁתּ֔וֹ וַיִּֽזְכְּרֶ֖הָ יְהוָֽה׃

The Haftarah may be ended here. For concluding blessings, turn to page 190.

וַיְהִי֙ לִתְקֻפ֣וֹת הַיָּמִ֔ים וַתַּ֣הַר חַנָּ֔ה וַתֵּ֖לֶד בֵּ֑ן וַתִּקְרָ֤א אֶת־שְׁמוֹ֙
שְׁמוּאֵ֔ל כִּ֥י מֵיְהוָ֖ה שְׁאִלְתִּֽיו׃ וַיַּ֛עַל הָאִ֥ישׁ אֶלְקָנָ֖ה וְכָל־בֵּית֑וֹ
לִזְבֹּ֧חַ לַֽיהוָ֛ה אֶת־זֶ֥בַח הַיָּמִ֖ים וְאֶת־נִדְרֽוֹ׃ וְחַנָּ֖ה לֹ֣א עָלָ֑תָה כִּֽי־
אָמְרָ֣ה לְאִישָׁ֗הּ עַ֣ד יִגָּמֵ֤ל הַנַּ֙עַר֙ וַהֲבִאֹתִ֗יו וְנִרְאָה֙ אֶת־פְּנֵ֣י יְהוָ֔ה
וְיָ֥שַׁב שָׁ֖ם עַד־עוֹלָֽם׃ וַיֹּ֣אמֶר לָהּ֩ אֶלְקָנָ֨ה אִישָׁ֜הּ עֲשִׂ֧י הַטּ֣וֹב
בְּעֵינַ֗יִךְ שְׁבִי֙ עַד־גָּמְלֵ֣ךְ אֹת֔וֹ אַ֛ךְ יָקֵ֥ם יְהוָ֖ה אֶת־דְּבָר֑וֹ וַתֵּ֤שֶׁב
הָֽאִשָּׁה֙ וַתֵּ֣ינֶק אֶת־בְּנָ֔הּ עַד־גָּמְלָ֖הּ אֹתֽוֹ׃ וַתַּעֲלֵ֨הוּ עִמָּ֜הּ כַּאֲשֶׁ֣ר
גְמָלַ֗תּוּ בְּפָרִ֤ים שְׁלֹשָׁה֙ וְאֵיפָ֨ה אַחַ֥ת קֶ֙מַח֙ וְנֵ֣בֶל יַ֔יִן וַתְּבִאֵ֥הוּ
בֵית־יְהוָ֖ה שִׁל֑וֹ וְהַנַּ֖עַר נָֽעַר׃ וַיִּשְׁחֲט֖וּ אֶת־הַפָּ֑ר וַיָּבִ֥אוּ אֶת־
הַנַּ֖עַר אֶל־עֵלִֽי׃ וַתֹּ֙אמֶר֙ בִּ֣י אֲדֹנִ֔י חֵ֥י נַפְשְׁךָ֖ אֲדֹנִ֑י אֲנִ֣י הָאִשָּׁ֗ה
הַנִּצֶּ֤בֶת עִמְּכָה֙ בָּזֶ֔ה לְהִתְפַּלֵּ֖ל אֶל־יְהוָֽה׃ אֶל־הַנַּ֥עַר הַזֶּ֖ה
הִתְפַּלָּ֑לְתִּי וַיִּתֵּ֨ן יְהוָ֥ה לִי֙ אֶת־שְׁאֵ֣לָתִ֔י אֲשֶׁ֥ר שָׁאַ֖לְתִּי מֵעִמּֽוֹ׃

Then Ḥannah replied, saying: "No, my lord. I am a woman in deep distress. I have had neither wine nor strong drink, but I have been pouring out my heart before the Lord. Do not regard your servant as a wicked woman. I have been speaking all this time under the stress of sorrow and vexation." Then Eli answered, saying: "Go in peace. May the God of Israel grant your petition." And she said: "May your humble servant be worthy of your kindness." So the woman went on her way. She ate, and her face was sad no longer.

Early in the morning they arose, worshipped before the Lord, and returned to their home in Ramah. And Elkanah knew his wife, and the Lord remembered her.

The Haftarah may be ended here. For concluding blessings, turn to page 191.

She conceived, and in due time bore a son whom she named Samuel (Shmu'el) for she said: "I have asked him (sh'iltiv) of the Lord."

Elkanah and all his household went up to offer the yearly sacrifice and to fulfill his vow. But Ḥannah did not go up. She said to her husband: "I shall wait until the boy is weaned. Then I shall take him with me, to appear before the Lord and to remain there always." Her husband Elkanah said to her: "Do what seems best to you. Wait until you have weaned him. And may the Lord fulfill His word." So the woman stayed and nursed her son until she had weaned him.

When she had weaned him she brought him up to the house of the Lord at Shiloh, taking with her for an offering a three year old bull, an ephah of meal and a bottle of wine. And the boy was young. They slaughtered the bull, and they brought the boy to Eli. Then she said: "My lord, as surely as you live, I am the woman who stood near you here, praying to the Lord. It was this boy that I prayed for, and the Lord has granted my petition

וְגַ֣ם אָנֹכִ֗י הִשְׁאִלְתִּ֙הוּ֙ לַֽיהוָ֔ה כָּל־הַיָּמִים֙ אֲשֶׁ֣ר הָיָ֔ה ה֥וּא שָׁא֖וּל
לַֽיהוָ֑ה וַיִּשְׁתַּ֥חוּ שָׁ֖ם לַֽיהוָֽה׃

The Haftarah may be ended here. For concluding blessings, turn to page 190.

וַתִּתְפַּלֵּ֤ל חַנָּה֙
וַתֹּאמַ֔ר עָלַ֤ץ לִבִּי֙ בַּֽיהוָ֔ה רָ֥מָה קַרְנִ֖י בַּֽיהוָ֑ה רָ֤חַב פִּי֙ עַל־א֣וֹיְבַ֔י
כִּ֥י שָׂמַ֖חְתִּי בִּישׁוּעָתֶֽךָ׃ אֵין־קָד֥וֹשׁ כַּֽיהוָ֖ה כִּ֣י אֵ֣ין בִּלְתֶּ֑ךָ וְאֵ֥ין
צ֖וּר כֵּאלֹהֵֽינוּ׃ אַל־תַּרְבּ֤וּ תְדַבְּרוּ֙ גְּבֹהָ֣ה גְבֹהָ֔ה יֵצֵ֥א עָתָ֖ק
מִפִּיכֶ֑ם כִּ֣י אֵ֤ל דֵּעוֹת֙ יְהוָ֔ה ולא נִתְכְּנ֖וּ עֲלִלֽוֹת׃ קֶ֥שֶׁת גִּבֹּרִ֖ים וְל֥וֹ
חַתִּ֑ים וְנִכְשָׁלִ֖ים אָ֥זְרוּ חָֽיִל׃ שְׂבֵעִ֤ים בַּלֶּ֙חֶם֙ נִשְׂכָּ֔רוּ וּרְעֵבִ֖ים חָדֵ֑לּוּ
עַד־עֲקָרָה֙ יָלְדָ֣ה שִׁבְעָ֔ה וְרַבַּ֥ת בָּנִ֖ים אֻמְלָֽלָה׃ יְהוָ֖ה מֵמִ֣ית
וּמְחַיֶּ֑ה מוֹרִ֥יד שְׁא֖וֹל וַיָּֽעַל׃ יְהוָ֖ה מוֹרִ֣ישׁ וּמַעֲשִׁ֑יר מַשְׁפִּ֖יל
אַף־מְרוֹמֵֽם׃ מֵקִ֨ים מֵעָפָ֜ר דָּ֗ל מֵֽאַשְׁפֹּת֙ יָרִ֣ים אֶבְי֔וֹן לְהוֹשִׁיב֙
עִם־נְדִיבִ֔ים וְכִסֵּ֥א כָב֖וֹד יַנְחִלֵ֑ם כִּ֤י לַֽיהוָה֙ מְצֻ֣קֵי אֶ֔רֶץ וַיָּ֥שֶׁת
עֲלֵיהֶ֖ם תֵּבֵֽל׃ רַגְלֵ֤י חֲסִידָו֙ יִשְׁמֹ֔ר וּרְשָׁעִ֖ים בַּחֹ֣שֶׁךְ יִדָּ֑מּוּ כִּי־לֹ֥א
בְכֹ֖חַ יִגְבַּר־אִֽישׁ׃ יְהוָ֞ה יֵחַ֣תּוּ מְרִיבָ֗ו עָלָו֙ בַּשָּׁמַ֣יִם יַרְעֵ֔ם יְהוָ֖ה
יָדִ֣ין אַפְסֵי־אָ֑רֶץ וְיִתֶּן־עֹ֣ז לְמַלְכּ֔וֹ וְיָרֵ֖ם קֶ֥רֶן מְשִׁיחֽוֹ׃

For concluding blessings, turn to page 190.

which I asked of Him. I therefore lend him to the Lord. So long as he lives he is lent to the Lord." And they worshipped the Lord there.

The Haftarah may be ended here. For concluding blessings, turn to page 191.

Then Ḥannah prayed. "My heart exults in the Lord; my powers are heightened by the Lord. My mouth derides my enemies because I rejoice in Your salvation. There is none holy as the Lord; there is none except You, no Rock like our God. Cease your boasting, stop mouthing arrogance. For the Lord is all-knowing; He judges our deeds. The mighty fall, their bows broken; the fallen rise, girded with strength. Those who were sated have hired themselves out for bread, while those who were hungry have ceased to hunger. The barren woman has borne seven children, while the mother of many is forlorn.

"The Lord puts to death and brings to life; He brings men to the grave and He raises them up. It is He who makes riches and poverty. It is He who humbles, it is He who exalts. He raises the poor from out of the dust; He lifts the needy from the dung-hill. He seats them with people of rank; He makes them heir to places of honor. For the foundations of the earth are the Lord's; on them He has set the whole world. He guards the steps of His faithful, while the wicked are cut off in darkness. For not by his own strength shall man prevail. Those who repudiate the Lord will be broken; He thunders against them from the heavens. The Lord brings judgment to the ends of the earth. He will give dignity to His king, and exalt the power of His anointed."

For concluding blessings, turn to page 191.

כֹּה אָמַר יְהֹוָה מָצָא חֵן בַּמִּדְבָּר עַם
שְׂרִידֵי חָרֶב הָלוֹךְ לְהַרְגִּיעוֹ יִשְׂרָאֵל: מֵרָחוֹק יְהֹוָה נִרְאָה לִי
וְאַהֲבַת עוֹלָם אֲהַבְתִּיךְ עַל־כֵּן מְשַׁכְתִּיךְ חָסֶד: עוֹד אֶבְנֵךְ
וְנִבְנֵית בְּתוּלַת יִשְׂרָאֵל עוֹד תַּעְדִּי תֻפַּיִךְ וְיָצָאת בִּמְחוֹל
מְשַׂחֲקִים: עוֹד תִּטְּעִי כְרָמִים בְּהָרֵי שֹׁמְרוֹן נָטְעוּ נֹטְעִים
וְחִלֵּלוּ: כִּי יֶשׁ־יוֹם קָרְאוּ נֹצְרִים בְּהַר אֶפְרָיִם קוּמוּ וְנַעֲלֶה צִיּוֹן
אֶל־יְהֹוָה אֱלֹהֵינוּ: ‎כִּי־כֹה ׀ אָמַר יְהֹוָה רָנּוּ
לְיַעֲקֹב שִׂמְחָה וְצַהֲלוּ בְּרֹאשׁ הַגּוֹיִם הַשְׁמִיעוּ הַלְלוּ וְאִמְרוּ
הוֹשַׁע יְהֹוָה אֶת־עַמְּךָ אֵת שְׁאֵרִית יִשְׂרָאֵל: הִנְנִי מֵבִיא אוֹתָם
מֵאֶרֶץ צָפוֹן וְקִבַּצְתִּים מִיַּרְכְּתֵי־אָרֶץ בָּם עִוֵּר וּפִסֵּחַ הָרָה
וְיֹלֶדֶת יַחְדָּו קָהָל גָּדוֹל יָשׁוּבוּ הֵנָּה: בִּבְכִי יָבֹאוּ וּבְתַחֲנוּנִים
אוֹבִילֵם אוֹלִיכֵם אֶל־נַחֲלֵי מַיִם בְּדֶרֶךְ יָשָׁר לֹא יִכָּשְׁלוּ בָּהּ כִּי־
הָיִיתִי לְיִשְׂרָאֵל לְאָב וְאֶפְרַיִם בְּכֹרִי הוּא: ‎שִׁמְעוּ
דְבַר־יְהֹוָה גּוֹיִם וְהַגִּידוּ בָאִיִּים מִמֶּרְחָק וְאִמְרוּ מְזָרֵה יִשְׂרָאֵל
יְקַבְּצֶנּוּ וּשְׁמָרוֹ כְּרֹעֶה עֶדְרוֹ: כִּי־פָדָה יְהֹוָה אֶת־יַעֲקֹב וּגְאָלוֹ
מִיַּד חָזָק מִמֶּנּוּ: וּבָאוּ וְרִנְּנוּ בִמְרוֹם־צִיּוֹן וְנָהֲרוּ אֶל־טוּב יְהֹוָה
עַל־דָּגָן וְעַל־תִּירֹשׁ וְעַל־יִצְהָר וְעַל־בְּנֵי־צֹאן וּבָקָר וְהָיְתָה
נַפְשָׁם כְּגַן רָוֶה וְלֹא־יוֹסִיפוּ לְדַאֲבָה עוֹד: אָז תִּשְׂמַח בְּתוּלָה

Haftarah for the second day

Jeremiah 31:1–19

Thus says the Lord: The people who survived the sword have found favor in the wilderness; Israel sought rest. The Lord appeared to them from afar. With constancy have I loved you; therefore with lovingkindness have I drawn you to Me. Again will I establish you, virgin Israel, and you shall be established. Again shall you be adorned with timbrels, going forth in happy dances. Again shall you plant vineyards upon the mountains of Samaria. The planters shall plant and shall enjoy the fruit. For the day will come when watchmen in the highlands of Ephraim shall call out: "Arise, let us go up to Zion, to the Lord our God."

For thus says the Lord: Sing out in gladness for Jacob, shout in joy for the head of the nations. Proclaim, declare praise, and say, "The Lord has saved His people, the remnant of Israel." Behold I will bring them from the north country and gather them from the ends of the earth, among them the blind and the lame, the woman with child and the woman in labor, a large assembly; they shall return here. With tears shall they come and with consolation shall I lead them back. I will lead them along streams of water, on a smooth path wherein they will not stumble. For I am Father to the people Israel, Ephraim is My firstborn.

Hear the word of the Lord, you nations, and declare it in distant isles: He who scattered the people Israel will gather them, and will watch over them as a shepherd watches his flock. For the Lord has saved Jacob, redeeming him from those too strong for him. They shall come and sing for joy on the height of Zion. They shall be radiant because of the Lord's generosity, because of the grain and the wine and the oil, because of the young of the flock and the herd. They shall be like a well-watered garden, languishing no more. Then shall the virgin rejoice in

בְּמָחוֹל וּבַחֻרִים וּזְקֵנִים יַחְדָּו וְהָפַכְתִּי אֶבְלָם לְשָׂשׂוֹן וְנִחַמְתִּים
וְשִׂמַּחְתִּים מִיגוֹנָם: וְרִוֵּיתִי נֶפֶשׁ הַכֹּהֲנִים דָּשֶׁן וְעַמִּי אֶת־טוּבִי
יִשְׂבָּעוּ נְאֻם־יְהוָה: כֹּה ׀ אָמַר יְהוָה קוֹל בְּרָמָה
נִשְׁמָע נְהִי בְּכִי תַמְרוּרִים רָחֵל מְבַכָּה עַל־בָּנֶיהָ מֵאֲנָה לְהִנָּחֵם
עַל־בָּנֶיהָ כִּי אֵינֶנּוּ:   כֹּה ׀ אָמַר יְהוָה מִנְעִי קוֹלֵךְ
מִבֶּכִי וְעֵינַיִךְ מִדִּמְעָה כִּי יֵשׁ שָׂכָר לִפְעֻלָּתֵךְ נְאֻם־יְהוָה וְשָׁבוּ
מֵאֶרֶץ אוֹיֵב: וְיֵשׁ־תִּקְוָה לְאַחֲרִיתֵךְ נְאֻם־יְהוָה וְשָׁבוּ בָנִים
לִגְבוּלָם: שָׁמוֹעַ שָׁמַעְתִּי אֶפְרַיִם מִתְנוֹדֵד יִסַּרְתַּנִי וָאִוָּסֵר כְּעֵגֶל
לֹא לֻמָּד הֲשִׁיבֵנִי וְאָשׁוּבָה כִּי אַתָּה יְהוָה אֱלֹהָי: כִּי־אַחֲרֵי שׁוּבִי
נִחַמְתִּי וְאַחֲרֵי הִוָּדְעִי סָפַקְתִּי עַל־יָרֵךְ בֹּשְׁתִּי וְגַם־נִכְלַמְתִּי כִּי
נָשָׂאתִי חֶרְפַּת נְעוּרָי: הֲבֵן יַקִּיר לִי אֶפְרַיִם אִם יֶלֶד שַׁעֲשֻׁעִים
כִּי־מִדֵּי דַבְּרִי בּוֹ זָכֹר אֶזְכְּרֶנּוּ עוֹד עַל־כֵּן הָמוּ מֵעַי לוֹ רַחֵם
אֲרַחֲמֶנּוּ נְאֻם־יְהוָה:

Concluding blessings, after the Haftarah:

בָּרוּךְ אַתָּה יְיָ אֱלֹהֵינוּ מֶלֶךְ הָעוֹלָם, צוּר כָּל־הָעוֹלָמִים, צַדִּיק
בְּכָל־הַדּוֹרוֹת, הָאֵל הַנֶּאֱמָן הָאוֹמֵר וְעוֹשֶׂה הַמְדַבֵּר וּמְקַיֵּם, שֶׁכָּל־
דְּבָרָיו אֱמֶת וָצֶדֶק. נֶאֱמָן אַתָּה הוּא יְיָ אֱלֹהֵינוּ וְנֶאֱמָנִים דְּבָרֶיךָ,
וְדָבָר אֶחָד מִדְּבָרֶיךָ אָחוֹר לֹא יָשׁוּב רֵיקָם, כִּי אֵל מֶלֶךְ נֶאֱמָן
וְרַחֲמָן אָתָּה. בָּרוּךְ אַתָּה יְיָ הָאֵל הַנֶּאֱמָן בְּכָל־דְּבָרָיו.

רַחֵם עַל צִיּוֹן כִּי הִיא בֵּית חַיֵּינוּ. וְלַעֲלוּבַת נֶפֶשׁ תּוֹשִׁיעַ בִּמְהֵרָה
בְיָמֵינוּ. בָּרוּךְ אַתָּה יְיָ מְשַׂמֵּחַ צִיּוֹן בְּבָנֶיהָ.

dance, young men and old shall rejoice as well. For I will turn their mourning into joy. I will comfort them, replacing sorrow with gladness. I will give the priests a feast of abundance, and My people shall be sated with My blessings, says the Lord.

Thus says the Lord: A voice is heard in Ramah, lamentation and bitter weeping, Rachel weeping for her children. She refuses to be comforted, because they are no more.

Thus says the Lord: Keep your voice from weeping, and your eyes from tears, for your work shall be rewarded, says the Lord. Your children will come back from the land of the enemy. And there is hope for your future, says the Lord. Your children shall return to their own land.

I have heard Ephraim moaning: "You have chastened me and I was chastened, as an untrained calf. Turn me to You that I may return, for You are the Lord my God. For after I returned I repented; after I was taught I mortified myself in remorse. I was ashamed and confused, for I bore the sins of my youth."

Is not Ephraim My precious son, My darling child? Even when I speak against him I remember him with affection. Therefore My heart yearns for him. Surely I will show him compassion, says the Lord.

Concluding blessings, after the Haftarah:

Praised are You, Lord our God, King of the universe, Rock of all ages, righteous in all generations, steadfast God whose word is deed, whose decree is fulfillment, whose every teaching is truth and righteousness. Faithful are You, Lord our God, in all Your promises, not one of which will remain unfulfilled, for You are a faithful and merciful God and King. Praised are You, Lord God, faithful in all Your promises.

Show compassion for Zion, the fount of our existence. And raise the humbled spirit soon. Praised are You, Lord who brings joy to Zion.

שַׂמְּחֵנוּ יְיָ אֱלֹהֵינוּ בְּאֵלִיָּהוּ הַנָּבִיא עַבְדֶּךָ וּבְמַלְכוּת בֵּית דָּוִד מְשִׁיחֶךָ. בִּמְהֵרָה יָבוֹא וְיָגֵל לִבֵּנוּ, עַל כִּסְאוֹ לֹא יֵשֶׁב זָר וְלֹא יִנְחֲלוּ עוֹד אֲחֵרִים אֶת־כְּבוֹדוֹ, כִּי בְשֵׁם קָדְשְׁךָ נִשְׁבַּעְתָּ לּוֹ שֶׁלֹּא יִכְבֶּה נֵרוֹ לְעוֹלָם וָעֶד. בָּרוּךְ אַתָּה יְיָ מָגֵן דָּוִד.

עַל הַתּוֹרָה וְעַל הָעֲבוֹדָה וְעַל הַנְּבִיאִים וְעַל יוֹם הַשַּׁבָּת הַזֶּה וְעַל יוֹם הַזִּכָּרוֹן הַזֶּה שֶׁנָּתַתָּ לָּנוּ יְיָ אֱלֹהֵינוּ לִקְדֻשָּׁה וְלִמְנוּחָה לְכָבוֹד וּלְתִפְאָרֶת. עַל הַכֹּל יְיָ אֱלֹהֵינוּ אֲנַחְנוּ מוֹדִים לָךְ וּמְבָרְכִים אוֹתָךְ. יִתְבָּרַךְ שִׁמְךָ בְּפִי כָּל־חַי תָּמִיד לְעוֹלָם וָעֶד. וּדְבָרְךָ אֱמֶת וְקַיָּם לָעַד. בָּרוּךְ אַתָּה יְיָ מֶלֶךְ עַל כָּל־הָאָרֶץ מְקַדֵּשׁ הַשַּׁבָּת וְיִשְׂרָאֵל וְיוֹם הַזִּכָּרוֹן.

Bring us joy, Lord our God, through Your prophet Elijah and the kingdom of the House of David Your anointed. May Elijah come soon, to gladden our hearts. May no outsider usurp David's throne, and may no other inherit his glory. For by Your holy name have You promised that his light shall never be extinguished. Praised are You, Lord, Shield of David.

We thank You and praise You, Lord our God, for the Torah, for worship, for the prophets, for *this Shabbat and* this Day of Remembrance which You have given us *for holiness and rest,* for dignity and splendor. May Your name be praised continually by every living creature. Your true teaching endures forever. Praised are You, Lord, King of all the earth who sanctifies *Shabbat and* the people Israel and the Day of Remembrance.

On Shabbat only:

יְקוּם פֻּרְקָן מִן שְׁמַיָּא, חִנָּא וְחִסְדָּא וְרַחֲמֵי וְחַיֵּי אֲרִיכֵי וּמְזוֹנֵי רְוִיחֵי וְסִיַּעְתָּא דִשְׁמַיָּא וּבַרְיוּת גּוּפָא וּנְהוֹרָא מַעַלְיָא, זַרְעָא חַיָּא וְקַיָּמָא, זַרְעָא דִּי לָא יִפְסֻק וְדִי לָא יִבְטֻל מִפִּתְגָּמֵי אוֹרַיְתָא, לְכָל־קְהָלָא קַדִּישָׁא הָדֵין, רַבְרְבַיָּא עִם זְעֵרַיָּא טַפְלָא וּנְשַׁיָּא. מַלְכָּא דְעָלְמָא יְבָרֵךְ יָתְכוֹן, יַפִּישׁ חַיֵּיכוֹן וְיַסְגֵּא יוֹמֵיכוֹן וְיִתֵּן אַרְכָה לִשְׁנֵיכוֹן, וְתִתְפָּרְקוּן וְתִשְׁתֵּזְבוּן מִן כָּל־עָקָא וּמִן כָּל־מַרְעִין בִּישִׁין. מָרָן דִּי בִשְׁמַיָּא יְהֵא בְסַעְדְּכוֹן כָּל־זְמַן וְעִדָּן, וְנֹאמַר אָמֵן.

מִי שֶׁבֵּרַךְ אֲבוֹתֵינוּ אַבְרָהָם יִצְחָק וְיַעֲקֹב הוּא יְבָרֵךְ אֶת־כָּל־הַקָּהָל הַקָּדוֹשׁ הַזֶּה עִם כָּל־קְהִלּוֹת הַקֹּדֶשׁ, הֵם וּנְשֵׁיהֶם וּבְנֵיהֶם וּבְנוֹתֵיהֶם וְכֹל אֲשֶׁר לָהֶם, וּמִי שֶׁמְּיַחֲדִים בָּתֵּי כְנֵסִיּוֹת לִתְפִלָּה, וּמִי שֶׁבָּאִים בְּתוֹכָם לְהִתְפַּלֵּל, וּמִי שֶׁנּוֹתְנִים נֵר לַמָּאוֹר וְיַיִן לְקִדּוּשׁ וּלְהַבְדָּלָה, וּפַת לָאוֹרְחִים וּצְדָקָה לָעֲנִיִּים, וְכָל־מִי שֶׁעוֹסְקִים בְּצָרְכֵי צִבּוּר וּבְבִנְיַן אֶרֶץ יִשְׂרָאֵל בֶּאֱמוּנָה. הַקָּדוֹשׁ בָּרוּךְ הוּא יְשַׁלֵּם שְׂכָרָם וְיָסִיר מֵהֶם כָּל־מַחֲלָה וְיִרְפָּא לְכָל־גּוּפָם וְיִסְלַח לְכָל־עֲוֹנָם, וְיִשְׁלַח בְּרָכָה וְהַצְלָחָה בְּכָל־מַעֲשֵׂה יְדֵיהֶם עִם כָּל־יִשְׂרָאֵל אֲחֵיהֶם, וְנֹאמַר אָמֵן.

On Shabbat only:

May the blessings of Heaven—kindness and compassion, long life, ample sustenance, health, and healthy children who do not neglect the Torah—be granted to all members of this congregation. May the King of the universe bless you, adding to your days and your years. May you be spared all distress and disease. May our Father in Heaven be your help at all times. And let us say: Amen.

May He who blessed our ancestors, Abraham, Isaac and Jacob, bless this entire congregation, together with all holy congregations: them, their sons and daughters, their families, and all that is theirs, along with those who unite to establish synagogues for prayer, and those who enter them to pray, and those who give funds for heat and light, and wine for Kiddush and Havdalah, bread to the wayfarer and charity to the poor, and all who devotedly involve themselves with the needs of this community and the Land of Israel. May the Holy One Praised Be He reward them; may He remove sickness from them, heal them, and forgive their sins. May He bless them by prospering all their worthy endeavors, as well as those of all Israel, their brothers. And let us say: Amen.

A Prayer for our Country

אֱלֹהֵינוּ וֵאלֹהֵי אֲבוֹתֵינוּ, קַבֶּל־נָא בְּרַחֲמִים אֶת־תְּפִלָּתֵנוּ בְּעַד אַרְצֵנוּ וּמֶמְשַׁלְתָּהּ. הָרֵק אֶת־בִּרְכָתְךָ עַל הָאָרֶץ הַזֹּאת, עַל רָאשֶׁיהָ שׁוֹפְטֶיהָ שׁוֹטְרֶיהָ וּפְקִידֶיהָ הָעוֹסְקִים בְּצָרְכֵי צִבּוּר בֶּאֱמוּנָה. הוֹרֵם מֵחֻקֵּי תוֹרָתֶךָ, הֲבִינֵם מִשְׁפְּטֵי צִדְקֶךָ לְמַעַן לֹא יָסוּרוּ מֵאַרְצֵנוּ שָׁלוֹם וְשַׁלְוָה אֹשֶׁר וָחֹפֶשׁ כָּל־הַיָּמִים. אָנָּא יְיָ אֱלֹהֵי הָרוּחוֹת לְכָל־בָּשָׂר, שְׁלַח רוּחֲךָ עַל כָּל־תּוֹשְׁבֵי אַרְצֵנוּ וְטַע בֵּין בְּנֵי הָאֻמּוֹת וְהָאֱמוּנוֹת הַשּׁוֹנוֹת הַשּׁוֹכְנִים בָּהּ אַהֲבָה וְאַחֲוָה שָׁלוֹם וְרֵעוּת. וַעֲקֹר מִלִּבָּם כָּל־שִׂנְאָה וְאֵיבָה קִנְאָה וְתַחֲרוּת, לְמַלְּאוֹת מַשָּׂא נֶפֶשׁ בָּנֶיהָ הַמִּתְיַמְּרִים בִּכְבוֹדָהּ וְהַמִּשְׁתּוֹקְקִים לִרְאוֹתָהּ אוֹר לְכָל־הַגּוֹיִם.

וְכֵן יְהִי רָצוֹן מִלְּפָנֶיךָ שֶׁתְּהִי אַרְצֵנוּ בְּרָכָה לְכָל־יוֹשְׁבֵי תֵבֵל וְתַשְׁרֶה בֵּינֵיהֶם רֵעוּת וְחֵרוּת, וְקַיֵּם בִּמְהֵרָה חֲזוֹן נְבִיאֶיךָ: לֹא יִשָּׂא גוֹי אֶל גּוֹי חֶרֶב וְלֹא יִלְמְדוּ עוֹד מִלְחָמָה. וְנֶאֱמַר: כִּי כוּלָּם יֵדְעוּ אוֹתִי לְמִקְּטַנָּם וְעַד גְּדוֹלָם, וְנֹאמַר אָמֵן.

A Prayer for the State of Israel

אָבִינוּ שֶׁבַּשָּׁמַיִם, צוּר יִשְׂרָאֵל וְגוֹאֲלוֹ, בָּרֵךְ אֶת־מְדִינַת יִשְׂרָאֵל רֵאשִׁית צְמִיחַת גְּאֻלָּתֵנוּ. הָגֵן עָלֶיהָ בְּאֶבְרַת חַסְדֶּךָ וּפְרֹס עָלֶיהָ סֻכַּת שְׁלוֹמֶךָ. וּשְׁלַח אוֹרְךָ וַאֲמִתְּךָ לְרָאשֶׁיהָ שָׂרֶיהָ וְיוֹעֲצֶיהָ, וְתַקְּנֵם בְּעֵצָה טוֹבָה מִלְּפָנֶיךָ. חַזֵּק אֶת־יְדֵי מְגִנֵּי אֶרֶץ קָדְשֵׁנוּ, וְהַנְחִילֵם אֱלֹהֵינוּ יְשׁוּעָה וַעֲטֶרֶת נִצָּחוֹן תְּעַטְּרֵם. וְנָתַתָּ שָׁלוֹם בָּאָרֶץ וְשִׂמְחַת עוֹלָם לְיוֹשְׁבֶיהָ, וְנֹאמַר אָמֵן.

A Prayer for our Country

Our God and God of our fathers: We ask Your blessing for our country, for its government, for its leader and advisors, and for all who exercise just and rightful authority. Teach them insights of Your Torah, that they may administer all affairs of state fairly, that peace and security, happiness and prosperity, justice and freedom may forever abide in our midst.

Creator of all flesh, bless all the inhabitants of our country with Your spirit. Then citizens of all races and creeds will forge a common bond in true brotherhood, to banish all hatred and bigotry, and to safeguard the ideals and free institutions which are our country's pride and glory.

May this land under Your Providence be an influence for good throughout the world, uniting all men in peace and freedom, and helping them to fulfill the vision of Your prophet: "Nation shall not lift up sword against nation, neither shall men learn war any more." And let us say: Amen.

A Prayer for the State of Israel

Our Father in Heaven, Rock and Redeemer of the people Israel: Bless the State of Israel, the dawn of our redemption. Shield it with Your love; spread over it the shelter of Your peace. Guide its leaders and advisors with Your light and Your truth. Help them with Your good counsel. Strengthen the hands of those who defend our Holy Land. Deliver them; crown their efforts with triumph. Bless the land with peace, and its inhabitants with lasting joy. And let us say: Amen.

A Prayer for Peace

יְהִי רָצוֹן מִלְּפָנֶיךָ יְיָ אֱלֹהֵינוּ וֵאלֹהֵי אֲבוֹתֵינוּ
שֶׁתְּבַטֵּל מִלְחָמוֹת וּשְׁפִיכוּת דָּמִים מִן הָעוֹלָם
וְתַמְשִׁיךְ שָׁלוֹם גָּדוֹל וְנִפְלָא בָּעוֹלָם
וְלֹא יִשָּׂא גוֹי אֶל גּוֹי חֶרֶב וְלֹא יִלְמְדוּ עוֹד מִלְחָמָה.

רַק יַכִּירוּ וְיֵדְעוּ כָּל־יוֹשְׁבֵי תֵבֵל הָאֱמֶת לַאֲמִתּוֹ
אֲשֶׁר לֹא בָאנוּ לָזֶה הָעוֹלָם בִּשְׁבִיל רִיב וּמַחֲלֹקֶת
וְלֹא בִּשְׁבִיל שִׂנְאָה וְקִנְאָה וְקִנְתּוּר וּשְׁפִיכוּת דָּמִים.
רַק בָּאנוּ לָעוֹלָם כְּדֵי לְהַכִּיר אוֹתְךָ תִּתְבָּרַךְ לָנֶצַח.

וּבְכֵן תְּרַחֵם עָלֵינוּ וִיקֻיַּם בָּנוּ מִקְרָא שֶׁכָּתוּב:
וְנָתַתִּי שָׁלוֹם בָּאָרֶץ וּשְׁכַבְתֶּם וְאֵין מַחֲרִיד
וְהִשְׁבַּתִּי חַיָּה רָעָה מִן הָאָרֶץ וְחֶרֶב לֹא תַעֲבֹר בְּאַרְצְכֶם.
וְיִגַּל כַּמַּיִם מִשְׁפָּט, וּצְדָקָה כְּנַחַל אֵיתָן.
כִּי מָלְאָה הָאָרֶץ דֵּעָה אֶת־יְיָ כַּמַּיִם לַיָּם מְכַסִּים.

A Prayer for Peace

May we see the day when war and bloodshed cease,
when a great peace will embrace the whole world.

> *Then nation will not threaten nation,*
> *and mankind will not again know war.*

For all who live on earth shall realize
we have not come into being to hate or to destroy.

> *We have come into being*
> *to praise, to labor and to love.*

Compassionate God, bless the leaders of all nations
with the power of compassion.

> *Fulfill the promise conveyed in Scripture:*

I will bring peace to the land,
and you shall lie down and no one shall terrify you.

> *I will rid the land of vicious beasts*
> *and it shall not be ravaged by war.*

Let love and justice flow like a mighty stream.

> *Let peace fill the earth as the waters fill the sea.*

And let us say: Amen.

תְּקִיעַת שׁוֹפָר

SOUNDING THE SHOFAR

First day:

The shofar exclaims: Wake up from your slumber!

Examine your deeds, and turn in repentance, remembering your Creator. You sleepers who forget the truth while caught up in the fads and follies of the time, frittering away your years in vanity and emptiness which cannot help: take a good look at yourselves. Improve your ways. Let everyone abandon his bad deeds and his wicked thoughts.

When the Holy One, on a judgment day, begins to judge, He ascends the throne of strict judgment, as it is written, "The God of *judgment* has ascended with acclamation." But when the people Israel, standing in judgment, sound the shofar, the Holy One is filled with mercy, and changes to the throne of compassion, as it is written: "The Lord of *compassion* ascends with the shofar blast."

עָלָה אֱלֹהִים בִּתְרוּעָה, יְיָ בְּקוֹל שׁוֹפָר.

זַמְּרוּ אֱלֹהִים זַמֵּרוּ, זַמְּרוּ לְמַלְכֵּנוּ זַמֵּרוּ.

כִּי מֶלֶךְ כָּל־הָאָרֶץ אֱלֹהִים, זַמְּרוּ מַשְׂכִּיל.

מָלַךְ אֱלֹהִים עַל גּוֹיִם, אֱלֹהִים יָשַׁב עַל כִּסֵּא קָדְשׁוֹ.

God has ascended with acclamation,
    The Lord ascends with the shofar blast.
Sing to our God, sing!
    Sing to our King, sing!
For God is King of all the earth.
    Sing praise with all your skill.
God is King of the nations.
    God reigns on His holy throne.
                    Psalms 47:6–9

Second day:

The happenings of this world take place
not in the sphere between two principles,
light and darkness, good and evil,
but in the sphere between God and men,
these mortal, brittle human beings
who are able to face God and withstand His word.

We are truly free to choose God or to reject Him,
and to do so not in a relationship of faith
which is empty of the content of this world
but in one which contains the full content of the everyday.

Adam's sin did not happen once and for all,
it did not become an inevitable fate for everyone,
but it continually happens here and now in all its reality.
In spite of all past history,
in spite of all that has come before,
each of us stands in the naked condition of Adam:
each of us must make the decision.

Said Rabbi Abahu: Why do we sound the ram's horn? The Holy One declared: "Sound the horn of a ram before Me, that I may recall in your favor the Binding of Isaac, and consider you as having bound yourselves, in faith, on the sacrificial altar."

Our God and God of our fathers: As Abraham, willing to sacrifice his son, overcame his sense of compassion to do Your will wholeheartedly, so may Your love of compassion overwhelm Your demand for strict judgment. Show us mercy and compassion. Remove all sorrow and distress from Your people, from Your city, from Your land, from Your heritage. Fulfill Your promise in the Torah: "I will remember My covenant with Jacob, My covenant with Isaac, and My covenant with Abraham I will remember, as well as the land."

We rise. Some congregations chant the following responsively, line by line.

מִן הַמֵּצַר קָרָֽאתִי יָּהּ, עָנָֽנִי בַמֶּרְחָב יָהּ.
קוֹלִי שָׁמָֽעְתָּ, אַל תַּעְלֵם אָזְנְךָ לְרַוְחָתִי לְשַׁוְעָתִי.
רֹאשׁ דְּבָרְךָ אֱמֶת, וּלְעוֹלָם כָּל־מִשְׁפַּט צִדְקֶֽךָ.
עֲרֹב עַבְדְּךָ לְטוֹב, אַל יַעַשְׁקֻֽנִי זֵדִים.
שָׂשׂ אָנֹכִי עַל אִמְרָתֶֽךָ, כְּמוֹצֵא שָׁלָל רָב.
טוּב טַֽעַם וָדַֽעַת לַמְּדֵֽנִי, כִּי בְמִצְוֹתֶֽיךָ הֶאֱמָֽנְתִּי.
נִדְבוֹת פִּי רְצֵה נָא יְיָ, וּמִשְׁפָּטֶֽיךָ לַמְּדֵֽנִי.

Before he sounds the shofar, the ba'al tekiah recites the following benedictions. The congregation responds: Amen.

בָּרוּךְ אַתָּה יְיָ אֱלֹהֵֽינוּ מֶֽלֶךְ הָעוֹלָם
אֲשֶׁר קִדְּשָֽׁנוּ בְּמִצְוֹתָיו וְצִוָּֽנוּ לִשְׁמֹֽעַ קוֹל שׁוֹפָר.

בָּרוּךְ אַתָּה יְיָ אֱלֹהֵֽינוּ מֶֽלֶךְ הָעוֹלָם
שֶׁהֶחֱיָֽנוּ וְקִיְּמָֽנוּ וְהִגִּיעָֽנוּ לַזְּמַן הַזֶּה.

תְּקִיעָה שְׁבָרִים תְּרוּעָה תְּקִיעָה
תְּקִיעָה שְׁבָרִים תְּרוּעָה תְּקִיעָה
תְּקִיעָה שְׁבָרִים תְּרוּעָה תְּקִיעָה

תְּקִיעָה שְׁבָרִים תְּקִיעָה
תְּקִיעָה שְׁבָרִים תְּקִיעָה
תְּקִיעָה שְׁבָרִים תְּקִיעָה

תְּקִיעָה תְּרוּעָה תְּקִיעָה
תְּקִיעָה תְּרוּעָה תְּקִיעָה
תְּקִיעָה תְּרוּעָה תְּקִיעָה גְדוֹלָה

We are seated.

We rise.

In Your great mercy, Lord,
bring us near to Your Presence.

Help us to break down the barriers
which keep us far from You:

falsehood and faithlessness,
callousness and selfishness,
injustice and hard-heartedness.

Our hope is in You,
for You respond in mercy
when we sound the shofar.

*Before he sounds the shofar, the ba'al tekiah recites
the following benedictions. The congregation
responds: Amen.*

Praised are You, Lord our God,
King of the universe who sanctified us
with His commandments, commanding us to hear
the sound of the shofar.

Praised are You, Lord our God,
King of the universe who granted us life,
who sustained us, and who enabled us to reach this day.

TEKIAH	SHEVARIM-TERUAH	TEKIAH
TEKIAH	SHEVARIM-TERUAH	TEKIAH
TEKIAH	SHEVARIM-TERUAH	TEKIAH

TEKIAH	SHEVARIM	TEKIAH
TEKIAH	SHEVARIM	TEKIAH
TEKIAH	SHEVARIM	TEKIAH

TEKIAH	TERUAH	TEKIAH
TEKIAH	TERUAH	TEKIAH
TEKIAH	TERUAH	TEKIAH GEDOLAH

We are seated.

אַשְׁרֵי הָעָם יוֹדְעֵי תְרוּעָה, יְיָ בְּאוֹר פָּנֶיךָ יְהַלֵּכוּן.
בְּשִׁמְךָ יְגִילוּן כָּל־הַיּוֹם, וּבְצִדְקָתְךָ יָרוּמוּ.

אַשְׁרֵי יוֹשְׁבֵי בֵיתֶךָ, עוֹד יְהַלְלוּךָ סֶּלָה.
אַשְׁרֵי הָעָם שֶׁכָּכָה לּוֹ, אַשְׁרֵי הָעָם שֶׁיְיָ אֱלֹהָיו.

תְּהִלָּה לְדָוִד.

אֲרוֹמִמְךָ אֱלוֹהַי הַמֶּלֶךְ וַאֲבָרְכָה שִׁמְךָ לְעוֹלָם וָעֶד.
בְּכָל־יוֹם אֲבָרְכֶךָּ וַאֲהַלְלָה שִׁמְךָ לְעוֹלָם וָעֶד.
גָּדוֹל יְיָ וּמְהֻלָּל מְאֹד וְלִגְדֻלָּתוֹ אֵין חֵקֶר.
דּוֹר לְדוֹר יְשַׁבַּח מַעֲשֶׂיךָ וּגְבוּרֹתֶיךָ יַגִּידוּ.
הֲדַר כְּבוֹד הוֹדֶךָ וְדִבְרֵי נִפְלְאֹתֶיךָ אָשִׂיחָה.
וֶעֱזוּז נוֹרְאֹתֶיךָ יֹאמֵרוּ וּגְדוּלָּתְךָ אֲסַפְּרֶנָּה.
זֵכֶר רַב טוּבְךָ יַבִּיעוּ וְצִדְקָתְךָ יְרַנֵּנוּ.
חַנּוּן וְרַחוּם יְיָ, אֶרֶךְ אַפַּיִם וּגְדָל־חָסֶד.
טוֹב יְיָ לַכֹּל וְרַחֲמָיו עַל כָּל־מַעֲשָׂיו.
יוֹדוּךָ יְיָ כָּל־מַעֲשֶׂיךָ וַחֲסִידֶיךָ יְבָרְכוּכָה.
כְּבוֹד מַלְכוּתְךָ יֹאמֵרוּ וּגְבוּרָתְךָ יְדַבֵּרוּ.
לְהוֹדִיעַ לִבְנֵי הָאָדָם גְּבוּרֹתָיו וּכְבוֹד הֲדַר מַלְכוּתוֹ.
מַלְכוּתְךָ מַלְכוּת כָּל־עֹלָמִים וּמֶמְשַׁלְתְּךָ בְּכָל־דּוֹר וָדֹר.
סוֹמֵךְ יְיָ לְכָל־הַנֹּפְלִים וְזוֹקֵף לְכָל־הַכְּפוּפִים.
עֵינֵי כֹל אֵלֶיךָ יְשַׂבֵּרוּ וְאַתָּה נוֹתֵן לָהֶם אֶת־אָכְלָם בְּעִתּוֹ.
פּוֹתֵחַ אֶת־יָדֶךָ וּמַשְׂבִּיעַ לְכָל־חַי רָצוֹן.

Blessed are the people who understand the shofar sounds; they walk in Your light, O Lord. In Your name they rejoice all their days; through Your faithfulness they are exalted.

Blessed are they who dwell in Your house; they shall praise You forever. Blessed the people who are so favored; blessed the people whose God is the Lord.

David sang: I glorify You, my God, my King;
I praise You throughout all time.

Every day do I praise You, exalting Your glory forever.

Great is the Lord, and praiseworthy;
His greatness exceeds definition.

*One generation lauds Your works to another,
Declaring Your mighty deeds.*

They tell of Your wonders, and of Your glorious splendor.

They speak of Your greatness, and of Your awesome power.

They recall Your goodness; they sing of Your faithfulness.

*Gracious and compassionate is the Lord;
Patient, and abounding in love.*

To all the Lord is good; His compassion embraces all creatures.

*All of Your creatures shall praise You;
The faithful shall repeatedly bless You.*

They shall describe Your glorious kingdom, declaring Your power;

And men will know of Your might, the splendor of Your dominion.

Your kingdom is an everlasting kingdom;

Your dominion endures for all generations.

The Lord supports all who stumble,

He raises all who are bowed down.

All eyes look hopefully to You, to receive their food in due time.

You open Your hand, and all the living feast upon Your favor.

צַדִּיק יְיָ בְּכָל־דְּרָכָיו וְחָסִיד בְּכָל־מַעֲשָׂיו.
קָרוֹב יְיָ לְכָל־קֹרְאָיו, לְכֹל אֲשֶׁר יִקְרָאֻהוּ בֶאֱמֶת.
רְצוֹן יְרֵאָיו יַעֲשֶׂה וְאֶת־שַׁוְעָתָם יִשְׁמַע וְיוֹשִׁיעֵם.
שׁוֹמֵר יְיָ אֶת־כָּל־אֹהֲבָיו וְאֵת כָּל־הָרְשָׁעִים יַשְׁמִיד.
תְּהִלַּת יְיָ יְדַבֶּר־פִּי וִיבָרֵךְ כָּל־בָּשָׂר שֵׁם קָדְשׁוֹ לְעוֹלָם וָעֶד.
וַאֲנַחְנוּ נְבָרֵךְ יָהּ מֵעַתָּה וְעַד עוֹלָם. הַלְלוּיָהּ.

We rise, as the Sifrei Torah are raised.

Ḥazzan:

יְהַלְלוּ אֶת־שֵׁם יְיָ כִּי נִשְׂגָּב שְׁמוֹ לְבַדּוֹ.

Congregation:

הוֹדוֹ עַל אֶרֶץ וְשָׁמָיִם. וַיָּרֶם קֶרֶן לְעַמּוֹ
תְּהִלָּה לְכָל־חֲסִידָיו, לִבְנֵי יִשְׂרָאֵל עַם קְרֹבוֹ. הַלְלוּיָהּ.

On Shabbat only:

מִזְמוֹר לְדָוִד. הָבוּ לַייָ בְּנֵי אֵלִים, הָבוּ לַייָ כָּבוֹד וָעֹז. הָבוּ לַייָ כְּבוֹד שְׁמוֹ, הִשְׁתַּחֲווּ לַייָ בְּהַדְרַת קֹדֶשׁ. קוֹל יְיָ עַל הַמָּיִם, אֵל הַכָּבוֹד הִרְעִים, יְיָ עַל מַיִם רַבִּים. קוֹל יְיָ בַּכֹּחַ, קוֹל יְיָ בֶּהָדָר. קוֹל יְיָ שֹׁבֵר אֲרָזִים, וַיְשַׁבֵּר יְיָ אֶת־אַרְזֵי הַלְּבָנוֹן. וַיַּרְקִידֵם כְּמוֹ עֵגֶל, לְבָנוֹן וְשִׂרְיוֹן כְּמוֹ בֶן־רְאֵמִים. קוֹל יְיָ חֹצֵב לַהֲבוֹת אֵשׁ. קוֹל יְיָ יָחִיל מִדְבָּר, יָחִיל יְיָ מִדְבַּר קָדֵשׁ. קוֹל יְיָ יְחוֹלֵל אַיָּלוֹת

In all His paths the Lord is faithful,
In all His deeds He is loving.

To all who call the Lord is near,
To all who call upon Him in truth.

He fulfills the desire of those who revere Him;
He hears their cry and delivers them.

All who love the Lord He preserves,
but all the wicked He destroys.

My mouth shall praise the Lord.

Let all flesh praise His name throughout all time.

We shall praise the Lord now and always. Halleluyah!

We rise, as the Sifrei Torah are raised.

Ḥazzan:

Praise the Lord, for He is unique, exalted.

Congregation:

Hodo al eretz v'shamayim, va-yarem keren l'amo, te-hilah lekhol ḥasidav, liv-nei yisrael 'am kerovo. Halleluyah!

His glory encompasses heaven and earth. He exalts and extols His faithful, the people Israel who are close to Him. Halleluyah.

On Shabbat only:

Acclaim the Lord, all the mighty. Praise Him for His power and glory. Acclaim the Lord, for great is His renown; worship the Lord in sacred beauty. The voice of the Lord peals above the waters, the God of glory thunders over oceans. The voice of the Lord echoes with majesty and might. It shatters stately cedars until the hills of Lebanon leap like a calf, the hills of Sirion like an antelope. The Lord's voice commands the lightning that cleaves stone. His voice stirs the desert sands, it shakes the Kadesh wilderness. The voice of the Lord twists the trees, it

וַיֶּחֱשֹׂף יְעָרוֹת, וּבְהֵיכָלוֹ כֻּלּוֹ אֹמֵר כָּבוֹד. יְיָ לַמַּבּוּל יָשָׁב, וַיֵּשֶׁב יְיָ מֶלֶךְ לְעוֹלָם. יְיָ עֹז לְעַמּוֹ יִתֵּן, יְיָ יְבָרֵךְ אֶת־עַמּוֹ בַשָּׁלוֹם.

On weekdays:

לְדָוִד מִזְמוֹר. לַיְיָ הָאָרֶץ וּמְלוֹאָהּ, תֵּבֵל וְיֹשְׁבֵי בָהּ. כִּי הוּא עַל יַמִּים יְסָדָהּ, וְעַל נְהָרוֹת יְכוֹנְנֶהָ. מִי יַעֲלֶה בְהַר יְיָ, וּמִי יָקוּם בִּמְקוֹם קָדְשׁוֹ. נְקִי כַפַּיִם וּבַר לֵבָב, אֲשֶׁר לֹא נָשָׂא לַשָּׁוְא נַפְשִׁי, וְלֹא נִשְׁבַּע לְמִרְמָה. יִשָּׂא בְרָכָה מֵאֵת יְיָ, וּצְדָקָה מֵאֱלֹהֵי יִשְׁעוֹ. זֶה דּוֹר דֹּרְשָׁיו, מְבַקְשֵׁי פָנֶיךָ יַעֲקֹב, סֶלָה. שְׂאוּ שְׁעָרִים רָאשֵׁיכֶם וְהִנָּשְׂאוּ פִּתְחֵי עוֹלָם, וְיָבוֹא מֶלֶךְ הַכָּבוֹד. מִי זֶה מֶלֶךְ הַכָּבוֹד, יְיָ עִזּוּז וְגִבּוֹר, יְיָ גִּבּוֹר מִלְחָמָה. שְׂאוּ שְׁעָרִים רָאשֵׁיכֶם וּשְׂאוּ פִּתְחֵי עוֹלָם, וְיָבֹא מֶלֶךְ הַכָּבוֹד. מִי הוּא זֶה מֶלֶךְ הַכָּבוֹד, יְיָ צְבָאוֹת, הוּא מֶלֶךְ הַכָּבוֹד, סֶלָה.

וּבְנֻחֹה יֹאמַר: שׁוּבָה יְיָ, רִבְבוֹת אַלְפֵי יִשְׂרָאֵל. קוּמָה יְיָ לִמְנוּחָתֶךָ, אַתָּה וַאֲרוֹן עֻזֶּךָ. כֹּהֲנֶיךָ יִלְבְּשׁוּ־צֶדֶק, וַחֲסִידֶיךָ יְרַנֵּנוּ. בַּעֲבוּר דָּוִד עַבְדֶּךָ, אַל תָּשֵׁב פְּנֵי מְשִׁיחֶךָ. כִּי לֶקַח טוֹב נָתַתִּי לָכֶם, תּוֹרָתִי אַל תַּעֲזֹבוּ.

עֵץ חַיִּים הִיא לַמַּחֲזִיקִים בָּהּ, וְתֹמְכֶיהָ מְאֻשָּׁר.

דְּרָכֶיהָ דַרְכֵי־נֹעַם, וְכָל־נְתִיבוֹתֶיהָ שָׁלוֹם.

הֲשִׁיבֵנוּ יְיָ אֵלֶיךָ וְנָשׁוּבָה, חַדֵּשׁ יָמֵינוּ כְּקֶדֶם.

Eitz ḥayyim hi la-maḥazikim bah, ve-tomkhe-ha m'ushar.

D'rakhe-ha darkhei no'am, ve-khol n'tivo-teha shalom.

Hashiveinu Adonai eilekha v'nashuva, ḥadeish yameinu k'kedem.

strips the forest bare. In His sanctuary nothing is heard but the praise of His glory. The Lord was enthroned at the Flood, He is enthroned as King forever. The Lord will grant His people dignity. The Lord will bless His people with peace.

Psalm 29

On weekdays:

The earth is the Lord's, and all that it holds, the world and all its inhabitants. He founded it upon the seas, He set it firm upon flowing waters. Who deserves to enter God's sanctuary? Who merits a place in His Presence? He who has clean hands and a pure heart, who does not use God's name in vain oaths, who does not set his mind on worthless things. He shall receive a blessing from the Lord, a just reward from the God of his deliverance. Such are the people who seek Him, who, like Jacob, long for His Presence. Lift high your lintels, O you gates; open wide, you ancient doors! Welcome the glorious King! Who is the glorious King? The Lord, with dignity and power; the Lord, triumphant in battle. Lift high your lintels, O you gates; open wide, you ancient doors! Welcome the glorious King! Who is the glorious King? The Lord of hosts; He is the glorious King.

Psalm 24

Whenever the Ark was set down, Moses would say: O Lord, may You dwell among the myriad families of Israel. Return, O Lord, to Your sanctuary, You and Your glorious Ark. Let Your priests be robed in righteousness, let Your faithful sing with joy. For the sake of David, Your servant, do not reject Your anointed.

Precious teaching do I give you:
Never forsake My Torah.

> *It is a tree of life for those who grasp it,*
> *and all who uphold it are blessed.*

Its ways are pleasantness, and all its paths are peace.

> *Help us turn to You, and we shall return.*
> *Renew our lives as in days of old.*

מוּסָף לְרֹאשׁ הַשָּׁנָה

ROSH HASHANAH MUSAF SERVICE

In some congregations, the Ḥazzan now chants Hineni, page 236.

Ḥatzi Kaddish

Ḥazzan:

יִתְגַּדַּל וְיִתְקַדַּשׁ שְׁמֵהּ רַבָּא בְּעָלְמָא דִּי בְרָא כִרְעוּתֵהּ, וְיַמְלִיךְ
מַלְכוּתֵהּ בְּחַיֵּיכוֹן וּבְיוֹמֵיכוֹן וּבְחַיֵּי דְכָל־בֵּית יִשְׂרָאֵל בַּעֲגָלָא
וּבִזְמַן קָרִיב, וְאִמְרוּ אָמֵן.

Congregation and Ḥazzan:

יְהֵא שְׁמֵהּ רַבָּא מְבָרַךְ לְעָלַם וּלְעָלְמֵי עָלְמַיָּא.

Ḥazzan:

יִתְבָּרַךְ וְיִשְׁתַּבַּח וְיִתְפָּאַר וְיִתְרוֹמַם וְיִתְנַשֵּׂא וְיִתְהַדַּר וְיִתְעַלֶּה
וְיִתְהַלַּל שְׁמֵהּ דְּקֻדְשָׁא בְּרִיךְ הוּא, לְעֵלָּא לְעֵלָּא מִכָּל־בִּרְכָתָא
וְשִׁירָתָא תֻּשְׁבְּחָתָא וְנֶחֱמָתָא דַּאֲמִירָן בְּעָלְמָא, וְאִמְרוּ אָמֵן.

In some congregations, the Ḥazzan now chants Hineni, page 237.

Ḥatzi Kaddish

Ḥazzan:

Hallowed and enhanced may He be throughout the world of His own creation. May He cause His sovereignty soon to be accepted, during our life and the life of all Israel. And let us say: Amen.

Congregation and Ḥazzan:

Ye-hei shmei raba meva-rakh l'alam ul'almei 'almaya.

May He be praised throughout all time.

Ḥazzan:

Glorified and celebrated, lauded and praised, acclaimed and honored, extolled and exalted may the Holy One be, far beyond all song and psalm, beyond all tributes which man can utter. And let us say: Amen.

Amidah

We stand in silent prayer, which ends on page 227. For translation of a Rosh Hashanah Amidah, see pages 31 to 39. For reflections on themes of the Amidah in English, see pages 228 to 235.

כִּי שֵׁם יְיָ אֶקְרָא הָבוּ גֹדֶל לֵאלֹהֵינוּ. אֲדֹנָי שְׂפָתַי תִּפְתָּח וּפִי יַגִּיד תְּהִלָּתֶךָ. כִּי לֹא תַחְפֹּץ זֶבַח וְאֶתֵּנָה, עוֹלָה לֹא תִרְצֶה. זִבְחֵי אֱלֹהִים רוּחַ נִשְׁבָּרָה, לֵב נִשְׁבָּר וְנִדְכֶּה, אֱלֹהִים לֹא תִבְזֶה.

בָּרוּךְ אַתָּה יְיָ אֱלֹהֵינוּ וֵאלֹהֵי אֲבוֹתֵינוּ, אֱלֹהֵי אַבְרָהָם אֱלֹהֵי יִצְחָק וֵאלֹהֵי יַעֲקֹב, הָאֵל הַגָּדוֹל הַגִּבּוֹר וְהַנּוֹרָא אֵל עֶלְיוֹן גּוֹמֵל חֲסָדִים טוֹבִים וְקוֹנֵה הַכֹּל, וְזוֹכֵר חַסְדֵי אָבוֹת וּמֵבִיא גוֹאֵל לִבְנֵי בְנֵיהֶם לְמַעַן שְׁמוֹ בְּאַהֲבָה.

זָכְרֵנוּ לְחַיִּים מֶלֶךְ חָפֵץ בַּחַיִּים,
וְכָתְבֵנוּ בְּסֵפֶר הַחַיִּים לְמַעַנְךָ אֱלֹהִים חַיִּים.

מֶלֶךְ עוֹזֵר וּמוֹשִׁיעַ וּמָגֵן. בָּרוּךְ אַתָּה יְיָ מָגֵן אַבְרָהָם.

אַתָּה גִּבּוֹר לְעוֹלָם אֲדֹנָי מְחַיֵּה מֵתִים אַתָּה רַב לְהוֹשִׁיעַ. מְכַלְכֵּל חַיִּים בְּחֶסֶד מְחַיֵּה מֵתִים בְּרַחֲמִים רַבִּים, סוֹמֵךְ נוֹפְלִים וְרוֹפֵא חוֹלִים וּמַתִּיר אֲסוּרִים וּמְקַיֵּם אֱמוּנָתוֹ לִישֵׁנֵי עָפָר. מִי כָמוֹךָ בַּעַל גְּבוּרוֹת וּמִי דוֹמֶה לָּךְ, מֶלֶךְ מֵמִית וּמְחַיֶּה וּמַצְמִיחַ יְשׁוּעָה.

מִי כָמוֹךָ אַב הָרַחֲמִים, זוֹכֵר יְצוּרָיו לְחַיִּים בְּרַחֲמִים.

וְנֶאֱמָן אַתָּה לְהַחֲיוֹת מֵתִים. בָּרוּךְ אַתָּה יְיָ מְחַיֵּה הַמֵּתִים.

אַתָּה קָדוֹשׁ וְשִׁמְךָ קָדוֹשׁ וּקְדוֹשִׁים בְּכָל־יוֹם יְהַלְלוּךָ סֶּלָה.

וּבְכֵן תֵּן פַּחְדְּךָ יְיָ אֱלֹהֵינוּ עַל כָּל־מַעֲשֶׂיךָ וְאֵימָתְךָ עַל כָּל־מַה־שֶּׁבָּרָאתָ, וְיִירָאוּךָ כָּל־הַמַּעֲשִׂים וְיִשְׁתַּחֲווּ לְפָנֶיךָ כָּל־הַבְּרוּאִים,

וְיֵעָשׂוּ כֻלָּם אֲגֻדָּה אַחַת לַעֲשׂוֹת רְצוֹנְךָ בְּלֵבָב שָׁלֵם, כְּמוֹ שֶׁיָּדַעְנוּ יְיָ אֱלֹהֵינוּ שֶׁהַשִּׁלְטוֹן לְפָנֶיךָ, עֹז בְּיָדְךָ וּגְבוּרָה בִּימִינֶךָ וְשִׁמְךָ נוֹרָא עַל כָּל־מַה־שֶּׁבָּרָאתָ.

וּבְכֵן תֵּן כָּבוֹד יְיָ לְעַמֶּךָ תְּהִלָּה לִירֵאֶיךָ וְתִקְוָה לְדוֹרְשֶׁיךָ וּפִתְחוֹן פֶּה לַמְיַחֲלִים לָךְ, שִׂמְחָה לְאַרְצֶךָ וְשָׂשׂוֹן לְעִירֶךָ וּצְמִיחַת קֶרֶן לְדָוִד עַבְדֶּךָ וַעֲרִיכַת נֵר לְבֶן־יִשַׁי מְשִׁיחֶךָ בִּמְהֵרָה בְיָמֵינוּ.

וּבְכֵן צַדִּיקִים יִרְאוּ וְיִשְׂמָחוּ וִישָׁרִים יַעֲלֹזוּ וַחֲסִידִים בְּרִנָּה יָגִילוּ, וְעוֹלָֽתָה תִּקְפָּץ־פִּיהָ וְכָל־הָרִשְׁעָה כֻּלָּהּ כְּעָשָׁן תִּכְלֶה כִּי תַעֲבִיר מֶמְשֶׁלֶת זָדוֹן מִן הָאָרֶץ.

וְתִמְלֹךְ אַתָּה יְיָ לְבַדֶּךָ עַל כָּל־מַעֲשֶׂיךָ בְּהַר צִיּוֹן מִשְׁכַּן כְּבוֹדֶךָ וּבִירוּשָׁלַיִם עִיר קָדְשֶׁךָ, כַּכָּתוּב בְּדִבְרֵי קָדְשֶׁךָ: יִמְלֹךְ יְיָ לְעוֹלָם אֱלֹהַיִךְ צִיּוֹן לְדֹר וָדֹר, הַלְלוּיָהּ.

קָדוֹשׁ אַתָּה וְנוֹרָא שְׁמֶךָ וְאֵין אֱלוֹהַּ מִבַּלְעָדֶיךָ, כַּכָּתוּב: וַיִּגְבַּהּ יְיָ צְבָאוֹת בַּמִּשְׁפָּט, וְהָאֵל הַקָּדוֹשׁ נִקְדַּשׁ בִּצְדָקָה. בָּרוּךְ אַתָּה יְיָ הַמֶּלֶךְ הַקָּדוֹשׁ.

אַתָּה בְחַרְתָּנוּ מִכָּל־הָעַמִּים, אָהַבְתָּ אוֹתָנוּ וְרָצִיתָ בָּנוּ וְרוֹמַמְתָּנוּ מִכָּל־הַלְּשׁוֹנוֹת וְקִדַּשְׁתָּנוּ בְּמִצְוֹתֶיךָ וְקֵרַבְתָּנוּ מַלְכֵּנוּ לַעֲבוֹדָתֶךָ וְשִׁמְךָ הַגָּדוֹל וְהַקָּדוֹשׁ עָלֵינוּ קָרָאתָ.

וַתִּתֶּן־לָנוּ יְיָ אֱלֹהֵינוּ בְּאַהֲבָה אֶת־יוֹם הַשַּׁבָּת הַזֶּה וְאֶת־יוֹם הַזִּכָּרוֹן הַזֶּה יוֹם זִכְרוֹן תְּרוּעָה בְּאַהֲבָה מִקְרָא קֹדֶשׁ זֵכֶר לִיצִיאַת מִצְרָיִם.

וּמִפְּנֵי חֲטָאֵינוּ גָּלִינוּ מֵאַרְצֵנוּ וְנִתְרַחַקְנוּ מֵעַל אַדְמָתֵנוּ. יְהִי רָצוֹן מִלְּפָנֶיךָ יְיָ אֱלֹהֵינוּ וֵאלֹהֵי אֲבוֹתֵינוּ, מֶלֶךְ רַחֲמָן הַמֵּשִׁיב בָּנִים לִגְבוּלָם, שֶׁתָּשׁוּב וּתְרַחֵם עָלֵינוּ וְעַל מִקְדָּשְׁךָ בְּרַחֲמֶיךָ הָרַבִּים

וְתִבְנֵהוּ מְהֵרָה וּתְגַדֵּל כְּבוֹדוֹ. אָבִינוּ מַלְכֵּנוּ, גַּלֵּה כְּבוֹד מַלְכוּתְךָ עָלֵינוּ מְהֵרָה וְהוֹפַע וְהִנָּשֵׂא עָלֵינוּ לְעֵינֵי כָּל־חָי, וְקָרֵב פְּזוּרֵינוּ מִבֵּין הַגּוֹיִם וּנְפוּצוֹתֵינוּ כַּנֵּס מִיַּרְכְּתֵי־אָרֶץ. וַהֲבִיאֵנוּ לְצִיּוֹן עִירְךָ בְּרִנָּה וְלִירוּשָׁלַיִם בֵּית מִקְדָּשְׁךָ בְּשִׂמְחַת עוֹלָם, שֶׁשָּׁם עָשׂוּ אֲבוֹתֵינוּ לְפָנֶיךָ אֶת־קָרְבְּנוֹת חוֹבוֹתֵיהֶם, תְּמִידִים כְּסִדְרָם וּמוּסָפִים כְּהִלְכָתָם, וְאֶת־מוּסְפֵי יוֹם הַשַּׁבָּת הַזֶּה וְיוֹם הַזִּכָּרוֹן הַזֶּה עָשׂוּ וְהִקְרִיבוּ לְפָנֶיךָ בְּאַהֲבָה כְּמִצְוַת רְצוֹנֶךָ כַּכָּתוּב בְּתוֹרָתֶךָ. וְשָׁם אוֹתְךָ בְּיִרְאָה נַעֲבֹד. אֱלֹהֵינוּ וֵאלֹהֵי אֲבוֹתֵינוּ, רַחֵם עַל אַחֵינוּ בֵּית יִשְׂרָאֵל הַנְּתוּנִים בְּצָרָה וְהוֹצִיאֵם מֵאֲפֵלָה לְאוֹרָה. וְקַבֵּל בְּרַחֲמִים אֶת־תְּפִלַּת עַמְּךָ בְּנֵי יִשְׂרָאֵל, בְּכָל־מְקוֹמוֹת מוֹשְׁבוֹתֵיהֶם, הַשּׁוֹפְכִים אֶת־לִבָּם לְפָנֶיךָ בְּיוֹם הַשַּׁבָּת הַזֶּה וּבְיוֹם הַזִּכָּרוֹן הַזֶּה.

On Shabbat only:

יִשְׂמְחוּ בְמַלְכוּתְךָ שׁוֹמְרֵי שַׁבָּת וְקוֹרְאֵי עֹנֶג. עַם מְקַדְּשֵׁי שְׁבִיעִי כֻּלָּם יִשְׂבְּעוּ וְיִתְעַנְּגוּ מִטּוּבֶךָ. וְהַשְּׁבִיעִי רָצִיתָ בּוֹ וְקִדַּשְׁתּוֹ, חֶמְדַּת יָמִים אוֹתוֹ קָרָאתָ זֵכֶר לְמַעֲשֵׂה בְרֵאשִׁית.

מַלְכֻיּוֹת

עָלֵינוּ לְשַׁבֵּחַ לַאֲדוֹן הַכֹּל, לָתֵת גְּדֻלָּה לְיוֹצֵר בְּרֵאשִׁית, שֶׁלֹּא עָשָׂנוּ כְּגוֹיֵי הָאֲרָצוֹת וְלֹא שָׂמָנוּ כְּמִשְׁפְּחוֹת הָאֲדָמָה, שֶׁלֹּא שָׂם חֶלְקֵנוּ כָּהֶם וְגוֹרָלֵנוּ כְּכָל־הֲמוֹנָם. וַאֲנַחְנוּ כּוֹרְעִים וּמִשְׁתַּחֲוִים וּמוֹדִים לִפְנֵי מֶלֶךְ מַלְכֵי הַמְּלָכִים הַקָּדוֹשׁ בָּרוּךְ הוּא, שֶׁהוּא נוֹטֶה שָׁמַיִם וְיוֹסֵד אָרֶץ וּמוֹשַׁב יְקָרוֹ בַּשָּׁמַיִם מִמַּעַל וּשְׁכִינַת עֻזּוֹ בְּגָבְהֵי מְרוֹמִים. הוּא אֱלֹהֵינוּ אֵין עוֹד. אֱמֶת מַלְכֵּנוּ אֶפֶס זוּלָתוֹ, כַּכָּתוּב בְּתוֹרָתוֹ: וְיָדַעְתָּ הַיּוֹם וַהֲשֵׁבֹתָ אֶל לְבָבֶךָ כִּי יְיָ הוּא הָאֱלֹהִים בַּשָּׁמַיִם מִמַּעַל וְעַל הָאָרֶץ מִתָּחַת, אֵין עוֹד.

עַל כֵּן נְקַוֶּה לְּךָ יְיָ אֱלֹהֵינוּ לִרְאוֹת מְהֵרָה בְּתִפְאֶרֶת עֻזֶּךָ, לְהַעֲבִיר גִּלּוּלִים מִן הָאָרֶץ וְהָאֱלִילִים כָּרוֹת יִכָּרֵתוּן, לְתַקֵּן עוֹלָם בְּמַלְכוּת שַׁדַּי וְכָל־בְּנֵי בָשָׂר יִקְרְאוּ בִשְׁמֶךָ, לְהַפְנוֹת אֵלֶיךָ כָּל־רִשְׁעֵי־אָרֶץ. יַכִּירוּ וְיֵדְעוּ כָּל־יוֹשְׁבֵי תֵבֵל כִּי לְךָ תִּכְרַע כָּל־בֶּרֶךְ תִּשָּׁבַע כָּל־לָשׁוֹן. לְפָנֶיךָ יְיָ אֱלֹהֵינוּ יִכְרְעוּ וְיִפֹּלוּ וְלִכְבוֹד שִׁמְךָ יְקָר יִתֵּנוּ, וִיקַבְּלוּ כֻלָּם אֶת־עֹל מַלְכוּתֶךָ וְתִמְלֹךְ עֲלֵיהֶם מְהֵרָה לְעוֹלָם וָעֶד, כִּי הַמַּלְכוּת שֶׁלְּךָ הִיא וּלְעוֹלְמֵי עַד תִּמְלוֹךְ בְּכָבוֹד.

כַּכָּתוּב בְּתוֹרָתֶךָ:

יְיָ יִמְלֹךְ לְעֹלָם וָעֶד.

וְנֶאֱמַר: לֹא הִבִּיט אָוֶן בְּיַעֲקֹב וְלֹא רָאָה עָמָל בְּיִשְׂרָאֵל, יְיָ אֱלֹהָיו עִמּוֹ וּתְרוּעַת מֶלֶךְ בּוֹ.

וְנֶאֱמַר: וַיְהִי בִישֻׁרוּן מֶלֶךְ, בְּהִתְאַסֵּף רָאשֵׁי עָם יַחַד שִׁבְטֵי יִשְׂרָאֵל.

וּבְדִבְרֵי קָדְשְׁךָ כָּתוּב לֵאמֹר:

כִּי לַייָ הַמְּלוּכָה, וּמֹשֵׁל בַּגּוֹיִם.

וְנֶאֱמַר: יְיָ מָלָךְ גֵּאוּת לָבֵשׁ, לָבֵשׁ יְיָ עֹז הִתְאַזָּר, אַף תִּכּוֹן תֵּבֵל בַּל תִּמּוֹט.

וְנֶאֱמַר: שְׂאוּ שְׁעָרִים רָאשֵׁיכֶם וְהִנָּשְׂאוּ פִּתְחֵי עוֹלָם, וְיָבוֹא מֶלֶךְ הַכָּבוֹד. מִי זֶה מֶלֶךְ הַכָּבוֹד, יְיָ עִזּוּז וְגִבּוֹר, יְיָ גִּבּוֹר מִלְחָמָה. שְׂאוּ שְׁעָרִים רָאשֵׁיכֶם וּשְׂאוּ פִּתְחֵי עוֹלָם, וְיָבֹא מֶלֶךְ הַכָּבוֹד. מִי הוּא זֶה מֶלֶךְ הַכָּבוֹד, יְיָ צְבָאוֹת, הוּא מֶלֶךְ הַכָּבוֹד, סֶלָה.

וְעַל יְדֵי עֲבָדֶיךָ הַנְּבִיאִים כָּתוּב לֵאמֹר:

כֹּה אָמַר יְיָ מֶלֶךְ יִשְׂרָאֵל וְגֹאֲלוֹ יְיָ צְבָאוֹת, אֲנִי רִאשׁוֹן וַאֲנִי אַחֲרוֹן וּמִבַּלְעָדַי אֵין אֱלֹהִים.

וְנֶאֱמַר: וְעָלוּ מוֹשִׁעִים בְּהַר צִיּוֹן לִשְׁפֹּט אֶת־הַר עֵשָׂו, וְהָיְתָה לַייָ הַמְּלוּכָה.

וְנֶאֱמַר: וְהָיָה יְיָ לְמֶלֶךְ עַל כָּל־הָאָרֶץ, בַּיּוֹם הַהוּא יִהְיֶה יְיָ אֶחָד וּשְׁמוֹ אֶחָד.

וּבְתוֹרָתְךָ כָּתוּב לֵאמֹר: שְׁמַע יִשְׂרָאֵל יְיָ אֱלֹהֵינוּ יְיָ אֶחָד.

אֱלֹהֵינוּ וֵאלֹהֵי אֲבוֹתֵינוּ, מְלֹךְ עַל כָּל־הָעוֹלָם כֻּלּוֹ בִּכְבוֹדֶךָ וְהִנָּשֵׂא עַל כָּל־הָאָרֶץ בִּיקָרֶךָ, וְהוֹפַע בַּהֲדַר גְּאוֹן עֻזֶּךָ עַל כָּל־יוֹשְׁבֵי תֵבֵל אַרְצֶךָ. וְיֵדַע כָּל־פָּעוּל כִּי אַתָּה פְעַלְתּוֹ וְיָבִין כָּל־יָצוּר כִּי אַתָּה יְצַרְתּוֹ, וְיֹאמַר כֹּל אֲשֶׁר נְשָׁמָה בְאַפּוֹ: יְיָ אֱלֹהֵי יִשְׂרָאֵל מֶלֶךְ, וּמַלְכוּתוֹ בַּכֹּל מָשָׁלָה. אֱלֹהֵינוּ וֵאלֹהֵי אֲבוֹתֵינוּ, רְצֵה בִמְנוּחָתֵנוּ קַדְּשֵׁנוּ בְּמִצְוֺתֶיךָ וְתֵן חֶלְקֵנוּ בְּתוֹרָתֶךָ, שַׂבְּעֵנוּ מִטּוּבֶךָ וְשַׂמְּחֵנוּ בִּישׁוּעָתֶךָ, וְהַנְחִילֵנוּ יְיָ אֱלֹהֵינוּ בְּאַהֲבָה וּבְרָצוֹן שַׁבַּת קָדְשֶׁךָ וְיָנוּחוּ בָהּ יִשְׂרָאֵל מְקַדְּשֵׁי שְׁמֶךָ וְטַהֵר לִבֵּנוּ לְעָבְדְּךָ בֶּאֱמֶת, כִּי אַתָּה אֱלֹהִים אֱמֶת וּדְבָרְךָ אֱמֶת וְקַיָּם לָעַד. בָּרוּךְ אַתָּה יְיָ מֶלֶךְ עַל כָּל־הָאָרֶץ מְקַדֵּשׁ הַשַּׁבָּת וְ יִשְׂרָאֵל וְיוֹם הַזִּכָּרוֹן.

In some communities, before continuing with the Amidah, congregants wait until the shofar is sounded. (The shofar is not sounded on Shabbat.)

תְּקִיעָה שְׁבָרִים תְּרוּעָה תְּקִיעָה

תְּקִיעָה שְׁבָרִים תְּקִיעָה

תְּקִיעָה תְּרוּעָה תְּקִיעָה

זִכְרוֹנוֹת

אַתָּה זוֹכֵר מַעֲשֵׂה עוֹלָם וּפוֹקֵד כָּל־יְצוּרֵי קֶדֶם. לְפָנֶיךָ נִגְלוּ כָּל־תַּעֲלוּמוֹת וַהֲמוֹן נִסְתָּרוֹת שֶׁמִּבְּרֵאשִׁית. כִּי אֵין שִׁכְחָה לִפְנֵי כִסֵּא כְבוֹדֶךָ וְאֵין נִסְתָּר מִנֶּגֶד עֵינֶיךָ. אַתָּה זוֹכֵר אֶת־כָּל־הַמִּפְעָל וְגַם כָּל־הַיְצוּר לֹא נִכְחָד מִמֶּךָּ. הַכֹּל גָּלוּי וְיָדוּעַ לְפָנֶיךָ יְיָ אֱלֹהֵינוּ, צוֹפֶה וּמַבִּיט עַד סוֹף כָּל־הַדּוֹרוֹת כִּי תָבִיא חֹק זִכָּרוֹן לְהִפָּקֵד כָּל־רוּחַ וָנֶפֶשׁ, לְהִזָּכֵר מַעֲשִׂים רַבִּים וַהֲמוֹן בְּרִיּוֹת לְאֵין תַּכְלִית. מֵרֵאשִׁית כָּזֹאת הוֹדַעְתָּ וּמִלְּפָנִים אוֹתָהּ גִּלִּיתָ.

זֶה הַיּוֹם תְּחִלַּת מַעֲשֶׂיךָ זִכָּרוֹן לְיוֹם רִאשׁוֹן. כִּי חֹק לְיִשְׂרָאֵל הוּא מִשְׁפָּט לֵאלֹהֵי יַעֲקֹב. וְעַל הַמְּדִינוֹת בּוֹ יֵאָמֵר: אֵיזוֹ לַחֶרֶב וְאֵיזוֹ לַשָּׁלוֹם, אֵיזוֹ לָרָעָב וְאֵיזוֹ לַשֹּׂבַע. וּבְרִיּוֹת בּוֹ יִפָּקֵדוּ לְהַזְכִּירָם לַחַיִּים וְלַמָּוֶת. מִי לֹא נִפְקָד כְּהַיּוֹם הַזֶּה כִּי זֵכֶר כָּל־הַיְצוּר לְפָנֶיךָ בָּא, מַעֲשֵׂה אִישׁ וּפְקֻדָּתוֹ וַעֲלִילוֹת מִצְעֲדֵי־גָבֶר, מַחְשְׁבוֹת אָדָם וְתַחְבּוּלוֹתָיו וְיִצְרֵי מַעַלְלֵי־אִישׁ.

אַשְׁרֵי אִישׁ שֶׁלֹּא יִשְׁכָּחֶךָּ וּבֶן־אָדָם יִתְאַמֶּץ־בָּךְ, כִּי דוֹרְשֶׁיךָ לְעוֹלָם לֹא יִכָּשֵׁלוּ וְלֹא יִכָּלְמוּ לָנֶצַח כָּל־הַחוֹסִים בָּךְ. כִּי זֵכֶר כָּל־הַמַּעֲשִׂים לְפָנֶיךָ בָּא, וְאַתָּה דוֹרֵשׁ מַעֲשֵׂה כֻלָּם. וְגַם אֶת־נֹחַ בְּאַהֲבָה זָכַרְתָּ וַתִּפְקְדֵהוּ בִּדְבַר יְשׁוּעָה וְרַחֲמִים, בַּהֲבִיאֲךָ אֶת־מֵי הַמַּבּוּל לְשַׁחֵת כָּל־בָּשָׂר מִפְּנֵי רֹעַ מַעַלְלֵיהֶם. עַל כֵּן זִכְרוֹנוֹ בָּא לְפָנֶיךָ יְיָ אֱלֹהֵינוּ לְהַרְבּוֹת זַרְעוֹ כְּעַפְרוֹת תֵּבֵל וְצֶאֱצָאָיו כְּחוֹל הַיָּם.

כַּכָּתוּב בְּתוֹרָתֶךָ:

וַיִּזְכֹּר אֱלֹהִים אֶת־נֹחַ וְאֵת כָּל־הַחַיָּה וְאֶת־כָּל־הַבְּהֵמָה אֲשֶׁר אִתּוֹ בַּתֵּבָה, וַיַּעֲבֵר אֱלֹהִים רוּחַ עַל הָאָרֶץ וַיָּשֹׁכּוּ הַמָּיִם.

וְנֶאֱמַר: וַיִּשְׁמַע אֱלֹהִים אֶת־נַאֲקָתָם, וַיִּזְכֹּר אֱלֹהִים אֶת־בְּרִיתוֹ אֶת־אַבְרָהָם אֶת־יִצְחָק וְאֶת־יַעֲקֹב.

וְנֶאֱמַר: וְזָכַרְתִּי אֶת־בְּרִיתִי יַעֲקוֹב, וְאַף אֶת־בְּרִיתִי יִצְחָק וְאַף אֶת־בְּרִיתִי אַבְרָהָם אֶזְכֹּר, וְהָאָרֶץ אֶזְכֹּר.

וּבְדִבְרֵי קָדְשְׁךָ כָּתוּב לֵאמֹר:

זֵכֶר עָשָׂה לְנִפְלְאֹתָיו, חַנּוּן וְרַחוּם יְיָ.

וְנֶאֱמַר: טֶרֶף נָתַן לִירֵאָיו, יִזְכֹּר לְעוֹלָם בְּרִיתוֹ.

וְנֶאֱמַר: וַיִּזְכֹּר לָהֶם בְּרִיתוֹ, וַיִּנָּחֵם כְּרֹב חֲסָדָיו.

וְעַל יְדֵי עֲבָדֶיךָ הַנְּבִיאִים כָּתוּב לֵאמֹר:

הָלֹךְ וְקָרָאתָ בְאָזְנֵי יְרוּשָׁלַיִם לֵאמֹר: כֹּה אָמַר יְיָ, זָכַרְתִּי לָךְ חֶסֶד נְעוּרַיִךְ אַהֲבַת כְּלוּלֹתָיִךְ, לֶכְתֵּךְ אַחֲרַי בַּמִּדְבָּר בְּאֶרֶץ לֹא זְרוּעָה.

וְנֶאֱמַר: וְזָכַרְתִּי אֲנִי אֶת־בְּרִיתִי אוֹתָךְ בִּימֵי נְעוּרָיִךְ, וַהֲקִימוֹתִי לָךְ בְּרִית עוֹלָם.

וְנֶאֱמַר: הֲבֵן יַקִּיר לִי אֶפְרַיִם אִם יֶלֶד שַׁעֲשׁוּעִים כִּי מִדֵּי דַבְּרִי בּוֹ זָכֹר אֶזְכְּרֶנּוּ עוֹד, עַל כֵּן הָמוּ מֵעַי לוֹ רַחֵם אֲרַחֲמֶנּוּ נְאֻם יְיָ.

אֱלֹהֵינוּ וֵאלֹהֵי אֲבוֹתֵינוּ, זָכְרֵנוּ בְּזִכָּרוֹן טוֹב לְפָנֶיךָ וּפָקְדֵנוּ בִּפְקֻדַּת יְשׁוּעָה וְרַחֲמִים מִשְּׁמֵי שְׁמֵי קֶדֶם. וּזְכָר־לָנוּ יְיָ אֱלֹהֵינוּ אֶת־הַבְּרִית וְאֶת־הַחֶסֶד וְאֶת־הַשְּׁבוּעָה אֲשֶׁר נִשְׁבַּעְתָּ לְאַבְרָהָם אָבִינוּ בְּהַר הַמּוֹרִיָּה. וְתֵרָאֶה לְפָנֶיךָ עֲקֵדָה שֶׁעָקַד אַבְרָהָם אָבִינוּ אֶת־יִצְחָק בְּנוֹ עַל גַּב הַמִּזְבֵּחַ וְכָבַשׁ רַחֲמָיו לַעֲשׂוֹת רְצוֹנְךָ בְּלֵבָב שָׁלֵם. כֵּן יִכְבְּשׁוּ רַחֲמֶיךָ אֶת־כַּעַסְךָ מֵעָלֵינוּ, וּבְטוּבְךָ הַגָּדוֹל יָשׁוּב חֲרוֹן אַפְּךָ

מֵעַמְּךָ וּמֵעִירְךָ וּמִנַּחֲלָתֶךָ. וְקַיֶּם־לָנוּ יְיָ אֱלֹהֵינוּ אֶת־הַדָּבָר שֶׁהִבְטַחְתָּנוּ בְּתוֹרָתֶךָ עַל יְדֵי מֹשֶׁה עַבְדְּךָ מִפִּי כְבוֹדֶךָ, כָּאָמוּר:

וְזָכַרְתִּי לָהֶם בְּרִית רִאשֹׁנִים, אֲשֶׁר הוֹצֵאתִי אֹתָם מֵאֶרֶץ מִצְרַיִם לְעֵינֵי הַגּוֹיִם לִהְיוֹת לָהֶם לֵאלֹהִים אֲנִי יְיָ.

כִּי זוֹכֵר כָּל־הַנִּשְׁכָּחוֹת אַתָּה הוּא מֵעוֹלָם וְאֵין שִׁכְחָה לִפְנֵי כִסֵּא כְבוֹדֶךָ. וַעֲקֵדַת יִצְחָק לְזַרְעוֹ הַיּוֹם בְּרַחֲמִים תִּזְכֹּר. בָּרוּךְ אַתָּה יְיָ זוֹכֵר הַבְּרִית.

In some communities, before continuing with the Amidah, congregants wait until the shofar is sounded. (The shofar is not sounded on Shabbat.)

תְּקִיעָה שְׁבָרִים תְּרוּעָה תְּקִיעָה

תְּקִיעָה שְׁבָרִים תְּקִיעָה

תְּקִיעָה תְּרוּעָה תְּקִיעָה

שׁוֹפָרוֹת

אַתָּה נִגְלֵיתָ בַּעֲנַן כְּבוֹדֶךָ, עַל עַם קָדְשְׁךָ לְדַבֵּר עִמָּם. מִן הַשָּׁמַיִם הִשְׁמַעְתָּם קוֹלֶךָ, וְנִגְלֵיתָ עֲלֵיהֶם בְּעַרְפַלֵּי טֹהַר. גַּם כָּל־הָעוֹלָם כֻּלּוֹ חָל מִפָּנֶיךָ וּבְרִיּוֹת בְּרֵאשִׁית חָרְדוּ מִמֶּךָּ, בְּהִגָּלוֹתְךָ מַלְכֵּנוּ עַל הַר סִינַי לְלַמֵּד לְעַמְּךָ תּוֹרָה וּמִצְוֹת, וַתַּשְׁמִיעֵם אֶת־הוֹד קוֹלֶךָ וְדִבְּרוֹת קָדְשְׁךָ מִלַּהֲבוֹת אֵשׁ. בְּקוֹלוֹת וּבְרָקִים עֲלֵיהֶם נִגְלֵיתָ וּבְקוֹל שׁוֹפָר עֲלֵיהֶם הוֹפָעְתָּ.

כַּכָּתוּב בְּתוֹרָתֶךָ:

וַיְהִי בַיּוֹם הַשְּׁלִישִׁי בִּהְיֹת הַבֹּקֶר וַיְהִי קֹלֹת וּבְרָקִים וְעָנָן כָּבֵד עַל הָהָר וְקֹל שֹׁפָר חָזָק מְאֹד, וַיֶּחֱרַד כָּל־הָעָם אֲשֶׁר בַּמַּחֲנֶה.

וְנֶאֱמַר: וַיְהִי קוֹל הַשֹּׁפָר הוֹלֵךְ וְחָזֵק מְאֹד, מֹשֶׁה יְדַבֵּר וְהָאֱלֹהִים יַעֲנֶנּוּ בְקוֹל.

וְנֶאֱמַר: וְכָל־הָעָם רֹאִים אֶת־הַקּוֹלֹת וְאֶת־הַלַּפִּידִם וְאֵת קוֹל הַשֹּׁפָר וְאֶת־הָהָר עָשֵׁן, וַיַּרְא הָעָם וַיָּנֻעוּ וַיַּעַמְדוּ מֵרָחֹק.

וּבְדִבְרֵי קָדְשְׁךָ כָּתוּב לֵאמֹר:

עָלָה אֱלֹהִים בִּתְרוּעָה, יְיָ בְּקוֹל שׁוֹפָר.

וְנֶאֱמַר: בַּחֲצֹצְרוֹת וְקוֹל שׁוֹפָר, הָרִיעוּ לִפְנֵי הַמֶּלֶךְ יְיָ.

וְנֶאֱמַר: תִּקְעוּ בַחֹדֶשׁ שׁוֹפָר, בַּכֶּסֶה לְיוֹם חַגֵּנוּ. כִּי חֹק לְיִשְׂרָאֵל הוּא מִשְׁפָּט לֵאלֹהֵי יַעֲקֹב.

וְנֶאֱמַר: הַלְלוּיָהּ. הַלְלוּ אֵל בְּקָדְשׁוֹ, הַלְלוּהוּ בִּרְקִיעַ עֻזּוֹ. הַלְלוּהוּ בִגְבוּרֹתָיו, הַלְלוּהוּ כְּרֹב גֻּדְלוֹ. הַלְלוּהוּ בְּתֵקַע שׁוֹפָר, הַלְלוּהוּ בְּנֵבֶל וְכִנּוֹר. הַלְלוּהוּ בְּתֹף וּמָחוֹל, הַלְלוּהוּ בְּמִנִּים וְעֻגָב. הַלְלוּהוּ בְצִלְצְלֵי־שָׁמַע, הַלְלוּהוּ בְּצִלְצְלֵי תְרוּעָה. כֹּל הַנְּשָׁמָה תְּהַלֵּל יָהּ. הַלְלוּיָהּ.

וְעַל יְדֵי עֲבָדֶיךָ הַנְּבִיאִים כָּתוּב לֵאמֹר:

כָּל־יֹשְׁבֵי תֵבֵל וְשֹׁכְנֵי אָרֶץ, כִּנְשֹׂא נֵס הָרִים תִּרְאוּ וְכִתְקֹעַ שׁוֹפָר תִּשְׁמָעוּ.

וְנֶאֱמַר: וְהָיָה בַּיּוֹם הַהוּא יִתָּקַע בְּשׁוֹפָר גָּדוֹל, וּבָאוּ הָאֹבְדִים בְּאֶרֶץ אַשּׁוּר וְהַנִּדָּחִים בְּאֶרֶץ מִצְרָיִם, וְהִשְׁתַּחֲווּ לַייָ בְּהַר הַקֹּדֶשׁ בִּירוּשָׁלָיִם.

וְנֶאֱמַר: וַייָ עֲלֵיהֶם יֵרָאֶה וְיָצָא כַבָּרָק חִצּוֹ, וַאדֹנָי אֱלֹהִים בַּשּׁוֹפָר יִתְקָע וְהָלַךְ בְּסַעֲרוֹת תֵּימָן. יְיָ צְבָאוֹת יָגֵן עֲלֵיהֶם.

כֵּן תָּגֵן עַל עַמְּךָ יִשְׂרָאֵל בִּשְׁלוֹמֶךָ.

אֱלֹהֵינוּ וֵאלֹהֵי אֲבוֹתֵינוּ, תְּקַע בְּשׁוֹפָר גָּדוֹל לְחֵרוּתֵנוּ, וְשָׂא נֵס לְקַבֵּץ גָּלֻיּוֹתֵינוּ וְקָרֵב פְּזוּרֵינוּ מִבֵּין הַגּוֹיִם וּנְפוּצוֹתֵינוּ כַּנֵּס מִיַּרְכְּתֵי־אָרֶץ וַהֲבִיאֵנוּ לְצִיּוֹן עִירְךָ בְּרִנָּה וְלִירוּשָׁלַיִם בֵּית מִקְדָּשְׁךָ בְּשִׂמְחַת עוֹלָם, שֶׁשָּׁם עָשׂוּ אֲבוֹתֵינוּ לְפָנֶיךָ אֶת־עוֹלוֹתֵיהֶם וְאֶת־זִבְחֵי שַׁלְמֵיהֶם. וְכֵן כָּתוּב בְּתוֹרָתֶךָ:

וּבְיוֹם שִׂמְחַתְכֶם וּבְמוֹעֲדֵיכֶם וּבְרָאשֵׁי חָדְשֵׁכֶם, וּתְקַעְתֶּם בַּחֲצֹצְרֹת עַל עֹלֹתֵיכֶם וְעַל זִבְחֵי שַׁלְמֵיכֶם, וְהָיוּ לָכֶם לְזִכָּרוֹן לִפְנֵי אֱלֹהֵיכֶם, אֲנִי יְיָ אֱלֹהֵיכֶם.

כִּי אַתָּה שׁוֹמֵעַ קוֹל שׁוֹפָר וּמַאֲזִין תְּרוּעָה וְאֵין דּוֹמֶה לָּךְ. בָּרוּךְ אַתָּה יְיָ שׁוֹמֵעַ קוֹל תְּרוּעַת עַמּוֹ יִשְׂרָאֵל בְּרַחֲמִים.

In some congregations, before continuing with the Amidah, congregants wait until the shofar is sounded. (The shofar is not sounded on Shabbat.)

תְּקִיעָה שְׁבָרִים תְּרוּעָה תְּקִיעָה

תְּקִיעָה שְׁבָרִים תְּקִיעָה

תְּקִיעָה תְּרוּעָה תְּקִיעָה

רְצֵה יְיָ אֱלֹהֵינוּ בְּעַמְּךָ יִשְׂרָאֵל וּבִתְפִלָּתָם וְהָשֵׁב אֶת־הָעֲבוֹדָה לִדְבִיר בֵּיתֶךָ וּתְפִלָּתָם בְּאַהֲבָה תְקַבֵּל בְּרָצוֹן וּתְהִי לְרָצוֹן תָּמִיד עֲבוֹדַת יִשְׂרָאֵל עַמֶּךָ. וְתֶחֱזֶינָה עֵינֵינוּ בְּשׁוּבְךָ לְצִיּוֹן בְּרַחֲמִים. בָּרוּךְ אַתָּה יְיָ הַמַּחֲזִיר שְׁכִינָתוֹ לְצִיּוֹן.

מוֹדִים אֲנַחְנוּ לָךְ שָׁאַתָּה הוּא יְיָ אֱלֹהֵינוּ וֵאלֹהֵי אֲבוֹתֵינוּ לְעוֹלָם וָעֶד, צוּר חַיֵּינוּ מָגֵן יִשְׁעֵנוּ אַתָּה הוּא. לְדוֹר וָדוֹר נוֹדֶה לְךָ וּנְסַפֵּר תְּהִלָּתֶךָ עַל חַיֵּינוּ הַמְּסוּרִים בְּיָדֶךָ וְעַל נִשְׁמוֹתֵינוּ הַפְּקוּדוֹת לָךְ וְעַל נִסֶּיךָ שֶׁבְּכָל־יוֹם עִמָּנוּ וְעַל נִפְלְאוֹתֶיךָ וְטוֹבוֹתֶיךָ שֶׁבְּכָל־עֵת עֶרֶב וָבֹקֶר

וְצָהֳרָֽיִם. הַטּוֹב כִּי לֹא כָלוּ רַחֲמֶֽיךָ וְהַמְרַחֵם כִּי לֹא תַֽמּוּ חֲסָדֶֽיךָ
מֵעוֹלָם קִוִּֽינוּ לָךְ.

וְעַל כֻּלָּם יִתְבָּרַךְ וְיִתְרוֹמַם שִׁמְךָ מַלְכֵּֽנוּ תָּמִיד לְעוֹלָם וָעֶד.

וּכְתֹב לְחַיִּים טוֹבִים כָּל־בְּנֵי בְרִיתֶֽךָ.

וְכֹל הַחַיִּים יוֹדֽוּךָ סֶּֽלָה וִיהַלְלוּ אֶת־שִׁמְךָ בֶּאֱמֶת הָאֵל יְשׁוּעָתֵֽנוּ
וְעֶזְרָתֵֽנוּ סֶּֽלָה. בָּרוּךְ אַתָּה יְיָ הַטּוֹב שִׁמְךָ וּלְךָ נָאֶה לְהוֹדוֹת.

שִׂים שָׁלוֹם בָּעוֹלָם, טוֹבָה וּבְרָכָה חֵן וָחֶֽסֶד וְרַחֲמִים עָלֵֽינוּ וְעַל כָּל־
יִשְׂרָאֵל עַמֶּֽךָ. בָּרְכֵֽנוּ אָבִֽינוּ כֻּלָּֽנוּ כְּאֶחָד בְּאוֹר פָּנֶֽיךָ, כִּי בְאוֹר פָּנֶֽיךָ
נָתַֽתָּ לָּֽנוּ יְיָ אֱלֹהֵֽינוּ תּוֹרַת חַיִּים וְאַהֲבַת חֶֽסֶד וּצְדָקָה וּבְרָכָה וְרַחֲמִים
וְחַיִּים וְשָׁלוֹם. וְטוֹב בְּעֵינֶֽיךָ לְבָרֵךְ אֶת־עַמְּךָ יִשְׂרָאֵל בְּכָל־עֵת
וּבְכָל־שָׁעָה בִּשְׁלוֹמֶֽךָ.

בְּסֵֽפֶר חַיִּים בְּרָכָה וְשָׁלוֹם וּפַרְנָסָה טוֹבָה נִזָּכֵר וְנִכָּתֵב לְפָנֶֽיךָ אֲנַֽחְנוּ
וְכָל־עַמְּךָ בֵּית יִשְׂרָאֵל לְחַיִּים טוֹבִים וּלְשָׁלוֹם.

בָּרוּךְ אַתָּה יְיָ עוֹשֵׂה הַשָּׁלוֹם.

At the conclusion of the Amidah, personal prayers
may be added, before or instead of the following.

First Day:

יְהִי רָצוֹן מִלְּפָנֶֽיךָ יְיָ אֱלֹהַי וֵאלֹהֵי אֲבוֹתַי, יוֹצֵר בְּרֵאשִׁית, כְּשֵׁם
שֶׁהַמְצֵאתָ עוֹלָמְךָ בְּיוֹם זֶה וְנִתְיַחַֽדְתָּ בְּעוֹלָמֶֽךָ וְתָלִֽיתָ בּוֹ עֶלְיוֹנִים
וְתַחְתּוֹנִים בְּמַאֲמָרֶֽךָ, כֵּן בְּרַחֲמֶֽיךָ הָרַבִּים תְּיַחֵד לְבָבִי וּלְבַב כָּל־
עַמְּךָ בֵּית יִשְׂרָאֵל לְאַהֲבָה וּלְיִרְאָה אֶת־שְׁמֶֽךָ. וְהָאֵר עֵינֵֽינוּ בִּמְאוֹר
תוֹרָתֶֽךָ, כִּי עִמְּךָ מְקוֹר חַיִּים, בְּאוֹרְךָ נִרְאֶה אוֹר. וְזַכֵּֽנוּ לִרְאוֹת

בְּאוֹר פָּנֶיךָ בָּאוֹר הַצָּפוּן לַצַּדִּיקִים לֶעָתִיד לָבוֹא. יִהְיוּ לְרָצוֹן אִמְרֵי־פִי וְהֶגְיוֹן לִבִּי לְפָנֶיךָ, יְיָ צוּרִי וְגֹאֲלִי.

Second Day:

אֱלֹהַי, נְצֹר לְשׁוֹנִי מֵרָע וּשְׂפָתַי מִדַּבֵּר מִרְמָה, וְלִמְקַלְלַי נַפְשִׁי תִדֹּם וְנַפְשִׁי כֶּעָפָר לַכֹּל תִּהְיֶה. פְּתַח לִבִּי בְּתוֹרָתֶךָ וּבְמִצְוֹתֶיךָ תִּרְדֹּף נַפְשִׁי. וְכֹל הַחוֹשְׁבִים עָלַי רָעָה, מְהֵרָה הָפֵר עֲצָתָם וְקַלְקֵל מַחֲשַׁבְתָּם. עֲשֵׂה לְמַעַן שְׁמֶךָ, עֲשֵׂה לְמַעַן יְמִינֶךָ, עֲשֵׂה לְמַעַן קְדֻשָּׁתֶךָ, עֲשֵׂה לְמַעַן תּוֹרָתֶךָ, לְמַעַן יֵחָלְצוּן יְדִידֶיךָ הוֹשִׁיעָה יְמִינְךָ וַעֲנֵנִי. יִהְיוּ לְרָצוֹן אִמְרֵי־פִי וְהֶגְיוֹן לִבִּי לְפָנֶיךָ, יְיָ צוּרִי וְגֹאֲלִי. עֹשֶׂה שָׁלוֹם בִּמְרוֹמָיו הוּא יַעֲשֶׂה שָׁלוֹם עָלֵינוּ וְעַל כָּל־יִשְׂרָאֵל, וְאִמְרוּ אָמֵן.

Reflections

When we really begin a new year it is decided,
And when we actually repent it is determined:

> Who shall be truly alive and who shall merely exist;

Who shall be happy and who shall be miserable;

> Who shall attain fulfillment in his days
> And who shall not attain fulfillment in his days;

Who shall be tormented by the fire of ambition
And who shall be overcome by the waters of failure;

> Who shall be pierced by the sharp sword of envy
> And who shall be torn by the wild beast of resentment;

Who shall hunger for companionship
And who shall thirst for approval;

> Who shall be shattered by the earthquake of social change
> And who shall be plagued by the pressures of conformity;

Who shall be strangled by insecurity
And who shall be stoned into submission;

> Who shall be content with his lot
> And who shall wander in search of satisfaction;

Who shall be serene and who shall be distraught;

> Who shall be at ease and who shall be afflicted with anxiety;

Who shall be poor in his own eyes
And who shall be rich in tranquillity;

> Who shall be brought low with futility
> And who shall be exalted through achievement.

But repentance, prayer and good deeds
have the power to change the character of our lives.

> Let us resolve to repent, to pray and to do good deeds
> so that we may begin a truly new year.

God reigns

Man is always searching for God, in the sense that he is trying to relate his limited being to something beyond. But it is also and perhaps even more importantly true that man is always fleeing from God, from the Living God who demands everything and will brook no idolatrous self-absolutization. In fleeing from God, he naturally flees from the revelation that is the word of God. The resistance to revelation is a resistance to the exposure of the idolatries by which we live. It is a resistance to a truth which is not after our heart, because our heart is turned inward in sinful egocentricity.

In the end, revelation, faith and repentance converge. Only the repentant heart renewed in faith can receive the word of God in revelation. . . . To those still lost in the devices of their own hearts the Bible can mean nothing, however frequently it is read and however assiduously it is studied.

The heavens do indeed declare the glory of God, but only to those who have eyes to see. To those whose eyes are blinded by sin and unbelief the heavens are nothing but what is already in their mind and heart.

Every man has his faith, whether he recognizes it or not, whether he avows it or not; the beliefs which a man really holds, it is well to remember, are not necessarily those he affirms with his mouth but those that are operative in his life. The real decision is thus not between faith and no-faith but between faith in some false absolute, in some man-made idol— the construction of our hands or heart or mind—and faith in the true Absolute, in the transcendent God. This is a decision that wrenches man's whole being. For it means a decision once and for all to abandon all efforts to find the center of existence within one's own self, a decision to commit oneself to God without qualification or reservation.

"Love your neighbor as yourself; I am the Lord" (Leviticus 19:18). There is a Hassidic interpretation of the last words of this verse: "I am the Lord." —"You think that I am far away from you, but in your love for your neighbor you will find Me; not in his love for you but in your love for him." He who loves brings God and the world together.

The meaning of this teaching is: *You yourself must begin.* Existence will remain meaningless for you if you yourself do not penetrate into it with active love and if you do not in this way discover its meaning for yourself. Everything is waiting to be hallowed by you; it is waiting to be disclosed and to be realized by you. For the sake of this your beginning, God created the world.

When the Holy One created the first man, He took him before all the trees in the garden of Eden, and He said: "See how lovely and how excellent My works are. All that I have created, for you have I created. Consider this carefully. Do not corrupt or desolate My world. For if you corrupt or desolate it, there is no one to set it aright after you."

God remembers

The Day of Remembrance reminds us that one way of making our peace with God is to remove the causes that have estranged us from Him. . . . The Day of Remembrance is a day for human as well as Divine memories. It should bring us face to face with ourselves; it should help us to understand our true moral position. It should set us asking: "What am I doing with my life?" It should spur us to the task of self-recollection, self-scrutiny.

At the last judgment, these are the questions to be asked: Did you conduct your business with integrity? Did you set aside fixed times for the study of Torah? Did you concern yourself with the duty of raising a family? Did you maintain faith in Israel's redemption and in universal peace?

"Remember us for life, O King who delights in life." We repeat this prayer throughout the High Holy Days. In the year gone by, did we fill our days with the kind of life that delights the King? Did we waste our days in the year gone by? Did we value the treasure of life? Did we appreciate our family and friends? Did we flee from others, from ourselves, from God? And what will we do with a new year?

When a man commits a sin and does not turn in repentance, when he forgets his sin, the Holy One remembers it. When a man fulfills a commandment, doing a good deed, and forgets about it, the Holy One remembers it.

He remembers all things forgotten; there is no forgetfulness before His throne.

When a man commits a sin and later turns in repentance, remembering his sin, the Holy One grants him atonement, and forgets his sin. When a man fulfills a commandment and is constantly filled with his own praise because of it, the Holy One forgets it.

What man forgets He remembers; what man remembers He forgets.

The righteousness of God places all our enterprises, all our ideas, interests and activities, under a pitiless and inescapable judgment. It is a judgment under which we stand every moment of our lives and before which all our inadequacies and perversities are laid bare. It is a judgment that is partially executed in the course of life and history but which always hangs over us as a final judgment-to-come in which a full reckoning will be required and given. We of today should not find it so hard to recapture some of this sense of the urgency and immediacy of judgment if we bethink ourselves of the precariousness of our life and the abrupt end to which all our activities, individual and collective, may be brought at any moment. How large, how significant, how pure, how decent, will we and our enterprises appear in the perspective of that moment? But that moment is *every* moment, is *now*.

On the day of Adam's creation, in the first hour the idea of creating man arose in God's mind, and in the second He consulted with the angels. In the third He assembled the dust from which Adam would be formed, in the fourth He kneaded it, in the fifth He shaped it, in the sixth He made it into a body, and in the seventh hour He breathed the breath of life into it. In the eighth hour He placed Adam in the garden of Eden, in the ninth Adam was commanded not to eat the fruit of the tree, and in the tenth he disobeyed. In the eleventh hour Adam was judged, and in the twelfth he was pardoned.

"This," said the Holy One to Adam, "will be a sign and a symbol of hope for your children and for future generations. As you stood in judgment before Me on this day and emerged with a full pardon, so will your descendants stand in judgment before Me on this day and emerge from My Presence with a full pardon."

Days are scrolls. Write thereon only what you would like to have remembered about you.

God reveals and redeems

Revelation is of the past, but it has no meaning unless and until it becomes operative in the present. The Bible is simply a closed book until it is read with an open heart and a ready will. Scripture is not a body of abstract propositions. It is God's summons to man, and only when it is heard in the context of present experience can it become an active force in life once more and impel men to make themselves the means whereby the redemptive history which it records is carried one step further according to the purposes of God. Revelation is a call to present decision and a guide to present action.

God revealed Himself not to the chosen few, but to an entire people. An entire people was the recipient and vehicle of God's revelation. The concept implies that the moral law is to be regarded not as the doctrine of sages or the dictate of earthly rulers, but as the will of God made known to an entire people consecrated to be "a kingdom of priests and a holy nation" (Exodus 19:6). Israel is a people not thrown together by accidental circumstances, but drawn together by an indissoluble covenant with God—a covenant that might be defied, but not annulled.

Resistance to the word of God is no monopoly of the modern mind. Men have always been impelled to reject it, as the Bible itself bears striking witness. And in rejecting it they have always employed arguments and justifications that have seemed conclusive in terms of the culture of the time.

The fact of the matter seems to be that the modern unbeliever refuses to believe for the same basic reason that the unbelievers of all ages have refused: the biblical word is a decisive challenge to his pretensions of self-sufficiency and to all the strategies that he has devised to sustain them. Modern man is ready to "accept" revelation if that revelation is identified with his own intellectual discovery or poetical intuition. But with the revelation that comes from beyond to shatter his self-sufficiency, to expose the dereliction of his life and to call him to a radical transformation of heart, with that revelation he will have nothing to do.

There is a great gulf between what ought to be and what is, both in the world at large and in our own lives. Will the ideal always be separated from the real? Will there always be war and strife, disappointment and suffering?

We believe that a time will come when history will be healed and human nature transformed. A time will come when man will live in peace with himself and with his neighbor. A time will come when nature itself will be at peace, when the lamb shall lie down with the lion. This will be the time of messianic fulfillment, the time of redemption.

When will it happen? We do not know. The secret is kept by the Almighty, our Redeemer. We are not permitted to calculate the time of redemption; we are bidden to work for it.

Who will bring redemption? Both man and God. Man makes the world worthy of redemption; God redeems the world and history. If we believe that man alone can bring redemption, we fall into the error of false messianism. If we believe that God alone will bring it, we fall into the error of despair and inaction.

What can we do? We can work for redemption by increasing good in the world, by acts of lovingkindness and justice. We can avoid schemes which promise instant salvation and utopian fulfillment. And most of all, we can pray and hope in the Lord who in the end will redeem us all.

The Lord will change the speech of all people to a pure speech, that they may invoke the Lord by name and serve Him with one accord.

The kingdom of God is not a kingdom above the world or opposed to it or even side by side with it. . . . It is not a future of miracle for which man can only wait, but a future of commandment which always has its present and ever demands a beginning and decision from man. . . . Man must choose this kingdom. It is the kingdom of piety into which man enters through the moral service of God, through the conviction that the divine will is not something foreign to him or parallel to his life but the fulfillment of his days. He who knows and acknowledges God through never ending good deeds is on the road to the kingdom of God.

The kingdom of God will be the kingdom in which all human beings find themselves united. . . . The kingdom of God is founded not upon force but upon the commandment of God, a kingdom in which freedom rules because God rules.

Thus says the Lord: Let not the wise man boast of his wisdom, let not the mighty man boast of his might, let not the rich man boast of his riches. But if one would boast, let him boast of this, that he understands and knows Me, that I am the Lord who practices mercy, justice and righteousness upon the earth, for in these things I delight, says the Lord.

For this is the covenant that I will make with the House of Israel in those days, says the Lord: I will set My law within them and write it on their hearts; I will be their God and they shall be My people. And no longer shall each man teach his neighbor, and each his brother, saying: Know the Lord. For they all shall know Me, from the least of them to the greatest, says the Lord.

Then will righteousness and justice have become a reality upon earth. All that is savage and brutal will vanish, and all wickedness will disappear. Blind strife and bloody warfare will no longer devastate the lands, nor will discord tear mankind asunder.

They shall not hurt or destroy in all My holy mountain, for the knowledge of the Lord shall fill the earth as the waters fill the sea.

Ḥazzan:

הִנְנִי הֶעָנִי מִמַּעַשׂ, נִרְעָשׁ וְנִפְחָד מִפַּחַד יוֹשֵׁב תְּהִלּוֹת יִשְׂרָאֵל. בָּאתִי לַעֲמֹד וּלְחַנֵּן לְפָנֶיךָ עַל עַמְּךָ יִשְׂרָאֵל אֲשֶׁר שְׁלָחוּנִי, אַף עַל פִּי שֶׁאֵינִי כְדַי וְהָגוּן לְכָךְ. עַל כֵּן אֲבַקֶּשְׁךָ אֱלֹהֵי אַבְרָהָם אֱלֹהֵי יִצְחָק וֵאלֹהֵי יַעֲקֹב, יְיָ יְיָ אֵל רַחוּם וְחַנּוּן, אֱלֹהֵי יִשְׂרָאֵל, שַׁדַּי אָיֹם וְנוֹרָא: הֱיֵה נָא מַצְלִיחַ דַּרְכִּי אֲשֶׁר אָנֹכִי הוֹלֵךְ, לַעֲמֹד לְבַקֵּשׁ רַחֲמִים עָלַי וְעַל שׁוֹלְחָי. וְנָא אַל תַּפְשִׁיעֵם בְּחַטֹּאתַי וְאַל תְּחַיְּבֵם בַּעֲוֹנוֹתַי, כִּי חוֹטֵא וּפוֹשֵׁעַ אָנִי. וְאַל יִכָּלְמוּ בִּפְשָׁעַי וְאַל יֵבוֹשׁוּ בִי וְאַל אֵבוֹשָׁה בָּהֶם. וְקַבֵּל תְּפִלָּתִי כִּתְפִלַּת זָקֵן וְרָגִיל וּפִרְקוֹ נָאֶה וּזְקָנוֹ מְגֻדָּל וְקוֹלוֹ נָעִים, וּמְעֹרָב בְּדַעַת עִם הַבְּרִיּוֹת. וְתִגְעַר בְּשָׂטָן לְבַל יַשְׂטִינֵנִי. וִיהִי נָא דִגְלֵנוּ עָלֶיךָ אַהֲבָה, וְעַל כָּל־פְּשָׁעִים תְּכַסֶּה בְּאַהֲבָה. וְכָל־צָרוֹת וְרָעוֹת הֲפָךְ־לָנוּ, וּלְכָל־יִשְׂרָאֵל לְשָׂשׂוֹן וּלְשִׂמְחָה לְחַיִּים וּלְשָׁלוֹם. הָאֱמֶת וְהַשָּׁלוֹם אֱהָבוּ, וְלֹא יְהִי שׁוּם מִכְשׁוֹל בִּתְפִלָּתִי.

וִיהִי רָצוֹן לְפָנֶיךָ יְיָ אֱלֹהֵי אַבְרָהָם אֱלֹהֵי יִצְחָק וֵאלֹהֵי יַעֲקֹב, הָאֵל הַגָּדוֹל הַגִּבּוֹר וְהַנּוֹרָא, אֵל עֶלְיוֹן, אֶהְיֶה אֲשֶׁר אֶהְיֶה, שֶׁכָּל־הַמַּלְאָכִים שֶׁהֵם בַּעֲלֵי תְפִלּוֹת יָבִיאוּ תְפִלָּתִי לִפְנֵי כִּסֵּא כְבוֹדֶךָ, וְיַצִּיגוּ אוֹתָהּ לְפָנֶיךָ, בַּעֲבוּר כָּל־הַצַּדִּיקִים וְהַחֲסִידִים, הַתְּמִימִים וְהַיְשָׁרִים, וּבַעֲבוּר כְּבוֹד שִׁמְךָ הַגָּדוֹל וְהַנּוֹרָא, כִּי אַתָּה שׁוֹמֵעַ תְּפִלַּת עַמְּךָ יִשְׂרָאֵל בְּרַחֲמִים. בָּרוּךְ אַתָּה שׁוֹמֵעַ תְּפִלָּה.

Ḥazzan:

Here I stand, impoverished in merit, trembling in Your Presence, pleading on behalf of Your people Israel even though I am unfit and unworthy for the task. Therefore, gracious and compassionate Lord, awesome God of Abraham, of Isaac and of Jacob, I plead for help as I seek mercy for myself and for those whom I represent. Charge them not with my sins. May they not be shamed for my deeds; and may their deeds cause me no shame. Accept my prayer as the prayer of one uniquely worthy and qualified for this task, whose voice is sweet and whose nature is pleasing to his fellow men. Remove all obstacles and adversaries. Draw Your veil of love over all our faults. Transform our afflictions to joy and gladness, life and peace. May we always love truth and peace. And may no obstacles confront my prayer.

Revered, exalted, awesome God, may my prayer reach Your throne, for the sake of all honest, pious, righteous men, and for the sake of Your glory. Praised are You, merciful God who hears prayer.

Amidah

The Ḥazzan leads in reciting the Amidah.

God of our fathers

בָּרוּךְ אַתָּה יְיָ אֱלֹהֵינוּ וֵאלֹהֵי אֲבוֹתֵינוּ, אֱלֹהֵי אַבְרָהָם אֱלֹהֵי יִצְחָק וֵאלֹהֵי יַעֲקֹב, הָאֵל הַגָּדוֹל הַגִּבּוֹר וְהַנּוֹרָא אֵל עֶלְיוֹן גּוֹמֵל חֲסָדִים טוֹבִים וְקוֹנֵה הַכֹּל, וְזוֹכֵר חַסְדֵי אָבוֹת וּמֵבִיא גוֹאֵל לִבְנֵי בְנֵיהֶם לְמַעַן שְׁמוֹ בְּאַהֲבָה.

מִסּוֹד חֲכָמִים וּנְבוֹנִים, וּמִלֶּמֶד דַּעַת מְבִינִים, אֶפְתְּחָה פִּי בִּתְפִלָּה וּבְתַחֲנוּנִים, לְחַלּוֹת וּלְחַנֵּן פְּנֵי מֶלֶךְ מַלְכֵי הַמְּלָכִים וַאֲדוֹנֵי הָאֲדוֹנִים.

זָכְרֵנוּ לְחַיִּים מֶלֶךְ חָפֵץ בַּחַיִּים,
וְכָתְבֵנוּ בְּסֵפֶר הַחַיִּים לְמַעַנְךָ אֱלֹהִים חַיִּים.

מֶלֶךְ עוֹזֵר וּמוֹשִׁיעַ וּמָגֵן. בָּרוּךְ אַתָּה יְיָ מָגֵן אַבְרָהָם.

Master of nature

אַתָּה גִּבּוֹר לְעוֹלָם אֲדֹנָי מְחַיֵּה מֵתִים אַתָּה רַב לְהוֹשִׁיעַ. מְכַלְכֵּל חַיִּים בְּחֶסֶד מְחַיֵּה מֵתִים בְּרַחֲמִים רַבִּים, סוֹמֵךְ נוֹפְלִים וְרוֹפֵא חוֹלִים וּמַתִּיר אֲסוּרִים וּמְקַיֵּם אֱמוּנָתוֹ לִישֵׁנֵי עָפָר. מִי כָמוֹךָ בַּעַל גְּבוּרוֹת וּמִי דּוֹמֶה לָּךְ, מֶלֶךְ מֵמִית וּמְחַיֶּה וּמַצְמִיחַ יְשׁוּעָה.

מִי כָמוֹךָ אַב הָרַחֲמִים, זוֹכֵר יְצוּרָיו לְחַיִּים בְּרַחֲמִים.

וְנֶאֱמָן אַתָּה לְהַחֲיוֹת מֵתִים. בָּרוּךְ אַתָּה יְיָ מְחַיֵּה הַמֵּתִים.

Amidah

The Ḥazzan leads in reciting the Amidah.

God of our fathers

Praised are You, Lord our God and God of our fathers, God of Abraham, of Isaac and of Jacob, great, mighty, awesome, exalted God, bestowing lovingkindness and creating all things. You remember the pious deeds of our fathers, and will send a redeemer to their children's children because of Your love and for the sake of Your glory.

Prompted by teachings of our sages, guided by traditions of the ages, I open my mouth in prayer and in supplication before the King of kings, the Master of masters in every nation.

Zokhrei-nu l'ḥayyim melekh ḥafeitz b'ḥayyim
v'khot-veinu b'seifer ha-ḥayyim, l'ma-ankha Elohim ḥayyim.

Remember us that we may live, O King who delights in life. Inscribe us in the Book of Life, for Your sake, living God.

You are the King who helps and saves and shields. Praised are You, Lord, Shield of Abraham.

Master of nature

Your might, O Lord, is boundless. Your lovingkindness sustains the living, Your great mercies give life to the dead. You support the falling, heal the ailing, free the fettered. You keep Your faith with those who sleep in dust. Whose power can compare with Yours? You are the master of life and death and deliverance.

Whose mercy can compare with Yours, merciful Father?
In mercy You remember Your creatures with life.

Faithful are You in giving life to the dead. Praised are You, Lord, Master of life and death.

Holy, awesome God

וּבְכֵן לְךָ תַעֲלֶה קְדֻשָּׁה, כִּי אַתָּה אֱלֹהֵינוּ מֶלֶךְ.

The Ark is opened and we rise.

וּנְתַנֶּה תֹּקֶף קְדֻשַּׁת הַיּוֹם כִּי הוּא נוֹרָא וְאָיֹם. וּבוֹ תִנָּשֵׂא מַלְכוּתֶךָ וְיִכּוֹן בְּחֶסֶד כִּסְאֶךָ וְתֵשֵׁב עָלָיו בֶּאֱמֶת. אֱמֶת כִּי אַתָּה הוּא דַיָּן וּמוֹכִיחַ וְיוֹדֵעַ וָעֵד, וְכוֹתֵב וְחוֹתֵם וְסוֹפֵר וּמוֹנֶה, וְתִזְכֹּר כָּל־הַנִּשְׁכָּחוֹת, וְתִפְתַּח אֶת־סֵפֶר הַזִּכְרוֹנוֹת, וּמֵאֵלָיו יִקָּרֵא וְחוֹתַם יַד כָּל־אָדָם בּוֹ.

וּבְשׁוֹפָר גָּדוֹל יִתָּקַע וְקוֹל דְּמָמָה דַקָּה יִשָּׁמַע. וּמַלְאָכִים יֵחָפֵזוּן וְחִיל וּרְעָדָה יֹאחֵזוּן וְיֹאמְרוּ הִנֵּה יוֹם הַדִּין. לִפְקֹד עַל צְבָא מָרוֹם בַּדִּין כִּי לֹא יִזְכּוּ בְעֵינֶיךָ בַּדִּין, וְכָל־בָּאֵי עוֹלָם יַעַבְרוּן לְפָנֶיךָ כִּבְנֵי מָרוֹן. כְּבַקָּרַת רוֹעֶה עֶדְרוֹ מַעֲבִיר צֹאנוֹ תַּחַת שִׁבְטוֹ, כֵּן תַּעֲבִיר וְתִסְפֹּר וְתִמְנֶה וְתִפְקֹד נֶפֶשׁ כָּל־חָי, וְתַחְתֹּךְ קִצְבָה לְכָל־בְּרִיָּה וְתִכְתֹּב אֶת־גְּזַר דִּינָם.

בְּרֹאשׁ הַשָּׁנָה יִכָּתֵבוּן וּבְיוֹם צוֹם כִּפּוּר יֵחָתֵמוּן.

כַּמָּה יַעַבְרוּן וְכַמָּה יִבָּרֵאוּן, מִי יִחְיֶה וּמִי יָמוּת, מִי בְקִצּוֹ וּמִי לֹא בְקִצּוֹ, מִי בָאֵשׁ וּמִי בַמַּיִם, מִי בַחֶרֶב וּמִי בַחַיָּה, מִי בָרָעָב וּמִי בַצָּמָא, מִי בָרַעַשׁ וּמִי בַמַּגֵּפָה, מִי בַחֲנִיקָה וּמִי בַסְּקִילָה. מִי יָנוּחַ וּמִי יָנוּעַ, מִי יַשְׁקִיט וּמִי יְטֹּרֵף, מִי יִשָּׁלֵו וּמִי יִתְיַסָּר, מִי יֵעָנִי וּמִי יַעֲשִׁיר, מִי יֻשְׁפַּל וּמִי יָרוּם.

Holy, awesome God

Our *Kedushah* ascends only to You, for You, our God, are King.

The Ark is opened and we rise.

We acclaim this day's pure sanctity, its awesome power. This day, Lord, Your dominion is deeply felt. Compassion and truth, its foundations, are perceived. In truth do You judge and prosecute, discern motives and bear witness, record and seal, count and measure, remembering all that we have forgotten. You open the Book of Remembrance and it speaks for itself, for every man has signed it with his deeds.

The great *shofar* is sounded. A still, small voice is heard. This day even angels are alarmed, seized with fear and trembling as they declare: "The day of judgment is here!" For even the hosts of heaven are judged. This day all who walk the earth pass before You as a flock of sheep. And like a shepherd who gathers his flock, bringing them under his staff, You bring everything that lives before You for review. You determine the life and decree the destiny of every creature.

Be-Rosh Ha-shanah yika-teivun
U-v'Yom Tzom Kippur yei-ḥa-teimun.

On Rosh Hashanah it is written
and on Yom Kippur it is sealed:

How many shall leave this world and how many shall be born into it, who shall live and who shall die, who shall live out the limit of his days and who shall not, who shall perish by fire and who by water, who by sword and who by beast, who by hunger and who by thirst, who by earthquake and who by plague, who by strangling and who by stoning, who shall rest and who shall wander, who shall be at peace and who shall be tormented, who shall be poor and who shall be rich, who shall be humbled and who shall be exalted.

וּתְשׁוּבָה וּתְפִלָּה וּצְדָקָה
מַעֲבִירִין אֶת־רֹעַ הַגְּזֵרָה.

כִּי כְּשִׁמְךָ כֵּן תְּהִלָּתֶךָ, קָשֶׁה לִכְעֹס וְנוֹחַ לִרְצוֹת. כִּי לֹא תַחְפֹּץ
בְּמוֹת הַמֵּת כִּי אִם בְּשׁוּבוֹ מִדַּרְכּוֹ וְחָיָה. וְעַד יוֹם מוֹתוֹ תְּחַכֶּה־לּוֹ,
אִם יָשׁוּב מִיַּד תְּקַבְּלוֹ. אֱמֶת כִּי אַתָּה הוּא יוֹצְרָם וְיוֹדֵעַ יִצְרָם
כִּי הֵם בָּשָׂר וָדָם.

אָדָם יְסוֹדוֹ מֵעָפָר וְסוֹפוֹ לְעָפָר. בְּנַפְשׁוֹ יָבִיא לַחְמוֹ. מָשׁוּל כַּחֶרֶס
הַנִּשְׁבָּר, כְּחָצִיר יָבֵשׁ וּכְצִיץ נוֹבֵל, כְּצֵל עוֹבֵר וּכְעָנָן כָּלֶה,
וּכְרוּחַ נוֹשָׁבֶת, וּכְאָבָק פּוֹרֵחַ, וְכַחֲלוֹם יָעוּף.

וְאַתָּה הוּא מֶלֶךְ אֵל חַי וְקַיָּם.

אֵין קִצְבָה לִשְׁנוֹתֶיךָ וְאֵין קֵץ לְאֹרֶךְ יָמֶיךָ, וְאֵין שִׁעוּר לְמַרְכְּבוֹת
כְּבוֹדֶךָ וְאֵין פֵּרוּשׁ לְעֵילוֹם שְׁמֶךָ. שִׁמְךָ נָאֶה לְךָ וְאַתָּה נָאֶה לִשְׁמֶךָ,
וּשְׁמֵנוּ קָרָאתָ בִשְׁמֶךָ.

Kedushah

*The Ark is closed. We recite Kedushah while standing,
as a community proclaiming God's holiness. The
congregation chants the indented lines aloud.*

עֲשֵׂה לְמַעַן שְׁמֶךָ וְקַדֵּשׁ אֶת־שִׁמְךָ עַל מַקְדִּישֵׁי שְׁמֶךָ, בַּעֲבוּר
כְּבוֹד שִׁמְךָ הַנַּעֲרָץ וְהַנִּקְדָּשׁ כְּסוֹד שִׂיחַ שַׂרְפֵי־קֹדֶשׁ הַמַּקְדִּישִׁים
שִׁמְךָ בַּקֹּדֶשׁ, דָּרֵי מַעְלָה עִם דָּרֵי מַטָּה כַּכָּתוּב עַל יַד נְבִיאֶךָ,
וְקָרָא זֶה אֶל זֶה וְאָמַר:

קָדוֹשׁ קָדוֹשׁ קָדוֹשׁ יְיָ צְבָאוֹת, מְלֹא כָל־הָאָרֶץ כְּבוֹדוֹ.

U-t'shuvah u-t'fillah u-tz'dakah
ma'avirin et ro'a ha-g'zeirah

BUT PENITENCE, PRAYER AND GOOD DEEDS
CAN ANNUL THE SEVERITY OF THE DECREE.

Your glory is Your nature: slow to anger, ready to forgive. You desire not the sinner's death, but that he turn from his path and live. Until the day of his death You wait for him. Whenever he returns, You welcome him at once. Truly You are Creator, and know the weakness of Your creatures, who are but flesh and blood.

Man's origin is dust and his end is dust. He spends his life earning bread. He is like a clay vessel, easily broken, like withering grass, a fading flower, a passing shadow, a fugitive cloud, a fleeting breeze, scattering dust, a vanishing dream.

BUT YOU ARE KING, ETERNAL GOD.

Your years have no limit, Your days have no end. Your sublime glory is beyond comprehension, Your mysterious name is beyond explanation. Your name befits You, as You befit Your name. And You have linked our name with Yours.

Kedushah

The Ark is closed. We recite Kedushah while standing,
as a community proclaiming God's holiness. The
congregation chants the indented lines aloud.

Hallow Your name through those who hallow Your revered name on earth as in heaven, where it is sung by celestial choirs as in Your prophet's vision: The angels called one to another:

Ka-dosh ka-dosh ka-dosh Ado-nai tz'va-ot, m'lo khol ha-aretz k'vo-do.

Holy, holy, holy Lord of hosts. The whole world is filled with His glory.

כְּבוֹדוֹ מָלֵא עוֹלָם, מְשָׁרְתָיו שׁוֹאֲלִים זֶה לָזֶה אַיֵּה מְקוֹם כְּבוֹדוֹ, לְעֻמָּתָם בָּרוּךְ יֹאמֵרוּ:

בָּרוּךְ כְּבוֹד יְיָ מִמְּקוֹמוֹ.

מִמְּקוֹמוֹ הוּא יִפֶן בְּרַחֲמִים וְיָחֹן עַם הַמְיַחֲדִים שְׁמוֹ עֶרֶב וָבֹקֶר בְּכָל־יוֹם תָּמִיד פַּעֲמַיִם בְּאַהֲבָה שְׁמַע אוֹמְרִים:

שְׁמַע יִשְׂרָאֵל יְיָ אֱלֹהֵינוּ יְיָ אֶחָד.

הוּא אֱלֹהֵינוּ הוּא אָבִינוּ הוּא מַלְכֵּנוּ הוּא מוֹשִׁיעֵנוּ, וְהוּא יַשְׁמִיעֵנוּ בְּרַחֲמָיו שֵׁנִית לְעֵינֵי כָּל־חָי, לִהְיוֹת לָכֶם לֵאלֹהִים:

אֲנִי יְיָ אֱלֹהֵיכֶם.

אַדִּיר אַדִּירֵנוּ יְיָ אֲדוֹנֵינוּ, מָה אַדִּיר שִׁמְךָ בְּכָל־הָאָרֶץ. וְהָיָה יְיָ לְמֶלֶךְ עַל כָּל־הָאָרֶץ, בַּיּוֹם הַהוּא יִהְיֶה יְיָ אֶחָד וּשְׁמוֹ אֶחָד. וּבְדִבְרֵי קָדְשְׁךָ כָּתוּב לֵאמֹר:

יִמְלֹךְ יְיָ לְעוֹלָם אֱלֹהַיִךְ צִיּוֹן לְדֹר וָדֹר, הַלְלוּיָהּ.

לְדוֹר וָדוֹר נַגִּיד גָּדְלֶךָ, וּלְנֵצַח נְצָחִים קְדֻשָּׁתְךָ נַקְדִּישׁ. וְשִׁבְחֲךָ אֱלֹהֵינוּ מִפִּינוּ לֹא יָמוּשׁ לְעוֹלָם וָעֶד כִּי אֵל מֶלֶךְ גָּדוֹל וְקָדוֹשׁ אָתָּה.

חֲמֹל עַל מַעֲשֶׂיךָ וְתִשְׂמַח בְּמַעֲשֶׂיךָ, וְיֹאמְרוּ לְךָ חוֹסֶיךָ בְּצַדֶּקְךָ עֲמוּסֶיךָ, תֻּקְדַּשׁ אָדוֹן עַל כָּל־מַעֲשֶׂיךָ.

His glory fills the universe. When one angelic chorus asks, "Where is His glory?" another responds with praise:

Barukh k'vod Ado-nai mi-m'komo.

Praised is the Lord's glory throughout the universe.

May He turn in compassion, granting mercy to His people who twice daily, morning and evening, proclaim his Oneness with love:

Sh'ma yisra-el Ado-nai Elo-hei-nu Ado-nai eḥad.

Hear, O Israel: The Lord our God, the Lord is One.

He is our God and our Father. He is our King and our Redeemer. And in His mercy again will He tell us, before all mankind:

A-ni Ado-nai Elo-hei-khem.

I am the Lord your God.

Our Lord eternal, how magnificent Your name in all the world. The Lord shall be acknowledged King of all the earth. On that day the Lord shall be One and His name One. And thus sang the Psalmist:

Yim-lokh Ado-nai l'olam Elo-ha-yikh tzi-yon ledor va-dor ha-le-lu-yah.

The Lord shall reign through all generations; your God, Zion, shall reign forever. Halleluyah.

We shall declare Your greatness through all generations, hallow Your holiness to all eternity. Your praise will never leave our lips, for You are God and King, great and holy.

Have mercy for Your creatures, and rejoice in them. When in mercy You acquit Your flock on this day of judgment, those who trust in You shall declare: Be hallowed, Lord, through all You have created.

הָאוֹחֵז בְּיָד מִדַּת מִשְׁפָּט.
וְכֹל מַאֲמִינִים שֶׁהוּא אֵל אֱמוּנָה.
הַבּוֹחֵן וּבוֹדֵק גִּנְזֵי נִסְתָּרוֹת.
וְכֹל מַאֲמִינִים שֶׁהוּא בּוֹחֵן כְּלָיוֹת.
הַגּוֹאֵל מִמָּוֶת וּפוֹדֶה מִשַּׁחַת.
וְכֹל מַאֲמִינִים שֶׁהוּא גּוֹאֵל חָזָק.
הַדָּן יְחִידִי לְבָאֵי עוֹלָם.
וְכֹל מַאֲמִינִים שֶׁהוּא דַּיָּן אֱמֶת.
הֶהָגוּי בְּאֶהְיֶה אֲשֶׁר אֶהְיֶה.
וְכֹל מַאֲמִינִים שֶׁהוּא הָיָה וְהֹוֶה וְיִהְיֶה.
הַוַּדַּאי כִּשְׁמוֹ כֵּן תְּהִלָּתוֹ.
וְכֹל מַאֲמִינִים שֶׁהוּא וְאֵין בִּלְתּוֹ.
הַזּוֹכֵר לְמַזְכִּירָיו טוֹבוֹת זִכְרוֹנוֹת.
וְכֹל מַאֲמִינִים שֶׁהוּא זוֹכֵר הַבְּרִית.
הַחוֹתֵךְ חַיִּים לְכָל־חָי.
וְכֹל מַאֲמִינִים שֶׁהוּא חַי וְקַיָּם.
הַטּוֹב וּמֵטִיב לָרָעִים וְלַטּוֹבִים.
וְכֹל מַאֲמִינִים שֶׁהוּא טוֹב לַכֹּל.
הַיּוֹדֵעַ יֵצֶר כָּל־יְצוּרִים.
וְכֹל מַאֲמִינִים שֶׁהוּא יוֹצְרָם בַּבָּטֶן.
הַכֹּל יָכֹל וְכוֹלְלָם יַחַד.
וְכֹל מַאֲמִינִים שֶׁהוּא כֹּל יָכֹל.
הַלָּן בְּסֵתֶר בְּצֵל שַׁדָּי.
וְכֹל מַאֲמִינִים שֶׁהוּא לְבַדּוֹ הוּא.
הַמַּמְלִיךְ מְלָכִים וְלוֹ הַמְּלוּכָה.

We believe that God is faithful, without iniquity.

He holds the scales of justice in His hand.

We believe that He knows our hidden thoughts.

Therefore there are no secrets in His Presence.

We believe that He redeems life from the grave.

Therefore we shall not fear death.

We believe that He alone is the true judge.

Therefore we must not judge others.

We believe that He alone is eternal.

Therefore in His remembrance our lives are everlasting.

We believe that He alone is God.

Therefore He alone is worthy of worship.

We believe that He remembers the covenant.

Therefore will He remember us with goodness.

We believe that His life is forever.

Therefore does He sustain the world.

We believe that His goodness embraces the wicked.

Therefore everyone awaits compassion hopefully.

We believe that He remembers our frailty.

Therefore perfection is not His demand.

We believe that He is in no way limited.

Therefore our noblest dreams are not absurd.

We believe that He abides in mystery.

Therefore we need not solve life's every problem.

וְכֹל מַאֲמִינִים שֶׁהוּא מֶלֶךְ עוֹלָם.

הַנּוֹהֵג בְּחַסְדּוֹ עִם כָּל־דּוֹר.

וְכֹל מַאֲמִינִים שֶׁהוּא נוֹצֵר חָסֶד.

הַסּוֹבֵל וּמַעְלִים עַיִן מִסּוֹרְרִים.

וְכֹל מַאֲמִינִים שֶׁהוּא סוֹלֵחַ סֶלָה.

הָעֶלְיוֹן וְעֵינָיו עַל יְרֵאָיו.

וְכֹל מַאֲמִינִים שֶׁהוּא עוֹנֶה לָחַשׁ.

הַפּוֹתֵחַ לְדוֹפְקֵי פִּתְחוֹ בִּתְשׁוּבָה.

וְכֹל מַאֲמִינִים שֶׁהוּא פְּתוּחָה יָדוֹ.

הַצּוֹפֶה לָרָשָׁע וְחָפֵץ לְהַצְדִּיקוֹ.

וְכֹל מַאֲמִינִים שֶׁהוּא צַדִּיק וְיָשָׁר.

הַקָּצָר בְּזַעַם וּמַאֲרִיךְ אַף.

וְכֹל מַאֲמִינִים שֶׁהוּא קָשֶׁה לִכְעֹס.

הָרַחוּם וּמַקְדִּים רַחֲמִים לְרֹגֶז.

וְכֹל מַאֲמִינִים שֶׁהוּא רַךְ לִרְצוֹת.

הַשָּׁוֶה וּמַשְׁוֶה קָטֹן וְגָדוֹל.

וְכֹל מַאֲמִינִים שֶׁהוּא שׁוֹפֵט צֶדֶק.

הַתָּם וּמִתַּמֵּם עִם תְּמִימִים.

וְכֹל מַאֲמִינִים שֶׁהוּא תָּמִים פָּעֳלוֹ.

תִּשְׂגַּב לְבַדֶּךָ וְתִמְלֹךְ עַל כֹּל בְּיִחוּד, כַּכָּתוּב עַל יַד נְבִיאֶךָ: וְהָיָה יְיָ לְמֶלֶךְ עַל כָּל־הָאָרֶץ, בַּיּוֹם הַהוּא יִהְיֶה יְיָ אֶחָד וּשְׁמוֹ אֶחָד.

We believe that He is eternal King.

Therefore earthly rulers deserve no ultimate allegiance.

We believe in the constancy of His compassion.

Therefore we can hope for mercy on a day of judgment.

We believe that He is patient with the rebellious.

Therefore everyone can live with hope.

We believe that He responds to silent prayer.

Therefore His concern embraces those who worship Him.

We believe that He welcomes repentance.

Therefore what we do this day can change our lives.

We believe that He is just.

Therefore the wicked too gain life through repentance.

We believe that He is patient.

Therefore His love shall overwhelm His wrath.

We believe that He seeks reconciliation.

Therefore we know that mercy has priority.

We believe that He is an impartial Judge.

Therefore the life of every person is important.

We believe that perfection is His path.

Therefore our actions contain their own reward.

You alone will be exalted, ruling all in Oneness, as it is written by Your prophet: The Lord shall be acknowledged King of all the earth. On that day the Lord shall be One and His name One.

וּבְכֵן תֵּן פַּחְדְּךָ יְיָ אֱלֹהֵינוּ עַל כָּל־מַעֲשֶׂיךָ וְאֵימָתְךָ עַל כָּל־מַה־שֶּׁבָּרָאתָ, וְיִירָאוּךָ כָּל־הַמַּעֲשִׂים וְיִשְׁתַּחֲווּ לְפָנֶיךָ כָּל־הַבְּרוּאִים, וְיֵעָשׂוּ כֻלָּם אֲגֻדָּה אַחַת לַעֲשׂוֹת רְצוֹנְךָ בְּלֵבָב שָׁלֵם, כְּמוֹ שֶׁיָּדַעְנוּ יְיָ אֱלֹהֵינוּ שֶׁהַשִּׁלְטוֹן לְפָנֶיךָ, עֹז בְּיָדְךָ וּגְבוּרָה בִּימִינֶךָ וְשִׁמְךָ נוֹרָא עַל כָּל־מַה־שֶּׁבָּרָאתָ.

וּבְכֵן תֵּן כָּבוֹד יְיָ לְעַמֶּךָ תְּהִלָּה לִירֵאֶיךָ וְתִקְוָה לְדוֹרְשֶׁיךָ וּפִתְחוֹן פֶּה לַמְיַחֲלִים לָךְ, שִׂמְחָה לְאַרְצֶךָ וְשָׂשׂוֹן לְעִירֶךָ וּצְמִיחַת קֶרֶן לְדָוִד עַבְדֶּךָ וַעֲרִיכַת נֵר לְבֶן־יִשַׁי מְשִׁיחֶךָ בִּמְהֵרָה בְיָמֵינוּ.

וּבְכֵן צַדִּיקִים יִרְאוּ וְיִשְׂמָחוּ וִישָׁרִים יַעֲלֹזוּ וַחֲסִידִים בְּרִנָּה יָגִילוּ, וְעוֹלָתָה תִּקְפָּץ־פִּיהָ וְכָל־הָרִשְׁעָה כֻּלָּהּ כְּעָשָׁן תִּכְלֶה כִּי תַעֲבִיר מֶמְשֶׁלֶת זָדוֹן מִן הָאָרֶץ.

וְיֶאֱתָיוּ כֹּל לְעָבְדֶךָ, וִיבָרְכוּ שֵׁם כְּבוֹדֶךָ
וְיַגִּידוּ בָאִיִּים צִדְקֶךָ, וְיִדְרְשׁוּךָ עַמִּים לֹא יְדָעוּךָ
וִיהַלְלוּךָ כָּל־אַפְסֵי־אָרֶץ, וְיֹאמְרוּ תָמִיד יִגְדַּל יְיָ.

וְיִזְנְחוּ אֶת־עֲצַבֵּיהֶם, וְיַחְפְּרוּ עִם פְּסִילֵיהֶם
וְיַטּוּ שְׁכֶם אֶחָד לְעָבְדֶךָ, וְיִירָאוּךָ מְבַקְשֵׁי פָנֶיךָ
וְיַכִּירוּ כֹּחַ מַלְכוּתֶךָ, וְיִלְמְדוּ תוֹעִים בִּינָה
וִימַלְּלוּ אֶת־גְּבוּרָתֶךָ, וִינַשְּׂאוּךָ מִתְנַשֵּׂא לְכֹל לְרֹאשׁ.

וִיסַלְּדוּ בְחִילָה פָּנֶיךָ, וִיעַטְּרוּךָ נֵזֶר תִּפְאָרָה
וְיִפְצְחוּ הָרִים רִנָּה, וְיִצְהֲלוּ אִיִּים בְּמָלְכֶךָ
וִיקַבְּלוּ עֹל מַלְכוּתְךָ עֲלֵיהֶם, וִירוֹמְמוּךָ בִּקְהַל עָם
וְיִשְׁמְעוּ רְחוֹקִים וְיָבוֹאוּ, וְיִתְּנוּ לְךָ כֶּתֶר מְלוּכָה.

O Lord our God, let all Your creatures sense Your awesome power, let all that You have fashioned stand in fear and trembling. Let all mankind pledge You their allegiance, united wholeheartedly to carry out Your will. For we know, Lord our God, that Your sovereignty, Your power and Your awesome majesty are supreme over all creation.

Grant honor, Lord, to Your people, glory to those who revere You, hope to those who seek You and confidence to those who await You. Grant joy to Your land and gladness to Your city. Kindle the lamp of Your anointed servant, David, by fulfilling our prayers for the days of Messiah soon, in our days.

Then will the righteous be glad, the upright rejoice, the pious celebrate in song. When You remove the tyranny of arrogance from the earth, evil will be silenced, all wickedness will vanish like smoke.

All the world shall serve You, and praise Your glorious name,
And Your righteousness triumphant all mankind shall acclaim.

Many men shall seek You who knew You not before,
From distant points assembling to praise and to adore.

They shall renounce their idols, accepting Your rule alone.
Those who strayed in darkness shall seek light at Your throne.

Exulting in Your uniqueness, in brotherhood shall they sing
With reverence, love and wonder, praising the only King.

With Your rule established, all creation will burst into song,
And hills and islands will rejoice with the exultant throng.

Through all congregations so clearly Your praise shall ring
That the far removed, inspired, will serve You as their King.

וְתִמְלֹךְ אַתָּה יְיָ לְבַדֶּךָ עַל כָּל־מַעֲשֶׂיךָ בְּהַר צִיּוֹן מִשְׁכַּן כְּבוֹדֶךָ וּבִירוּשָׁלַיִם עִיר קָדְשֶׁךָ, כַּכָּתוּב בְּדִבְרֵי קָדְשֶׁךָ: יִמְלֹךְ יְיָ לְעוֹלָם אֱלֹהַיִךְ צִיּוֹן לְדֹר וָדֹר, הַלְלוּיָהּ.

קָדוֹשׁ אַתָּה וְנוֹרָא שְׁמֶךָ וְאֵין אֱלוֹהַּ מִבַּלְעָדֶיךָ, כַּכָּתוּב: וַיִּגְבַּהּ יְיָ צְבָאוֹת בַּמִּשְׁפָּט, וְהָאֵל הַקָּדוֹשׁ נִקְדַּשׁ בִּצְדָקָה. בָּרוּךְ אַתָּה יְיָ הַמֶּלֶךְ הַקָּדוֹשׁ.

You sanctify the Day of Remembrance

אַתָּה בְחַרְתָּנוּ מִכָּל־הָעַמִּים, אָהַבְתָּ אוֹתָנוּ וְרָצִיתָ בָּנוּ וְרוֹמַמְתָּנוּ מִכָּל־הַלְּשׁוֹנוֹת וְקִדַּשְׁתָּנוּ בְּמִצְוֹתֶיךָ וְקֵרַבְתָּנוּ מַלְכֵּנוּ לַעֲבוֹדָתֶךָ וְשִׁמְךָ הַגָּדוֹל וְהַקָּדוֹשׁ עָלֵינוּ קָרָאתָ.

וַתִּתֶּן־לָנוּ יְיָ אֱלֹהֵינוּ בְּאַהֲבָה אֶת־יוֹם הַשַּׁבָּת הַזֶּה וְאֶת־יוֹם הַזִּכָּרוֹן הַזֶּה, יוֹם זִכְרוֹן תְּרוּעָה בְּאַהֲבָה מִקְרָא קֹדֶשׁ זֵכֶר לִיצִיאַת מִצְרָיִם.

וּמִפְּנֵי חֲטָאֵינוּ גָּלִינוּ מֵאַרְצֵנוּ וְנִתְרַחַקְנוּ מֵעַל אַדְמָתֵנוּ. יְהִי רָצוֹן מִלְּפָנֶיךָ יְיָ אֱלֹהֵינוּ וֵאלֹהֵי אֲבוֹתֵינוּ, מֶלֶךְ רַחֲמָן הַמֵּשִׁיב בָּנִים לִגְבוּלָם, שֶׁתָּשׁוּב וּתְרַחֵם עָלֵינוּ וְעַל מִקְדָּשְׁךָ בְּרַחֲמֶיךָ הָרַבִּים וְתִבְנֵהוּ מְהֵרָה וּתְגַדֵּל כְּבוֹדוֹ. אָבִינוּ מַלְכֵּנוּ, גַּלֵּה כְּבוֹד מַלְכוּתְךָ עָלֵינוּ מְהֵרָה וְהוֹפַע וְהִנָּשֵׂא עָלֵינוּ לְעֵינֵי כָּל־חָי, וְקָרֵב פְּזוּרֵינוּ מִבֵּין הַגּוֹיִם וּנְפוּצוֹתֵינוּ כַּנֵּס מִיַּרְכְּתֵי־אָרֶץ. וַהֲבִיאֵנוּ לְצִיּוֹן עִירְךָ בְּרִנָּה וְלִירוּשָׁלַיִם בֵּית מִקְדָּשְׁךָ בְּשִׂמְחַת עוֹלָם, שֶׁשָּׁם עָשׂוּ אֲבוֹתֵינוּ לְפָנֶיךָ אֶת־קָרְבְּנוֹת חוֹבוֹתֵיהֶם, תְּמִידִים כְּסִדְרָם וּמוּסָפִים כְּהִלְכָתָם, וְאֶת־מוּסְפֵי יוֹם הַשַּׁבָּת הַזֶּה וְיוֹם הַזִּכָּרוֹן הַזֶּה עָשׂוּ וְהִקְרִיבוּ לְפָנֶיךָ בְּאַהֲבָה כְּמִצְוַת רְצוֹנֶךָ כַּכָּתוּב בְּתוֹרָתֶךָ. וְשָׁם אוֹתְךָ בְּיִרְאָה נַעֲבֹד. אֱלֹהֵינוּ וֵאלֹהֵי אֲבוֹתֵינוּ, רַחֵם עַל אַחֵינוּ בֵּית יִשְׂרָאֵל הַנְּתוּנִים בְּצָרָה וְהוֹצִיאֵם מֵאֲפֵלָה לְאוֹרָה. וְקַבֵּל בְּרַחֲמִים אֶת־תְּפִלַּת עַמְּךָ בְּנֵי

Then You alone will rule all creation from Mount Zion, Your glorious throne, from Jerusalem, Your holy city. So is it written in the Psalms of David: The Lord will reign through all generations; your God, Zion, will reign forever. Halleluyah!

Holy, awesome, there is no God but You. Thus is it written by Your prophet: The Lord is exalted in justice, His holiness is seen in lovingkindness. Praised are You, Lord, holy King.

You sanctify the Day of Remembrance

You have chosen us of all nations for Your service by loving and favoring us as bearers of Your Torah. You have exalted us as a people by sanctifying us with Your commandments, identifying us with Your great and holy name.

Lord our God, lovingly have you given us *this Shabbat and* this Day of Remembrance, a day for *recalling* the shofar sound, a day for holy assembly and for recalling the Exodus from Egypt.

Because of our sins were we exiled from our land, far from our soil. May it be Your will, Lord our God and God of our fathers who restores His children to their land, to renew Your compassion for us and for Your sanctuary; enhance its glory. Our Father our King, manifest the glory of Your sovereignty, reveal to all mankind that You are our King. Unite our scattered people, gather our dispersed from the ends of the earth. Lead us with song to Zion Your city, with everlasting joy to Jerusalem Your sanctuary. There our forefathers sacrificed to You, with their daily offerings and their special offerings for this *Shabbat and for this* Day of Remembrance, as written in Your Torah. And there again in reverence may we worship You. Our God and God of our fathers, be merciful to our brothers of the House of Israel who suffer persecution; deliver them from darkness to light. Accept with compassion the prayers of Your

יִשְׂרָאֵל, בְּכָל־מְקוֹמוֹת מוֹשְׁבוֹתֵיהֶם, הַשּׁוֹפְכִים אֶת־לִבָּם לְפָנֶיךָ
בְּיוֹם הַשַּׁבָּת הַזֶּה וּבְיוֹם הַזִּכָּרוֹן הַזֶּה.

On Shabbat only:

יִשְׂמְחוּ בְמַלְכוּתְךָ שׁוֹמְרֵי שַׁבָּת וְקוֹרְאֵי עֹנֶג. עַם מְקַדְּשֵׁי שְׁבִיעִי כֻּלָּם
יִשְׂבְּעוּ וְיִתְעַנְּגוּ מִטּוּבֶךָ. וְהַשְּׁבִיעִי רָצִיתָ בּוֹ וְקִדַּשְׁתּוֹ, חֶמְדַּת יָמִים
אוֹתוֹ קָרָאתָ זֵכֶר לְמַעֲשֵׂה בְרֵאשִׁית.

We pray for the ability to pray

אוֹחִילָה לָאֵל, אֲחַלֶּה פָנָיו, אֶשְׁאֲלָה מִמֶּנּוּ מַעֲנֵה לָשׁוֹן. אֲשֶׁר
בִּקְהַל עָם אָשִׁירָה עֻזּוֹ, אַבִּיעָה רְנָנוֹת בְּעַד מִפְעָלָיו. לְאָדָם
מַעַרְכֵי־לֵב וּמֵייָ מַעֲנֵה לָשׁוֹן. אֲדֹנָי שְׂפָתַי תִּפְתָּח וּפִי יַגִּיד תְּהִלָּתֶךָ.
יִהְיוּ לְרָצוֹן אִמְרֵי־פִי וְהֶגְיוֹן לִבִּי לְפָנֶיךָ, יְיָ צוּרִי וְגֹאֲלִי.

Unique to this service, the following three sections are identical in structure. At the core of each section is a group of ten Biblical verses which reflect its basic theme. The three themes celebrate the coronation of God as our only King (Malkhuyot), express the hope that as our judge He will remember us in mercy (Zikhronot), and proclaim the faith that God who revealed His Torah to us will bring us to messianic redemption (Shofarot). We rise at the conclusion of each section to hear the sound of the shofar. On Rosh Hashanah (except when it falls on Shabbat) every Jew is obliged to hear the shofar. It is a prayer without words, and an urgent reminder of the liturgical concerns of this day.

people Israel, wherever they dwell, as they stand before You on *this Shabbat and* this Day of Remembrance.

On Shabbat only:

Hallowing the seventh day, calling it delight, those who observe Shabbat rejoice in Your kingship. All of them truly enjoy Your goodness. For it pleased You to sanctify the seventh day, calling it the most desirable day, a reminder of Creation.

We pray for the ability to pray

I place my hope in God; I pray for His compassion. I ask of Him the gift of expression, that here amidst His flock I might sing praises of His power, chant songs of joy in His works. Man's thoughts are his own, but the gift of expression comes from God. Open my mouth, O Lord, that my lips may proclaim Your praise. May the words of my mouth and the meditations of my heart be acceptable to You, O Lord, my Rock and my Redeemer.

Unique to this service, the following three sections are identical in structure. At the core of each section is a group of ten Biblical verses which reflect its basic theme. The three themes celebrate the coronation of God as our only King (Malkhuyot), express the hope that as our judge He will remember us in mercy (Zikhronot), and proclaim the faith that God who revealed His Torah to us will bring us to messianic redemption (Shofarot). We rise at the conclusion of each section to hear the sound of the shofar. On Rosh Hashanah (except when it falls on Shabbat) every Jew is obliged to hear the shofar. It is a prayer without words, and an urgent reminder of the liturgical concerns of this day.

God Reigns

First day:

God is everywhere or nowhere,
the Father of all men or of no man.

> *God enters our world*
> *when we are willing to let Him in.*

And peace for all men will come to the world
when all men pledge their supreme loyalty
to the Holy One, the King of kings.

> *Then will the world be at one with itself.*

Then men shall beat their swords into plowshares,
and their spears into pruning hooks.

> *Then one nation shall not threaten another,*
> *and mankind shall not again experience war.*

Hear, O Israel: The Lord our God, the Lord is One. He is our God by making His name especially attached to us; but He is also the *one* God of all mankind. He is *our* God now; He will be the *only* God in time to come, as it is written: "The Lord shall be King of all the earth; on that day the Lord shall be One and His name One" (Zechariah 14:9).

Second day:

O incognito God, anonymous Lord,
with what name shall I call You? Where shall I
discover the syllable, the mystic word
that shall evoke You from eternity?
Is that sweet sound a heart makes, clocking life,
Your appelation? Is the noise of thunder, it?
Is it the hush of peace, the sound of strife?

I have no title for Your glorious throne,
and for Your nearness not a golden word—
only that wanting You, by that alone
I do evoke You, knowing I am heard.

To live a human life means to live in terms of something taken as the object of your supreme loyalty and devotion. This object of supreme loyalty and devotion is your god. Faith is your relation to your god. In this sense, every man has his god and his faith, whether he knows it or not, whether he wants it or not.

The real problem, therefore, is not *whether* to have faith, but what *kind* of faith, faith in *what*. The basic choice is startlingly simple. It is: God or an idol. The choice is inescapable and it is all-important. It is a choice between some god and the God. Whether you are loyal to a god or to God defines the kind of person you are and the kind of life you lead.

The decision for or against God is the primary decision of life. If we do not decide for God, quite inevitably we decide for some idol. "Choose this day whom you will serve."

The world is idolatry-ridden, and in rebellion against God. Our vocation as members of the people Israel is to stand witness to our King, and the King of all mankind, amidst this universal rebellion and disobedience, to say no to every idolatrous pretension, to reject every claim to absolute devotion made by any earthly power—whether person, institution, or idea—and to call men to knowledge and service of the living God.

Malkhuyot

God reigns

We worship no earthly power. Only to the only King do we bow and kneel, as a sign of ultimate loyalty to Him alone, and awareness of our mortality.

עָלֵינוּ לְשַׁבֵּחַ לַאֲדוֹן הַכֹּל, לָתֵת גְּדֻלָּה לְיוֹצֵר בְּרֵאשִׁית, שֶׁלֹּא עָשָׂנוּ כְּגוֹיֵי הָאֲרָצוֹת וְלֹא שָׂמָנוּ כְּמִשְׁפְּחוֹת הָאֲדָמָה, שֶׁלֹּא שָׂם חֶלְקֵנוּ כָּהֶם וְגוֹרָלֵנוּ כְּכָל־הֲמוֹנָם.

וַאֲנַחְנוּ כּוֹרְעִים וּמִשְׁתַּחֲוִים וּמוֹדִים לִפְנֵי מֶלֶךְ מַלְכֵי הַמְּלָכִים הַקָּדוֹשׁ בָּרוּךְ הוּא, שֶׁהוּא נוֹטֶה שָׁמַיִם וְיוֹסֵד אָרֶץ וּמוֹשַׁב יְקָרוֹ בַּשָּׁמַיִם מִמַּעַל וּשְׁכִינַת עֻזּוֹ בְּגָבְהֵי מְרוֹמִים. הוּא אֱלֹהֵינוּ אֵין עוֹד. אֱמֶת מַלְכֵּנוּ אֶפֶס זוּלָתוֹ, כַּכָּתוּב בְּתוֹרָתוֹ: וְיָדַעְתָּ הַיּוֹם וַהֲשֵׁבֹתָ אֶל לְבָבֶךָ כִּי יְיָ הוּא הָאֱלֹהִים בַּשָּׁמַיִם מִמַּעַל וְעַל הָאָרֶץ מִתָּחַת, אֵין עוֹד.

עַל כֵּן נְקַוֶּה לְךָ יְיָ אֱלֹהֵינוּ לִרְאוֹת מְהֵרָה בְּתִפְאֶרֶת עֻזֶּךָ, לְהַעֲבִיר גִּלּוּלִים מִן הָאָרֶץ וְהָאֱלִילִים כָּרוֹת יִכָּרֵתוּן, לְתַקֵּן עוֹלָם בְּמַלְכוּת שַׁדַּי וְכָל־בְּנֵי בָשָׂר יִקְרְאוּ בִשְׁמֶךָ, לְהַפְנוֹת אֵלֶיךָ כָּל־רִשְׁעֵי־אָרֶץ. יַכִּירוּ וְיֵדְעוּ כָּל־יוֹשְׁבֵי תֵבֵל כִּי לְךָ תִּכְרַע כָּל־בֶּרֶךְ תִּשָּׁבַע כָּל־לָשׁוֹן. לְפָנֶיךָ יְיָ אֱלֹהֵינוּ יִכְרְעוּ וְיִפֹּלוּ וְלִכְבוֹד שִׁמְךָ יְקָר יִתֵּנוּ, וִיקַבְּלוּ כֻלָּם אֶת־עֹל מַלְכוּתֶךָ וְתִמְלֹךְ עֲלֵיהֶם מְהֵרָה לְעוֹלָם וָעֶד, כִּי הַמַּלְכוּת שֶׁלְּךָ הִיא וּלְעוֹלְמֵי עַד תִּמְלֹךְ בְּכָבוֹד.

Malkhuyot

God reigns

*We worship no earthly power. Only to the only King
do we bow and kneel, as a sign of ultimate loyalty to
Him alone, and awareness of our mortality.*

We rise to our duty to praise the Lord of all, to acclaim the Creator. He made our lot unlike that of other people, assigning us a unique destiny.

We bend the knee and bow, proclaiming Him as King of kings, the Holy One praised be He. He unfurled the heavens and established the earth. His throne of glory is in the heavens above, His majestic Presence in the loftiest heights. He and no other is God, our faithful King. So we are told in His Torah: "Remember now and always that the Lord is God in heaven and on earth. There is no other."

And so we hope in You, Lord our God, soon to see Your splendor, sweeping idolatry away so that false gods will be utterly destroyed, perfecting earth by Your kingship so that all mankind will invoke Your name, bringing all the earth's wicked back to You, repentant. Then all who live will know that to You every knee must bend, every tongue pledge loyalty. To You, Lord, may all men bow in worship, may they give honor to Your glory. May everyone accept the rule of Your kingship. Reign over all, soon and for all time. Sovereignty is Yours in glory, now and forever.

כַּכָּתוּב בְּתוֹרָתֶךָ:

יְיָ יִמְלֹךְ לְעֹלָם וָעֶד.

וְנֶאֱמַר: לֹא הִבִּיט אָוֶן בְּיַעֲקֹב וְלֹא רָאָה עָמָל בְּיִשְׂרָאֵל, יְיָ אֱלֹהָיו
עִמּוֹ וּתְרוּעַת מֶלֶךְ בּוֹ.

וְנֶאֱמַר: וַיְהִי בִישֻׁרוּן מֶלֶךְ, בְּהִתְאַסֵּף רָאשֵׁי עָם יַחַד שִׁבְטֵי יִשְׂרָאֵל.

וּבְדִבְרֵי קָדְשְׁךָ כָּתוּב לֵאמֹר:

כִּי לַיְיָ הַמְּלוּכָה, וּמֹשֵׁל בַּגּוֹיִם.

וְנֶאֱמַר: יְיָ מָלָךְ גֵּאוּת לָבֵשׁ, לָבֵשׁ יְיָ עֹז הִתְאַזָּר, אַף תִּכּוֹן תֵּבֵל בַּל
תִּמּוֹט.

וְנֶאֱמַר: שְׂאוּ שְׁעָרִים רָאשֵׁיכֶם וְהִנָּשְׂאוּ פִּתְחֵי עוֹלָם, וְיָבוֹא מֶלֶךְ
הַכָּבוֹד. מִי זֶה מֶלֶךְ הַכָּבוֹד, יְיָ עִזּוּז וְגִבּוֹר, יְיָ גִּבּוֹר מִלְחָמָה. שְׂאוּ
שְׁעָרִים רָאשֵׁיכֶם וּשְׂאוּ פִּתְחֵי עוֹלָם, וְיָבֹא מֶלֶךְ הַכָּבוֹד. מִי הוּא זֶה
מֶלֶךְ הַכָּבוֹד, יְיָ צְבָאוֹת, הוּא מֶלֶךְ הַכָּבוֹד, סֶלָה.

וְעַל יְדֵי עֲבָדֶיךָ הַנְּבִיאִים כָּתוּב לֵאמֹר:

כֹּה אָמַר יְיָ מֶלֶךְ יִשְׂרָאֵל וְגֹאֲלוֹ יְיָ צְבָאוֹת, אֲנִי רִאשׁוֹן וַאֲנִי אַחֲרוֹן
וּמִבַּלְעָדַי אֵין אֱלֹהִים.

וְנֶאֱמַר: וְעָלוּ מוֹשִׁעִים בְּהַר צִיּוֹן לִשְׁפֹּט אֶת־הַר עֵשָׂו, וְהָיְתָה לַיְיָ
הַמְּלוּכָה.

וְנֶאֱמַר: וְהָיָה יְיָ לְמֶלֶךְ עַל כָּל־הָאָרֶץ, בַּיּוֹם הַהוּא יִהְיֶה יְיָ אֶחָד
וּשְׁמוֹ אֶחָד.

וּבְתוֹרָתְךָ כָּתוּב לֵאמֹר: שְׁמַע יִשְׂרָאֵל יְיָ אֱלֹהֵינוּ יְיָ אֶחָד.

First day:

Thus is it written in Your Torah:

The Lord is *King* throughout all time.

Exodus 15:18

So sang the Psalmist:

Dominion belongs to the Lord. The Lord *reigns*, crowned with majesty, robed in might. He set the earth on a sure foundation.

Psalms 22:29, 93:1

And thus proclaimed Your prophet:

Thus says the Lord, the *King* of Israel and its Redeemer: I am the first and I am the last; there is no God but Me.

Isaiah 44:6

And thus is it written in Your Torah:

Hear, O Israel: The Lord our God, the Lord is One.

Deuteronomy 6:4

Second day:

Thus is it written in Your Torah:

The Lord their God is with them, and their *King's* acclaim is in their midst. He became *King* in Jeshurun when the heads of the people assembled, the tribes of Israel together.

Numbers 23:21, Deuteronomy 33:5

So sang the Psalmist:

Lift high your lintels, O you gates; open wide, you ancient doors! Welcome the glorious *King!* Who is the glorious *King*? The Lord of hosts; He is the glorious *King*.

Psalms 24:7 ff.

And thus proclaimed Your prophets:

When *sovereignty* is the Lord's and He rules the nations, redeemers shall ascend Mount Zion to judge the Mount of Esau. The Lord shall be acknowledged *King* of all the earth. On that day the Lord shall be One and His name One.

Obadiah 1:21, Zechariah 14:9

אֱלֹהֵינוּ וֵאלֹהֵי אֲבוֹתֵינוּ, מְלֹךְ עַל כָּל־הָעוֹלָם כֻּלּוֹ בִּכְבוֹדֶךָ וְהִנָּשֵׂא עַל כָּל־הָאָרֶץ בִּיקָרֶךָ, וְהוֹפַע בַּהֲדַר גְּאוֹן עֻזֶּךָ עַל כָּל־יוֹשְׁבֵי תֵבֵל אַרְצֶךָ. וְיֵדַע כָּל־פָּעוּל כִּי אַתָּה פְעַלְתּוֹ וְיָבִין כָּל־יָצוּר כִּי אַתָּה יְצַרְתּוֹ, וְיֹאמַר כֹּל אֲשֶׁר נְשָׁמָה בְּאַפּוֹ: יְיָ אֱלֹהֵי יִשְׂרָאֵל מֶלֶךְ, וּמַלְכוּתוֹ בַּכֹּל מָשָׁלָה. אֱלֹהֵינוּ וֵאלֹהֵי אֲבוֹתֵינוּ רְצֵה בִמְנוּחָתֵנוּ קַדְּשֵׁנוּ בְּמִצְוֹתֶיךָ וְתֵן חֶלְקֵנוּ בְּתוֹרָתֶךָ, שַׂבְּעֵנוּ מִטּוּבֶךָ וְשַׂמְּחֵנוּ בִּישׁוּעָתֶךָ, וְהַנְחִילֵנוּ יְיָ אֱלֹהֵינוּ בְּאַהֲבָה וּבְרָצוֹן שַׁבַּת קָדְשֶׁךָ וְיָנוּחוּ בָהּ יִשְׂרָאֵל מְקַדְּשֵׁי שְׁמֶךָ וְטַהֵר לִבֵּנוּ לְעָבְדְּךָ בֶּאֱמֶת, כִּי אַתָּה אֱלֹהִים אֱמֶת וּדְבָרְךָ אֱמֶת וְקַיָּם לָעַד. בָּרוּךְ אַתָּה יְיָ מֶלֶךְ עַל כָּל־הָאָרֶץ, מְקַדֵּשׁ הַשַּׁבָּת וְ יִשְׂרָאֵל וְיוֹם הַזִּכָּרוֹן.

(The shofar is not sounded on Shabbat.)

We rise.

תְּקִיעָה שְׁבָרִים תְּרוּעָה תְּקִיעָה

תְּקִיעָה שְׁבָרִים תְּקִיעָה

תְּקִיעָה תְּרוּעָה תְּקִיעָה

הַיּוֹם הֲרַת עוֹלָם. הַיּוֹם יַעֲמִיד בַּמִּשְׁפָּט כָּל־יְצוּרֵי עוֹלָמִים אִם כְּבָנִים אִם כַּעֲבָדִים. אִם כְּבָנִים, רַחֲמֵנוּ כְּרַחֵם אָב עַל בָּנִים. וְאִם כַּעֲבָדִים, עֵינֵינוּ לְךָ תְלוּיוֹת עַד שֶׁתְּחָנֵּנוּ וְתוֹצִיא כָאוֹר מִשְׁפָּטֵנוּ, אָיֹם קָדוֹשׁ.

Omitted on Shabbat

אֲרֶשֶׁת שְׂפָתֵינוּ יֶעֱרַב לְפָנֶיךָ, אֵל רָם וְנִשָּׂא, מֵבִין וּמַאֲזִין מַבִּיט וּמַקְשִׁיב לְקוֹל תְּקִיעָתֵנוּ, וּתְקַבֵּל בְּרַחֲמִים וּבְרָצוֹן סֵדֶר מַלְכִיּוֹתֵינוּ.

We are seated.

Our God and God of our fathers, cause Your sovereignty to be acknowledged throughout the world. May Your splendor and dignity be reflected in the lives of all who dwell on earth. Then all creatures will know that You created them, all living things will comprehend that You gave them life, everything that breathes will proclaim: The Lord God of Israel is King, and His dominion embraces all.

Our God and God of our fathers, *accept our Shabbat offering of rest,* make our lives holy with Your commandments and let Your Torah be our portion. Fill our lives with Your goodness, and gladden us with Your triumph. *Lovingly and willingly, Lord our God, grant that we inherit the gift of Shabbat forever, so that Your people Israel who hallow Your name will always find rest on this day.* Cleanse our hearts to serve You faithfully, for You are faithful and Your word endures forever. Praised are You, Lord, King of all the earth who sanctifies *Shabbat,* the people Israel and the Day of Remembrance.

(The shofar is not sounded on Shabbat.)

We rise.

TEKIAH   SHEVARIM-TERUAH   TEKIAH

TEKIAH   SHEVARIM   TEKIAH

TEKIAH   TERUAH   TEKIAH

First day:

Today the world is born. Today all creatures everywhere stand in judgment, some as children and some as slaves. If we merit consideration as children, show us a father's mercy. If we stand in judgment as slaves, grant us freedom. We look to You for compassion when You declare our fate, awesome, holy God.

Second day:

May the shofar sound shatter our complacency; may it help turn us back to our Father, our King.

We are seated.

God Remembers

First day:

On this day of judgment, we ask that God in compassion remember His covenant with us as He promised our ancestors. We too must remember and fulfill the covenant transmitted by Moses, who said:

Hear, O Israel, the laws which I speak in your hearing today. You shall learn and fulfill them with care.

The Lord God made a covenant with us at Sinai.

Not with our fathers alone did the Lord make this covenant, but with us, the living, every one of us here today.

The Lord said: I am the Lord your God who brought you out of the land of Egypt, out of the house of bondage. You shall worship only Me.

You shall not make a graven image to worship, you shall not bow down to idols or serve them.

You shall not use the name of the Lord your God to take a false oath.

Observe the Sabbath day, to keep it holy.

Honor your father and your mother.

You shall not murder.

Neither shall you commit adultery.

Neither shall you steal.

Neither shall you bear false witness against your neighbor.

Neither shall you covet your neighbor's wife, and you shall not covet your neighbor's house, his field or his servant, or anything that belongs to your neighbor.

Not with our fathers alone did the Lord make this covenant, but with us, the living, every one of us here today, to remember and to fulfill it.

Second day:

Father, Adonai, Creator,
who set the round course of the world,
birth, death and disease—

> *Father, who caused veins, brains and bones to grow,*
> *who fashioned us air that we might breathe and sing—*

Remember, on this Day of Judgment, that we are incomplete.

> *Remember that we are a body mutilated.*

Remember the chimneys, the ingenious habitations of death
where part of Israel's body drifted as smoke through the air.

> *Remember.*

We lament in fields of loneliness
for six million of our number torn away.

> *Forget them not.*

There are some who have no memorial.

> *They are perished as though they had never been.*

Remember them.

> *Remember the landscape of screams*
> *engraved at entrance gates to death.*

Remember the yet unborn dreams.

> *Remember the terror of children, whose tears were burned.*

Remember the agony of parents, whose hopes were broken.

> *Remember. We have not forgotten You*
> *though all this has befallen us.*

On this remembrance day recall the covenant.

> *Give glory to Your name; maintain Your faithfulness.*
> *Show us the power of Your compassion.*

Remember, and help us to obliterate terror.

> *Remember, and help us to obliterate agony.*

Remember, that we shall never want to forget Your covenant.

> *Remember, that our children will embrace Your creation.*

Zikhronot

God remembers

אַתָּה זוֹכֵר מַעֲשֵׂה עוֹלָם וּפוֹקֵד כָּל־יְצוּרֵי קֶדֶם. לְפָנֶיךָ נִגְלוּ כָּל־תַּעֲלוּמוֹת וַהֲמוֹן נִסְתָּרוֹת שֶׁמִּבְּרֵאשִׁית. כִּי אֵין שִׁכְחָה לִפְנֵי כִסֵּא כְבוֹדֶךָ וְאֵין נִסְתָּר מִנֶּגֶד עֵינֶיךָ. אַתָּה זוֹכֵר אֶת־כָּל־הַמִּפְעָל וְגַם כָּל־הַיְצוּר לֹא נִכְחָד מִמֶּךָּ. הַכֹּל גָּלוּי וְיָדוּעַ לְפָנֶיךָ יְיָ אֱלֹהֵינוּ, צוֹפֶה וּמַבִּיט עַד סוֹף כָּל־הַדּוֹרוֹת כִּי תָבִיא חֹק זִכָּרוֹן לְהִפָּקֵד כָּל־רוּחַ וָנֶפֶשׁ, לְהִזָּכֵר מַעֲשִׂים רַבִּים וַהֲמוֹן בְּרִיּוֹת לְאֵין תַּכְלִית. מֵרֵאשִׁית כָּזֹאת הוֹדַעְתָּ וּמִלְּפָנִים אוֹתָהּ גִּלִּיתָ.

זֶה הַיּוֹם תְּחִלַּת מַעֲשֶׂיךָ זִכָּרוֹן לְיוֹם רִאשׁוֹן. כִּי חֹק לְיִשְׂרָאֵל הוּא מִשְׁפָּט לֵאלֹהֵי יַעֲקֹב. וְעַל הַמְּדִינוֹת בּוֹ יֵאָמֵר: אֵיזוֹ לַחֶרֶב וְאֵיזוֹ לַשָּׁלוֹם, אֵיזוֹ לָרָעָב וְאֵיזוֹ לַשֹּׂבַע. וּבְרִיּוֹת בּוֹ יִפָּקֵדוּ לְהַזְכִּירָם לַחַיִּים וְלַמָּוֶת. מִי לֹא נִפְקָד כְּהַיּוֹם הַזֶּה כִּי זֵכֶר כָּל־הַיְצוּר לְפָנֶיךָ בָּא, מַעֲשֵׂה אִישׁ וּפְקֻדָּתוֹ וַעֲלִילוֹת מִצְעֲדֵי־גָבֶר, מַחְשְׁבוֹת אָדָם וְתַחְבּוּלוֹתָיו וְיִצְרֵי מַעַלְלֵי־אִישׁ.

אַשְׁרֵי אִישׁ שֶׁלֹּא יִשְׁכָּחֶךָּ וּבֶן־אָדָם יִתְאַמֶּץ־בָּךְ, כִּי דוֹרְשֶׁיךָ לְעוֹלָם לֹא יִכָּשֵׁלוּ וְלֹא יִכָּלְמוּ לָנֶצַח כָּל־הַחוֹסִים בָּךְ. כִּי זֵכֶר כָּל־הַמַּעֲשִׂים לְפָנֶיךָ בָּא, וְאַתָּה דוֹרֵשׁ מַעֲשֵׂה כֻלָּם. וְגַם אֶת־נֹחַ בְּאַהֲבָה זָכַרְתָּ וַתִּפְקְדֵהוּ בִּדְבַר יְשׁוּעָה וְרַחֲמִים, בַּהֲבִיאֲךָ אֶת־מֵי הַמַּבּוּל לְשַׁחֵת כָּל־בָּשָׂר מִפְּנֵי רֹעַ מַעַלְלֵיהֶם. עַל כֵּן זִכְרוֹנוֹ בָּא לְפָנֶיךָ יְיָ אֱלֹהֵינוּ לְהַרְבּוֹת זַרְעוֹ כְּעַפְרוֹת תֵּבֵל וְצֶאֱצָאָיו כְּחוֹל הַיָּם.

כַּכָּתוּב בְּתוֹרָתֶךָ:

וַיִּזְכֹּר אֱלֹהִים אֶת־נֹחַ וְאֵת כָּל־הַחַיָּה וְאֶת־כָּל־הַבְּהֵמָה אֲשֶׁר אִתּוֹ בַּתֵּבָה, וַיַּעֲבֵר אֱלֹהִים רוּחַ עַל הָאָרֶץ וַיָּשֹׁכּוּ הַמָּיִם.

Zikhronot

God remembers

Creation You remember, Lord, considering the deeds of all mankind from ancient days. All thoughts are revealed to You, all secrets since the beginning of time. For You there is no forgetting, from You nothing is hidden. You remember every deed, You know every doer. You know all things, Lord our God, and foresee events to the end of time. You have set a day for bringing to judgment countless human beings and their infinite deeds. This You ordained from the beginning, this You made known from of old.

This day is the birthday of Creation, a reminder of the first day. Its observance is a law for the House of Jacob, ordained by the God of our fathers. And this is a day of decree for all nations: war or peace, famine or abundance. Every single creature stands in judgment: life or death. Who is not called to account on this day? The record of every human being is set before You, his work and his ways, his designs and his desires.

Blessed is the man who forgets You not, who draws courage from You. Those who seek You shall not stumble, those who trust You shall not be disgraced when the record of all deeds is set before You and You probe every man's deeds. Remember us as You remembered Noah in love, graciously saving him when You released the flood to destroy all creatures because of their evil deeds. You made his descendants numerous as the dust of the earth, as the sand of the sea.

First day:

Thus is it written in Your Torah:

> And God *remembered* Noah and all the wild animals and all the cattle with him in the ark, and God caused a wind to blow across the earth, and the waters began to subside.

וְנֶאֱמַר: וַיִּשְׁמַע אֱלֹהִים אֶת־נַאֲקָתָם, וַיִּזְכֹּר אֱלֹהִים אֶת־בְּרִיתוֹ אֶת־אַבְרָהָם אֶת־יִצְחָק וְאֶת־יַעֲקֹב.

וְנֶאֱמַר: וְזָכַרְתִּי אֶת־בְּרִיתִי יַעֲקוֹב, וְאַף אֶת־בְּרִיתִי יִצְחָק וְאַף אֶת־בְּרִיתִי אַבְרָהָם אֶזְכֹּר, וְהָאָרֶץ אֶזְכֹּר.

וּבְדִבְרֵי קָדְשְׁךָ כָּתוּב לֵאמֹר:

זֵכֶר עָשָׂה לְנִפְלְאֹתָיו, חַנּוּן וְרַחוּם יְיָ.

וְנֶאֱמַר: טֶרֶף נָתַן לִירֵאָיו, יִזְכֹּר לְעוֹלָם בְּרִיתוֹ.

וְנֶאֱמַר: וַיִּזְכֹּר לָהֶם בְּרִיתוֹ, וַיִּנָּחֵם כְּרֹב חֲסָדָיו.

וְעַל יְדֵי עֲבָדֶיךָ הַנְּבִיאִים כָּתוּב לֵאמֹר:

הָלֹךְ וְקָרָאתָ בְאָזְנֵי יְרוּשָׁלַיִם לֵאמֹר: כֹּה אָמַר יְיָ, זָכַרְתִּי לָךְ חֶסֶד נְעוּרַיִךְ אַהֲבַת כְּלוּלֹתָיִךְ, לֶכְתֵּךְ אַחֲרַי בַּמִּדְבָּר בְּאֶרֶץ לֹא זְרוּעָה.

וְנֶאֱמַר: וְזָכַרְתִּי אֲנִי אֶת־בְּרִיתִי אוֹתָךְ בִּימֵי נְעוּרָיִךְ, וַהֲקִימוֹתִי לָךְ בְּרִית עוֹלָם.

וְנֶאֱמַר: הֲבֵן יַקִּיר לִי אֶפְרַיִם אִם יֶלֶד שַׁעֲשׁוּעִים כִּי מִדֵּי דַבְּרִי בּוֹ זָכֹר אֶזְכְּרֶנּוּ עוֹד, עַל כֵּן הָמוּ מֵעַי לוֹ רַחֵם אֲרַחֲמֶנּוּ נְאֻם יְיָ.

And God heard their groaning in Egyptian bondage, and God *remembered* His covenant with Abraham and Isaac and Jacob.

Genesis 8:1, Exodus 2:24

So sang the Psalmist:

He made His deeds to be *remembered*. The Lord is gracious and compassionate. *Psalms 111:4*

And thus proclaimed Your prophets:

Proclaim, that all Jerusalem may hear: These are the words of the Lord: I *remember* the unfailing devotion of your youth, the love of your bridal days, when you followed Me in the wilderness, through a land unsown. I will *remember* the covenant I made with You when you were young, and I will establish with you a covenant that shall last forever.

Jeremiah 2:2, Ezekiel 16:60

Second day:

Thus is it written in Your Torah:

God said: I will *remember* My covenant with Jacob, My covenant with Isaac and also My covenant with Abraham; and I will *remember* the land.

Leviticus 26:42

So sang the Psalmist:

He sustains those who revere Him. He always *remembers* His covenant. He *remembered* His covenant with them. Though they had been rebellious, in His boundless love He relented. *Psalms 111:5, 106:45*

And thus proclaimed Your prophet:

Is not Ephraim My precious son, My beloved child? Even when I reproach him, I *remember* him with tenderness. My heart yearns for him. Surely I shall show him mercy, says the Lord. *Jeremiah 31:19*

אֱלֹהֵינוּ וֵאלֹהֵי אֲבוֹתֵינוּ, זָכְרֵנוּ בְּזִכָּרוֹן טוֹב לְפָנֶיךָ וּפָקְדֵנוּ בִּפְקֻדַּת יְשׁוּעָה וְרַחֲמִים מִשְּׁמֵי שְׁמֵי קֶדֶם. וּזְכָר־לָנוּ יְיָ אֱלֹהֵינוּ אֶת־הַבְּרִית וְאֶת־הַחֶסֶד וְאֶת־הַשְּׁבוּעָה אֲשֶׁר נִשְׁבַּעְתָּ לְאַבְרָהָם אָבִינוּ בְּהַר הַמּוֹרִיָּה. וְתֵרָאֶה לְפָנֶיךָ עֲקֵדָה שֶׁעָקַד אַבְרָהָם אָבִינוּ אֶת־יִצְחָק בְּנוֹ עַל גַּב הַמִּזְבֵּחַ וְכָבַשׁ רַחֲמָיו לַעֲשׂוֹת רְצוֹנְךָ בְּלֵבָב שָׁלֵם. כֵּן יִכְבְּשׁוּ רַחֲמֶיךָ אֶת־כַּעַסְךָ מֵעָלֵינוּ, וּבְטוּבְךָ הַגָּדוֹל יָשׁוּב חֲרוֹן אַפְּךָ מֵעַמְּךָ וּמֵעִירְךָ וּמִנַּחֲלָתֶךָ. וְקַיֶּם־לָנוּ יְיָ אֱלֹהֵינוּ אֶת־הַדָּבָר שֶׁהִבְטַחְתָּנוּ בְּתוֹרָתֶךָ עַל יְדֵי מֹשֶׁה עַבְדֶּךָ מִפִּי כְבוֹדֶךָ, כָּאָמוּר:

וְזָכַרְתִּי לָהֶם בְּרִית רִאשֹׁנִים, אֲשֶׁר הוֹצֵאתִי אֹתָם מֵאֶרֶץ מִצְרַיִם לְעֵינֵי הַגּוֹיִם לִהְיוֹת לָהֶם לֵאלֹהִים אֲנִי יְיָ.

כִּי זוֹכֵר כָּל־הַנִּשְׁכָּחוֹת אַתָּה הוּא מֵעוֹלָם, וְאֵין שִׁכְחָה לִפְנֵי כִסֵּא כְבוֹדֶךָ. וַעֲקֵדַת יִצְחָק לְזַרְעוֹ הַיּוֹם בְּרַחֲמִים תִּזְכֹּר. בָּרוּךְ אַתָּה יְיָ זוֹכֵר הַבְּרִית.

(The shofar is not sounded on Shabbat.)

We rise.

תְּקִיעָה שְׁבָרִים תְּרוּעָה תְּקִיעָה

תְּקִיעָה שְׁבָרִים תְּקִיעָה

תְּקִיעָה תְּרוּעָה תְּקִיעָה

הַיּוֹם הֲרַת עוֹלָם. הַיּוֹם יַעֲמִיד בַּמִּשְׁפָּט כָּל־יְצוּרֵי עוֹלָמִים אִם כְּבָנִים אִם כַּעֲבָדִים. אִם כְּבָנִים, רַחֲמֵנוּ כְּרַחֵם אָב עַל בָּנִים. וְאִם כַּעֲבָדִים, עֵינֵינוּ לְךָ תְלוּיוֹת עַד שֶׁתְּחָנֵּנוּ וְתוֹצִיא כָאוֹר מִשְׁפָּטֵנוּ, אָיֹם קָדוֹשׁ.

Omitted on Shabbat.

אֲרֶשֶׁת שְׂפָתֵינוּ יֶעֱרַב לְפָנֶיךָ, אֵל רָם וְנִשָּׂא, מֵבִין וּמַאֲזִין מַבִּיט וּמַקְשִׁיב לְקוֹל תְּקִיעָתֵנוּ, וּתְקַבֵּל בְּרַחֲמִים וּבְרָצוֹן סֵדֶר זִכְרוֹנוֹתֵינוּ.

We are seated.

Our God and God of our fathers, remember us favorably; grant us merciful deliverance. For our sake remember Your loving-kindness and Your covenant with Abraham our father on Mount Moriah. Recall how Abraham subdued his compassion to do Your will whole-heartedly, binding his son Isaac on the altar; subdue Your wrath with Your compassion. In Your great goodness favor Your people, Your city and Your inheritance. Fulfill for us the promise contained in Your Torah transmitted by Moses:

"For their sake I will remember the covenant with their ancestors whom I brought out of the land of Egypt in the sight of the nations, to be their God. I am the Lord."

Leviticus 26:45

You remember all things forgotten; for You there is no forgetting. This day in mercy remember the binding of Isaac on behalf of his descendants. Praised are You, Lord who remembers the covenant.

(The shofar is not sounded on Shabbat.)

We rise.

TEKIAH	SHEVARIM-TERUAH	TEKIAH
TEKIAH	SHEVARIM	TEKIAH
TEKIAH	TERUAH	TEKIAH

First day:

May we never abandon our memories. May our memories inspire deeds which lead us to life and love, to blessings and peace.

Second day:

Today the world is born. Today all creatures everywhere stand in judgment, some as children and some as slaves. If we merit consideration as children, show us a father's mercy. If we stand in judgment as slaves, grant us freedom. We look to You for compassion when You declare our fate, awesome, holy God.

We are seated.

God Reveals, God Redeems

First day:

Revelation was a beginning.
Our deeds must complete and fulfill it.

> *Our deeds can sanctify life,*
> *and our deeds can desecrate life.*

Blessings and curses have been set before us.
We must constantly choose: good or evil.

> *May our choice be peace, and may we pursue it,*
> *as a kingdom of priests, a holy nation.*

May our lives reflect our gift of God's image.
May our deeds reflect His compassion and justice.

> *May we each resist evil, by our deeds,*
> *May we bring redemption near, by our deeds.*

Today may we be renewed with resolve
to live our lives as partners of God
who waits for us to complete His revelation.

A man cannot find redemption until he sees the flaws in his soul, and tries to efface them. Nor can a people be redeemed until it sees the flaws in its soul and tries to efface them. But whether it be a man or a people, whoever shuts out the realization of his flaws is shutting out redemption. We can be redeemed only to the extent to which we see ourselves.

Second day:

Revelation begins when God blesses His creatures with their appointed work. Revelation is the relation between giving and receiving, which means that it is also the relation between desiring to give and failing to receive. Revelation lasts until we answer, and our answer is accepted by God's redeeming grace. Revelation is not addressed to the soul alone. Just as God's cry of creation calls to the wholeness of things, and just as the whole world is to be redeemed in the redemption, so too the Lord of Revelation comes with His message to the whole man, a unity of body and soul and spirit. God the Redeemer wants to embrace nothing less than the all in need of redemption.

"The secret things belong to the Lord our God, but what is revealed belongs to us and to our children forever, that we may apply all the provisions of this teaching" (Deuteronomy 29:28). Revelation does not deal with the mystery of God, but with the life of man as it should be lived in the presence of that mystery. "This teaching is not beyond reach. It is not in the heavens, that you should say, 'Who among us can go up to the heavens and get it for us and impart it to us, that we may do it?' . . . No, the word is very close to you, in your mouth and in your heart, to do it" (Deuteronomy 30:11-14).

Make joyful noise to the Lord, all the earth.
Break into music and song.

With the sound of the shofar
acclaim the King, the Lord.

Let the sea roar, and all its creatures;
let the world sing, and all its inhabitants.

Let the rivers applaud,
let the mountains sing out too.

For the Lord draws near,
He comes to sustain the earth.

He sustains the world with providence,
the nations with lovingkindness.

God reveals, God redeems

אַתָּה נִגְלֵיתָ בַּעֲנַן כְּבוֹדֶךָ, עַל עַם קָדְשְׁךָ לְדַבֵּר עִמָּם. מִן הַשָּׁמַיִם הִשְׁמַעְתָּם קוֹלֶךָ, וְנִגְלֵיתָ עֲלֵיהֶם בְּעַרְפַלֵּי טֹהַר. גַּם כָּל־הָעוֹלָם כֻּלּוֹ חָל מִפָּנֶיךָ וּבְרִיּוֹת בְּרֵאשִׁית חָרְדוּ מִמֶּךָּ, בְּהִגָּלוֹתְךָ מַלְכֵּנוּ עַל הַר סִינַי לְלַמֵּד לְעַמְּךָ תּוֹרָה וּמִצְוֹת, וַתַּשְׁמִיעֵם אֶת־הוֹד קוֹלֶךָ, וְדִבְּרוֹת קָדְשְׁךָ מִלַּהֲבוֹת אֵשׁ. בְּקוֹלוֹת וּבְרָקִים עֲלֵיהֶם נִגְלֵיתָ וּבְקוֹל שׁוֹפָר עֲלֵיהֶם הוֹפָעְתָּ.

כַּכָּתוּב בְּתוֹרָתֶךָ:

וַיְהִי בַיּוֹם הַשְּׁלִישִׁי בִּהְיֹת הַבֹּקֶר וַיְהִי קֹלֹת וּבְרָקִים וְעָנָן כָּבֵד עַל הָהָר וְקֹל שֹׁפָר חָזָק מְאֹד, וַיֶּחֱרַד כָּל־הָעָם אֲשֶׁר בַּמַּחֲנֶה.

וְנֶאֱמַר: וַיְהִי קוֹל הַשֹּׁפָר הוֹלֵךְ וְחָזֵק מְאֹד, מֹשֶׁה יְדַבֵּר וְהָאֱלֹהִים יַעֲנֶנּוּ בְקוֹל.

וְנֶאֱמַר: וְכָל־הָעָם רֹאִים אֶת־הַקּוֹלֹת וְאֶת־הַלַּפִּידִם וְאֵת קוֹל הַשֹּׁפָר וְאֶת־הָהָר עָשֵׁן, וַיַּרְא הָעָם וַיָּנֻעוּ וַיַּעַמְדוּ מֵרָחֹק.

וּבְדִבְרֵי קָדְשְׁךָ כָּתוּב לֵאמֹר:

עָלָה אֱלֹהִים בִּתְרוּעָה, יְיָ בְּקוֹל שׁוֹפָר.

וְנֶאֱמַר: בַּחֲצֹצְרוֹת וְקוֹל שׁוֹפָר, הָרִיעוּ לִפְנֵי הַמֶּלֶךְ יְיָ.

Shofarot

God reveals, God redeems

You were revealed to Your holy people at Mount Sinai, Your mysterious Presence revealed amid clouds of Your glory. All creation stood in awe, trembling, when You our King did manifest Yourself, teaching our forefathers Torah and *mitzvot*. Out of flaming fire, amid thunder and lightning, amid blasts of the *shofar* did You reveal Yourself to them.

First day:

Thus is it written in Your Torah:

> On the third day, as morning dawned at Mount Sinai, there were peals of thunder and flashes of lightning, a dense cloud on the mountain, and loud blasts of the *shofar;* everyone in the camp trembled. The blare of the *shofar* grew louder and louder. As Moses spoke, God answered him in thunder.
>
> *Exodus 19:16, 19*

So sang the Psalmist:

> The God of judgment ascends His throne with shouts of acclamation; the Lord of compassion ascends with a fanfare of the *shofar*. With trumpets and *shofar*, acclaim the presence of the Lord our King. Sound the *shofar* on the New Moon, announcing our solemn festival. It is Israel's eternal ritual, the God of Jacob calls us to judgment.
>
> *Psalms 47:6, 98:6, 81:4–5*

And thus proclaimed Your prophet:

> All you who dwell in the world, inhabitants of the earth, shall see when the signal of redemption is hoisted on the mountains, and shall hear when the *shofar* is sounded.
>
> *Isaiah 18:3*

וְנֶאֱמַר: תִּקְעוּ בַחֹדֶשׁ שׁוֹפָר, בַּכֶּסֶה לְיוֹם חַגֵּנוּ. כִּי חֹק לְיִשְׂרָאֵל הוּא מִשְׁפָּט לֵאלֹהֵי יַעֲקֹב.

וְנֶאֱמַר: הַלְלוּיָהּ. הַלְלוּ אֵל בְּקָדְשׁוֹ, הַלְלוּהוּ בִּרְקִיעַ עֻזּוֹ. הַלְלוּהוּ בִגְבוּרֹתָיו, הַלְלוּהוּ כְּרֹב גֻּדְלוֹ. הַלְלוּהוּ בְּתֵקַע שׁוֹפָר, הַלְלוּהוּ בְּנֵבֶל וְכִנּוֹר. הַלְלוּהוּ בְּתֹף וּמָחוֹל, הַלְלוּהוּ בְּמִנִּים וְעֻגָב. הַלְלוּהוּ בְצִלְצְלֵי־שָׁמַע, הַלְלוּהוּ בְּצִלְצְלֵי תְרוּעָה. כֹּל הַנְּשָׁמָה תְּהַלֵּל יָהּ. הַלְלוּיָהּ.

וְעַל יְדֵי עֲבָדֶיךָ הַנְּבִיאִים כָּתוּב לֵאמֹר:

כָּל־יֹשְׁבֵי תֵבֵל וְשֹׁכְנֵי אָרֶץ, כִּנְשֹׂא נֵס הָרִים תִּרְאוּ וְכִתְקֹעַ שׁוֹפָר תִּשְׁמָעוּ.

וְנֶאֱמַר: וְהָיָה בַּיּוֹם הַהוּא יִתָּקַע בְּשׁוֹפָר גָּדוֹל, וּבָאוּ הָאֹבְדִים בְּאֶרֶץ אַשּׁוּר וְהַנִּדָּחִים בְּאֶרֶץ מִצְרָיִם, וְהִשְׁתַּחֲווּ לַיְיָ בְּהַר הַקֹּדֶשׁ בִּירוּשָׁלָיִם.

וְנֶאֱמַר: וַיְיָ עֲלֵיהֶם יֵרָאֶה וְיָצָא כַבָּרָק חִצּוֹ, וַאדֹנָי אֱלֹהִים בַּשּׁוֹפָר יִתְקָע וְהָלַךְ בְּסַעֲרוֹת תֵּימָן. יְיָ צְבָאוֹת יָגֵן עֲלֵיהֶם.

כֵּן תָּגֵן עַל עַמְּךָ יִשְׂרָאֵל בִּשְׁלוֹמֶךָ.

אֱלֹהֵינוּ וֵאלֹהֵי אֲבוֹתֵינוּ, תְּקַע בְּשׁוֹפָר גָּדוֹל לְחֵרוּתֵנוּ, וְשָׂא נֵס לְקַבֵּץ גָּלֻיּוֹתֵינוּ וְקָרֵב פְּזוּרֵינוּ מִבֵּין הַגּוֹיִם וּנְפוּצוֹתֵינוּ כַּנֵּס מִיַּרְכְּתֵי־אָרֶץ. וַהֲבִיאֵנוּ לְצִיּוֹן עִירְךָ בְּרִנָּה וְלִירוּשָׁלַיִם בֵּית מִקְדָּשְׁךָ בְּשִׂמְחַת עוֹלָם, שֶׁשָּׁם עָשׂוּ אֲבוֹתֵינוּ לְפָנֶיךָ אֶת־עוֹלוֹתֵיהֶם וְאֶת־זִבְחֵי שַׁלְמֵיהֶם. וְכֵן כָּתוּב בְּתוֹרָתֶךָ:

Second day:

Thus is it written in Your Torah:

When all the people at Mount Sinai witnessed the thunder and the lightning, when they heard the blast of the *shofar* and saw the mountain smoking, they fell back and stood at a distance.

Exodus 20:15

So sang the Psalmist:

Halleluyah! Praise God in His sanctuary, praise Him in His heaven of power. Praise Him for His mighty works, praise Him for His surpassing greatness. Praise Him with a *shofar* blast, praise Him upon lute and lyre; praise Him with drum and dance, praise Him with flute and strings; praise Him with the crash of cymbals, praise Him with resounding cymbals. Let everything that breathes praise the Lord. Halleluyah!

Psalm 150

And thus proclaimed Your prophets:

On that day a blast shall be blown on a great *shofar,* and exiles in Assyria and outcasts in Egypt will come to worship the Lord on His holy mountain in Jerusalem. The Lord shall appear above them, and His arrows flash like lightning. The Lord God shall blow a blast on the *shofar* and march with the storm-winds of the south. The Lord of hosts will be their shield.

Isaiah 27:13; Zechariah 9:14–15

Thus may You shield Your people Israel with Your peace.

Our God and God of our fathers, sound the great shofar for our freedom, raise high the banner to gather our exiles. Unite our scattered people, gather our dispersed from the ends of the earth. Lead us with song to Zion Your city, with everlasting joy to Jerusalem Your sanctuary, where our forefathers offered their sacrifices of well-being and their burnt offerings. And thus is it written in Your Torah:

וּבְיוֹם שִׂמְחַתְכֶם וּבְמוֹעֲדֵיכֶם וּבְרָאשֵׁי חָדְשֵׁכֶם, וּתְקַעְתֶּם בַּחֲצֹצְרֹת עַל עֹלֹתֵיכֶם וְעַל זִבְחֵי שַׁלְמֵיכֶם, וְהָיוּ לָכֶם לְזִכָּרוֹן לִפְנֵי אֱלֹהֵיכֶם, אֲנִי יְיָ אֱלֹהֵיכֶם.

כִּי אַתָּה שׁוֹמֵעַ קוֹל שׁוֹפָר וּמַאֲזִין תְּרוּעָה וְאֵין דּוֹמֶה לָּךְ. בָּרוּךְ אַתָּה יְיָ שׁוֹמֵעַ קוֹל תְּרוּעַת עַמּוֹ יִשְׂרָאֵל בְּרַחֲמִים.

(The shofar is not sounded on Shabbat.)

We rise.

תְּקִיעָה	שְׁבָרִים תְּרוּעָה	תְּקִיעָה
תְּקִיעָה	שְׁבָרִים	תְּקִיעָה
תְּקִיעָה	תְּרוּעָה	תְּקִיעָה

הַיּוֹם הֲרַת עוֹלָם. הַיּוֹם יַעֲמִיד בַּמִּשְׁפָּט כָּל־יְצוּרֵי עוֹלָמִים אִם כְּבָנִים אִם כַּעֲבָדִים. אִם כְּבָנִים, רַחֲמֵנוּ כְּרַחֵם אָב עַל בָּנִים. וְאִם כַּעֲבָדִים, עֵינֵינוּ לְךָ תְלוּיוֹת עַד שֶׁתְּחָנֵּנוּ וְתוֹצִיא כָאוֹר מִשְׁפָּטֵנוּ, אָיֹם קָדוֹשׁ.

Omitted on Shabbat.

אֲרֶשֶׁת שְׂפָתֵינוּ יֶעֱרַב לְפָנֶיךָ, אֵל רָם וְנִשָּׂא, מֵבִין וּמַאֲזִין מַבִּיט וּמַקְשִׁיב לְקוֹל תְּקִיעָתֵנוּ, וּתְקַבֵּל בְּרַחֲמִים וּבְרָצוֹן סֵדֶר שׁוֹפְרוֹתֵינוּ.

We are seated.

Accept our prayer

רְצֵה יְיָ אֱלֹהֵינוּ בְּעַמְּךָ יִשְׂרָאֵל וּבִתְפִלָּתָם וְהָשֵׁב אֶת־הָעֲבוֹדָה לִדְבִיר בֵּיתֶךָ וּתְפִלָּתָם בְּאַהֲבָה תְקַבֵּל בְּרָצוֹן וּתְהִי לְרָצוֹן תָּמִיד עֲבוֹדַת יִשְׂרָאֵל עַמֶּךָ.

In congregations where kohanim chant their blessing from the bimah, this paragraph is said instead of the one which follows it.

וְתֶחֱזֶינָה עֵינֵינוּ בְּשׁוּבְךָ לְצִיּוֹן בְּרַחֲמִים, וְשָׁם נַעֲבָדְךָ בְּיִרְאָה כִּימֵי עוֹלָם וּכְשָׁנִים קַדְמוֹנִיּוֹת. בָּרוּךְ אַתָּה יְיָ שֶׁאוֹתְךָ לְבַדְּךָ בְּיִרְאָה נַעֲבֹד.

"On your joyous occasions, your fixed festivals and new moon days, you shall sound the *trumpets* over your burnt offerings and your sacrifices of well-being. They shall be a reminder of you before the Lord your God; I the Lord, am your God."

Numbers 10:10

There is none like You, hearing the shofar and attending to its sound. Praised are You, Lord who hears the sound of the shofar of His people Israel with compassion.

(The shofar is not sounded on Shabbat.)

We rise.

TEKIAH   SHEVARIM-TERUAH   TEKIAH

TEKIAH   SHEVARIM   TEKIAH

TEKIAH   TERUAH   TEKIAH

First day:

Today the world is born. Today all creatures everywhere stand in judgment, some as children and some as slaves. If we merit consideration as children, show us a father's mercy. If we stand in judgment as slaves, grant us freedom. We look to You for compassion when You declare our fate, awesome, holy God.

Second day:

May the words on our lips be pleasing to You, exalted God who hearkens to our shofar sounds. Lovingly accept our declarations that You reign and remember, reveal and redeem.

We are seated.

Accept our prayer

Accept the prayer of Your people Israel as lovingly as it is offered. Restore worship to Your sanctuary. May the worship of Your people Israel always be acceptable to You.

In congregations where kohanim chant their blessing from the bimah, this paragraph is said instead of the one which follows it.

May we bear witness to Your merciful return to Zion, where we shall worship You in reverence as in days of old, in years gone by. Praised are You, Lord; You alone shall we worship in reverence.

וְתֶחֱזֶינָה עֵינֵינוּ בְּשׁוּבְךָ לְצִיּוֹן בְּרַחֲמִים. בָּרוּךְ אַתָּה יְיָ הַמַּחֲזִיר שְׁכִינָתוֹ לְצִיּוֹן.

We thank You for life and for Your love

Congregation reads this paragraph silently, while Ḥazzan chants the next paragraph.

מוֹדִים אֲנַחְנוּ לָךְ שָׁאַתָּה הוּא יְיָ אֱלֹהֵינוּ וֵאלֹהֵי אֲבוֹתֵינוּ אֱלֹהֵי כָל־בָּשָׂר יוֹצְרֵנוּ יוֹצֵר בְּרֵאשִׁית. בְּרָכוֹת וְהוֹדָאוֹת לְשִׁמְךָ הַגָּדוֹל וְהַקָּדוֹשׁ עַל שֶׁהֶחֱיִיתָנוּ וְקִיַּמְתָּנוּ. כֵּן תְּחַיֵּנוּ וּתְקַיְּמֵנוּ וְתֶאֱסֹף גָּלֻיּוֹתֵינוּ לְחַצְרוֹת קָדְשֶׁךָ לִשְׁמֹר חֻקֶּיךָ וְלַעֲשׂוֹת רְצוֹנֶךָ וּלְעָבְדְךָ בְּלֵבָב שָׁלֵם עַל שֶׁאֲנַחְנוּ מוֹדִים לָךְ. בָּרוּךְ אֵל הַהוֹדָאוֹת.

מוֹדִים אֲנַחְנוּ לָךְ שָׁאַתָּה הוּא יְיָ אֱלֹהֵינוּ וֵאלֹהֵי אֲבוֹתֵינוּ לְעוֹלָם וָעֶד, צוּר חַיֵּינוּ מָגֵן יִשְׁעֵנוּ אַתָּה הוּא. לְדוֹר וָדוֹר נוֹדֶה לְּךָ וּנְסַפֵּר תְּהִלָּתֶךָ עַל חַיֵּינוּ הַמְּסוּרִים בְּיָדֶךָ וְעַל נִשְׁמוֹתֵינוּ הַפְּקוּדוֹת לָךְ וְעַל נִסֶּיךָ שֶׁבְּכָל־יוֹם עִמָּנוּ וְעַל נִפְלְאוֹתֶיךָ וְטוֹבוֹתֶיךָ שֶׁבְּכָל־עֵת עֶרֶב וָבֹקֶר וְצָהֳרָיִם. הַטּוֹב כִּי לֹא כָלוּ רַחֲמֶיךָ וְהַמְרַחֵם כִּי לֹא תַמּוּ חֲסָדֶיךָ מֵעוֹלָם קִוִּינוּ לָךְ.

וְעַל כֻּלָּם יִתְבָּרַךְ וְיִתְרוֹמַם שִׁמְךָ מַלְכֵּנוּ תָּמִיד לְעוֹלָם וָעֶד.

Congregation and Ḥazzan:

אָבִינוּ מַלְכֵּנוּ, זְכֹר רַחֲמֶיךָ וּכְבֹשׁ כַּעַסְךָ, וְכַלֵּה דֶּבֶר וְחֶרֶב וְרָעָב וּשְׁבִי וּמַשְׁחִית וְעָוֹן וּשְׁמַד וּמַגֵּפָה וּפֶגַע רַע וְכָל־מַחֲלָה וְכָל־תְּקָלָה וְכָל־קְטָטָה וְכָל־מִינֵי פֻרְעָנִיּוֹת וְכָל־גְּזֵרָה רָעָה וְשִׂנְאַת חִנָּם, מֵעָלֵינוּ וּמֵעַל כָּל־בְּנֵי בְרִיתֶךָ.

וּכְתֹב לְחַיִּים טוֹבִים כָּל־בְּנֵי בְרִיתֶךָ.

May we bear witness to Your merciful return to Zion. Praised are You, Lord who restores His Presence to Zion.

We thank You for life and for Your love

Congregation reads this paragraph silently, while Ḥazzan chants the next paragraph.

We proclaim that You are the Lord our God and God of our fathers, Creator of all who created us, God of all flesh. We praise You and thank You for granting us life and for sustaining us. May You continue to do so, and may You gather our exiles, that we may all fulfill Your commandments and serve You wholeheartedly, doing Your will. For this shall we thank You. Praised be God to whom thanksgiving is due.

We proclaim that You are the Lord our God and God of our fathers throughout all time. You are the Rock of our lives, the Shield of our salvation. We thank You and praise You through all generations, for our lives are in Your hand, our souls are in Your charge. We thank You for Your miracles which daily attend us, for Your wondrous kindness, morning, noon and night. Your mercy and love are boundless. We have always placed our hope in You.

For all these blessings we shall ever praise and exalt You.

Congregation and Ḥazzan:

Our Father, our King, let Your compassion overwhelm Your wrath, for us and for all the people of Your covenant. Bring an end to pestilence and plundering, fighting and famine, captivity, destruction, plague and affliction, every illness and misfortune, calamity and quarrel, every evil decree and causeless hatred.

Inscribe all the people of Your covenant for a good life.

וְכֹל הַחַיִּים יוֹדְוּךָ סֶּלָה וִיהַלְלוּ אֶת־שִׁמְךָ בֶּאֱמֶת הָאֵל יְשׁוּעָתֵנוּ
וְעֶזְרָתֵנוּ סֶלָה. בָּרוּךְ אַתָּה יְיָ הַטּוֹב שִׁמְךָ וּלְךָ נָאֶה לְהוֹדוֹת.

Bless us with peace

When kohanim chant the blessing, congregation rises.
When they do not, Ḥazzan continues at top of following page.

אֱלֹהֵינוּ וֵאלֹהֵי אֲבוֹתֵינוּ, בָּרְכֵנוּ בַּבְּרָכָה הַמְשֻׁלֶּשֶׁת בַּתּוֹרָה הַכְּתוּבָה
עַל יְדֵי מֹשֶׁה עַבְדֶּךָ, הָאֲמוּרָה מִפִּי אַהֲרֹן וּבָנָיו

כֹּהֲנִים

Congregation:

עַם קְדוֹשֶׁךָ כָּאָמוּר.

Kohanim:

בָּרוּךְ אַתָּה יְיָ אֱלֹהֵינוּ מֶלֶךְ הָעוֹלָם אֲשֶׁר קִדְּשָׁנוּ בִּקְדֻשָּׁתוֹ שֶׁל
אַהֲרֹן וְצִוָּנוּ לְבָרֵךְ אֶת־עַמּוֹ יִשְׂרָאֵל בְּאַהֲבָה.

Ḥazzan, followed by kohanim:	*Congregation:*
יְבָרֶכְךָ יְיָ וְיִשְׁמְרֶךָ.	אָמֵן.
יָאֵר יְיָ פָּנָיו אֵלֶיךָ וִיחֻנֶּךָּ.	אָמֵן.
יִשָּׂא יְיָ פָּנָיו אֵלֶיךָ וְיָשֵׂם לְךָ שָׁלוֹם.	אָמֵן.

Congregation:

אַדִּיר בַּמָּרוֹם, שׁוֹכֵן בִּגְבוּרָה, אַתָּה שָׁלוֹם וְשִׁמְךָ שָׁלוֹם. יְהִי רָצוֹן
שֶׁתָּשִׂים עָלֵינוּ וְעַל כָּל־עַמְּךָ בֵּית יִשְׂרָאֵל חַיִּים וּבְרָכָה לְמִשְׁמֶרֶת
שָׁלוֹם.

Congregation is seated. The service continues
in the middle of the following page.

May every living creature thank You and praise You faithfully, our deliverance and our help. Praised are You, beneficent Lord to whom all praise is due.

Bless us with peace

When kohanim chant the blessing, congregation rises.
When they do not, Ḥazzan continues at top of following page.

Bless us, our God and God of our fathers, with the threefold blessing written in the Torah of Moses Your servant, pronounced by Aaron and by his descendants,

kohanim,

Congregation:

consecrated priests of Your people.

Kohanim:

Praised are You, Lord our God, King of the universe who has sanctified us with the sanctity of Aaron, commanding us to bless His people Israel lovingly.

Ḥazzan, followed by kohanim:	*Congregation:*
May the Lord bless you and guard you.	Amen.
May the Lord show you favor and be gracious to you.	Amen.
May the Lord show you kindness and grant you peace.	Amen.

Congregation:

Exalted in might, You are peace and Your name is peace. Bless us and the entire House of Israel with life and with enduring peace.

Congregation is seated. The service continues
in the middle of the following page.

When kohanim do not chant the blessing, Ḥazzan continues here:

אֱלֹהֵינוּ וֵאלֹהֵי אֲבוֹתֵינוּ, בָּרְכֵנוּ בַבְּרָכָה הַמְשֻׁלֶּשֶׁת בַּתּוֹרָה הַכְּתוּבָה עַל יְדֵי מֹשֶׁה עַבְדֶּךָ, הָאֲמוּרָה מִפִּי אַהֲרֹן וּבָנָיו כֹּהֲנִים עַם קְדוֹשֶׁךָ, כָּאָמוּר:

Ḥazzan:	*Congregation:*
יְבָרֶכְךָ יְיָ וְיִשְׁמְרֶךָ.	כֵּן יְהִי רָצוֹן.
יָאֵר יְיָ פָּנָיו אֵלֶיךָ וִיחֻנֶּךָּ.	כֵּן יְהִי רָצוֹן.
יִשָּׂא יְיָ פָּנָיו אֵלֶיךָ וְיָשֵׂם לְךָ שָׁלוֹם.	כֵּן יְהִי רָצוֹן.

שִׂים שָׁלוֹם בָּעוֹלָם, טוֹבָה וּבְרָכָה חֵן וָחֶסֶד וְרַחֲמִים עָלֵינוּ וְעַל כָּל־יִשְׂרָאֵל עַמֶּךָ. בָּרְכֵנוּ אָבִינוּ כֻּלָּנוּ כְּאֶחָד בְּאוֹר פָּנֶיךָ, כִּי בְאוֹר פָּנֶיךָ נָתַתָּ לָּנוּ יְיָ אֱלֹהֵינוּ תּוֹרַת חַיִּים וְאַהֲבַת חֶסֶד וּצְדָקָה וּבְרָכָה וְרַחֲמִים וְחַיִּים וְשָׁלוֹם. וְטוֹב בְּעֵינֶיךָ לְבָרֵךְ אֶת־עַמְּךָ יִשְׂרָאֵל בְּכָל־עֵת וּבְכָל־שָׁעָה בִּשְׁלוֹמֶךָ.

Congregation and Ḥazzan:

בְּסֵפֶר חַיִּים בְּרָכָה וְשָׁלוֹם וּפַרְנָסָה טוֹבָה נִזָּכֵר וְנִכָּתֵב לְפָנֶיךָ אֲנַחְנוּ וְכָל־עַמְּךָ בֵּית יִשְׂרָאֵל לְחַיִּים טוֹבִים וּלְשָׁלוֹם.

וְנֶאֱמַר: כִּי בִי יִרְבּוּ יָמֶיךָ, וְיוֹסִיפוּ לְךָ שְׁנוֹת חַיִּים. לְחַיִּים טוֹבִים תִּכְתְּבֵנוּ, אֱלֹהִים חַיִּים. כָּתְבֵנוּ בְּסֵפֶר הַחַיִּים, כַּכָּתוּב: וְאַתֶּם הַדְּבֵקִים בַּיְיָ אֱלֹהֵיכֶם, חַיִּים כֻּלְּכֶם הַיּוֹם.

When kohanim do not chant the blessing,
Ḥazzan continues here:

Bless us, our God and God of our fathers, with the threefold blessing written in the Torah by Moses, Your servant, pronounced by Aaron and by his sons, the consecrated priests of Your people:

Ḥazzan: *Congregation:*

May the Lord bless you and guard you.   *Kein yehi ratzon.*

May the Lord show you favor and be
gracious to you.   *Kein yehi ratzon.*

May the Lord show you kindness and
grant you peace.   *Kein yehi ratzon.*

Grant peace, happiness and blessing to the world, with grace, love and mercy for us and for all the people Israel. Bless us, our Father, one and all, with Your light; for by that light did You teach us Torah and life, love and tenderness, justice, mercy and peace. May it please You to bless Your people Israel in every season and at all times with Your gift of peace.

Congregation and Ḥazzan:

May we and the entire House of Israel be remembered and recorded in the Book of life, blessing, sustenance and peace.

And it is written in the Book of Proverbs: "Knowing Me will add to your days and expand the years of your life." Inscribe us for a good life. Inscribe us in the Book of Life, as it is written in Your Torah: "And you who cleave to the Lord your God are all alive today."

We rise, as the Ark is opened.

הַיּוֹם תְּאַמְּצֵנוּ. אָמֵן.

הַיּוֹם תְּבָרְכֵנוּ. אָמֵן.

הַיּוֹם תְּגַדְּלֵנוּ. אָמֵן.

הַיּוֹם תִּדְרְשֵׁנוּ לְטוֹבָה. אָמֵן.

הַיּוֹם תִּכְתְּבֵנוּ לְחַיִּים טוֹבִים. אָמֵן.

הַיּוֹם תִּשְׁמַע שַׁוְעָתֵנוּ. אָמֵן.

הַיּוֹם תְּקַבֵּל בְּרַחֲמִים וּבְרָצוֹן אֶת־תְּפִלָּתֵנוּ. אָמֵן.

הַיּוֹם תִּתְמְכֵנוּ בִּימִין צִדְקֶךָ. אָמֵן.

The Ark is closed, and we are seated.

כְּהַיּוֹם הַזֶּה תְּבִיאֵנוּ שָׂשִׂים וּשְׂמֵחִים בְּבִנְיַן שָׁלֵם, כַּכָּתוּב עַל יַד נְבִיאֶךָ: וַהֲבִיאוֹתִים אֶל הַר קָדְשִׁי וְשִׂמַּחְתִּים בְּבֵית תְּפִלָּתִי . . . כִּי בֵיתִי בֵּית תְּפִלָּה יִקָּרֵא לְכָל־הָעַמִּים. וּצְדָקָה וּבְרָכָה וְרַחֲמִים וְחַיִּים וְשָׁלוֹם יִהְיֶה־לָּנוּ וּלְכָל־יִשְׂרָאֵל עַד הָעוֹלָם. בָּרוּךְ אַתָּה יְיָ עוֹשֵׂה הַשָּׁלוֹם.

We rise, as the Ark is opened.

Today You strengthen us.

Today You bless us.

Today You exalt us.

Today You seek our happiness.

Today You inscribe us for a good life.

Today You hear our cry.

Today You lovingly accept our prayer.

Today You sustain us with the power of Your justice.

The Ark is closed, and we are seated.

Upon a day like this bring us rejoicing to Jerusalem restored, together with all who serve You in love, as declared by Your prophet Isaiah: "And I will bring them to My holy mountain, and make them joyful in My house of prayer . . . and My house shall be called a house of prayer for all people everywhere." May we and the entire people Israel be blessed forever with justice, mercy, life and peace. Praised are You, Lord, Source of peace.

Kaddish Shalem

Ḥazzan:

יִתְגַּדַּל וְיִתְקַדַּשׁ שְׁמֵהּ רַבָּא בְּעָלְמָא דִּי בְרָא כִרְעוּתֵהּ, וְיַמְלִיךְ מַלְכוּתֵהּ בְּחַיֵּיכוֹן וּבְיוֹמֵיכוֹן וּבְחַיֵּי דְכָל־בֵּית יִשְׂרָאֵל בַּעֲגָלָא וּבִזְמַן קָרִיב, וְאִמְרוּ אָמֵן.

Congregation and Ḥazzan:

יְהֵא שְׁמֵהּ רַבָּא מְבָרַךְ לְעָלַם וּלְעָלְמֵי עָלְמַיָּא.

Ḥazzan:

יִתְבָּרַךְ וְיִשְׁתַּבַּח וְיִתְפָּאַר וְיִתְרוֹמַם וְיִתְנַשֵּׂא וְיִתְהַדַּר וְיִתְעַלֶּה וְיִתְהַלַּל שְׁמֵהּ דְּקֻדְשָׁא בְּרִיךְ הוּא, לְעֵלָּא לְעֵלָּא מִכָּל־בִּרְכָתָא וְשִׁירָתָא תֻּשְׁבְּחָתָא וְנֶחֱמָתָא דַּאֲמִירָן בְּעָלְמָא, וְאִמְרוּ אָמֵן.

In some congregations, the shofar is sounded.

(The shofar is not sounded on Shabbat.)

תְּקִיעָה שְׁבָרִים תְּרוּעָה תְּקִיעָה

תְּקִיעָה שְׁבָרִים תְּקִיעָה

תְּקִיעָה תְּרוּעָה תְּקִיעָה גְדוֹלָה

תִּתְקַבֵּל צְלוֹתְהוֹן וּבָעוּתְהוֹן דְּכָל־יִשְׂרָאֵל קֳדָם אֲבוּהוֹן דִּי בִשְׁמַיָּא, וְאִמְרוּ אָמֵן.

יְהֵא שְׁלָמָא רַבָּא מִן שְׁמַיָּא וְחַיִּים עָלֵינוּ וְעַל כָּל־יִשְׂרָאֵל, וְאִמְרוּ אָמֵן.

עוֹשֶׂה שָׁלוֹם בִּמְרוֹמָיו הוּא יַעֲשֶׂה שָׁלוֹם עָלֵינוּ וְעַל כָּל־יִשְׂרָאֵל, וְאִמְרוּ אָמֵן.

Kaddish Shalem

Ḥazzan:

Hallowed and enhanced may He be throughout the world of His own creation. May He cause His sovereignty soon to be accepted, during our life and the life of all Israel. And let us say: Amen.

Congregation and Ḥazzan:

Ye-hei shmei raba mevarakh l'alam ul'almei 'almaya.

May He be praised throughout all time.

Ḥazzan:

Glorified and celebrated, lauded and praised, acclaimed and honored, extolled and exalted may the Holy One be, far beyond all song and psalm, beyond all tributes which man can utter. And let us say: Amen.

In some congregations, the shofar is sounded.

(The shofar is not sounded on Shabbat.)

TEKIAH	SHEVARIM-TERUAH	TEKIAH
TEKIAH	SHEVARIM	TEKIAH
TEKIAH	TERUAH	TEKIAH GEDOLAH

May the prayers and pleas of the whole House of Israel be accepted by our Father in Heaven. And let us say: Amen.

Let there be abundant peace from Heaven, with life's goodness for us and for all the people Israel. And let us say: Amen.

He who brings peace to His universe will bring peace to us and to all the people Israel. And let us say: Amen.

Ein Keiloheinu

אֵין כֵּאלֹהֵינוּ, אֵין כַּאדוֹנֵינוּ, אֵין כְּמַלְכֵּנוּ, אֵין כְּמוֹשִׁיעֵנוּ.
מִי כֵאלֹהֵינוּ, מִי כַאדוֹנֵינוּ, מִי כְמַלְכֵּנוּ, מִי כְמוֹשִׁיעֵנוּ.
נוֹדֶה לֵאלֹהֵינוּ, נוֹדֶה לַאדוֹנֵינוּ, נוֹדֶה לְמַלְכֵּנוּ, נוֹדֶה לְמוֹשִׁיעֵנוּ.
בָּרוּךְ אֱלֹהֵינוּ, בָּרוּךְ אֲדוֹנֵינוּ, בָּרוּךְ מַלְכֵּנוּ, בָּרוּךְ מוֹשִׁיעֵנוּ.
אַתָּה הוּא אֱלֹהֵינוּ, אַתָּה הוּא אֲדוֹנֵינוּ,
אַתָּה הוּא מַלְכֵּנוּ, אַתָּה הוּא מוֹשִׁיעֵנוּ.
אַתָּה הוּא שֶׁהִקְטִירוּ אֲבוֹתֵינוּ לְפָנֶיךָ אֶת־קְטֹרֶת הַסַּמִּים.

Ein keilo-heinu, ein kado-neinu, ein k'mal-keinu, ein k'moshi-einu.
Mi kheilo-heinu, mi khado-neinu, mi kh'mal-keinu, mi kh'moshi-einu.
Nodeh leilo-heinu, nodeh lado-neinu, nodeh l'mal-keinu, nodeh l'moshi-einu.
Barukh elo-heinu, barukh ado-neinu, barukh mal-keinu, barukh moshi-einu.
Attah hu elo-heinu, attah hu ado-neinu, attah hu mal-keinu, attah hu moshi-einu.
Attah hu sheh-hiktiru avoteinu l'fanekha et k'toret hasamim.

This ancient Rabbinic lesson emphasizes that children, and disciples, are the future. Hopefully, our future will be based upon Torah and peace.

אָמַר רַבִּי אֶלְעָזָר, אָמַר רַבִּי חֲנִינָא: תַּלְמִידֵי חֲכָמִים מַרְבִּים שָׁלוֹם בָּעוֹלָם, שֶׁנֶּאֱמַר: וְכָל־בָּנַיִךְ לִמּוּדֵי יְיָ, וְרַב שְׁלוֹם בָּנָיִךְ. אַל תִּקְרָא בָּנָיִךְ, אֶלָּא בּוֹנָיִךְ. שָׁלוֹם רָב לְאֹהֲבֵי תוֹרָתֶךָ, וְאֵין לָמוֹ מִכְשׁוֹל. יְהִי שָׁלוֹם בְּחֵילֵךְ, שַׁלְוָה בְּאַרְמְנוֹתָיִךְ. לְמַעַן אַחַי וְרֵעָי, אֲדַבְּרָה־נָּא שָׁלוֹם בָּךְ. לְמַעַן בֵּית יְיָ אֱלֹהֵינוּ, אֲבַקְשָׁה טוֹב לָךְ. יְיָ עֹז לְעַמּוֹ יִתֵּן, יְיָ יְבָרֵךְ אֶת־עַמּוֹ בַשָּׁלוֹם.

In some congregations, the service continues with Mourner's Kaddish, page 294.

Ein Keiloheinu

None compares to our God, to our Lord.

None compares to our King, to our Deliverer.

Who compares to our God, to our Lord?

Who compares to our King, to our Deliverer?

Let us thank our God, our Lord.

Let us thank our King, our Deliverer.

Let us praise our God, our Lord.

Let us praise our King, our Deliverer.

You are our God, our Lord.

You are our King, our Deliverer.

You are He to whom our fathers offered fragrant incense.

This ancient Rabbinic lesson emphasizes that children, and disciples, are the future. Hopefully, our future will be based upon Torah and peace. May we be disciples of Aaron, loving peace and pursuing peace, loving our fellow creatures and bringing them near to Torah.

Rabbi Elazar taught in the name of Rabbi Ḥanina: Disciples of the Sages increase peace in the world, as it was said by the prophet Isaiah: "When all of your children are taught of the Lord, great will be the peace of your children" (Isaiah 54:13). The second mention of "your children" (*banayikh*) means all who have true understanding (*bonayikh*), like disciples of the Sages; they too are taught of the Lord, serving and blessed with peace. And thus it is written in the Book of Psalms: "Those who love Your Torah have great peace; nothing makes them stumble" (Psalms 119:165). And it is also written: "May there be peace within your walls, security within your gates. For the sake of my brethren and companions I say: May peace reside within you. For the sake of the House of the Lord I will seek your welfare" (Psalms 122:7–9). "May the Lord grant His people dignity; may the Lord bless His people with peace" (Psalms 29:11).

In some congregations, the service continues with Mourner's Kaddish, page 295.

Aleinu

The splendor of God will be revealed to all when
all the world embraces love and unity, when all
men recognize each other as brothers,
children of one Father, the King.

עָלֵינוּ לְשַׁבֵּחַ לַאֲדוֹן הַכֹּל, לָתֵת גְּדֻלָּה לְיוֹצֵר בְּרֵאשִׁית, שֶׁלֹּא עָשָׂנוּ
כְּגוֹיֵי הָאֲרָצוֹת וְלֹא שָׂמָנוּ כְּמִשְׁפְּחוֹת הָאֲדָמָה, שֶׁלֹּא שָׂם חֶלְקֵנוּ כָּהֶם
וְגוֹרָלֵנוּ כְּכָל־הֲמוֹנָם. וַאֲנַחְנוּ כּוֹרְעִים וּמִשְׁתַּחֲוִים וּמוֹדִים לִפְנֵי מֶלֶךְ
מַלְכֵי הַמְּלָכִים הַקָּדוֹשׁ בָּרוּךְ הוּא, שֶׁהוּא נוֹטֶה שָׁמַיִם וְיוֹסֵד אָרֶץ
וּמוֹשַׁב יְקָרוֹ בַּשָּׁמַיִם מִמַּעַל וּשְׁכִינַת עֻזּוֹ בְּגָבְהֵי מְרוֹמִים. הוּא אֱלֹהֵינוּ
אֵין עוֹד. אֱמֶת מַלְכֵּנוּ אֶפֶס זוּלָתוֹ, כַּכָּתוּב בְּתוֹרָתוֹ: וְיָדַעְתָּ הַיּוֹם
וַהֲשֵׁבֹתָ אֶל לְבָבֶךָ כִּי יְיָ הוּא הָאֱלֹהִים בַּשָּׁמַיִם מִמַּעַל וְעַל הָאָרֶץ
מִתָּחַת, אֵין עוֹד.

עַל כֵּן נְקַוֶּה לְךָ יְיָ אֱלֹהֵינוּ לִרְאוֹת מְהֵרָה בְּתִפְאֶרֶת עֻזֶּךָ, לְהַעֲבִיר
גִּלּוּלִים מִן הָאָרֶץ וְהָאֱלִילִים כָּרוֹת יִכָּרֵתוּן, לְתַקֵּן עוֹלָם בְּמַלְכוּת
שַׁדַּי וְכָל־בְּנֵי בָשָׂר יִקְרְאוּ בִשְׁמֶךָ, לְהַפְנוֹת אֵלֶיךָ כָּל־רִשְׁעֵי־אָרֶץ.
יַכִּירוּ וְיֵדְעוּ כָּל־יוֹשְׁבֵי תֵבֵל כִּי לְךָ תִּכְרַע כָּל־בֶּרֶךְ תִּשָּׁבַע כָּל־
לָשׁוֹן. לְפָנֶיךָ יְיָ אֱלֹהֵינוּ יִכְרְעוּ וְיִפֹּלוּ וְלִכְבוֹד שִׁמְךָ יְקָר יִתֵּנוּ,
וִיקַבְּלוּ כֻלָּם אֶת־עֹל מַלְכוּתֶךָ וְתִמְלֹךְ עֲלֵיהֶם מְהֵרָה לְעוֹלָם וָעֶד,
כִּי הַמַּלְכוּת שֶׁלְּךָ הִיא וּלְעוֹלְמֵי עַד תִּמְלֹךְ בְּכָבוֹד, כַּכָּתוּב
בְּתוֹרָתֶךָ: יְיָ יִמְלֹךְ לְעֹלָם וָעֶד. וְנֶאֱמַר: וְהָיָה יְיָ לְמֶלֶךְ עַל כָּל־
הָאָרֶץ, בַּיּוֹם הַהוּא יִהְיֶה יְיָ אֶחָד וּשְׁמוֹ אֶחָד.

Aleinu

*When hatred and division reign on earth, and men refuse to see
each other as brothers, even Heaven is forced to hide its face. But
the splendor of God will be revealed to all when all the world
embraces love and unity, when all men recognize each other as
brothers, children of one Father, the King.*

We rise to our duty to praise the Lord of all the world, to
acclaim the Creator. He made our lot unlike that of other people,
assigning us a unique destiny. We bend the knee and bow, pro-
claiming Him as King of kings, the Holy One praised be He,
who stretched forth the heavens and established the earth. He
is God, our King. There is no other.

*Va'anaḥnu kor'im u-mish-taḥavim u-modim
lifnei melekh malkhei ha-melakhim ha-kadosh barukh hu.*

And so we hope in You, Lord our God, soon to see Your
splendor, sweeping idolatry away so that false gods will be
utterly destroyed, perfecting earth by Your kingship so that all
mankind will invoke Your name, bringing all the earth's wicked
back to You, repentant. Then all who live will know that to You
every knee must bend, every tongue pledge loyalty. To You,
Lord, may all men bow in worship, may they give honor to Your
glory. May everyone accept the rule of Your kingship. Reign
over all, soon and for all time. Sovereignty is Yours in glory,
now and forever. Thus is it written in Your Torah: The Lord
reigns for ever and ever. Such is the assurance of Your prophet
Zechariah: The Lord shall be acknowledged King of all the earth.
On that day the Lord shall be One and His name One.

*Ve-ne'emar ve-haya Adonai le-melekh 'al kol ha'aretz,
bayom ha-hu yiyeh Adonai eḥad u-she-mo eḥad.*

Mourner's Kaddish

Mourners and those observing Yahrzeit rise.

יִתְגַּדַּל וְיִתְקַדַּשׁ שְׁמֵהּ רַבָּא בְּעָלְמָא דִּי בְרָא כִרְעוּתֵהּ, וְיַמְלִיךְ
מַלְכוּתֵהּ בְּחַיֵּיכוֹן וּבְיוֹמֵיכוֹן וּבְחַיֵּי דְכָל־בֵּית יִשְׂרָאֵל בַּעֲגָלָא
וּבִזְמַן קָרִיב, וְאִמְרוּ אָמֵן.

Congregation and mourner:

יְהֵא שְׁמֵהּ רַבָּא מְבָרַךְ לְעָלַם וּלְעָלְמֵי עָלְמַיָּא.

Mourner:

יִתְבָּרַךְ וְיִשְׁתַּבַּח וְיִתְפָּאַר וְיִתְרוֹמַם וְיִתְנַשֵּׂא וְיִתְהַדַּר וְיִתְעַלֶּה
וְיִתְהַלַּל שְׁמֵהּ דְּקֻדְשָׁא בְּרִיךְ הוּא, לְעֵלָּא לְעֵלָּא מִכָּל־בִּרְכָתָא
וְשִׁירָתָא תֻּשְׁבְּחָתָא וְנֶחֱמָתָא דַּאֲמִירָן בְּעָלְמָא, וְאִמְרוּ אָמֵן.

יְהֵא שְׁלָמָא רַבָּא מִן שְׁמַיָּא וְחַיִּים עָלֵינוּ וְעַל כָּל־יִשְׂרָאֵל,
וְאִמְרוּ אָמֵן.

עוֹשֶׂה שָׁלוֹם בִּמְרוֹמָיו הוּא יַעֲשֶׂה שָׁלוֹם עָלֵינוּ וְעַל כָּל־יִשְׂרָאֵל,
וְאִמְרוּ אָמֵן.

Hallowed and enhanced may He be throughout the world of His own creation. May He cause His sovereignty soon to be accepted, during our life and the life of all Israel. And let us say: Amen.

Congregation and mourner:

May He be praised throughout all time.

Mourner:

Glorified and celebrated, lauded and praised, acclaimed and honored, extolled and exalted may the Holy One be, far beyond all song and psalm, beyond all tributes which man can utter. And let us say: Amen.

Let there be abundant peace from Heaven, with life's goodness for us and for all the people Israel. And let us say: Amen.

He who brings peace to His universe will bring peace to us and to all the people Israel. And let us say: Amen.

Mourner's Kaddish

Mourners and those observing Yahrzeit rise.

In recalling our dead, of blessed memory, we confront our loss with faith by rising to praise God's name in public assembly, praying that all men recognize His kingship soon. For when His sovereignty is felt in the world, peace, blessing and song fill the world, as well as great consolation.

Yit-gadal ve-yit-kadash shmei raba, b'alma divra khir'utei ve-yamlikh mal-khutei be-ḥayei-khon uve'yomei-khon uve-ḥayei di-khol beit yisrael ba-agala u-vizman kariv v'imru amen.

Congregation and mourner:

Ye-hei shmei raba meva-rakh l'alam ul'almei 'almaya.

Mourner:

Yit-barakh ve-yish-tabaḥ ve-yitpa'ar ve-yitromam ve-yitnasei ve-yit-hadar ve-yit'aleh ve-yit-halal shmei di-kudsha brikh hu, l'eila l'eila mikol bir-khata ve-shirata tush-be-ḥata ve-neḥemata da-amiran b'alma, v'imru amen.

Ye-hei shlama raba min shmaya ve-ḥayim aleinu v'al kol yisrael v'imru amen.

Oseh shalom bimromav hu ya'aseh shalom aleinu v'al kol yisrael v'imru amen.

We live in the light of God's compassion.

לְדָוִד. יְיָ אוֹרִי וְיִשְׁעִי מִמִּי אִירָא, יְיָ מָעוֹז חַיַּי מִמִּי אֶפְחָד. בִּקְרֹב
עָלַי מְרֵעִים לֶאֱכֹל אֶת־בְּשָׂרִי, צָרַי וְאֹיְבַי לִי, הֵמָּה כָשְׁלוּ וְנָפָלוּ.
אִם תַּחֲנֶה עָלַי מַחֲנֶה לֹא יִירָא לִבִּי, אִם תָּקוּם עָלַי מִלְחָמָה, בְּזֹאת
אֲנִי בוֹטֵחַ. אַחַת שָׁאַלְתִּי מֵאֵת יְיָ אוֹתָהּ אֲבַקֵּשׁ, שִׁבְתִּי בְּבֵית יְיָ כָּל־
יְמֵי חַיַּי, לַחֲזוֹת בְּנֹעַם יְיָ וּלְבַקֵּר בְּהֵיכָלוֹ. כִּי יִצְפְּנֵנִי בְּסֻכֹּה בְּיוֹם
רָעָה, יַסְתִּרֵנִי בְּסֵתֶר אָהֳלוֹ בְּצוּר יְרוֹמְמֵנִי. וְעַתָּה יָרוּם רֹאשִׁי עַל
אֹיְבַי סְבִיבוֹתַי, וְאֶזְבְּחָה בְאָהֳלוֹ זִבְחֵי תְרוּעָה, אָשִׁירָה וַאֲזַמְּרָה לַיְיָ.
שְׁמַע יְיָ קוֹלִי אֶקְרָא וְחָנֵּנִי וַעֲנֵנִי. לְךָ אָמַר לִבִּי בַּקְּשׁוּ פָנָי, אֶת־פָּנֶיךָ
יְיָ אֲבַקֵּשׁ. אַל תַּסְתֵּר פָּנֶיךָ מִמֶּנִּי אַל תַּט בְּאַף עַבְדֶּךָ, עֶזְרָתִי הָיִיתָ,
אַל תִּטְּשֵׁנִי וְאַל תַּעַזְבֵנִי אֱלֹהֵי יִשְׁעִי. כִּי אָבִי וְאִמִּי עֲזָבוּנִי, וַיְיָ
יַאַסְפֵנִי. הוֹרֵנִי יְיָ דַּרְכֶּךָ, וּנְחֵנִי בְּאֹרַח מִישׁוֹר לְמַעַן שׁוֹרְרָי. אַל
תִּתְּנֵנִי בְּנֶפֶשׁ צָרָי, כִּי קָמוּ בִי עֵדֵי שֶׁקֶר וִיפֵחַ חָמָס. לוּלֵא הֶאֱמַנְתִּי
לִרְאוֹת בְּטוּב יְיָ בְּאֶרֶץ חַיִּים. קַוֵּה אֶל יְיָ, חֲזַק וְיַאֲמֵץ לִבֶּךָ, וְקַוֵּה
אֶל יְיָ.

We live in the light of God's compassion.

A Psalm of David. The Lord is my light and my help. Whom shall I fear? The Lord is the strength of my life. Whom shall I dread? When evildoers draw near to devour me, when foes threaten, they stumble and fall. Though armies be arrayed against me, I have no fear. Though wars threaten, I remain steadfast in my faith.

One thing I ask of the Lord, for this I yearn: To dwell in the House of the Lord all the days of my life, to pray in His sanctuary, to behold the Lord's beauty. He will hide me in His shrine, safe from peril. He will shelter me, and put me beyond the reach of disaster. He will raise my head high above my enemies about me. I will bring Him offerings with shouts of joy. I will sing, I will chant praise to the Lord.

O Lord, hear my voice when I call; be gracious, and answer me. "It is You that I seek," says my heart. It is Your Presence that I crave, O Lord. Hide not Your Presence from me, reject not Your servant. You are my help, do not desert me. Forsake me not, God of my deliverance. Though my father and mother forsake me, the Lord will gather me in, and care for me. Teach me Your way, O Lord. Guide me on the right path, to confound those who mock me. Deceivers have risen against me, men who breathe out violence. Abandon me not to the will of my foes.

Mine is the faith that I surely will see the Lord's goodness in the land of the living. Hope in the Lord and be strong. Hope in the Lord and take courage.

Psalm 27

Adon Olam

אֲדוֹן עוֹלָם אֲשֶׁר מָלַךְ   בְּטֶרֶם כָּל־יְצִיר נִבְרָא.
לְעֵת נַעֲשָׂה בְחֶפְצוֹ כֹּל   אֲזַי מֶלֶךְ שְׁמוֹ נִקְרָא.
וְאַחֲרֵי כִּכְלוֹת הַכֹּל   לְבַדּוֹ יִמְלֹךְ נוֹרָא.
וְהוּא הָיָה וְהוּא הֹוֶה   וְהוּא יִהְיֶה בְּתִפְאָרָה.
וְהוּא אֶחָד וְאֵין שֵׁנִי   לְהַמְשִׁיל לוֹ לְהַחְבִּירָה.
בְּלִי רֵאשִׁית בְּלִי תַכְלִית   וְלוֹ הָעֹז וְהַמִּשְׂרָה.
וְהוּא אֵלִי וְחַי גּוֹאֲלִי   וְצוּר חֶבְלִי בְּעֵת צָרָה.
וְהוּא נִסִּי וּמָנוֹס לִי   מְנָת כּוֹסִי בְּיוֹם אֶקְרָא.
בְּיָדוֹ אַפְקִיד רוּחִי   בְּעֵת אִישַׁן וְאָעִירָה.
וְעִם רוּחִי גְּוִיָּתִי   יְיָ לִי וְלֹא אִירָא.

Adon olam asher malakh, b'terem kol ye-tzir nivra.
L'eit na-asah ve-ḥeftzo kol, azai melekh sh'mo nikra.
Ve-aḥarei kikhlot hakol, le-vado yimlokh nora.
Ve-hu hayah ve-hu hoveh, ve-hu yih-yeh b'tifarah.
Ve-hu eḥad ve-ein shei-ni, le-hamshil lo le-haḥbirah.
B'li rei-sheet b'li takhleet, ve-lo ha-oz ve-hamisrah.
Ve-hu Eili ve-ḥai go-ali, ve-tzur ḥevli b'eit tzarah.
Ve-hu nisi u-manos li, m'nat kosi b'yom ekra.
B'yado afkid ruḥi, b'eit ishan ve-a-irah.
Ve-im ruḥi ge-viyati, Adonai li ve-lo ira.

Adon Olam

The Lord eternal reigned before the birth of every living thing.

When all was made, as He ordained, then only was He known as King.

When all is ended He alone will reign in awesome majesty.

He was, He is, and He will be, glorious in eternity.

Peerless and unique is He, with none at all to be compared.

Beginningless and endless, His vast dominion is not shared.

My God, my life's redeemer, He is my refuge in distress,

My shelter sure, my cup of life with goodness limitless.

When I wake, as when I sleep, my spirit in His care I place.

Body and spirit in His keep, I have no fear, held in His grace.

THE REALNESS OF GOD

The sense for the realness of God will not be found in insipid concepts; in opinions that are astute, arid, timid; in love that is scant, erratic. Sensitivity to God is given to a broken heart, to a mind that rises above its own wisdom. It is a sensitivity that bursts all abstractions. It is not a mere playing with a notion. There is no conviction without contrition; no affirmation without self-engagement. Consciousness of God is a response and God is a challenge rather than a notion. We do not think of Him, we are stirred by Him. We can never describe Him, we can only return to Him. We may address ourselves to Him; we cannot comprehend Him. We can sense His Presence; we cannot grasp His essence. His is the call, ours the paraphrase; His is the creation, ours a reflection.

God-awareness is not an act of God being known to man; it is the awareness of man's being known by God. In thinking about Him we are thought by Him.

מִנְחָה לְרֹאשׁ הַשָּׁנָה

ROSH HASHANAH AFTERNOON SERVICE

Ashrei

אַשְׁרֵי יוֹשְׁבֵי בֵיתֶךָ, עוֹד יְהַלְלוּךָ סֶּלָה.

אַשְׁרֵי הָעָם שֶׁכָּכָה לּוֹ, אַשְׁרֵי הָעָם שֶׁיְיָ אֱלֹהָיו.

תְּהִלָּה לְדָוִד.

אֲרוֹמִמְךָ אֱלוֹהַי הַמֶּלֶךְ וַאֲבָרְכָה שִׁמְךָ לְעוֹלָם וָעֶד.

בְּכָל־יוֹם אֲבָרְכֶךָּ וַאֲהַלְלָה שִׁמְךָ לְעוֹלָם וָעֶד.

גָּדוֹל יְיָ וּמְהֻלָּל מְאֹד וְלִגְדֻלָּתוֹ אֵין חֵקֶר.

דּוֹר לְדוֹר יְשַׁבַּח מַעֲשֶׂיךָ וּגְבוּרֹתֶיךָ יַגִּידוּ.

הֲדַר כְּבוֹד הוֹדֶךָ וְדִבְרֵי נִפְלְאֹתֶיךָ אָשִׂיחָה.

וֶעֱזוּז נוֹרְאֹתֶיךָ יֹאמֵרוּ וּגְדוּלָּתְךָ אֲסַפְּרֶנָּה.

זֵכֶר רַב טוּבְךָ יַבִּיעוּ וְצִדְקָתְךָ יְרַנֵּנוּ.

חַנּוּן וְרַחוּם יְיָ, אֶרֶךְ אַפַּיִם וּגְדָל־חָסֶד.

טוֹב יְיָ לַכֹּל וְרַחֲמָיו עַל כָּל־מַעֲשָׂיו.

יוֹדוּךָ יְיָ כָּל־מַעֲשֶׂיךָ וַחֲסִידֶיךָ יְבָרְכוּכָה.

כְּבוֹד מַלְכוּתְךָ יֹאמֵרוּ וּגְבוּרָתְךָ יְדַבֵּרוּ.

לְהוֹדִיעַ לִבְנֵי הָאָדָם גְּבוּרֹתָיו וּכְבוֹד הֲדַר מַלְכוּתוֹ.

מַלְכוּתְךָ מַלְכוּת כָּל־עֹלָמִים וּמֶמְשַׁלְתְּךָ בְּכָל־דּוֹר וָדֹר.

סוֹמֵךְ יְיָ לְכָל־הַנֹּפְלִים וְזוֹקֵף לְכָל־הַכְּפוּפִים.

עֵינֵי כֹל אֵלֶיךָ יְשַׂבֵּרוּ וְאַתָּה נוֹתֵן לָהֶם אֶת־אָכְלָם בְּעִתּוֹ.

פּוֹתֵחַ אֶת־יָדֶךָ וּמַשְׂבִּיעַ לְכָל־חַי רָצוֹן.

צַדִּיק יְיָ בְּכָל־דְּרָכָיו וְחָסִיד בְּכָל־מַעֲשָׂיו.
קָרוֹב יְיָ לְכָל־קֹרְאָיו, לְכֹל אֲשֶׁר יִקְרָאֻהוּ בֶאֱמֶת.
רְצוֹן יְרֵאָיו יַעֲשֶׂה וְאֶת־שַׁוְעָתָם יִשְׁמַע וְיוֹשִׁיעֵם.
שׁוֹמֵר יְיָ אֶת־כָּל־אֹהֲבָיו וְאֵת כָּל־הָרְשָׁעִים יַשְׁמִיד.
תְּהִלַּת יְיָ יְדַבֶּר־פִּי וִיבָרֵךְ כָּל־בָּשָׂר שֵׁם קָדְשׁוֹ לְעוֹלָם וָעֶד.
וַאֲנַחְנוּ נְבָרֵךְ יָהּ מֵעַתָּה וְעַד עוֹלָם. הַלְלוּיָהּ.

Uva L'tzion

וּבָא לְצִיּוֹן גּוֹאֵל וּלְשָׁבֵי פֶשַׁע בְּיַעֲקֹב, נְאֻם יְיָ. וַאֲנִי זֹאת בְּרִיתִי אוֹתָם אָמַר יְיָ, רוּחִי אֲשֶׁר עָלֶיךָ וּדְבָרַי אֲשֶׁר שַׂמְתִּי בְּפִיךָ, לֹא יָמוּשׁוּ מִפִּיךָ וּמִפִּי זַרְעֲךָ וּמִפִּי זֶרַע זַרְעֲךָ, אָמַר יְיָ, מֵעַתָּה וְעַד עוֹלָם. וְאַתָּה קָדוֹשׁ, יוֹשֵׁב תְּהִלּוֹת יִשְׂרָאֵל. וְקָרָא זֶה אֶל זֶה וְאָמַר: קָדוֹשׁ קָדוֹשׁ קָדוֹשׁ יְיָ צְבָאוֹת, מְלֹא כָל־הָאָרֶץ כְּבוֹדוֹ.

וּמְקַבְּלִין דֵּן מִן דֵּן וְאָמְרִין, קַדִּישׁ בִּשְׁמֵי מְרוֹמָא עִלָּאָה בֵּית שְׁכִינְתֵּהּ, קַדִּישׁ עַל אַרְעָא עוֹבַד גְּבוּרְתֵּהּ, קַדִּישׁ לְעָלַם וּלְעָלְמֵי עָלְמַיָּא. יְיָ צְבָאוֹת מַלְיָא כָל־אַרְעָא זִיו יְקָרֵהּ.

וַתִּשָּׂאֵנִי רוּחַ וָאֶשְׁמַע אַחֲרַי קוֹל רַעַשׁ גָּדוֹל: בָּרוּךְ כְּבוֹד יְיָ מִמְּקוֹמוֹ.

וּנְטָלַתְנִי רוּחָא וְשִׁמְעֵת בַּתְרַי קָל זִיעַ סַגִּיא דִּמְשַׁבְּחִין וְאָמְרִין: בְּרִיךְ יְקָרָא דַי יְיָ מֵאֲתַר בֵּית שְׁכִינְתֵּהּ.

יְיָ יִמְלֹךְ לְעֹלָם וָעֶד.

יְיָ מַלְכוּתֵהּ קָאֵם לְעָלַם וּלְעָלְמֵי עָלְמַיָּא.

יְיָ אֱלֹהֵי אַבְרָהָם יִצְחָק וְיִשְׂרָאֵל אֲבֹתֵינוּ שָׁמְרָה־זֹּאת לְעוֹלָם לְיֵצֶר מַחְשְׁבוֹת לְבַב עַמֶּךָ, וְהָכֵן לְבָבָם אֵלֶיךָ. וְהוּא רַחוּם יְכַפֵּר עָוֹן וְלֹא יַשְׁחִית, וְהִרְבָּה לְהָשִׁיב אַפּוֹ, וְלֹא יָעִיר כָּל־חֲמָתוֹ. כִּי אַתָּה אֲדֹנָי טוֹב וְסַלָּח, וְרַב חֶסֶד לְכָל־קֹרְאֶיךָ. צִדְקָתְךָ צֶדֶק לְעוֹלָם, וְתוֹרָתְךָ אֱמֶת. תִּתֵּן אֱמֶת לְיַעֲקֹב חֶסֶד לְאַבְרָהָם, אֲשֶׁר נִשְׁבַּעְתָּ לַאֲבֹתֵינוּ מִימֵי קֶדֶם. בָּרוּךְ אֲדֹנָי יוֹם יוֹם, יַעֲמָס־לָנוּ הָאֵל יְשׁוּעָתֵנוּ, סֶלָה. יְיָ צְבָאוֹת עִמָּנוּ, מִשְׂגָּב לָנוּ אֱלֹהֵי יַעֲקֹב, סֶלָה. יְיָ צְבָאוֹת, אַשְׁרֵי אָדָם בֹּטֵחַ בָּךְ. יְיָ הוֹשִׁיעָה, הַמֶּלֶךְ יַעֲנֵנוּ בְיוֹם קָרְאֵנוּ.

בָּרוּךְ הוּא אֱלֹהֵינוּ שֶׁבְּרָאָנוּ לִכְבוֹדוֹ וְהִבְדִּילָנוּ מִן הַתּוֹעִים וְנָתַן לָנוּ תּוֹרַת אֱמֶת וְחַיֵּי עוֹלָם נָטַע בְּתוֹכֵנוּ. הוּא יִפְתַּח לִבֵּנוּ בְּתוֹרָתוֹ וְיָשֵׂם בְּלִבֵּנוּ אַהֲבָתוֹ וְיִרְאָתוֹ וְלַעֲשׂוֹת רְצוֹנוֹ וּלְעָבְדוֹ בְּלֵבָב שָׁלֵם לְמַעַן לֹא נִיגַע לָרִיק וְלֹא נֵלֵד לַבֶּהָלָה. יְהִי רָצוֹן מִלְּפָנֶיךָ יְיָ אֱלֹהֵינוּ וֵאלֹהֵי אֲבוֹתֵינוּ שֶׁנִּשְׁמֹר חֻקֶּיךָ בָּעוֹלָם הַזֶּה וְנִזְכֶּה וְנִחְיֶה וְנִרְאֶה וְנִירַשׁ טוֹבָה וּבְרָכָה לִשְׁנֵי יְמוֹת הַמָּשִׁיחַ וּלְחַיֵּי הָעוֹלָם הַבָּא. לְמַעַן יְזַמֶּרְךָ כָבוֹד וְלֹא יִדֹּם, יְיָ אֱלֹהַי לְעוֹלָם אוֹדֶךָּ. בָּרוּךְ הַגֶּבֶר אֲשֶׁר יִבְטַח בַּייָ, וְהָיָה יְיָ מִבְטַחוֹ. בִּטְחוּ בַייָ עֲדֵי עַד, כִּי בְּיָהּ יְיָ צוּר עוֹלָמִים. וְיִבְטְחוּ בְךָ יוֹדְעֵי שְׁמֶךָ, כִּי לֹא עָזַבְתָּ דֹּרְשֶׁיךָ יְיָ. יְיָ חָפֵץ לְמַעַן צִדְקוֹ, יַגְדִּיל תּוֹרָה וְיַאְדִּיר.

Ḥatzi Kaddish

Ḥazzan:

יִתְגַּדַּל וְיִתְקַדַּשׁ שְׁמֵהּ רַבָּא בְּעָלְמָא דִּי בְרָא כִרְעוּתֵהּ, וְיַמְלִיךְ מַלְכוּתֵהּ בְּחַיֵּיכוֹן וּבְיוֹמֵיכוֹן וּבְחַיֵּי דְכָל־בֵּית יִשְׂרָאֵל בַּעֲגָלָא וּבִזְמַן קָרִיב, וְאִמְרוּ אָמֵן.

Congregation and Ḥazzan:

יְהֵא שְׁמֵהּ רַבָּא מְבָרַךְ לְעָלַם וּלְעָלְמֵי עָלְמַיָּא.

Ḥazzan:

יִתְבָּרַךְ וְיִשְׁתַּבַּח וְיִתְפָּאַר וְיִתְרוֹמַם וְיִתְנַשֵּׂא וְיִתְהַדַּר וְיִתְעַלֶּה וְיִתְהַלַּל שְׁמֵהּ דְּקֻדְשָׁא בְּרִיךְ הוּא, לְעֵלָּא לְעֵלָּא מִכָּל־בִּרְכָתָא וְשִׁירָתָא תֻּשְׁבְּחָתָא וְנֶחֱמָתָא דַּאֲמִירָן בְּעָלְמָא, וְאִמְרוּ אָמֵן.

On weekdays, the service continues with the Amidah, page 312.

וַאֲנִי תְפִלָּתִי לְךָ יְיָ עֵת רָצוֹן אֱלֹהִים בְּרָב־חַסְדֶּךָ, עֲנֵנִי בֶּאֱמֶת יִשְׁעֶךָ.

The Ark is opened, as we rise.

וַיְהִי בִּנְסֹעַ הָאָרֹן וַיֹּאמֶר מֹשֶׁה: קוּמָה יְיָ וְיָפֻצוּ אֹיְבֶיךָ וְיָנֻסוּ מְשַׂנְאֶיךָ מִפָּנֶיךָ.

Ḥazzan and Congregation:

כִּי מִצִּיּוֹן תֵּצֵא תוֹרָה וּדְבַר יְיָ מִירוּשָׁלָיִם.

בָּרוּךְ שֶׁנָּתַן תּוֹרָה לְעַמּוֹ יִשְׂרָאֵל בִּקְדֻשָּׁתוֹ.

Ḥazzan:

גַּדְּלוּ לַיְיָ אִתִּי וּנְרוֹמְמָה שְׁמוֹ יַחְדָּו.

Ḥazzan and Congregation:

לְךָ יְיָ הַגְּדֻלָּה וְהַגְּבוּרָה וְהַתִּפְאֶרֶת וְהַנֵּצַח וְהַהוֹד, כִּי כֹל בַּשָּׁמַיִם וּבָאָרֶץ, לְךָ יְיָ הַמַּמְלָכָה וְהַמִּתְנַשֵּׂא לְכֹל לְרֹאשׁ.

רוֹמְמוּ יְיָ אֱלֹהֵינוּ, וְהִשְׁתַּחֲווּ לַהֲדֹם רַגְלָיו, קָדוֹשׁ הוּא.
רוֹמְמוּ יְיָ אֱלֹהֵינוּ, וְהִשְׁתַּחֲווּ לְהַר קָדְשׁוֹ, כִּי קָדוֹשׁ יְיָ אֱלֹהֵינוּ.

Torah Reader:

אַב הָרַחֲמִים הוּא יְרַחֵם עַם עֲמוּסִים וְיִזְכֹּר בְּרִית אֵיתָנִים וְיַצִּיל נַפְשׁוֹתֵינוּ מִן הַשָּׁעוֹת הָרָעוֹת וְיִגְעַר בְּיֵצֶר הָרָע מִן הַנְּשׂוּאִים וְיָחֹן אוֹתָנוּ לִפְלֵיטַת עוֹלָמִים וִימַלֵּא מִשְׁאֲלוֹתֵינוּ בְּמִדָּה טוֹבָה יְשׁוּעָה וְרַחֲמִים.

וְתִגָּלֶה וְתֵרָאֶה מַלְכוּתוֹ עָלֵינוּ בִּזְמַן קָרוֹב, וְיָחֹן פְּלֵיטָתֵנוּ וּפְלֵיטַת עַמּוֹ בֵּית יִשְׂרָאֵל לְחֵן וּלְחֶסֶד וּלְרַחֲמִים וּלְרָצוֹן, וְנֹאמַר אָמֵן. הַכֹּל הָבוּ גֹדֶל לֵאלֹהֵינוּ וּתְנוּ כָבוֹד לַתּוֹרָה. כֹּהֵן קְרָב. יַעֲמֹד (. . . . בֶּן . . .) הַכֹּהֵן. בָּרוּךְ שֶׁנָּתַן תּוֹרָה לְעַמּוֹ יִשְׂרָאֵל בִּקְדֻשָּׁתוֹ.

Congregation and Torah Reader:

וְאַתֶּם הַדְּבֵקִים בַּיְיָ אֱלֹהֵיכֶם, חַיִּים כֻּלְּכֶם הַיּוֹם.

*Each congregant honored with an aliyah recites
these blessings:*

Before the reading:

בָּרְכוּ אֶת־יְיָ הַמְבֹרָךְ.

Congregation:

בָּרוּךְ יְיָ הַמְבֹרָךְ לְעוֹלָם וָעֶד.

Congregant repeats the above line, and continues:

בָּרוּךְ אַתָּה יְיָ אֱלֹהֵינוּ מֶלֶךְ הָעוֹלָם אֲשֶׁר בָּחַר בָּנוּ מִכָּל־הָעַמִּים
וְנָתַן לָנוּ אֶת־תּוֹרָתוֹ. בָּרוּךְ אַתָּה יְיָ נוֹתֵן הַתּוֹרָה.

After the reading:

בָּרוּךְ אַתָּה יְיָ אֱלֹהֵינוּ מֶלֶךְ הָעוֹלָם אֲשֶׁר נָתַן לָנוּ תּוֹרַת אֱמֶת וְחַיֵּי
עוֹלָם נָטַע בְּתוֹכֵנוּ. בָּרוּךְ אַתָּה יְיָ נוֹתֵן הַתּוֹרָה.

Torah Reading

Kohen

הַאֲזִינוּ הַשָּׁמַיִם וַאֲדַבֵּרָה   וְתִשְׁמַע הָאָרֶץ אִמְרֵי־פִי׃
יַעֲרֹף כַּמָּטָר לִקְחִי   תִּזַּל כַּטַּל אִמְרָתִי
כִּשְׂעִירִם עֲלֵי־דֶשֶׁא   וְכִרְבִיבִים עֲלֵי־עֵשֶׂב׃
כִּי שֵׁם יהוה אֶקְרָא   הָבוּ גֹדֶל לֵאלֹהֵינוּ׃

Levi

הַצּוּר תָּמִים פָּעֳלוֹ   כִּי כָל־דְּרָכָיו מִשְׁפָּט
אֵל אֱמוּנָה וְאֵין עָוֶל   צַדִּיק וְיָשָׁר הוּא׃
שִׁחֵת לוֹ לֹא בָּנָיו מוּמָם   דּוֹר עִקֵּשׁ וּפְתַלְתֹּל׃
הַ לַיהוה תִּגְמְלוּ־זֹאת   עַם נָבָל וְלֹא חָכָם
הֲלוֹא־הוּא אָבִיךָ קָּנֶךָ   הוּא עָשְׂךָ וַיְכֹנְנֶךָ׃

Shlishi

זְכֹר יְמוֹת עוֹלָם   בִּינוּ שְׁנוֹת דֹּר־וָדֹר
שְׁאַל אָבִיךָ וְיַגֵּדְךָ   זְקֵנֶיךָ וְיֹאמְרוּ לָךְ׃
בְּהַנְחֵל עֶלְיוֹן גּוֹיִם   בְּהַפְרִידוֹ בְּנֵי אָדָם
יַצֵּב גְּבֻלֹת עַמִּים   לְמִסְפַּר בְּנֵי יִשְׂרָאֵל׃
כִּי חֵלֶק יהוה עַמּוֹ   יַעֲקֹב חֶבֶל נַחֲלָתוֹ׃
יִמְצָאֵהוּ בְּאֶרֶץ מִדְבָּר   וּבְתֹהוּ יְלֵל יְשִׁמֹן
יְסֹבְבֶנְהוּ יְבוֹנְנֵהוּ   יִצְּרֶנְהוּ כְּאִישׁוֹן עֵינוֹ׃
כְּנֶשֶׁר יָעִיר קִנּוֹ   עַל־גּוֹזָלָיו יְרַחֵף
יִפְרֹשׂ כְּנָפָיו יִקָּחֵהוּ   יִשָּׂאֵהוּ עַל־אֶבְרָתוֹ׃
יהוה בָּדָד יַנְחֶנּוּ   וְאֵין עִמּוֹ אֵל נֵכָר׃

Torah Reading

Deuteronomy 32:1-12

Kohen

Give ear, O heavens, let me speak; let the earth hear the words
    I utter!
May my discourse come down as the rain, my speech distill as
    the dew,
Like showers on young growth, like droplets on the grass.
For the name of the Lord I proclaim; give glory to our God!

Levi

The Rock!—His deeds are perfect, yea, all His ways are just;
A faithful God, never false, true and upright is He.
Children unworthy of Him, the crooked and twisted generation—
Their baseness has played Him false.
Do you thus requite the Lord, O dull and witless people?
Is not He the Father who created you, fashioned you and made
    you endure?

Shlishi

Remember the days of old, consider the years of ages past;
Ask your father, he will inform you, your elders, they will tell
    you:
When the Most High gave nations their homes and set the divi-
    sions of man,
He fixed the boundaries of peoples in relation to Israel's numbers.
But the Lord's portion is His people, Jacob His own allotment.
He found him in a desert region, in an empty howling waste.
He engirded him, watched over him, guarded him as the pupil of
    His eye.
Like an eagle who rouses his nestlings, gliding down to his young,
So spread He His wings and took him, bore him along on His
    pinions;
The Lord alone did guide him, no alien god at His side.

We rise as the Seifer Torah is raised.

וְזֹאת הַתּוֹרָה אֲשֶׁר שָׂם מֹשֶׁה לִפְנֵי בְּנֵי יִשְׂרָאֵל עַל פִּי יְיָ בְּיַד מֹשֶׁה.

Ḥazzan:

יְהַלְלוּ אֶת־שֵׁם יְיָ כִּי נִשְׂגָּב שְׁמוֹ לְבַדּוֹ.

Congregation:

הוֹדוֹ עַל אֶרֶץ וְשָׁמָיִם. וַיָּרֶם קֶרֶן לְעַמּוֹ
תְּהִלָּה לְכָל־חֲסִידָיו, לִבְנֵי יִשְׂרָאֵל עַם קְרֹבוֹ. הַלְלוּיָהּ.

לְדָוִד מִזְמוֹר. לַייָ הָאָרֶץ וּמְלוֹאָהּ, תֵּבֵל וְיֹשְׁבֵי בָהּ. כִּי הוּא עַל יַמִּים יְסָדָהּ, וְעַל נְהָרוֹת יְכוֹנְנֶהָ. מִי יַעֲלֶה בְהַר יְיָ, וּמִי יָקוּם בִּמְקוֹם קָדְשׁוֹ. נְקִי כַפַּיִם וּבַר לֵבָב, אֲשֶׁר לֹא נָשָׂא לַשָּׁוְא נַפְשִׁי, וְלֹא נִשְׁבַּע לְמִרְמָה. יִשָּׂא בְרָכָה מֵאֵת יְיָ, וּצְדָקָה מֵאֱלֹהֵי יִשְׁעוֹ. זֶה דּוֹר דֹּרְשָׁיו, מְבַקְשֵׁי פָנֶיךָ יַעֲקֹב, סֶלָה. שְׂאוּ שְׁעָרִים רָאשֵׁיכֶם וְהִנָּשְׂאוּ פִּתְחֵי עוֹלָם, וְיָבוֹא מֶלֶךְ הַכָּבוֹד. מִי זֶה מֶלֶךְ הַכָּבוֹד, יְיָ עִזּוּז וְגִבּוֹר, יְיָ גִּבּוֹר מִלְחָמָה. שְׂאוּ שְׁעָרִים רָאשֵׁיכֶם וּשְׂאוּ פִּתְחֵי עוֹלָם, וְיָבֹא מֶלֶךְ הַכָּבוֹד. מִי הוּא זֶה מֶלֶךְ הַכָּבוֹד, יְיָ צְבָאוֹת, הוּא מֶלֶךְ הַכָּבוֹד, סֶלָה.

וּבְנֻחֹה יֹאמַר: שׁוּבָה יְיָ, רִבְבוֹת אַלְפֵי יִשְׂרָאֵל. קוּמָה יְיָ לִמְנוּחָתֶךָ, אַתָּה וַאֲרוֹן עֻזֶּךָ. כֹּהֲנֶיךָ יִלְבְּשׁוּ־צֶדֶק וַחֲסִידֶיךָ יְרַנֵּנוּ. בַּעֲבוּר דָּוִד עַבְדֶּךָ, אַל תָּשֵׁב פְּנֵי מְשִׁיחֶךָ. כִּי לֶקַח טוֹב נָתַתִּי לָכֶם, תּוֹרָתִי אַל תַּעֲזֹבוּ.

עֵץ חַיִּים הִיא לַמַּחֲזִיקִים בָּהּ, וְתֹמְכֶיהָ מְאֻשָּׁר.

דְּרָכֶיהָ דַרְכֵי־נֹעַם, וְכָל־נְתִיבֹתֶיהָ שָׁלוֹם.

הֲשִׁיבֵנוּ יְיָ אֵלֶיךָ וְנָשׁוּבָה, חַדֵּשׁ יָמֵינוּ כְּקֶדֶם.

Ḥatzi Kaddish

Ḥazzan:

יִתְגַּדַּל וְיִתְקַדַּשׁ שְׁמֵהּ רַבָּא בְּעָלְמָא דִּי בְרָא כִרְעוּתֵהּ, וְיַמְלִיךְ
מַלְכוּתֵהּ בְּחַיֵּיכוֹן וּבְיוֹמֵיכוֹן וּבְחַיֵּי דְכָל־בֵּית יִשְׂרָאֵל בַּעֲגָלָא
וּבִזְמַן קָרִיב, וְאִמְרוּ אָמֵן.

Congregation and Ḥazzan:

יְהֵא שְׁמֵהּ רַבָּא מְבָרַךְ לְעָלַם וּלְעָלְמֵי עָלְמַיָּא.

Ḥazzan:

יִתְבָּרַךְ וְיִשְׁתַּבַּח וְיִתְפָּאַר וְיִתְרוֹמַם וְיִתְנַשֵּׂא וְיִתְהַדַּר וְיִתְעַלֶּה
וְיִתְהַלַּל שְׁמֵהּ דְּקֻדְשָׁא בְּרִיךְ הוּא, לְעֵלָּא לְעֵלָּא מִכָּל־בִּרְכָתָא
וְשִׁירָתָא תֻּשְׁבְּחָתָא וְנֶחֱמָתָא דַּאֲמִירָן בְּעָלְמָא, וְאִמְרוּ אָמֵן.

Amidah

We stand in silent prayer, which ends on page 316. In some communities the Ḥazzan chants through the Kedushah (page 313), after which the congregants recite the entire Amidah in silence.

For translation, see pages 31 to 39.

כִּי שֵׁם יְיָ אֶקְרָא הָבוּ גֹדֶל לֵאלֹהֵינוּ.
אֲדֹנָי שְׂפָתַי תִּפְתָּח וּפִי יַגִּיד תְּהִלָּתֶךָ.

בָּרוּךְ אַתָּה יְיָ אֱלֹהֵינוּ וֵאלֹהֵי אֲבוֹתֵינוּ, אֱלֹהֵי אַבְרָהָם אֱלֹהֵי יִצְחָק וֵאלֹהֵי יַעֲקֹב, הָאֵל הַגָּדוֹל הַגִּבּוֹר וְהַנּוֹרָא אֵל עֶלְיוֹן גּוֹמֵל חֲסָדִים טוֹבִים וְקוֹנֵה הַכֹּל, וְזוֹכֵר חַסְדֵי אָבוֹת וּמֵבִיא גוֹאֵל לִבְנֵי בְנֵיהֶם לְמַעַן שְׁמוֹ בְּאַהֲבָה.

זָכְרֵנוּ לְחַיִּים מֶלֶךְ חָפֵץ בַּחַיִּים,
וְכָתְבֵנוּ בְּסֵפֶר הַחַיִּים לְמַעַנְךָ אֱלֹהִים חַיִּים.

מֶלֶךְ עוֹזֵר וּמוֹשִׁיעַ וּמָגֵן. בָּרוּךְ אַתָּה יְיָ מָגֵן אַבְרָהָם.

אַתָּה גִּבּוֹר לְעוֹלָם אֲדֹנָי מְחַיֵּה מֵתִים אַתָּה רַב לְהוֹשִׁיעַ. מְכַלְכֵּל חַיִּים בְּחֶסֶד מְחַיֵּה מֵתִים בְּרַחֲמִים רַבִּים, סוֹמֵךְ נוֹפְלִים וְרוֹפֵא חוֹלִים וּמַתִּיר אֲסוּרִים וּמְקַיֵּם אֱמוּנָתוֹ לִישֵׁנֵי עָפָר. מִי כָמוֹךָ בַּעַל גְּבוּרוֹת וּמִי דוֹמֶה לָּךְ, מֶלֶךְ מֵמִית וּמְחַיֶּה וּמַצְמִיחַ יְשׁוּעָה.

מִי כָמוֹךָ אַב הָרַחֲמִים, זוֹכֵר יְצוּרָיו לְחַיִּים בְּרַחֲמִים.

וְנֶאֱמָן אַתָּה לְהַחֲיוֹת מֵתִים. בָּרוּךְ אַתָּה יְיָ מְחַיֵּה הַמֵּתִים.

When reciting silently:

אַתָּה קָדוֹשׁ וְשִׁמְךָ קָדוֹשׁ וּקְדוֹשִׁים בְּכָל־יוֹם יְהַלְלוּךָ סֶּלָה.

Continue in middle of following page.

When the Ḥazzan chants the Amidah, the Kedushah is added. The congregation chants the indented portions aloud.

נְקַדֵּשׁ אֶת־שִׁמְךָ בָּעוֹלָם כְּשֵׁם שֶׁמַּקְדִּישִׁים אוֹתוֹ בִּשְׁמֵי מָרוֹם, כַּכָּתוּב עַל יַד נְבִיאֶךָ, וְקָרָא זֶה אֶל זֶה וְאָמַר:

קָדוֹשׁ קָדוֹשׁ קָדוֹשׁ יְיָ צְבָאוֹת, מְלֹא כָל־הָאָרֶץ כְּבוֹדוֹ.

לְעֻמָּתָם בָּרוּךְ יֹאמֵרוּ:

בָּרוּךְ כְּבוֹד יְיָ מִמְּקוֹמוֹ.

וּבְדִבְרֵי קָדְשְׁךָ כָּתוּב לֵאמֹר:

יִמְלֹךְ יְיָ לְעוֹלָם אֱלֹהַיִךְ צִיּוֹן לְדֹר וָדֹר, הַלְלוּיָהּ.

לְדוֹר וָדוֹר נַגִּיד גָּדְלֶךָ, וּלְנֵצַח נְצָחִים קְדֻשָּׁתְךָ נַקְדִּישׁ. וְשִׁבְחֲךָ אֱלֹהֵינוּ מִפִּינוּ לֹא יָמוּשׁ לְעוֹלָם וָעֶד כִּי אֵל מֶלֶךְ גָּדוֹל וְקָדוֹשׁ אָתָּה.

When congregants recite the Amidah in silence, they continue here. When Ḥazzan chants the rest of the Amidah aloud, the congregation is seated.

וּבְכֵן תֵּן פַּחְדְּךָ יְיָ אֱלֹהֵינוּ עַל כָּל־מַעֲשֶׂיךָ וְאֵימָתְךָ עַל כָּל־מַה־שֶּׁבָּרָאתָ, וְיִירָאוּךָ כָּל־הַמַּעֲשִׂים וְיִשְׁתַּחֲווּ לְפָנֶיךָ כָּל־הַבְּרוּאִים, וְיֵעָשׂוּ כֻלָּם אֲגֻדָּה אַחַת לַעֲשׂוֹת רְצוֹנְךָ בְּלֵבָב שָׁלֵם, כְּמוֹ שֶׁיָּדַעְנוּ יְיָ אֱלֹהֵינוּ שֶׁהַשִּׁלְטוֹן לְפָנֶיךָ, עֹז בְּיָדְךָ וּגְבוּרָה בִּימִינֶךָ וְשִׁמְךָ נוֹרָא עַל כָּל־מַה־שֶּׁבָּרָאתָ.

וּבְכֵן תֵּן כָּבוֹד יְיָ לְעַמֶּךָ תְּהִלָּה לִירֵאֶיךָ וְתִקְוָה לְדוֹרְשֶׁיךָ וּפִתְחוֹן פֶּה לַמְיַחֲלִים לָךְ, שִׂמְחָה לְאַרְצֶךָ וְשָׂשׂוֹן לְעִירֶךָ וּצְמִיחַת קֶרֶן לְדָוִד עַבְדֶּךָ וַעֲרִיכַת נֵר לְבֶן־יִשַׁי מְשִׁיחֶךָ בִּמְהֵרָה בְיָמֵינוּ.

וּבְכֵן צַדִּיקִים יִרְאוּ וְיִשְׂמָחוּ וִישָׁרִים יַעֲלֹזוּ וַחֲסִידִים בְּרִנָּה יָגִילוּ, וְעוֹלָֽתָה תִּקְפָּץ־פִּֽיהָ וְכָל־הָרִשְׁעָה כֻּלָּהּ כְּעָשָׁן תִּכְלֶה כִּי תַעֲבִיר מֶמְשֶֽׁלֶת זָדוֹן מִן הָאָֽרֶץ.

וְתִמְלֹךְ אַתָּה יְיָ לְבַדֶּֽךָ עַל כָּל־מַעֲשֶֽׂיךָ בְּהַר צִיּוֹן מִשְׁכַּן כְּבוֹדֶֽךָ וּבִירוּשָׁלַֽיִם עִיר קָדְשֶֽׁךָ, כַּכָּתוּב בְּדִבְרֵי קָדְשֶֽׁךָ: יִמְלֹךְ יְיָ לְעוֹלָם אֱלֹהַֽיִךְ צִיּוֹן לְדֹר וָדֹר, הַלְלוּיָהּ.

קָדוֹשׁ אַתָּה וְנוֹרָא שְׁמֶֽךָ וְאֵין אֱלֽוֹהַּ מִבַּלְעָדֶֽיךָ, כַּכָּתוּב: וַיִּגְבַּהּ יְיָ צְבָאוֹת בַּמִּשְׁפָּט, וְהָאֵל הַקָּדוֹשׁ נִקְדַּשׁ בִּצְדָקָה. בָּרוּךְ אַתָּה יְיָ הַמֶּֽלֶךְ הַקָּדוֹשׁ.

אַתָּה בְחַרְתָּֽנוּ מִכָּל־הָעַמִּים, אָהַֽבְתָּ אוֹתָֽנוּ וְרָצִֽיתָ בָּֽנוּ וְרוֹמַמְתָּֽנוּ מִכָּל־הַלְּשׁוֹנוֹת וְקִדַּשְׁתָּֽנוּ בְּמִצְוֹתֶֽיךָ וְקֵרַבְתָּֽנוּ מַלְכֵּֽנוּ לַעֲבוֹדָתֶֽךָ וְשִׁמְךָ הַגָּדוֹל וְהַקָּדוֹשׁ עָלֵֽינוּ קָרָֽאתָ.

וַתִּתֶּן־לָֽנוּ יְיָ אֱלֹהֵֽינוּ בְּאַהֲבָה אֶת־יוֹם הַשַּׁבָּת הַזֶּה וְאֶת־יוֹם הַזִּכָּרוֹן הַזֶּה, יוֹם זִכְרוֹן תְּרוּעָה בְּאַהֲבָה מִקְרָא קֹֽדֶשׁ זֵֽכֶר לִיצִיאַת מִצְרָֽיִם.

אֱלֹהֵֽינוּ וֵאלֹהֵי אֲבוֹתֵֽינוּ, יַעֲלֶה וְיָבוֹא וְיַגִּֽיעַ וְיֵרָאֶה וְיֵרָצֶה וְיִשָּׁמַע וְיִפָּקֵד וְיִזָּכֵר זִכְרוֹנֵֽנוּ וּפִקְדוֹנֵֽנוּ, וְזִכְרוֹן אֲבוֹתֵֽינוּ וְזִכְרוֹן מָשִֽׁיחַ בֶּן־דָּוִד עַבְדֶּֽךָ וְזִכְרוֹן יְרוּשָׁלַֽיִם עִיר קָדְשֶֽׁךָ וְזִכְרוֹן כָּל־עַמְּךָ בֵּית יִשְׂרָאֵל לְפָנֶֽיךָ, לִפְלֵיטָה וּלְטוֹבָה וּלְחֵן וּלְחֶֽסֶד וּלְרַחֲמִים וּלְחַיִּים וּלְשָׁלוֹם בְּיוֹם הַזִּכָּרוֹן הַזֶּה. זָכְרֵֽנוּ יְיָ אֱלֹהֵֽינוּ בּוֹ לְטוֹבָה, וּפָקְדֵֽנוּ בוֹ לִבְרָכָה, וְהוֹשִׁיעֵֽנוּ בוֹ לְחַיִּים. וּבִדְבַר יְשׁוּעָה וְרַחֲמִים חוּס וְחָנֵּֽנוּ וְרַחֵם עָלֵֽינוּ וְהוֹשִׁיעֵֽנוּ כִּי אֵלֶֽיךָ עֵינֵֽינוּ, כִּי אֵל מֶֽלֶךְ חַנּוּן וְרַחוּם אָֽתָּה.

אֱלֹהֵֽינוּ וֵאלֹהֵי אֲבוֹתֵֽינוּ, מְלוֹךְ עַל כָּל־הָעוֹלָם כֻּלּוֹ בִּכְבוֹדֶֽךָ וְהִנָּשֵׂא עַל כָּל־הָאָֽרֶץ בִּיקָרֶֽךָ, וְהוֹפַע בַּהֲדַר גְּאוֹן עֻזֶּֽךָ עַל כָּל־יוֹשְׁבֵי תֵבֵל אַרְצֶֽךָ. וְיֵדַע כָּל־פָּעוּל כִּי אַתָּה פְעַלְתּוֹ וְיָבִין כָּל־יָצוּר כִּי אַתָּה יְצַרְתּוֹ. וְיֹאמַר כֹּל אֲשֶׁר נְשָׁמָה בְאַפּוֹ: יְיָ אֱלֹהֵי יִשְׂרָאֵל מֶֽלֶךְ, וּמַלְכוּתוֹ בַּכֹּל מָשָֽׁלָה. אֱלֹהֵֽינוּ וֵאלֹהֵי אֲבוֹתֵֽינוּ, רְצֵה בִמְנוּחָתֵֽנוּ קַדְּשֵֽׁנוּ בְּמִצְוֹתֶֽיךָ וְתֵן חֶלְקֵֽנוּ בְּתוֹרָתֶֽךָ, שַׂבְּעֵֽנוּ מִטּוּבֶֽךָ וְשַׂמְּחֵֽנוּ בִּישׁוּעָתֶֽךָ, וְהַנְחִילֵֽנוּ יְיָ אֱלֹהֵֽינוּ בְּאַהֲבָה וּבְרָצוֹן שַׁבַּת קָדְשֶֽׁךָ וְיָנֽוּחוּ בָהּ יִשְׂרָאֵל מְקַדְּשֵׁי שְׁמֶֽךָ וְטַהֵר לִבֵּֽנוּ לְעָבְדְּךָ בֶּאֱמֶת, כִּי אַתָּה אֱלֹהִים אֱמֶת וּדְבָרְךָ אֱמֶת וְקַיָּם לָעַד. בָּרוּךְ אַתָּה יְיָ מֶֽלֶךְ עַל כָּל־הָאָֽרֶץ מְקַדֵּשׁ הַשַּׁבָּת וְ יִשְׂרָאֵל וְיוֹם הַזִּכָּרוֹן.

רְצֵה יְיָ אֱלֹהֵֽינוּ בְּעַמְּךָ יִשְׂרָאֵל וּבִתְפִלָּתָם וְהָשֵׁב אֶת־הָעֲבוֹדָה לִדְבִיר בֵּיתֶֽךָ וּתְפִלָּתָם בְּאַהֲבָה תְקַבֵּל בְּרָצוֹן וּתְהִי לְרָצוֹן תָּמִיד עֲבוֹדַת יִשְׂרָאֵל עַמֶּֽךָ. וְתֶחֱזֶֽינָה עֵינֵֽינוּ בְּשׁוּבְךָ לְצִיּוֹן בְּרַחֲמִים. בָּרוּךְ אַתָּה יְיָ הַמַּחֲזִיר שְׁכִינָתוֹ לְצִיּוֹן.

When Ḥazzan chants the Amidah, congregation reads this paragraph silently, while Ḥazzan chants the next paragraph.

מוֹדִים אֲנַֽחְנוּ לָךְ שָׁאַתָּה הוּא יְיָ אֱלֹהֵֽינוּ וֵאלֹהֵי אֲבוֹתֵֽינוּ אֱלֹהֵי כָל־בָּשָׂר יוֹצְרֵֽנוּ יוֹצֵר בְּרֵאשִׁית. בְּרָכוֹת וְהוֹדָאוֹת לְשִׁמְךָ הַגָּדוֹל וְהַקָּדוֹשׁ עַל שֶׁהֶחֱיִיתָֽנוּ וְקִיַּמְתָּֽנוּ. כֵּן תְּחַיֵּֽנוּ וּתְקַיְּמֵֽנוּ וְתֶאֱסוֹף גָּלֻיּוֹתֵֽינוּ לְחַצְרוֹת קָדְשֶֽׁךָ לִשְׁמוֹר חֻקֶּֽיךָ וְלַעֲשׂוֹת רְצוֹנֶֽךָ וּלְעָבְדְּךָ בְּלֵבָב שָׁלֵם עַל שֶׁאֲנַֽחְנוּ מוֹדִים לָךְ. בָּרוּךְ אֵל הַהוֹדָאוֹת.

מוֹדִים אֲנַֽחְנוּ לָךְ שָׁאַתָּה הוּא יְיָ אֱלֹהֵֽינוּ וֵאלֹהֵי אֲבוֹתֵֽינוּ לְעוֹלָם וָעֶד, צוּר חַיֵּֽינוּ מָגֵן יִשְׁעֵֽנוּ אַתָּה הוּא. לְדוֹר וָדוֹר נוֹדֶה לְּךָ וּנְסַפֵּר תְּהִלָּתֶֽךָ עַל חַיֵּֽינוּ הַמְּסוּרִים בְּיָדֶֽךָ וְעַל נִשְׁמוֹתֵֽינוּ הַפְּקוּדוֹת לָךְ וְעַל נִסֶּֽיךָ

שֶׁבְּכָל־יוֹם עִמָּנוּ וְעַל נִפְלְאוֹתֶיךָ וְטוֹבוֹתֶיךָ שֶׁבְּכָל־עֵת עֶרֶב וָבֹקֶר וְצָהֳרָיִם. הַטּוֹב כִּי לֹא כָלוּ רַחֲמֶיךָ וְהַמְרַחֵם כִּי לֹא תַמּוּ חֲסָדֶיךָ מֵעוֹלָם קִוִּינוּ לָךְ.

וְעַל כֻּלָּם יִתְבָּרַךְ וְיִתְרוֹמַם שִׁמְךָ מַלְכֵּנוּ תָּמִיד לְעוֹלָם וָעֶד.

וּכְתֹב לְחַיִּים טוֹבִים כָּל־בְּנֵי בְרִיתֶךָ.

וְכֹל הַחַיִּים יוֹדוּךָ סֶּלָה וִיהַלְלוּ אֶת־שִׁמְךָ בֶּאֱמֶת הָאֵל יְשׁוּעָתֵנוּ וְעֶזְרָתֵנוּ סֶלָה. בָּרוּךְ אַתָּה יְיָ הַטּוֹב שִׁמְךָ וּלְךָ נָאֶה לְהוֹדוֹת.

שָׁלוֹם רָב עַל יִשְׂרָאֵל עַמְּךָ וְעַל כָּל־יוֹשְׁבֵי תֵבֵל תָּשִׂים לְעוֹלָם כִּי אַתָּה הוּא מֶלֶךְ אָדוֹן לְכָל־הַשָּׁלוֹם. וְטוֹב בְּעֵינֶיךָ לְבָרֵךְ אֶת־עַמְּךָ יִשְׂרָאֵל בְּכָל־עֵת וּבְכָל־שָׁעָה בִּשְׁלוֹמֶךָ.

בְּסֵפֶר חַיִּים בְּרָכָה וְשָׁלוֹם וּפַרְנָסָה טוֹבָה נִזָּכֵר וְנִכָּתֵב לְפָנֶיךָ אֲנַחְנוּ וְכָל־עַמְּךָ בֵּית יִשְׂרָאֵל לְחַיִּים טוֹבִים וּלְשָׁלוֹם.

בָּרוּךְ אַתָּה יְיָ עוֹשֵׂה הַשָּׁלוֹם.

At the conclusion of the silent Amidah, personal prayers may be added, before or instead of the following.

אֱלֹהַי, נְצֹר לְשׁוֹנִי מֵרָע וּשְׂפָתַי מִדַּבֵּר מִרְמָה, וְלִמְקַלְלַי נַפְשִׁי תִדֹּם וְנַפְשִׁי כֶּעָפָר לַכֹּל תִּהְיֶה. פְּתַח לִבִּי בְּתוֹרָתֶךָ וּבְמִצְוֹתֶיךָ תִּרְדֹּף נַפְשִׁי. וְכֹל הַחוֹשְׁבִים עָלַי רָעָה, מְהֵרָה הָפֵר עֲצָתָם וְקַלְקֵל מַחֲשַׁבְתָּם. עֲשֵׂה לְמַעַן שְׁמֶךָ, עֲשֵׂה לְמַעַן יְמִינֶךָ, עֲשֵׂה לְמַעַן קְדֻשָּׁתֶךָ, עֲשֵׂה לְמַעַן תּוֹרָתֶךָ, לְמַעַן יֵחָלְצוּן יְדִידֶיךָ הוֹשִׁיעָה יְמִינְךָ וַעֲנֵנִי. יִהְיוּ לְרָצוֹן אִמְרֵי־פִי וְהֶגְיוֹן לִבִּי לְפָנֶיךָ, יְיָ צוּרִי וְגֹאֲלִי. עוֹשֶׂה שָׁלוֹם בִּמְרוֹמָיו הוּא יַעֲשֶׂה שָׁלוֹם עָלֵינוּ וְעַל כָּל־יִשְׂרָאֵל, וְאִמְרוּ אָמֵן.

Avinu Malkeinu

The following is omitted on Shabbat, when the service continues with Kaddish on page 319.

OUR FATHER OUR KING

The Ark is opened, as we rise.

אָבִינוּ מַלְכֵּנוּ, אֵין לָנוּ מֶלֶךְ אֶלָּא אָתָּה.
אָבִינוּ מַלְכֵּנוּ, עֲשֵׂה עִמָּנוּ לְמַעַן שְׁמֶךָ.
אָבִינוּ מַלְכֵּנוּ, חַדֵּשׁ עָלֵינוּ שָׁנָה טוֹבָה.

אָבִינוּ מַלְכֵּנוּ, בַּטֵּל מֵעָלֵינוּ כָּל־גְּזֵרוֹת קָשׁוֹת.
אָבִינוּ מַלְכֵּנוּ, בַּטֵּל מַחְשְׁבוֹת שׂוֹנְאֵינוּ.
אָבִינוּ מַלְכֵּנוּ, הָפֵר עֲצַת אוֹיְבֵינוּ.
אָבִינוּ מַלְכֵּנוּ, כַּלֵּה כָּל־צַר וּמַשְׂטִין מֵעָלֵינוּ.
אָבִינוּ מַלְכֵּנוּ, כַּלֵּה דֶּבֶר וְחֶרֶב וְרָעָב, וּשְׁבִי וּמַשְׁחִית וְעָוֹן וּשְׁמַד מִבְּנֵי בְרִיתֶךָ.

אָבִינוּ מַלְכֵּנוּ, סְלַח וּמְחַל לְכָל־עֲוֹנוֹתֵינוּ.
אָבִינוּ מַלְכֵּנוּ, מְחֵה וְהַעֲבֵר פְּשָׁעֵינוּ וְחַטֹּאתֵינוּ מִנֶּגֶד עֵינֶיךָ.

אָבִינוּ מַלְכֵּנוּ, הַחֲזִירֵנוּ בִּתְשׁוּבָה שְׁלֵמָה לְפָנֶיךָ.
אָבִינוּ מַלְכֵּנוּ, שְׁלַח רְפוּאָה שְׁלֵמָה לְחוֹלֵי עַמֶּךָ.
אָבִינוּ מַלְכֵּנוּ, זָכְרֵנוּ בְּזִכָּרוֹן טוֹב לְפָנֶיךָ.

אָבִינוּ מַלְכֵּנוּ, כָּתְבֵנוּ בְּסֵפֶר חַיִּים טוֹבִים.
אָבִינוּ מַלְכֵּנוּ, כָּתְבֵנוּ בְּסֵפֶר גְּאֻלָּה וִישׁוּעָה.
אָבִינוּ מַלְכֵּנוּ, כָּתְבֵנוּ בְּסֵפֶר פַּרְנָסָה וְכַלְכָּלָה.
אָבִינוּ מַלְכֵּנוּ, כָּתְבֵנוּ בְּסֵפֶר זְכֻיּוֹת.
אָבִינוּ מַלְכֵּנוּ, כָּתְבֵנוּ בְּסֵפֶר סְלִיחָה וּמְחִילָה.

אָבִינוּ מַלְכֵּנוּ, הַצְמַח לָנוּ יְשׁוּעָה בְּקָרוֹב.

אָבִינוּ מַלְכֵּנוּ, הָרֵם קֶרֶן יִשְׂרָאֵל עַמֶּךָ.

אָבִינוּ מַלְכֵּנוּ, שְׁמַע קוֹלֵנוּ, חוּס וְרַחֵם עָלֵינוּ.

אָבִינוּ מַלְכֵּנוּ, קַבֵּל בְּרַחֲמִים וּבְרָצוֹן אֶת־תְּפִלָּתֵנוּ.

אָבִינוּ מַלְכֵּנוּ, נָא אַל תְּשִׁיבֵנוּ רֵיקָם מִלְּפָנֶיךָ.

אָבִינוּ מַלְכֵּנוּ, זְכֹר כִּי עָפָר אֲנָחְנוּ.

אָבִינוּ מַלְכֵּנוּ, חֲמֹל עָלֵינוּ וְעַל עוֹלָלֵינוּ וְטַפֵּנוּ.

אָבִינוּ מַלְכֵּנוּ, עֲשֵׂה לְמַעַן טְבוּחִים עַל יִחוּדֶךָ.

אָבִינוּ מַלְכֵּנוּ, עֲשֵׂה לְמַעַן בָּאֵי בָאֵשׁ וּבַמַּיִם עַל קִדּוּשׁ שְׁמֶךָ.

אָבִינוּ מַלְכֵּנוּ, עֲשֵׂה לְמַעַנְךָ אִם לֹא לְמַעֲנֵנוּ.

אָבִינוּ מַלְכֵּנוּ, חָנֵּנוּ וַעֲנֵנוּ, כִּי אֵין בָּנוּ מַעֲשִׂים,
עֲשֵׂה עִמָּנוּ צְדָקָה וָחֶסֶד וְהוֹשִׁיעֵנוּ.

The Ark is closed and we are seated.

Kaddish Shalem

Ḥazzan:

יִתְגַּדַּל וְיִתְקַדַּשׁ שְׁמֵהּ רַבָּא בְּעָלְמָא דִּי בְרָא כִרְעוּתֵהּ, וְיַמְלִיךְ מַלְכוּתֵהּ בְּחַיֵּיכוֹן וּבְיוֹמֵיכוֹן וּבְחַיֵּי דְכָל־בֵּית יִשְׂרָאֵל בַּעֲגָלָא וּבִזְמַן קָרִיב, וְאִמְרוּ אָמֵן.

Congregation and Ḥazzan:

יְהֵא שְׁמֵהּ רַבָּא מְבָרַךְ לְעָלַם וּלְעָלְמֵי עָלְמַיָּא.

Ḥazzan:

יִתְבָּרַךְ וְיִשְׁתַּבַּח וְיִתְפָּאַר וְיִתְרוֹמַם וְיִתְנַשֵּׂא וְיִתְהַדַּר וְיִתְעַלֶּה וְיִתְהַלַּל שְׁמֵהּ דְּקֻדְשָׁא בְּרִיךְ הוּא, לְעֵלָּא לְעֵלָּא מִכָּל־בִּרְכָתָא וְשִׁירָתָא תֻּשְׁבְּחָתָא וְנֶחֱמָתָא דַּאֲמִירָן בְּעָלְמָא, וְאִמְרוּ אָמֵן.

תִּתְקַבֵּל צְלוֹתְהוֹן וּבָעוּתְהוֹן דְּכָל־יִשְׂרָאֵל קֳדָם אֲבוּהוֹן דִּי בִשְׁמַיָּא, וְאִמְרוּ אָמֵן.

יְהֵא שְׁלָמָא רַבָּא מִן שְׁמַיָּא וְחַיִּים עָלֵינוּ וְעַל כָּל־יִשְׂרָאֵל, וְאִמְרוּ אָמֵן.

עוֹשֶׂה שָׁלוֹם בִּמְרוֹמָיו הוּא יַעֲשֶׂה שָׁלוֹם עָלֵינוּ וְעַל כָּל־יִשְׂרָאֵל, וְאִמְרוּ אָמֵן.

עָלֵינוּ לְשַׁבֵּחַ לַאֲדוֹן הַכֹּל, לָתֵת גְּדֻלָּה לְיוֹצֵר בְּרֵאשִׁית, שֶׁלֹּא עָשָׂנוּ כְּגוֹיֵי הָאֲרָצוֹת וְלֹא שָׂמָנוּ כְּמִשְׁפְּחוֹת הָאֲדָמָה, שֶׁלֹּא שָׂם חֶלְקֵנוּ כָּהֶם וְגוֹרָלֵנוּ כְּכָל־הֲמוֹנָם. וַאֲנַחְנוּ כּוֹרְעִים וּמִשְׁתַּחֲוִים וּמוֹדִים לִפְנֵי מֶלֶךְ מַלְכֵי הַמְּלָכִים הַקָּדוֹשׁ בָּרוּךְ הוּא, שֶׁהוּא נוֹטֶה שָׁמַיִם וְיוֹסֵד אָרֶץ וּמוֹשַׁב יְקָרוֹ בַּשָּׁמַיִם מִמַּעַל וּשְׁכִינַת עֻזּוֹ בְּגָבְהֵי מְרוֹמִים. הוּא אֱלֹהֵינוּ אֵין עוֹד. אֱמֶת מַלְכֵּנוּ אֶפֶס זוּלָתוֹ, כַּכָּתוּב בְּתוֹרָתוֹ: וְיָדַעְתָּ הַיּוֹם וַהֲשֵׁבֹתָ אֶל לְבָבֶךָ כִּי יְיָ הוּא הָאֱלֹהִים בַּשָּׁמַיִם מִמַּעַל וְעַל הָאָרֶץ מִתָּחַת, אֵין עוֹד.

עַל כֵּן נְקַוֶּה לְךָ יְיָ אֱלֹהֵינוּ לִרְאוֹת מְהֵרָה בְּתִפְאֶרֶת עֻזֶּךָ, לְהַעֲבִיר גִּלּוּלִים מִן הָאָרֶץ וְהָאֱלִילִים כָּרוֹת יִכָּרֵתוּן, לְתַקֵּן עוֹלָם בְּמַלְכוּת שַׁדַּי וְכָל־בְּנֵי בָשָׂר יִקְרְאוּ בִשְׁמֶךָ, לְהַפְנוֹת אֵלֶיךָ כָּל־רִשְׁעֵי־אָרֶץ. יַכִּירוּ וְיֵדְעוּ כָּל־יוֹשְׁבֵי תֵבֵל כִּי לְךָ תִּכְרַע כָּל־בֶּרֶךְ תִּשָּׁבַע כָּל־לָשׁוֹן. לְפָנֶיךָ יְיָ אֱלֹהֵינוּ יִכְרְעוּ וְיִפֹּלוּ וְלִכְבוֹד שִׁמְךָ יְקָר יִתֵּנוּ, וִיקַבְּלוּ כֻלָּם אֶת־עֹל מַלְכוּתֶךָ וְתִמְלֹךְ עֲלֵיהֶם מְהֵרָה לְעוֹלָם וָעֶד, כִּי הַמַּלְכוּת שֶׁלְּךָ הִיא וּלְעוֹלְמֵי עַד תִּמְלוֹךְ בְּכָבוֹד, כַּכָּתוּב בְּתוֹרָתֶךָ: יְיָ יִמְלֹךְ לְעֹלָם וָעֶד. וְנֶאֱמַר: וְהָיָה יְיָ לְמֶלֶךְ עַל כָּל־הָאָרֶץ, בַּיּוֹם הַהוּא יִהְיֶה יְיָ אֶחָד וּשְׁמוֹ אֶחָד.

Mourner's Kaddish

Mourners and those observing Yahrzeit rise.

For transliteration, see page 295.

יִתְגַּדַּל וְיִתְקַדַּשׁ שְׁמֵהּ רַבָּא בְּעָלְמָא דִּי בְרָא כִרְעוּתֵהּ, וְיַמְלִיךְ
מַלְכוּתֵהּ בְּחַיֵּיכוֹן וּבְיוֹמֵיכוֹן וּבְחַיֵּי דְכָל־בֵּית יִשְׂרָאֵל בַּעֲגָלָא
וּבִזְמַן קָרִיב, וְאִמְרוּ אָמֵן.

Congregation and mourner:

יְהֵא שְׁמֵהּ רַבָּא מְבָרַךְ לְעָלַם וּלְעָלְמֵי עָלְמַיָּא.

Mourner:

יִתְבָּרַךְ וְיִשְׁתַּבַּח וְיִתְפָּאַר וְיִתְרוֹמַם וְיִתְנַשֵּׂא וְיִתְהַדַּר וְיִתְעַלֶּה
וְיִתְהַלַּל שְׁמֵהּ דְּקֻדְשָׁא בְּרִיךְ הוּא, לְעֵלָּא לְעֵלָּא מִכָּל־בִּרְכָתָא
וְשִׁירָתָא תֻּשְׁבְּחָתָא וְנֶחֱמָתָא דַּאֲמִירָן בְּעָלְמָא, וְאִמְרוּ אָמֵן.

יְהֵא שְׁלָמָא רַבָּא מִן שְׁמַיָּא וְחַיִּים עָלֵינוּ וְעַל כָּל־יִשְׂרָאֵל,
וְאִמְרוּ אָמֵן.

עוֹשֶׂה שָׁלוֹם בִּמְרוֹמָיו הוּא יַעֲשֶׂה שָׁלוֹם עָלֵינוּ וְעַל כָּל־יִשְׂרָאֵל,
וְאִמְרוּ אָמֵן.

יוֹם כִּפּוּר

Note on Kol Nidrei

Our words, and especially our promises, must be taken seriously; our integrity must be unquestioned.

The Torah demands respect for vows: "When you make a vow to the Lord your God, you shall not delay in fulfilling it, for then you will have sinned, as the Lord requires fulfillment of all vows. But you do not sin if you refrain from vowing. You must be careful to fulfill any vow to the Lord which has passed your lips" (Deuteronomy 23:22–24). And Ecclesiastes further states: "Be not rash with your mouth, nor let your heart be hasty to utter a word before God" (Ecclesiastes 5:1).

In spite of such instruction and our own experience, we do make rash or foolish vows which can not or should not be fulfilled. Jewish tradition did not want to relieve an individual of the obligation to fulfill his vows; yet it did want to allow a person to annul a vow the fulfillment of which could cause harm. At the start of Yom Kippur in particular, tradition also wanted to relieve the individual of guilt he might feel for any unfulfilled vow, even a harmless one. It therefore devised a comprehensive legal formula of dispensation solemnly and publicly retracting all vows. The Rabbis teach: "Whoever wishes all the vows he may make throughout the year to be null and void shall say at the beginning of the year, 'May all vows which I shall vow be annulled'" (Nedarim 23b). Kol Nidrei is a development of that statement.

The Kol Nidrei formula is restricted to those vows which involve one's relationship with his conscience or with God, involving no other persons or their interests.

Vows can be annulled only in formal court proceedings. Three men form a symbolic court in each congregation before the *Kol Nidrei* chant (page 353). This service should begin before sundown, since Jewish courts were not convened at night.

Note on the covenant of compassion

"As tender as a father with his children, the Lord is compassionate with His worshipers" (Psalm 103:13). But sometimes a father must reprimand his child for a lapse in behavior. A father feels both love and a sense of responsibility.

According to an ancient Rabbinic tradition, Abraham, who dared to challenge our Father in Heaven's judgment of His children in Sodom, spoke to Him as follows: "How can You expect to have both strict justice and a world? You are burning the candle at both ends. If You want a world, You cannot apply standards of strict justice to people" *(Genesis Rabbah 39:6).*

The ancient Rabbis conceived of the world as created and governed with a mixture of justice and compassion. To illustrate this point, they compared God to a mortal king who owned some fragile glassware. Said the king: If I pour only hot water into my cups, they will burst; if cold water, they will crack. What did he do? He used a mixture of the two, and the glassware was not harmed. Thus the Holy One said: "If I create the world only on the principle of compassion, sinners would overrun it, for they would never be punished or restrained. If I create the world only on the principle of strict justice, no merely human being could stand the test; the world could not last." What did He do? He decided: "I will create the world with both principles, strict justice and compassion. I only hope it lasts" *(Genesis Rabbah 12:15).*

According to our tradition, this was more than a pious hope on our Father's part. He constantly weights His judgments in favor of compassion. Indeed, perhaps only thus does an imperfect world continue to last.

God's love for compassion overwhelms His demand for strict justice. This basic tenet of Jewish thought and faith is a focal point of prayer on Yom Kippur. And the framers of the prayer book very boldly misquoted Scripture to make the point clearly. Their purposeful misquotation (which omits some words of the biblical text) is generally known as The Thirteen Attributes of God. The emphasis of these attributes makes possible a day of atonement spent in a search for forgiveness.

In the Bible, the passage appears in the Book of Exodus following the episode in which the people Israel worshipped a golden calf while Moses was receiving revelation. Reacting to the lapse of the children of Israel, Moses shattered the stone tablets representing that revelation. But then he prayed to God to forgive the people, and he also requested that he be shown "God's face," i.e., that God reveal to him an understanding of His ways in dealing with His children. Moses was given at least partial understanding when, after he had received the second set of tablets, God Himself proclaimed to him: "The Lord, the Lord God is gracious and compassionate, patient, abounding in kindness and faithfulness, assuring love for a thousand generations, forgiving iniquity, transgression and sin; *yet He does not completely pardon the guilty . . .* " (Exodus 34:6–7). Both justice and compassion are required.

This passage appears on page 393 and elsewhere with a slight but significant change at the end, declaring that God unqualifiedly pardons. The biblical "Yet He does not completely pardon the guilty" (*ve-nakeh lo ye-nakeh*) is replaced by the phrase *"and granting pardon"* (*ve-nakeh*). Compassion reigns supreme.

The liturgical use of the thirteen attributes is mentioned in the Talmud, in a discussion of the passage from Exodus. "Rabbi Yoḥanan said that if it were not written in the Torah that God Himself proclaimed the words to Moses, one could never make the following statement (because of its bold anthropomorphism): The Holy One wrapped Himself in a *tallit* like a Ḥazzan and showed Moses how to use the thirteen attributes in a service of prayer. He told Moses: Whenever the people Israel sin, let them recite the thirteen attributes and I shall forgive them" (*Rosh Hashanah 17b*).

Thus a covenant was established between God and the people Israel. This covenant of compassion is referred to in other passages of the Yom Kippur service as well (see pages 395, 397 and 453 for examples).

The thirteen attributes are at the core of each service on Yom Kippur, in the section known as *Selihot,* prayers for forgiveness. God's compassion guarantees forgiveness. We feel uncertainty and despair when confronted by our own and the world's imperfections. Yet our faith in the power of compassion gives us confidence for the future.

All of us do fail. At least one day a year we should recognize it. But Yom Kippur is also a celebration, for the day itself, in its grandeur and its mystery, atones. And essential to that grandeur and mystery is the covenant of compassion articulated in the thirteen attributes.

Note on fasting

The Torah teaches that we should practice self-denial on Yom Kippur, a day on which atonement is made for us, to cleanse us of all our sins (Leviticus 16:29-30; 23:27-28). The act of self-denial most often associated with Yom Kippur is fasting, one of several acts prescribed. By depriving ourselves of food and drink, and other pleasures, we vividly express regret at our shortcomings, our consciousness of failure. Through fasting, we express in a concrete way our inward feelings of regret and our intention to repent, as well as our desire for atonement and reconciliation.

Fasting on Yom Kippur is a turning from material to spiritual concerns. Judaism is not an ascetic religion. It does not disdain the body; rather it wishes to sanctify the body. It does not defy nature; rather it attempts to spiritualize nature. Fasting should help us to concentrate on the concerns of the spirit, so that we might understand the proper role of the material in our lives during the rest of the year. By fasting we concretely express our goal of a spiritualized physical existence.

Fasting on Yom Kippur strengthens our powers of self-discipline. Life, lived in the fullness of our humanity, demands that our impulses and wants be disciplined by our higher concerns. Human beings control and channel their drives and appetites; we do not always yield to them. Fasting is a way in which we express our capacity to be the masters, not the servants, of our instincts.

Through fasting on Yom Kippur we should deepen our sensitivity for those who lack food and drink. By depriving ourselves we come to understand the anguish of those who starve and thirst the whole year. This is the meaning of passages from Isaiah which are read as the *haftarah* on Yom Kippur (page 499). Fasting is a way through which we should be inspired to loosen the fetters of those who are bound, to feed the hungry and to clothe the naked.

Fasting leads to all of these: striving for atonement, intensification of the spiritual, strengthening self-discipline, participating in the pain of our fellow men. Since these should lead to atonement and reconciliation, the Fast of Yom Kippur is not a day of gloom but rather of great celebration.

מִנְחָה
לְעֶרֶב
יוֹם
כִּפּוּר

AFTERNOON SERVICE

Giving charity at the time of the Minḥah service on the afternoon before Yom Kippur is a very important way of making peace between the people Israel and their Father in Heaven. In the Talmud it is said: "Every act of charity and every deed of kindness that the people Israel do is vital in making peace, and is an important intercessor for the people Israel with their Father in Heaven" (*Baba Batra* 10a). This is truer still immediately before Yom Kippur. After making peace with his friends, a person should seek to help make peace between a poor man and his Father in Heaven.

How? By giving charity to the poor and by treating them with kindness.

Ashrei

אַשְׁרֵי יוֹשְׁבֵי בֵיתֶךָ, עוֹד יְהַלְלוּךָ סֶּלָה.
אַשְׁרֵי הָעָם שֶׁכָּכָה לּוֹ, אַשְׁרֵי הָעָם שֶׁיְיָ אֱלֹהָיו.

תְּהִלָּה לְדָוִד.

אֲרוֹמִמְךָ אֱלוֹהַי הַמֶּלֶךְ וַאֲבָרְכָה שִׁמְךָ לְעוֹלָם וָעֶד.
בְּכָל־יוֹם אֲבָרְכֶךָּ וַאֲהַלְלָה שִׁמְךָ לְעוֹלָם וָעֶד.
גָּדוֹל יְיָ וּמְהֻלָּל מְאֹד וְלִגְדֻלָּתוֹ אֵין חֵקֶר.
דּוֹר לְדוֹר יְשַׁבַּח מַעֲשֶׂיךָ וּגְבוּרֹתֶיךָ יַגִּידוּ.
הֲדַר כְּבוֹד הוֹדֶךָ וְדִבְרֵי נִפְלְאֹתֶיךָ אָשִׂיחָה.
וֶעֱזוּז נוֹרְאֹתֶיךָ יֹאמֵרוּ וּגְדוּלָּתְךָ אֲסַפְּרֶנָּה.
זֵכֶר רַב טוּבְךָ יַבִּיעוּ וְצִדְקָתְךָ יְרַנֵּנוּ.
חַנּוּן וְרַחוּם יְיָ, אֶרֶךְ אַפַּיִם וּגְדָל־חָסֶד.
טוֹב יְיָ לַכֹּל וְרַחֲמָיו עַל כָּל־מַעֲשָׂיו.
יוֹדוּךָ יְיָ כָּל־מַעֲשֶׂיךָ וַחֲסִידֶיךָ יְבָרְכוּכָה.

כְּבוֹד מַלְכוּתְךָ יֹאמֵרוּ וּגְבוּרָתְךָ יְדַבֵּרוּ.

לְהוֹדִיעַ לִבְנֵי הָאָדָם גְּבוּרֹתָיו וּכְבוֹד הֲדַר מַלְכוּתוֹ.

מַלְכוּתְךָ מַלְכוּת כָּל־עֹלָמִים וּמֶמְשַׁלְתְּךָ בְּכָל־דּוֹר וָדֹר.

סוֹמֵךְ יְיָ לְכָל־הַנֹּפְלִים וְזוֹקֵף לְכָל־הַכְּפוּפִים.

עֵינֵי כֹל אֵלֶיךָ יְשַׂבֵּרוּ וְאַתָּה נוֹתֵן לָהֶם אֶת־אָכְלָם בְּעִתּוֹ.

פּוֹתֵחַ אֶת־יָדֶךָ וּמַשְׂבִּיעַ לְכָל־חַי רָצוֹן.

צַדִּיק יְיָ בְּכָל־דְּרָכָיו וְחָסִיד בְּכָל־מַעֲשָׂיו.

קָרוֹב יְיָ לְכָל־קֹרְאָיו, לְכֹל אֲשֶׁר יִקְרָאֻהוּ בֶאֱמֶת.

רְצוֹן יְרֵאָיו יַעֲשֶׂה וְאֶת־שַׁוְעָתָם יִשְׁמַע וְיוֹשִׁיעֵם.

שׁוֹמֵר יְיָ אֶת־כָּל־אֹהֲבָיו וְאֵת כָּל־הָרְשָׁעִים יַשְׁמִיד.

תְּהִלַּת יְיָ יְדַבֶּר־פִּי וִיבָרֵךְ כָּל־בָּשָׂר שֵׁם קָדְשׁוֹ לְעוֹלָם וָעֶד.

וַאֲנַחְנוּ נְבָרֵךְ יָהּ מֵעַתָּה וְעַד עוֹלָם. הַלְלוּיָהּ.

Ḥatzi Kaddish

Ḥazzan:

יִתְגַּדַּל וְיִתְקַדַּשׁ שְׁמֵהּ רַבָּא בְּעָלְמָא דִּי בְרָא כִרְעוּתֵהּ, וְיַמְלִיךְ מַלְכוּתֵהּ בְּחַיֵּיכוֹן וּבְיוֹמֵיכוֹן וּבְחַיֵּי דְכָל־בֵּית יִשְׂרָאֵל בַּעֲגָלָא וּבִזְמַן קָרִיב, וְאִמְרוּ אָמֵן.

Congregation and Ḥazzan:

יְהֵא שְׁמֵהּ רַבָּא מְבָרַךְ לְעָלַם וּלְעָלְמֵי עָלְמַיָּא.

Ḥazzan:

יִתְבָּרַךְ וְיִשְׁתַּבַּח וְיִתְפָּאַר וְיִתְרוֹמַם וְיִתְנַשֵּׂא וְיִתְהַדָּר וְיִתְעַלֶּה וְיִתְהַלָּל שְׁמֵהּ דְּקֻדְשָׁא בְּרִיךְ הוּא, לְעֵלָּא לְעֵלָּא מִכָּל־בִּרְכָתָא וְשִׁירָתָא תֻּשְׁבְּחָתָא וְנֶחֱמָתָא דַּאֲמִירָן בְּעָלְמָא, וְאִמְרוּ אָמֵן.

Amidah

We stand in silent prayer, which ends on page 339.

כִּי שֵׁם יְיָ אֶקְרָא הָבוּ גֹדֶל לֵאלֹהֵינוּ.

אֲדֹנָי שְׂפָתַי תִּפְתָּח וּפִי יַגִּיד תְּהִלָּתֶךָ.

בָּרוּךְ אַתָּה יְיָ אֱלֹהֵינוּ וֵאלֹהֵי אֲבוֹתֵינוּ, אֱלֹהֵי אַבְרָהָם אֱלֹהֵי יִצְחָק וֵאלֹהֵי יַעֲקֹב, הָאֵל הַגָּדוֹל הַגִּבּוֹר וְהַנּוֹרָא אֵל עֶלְיוֹן גּוֹמֵל חֲסָדִים טוֹבִים וְקוֹנֵה הַכֹּל, וְזוֹכֵר חַסְדֵי אָבוֹת וּמֵבִיא גוֹאֵל לִבְנֵי בְנֵיהֶם לְמַעַן שְׁמוֹ בְּאַהֲבָה.

זָכְרֵנוּ לְחַיִּים מֶלֶךְ חָפֵץ בַּחַיִּים,
וְכָתְבֵנוּ בְּסֵפֶר הַחַיִּים לְמַעַנְךָ אֱלֹהִים חַיִּים.

מֶלֶךְ עוֹזֵר וּמוֹשִׁיעַ וּמָגֵן. בָּרוּךְ אַתָּה יְיָ מָגֵן אַבְרָהָם.

אַתָּה גִּבּוֹר לְעוֹלָם אֲדֹנָי מְחַיֵּה מֵתִים אַתָּה רַב לְהוֹשִׁיעַ. מְכַלְכֵּל חַיִּים בְּחֶסֶד מְחַיֵּה מֵתִים בְּרַחֲמִים רַבִּים, סוֹמֵךְ נוֹפְלִים וְרוֹפֵא חוֹלִים וּמַתִּיר אֲסוּרִים וּמְקַיֵּם אֱמוּנָתוֹ לִישֵׁנֵי עָפָר. מִי כָמוֹךָ בַּעַל גְּבוּרוֹת וּמִי דּוֹמֶה לָּךְ, מֶלֶךְ מֵמִית וּמְחַיֶּה וּמַצְמִיחַ יְשׁוּעָה.

מִי כָמוֹךָ אַב הָרַחֲמִים, זוֹכֵר יְצוּרָיו לְחַיִּים בְּרַחֲמִים.

וְנֶאֱמָן אַתָּה לְהַחֲיוֹת מֵתִים. בָּרוּךְ אַתָּה יְיָ מְחַיֵּה הַמֵּתִים.

When reciting silently:

אַתָּה קָדוֹשׁ וְשִׁמְךָ קָדוֹשׁ וּקְדוֹשִׁים בְּכָל־יוֹם יְהַלְלוּךָ סֶּלָה. בָּרוּךְ אַתָּה יְיָ הַמֶּלֶךְ הַקָּדוֹשׁ.

Continue on following page.

When Ḥazzan repeats the Amidah, the Kedushah is added. The congregation chants the indented portions aloud.

נְקַדֵּשׁ אֶת־שִׁמְךָ בָּעוֹלָם כְּשֵׁם שֶׁמַּקְדִּישִׁים אוֹתוֹ בִּשְׁמֵי מָרוֹם, כַּכָּתוּב עַל יַד נְבִיאֶךָ, וְקָרָא זֶה אֶל זֶה וְאָמַר:

> קָדוֹשׁ קָדוֹשׁ קָדוֹשׁ יְיָ צְבָאוֹת, מְלֹא כָל־הָאָרֶץ כְּבוֹדוֹ.

לְעֻמָּתָם בָּרוּךְ יֹאמֵרוּ:

בָּרוּךְ כְּבוֹד יְיָ מִמְּקוֹמוֹ.

וּבְדִבְרֵי קָדְשְׁךָ כָּתוּב לֵאמֹר:

יִמְלֹךְ יְיָ לְעוֹלָם אֱלֹהַיִךְ צִיּוֹן לְדֹר וָדֹר, הַלְלוּיָהּ.

לְדוֹר וָדוֹר נַגִּיד גָּדְלֶךָ, וּלְנֵצַח נְצָחִים קְדֻשָּׁתְךָ נַקְדִּישׁ. וְשִׁבְחֲךָ אֱלֹהֵינוּ מִפִּינוּ לֹא יָמוּשׁ לְעוֹלָם וָעֶד כִּי אֵל מֶלֶךְ גָּדוֹל וְקָדוֹשׁ אָתָּה. בָּרוּךְ אַתָּה יְיָ הַמֶּלֶךְ הַקָּדוֹשׁ.

Silent Amidah continues here:

אַתָּה חוֹנֵן לְאָדָם דַּעַת וּמְלַמֵּד לֶאֱנוֹשׁ בִּינָה. חָנֵּנוּ מֵאִתְּךָ דֵּעָה בִּינָה וְהַשְׂכֵּל. בָּרוּךְ אַתָּה יְיָ חוֹנֵן הַדָּעַת.

הֲשִׁיבֵנוּ אָבִינוּ לְתוֹרָתֶךָ וְקָרְבֵנוּ מַלְכֵּנוּ לַעֲבוֹדָתֶךָ, וְהַחֲזִירֵנוּ בִּתְשׁוּבָה שְׁלֵמָה לְפָנֶיךָ. בָּרוּךְ אַתָּה יְיָ הָרוֹצֶה בִּתְשׁוּבָה.

סְלַח לָנוּ אָבִינוּ כִּי חָטָאנוּ, מְחַל לָנוּ מַלְכֵּנוּ כִּי פָשָׁעְנוּ, כִּי מוֹחֵל וְסוֹלֵחַ אָתָּה. בָּרוּךְ אַתָּה יְיָ חַנּוּן הַמַּרְבֶּה לִסְלֹחַ.

רְאֵה נָא בְעָנְיֵנוּ וְרִיבָה רִיבֵנוּ וּגְאָלֵנוּ מְהֵרָה לְמַעַן שְׁמֶךָ, כִּי גּוֹאֵל חָזָק אָתָּה. בָּרוּךְ אַתָּה יְיָ גּוֹאֵל יִשְׂרָאֵל.

רְפָאֵנוּ יְיָ וְנֵרָפֵא, הוֹשִׁיעֵנוּ וְנִוָּשֵׁעָה, כִּי תְהִלָּתֵנוּ אָתָּה. וְהַעֲלֵה רְפוּאָה שְׁלֵמָה לְכָל־מַכּוֹתֵינוּ, כִּי אֵל מֶלֶךְ רוֹפֵא נֶאֱמָן וְרַחֲמָן אָתָּה. בָּרוּךְ אַתָּה יְיָ רוֹפֵא חוֹלֵי עַמּוֹ יִשְׂרָאֵל.

בָּרֵךְ עָלֵינוּ יְיָ אֱלֹהֵינוּ אֶת־הַשָּׁנָה הַזֹּאת וְאֶת־כָּל־מִינֵי תְבוּאָתָהּ לְטוֹבָה, וְתֵן בְּרָכָה עַל פְּנֵי הָאֲדָמָה וְשַׂבְּעֵנוּ מִטּוּבֶךָ וּבָרֵךְ שְׁנָתֵנוּ כַּשָּׁנִים הַטּוֹבוֹת. בָּרוּךְ אַתָּה יְיָ מְבָרֵךְ הַשָּׁנִים.

תְּקַע בְּשׁוֹפָר גָּדוֹל לְחֵרוּתֵנוּ וְשָׂא נֵס לְקַבֵּץ גָּלֻיּוֹתֵינוּ וְקַבְּצֵנוּ יַחַד מֵאַרְבַּע כַּנְפוֹת הָאָרֶץ. בָּרוּךְ אַתָּה יְיָ מְקַבֵּץ נִדְחֵי עַמּוֹ יִשְׂרָאֵל.

הָשִׁיבָה שׁוֹפְטֵינוּ כְּבָרִאשׁוֹנָה וְיוֹעֲצֵינוּ כְּבַתְּחִלָּה, וְהָסֵר מִמֶּנּוּ יָגוֹן וַאֲנָחָה, וּמְלֹךְ עָלֵינוּ אַתָּה יְיָ לְבַדְּךָ בְּחֶסֶד וּבְרַחֲמִים וְצַדְּקֵנוּ בַּמִּשְׁפָּט. בָּרוּךְ אַתָּה יְיָ הַמֶּלֶךְ הַמִּשְׁפָּט.

וְלַמַּלְשִׁינִים אַל תְּהִי תִקְוָה וְכָל־הָרִשְׁעָה כְּרֶגַע תֹּאבֵד. וְכָל־ אוֹיְבֶיךָ מְהֵרָה יִכָּרֵתוּ וּמַלְכוּת זָדוֹן מְהֵרָה תְעַקֵּר וּתְשַׁבֵּר וּתְמַגֵּר וְתַכְנִיעַ בִּמְהֵרָה בְיָמֵינוּ. בָּרוּךְ אַתָּה יְיָ שׁוֹבֵר אוֹיְבִים וּמַכְנִיעַ זֵדִים.

עַל הַצַּדִּיקִים וְעַל הַחֲסִידִים וְעַל זִקְנֵי עַמְּךָ בֵּית יִשְׂרָאֵל וְעַל פְּלֵיטַת סוֹפְרֵיהֶם וְעַל גֵּרֵי הַצֶּדֶק וְעָלֵינוּ יֶהֱמוּ נָא רַחֲמֶיךָ יְיָ אֱלֹהֵינוּ, וְתֵן שָׂכָר טוֹב לְכֹל הַבּוֹטְחִים בְּשִׁמְךָ בֶּאֱמֶת, וְשִׂים חֶלְקֵנוּ עִמָּהֶם לְעוֹלָם וְלֹא נֵבוֹשׁ כִּי בְךָ בָּטָחְנוּ. בָּרוּךְ אַתָּה יְיָ מִשְׁעָן וּמִבְטָח לַצַּדִּיקִים.

וְלִירוּשָׁלַיִם עִירְךָ בְּרַחֲמִים תָּשׁוּב וְתִשְׁכֹּן בְּתוֹכָהּ כַּאֲשֶׁר דִּבַּרְתָּ, וּבְנֵה אוֹתָהּ בְּקָרוֹב בְּיָמֵינוּ בִּנְיַן עוֹלָם וְכִסֵּא דָוִד מְהֵרָה לְתוֹכָהּ תָּכִין. בָּרוּךְ אַתָּה יְיָ בּוֹנֵה יְרוּשָׁלָיִם.

אֶת־צֶמַח דָּוִד עַבְדְּךָ מְהֵרָה תַצְמִיחַ וְקַרְנוֹ תָּרוּם בִּישׁוּעָתֶךָ, כִּי לִישׁוּעָתְךָ קִוִּינוּ כָּל־הַיּוֹם. בָּרוּךְ אַתָּה יְיָ מַצְמִיחַ קֶרֶן יְשׁוּעָה.

שְׁמַע קוֹלֵנוּ יְיָ אֱלֹהֵינוּ, חוּס וְרַחֵם עָלֵינוּ, וְקַבֵּל בְּרַחֲמִים וּבְרָצוֹן אֶת־תְּפִלָּתֵנוּ, כִּי אֵל שׁוֹמֵעַ תְּפִלּוֹת וְתַחֲנוּנִים אָתָּה. וּמִלְּפָנֶיךָ מַלְכֵּנוּ רֵיקָם אַל תְּשִׁיבֵנוּ. כִּי אַתָּה שׁוֹמֵעַ תְּפִלַּת עַמְּךָ יִשְׂרָאֵל בְּרַחֲמִים. בָּרוּךְ אַתָּה יְיָ שׁוֹמֵעַ תְּפִלָּה.

רְצֵה יְיָ אֱלֹהֵינוּ בְּעַמְּךָ יִשְׂרָאֵל וּבִתְפִלָּתָם וְהָשֵׁב אֶת־הָעֲבוֹדָה לִדְבִיר בֵּיתֶךָ וּתְפִלָּתָם בְּאַהֲבָה תְקַבֵּל בְּרָצוֹן וּתְהִי לְרָצוֹן תָּמִיד עֲבוֹדַת יִשְׂרָאֵל עַמֶּךָ. וְתֶחֱזֶינָה עֵינֵינוּ בְּשׁוּבְךָ לְצִיּוֹן בְּרַחֲמִים. בָּרוּךְ אַתָּה יְיָ הַמַּחֲזִיר שְׁכִינָתוֹ לְצִיּוֹן.

When Ḥazzan chants the Amidah, congregation reads this paragraph silently, while Ḥazzan chants the next paragraph.

מוֹדִים אֲנַחְנוּ לָךְ שָׁאַתָּה הוּא יְיָ אֱלֹהֵינוּ וֵאלֹהֵי אֲבוֹתֵינוּ אֱלֹהֵי כָל־בָּשָׂר יוֹצְרֵנוּ יוֹצֵר בְּרֵאשִׁית. בְּרָכוֹת וְהוֹדָאוֹת לְשִׁמְךָ הַגָּדוֹל וְהַקָּדוֹשׁ עַל שֶׁהֶחֱיִיתָנוּ וְקִיַּמְתָּנוּ. כֵּן תְּחַיֵּנוּ וּתְקַיְּמֵנוּ וְתֶאֱסֹף גָּלֻיּוֹתֵינוּ לְחַצְרוֹת קָדְשֶׁךָ לִשְׁמֹר חֻקֶּיךָ וְלַעֲשׂוֹת רְצוֹנֶךָ וּלְעָבְדְּךָ בְּלֵבָב שָׁלֵם עַל שֶׁאֲנַחְנוּ מוֹדִים לָךְ. בָּרוּךְ אֵל הַהוֹדָאוֹת.

מוֹדִים אֲנַחְנוּ לָךְ שָׁאַתָּה הוּא יְיָ אֱלֹהֵינוּ וֵאלֹהֵי אֲבוֹתֵינוּ לְעוֹלָם וָעֶד, צוּר חַיֵּינוּ מָגֵן יִשְׁעֵנוּ אַתָּה הוּא. לְדוֹר וָדוֹר נוֹדֶה לְךָ וּנְסַפֵּר תְּהִלָּתֶךָ עַל חַיֵּינוּ הַמְּסוּרִים בְּיָדֶךָ וְעַל נִשְׁמוֹתֵינוּ הַפְּקוּדוֹת לָךְ וְעַל נִסֶּיךָ שֶׁבְּכָל־יוֹם עִמָּנוּ וְעַל נִפְלְאוֹתֶיךָ וְטוֹבוֹתֶיךָ שֶׁבְּכָל־עֵת עֶרֶב וָבֹקֶר וְצָהֳרָיִם. הַטּוֹב כִּי לֹא כָלוּ רַחֲמֶיךָ וְהַמְרַחֵם כִּי לֹא תַמּוּ חֲסָדֶיךָ מֵעוֹלָם קִוִּינוּ לָךְ.

וְעַל כֻּלָּם יִתְבָּרַךְ וְיִתְרוֹמַם שִׁמְךָ מַלְכֵּנוּ תָּמִיד לְעוֹלָם וָעֶד.

וּכְתֹב לְחַיִּים טוֹבִים כָּל־בְּנֵי בְרִיתֶךָ.

וְכֹל הַחַיִּים יוֹדוּךָ סֶּלָה וִיהַלְלוּ אֶת־שִׁמְךָ בֶּאֱמֶת הָאֵל יְשׁוּעָתֵנוּ וְעֶזְרָתֵנוּ סֶלָה. בָּרוּךְ אַתָּה יְיָ הַטּוֹב שִׁמְךָ וּלְךָ נָאֶה לְהוֹדוֹת.

שָׁלוֹם רָב עַל יִשְׂרָאֵל עַמְּךָ וְעַל כָּל־יוֹשְׁבֵי תֵבֵל תָּשִׂים לְעוֹלָם כִּי אַתָּה הוּא מֶלֶךְ אָדוֹן לְכָל־הַשָּׁלוֹם. וְטוֹב בְּעֵינֶיךָ לְבָרֵךְ אֶת־עַמְּךָ יִשְׂרָאֵל בְּכָל־עֵת וּבְכָל־שָׁעָה בִּשְׁלוֹמֶךָ.

בְּסֵפֶר חַיִּים בְּרָכָה וְשָׁלוֹם וּפַרְנָסָה טוֹבָה נִזָּכֵר וְנִכָּתֵב לְפָנֶיךָ אֲנַחְנוּ וְכָל־עַמְּךָ בֵּית יִשְׂרָאֵל לְחַיִּים טוֹבִים וּלְשָׁלוֹם.

בָּרוּךְ אַתָּה יְיָ עוֹשֵׂה הַשָּׁלוֹם.

Silent Amidah continues on following page.

When Ḥazzan repeats the Amidah, he continues now with Kaddish Shalem, page 340.

אֱלֹהֵינוּ וֵאלֹהֵי אֲבוֹתֵינוּ, תָּבוֹא לְפָנֶיךָ תְּפִלָּתֵנוּ וְאַל תִּתְעַלַּם מִתְּחִנָּתֵנוּ, שֶׁאֵין אֲנַחְנוּ עַזֵּי פָנִים וּקְשֵׁי עֹרֶף לוֹמַר לְפָנֶיךָ, יְיָ אֱלֹהֵינוּ וֵאלֹהֵי אֲבוֹתֵינוּ, צַדִּיקִים אֲנַחְנוּ וְלֹא חָטָאנוּ, אֲבָל אֲנַחְנוּ חָטָאנוּ.

אָשַׁמְנוּ, בָּגַדְנוּ, גָּזַלְנוּ, דִּבַּרְנוּ דֹפִי.
הֶעֱוִינוּ, וְהִרְשַׁעְנוּ, זַדְנוּ, חָמַסְנוּ,
טָפַלְנוּ שֶׁקֶר. יָעַצְנוּ רָע, כִּזַּבְנוּ, לַצְנוּ,
מָרַדְנוּ, נִאַצְנוּ, סָרַרְנוּ, עָוִינוּ,
פָּשַׁעְנוּ, צָרַרְנוּ, קִשִּׁינוּ עֹרֶף. רָשַׁעְנוּ,
שִׁחַתְנוּ, תִּעַבְנוּ, תָּעִינוּ, תִּעְתָּעְנוּ.

סַרְנוּ מִמִּצְוֹתֶיךָ וּמִמִּשְׁפָּטֶיךָ הַטּוֹבִים וְלֹא שָׁוָה לָנוּ, וְאַתָּה צַדִּיק עַל כָּל־הַבָּא עָלֵינוּ, כִּי אֱמֶת עָשִׂיתָ וַאֲנַחְנוּ הִרְשָׁעְנוּ. מַה־נֹּאמַר לְפָנֶיךָ יוֹשֵׁב מָרוֹם וּמַה־נְּסַפֵּר לְפָנֶיךָ שׁוֹכֵן שְׁחָקִים. הֲלֹא כָּל־הַנִּסְתָּרוֹת וְהַנִּגְלוֹת אַתָּה יוֹדֵעַ.

אַתָּה יוֹדֵעַ רָזֵי עוֹלָם וְתַעֲלוּמוֹת סִתְרֵי כָל־חָי. אַתָּה חוֹפֵשׂ כָּל־חַדְרֵי־בָטֶן וּבוֹחֵן כְּלָיוֹת וָלֵב. אֵין דָּבָר נֶעְלָם מִמֶּךָּ וְאֵין נִסְתָּר מִנֶּגֶד עֵינֶיךָ.

וּבְכֵן יְהִי רָצוֹן מִלְּפָנֶיךָ, יְיָ אֱלֹהֵינוּ וֵאלֹהֵי אֲבוֹתֵינוּ, שֶׁתִּסְלַח לָנוּ עַל כָּל־חַטֹּאתֵינוּ וְתִמְחַל לָנוּ עַל כָּל־עֲוֹנוֹתֵינוּ וּתְכַפֶּר־לָנוּ עַל כָּל־פְּשָׁעֵינוּ.

עַל חֵטְא שֶׁחָטָאנוּ לְפָנֶיךָ בְּאֹנֶס,
וְעַל חֵטְא שֶׁחָטָאנוּ לְפָנֶיךָ בְּרָצוֹן.
עַל חֵטְא שֶׁחָטָאנוּ לְפָנֶיךָ בַּסֵּתֶר,
וְעַל חֵטְא שֶׁחָטָאנוּ לְפָנֶיךָ בַּגָּלוּי.

עַל חֵטְא שֶׁחָטָאנוּ לְפָנֶיךָ בִּשׁוֹגֵג,
וְעַל חֵטְא שֶׁחָטָאנוּ לְפָנֶיךָ בְּמֵזִיד.

וְעַל כֻּלָּם אֱלוֹהַּ סְלִיחוֹת, סְלַח לָנוּ, מְחַל לָנוּ, כַּפֶּר־לָנוּ.

וְעַל מִצְוַת עֲשֵׂה וְעַל מִצְוַת לֹא תַעֲשֶׂה, בֵּין שֶׁיֵּשׁ־בָּהּ קוּם עֲשֵׂה וּבֵין שֶׁאֵין בָּהּ קוּם עֲשֵׂה, אֶת־הַגְּלוּיִים לָנוּ וְאֶת־שֶׁאֵינָם גְּלוּיִים לָנוּ. אֶת־הַגְּלוּיִים לָנוּ כְּבָר אֲמַרְנוּם לְפָנֶיךָ וְהוֹדִינוּ לְךָ עֲלֵיהֶם, וְאֶת־שֶׁאֵינָם גְּלוּיִים לָנוּ לְפָנֶיךָ הֵם גְּלוּיִים וִידוּעִים, כַּדָּבָר שֶׁנֶּאֱמַר: הַנִּסְתָּרֹת לַייָ אֱלֹהֵינוּ, וְהַנִּגְלֹת לָנוּ וּלְבָנֵינוּ עַד עוֹלָם לַעֲשׂוֹת אֶת־כָּל־דִּבְרֵי הַתּוֹרָה הַזֹּאת. כִּי אַתָּה סָלְחָן לְיִשְׂרָאֵל וּמָחֳלָן לְשִׁבְטֵי יְשֻׁרוּן בְּכָל־דּוֹר וָדוֹר וּמִבַּלְעָדֶיךָ אֵין לָנוּ מֶלֶךְ מוֹחֵל וְסוֹלֵחַ אֶלָּא אָתָּה.

At the conclusion of the Amidah, personal prayers may be added, before or instead of the following.

אֱלֹהַי, עַד שֶׁלֹּא נוֹצַרְתִּי אֵינִי כְדַאי וְעַכְשָׁו שֶׁנּוֹצַרְתִּי כְּאִלּוּ לֹא נוֹצַרְתִּי. עָפָר אֲנִי בְּחַיָּי, קַל וָחֹמֶר בְּמִיתָתִי, הֲרֵי אֲנִי לְפָנֶיךָ כִּכְלִי מָלֵא בוּשָׁה וּכְלִמָּה. יְהִי רָצוֹן מִלְּפָנֶיךָ יְיָ אֱלֹהַי וֵאלֹהֵי אֲבוֹתַי שֶׁלֹּא אֶחֱטָא עוֹד, וּמַה־שֶּׁחָטָאתִי לְפָנֶיךָ מָרֵק בְּרַחֲמֶיךָ הָרַבִּים, אֲבָל לֹא עַל יְדֵי יִסּוּרִים וָחֳלָיִים רָעִים.

אֱלֹהַי, נְצֹר לְשׁוֹנִי מֵרָע וּשְׂפָתַי מִדַּבֵּר מִרְמָה, וְלִמְקַלְלַי נַפְשִׁי תִדֹּם וְנַפְשִׁי כֶּעָפָר לַכֹּל תִּהְיֶה. פְּתַח לִבִּי בְּתוֹרָתֶךָ וּבְמִצְוֹתֶיךָ תִּרְדֹּף נַפְשִׁי. וְכֹל הַחוֹשְׁבִים עָלַי רָעָה, מְהֵרָה הָפֵר עֲצָתָם וְקַלְקֵל מַחֲשַׁבְתָּם. עֲשֵׂה לְמַעַן שְׁמֶךָ, עֲשֵׂה לְמַעַן יְמִינֶךָ, עֲשֵׂה לְמַעַן קְדֻשָּׁתֶךָ, עֲשֵׂה לְמַעַן תּוֹרָתֶךָ, לְמַעַן יֵחָלְצוּן יְדִידֶיךָ הוֹשִׁיעָה יְמִינְךָ וַעֲנֵנִי. יִהְיוּ לְרָצוֹן אִמְרֵי־פִי וְהֶגְיוֹן לִבִּי לְפָנֶיךָ, יְיָ צוּרִי וְגֹאֲלִי. עֹשֶׂה שָׁלוֹם בִּמְרוֹמָיו הוּא יַעֲשֶׂה שָׁלוֹם עָלֵינוּ וְעַל כָּל־יִשְׂרָאֵל, וְאִמְרוּ אָמֵן.

Kaddish Shalem

Ḥazzan:

יִתְגַּדַּל וְיִתְקַדַּשׁ שְׁמֵהּ רַבָּא בְּעָלְמָא דִּי בְרָא כִרְעוּתֵהּ, וְיַמְלִיךְ
מַלְכוּתֵהּ בְּחַיֵּיכוֹן וּבְיוֹמֵיכוֹן וּבְחַיֵּי דְכָל־בֵּית יִשְׂרָאֵל בַּעֲגָלָא
וּבִזְמַן קָרִיב, וְאִמְרוּ אָמֵן.

Congregation and Ḥazzan:

יְהֵא שְׁמֵהּ רַבָּא מְבָרַךְ לְעָלַם וּלְעָלְמֵי עָלְמַיָּא.

Ḥazzan:

יִתְבָּרַךְ וְיִשְׁתַּבַּח וְיִתְפָּאַר וְיִתְרוֹמַם וְיִתְנַשֵּׂא וְיִתְהַדַּר וְיִתְעַלֶּה
וְיִתְהַלַּל שְׁמֵהּ דְּקֻדְשָׁא בְּרִיךְ הוּא, לְעֵלָּא לְעֵלָּא מִכָּל־בִּרְכָתָא
וְשִׁירָתָא תֻּשְׁבְּחָתָא וְנֶחֱמָתָא דַּאֲמִירָן בְּעָלְמָא, וְאִמְרוּ אָמֵן.

תִּתְקַבַּל צְלוֹתְהוֹן וּבָעוּתְהוֹן דְּכָל־יִשְׂרָאֵל קֳדָם אֲבוּהוֹן דִּי
בִשְׁמַיָּא, וְאִמְרוּ אָמֵן.

יְהֵא שְׁלָמָא רַבָּא מִן שְׁמַיָּא וְחַיִּים עָלֵינוּ וְעַל כָּל־יִשְׂרָאֵל,
וְאִמְרוּ אָמֵן.

עוֹשֶׂה שָׁלוֹם בִּמְרוֹמָיו הוּא יַעֲשֶׂה שָׁלוֹם עָלֵינוּ וְעַל כָּל־יִשְׂרָאֵל,
וְאִמְרוּ אָמֵן.

עָלֵינוּ לְשַׁבֵּחַ לַאֲדוֹן הַכֹּל, לָתֵת גְּדֻלָּה לְיוֹצֵר בְּרֵאשִׁית, שֶׁלֹּא
עָשָׂנוּ כְּגוֹיֵי הָאֲרָצוֹת וְלֹא שָׂמָנוּ כְּמִשְׁפְּחוֹת הָאֲדָמָה, שֶׁלֹּא שָׂם
חֶלְקֵנוּ כָּהֶם וְגוֹרָלֵנוּ כְּכָל־הֲמוֹנָם. וַאֲנַחְנוּ כּוֹרְעִים וּמִשְׁתַּחֲוִים
וּמוֹדִים לִפְנֵי מֶלֶךְ מַלְכֵי הַמְּלָכִים הַקָּדוֹשׁ בָּרוּךְ הוּא, שֶׁהוּא
נוֹטֶה שָׁמַיִם וְיוֹסֵד אָרֶץ וּמוֹשַׁב יְקָרוֹ בַּשָּׁמַיִם מִמַּעַל וּשְׁכִינַת עֻזּוֹ
בְּגָבְהֵי מְרוֹמִים. הוּא אֱלֹהֵינוּ אֵין עוֹד. אֱמֶת מַלְכֵּנוּ אֶפֶס זוּלָתוֹ,
כַּכָּתוּב בְּתוֹרָתוֹ: וְיָדַעְתָּ הַיּוֹם וַהֲשֵׁבֹתָ אֶל לְבָבֶךָ כִּי יְיָ הוּא
הָאֱלֹהִים בַּשָּׁמַיִם מִמַּעַל וְעַל הָאָרֶץ מִתָּחַת, אֵין עוֹד.

עַל כֵּן נְקַוֶּה לְּךָ יְיָ אֱלֹהֵינוּ לִרְאוֹת מְהֵרָה בְּתִפְאֶרֶת עֻזֶּךָ,
לְהַעֲבִיר גִּלּוּלִים מִן הָאָרֶץ וְהָאֱלִילִים כָּרוֹת יִכָּרֵתוּן, לְתַקֵּן
עוֹלָם בְּמַלְכוּת שַׁדַּי וְכָל־בְּנֵי בָשָׂר יִקְרְאוּ בִשְׁמֶךָ, לְהַפְנוֹת
אֵלֶיךָ כָּל־רִשְׁעֵי־אָרֶץ. יַכִּירוּ וְיֵדְעוּ כָּל־יוֹשְׁבֵי תֵבֵל כִּי לְךָ
תִּכְרַע כָּל־בֶּרֶךְ תִּשָּׁבַע כָּל־לָשׁוֹן. לְפָנֶיךָ יְיָ אֱלֹהֵינוּ יִכְרְעוּ
וְיִפֹּלוּ וְלִכְבוֹד שִׁמְךָ יְקָר יִתֵּנוּ, וִיקַבְּלוּ כֻלָּם אֶת־עֹל מַלְכוּתֶךָ
וְתִמְלֹךְ עֲלֵיהֶם מְהֵרָה לְעוֹלָם וָעֶד, כִּי הַמַּלְכוּת שֶׁלְּךָ הִיא
וּלְעוֹלְמֵי עַד תִּמְלֹךְ בְּכָבוֹד, כַּכָּתוּב בְּתוֹרָתֶךָ: יְיָ יִמְלֹךְ לְעֹלָם
וָעֶד. וְנֶאֱמַר: וְהָיָה יְיָ לְמֶלֶךְ עַל כָּל־הָאָרֶץ, בַּיּוֹם הַהוּא יִהְיֶה
יְיָ אֶחָד וּשְׁמוֹ אֶחָד.

Mourner's Kaddish

Mourners and those observing Yahrzeit rise.

For transliteration, see page 423.

יִתְגַּדַּל וְיִתְקַדַּשׁ שְׁמֵהּ רַבָּא בְּעָלְמָא דִּי בְרָא כִרְעוּתֵהּ, וְיַמְלִיךְ מַלְכוּתֵהּ בְּחַיֵּיכוֹן וּבְיוֹמֵיכוֹן וּבְחַיֵּי דְכָל־בֵּית יִשְׂרָאֵל בַּעֲגָלָא וּבִזְמַן קָרִיב, וְאִמְרוּ אָמֵן.

Congregation and mourner:

יְהֵא שְׁמֵהּ רַבָּא מְבָרַךְ לְעָלַם וּלְעָלְמֵי עָלְמַיָּא.

Mourner:

יִתְבָּרַךְ וְיִשְׁתַּבַּח וְיִתְפָּאַר וְיִתְרוֹמַם וְיִתְנַשֵּׂא וְיִתְהַדַּר וְיִתְעַלֶּה וְיִתְהַלַּל שְׁמֵהּ דְּקֻדְשָׁא בְּרִיךְ הוּא, לְעֵלָּא לְעֵלָּא מִכָּל־בִּרְכָתָא וְשִׁירָתָא תֻּשְׁבְּחָתָא וְנֶחֱמָתָא דַּאֲמִירָן בְּעָלְמָא, וְאִמְרוּ אָמֵן.

יְהֵא שְׁלָמָא רַבָּא מִן שְׁמַיָּא וְחַיִּים עָלֵינוּ וְעַל כָּל־יִשְׂרָאֵל, וְאִמְרוּ אָמֵן.

עוֹשֶׂה שָׁלוֹם בִּמְרוֹמָיו הוּא יַעֲשֶׂה שָׁלוֹם עָלֵינוּ וְעַל כָּל־יִשְׂרָאֵל, וְאִמְרוּ אָמֵן.

DEEDS

A Jew is asked to take a *leap of action* rather than a *leap of thought*. He is asked to surpass his needs, to do more than he understands in order to understand more than he does. In carrying out the word of the Torah he is ushered into the presence of spiritual meaning. Through the ecstasy of deeds he learns to be certain of the hereness of God.

Our way of living must be compatible with our essence as created in the likeness of God. We must beware lest our likeness be distorted and even forfeited. In our way of living we must remain true not only to our sense of power and beauty but also to our sense of the grandeur and mystery of existence.

How should man, a being created in the likeness of God, live? What way of living is compatible with the grandeur and mystery of living?

It is in deeds that man becomes aware of what his life really is. It is in the employment of his will, not in reflection that he meets his own self as it is; not as he should like it to be. What he may not dare to think, he often utters in deeds.

It is not said: You shall be full of awe for I am holy, but: You shall be holy, for I the Lord your God am holy (Leviticus 19:2). How does a human being, "dust and ashes," turn holy? Through doing His mitzvot, His commandments. "The holy God is sanctified through righteousness" (Isaiah 5:16). A man to be holy must fear his mother and father, keep the Sabbath, not turn to idols . . . nor deal falsely nor lie to one another . . . not be guilty of any injustice . . . not be a talebearer . . . not stand idly by the blood of your neighbor . . . not hate . . . not take vengeance nor bear any grudge . . . but love your neighbor as yourself" (Leviticus 19:3-18). We live by the conviction that acts of goodness reflect the hidden light of His holiness.

It is within our power to mirror His unending love in deeds of kindness, like brooks that hold the sky.

עַרְבִית
לְיוֹם
כִּפּוּר

YOM KIPPUR EVENING SERVICE

Meditation

A meditation on our imperfections.

רְאֵה נָתַתִּי לְפָנֶיךָ הַיּוֹם אֶת־הַחַיִּים וְאֶת־הַטּוֹב
וְאֶת־הַמָּוֶת וְאֶת־הָרָע. . . .
הַעִדֹתִי בָכֶם הַיּוֹם אֶת־הַשָּׁמַיִם וְאֶת־הָאָרֶץ.
הַחַיִּים וְהַמָּוֶת נָתַתִּי לְפָנֶיךָ, הַבְּרָכָה וְהַקְּלָלָה,
וּבָחַרְתָּ בַּחַיִּים לְמַעַן תִּחְיֶה אַתָּה וְזַרְעֶךָ.

רִבּוֹן כָּל־הָעוֹלָמִים, אַב הָרַחֲמִים וְהַסְּלִיחוֹת אֲשֶׁר יְמִינְךָ פְּשׁוּטָה לְקַבֵּל שָׁבִים, הָלַכְתִּי בַּעֲצַת יִצְרִי הָרָע וּמָאַסְתִּי בַּטּוֹב וּבָחַרְתִּי בָרָע. וְלֹא דַי לִי שֶׁלֹּא קִדַּשְׁתִּי אֶת־אֵיבָרַי אֶלָּא טִמֵּאתִי אוֹתָם.

בָּרָאתָ בִּי מֹחַ וָלֵב לַחֲשֹׁב מַחֲשָׁבוֹת טוֹבוֹת וּלְהָבִין דִּבְרֵי קָדְשֶׁךָ. וַאֲנִי טִמֵּאתִי אוֹתָם בְּהִרְהוּרֵי חֵטְא וּבְמַחֲשָׁבוֹת רָעוֹת.

בָּרָאתָ בִּי עֵינַיִם לִרְאוֹת אֶת־יְפִי הָעוֹלָם וּגְדֻלָּתְךָ הַנִּרְאֵית בְּכָל־מַעֲשֵׂי יָדֶיךָ, אַךְ טַחוּ עֵינַי מֵרְאוֹת פָּעֳלֶךָ. הִזְהַרְתָּנוּ בְּתוֹרָתֶךָ "וְלֹא תָתוּרוּ אַחֲרֵי לְבַבְכֶם וְאַחֲרֵי עֵינֵיכֶם." אוֹי לִי כִּי הָלַכְתִּי אַחֲרֵי עֵינַי וְטִמֵּאתִי אוֹתָן.

בָּרָאתָ בִּי אָזְנַיִם לִשְׁמֹעַ דִּבְרֵי קְדֻשָּׁה וְדִבְרֵי תוֹרָה. אוֹי לִי כִּי טִמֵּאתִי אוֹתָן לִשְׁמֹעַ דִּבְרֵי תִפְלוּת וּלְשׁוֹן הָרָע וְכָל־דְּבָרִים אֲסוּרִים.

בָּרָאתָ בִּי פֶּה וְלָשׁוֹן וּבְכֹחַ הַדִּבּוּר הִבְדַּלְתָּ הָאָדָם מִן הַבְּהֵמָה. וַאֲפִלּוּ כִּבְהֵמָה לֹא הָיִיתִי כִּי טִמֵּאתִי אֶת־פִּי בִּלְשׁוֹן הָרָע, בִּשְׁקָרִים, בִּרְכִילוּת, בְּמַחֲלֹקֶת, וּבְהַלְבָּנַת פְּנֵי חָבֵר.

Meditation

A meditation on our imperfections precedes our day of atonement.

"Behold I set before you this day
life and death, blessing and curse.
Choose life, that you and your children may live."

Deuteronomy 30:15, 19

Is there a person anywhere altogether righteous, who never sins? I am but flesh and blood, often yielding to temptation; I am human, often torn by conflicts.

Man is not an angel, nor a robot. God's gift to us is the power and the freedom to choose. We are forever faced with choices of good and evil, blessings and curses. The struggle is ceaseless; the choice is ours.

I have been created with a mind able to dwell upon good thoughts and good intentions. Often I fail to fulfill this capacity, to complete the promise of God's pure gift. Unseemly thoughts and unbecoming intentions have made me impure, have led me to unworthy deeds.

I have been created with eyes, the blessing of sight, to see the world's beauty and the holiness of all its creatures. Often I squander God's gift, and look without seeing. Often I contaminate it, and let my eyes lead me astray.

I have been created with ears to hear sacred words, to hear sounds of wisdom, beauty and love. Often I squander God's gift, and hear without listening. Often I debase it, by listening to gossip, obscenities and words of hatred.

I have been created with a mouth and a tongue. The gift of speech God gave to no other creature. With words I try to pray. With words I speak of love, to God and to human beings. But malice, pettiness, falsehood and slander have sullied my speech. With words I have mocked God's gift, shaming neighbor and stranger, cursing, laughing at the pain of others, uttering false oaths, insincere pledges, and vain promises.

בָּרָאתָ בִּי יָדַיִם לַעֲסֹק בְּמִצְוֹת. וַאֲנִי טִמֵּאתִי אוֹתָן בְּעִסּוּקִים שֶׁל אִסּוּר.

בָּרָאתָ בִּי רַגְלַיִם לַהֲלֹךְ לְכָל־דְּבַר מִצְוָה. וַאֲנִי טִמֵּאתִי אוֹתָן בְּרַגְלַיִם מְמַהֲרוֹת לָרוּץ לָרָע.

בָּרָאתָ בִּי כֹּחַ לִפְרוֹת וְלִרְבּוֹת וְלִשְׂמֹחַ עִם אֵשֶׁת חֵיקִי (בַּעֲלִי). וַאֲנִי טִמֵּאתִי אוֹתוֹ בְּהִרְהוּרֵי זְנוּת וּבְמַחֲשָׁבוֹת שֶׁל פְּרִיצוּת.

בֹּשְׁתִּי וְנִכְלַמְתִּי לְפָנֶיךָ אֱלֹהַי, כִּי בָאֵלֶּה הָאֵבָרִים וְהַחוּשִׁים שֶׁחוֹנַנְתָּנִי בָּהֶם וּבְכֹחַ הַחַיִּים שֶׁהִשְׁפַּעְתָּ עֲלֵיהֶם נִשְׁתַּמַּשְׁתִּי לַעֲשׂוֹת הָרָע בְּעֵינֶיךָ. אוֹי לִי וְאוֹי לְנַפְשִׁי.

וּלְפִי שֶׁגָּלוּי וְיָדוּעַ לְפָנֶיךָ כִּי אֵין אָדָם צַדִּיק בָּאָרֶץ אֲשֶׁר לֹא יֶחֱטָא, לָכֵן בְּרַחֲמֶיךָ הָרַבִּים נָתַתָּ לָנוּ יוֹם אַדִּיר וְקָדוֹשׁ, יוֹם הַכִּפּוּרִים הַזֶּה לָשׁוּב לְפָנֶיךָ וּלְכַפֵּר עַל כָּל־עֲוֹנוֹתֵינוּ וּלְטַהֵר אוֹתָנוּ מִכָּל־טֻמְאוֹתֵינוּ, כְּמוֹ שֶׁכָּתוּב: כִּי בַיּוֹם הַזֶּה יְכַפֵּר עֲלֵיכֶם לְטַהֵר אֶתְכֶם מִכֹּל חַטֹּאתֵיכֶם לִפְנֵי יְיָ תִּטְהָרוּ. בָּאנוּ לְפָנֶיךָ בְּלֵב נִשְׁבָּר לְבַקֵּשׁ מִמְּךָ מְחִילָה וּסְלִיחָה וְכַפָּרָה עַל כָּל־מַה־שֶּׁחָטָאנוּ וְעָוִינוּ וּפָשַׁעְנוּ לְפָנֶיךָ.

הָשִׁיבָה לִּי שְׂשׂוֹן יִשְׁעֶךָ וְרוּחַ נְדִיבָה תִסְמְכֵנִי. זַכֵּנִי לָשׁוּב לְפָנֶיךָ בְּלֵב שָׁלֵם וּלְהִתְחָרֵט עַל עֲוֹנוֹתַי וְלַעֲזֹב מַעֲשַׂי הָרָעִים. לֵב טָהוֹר בְּרָא לִי אֱלֹהִים וְרוּחַ נָכוֹן חַדֵּשׁ בְּקִרְבִּי.

עֲבֵרוֹת שֶׁבֵּין אָדָם לַמָּקוֹם, יוֹם הַכִּפּוּרִים מְכַפֵּר.
עֲבֵרוֹת שֶׁבֵּין אָדָם לַחֲבֵרוֹ, אֵין יוֹם הַכִּפּוּרִים
מְכַפֵּר עַד שֶׁיְּרַצֶּה אֶת־חֲבֵרוֹ.

I have been created with hands, the ability to sense creation through touch, the capacity to transmit tenderness. Often, in thought and in action, I have veered toward violence, clenching my fists in resentment, using my hands to injure or to destroy.

I have been given legs to walk in God's path, to pursue His commandments. Instead of walking always in the way of godliness, often I have rushed to do unworthy deeds. I have walked away from God and from man.

I have been blessed not only with life but with the ability to help reproduce life, and to share and transmit joy in love fulfilled. Lust and perversion, however, have sometimes corrupted this pure gift.

All that I am, body and soul, are bared before the Lord and before my own examination. I am burdened by the bad choices I have made, for I have marred the pure beauty of my soul through my misdeeds. I pray for forgiveness and for purification before the Lord on this day of atonement. May I find the courage to renew my life, to change at least part of what should be changed. May I use God's gifts only for the glory of His name and His creation. May this day lead me to reconciliation with myself, with those whom I have hurt and offended, and with the Master of mercy, the Holy One, praised be He.

Purify my heart, O Lord; renew my spirit. Restore to me the joy of Your deliverance; sustain me with Your spirit.

Yom Kippur atones for sins against God. Yom Kippur does not atone for sins against another human being until one has placated the person offended.

Mishnah Yoma 8:9

רִבּוֹנוֹ שֶׁל עוֹלָם, הֲרֵינִי מוֹחֵל לְכָל־מִי שֶׁהִכְעִיס וְהִקְנִיט אוֹתִי אוֹ
שֶׁחָטָא כְּנֶגְדִּי, בֵּין בְּגוּפִי בֵּין בְּמָמוֹנִי, בֵּין בִּכְבוֹדִי בֵּין בְּכָל־אֲשֶׁר
לִי, בֵּין בְּאֹנֶס בֵּין בְּרָצוֹן, בֵּין בְּשׁוֹגֵג בֵּין בְּמֵזִיד, בֵּין בְּדִבּוּר בֵּין
בְּמַעֲשֶׂה, לְכָל־בֶּן־אָדָם. וְלֹא יֵעָנֵשׁ שׁוּם אָדָם בְּסִבָּתִי. יְהִי רָצוֹן
מִלְּפָנֶיךָ יְיָ אֱלֹהַי וֵאלֹהֵי אֲבוֹתַי שֶׁלֹּא אֶחֱטָא עוֹד וְלֹא אֶחֱזֹר בָּהֶם
וְלֹא אָשׁוּב עוֹד לְהַכְעִיסֶךָ וְלֹא אֶעֱשֶׂה הָרַע בְּעֵינֶיךָ. וּמַה־שֶּׁחָטָאתִי
לְפָנֶיךָ מְחֹק בְּרַחֲמֶיךָ הָרַבִּים, אֲבָל לֹא עַל יְדֵי יִסּוּרִים וָחֳלָיִים
רָעִים. יִהְיוּ לְרָצוֹן אִמְרֵי־פִי וְהֶגְיוֹן לִבִּי לְפָנֶיךָ, יְיָ צוּרִי וְגֹאֲלִי.

Benediction before putting on the tallit:

בָּרוּךְ אַתָּה יְיָ אֱלֹהֵינוּ מֶלֶךְ הָעוֹלָם
אֲשֶׁר קִדְּשָׁנוּ בְּמִצְוֹתָיו וְצִוָּנוּ לְהִתְעַטֵּף בַּצִּיצִת.

While the Torah scrolls are taken from the Ark,
the following verses are recited.

בָּרוּךְ שֶׁנָּתַן תּוֹרָה לְעַמּוֹ יִשְׂרָאֵל בִּקְדֻשָּׁתוֹ.

אַשְׁרֵי הָעָם שֶׁכָּכָה לּוֹ, אַשְׁרֵי הָעָם שֶׁיְיָ אֱלֹהָיו.

עֵץ חַיִּים הִיא לַמַּחֲזִיקִים בָּהּ, וְתוֹמְכֶיהָ מְאֻשָּׁר.
דְּרָכֶיהָ דַרְכֵי־נֹעַם, וְכָל־נְתִיבֹתֶיהָ שָׁלוֹם.

רַחוּם וְחַנּוּן יְיָ, אֶרֶךְ אַפַּיִם וְרַב חָסֶד.

טוֹב יְיָ לַכֹּל, וְרַחֲמָיו עַל כָּל־מַעֲשָׂיו.

אוֹר זָרֻעַ לַצַּדִּיק, וּלְיִשְׁרֵי־לֵב שִׂמְחָה.

I hereby forgive all who have hurt me, all who have done me wrong, whether deliberately or by accident, whether by word or by deed. May no one be punished on my account.

As I forgive and pardon fully those who have done me wrong, may those whom I have harmed forgive and pardon me, whether I acted deliberately or by accident, whether by word or by deed.

Wipe away my sins, O Lord, with Your great mercy. May I not repeat the wrongs I have committed.

May the words of my mouth and the prayers in my heart be acceptable before You, O Lord, my Rock and my Redeemer.

Benediction before putting on the tallit:

Praised are You, Lord our God, King of the universe who sanctified our life with His commandments, commanding us to wear the *tallit.*

While the Torah scrolls are taken from the Ark,
the following verses are recited. (In some congregations
they are recited while the Torah scrolls are
carried in procession.)

Praised be He who gave the Torah to His people Israel.

Blessed the people who are so favored.
Blessed the people whose God is the Lord.

It is a tree of life for those who grasp it,
and those who uphold it are blessed.
Its ways are pleasantness, and all its paths are peace.

The Lord is gracious and compassionate,
surpassingly patient and merciful.

The Lord is good to all His creatures;
His tenderness extends to all His works.

Light is sown for the righteous,
joy for the upright in heart.

Kol Nidrei

The legal declaration of Kol Nidrei is recited in the setting of a formal court.

בִּישִׁיבָה שֶׁל מַעְלָה וּבִישִׁיבָה שֶׁל מַטָּה,
עַל דַּעַת הַמָּקוֹם וְעַל דַּעַת הַקָּהָל,
אָנוּ מַתִּירִין לְהִתְפַּלֵּל עִם הָעֲבַרְיָנִים.

כָּל־נִדְרֵי וֶאֱסָרֵי וַחֲרָמֵי וְקוֹנָמֵי וְכִנּוּיֵי וְקִנּוּסֵי וּשְׁבוּעוֹת. דִּנְדַרְנָא וּדְאִשְׁתַּבַּעְנָא וּדְאַחֲרִימְנָא וְדַאֲסַרְנָא עַל נַפְשָׁתָנָא, מִיּוֹם כִּפּוּרִים זֶה עַד יוֹם כִּפּוּרִים הַבָּא עָלֵינוּ לְטוֹבָה, כֻּלְּהוֹן אִחֲרַטְנָא בְהוֹן, כֻּלְּהוֹן יְהוֹן שָׁרַן, שְׁבִיקִין שְׁבִיתִין בְּטֵלִין וּמְבֻטָּלִין לָא שְׁרִירִין וְלָא קַיָּמִין. נִדְרָנָא לָא נִדְרֵי וֶאֱסָרָנָא לָא אֱסָרֵי וּשְׁבוּעָתָנָא לָא שְׁבוּעוֹת.

Ḥazzan and congregation:

וְנִסְלַח לְכָל־עֲדַת בְּנֵי יִשְׂרָאֵל וְלַגֵּר הַגָּר בְּתוֹכָם
כִּי לְכָל־הָעָם בִּשְׁגָגָה.

Ḥazzan:

סְלַח נָא לַעֲוֹן הָעָם הַזֶּה כְּגֹדֶל חַסְדֶּךָ
וְכַאֲשֶׁר נָשָׂאתָה לָעָם הַזֶּה מִמִּצְרַיִם וְעַד הֵנָּה. וְשָׁם נֶאֱמַר:

Congregation and Ḥazzan:

וַיֹּאמֶר יְיָ: סָלַחְתִּי כִּדְבָרֶךָ.

Ḥazzan and Congregation:

בָּרוּךְ אַתָּה יְיָ אֱלֹהֵינוּ מֶלֶךְ הָעוֹלָם
שֶׁהֶחֱיָנוּ וְקִיְּמָנוּ וְהִגִּיעָנוּ לַזְּמַן הַזֶּה.

The Torah scrolls are returned to the Ark.

On weekdays, the service continues on page 358.

Kol Nidrei

The legal declaration of Kol Nidrei is recited in the setting of a formal court. Two men holding Torah scrolls stand at either side of the Ḥazzan, thus constituting a court (bet din) of three which is required for the legal procedure of granting dispensation from vows.

By authority of the court on high and by the authority of this court below, with divine consent and with the consent of this congregation, we hereby declare that it is permitted to pray with those who have transgressed.

All vows and oaths we take, all promises and obligations we make to God between this Yom Kippur and the next we hereby publicly retract in the event that we should forget them, and hereby declare our intention to be absolved of them.

Ḥazzan and congregation:

And all the congregation of the people Israel shall be forgiven, as well as the stranger who dwells among them, for all the people Israel acted in error.

Numbers 15:26

Ḥazzan:

In Your unbounded lovingkindness, please pardon the sin of this people. Forgive us as You have forgiven our people through all times.

Numbers 14:19

Congregation and Ḥazzan:

Then the Lord said to Moses: "I have pardoned them, as you have asked."

Numbers 14:20

Ḥazzan and congregation:

PRAISED ARE YOU, LORD OUR GOD, KING OF THE UNIVERSE, FOR GRANTING US LIFE, FOR SUSTAINING US, AND FOR HELPING US REACH THIS DAY.

The Torah scrolls are returned to the Ark.

On weekdays, the service continues on page 358.

On Shabbat, the following two psalms are recited.

מִזְמוֹר שִׁיר לְיוֹם הַשַּׁבָּת.

טוֹב לְהֹדוֹת לַיְיָ, וּלְזַמֵּר לְשִׁמְךָ עֶלְיוֹן.
לְהַגִּיד בַּבֹּקֶר חַסְדֶּךָ, וֶאֱמוּנָתְךָ בַּלֵּילוֹת.

עֲלֵי עָשׂוֹר וַעֲלֵי נָבֶל, עֲלֵי הִגָּיוֹן בְּכִנּוֹר.
כִּי שִׂמַּחְתַּנִי יְיָ בְּפָעֳלֶךָ, בְּמַעֲשֵׂי יָדֶיךָ אֲרַנֵּן.

מַה־גָּדְלוּ מַעֲשֶׂיךָ יְיָ, מְאֹד עָמְקוּ מַחְשְׁבֹתֶיךָ.
אִישׁ בַּעַר לֹא יֵדָע, וּכְסִיל לֹא יָבִין אֶת־זֹאת:

בִּפְרֹחַ רְשָׁעִים כְּמוֹ עֵשֶׂב וַיָּצִיצוּ כָּל־פֹּעֲלֵי אָוֶן,
לְהִשָּׁמְדָם עֲדֵי עַד. וְאַתָּה מָרוֹם לְעֹלָם יְיָ.

כִּי הִנֵּה אֹיְבֶיךָ יְיָ, כִּי הִנֵּה אֹיְבֶיךָ יֹאבֵדוּ,
יִתְפָּרְדוּ כָּל־פֹּעֲלֵי אָוֶן.

וַתָּרֶם כִּרְאֵים קַרְנִי, בַּלֹּתִי בְּשֶׁמֶן רַעֲנָן.
וַתַּבֵּט עֵינִי בְּשׁוּרָי, בַּקָּמִים עָלַי מְרֵעִים תִּשְׁמַעְנָה אָזְנָי.

צַדִּיק כַּתָּמָר יִפְרָח, כְּאֶרֶז בַּלְּבָנוֹן יִשְׂגֶּה.
שְׁתוּלִים בְּבֵית יְיָ, בְּחַצְרוֹת אֱלֹהֵינוּ יַפְרִיחוּ.

עוֹד יְנוּבוּן בְּשֵׂיבָה, דְּשֵׁנִים וְרַעֲנַנִּים יִהְיוּ.
לְהַגִּיד כִּי יָשָׁר יְיָ, צוּרִי וְלֹא עַוְלָתָה בּוֹ.

On Shabbat, the following two psalms are recited:

A SONG FOR SHABBAT.

It is good to give You thanks, O Lord,
to sing Your praise, exalted God,

> *to proclaim Your love each morning,*
> *to tell of Your faithfulness each night,*
> *with the sounds of instrumental music.*

Your works, O Lord, make me glad;
I sing with joy of Your creation.

> *How intricate Your works, O Lord.*
> *Your designs are beyond our grasp.*

The thoughtless cannot comprehend,
the foolish cannot fathom this:

> *The wicked may flourish,*
> *they may spring up like grass,*
> *but their doom is forever sealed,*
> *for You are supreme forever.*

Your enemies, Lord, Your enemies shall perish;
all the wicked shall be scattered.

> *But You have greatly exalted me;*
> *I am as anointed with fragrant oil.*

I have seen the downfall of my foes,
I have heard the doom of my attackers.

> *The righteous shall flourish like the palm tree,*
> *they shall thrive like the cedar of Lebanon.*

Planted in the house of the Lord,
they shall flourish in the courts of our God.

> *They shall bear fruit even in old age;*
> *they shall be ever fresh and fragrant.*

They shall proclaim: The Lord is just.
He is my Rock; there is no flaw in Him.

Psalm 92

יְיָ מָלָךְ גֵּאוּת לָבֵשׁ,
לָבֵשׁ יְיָ, עֹז הִתְאַזָּר,
אַף תִּכּוֹן תֵּבֵל בַּל תִּמּוֹט.

נָכוֹן כִּסְאֲךָ מֵאָז, מֵעוֹלָם אָתָּה.

נָשְׂאוּ נְהָרוֹת יְיָ, נָשְׂאוּ נְהָרוֹת קוֹלָם,
יִשְׂאוּ נְהָרוֹת דָּכְיָם.

מִקֹּלוֹת מַיִם רַבִּים אַדִּירִים מִשְׁבְּרֵי־יָם,
אַדִּיר בַּמָּרוֹם יְיָ.

עֵדֹתֶיךָ נֶאֶמְנוּ מְאֹד,
לְבֵיתְךָ נַאֲוָה קֹדֶשׁ יְיָ לְאֹרֶךְ יָמִים.

The Mourner's Kaddish may be recited (page 422).

The Lord is King, crowned with splendor.
The Lord reigns, robed in strength.

> He set the earth on a sure foundation.
> He created a world that stands firm.

His kingdom stands from earliest time.
He is eternal.

> The rivers may rise and rage,
> the waters may pound and roar,
> the floods may spread and storm.

Above the waves of the raging sea,
awesome is the Lord our God.

> Your decrees, O Lord, never fail.
> Holiness describes Your house for eternity.
>
> *Psalm 93*

The Mourner's Kaddish may be recited (page 423).

Meditation

אָנָה אֵלֵךְ מֵרוּחֶךָ וְאָנָה מִפָּנֶיךָ אֶבְרָח.
אִם אֶסַּק שָׁמַיִם שָׁם אָתָּה וְאַצִּיעָה שְּׁאוֹל הִנֶּךָּ.
אֶשָּׂא כַנְפֵי־שָׁחַר אֶשְׁכְּנָה בְּאַחֲרִית יָם.
גַּם שָׁם יָדְךָ תַנְחֵנִי וְתֹאחֲזֵנִי יְמִינֶךָ.

How can I escape Your spirit?
How can I flee Your Presence?
If I ascend the heavens, You are there.
If I descend to the depths, You are there.

If I mount the wings of dawn
or dwell beyond the sea,
even there You shall lead me,
and Your right hand hold me fast.

Psalm 139:7-10

When Adam and Eve hid from His presence, the Lord called: *Where are you* (Genesis 3:9). It is a call that goes out again and again. It is a still small echo of a still small voice, not uttered in words, not conveyed in categories of the mind, but ineffable and mysterious as the glory that fills the whole world. It is wrapped in silence; concealed and subdued, yet it is as if all things were the frozen echo of the question: *Where are you?*

The path to atonement, starting in despair, leads
through yearning and faith.

שִׁיר הַמַּעֲלוֹת. מִמַּעֲמַקִּים קְרָאתִיךָ יְיָ.

Out of the depths I call to You;
Lord, hear my cry, heed my plea.

אֲדֹנָי שִׁמְעָה בְקוֹלִי, תִּהְיֶינָה אָזְנֶיךָ קַשֻּׁבוֹת לְקוֹל תַּחֲנוּנָי.

Be attentive to my prayers, to my sigh of supplication.

אִם עֲוֹנוֹת תִּשְׁמָר־יָהּ אֲדֹנָי מִי יַעֲמֹד.

Who could endure, Lord, if You kept count of every sin?

כִּי עִמְּךָ הַסְּלִיחָה לְמַעַן תִּוָּרֵא.

But forgiveness is Yours; therefore we revere You.

קִוִּיתִי יְיָ קִוְּתָה נַפְשִׁי וְלִדְבָרוֹ הוֹחָלְתִּי.

I wait for the Lord; my soul yearns.
Hopefully I await His word.

נַפְשִׁי לַאדֹנָי מִשֹּׁמְרִים לַבֹּקֶר שֹׁמְרִים לַבֹּקֶר.

I wait for the Lord
more eagerly than watchmen wait for dawn.

יַחֵל יִשְׂרָאֵל אֶל יְיָ כִּי עִם יְיָ הַחֶסֶד וְהַרְבֵּה עִמּוֹ פְדוּת.

Put your hope in the Lord,
for the Lord is generous with mercy.

וְהוּא יִפְדֶּה אֶת־יִשְׂרָאֵל מִכֹּל עֲוֹנוֹתָיו.

Abundant is His power to redeem;
May He redeem the people Israel from all sin.

Psalm 130

Barkhu

We rise.

Ḥazzan:

בָּרְכוּ אֶת־יְיָ הַמְבֹרָךְ.

Congregation and Ḥazzan:

בָּרוּךְ יְיָ הַמְבֹרָךְ לְעוֹלָם וָעֶד.

We are seated.

The first benediction before K'riat Sh'ma.

בָּרוּךְ אַתָּה יְיָ אֱלֹהֵינוּ מֶלֶךְ הָעוֹלָם אֲשֶׁר בִּדְבָרוֹ מַעֲרִיב עֲרָבִים. בְּחָכְמָה פּוֹתֵחַ שְׁעָרִים וּבִתְבוּנָה מְשַׁנֶּה עִתִּים וּמַחֲלִיף אֶת־הַזְּמַנִּים וּמְסַדֵּר אֶת־הַכּוֹכָבִים בְּמִשְׁמְרוֹתֵיהֶם בָּרָקִיעַ כִּרְצוֹנוֹ. בּוֹרֵא יוֹם וָלָיְלָה, גּוֹלֵל אוֹר מִפְּנֵי חֹשֶׁךְ וְחֹשֶׁךְ מִפְּנֵי אוֹר, וּמַעֲבִיר יוֹם וּמֵבִיא לָיְלָה וּמַבְדִּיל בֵּין יוֹם וּבֵין לָיְלָה, יְיָ צְבָאוֹת שְׁמוֹ. אֵל חַי וְקַיָּם, תָּמִיד יִמְלֹךְ עָלֵינוּ לְעוֹלָם וָעֶד. בָּרוּךְ אַתָּה יְיָ הַמַּעֲרִיב עֲרָבִים.

The second benediction before K'riat Sh'ma.

אַהֲבַת עוֹלָם בֵּית יִשְׂרָאֵל עַמְּךָ אָהָבְתָּ. תּוֹרָה וּמִצְוֹת חֻקִּים וּמִשְׁפָּטִים אוֹתָנוּ לִמַּדְתָּ. עַל כֵּן יְיָ אֱלֹהֵינוּ בְּשָׁכְבֵנוּ וּבְקוּמֵנוּ נָשִׂיחַ בְּחֻקֶּיךָ, וְנִשְׂמַח בְּדִבְרֵי תוֹרָתֶךָ וּבְמִצְוֹתֶיךָ לְעוֹלָם וָעֶד. כִּי הֵם חַיֵּינוּ וְאֹרֶךְ יָמֵינוּ וּבָהֶם נֶהְגֶּה יוֹמָם וָלָיְלָה. וְאַהֲבָתְךָ אַל תָּסִיר מִמֶּנּוּ לְעוֹלָמִים. בָּרוּךְ אַתָּה יְיָ אוֹהֵב עַמּוֹ יִשְׂרָאֵל.

Barkhu

We rise for the call to public worship.

Ḥazzan:

PRAISE THE LORD, SOURCE OF BLESSING.

Congregation and Ḥazzan:

PRAISED BE THE LORD, SOURCE OF BLESSING, THROUGHOUT ALL TIME.

Barukh Adonai ha-mevorakh l'olam va'ed.

We are seated.

*In the first benediction before K'riat Sh'ma we
praise God for His gift of Creation.*

Praised are You, Lord our God, King of the universe whose word brings the evening dusk. You open the gates of dawn with wisdom, change the day's divisions with understanding, set the succession of seasons, and arrange the stars in the sky according to Your will. Lord of the heavenly hosts, You create day and night, rolling light away from darkness and darkness away from light. Eternal God, Your rule shall embrace us forever. Praised are You, Lord, for each evening's dusk.

*In the second benediction before K'riat Sh'ma we
praise God for His gift of Torah, sign of His love.*

With constancy You have loved Your people Israel, teaching us Torah and *mitzvot,* statutes and laws. Therefore, Lord our God, when we lie down to sleep and when we rise, we shall think of Your laws and speak of them, rejoicing in Your Torah and *mitzvot* always. For they are our life and the length of our days; we will meditate on them day and night. Never take away Your love from us. Praised are You, Lord who loves His people Israel.

K'riat Sh'ma

If there is no minyan, add:

אֵל מֶֽלֶךְ נֶאֱמָן

We formally affirm God's sovereignty, freely pledging Him our loyalty. We are His witnesses.

שְׁמַע יִשְׂרָאֵל יְהוָה אֱלֹהֵינוּ יְהוָה ׀ אֶחָד׃

Aloud:

בָּרוּךְ שֵׁם כְּבוֹד מַלְכוּתוֹ לְעוֹלָם וָעֶד.

וְאָהַבְתָּ אֵת יְהוָה אֱלֹהֶיךָ בְּכָל־לְבָבְךָ וּבְכָל־נַפְשְׁךָ וּבְכָל־
מְאֹדֶךָ׃ וְהָיוּ הַדְּבָרִים הָאֵלֶּה אֲשֶׁר אָנֹכִי מְצַוְּךָ הַיּוֹם עַל־לְבָבֶךָ׃
וְשִׁנַּנְתָּם לְבָנֶיךָ וְדִבַּרְתָּ בָּם בְּשִׁבְתְּךָ בְּבֵיתֶךָ וּבְלֶכְתְּךָ בַדֶּרֶךְ
וּבְשָׁכְבְּךָ וּבְקוּמֶךָ׃ וּקְשַׁרְתָּם לְאוֹת עַל־יָדֶךָ וְהָיוּ לְטֹטָפֹת בֵּין
עֵינֶיךָ׃ וּכְתַבְתָּם עַל־מְזֻזוֹת בֵּיתֶךָ וּבִשְׁעָרֶיךָ׃

וְהָיָה אִם־שָׁמֹעַ תִּשְׁמְעוּ אֶל־מִצְוֺתַי אֲשֶׁר אָנֹכִי מְצַוֶּה אֶתְכֶם
הַיּוֹם לְאַהֲבָה אֶת־יְהוָה אֱלֹהֵיכֶם וּלְעָבְדוֹ בְּכָל־לְבַבְכֶם וּבְכָל־
נַפְשְׁכֶם׃ וְנָתַתִּי מְטַר־אַרְצְכֶם בְּעִתּוֹ יוֹרֶה וּמַלְקוֹשׁ וְאָסַפְתָּ דְגָנֶךָ
וְתִירֹשְׁךָ וְיִצְהָרֶךָ׃ וְנָתַתִּי עֵשֶׂב בְּשָׂדְךָ לִבְהֶמְתֶּךָ וְאָכַלְתָּ וְשָׂבָעְתָּ׃
הִשָּׁמְרוּ לָכֶם פֶּן־יִפְתֶּה לְבַבְכֶם וְסַרְתֶּם וַעֲבַדְתֶּם אֱלֹהִים אֲחֵרִים
וְהִשְׁתַּחֲוִיתֶם לָהֶם׃ וְחָרָה אַף־יְהוָה בָּכֶם וְעָצַר אֶת־הַשָּׁמַיִם
וְלֹא־יִהְיֶה מָטָר וְהָאֲדָמָה לֹא תִתֵּן אֶת־יְבוּלָהּ וַאֲבַדְתֶּם מְהֵרָה
מֵעַל הָאָרֶץ הַטֹּבָה אֲשֶׁר יְהוָה נֹתֵן לָכֶם׃ וְשַׂמְתֶּם אֶת־דְּבָרַי אֵלֶּה
עַל־לְבַבְכֶם וְעַל־נַפְשְׁכֶם וּקְשַׁרְתֶּם אֹתָם לְאוֹת עַל־יֶדְכֶם וְהָיוּ

K'riat Sh'ma

If there is no minyan, add:

God is a faithful King

*We formally affirm God's sovereignty, freely pledging
Him our loyalty. We are His witnesses.*

HEAR, O ISRAEL: THE LORD OUR GOD, THE LORD IS ONE.

Aloud:

Praised be His glorious sovereignty throughout all time.

Love the Lord your God with all your heart, with all your soul,
with all your might. And these words which I command you this
day shall you take to heart. You shall diligently teach them to
your children. You shall repeat them at home and away, morn-
ing and night. You shall bind them as a sign upon your hand,
they shall be a reminder above your eyes, and you shall inscribe
them upon the doorposts of your homes and upon your gates.

Deuteronomy 6:4–9

If you will earnestly heed the commandments I give you this
day, to love the Lord your God and to serve Him with all your
heart and all your soul, then I will favor your land with rain
at the proper season—rain in autumn and rain in spring—and
you will have an ample harvest of grain and wine and oil. I will
assure abundance in the fields for your cattle. You will eat to
contentment. Take care lest you be tempted to forsake God and
turn to false gods in worship. For then the wrath of the Lord
will be directed against you. He will close the heavens and hold
back the rain; the earth will not yield its produce. You will soon
disappear from the good land which the Lord gives you.

Therefore, impress these words of Mine upon your heart. Bind
them as a sign upon your hand, and let them be a reminder

לְטוֹטָפֹת בֵּין עֵינֵיכֶם: וְלִמַּדְתֶּם אֹתָם אֶת־בְּנֵיכֶם לְדַבֵּר בָּם
בְּשִׁבְתְּךָ בְּבֵיתֶךָ וּבְלֶכְתְּךָ בַדֶּרֶךְ וּבְשָׁכְבְּךָ וּבְקוּמֶךָ: וּכְתַבְתָּם
עַל־מְזוּזוֹת בֵּיתֶךָ וּבִשְׁעָרֶיךָ: לְמַעַן יִרְבּוּ יְמֵיכֶם וִימֵי בְנֵיכֶם עַל
הָאֲדָמָה אֲשֶׁר נִשְׁבַּע יְהוָה לַאֲבֹתֵיכֶם לָתֵת לָהֶם כִּימֵי הַשָּׁמַיִם
עַל־הָאָרֶץ:

וַיֹּאמֶר יְהוָה אֶל־מֹשֶׁה לֵּאמֹר: דַּבֵּר אֶל־בְּנֵי יִשְׂרָאֵל וְאָמַרְתָּ
אֲלֵהֶם וְעָשׂוּ לָהֶם צִיצִת עַל־כַּנְפֵי בִגְדֵיהֶם לְדֹרֹתָם וְנָתְנוּ עַל־
צִיצִת הַכָּנָף פְּתִיל תְּכֵלֶת: וְהָיָה לָכֶם לְצִיצִת וּרְאִיתֶם אֹתוֹ
וּזְכַרְתֶּם אֶת־כָּל־מִצְוֹת יְהוָה וַעֲשִׂיתֶם אֹתָם וְלֹא תָתוּרוּ אַחֲרֵי
לְבַבְכֶם וְאַחֲרֵי עֵינֵיכֶם אֲשֶׁר־אַתֶּם זֹנִים אַחֲרֵיהֶם: לְמַעַן תִּזְכְּרוּ
וַעֲשִׂיתֶם אֶת־כָּל־מִצְוֹתָי וִהְיִיתֶם קְדֹשִׁים לֵאלֹהֵיכֶם: אֲנִי יְהוָה
אֱלֹהֵיכֶם אֲשֶׁר הוֹצֵאתִי אֶתְכֶם מֵאֶרֶץ מִצְרַיִם לִהְיוֹת לָכֶם לֵאלֹהִים
אֲנִי יְהוָה אֱלֹהֵיכֶם:

The first benediction after K'riat Sh'ma.

אֱמֶת וֶאֱמוּנָה כָּל־זֹאת וְקַיָּם עָלֵינוּ כִּי הוּא יְיָ אֱלֹהֵינוּ וְאֵין זוּלָתוֹ
וַאֲנַחְנוּ יִשְׂרָאֵל עַמּוֹ. הַפּוֹדֵנוּ מִיַּד מְלָכִים, מַלְכֵּנוּ הַגּוֹאֲלֵנוּ מִכַּף כָּל־
הֶעָרִיצִים, הָאֵל הַנִּפְרָע לָנוּ מִצָּרֵינוּ וְהַמְשַׁלֵּם גְּמוּל לְכָל־אוֹיְבֵי
נַפְשֵׁנוּ, הָעוֹשֶׂה גְדוֹלוֹת עַד אֵין חֵקֶר וְנִפְלָאוֹת עַד אֵין מִסְפָּר, הַשָּׂם
נַפְשֵׁנוּ בַּחַיִּים וְלֹא נָתַן לַמּוֹט רַגְלֵנוּ, הַמַּדְרִיכֵנוּ עַל בָּמוֹת אוֹיְבֵינוּ
וַיָּרֶם קַרְנֵנוּ עַל כָּל־שׂוֹנְאֵינוּ, הָעוֹשֶׂה לָּנוּ נִסִּים וּנְקָמָה בְּפַרְעֹה אוֹתוֹת
וּמוֹפְתִים בְּאַדְמַת בְּנֵי חָם, הַמַּכֶּה בְעֶבְרָתוֹ כָּל־בְּכוֹרֵי מִצְרָיִם
וַיּוֹצֵא אֶת־עַמּוֹ יִשְׂרָאֵל מִתּוֹכָם לְחֵרוּת עוֹלָם, הַמַּעֲבִיר בָּנָיו בֵּין גִּזְרֵי
יַם סוּף, אֶת־רוֹדְפֵיהֶם וְאֶת־שׂוֹנְאֵיהֶם בִּתְהוֹמוֹת טִבַּע, וְרָאוּ בָנָיו

above your eyes. Teach them to your children. Repeat them at home and away, morning and night. Inscribe them upon the doorposts of your homes and upon your gates. Then your days and the days of your children will endure as the days of the heavens over the earth, on the land which the Lord swore to give to your fathers.

Deuteronomy 11:13–21

The Lord said to Moses: Instruct the people Israel that in every generation they shall put fringes on the corners of their garments, and bind a thread of blue to the fringe of each corner. Looking upon these fringes you will be reminded of all the commandments of the Lord and fulfill them, and not be seduced by your heart or led astray by your eyes. Then you will remember and observe all My commandments and be holy before your God. I am the Lord your God who brought you out of the land of Egypt to be your God. I, the Lord, am your God.

Numbers 15:37–41

In the first benediction after K'riat Sh'ma we praise God alone as the people Israel's redeemer, past and present.

We affirm the truth that He is our God, that there is no other, and that we are His people Israel. He redeems us from the power of kings, delivers us from the hand of all tyrants. He brings judgment upon our oppressors, retribution upon all our mortal enemies. He performs wonders beyond understanding, marvelous things beyond all reckoning. He has maintained us among the living, He has not allowed our steps to falter. He guided us to triumph over mighty foes, exalted our strength over all our enemies. He vindicated us with miracles before Pharaoh, with signs and wonders in the land of Egypt. In wrath He smote all of Egypt's firstborn, bringing His people to lasting freedom. He led His children through divided waters as their pursuers sank in the sea.

גְּבוּרָתוֹ שִׁבְּחוּ וְהוֹדוּ לִשְׁמוֹ. וּמַלְכוּתוֹ בְּרָצוֹן קִבְּלוּ עֲלֵיהֶם. מֹשֶׁה
וּבְנֵי יִשְׂרָאֵל לְךָ עָנוּ שִׁירָה בְּשִׂמְחָה רַבָּה, וְאָמְרוּ כֻלָּם:

מִי־כָמֹכָה בָּאֵלִם יְיָ,

מִי כָּמֹכָה נֶאְדָּר בַּקֹּדֶשׁ,

נוֹרָא תְהִלֹּת, עֹשֵׂה פֶלֶא.

מַלְכוּתְךָ רָאוּ בָנֶיךָ בּוֹקֵעַ יָם לִפְנֵי מֹשֶׁה, זֶה אֵלִי עָנוּ וְאָמְרוּ:

יְיָ יִמְלֹךְ לְעֹלָם וָעֶד.

וְנֶאֱמַר: כִּי־פָדָה יְיָ אֶת־יַעֲקֹב וּגְאָלוֹ מִיַּד חָזָק מִמֶּנּוּ. בָּרוּךְ אַתָּה יְיָ
גָּאַל יִשְׂרָאֵל.

The second benediction after K'riat Sh'ma.

הַשְׁכִּיבֵנוּ יְיָ אֱלֹהֵינוּ לְשָׁלוֹם וְהַעֲמִידֵנוּ מַלְכֵּנוּ לְחַיִּים, וּפְרֹשׂ עָלֵינוּ
סֻכַּת שְׁלוֹמֶךָ וְתַקְּנֵנוּ בְּעֵצָה טוֹבָה מִלְּפָנֶיךָ וְהוֹשִׁיעֵנוּ לְמַעַן שְׁמֶךָ.
וְהָגֵן בַּעֲדֵנוּ וְהָסֵר מֵעָלֵינוּ אוֹיֵב דֶּבֶר וְחֶרֶב וְרָעָב וְיָגוֹן, וְהָסֵר
שָׂטָן מִלְּפָנֵינוּ וּמֵאַחֲרֵינוּ. וּבְצֵל כְּנָפֶיךָ תַּסְתִּירֵנוּ כִּי אֵל שׁוֹמְרֵנוּ
וּמַצִּילֵנוּ אָתָּה, כִּי אֵל מֶלֶךְ חַנּוּן וְרַחוּם אָתָּה. וּשְׁמֹר צֵאתֵנוּ
וּבוֹאֵנוּ לְחַיִּים וּלְשָׁלוֹם מֵעַתָּה וְעַד עוֹלָם. וּפְרֹשׂ עָלֵינוּ סֻכַּת
שְׁלוֹמֶךָ. בָּרוּךְ אַתָּה יְיָ הַפּוֹרֵשׂ סֻכַּת שָׁלוֹם עָלֵינוּ וְעַל כָּל־עַמּוֹ
יִשְׂרָאֵל וְעַל יְרוּשָׁלָיִם.

When His children beheld His might they sang in praise of Him, gladly accepting His sovereignty. Moses and the people Israel sang with great joy this song to the Lord:

Mi khamokha ba-eilim Adonai, mi kamokha nedar bakodesh nora te-hilot oseh feleh.

Who is like You, Lord, among all that is worshipped?
Who is like You, majestic in holiness,
awesome in splendor, working wonders?

Your children beheld Your sovereignty as You divided the sea before Moses. "This is my God," they responded, declaring:

Adonai yimlokh l'olam va'ed.

"The Lord shall reign throughout all time."

And thus it is written: "The Lord has rescued Jacob; He redeemed him from those more powerful." Praised are You, Lord, Redeemer of Israel.

In the second benediction after K'riat Sh'ma
we praise God for His peace and protection.

Help us, our Father, to lie down in peace; and awaken us to life again, our King. Spread over us Your shelter of peace, guide us with Your good counsel. Save us for the sake of Your mercy. Shield us from enemies and pestilence, from starvation, sword and sorrow. Remove the evil forces that surround us, shelter us in the shadow of Your wings. You, O God, guard us and deliver us. You are a gracious and merciful King. Guard our coming and our going, grant us life and peace, now and always. Spread over us the shelter of Your peace. Praised are You, Lord who spreads a shelter of peace over us, over all His people Israel and over Jerusalem.

We rise

On Shabbat only:

וְשָׁמְרוּ בְנֵי יִשְׂרָאֵל אֶת־הַשַּׁבָּת, לַעֲשׂוֹת אֶת־הַשַּׁבָּת לְדֹרֹתָם בְּרִית עוֹלָם. בֵּינִי וּבֵין בְּנֵי יִשְׂרָאֵל אוֹת הִיא לְעֹלָם, כִּי שֵׁשֶׁת יָמִים עָשָׂה יְיָ אֶת־הַשָּׁמַיִם וְאֶת־הָאָרֶץ וּבַיּוֹם הַשְּׁבִיעִי שָׁבַת וַיִּנָּפַשׁ.

כִּי בַיּוֹם הַזֶּה יְכַפֵּר עֲלֵיכֶם לְטַהֵר אֶתְכֶם
מִכֹּל חַטֹּאתֵיכֶם לִפְנֵי יְיָ תִּטְהָרוּ.

Ḥatzi Kaddish

Ḥazzan:

יִתְגַּדַּל וְיִתְקַדַּשׁ שְׁמֵהּ רַבָּא בְּעָלְמָא דִּי בְרָא כִרְעוּתֵהּ, וְיַמְלִיךְ מַלְכוּתֵהּ בְּחַיֵּיכוֹן וּבְיוֹמֵיכוֹן וּבְחַיֵּי דְכָל־בֵּית יִשְׂרָאֵל בַּעֲגָלָא וּבִזְמַן קָרִיב, וְאִמְרוּ אָמֵן.

Congregation and Ḥazzan:

יְהֵא שְׁמֵהּ רַבָּא מְבָרַךְ לְעָלַם וּלְעָלְמֵי עָלְמַיָּא.

Ḥazzan:

יִתְבָּרַךְ וְיִשְׁתַּבַּח וְיִתְפָּאַר וְיִתְרוֹמַם וְיִתְנַשֵּׂא וְיִתְהַדַּר וְיִתְעַלֶּה וְיִתְהַלַּל שְׁמֵהּ דְּקֻדְשָׁא בְּרִיךְ הוּא, לְעֵלָּא לְעֵלָּא מִכָּל־בִּרְכָתָא וְשִׁירָתָא תֻּשְׁבְּחָתָא וְנֶחֱמָתָא דַּאֲמִירָן בְּעָלְמָא, וְאִמְרוּ אָמֵן.

We rise

On Shabbat only:

The people Israel shall observe Shabbat, to maintain it as an everlasting covenant through all generations. It is a sign between Me and the people Israel for all time, that in six days the Lord made heaven and earth, and on the seventh day He ceased from work and rested.

Exodus 31:16–17

FOR ON THIS DAY ATONEMENT SHALL BE MADE FOR YOU TO CLEANSE YOU; OF ALL YOUR SINS, BEFORE THE LORD SHALL YOU BE CLEANSED.

Leviticus 16:30

Ḥatzi Kaddish

Ḥazzan:

Hallowed and enhanced may He be throughout the world of His own creation. May He cause His sovereignty soon to be accepted, during our life and the life of all Israel. And let us say: Amen.

Congregation and Ḥazzan:

Ye-hei shmei raba meva-rakh l'alam ul'almei 'almaya.

May He be praised throughout all time.

Ḥazzan:

Glorified and celebrated, lauded and praised, acclaimed and honored, extolled and exalted may the Holy One be, far beyond all song and psalm, beyond all tributes which man can utter. And let us say: Amen.

Amidah

We stand in silent prayer, which ends on page 382.

אֲדֹנָי שְׂפָתַי תִּפְתָּח וּפִי יַגִּיד תְּהִלָּתֶךָ.

God of our fathers

בָּרוּךְ אַתָּה יְיָ אֱלֹהֵינוּ וֵאלֹהֵי אֲבוֹתֵינוּ, אֱלֹהֵי אַבְרָהָם אֱלֹהֵי יִצְחָק וֵאלֹהֵי יַעֲקֹב, הָאֵל הַגָּדוֹל הַגִּבּוֹר וְהַנּוֹרָא אֵל עֶלְיוֹן גּוֹמֵל חֲסָדִים טוֹבִים וְקוֹנֵה הַכֹּל, וְזוֹכֵר חַסְדֵי אָבוֹת וּמֵבִיא גוֹאֵל לִבְנֵי בְנֵיהֶם לְמַעַן שְׁמוֹ בְּאַהֲבָה.

זָכְרֵנוּ לְחַיִּים מֶלֶךְ חָפֵץ בַּחַיִּים,
וְכָתְבֵנוּ בְּסֵפֶר הַחַיִּים לְמַעַנְךָ אֱלֹהִים חַיִּים.

מֶלֶךְ עוֹזֵר וּמוֹשִׁיעַ וּמָגֵן. בָּרוּךְ אַתָּה יְיָ מָגֵן אַבְרָהָם.

Master of nature

אַתָּה גִּבּוֹר לְעוֹלָם אֲדֹנָי מְחַיֵּה מֵתִים אַתָּה רַב לְהוֹשִׁיעַ. מְכַלְכֵּל חַיִּים בְּחֶסֶד מְחַיֵּה מֵתִים בְּרַחֲמִים רַבִּים, סוֹמֵךְ נוֹפְלִים וְרוֹפֵא חוֹלִים וּמַתִּיר אֲסוּרִים וּמְקַיֵּם אֱמוּנָתוֹ לִישֵׁנֵי עָפָר. מִי כָמוֹךָ בַּעַל גְּבוּרוֹת וּמִי דּוֹמֶה לָּךְ, מֶלֶךְ מֵמִית וּמְחַיֶּה וּמַצְמִיחַ יְשׁוּעָה.

מִי כָמוֹךָ אַב הָרַחֲמִים, זוֹכֵר יְצוּרָיו לְחַיִּים בְּרַחֲמִים.

וְנֶאֱמָן אַתָּה לְהַחֲיוֹת מֵתִים. בָּרוּךְ אַתָּה יְיָ מְחַיֵּה הַמֵּתִים.

Holy, awesome God

אַתָּה קָדוֹשׁ וְשִׁמְךָ קָדוֹשׁ וּקְדוֹשִׁים בְּכָל־יוֹם יְהַלְלוּךָ סֶּלָה.

וּבְכֵן תֵּן פַּחְדְּךָ יְיָ אֱלֹהֵינוּ עַל כָּל־מַעֲשֶׂיךָ וְאֵימָתְךָ עַל כָּל־מַה־שֶּׁבָּרָאתָ, וְיִירָאוּךָ כָּל־הַמַּעֲשִׂים וְיִשְׁתַּחֲווּ לְפָנֶיךָ כָּל־הַבְּרוּאִים,

Amidah

We stand in silent prayer, which ends on page 383.

Open my mouth, O Lord, and my lips will proclaim Your praise.

God of our fathers

Praised are You, Lord our God and God of our fathers, God of Abraham, of Isaac and of Jacob, great, mighty, awesome, exalted God, bestowing lovingkindness and creating all things. You remember the pious deeds of our fathers, and will send a redeemer to their children's children because of Your love and for the sake of Your glory.

Remember us that we may live, O King who delights in life. Inscribe us in the Book of Life, for Your sake, living God.

You are the King who helps and saves and shields. Praised are You, Lord, Shield of Abraham.

Master of nature

Your might, O Lord, is boundless. Your lovingkindness sustains the living, Your great mercies give life to the dead. You support the falling, heal the ailing, free the fettered. You keep Your faith with those who sleep in dust. Whose power can compare with Yours? You are the master of life and death and deliverance.

Whose mercy can compare with Yours, merciful Father? In mercy You remember Your creatures with life.

Faithful are You in giving life to the dead. Praised are You, Lord, Master of life and death.

Holy, awesome God

Holy are You and holy is Your name. Holy are those who praise You daily.

O Lord our God, let all Your creatures sense Your awesome power, let all that You have fashioned stand in fear and trembling. Let all mankind pledge You their allegiance, united whole-

וְיֵעָשׂוּ כֻלָּם אֲגֻדָּה אַחַת לַעֲשׂוֹת רְצוֹנְךָ בְּלֵבָב שָׁלֵם, כְּמוֹ שֶׁיָּדַעְנוּ יְיָ אֱלֹהֵינוּ שֶׁהַשִּׁלְטוֹן לְפָנֶיךָ, עֹז בְּיָדְךָ וּגְבוּרָה בִּימִינֶךָ וְשִׁמְךָ נוֹרָא עַל כָּל־מַה־שֶּׁבָּרָאתָ.

וּבְכֵן תֵּן כָּבוֹד יְיָ לְעַמֶּךָ תְּהִלָּה לִירֵאֶיךָ וְתִקְוָה לְדוֹרְשֶׁיךָ וּפִתְחוֹן פֶּה לַמְיַחֲלִים לָךְ, שִׂמְחָה לְאַרְצֶךָ וְשָׂשׂוֹן לְעִירֶךָ וּצְמִיחַת קֶרֶן לְדָוִד עַבְדֶּךָ וַעֲרִיכַת נֵר לְבֶן־יִשַׁי מְשִׁיחֶךָ בִּמְהֵרָה בְיָמֵינוּ.

וּבְכֵן צַדִּיקִים יִרְאוּ וְיִשְׂמָחוּ וִישָׁרִים יַעֲלֹזוּ וַחֲסִידִים בְּרִנָּה יָגִילוּ, וְעוֹלָתָה תִּקְפָּץ־פִּיהָ וְכָל־הָרִשְׁעָה כֻּלָּהּ כְּעָשָׁן תִּכְלֶה כִּי תַעֲבִיר מֶמְשֶׁלֶת זָדוֹן מִן הָאָרֶץ.

וְתִמְלֹךְ אַתָּה יְיָ לְבַדֶּךָ עַל כָּל־מַעֲשֶׂיךָ בְּהַר צִיּוֹן מִשְׁכַּן כְּבוֹדֶךָ וּבִירוּשָׁלַיִם עִיר קָדְשֶׁךָ, כַּכָּתוּב בְּדִבְרֵי קָדְשֶׁךָ: יִמְלֹךְ יְיָ לְעוֹלָם אֱלֹהַיִךְ צִיּוֹן לְדֹר וָדֹר, הַלְלוּיָהּ.

קָדוֹשׁ אַתָּה וְנוֹרָא שְׁמֶךָ וְאֵין אֱלוֹהַּ מִבַּלְעָדֶיךָ, כַּכָּתוּב: וַיִּגְבַּהּ יְיָ צְבָאוֹת בַּמִּשְׁפָּט, וְהָאֵל הַקָּדוֹשׁ נִקְדַּשׁ בִּצְדָקָה. בָּרוּךְ אַתָּה יְיָ הַמֶּלֶךְ הַקָּדוֹשׁ.

You sanctify this day of pardon and forgiveness

אַתָּה בְחַרְתָּנוּ מִכָּל־הָעַמִּים, אָהַבְתָּ אוֹתָנוּ וְרָצִיתָ בָּנוּ וְרוֹמַמְתָּנוּ מִכָּל־הַלְּשׁוֹנוֹת וְקִדַּשְׁתָּנוּ בְּמִצְוֹתֶיךָ וְקֵרַבְתָּנוּ מַלְכֵּנוּ לַעֲבוֹדָתֶךָ וְשִׁמְךָ הַגָּדוֹל וְהַקָּדוֹשׁ עָלֵינוּ קָרָאתָ.

וַתִּתֶּן־לָנוּ יְיָ אֱלֹהֵינוּ בְּאַהֲבָה אֶת־יוֹם הַשַּׁבָּת הַזֶּה לִקְדֻשָּׁה וְלִמְנוּחָה וְאֶת־יוֹם הַכִּפּוּרִים הַזֶּה לִמְחִילָה וְלִסְלִיחָה וּלְכַפָּרָה וְלִמְחָל־בּוֹ אֶת־כָּל־עֲוֹנוֹתֵינוּ בְּאַהֲבָה מִקְרָא קֹדֶשׁ זֵכֶר לִיצִיאַת מִצְרָיִם.

אֱלֹהֵינוּ וֵאלֹהֵי אֲבוֹתֵינוּ, יַעֲלֶה וְיָבוֹא וְיַגִּיעַ וְיֵרָאֶה וְיֵרָצֶה וְיִשָּׁמַע וְיִפָּקֵד וְיִזָּכֵר זִכְרוֹנֵנוּ וּפִקְדוֹנֵנוּ, וְזִכְרוֹן אֲבוֹתֵינוּ וְזִכְרוֹן מָשִׁיחַ בֶּן־דָּוִד עַבְדֶּךָ וְזִכְרוֹן יְרוּשָׁלַיִם עִיר קָדְשֶׁךָ וְזִכְרוֹן כָּל־עַמְּךָ בֵּית

heartedly to carry out Your will. For we know, Lord our God, that Your sovereignty, Your power and Your awesome majesty are supreme over all creation.

Grant honor, Lord, to Your people, glory to those who revere You, hope to those who seek You and confidence to those who await You. Grant joy to Your land and gladness to Your city. Kindle the lamp of Your anointed servant, David, by fulfilling our prayers for the days of Messiah soon, in our days.

Then will the righteous be glad, the upright rejoice, the pious celebrate in song. When You remove the tyranny of arrogance from the earth, evil will be silenced, all wickedness will vanish like smoke.

Then You alone will rule all creation from Mount Zion, Your glorious throne, from Jerusalem, Your holy city. So is it written in the Psalms of David: The Lord will reign through all generations; your God, Zion, will reign forever. Halleluyah!

Holy, awesome, there is no God but You. Thus is it written by Your prophet: The Lord is exalted in justice, His holiness is seen in lovingkindness. Praised are You, Lord, holy King.

You sanctify this day of pardon and forgiveness

You have chosen us of all nations for Your service by loving and favoring us as bearers of Your Torah. You have exalted us as a people by sanctifying us with Your commandments, identifying us with Your great and holy name.

Lord our God, lovingly have You given us *this Shabbat for sanctity and rest, and* this Yom Kippur for pardon, forgiveness and atonement, to pardon us for all our sins, a day for holy assembly and for recalling the exodus from Egypt.

Our God and God of our fathers, on this Yom Kippur remember our fathers and be gracious to us. Consider the people standing before You praying for the days of Messiah and for Jerusalem Your holy city. Grant us life, well-being, lovingkindness and

יִשְׂרָאֵל לְפָנֶיךָ, לִפְלֵיטָה וּלְטוֹבָה וּלְחֵן וּלְחֶסֶד וּלְרַחֲמִים וּלְחַיִּים וּלְשָׁלוֹם בְּיוֹם הַכִּפּוּרִים הַזֶּה. זָכְרֵנוּ יְיָ אֱלֹהֵינוּ בּוֹ לְטוֹבָה, וּפָקְדֵנוּ בּוֹ לִבְרָכָה, וְהוֹשִׁיעֵנוּ בּוֹ לְחַיִּים. וּבִדְבַר יְשׁוּעָה וְרַחֲמִים חוּס וְחָנֵּנוּ וְרַחֵם עָלֵינוּ וְהוֹשִׁיעֵנוּ כִּי אֵלֶיךָ עֵינֵינוּ, כִּי אֵל מֶלֶךְ חַנּוּן וְרַחוּם אָתָּה.

אֱלֹהֵינוּ וֵאלֹהֵי אֲבוֹתֵינוּ, מְחַל לַעֲוֹנוֹתֵינוּ בְּיוֹם הַשַּׁבָּת הַזֶּה וּבְיוֹם הַכִּפּוּרִים הַזֶּה מְחֵה וְהַעֲבֵר פְּשָׁעֵינוּ וְחַטֹּאתֵינוּ מִנֶּגֶד עֵינֶיךָ, כָּאָמוּר: אָנֹכִי אָנֹכִי הוּא מֹחֶה פְשָׁעֶיךָ לְמַעֲנִי, וְחַטֹּאתֶיךָ לֹא אֶזְכֹּר. וְנֶאֱמַר: מָחִיתִי כָעָב פְּשָׁעֶיךָ וְכֶעָנָן חַטֹּאתֶיךָ, שׁוּבָה אֵלַי כִּי גְאַלְתִּיךָ. וְנֶאֱמַר: כִּי בַיּוֹם הַזֶּה יְכַפֵּר עֲלֵיכֶם לְטַהֵר אֶתְכֶם מִכֹּל חַטֹּאתֵיכֶם לִפְנֵי יְיָ תִּטְהָרוּ. אֱלֹהֵינוּ וֵאלֹהֵי אֲבוֹתֵינוּ, רְצֵה בִמְנוּחָתֵנוּ קַדְּשֵׁנוּ בְּמִצְוֹתֶיךָ וְתֵן חֶלְקֵנוּ בְּתוֹרָתֶךָ, שַׂבְּעֵנוּ מִטּוּבֶךָ וְשַׂמְּחֵנוּ בִּישׁוּעָתֶךָ וְהַנְחִילֵנוּ יְיָ אֱלֹהֵינוּ בְּאַהֲבָה וּבְרָצוֹן שַׁבַּת קָדְשֶׁךָ וְיָנוּחוּ בָהּ יִשְׂרָאֵל מְקַדְּשֵׁי שְׁמֶךָ וְטַהֵר לִבֵּנוּ לְעָבְדְּךָ בֶּאֱמֶת, כִּי אַתָּה סָלְחָן לְיִשְׂרָאֵל וּמָחֳלָן לְשִׁבְטֵי יְשֻׁרוּן בְּכָל־דּוֹר וָדוֹר וּמִבַּלְעָדֶיךָ אֵין לָנוּ מֶלֶךְ מוֹחֵל וְסוֹלֵחַ אֶלָּא אָתָּה. בָּרוּךְ אַתָּה יְיָ מֶלֶךְ מוֹחֵל וְסוֹלֵחַ לַעֲוֹנוֹתֵינוּ וְלַעֲוֹנוֹת עַמּוֹ בֵּית יִשְׂרָאֵל וּמַעֲבִיר אַשְׁמוֹתֵינוּ בְּכָל־שָׁנָה וְשָׁנָה, מֶלֶךְ עַל כָּל־הָאָרֶץ מְקַדֵּשׁ הַשַּׁבָּת וְיִשְׂרָאֵל וְיוֹם הַכִּפּוּרִים.

Accept our prayer

רְצֵה יְיָ אֱלֹהֵינוּ בְּעַמְּךָ יִשְׂרָאֵל וּבִתְפִלָּתָם וְהָשֵׁב אֶת־הָעֲבוֹדָה לִדְבִיר בֵּיתֶךָ וּתְפִלָּתָם בְּאַהֲבָה תְקַבֵּל בְּרָצוֹן וּתְהִי לְרָצוֹן תָּמִיד עֲבוֹדַת יִשְׂרָאֵל עַמֶּךָ. וְתֶחֱזֶינָה עֵינֵינוּ בְּשׁוּבְךָ לְצִיּוֹן בְּרַחֲמִים. בָּרוּךְ אַתָּה יְיָ הַמַּחֲזִיר שְׁכִינָתוֹ לְצִיּוֹן.

peace. Bless us, Lord our God, with all that is good. Remember Your promise of mercy and redemption. Be merciful to us and save us, for we place our hope in You, gracious and merciful God and King.

Our God and God of our fathers, forgive our sins on this *Shabbat and this* Yom Kippur. Blot out and disregard our transgressions, as Isaiah declared in Your name: "I alone blot out your transgressions, for My sake; your sins I shall not recall. I have swept away your transgressions like a cloud, your sins like mist. Return to Me, for I have redeemed you." And the Torah promises: "For on this day atonement shall be made for you, to cleanse you; of all your sins before the Lord shall you be cleansed."

Our God and God of our fathers, *accept our Shabbat offering of rest,* make our lives holy with Your commandments and let Your Torah be our portion. Fill our lives with Your goodness and gladden us with Your triumph. *Lovingly and willingly, Lord our God, grant that we inherit the gift of Shabbat forever, so that Your people Israel who hallow Your name will always find rest on this day.* Cleanse our hearts to serve You faithfully, for You forgive and pardon the people Israel in every generation. Except for You we have no King who pardons and forgives. Praised are You, Lord, King who pardons and forgives our sins and the sins of all His people Israel, absolving us of guilt each year, King of all the earth who sanctifies *Shabbat,* the people Israel and Yom Kippur.

Accept our prayer

Accept the prayer of Your people Israel as lovingly as it is offered. Restore worship to Your sanctuary. May the worship of Your people Israel always be acceptable to You. May we bear witness to Your merciful return to Zion. Praised are You, Lord who restores His Presence to Zion.

We thank You for life and for Your love

מוֹדִים אֲנַחְנוּ לָךְ שָׁאַתָּה הוּא יְיָ אֱלֹהֵינוּ וֵאלֹהֵי אֲבוֹתֵינוּ לְעוֹלָם וָעֶד, צוּר חַיֵּינוּ מָגֵן יִשְׁעֵנוּ אַתָּה הוּא. לְדוֹר וָדוֹר נוֹדֶה לְּךָ וּנְסַפֵּר תְּהִלָּתֶךָ עַל חַיֵּינוּ הַמְּסוּרִים בְּיָדֶךָ וְעַל נִשְׁמוֹתֵינוּ הַפְּקוּדוֹת לָךְ וְעַל נִסֶּיךָ שֶׁבְּכָל־יוֹם עִמָּנוּ וְעַל נִפְלְאוֹתֶיךָ וְטוֹבוֹתֶיךָ שֶׁבְּכָל־עֵת עֶרֶב וָבֹקֶר וְצָהֳרָיִם. הַטּוֹב כִּי לֹא כָלוּ רַחֲמֶיךָ וְהַמְרַחֵם כִּי לֹא תַמּוּ חֲסָדֶיךָ מֵעוֹלָם קִוִּינוּ לָךְ.

וְעַל כֻּלָּם יִתְבָּרַךְ וְיִתְרוֹמַם שִׁמְךָ מַלְכֵּנוּ תָּמִיד לְעוֹלָם וָעֶד.

וּכְתֹב לְחַיִּים טוֹבִים כָּל־בְּנֵי בְרִיתֶךָ.

וְכֹל הַחַיִּים יוֹדוּךָ סֶּלָה וִיהַלְלוּ אֶת־שִׁמְךָ בֶּאֱמֶת הָאֵל יְשׁוּעָתֵנוּ וְעֶזְרָתֵנוּ סֶלָה. בָּרוּךְ אַתָּה יְיָ הַטּוֹב שִׁמְךָ וּלְךָ נָאֶה לְהוֹדוֹת.

Bless us with peace

שָׁלוֹם רָב עַל יִשְׂרָאֵל עַמְּךָ וְעַל כָּל־יוֹשְׁבֵי תֵבֵל תָּשִׂים לְעוֹלָם כִּי אַתָּה הוּא מֶלֶךְ אָדוֹן לְכָל־הַשָּׁלוֹם. וְטוֹב בְּעֵינֶיךָ לְבָרֵךְ אֶת־עַמְּךָ יִשְׂרָאֵל בְּכָל־עֵת וּבְכָל־שָׁעָה בִּשְׁלוֹמֶךָ.

בְּסֵפֶר חַיִּים בְּרָכָה וְשָׁלוֹם וּפַרְנָסָה טוֹבָה נִזָּכֵר וְנִכָּתֵב לְפָנֶיךָ אֲנַחְנוּ וְכָל־עַמְּךָ בֵּית יִשְׂרָאֵל לְחַיִּים טוֹבִים וּלְשָׁלוֹם.

בָּרוּךְ אַתָּה יְיָ עוֹשֵׂה הַשָּׁלוֹם.

אֱלֹהֵינוּ וֵאלֹהֵי אֲבוֹתֵינוּ, תָּבוֹא לְפָנֶיךָ תְּפִלָּתֵנוּ וְאַל תִּתְעַלַּם מִתְּחִנָּתֵנוּ, שֶׁאֵין אֲנַחְנוּ עַזֵּי פָנִים וּקְשֵׁי עֹרֶף לוֹמַר לְפָנֶיךָ, יְיָ אֱלֹהֵינוּ וֵאלֹהֵי אֲבוֹתֵינוּ, צַדִּיקִים אֲנַחְנוּ וְלֹא חָטָאנוּ, אֲבָל אֲנַחְנוּ חָטָאנוּ.

אָשַׁמְנוּ, בָּגַדְנוּ, גָּזַלְנוּ, דִּבַּרְנוּ דֹפִי.
הֶעֱוִינוּ, וְהִרְשַׁעְנוּ, זַדְנוּ, חָמַסְנוּ,
טָפַלְנוּ שֶׁקֶר. יָעַצְנוּ רָע, כִּזַּבְנוּ, לַצְנוּ,

We thank You for life and for Your love

We proclaim that You are the Lord our God and God of our fathers throughout all time. You are the Rock of our lives, the Shield of our salvation. We thank You and praise You through all generations, for our lives are in Your hand, our souls are in Your charge. We thank You for Your miracles which daily attend us, for Your wondrous kindness, morning, noon and night. Your mercy and love are boundless. We have always placed our hope in You.

For all these blessings we shall ever praise and exalt You.

Inscribe all the people of Your covenant for a good life.

May every living creature thank You and praise You faithfully, our deliverance and our help. Praised are You, beneficent Lord to whom all praise is due.

Bless us with peace

Grant true and lasting peace to Your people Israel and to all who dwell on earth, for You are the King of supreme peace. May it please You to bless Your people Israel at all times with Your gift of peace.

May we and the entire House of Israel be remembered and recorded in the Book of life, blessing, sustenance and peace.

Praised are You, Lord, Source of peace.

Our God and God of our fathers, hear our prayer; do not ignore our plea. We are neither so brazen nor so arrogant to claim that we are righteous, without sin, for indeed we have sinned.

We abuse, we betray, we are cruel.

We destroy, we embitter, we falsify.

We gossip, we hate, we insult.

We jeer, we kill, we lie.

We mock, we neglect, we oppress.

מָרַדְנוּ, נִאַצְנוּ, סָרַרְנוּ, עָוִינוּ,

פָּשַׁעְנוּ, צָרַרְנוּ, קִשִּׁינוּ עֹרֶף. רָשַׁעְנוּ,

שִׁחַתְנוּ, תִּעַבְנוּ, תָּעִינוּ, תִּעְתָּעְנוּ.

סַרְנוּ מִמִּצְוֹתֶיךָ וּמִמִּשְׁפָּטֶיךָ הַטּוֹבִים וְלֹא שָׁוָה לָנוּ, וְאַתָּה צַדִּיק עַל כָּל־הַבָּא עָלֵינוּ, כִּי אֱמֶת עָשִׂיתָ וַאֲנַחְנוּ הִרְשָׁעְנוּ. מַה־נֹּאמַר לְפָנֶיךָ יוֹשֵׁב מָרוֹם וּמַה־נְּסַפֵּר לְפָנֶיךָ שׁוֹכֵן שְׁחָקִים. הֲלֹא כָּל־הַנִּסְתָּרוֹת וְהַנִּגְלוֹת אַתָּה יוֹדֵעַ.

אַתָּה יוֹדֵעַ רָזֵי עוֹלָם וְתַעֲלוּמוֹת סִתְרֵי כָל־חָי. אַתָּה חוֹפֵשׂ כָּל־חַדְרֵי־בָטֶן וּבוֹחֵן כְּלָיוֹת וָלֵב. אֵין דָּבָר נֶעְלָם מִמֶּךָּ וְאֵין נִסְתָּר מִנֶּגֶד עֵינֶיךָ.

וּבְכֵן יְהִי רָצוֹן מִלְּפָנֶיךָ, יְיָ אֱלֹהֵינוּ וֵאלֹהֵי אֲבוֹתֵינוּ, שֶׁתִּסְלַח לָנוּ עַל כָּל־חַטֹּאתֵינוּ וְתִמְחַל לָנוּ עַל כָּל־עֲוֹנוֹתֵינוּ וּתְכַפֶּר־לָנוּ עַל כָּל־פְּשָׁעֵינוּ.

עַל חֵטְא שֶׁחָטָאנוּ לְפָנֶיךָ בְּאֹנֶס וּבְרָצוֹן,
וְעַל חֵטְא שֶׁחָטָאנוּ לְפָנֶיךָ בִּבְלִי דָעַת.
עַל חֵטְא שֶׁחָטָאנוּ לְפָנֶיךָ בְּגִלּוּי עֲרָיוֹת,
וְעַל חֵטְא שֶׁחָטָאנוּ לְפָנֶיךָ בְּדַעַת וּבְמִרְמָה.
עַל חֵטְא שֶׁחָטָאנוּ לְפָנֶיךָ בְּהוֹנָאַת רֵעַ,
וְעַל חֵטְא שֶׁחָטָאנוּ לְפָנֶיךָ בִּוְעִידַת זְנוּת.
עַל חֵטְא שֶׁחָטָאנוּ לְפָנֶיךָ בְּזִלְזוּל הוֹרִים וּמוֹרִים,
וְעַל חֵטְא שֶׁחָטָאנוּ לְפָנֶיךָ בְּחֹזֶק יָד.
עַל חֵטְא שֶׁחָטָאנוּ לְפָנֶיךָ בְּטֻמְאַת שְׂפָתָיִם,
וְעַל חֵטְא שֶׁחָטָאנוּ לְפָנֶיךָ בְּיֵצֶר הָרָע.

וְעַל כֻּלָּם אֱלוֹהַּ סְלִיחוֹת, סְלַח לָנוּ, מְחַל לָנוּ, כַּפֶּר־לָנוּ.

We pervert, we quarrel, we rebel.

We steal, we transgress, we are unkind.

We are violent, we are wicked, we are xenophobic.

We yield to evil, we are zealots for bad causes.

We have ignored Your commandments and statutes, but it has not profited us. You are just, we have stumbled. You have acted faithfully, we have been unrighteous. What can we say to You; what can we tell You? You know everything, secret and revealed.

You know the mysteries of the universe, the secrets of everyone alive. You probe our innermost depths, You examine our thoughts and desires. Nothing escapes You, nothing is hidden from You.

May it therefore be Your will, Lord our God and God of our fathers, to forgive us all our sins, to pardon all our iniquities, to grant us atonement for all our transgressions.

We have sinned against You unwillingly and willingly,

And we have sinned against You by misusing our minds.

We have sinned against You through sexual immorality,

And we have sinned against you knowingly and deceitfully.

We have sinned against You by wronging others,

And we have sinned against You through prostitution.

We have sinned against You by deriding parents and teachers.

And we have sinned against You by using violence.

We have sinned against You through foul speech,

And we have sinned against You by not resisting the impulse to evil.

For all these sins, forgiving God, forgive us, pardon us, grant us atonement.

עַל חֵטְא שֶׁחָטָאנוּ לְפָנֶיךָ בְּכַחַשׁ וּבְכָזָב,
וְעַל חֵטְא שֶׁחָטָאנוּ לְפָנֶיךָ בְּלָצוֹן.
עַל חֵטְא שֶׁחָטָאנוּ לְפָנֶיךָ בְּמַשָּׂא וּבְמַתָּן,
וְעַל חֵטְא שֶׁחָטָאנוּ לְפָנֶיךָ בְּנֶשֶׁךְ וּבְמַרְבִּית.
עַל חֵטְא שֶׁחָטָאנוּ לְפָנֶיךָ בְּשִׂיחַ שִׂפְתוֹתֵינוּ,
וְעַל חֵטְא שֶׁחָטָאנוּ לְפָנֶיךָ בְּעֵינַיִם רָמוֹת.
עַל חֵטְא שֶׁחָטָאנוּ לְפָנֶיךָ בִּפְרִיקַת עֹל,
וְעַל חֵטְא שֶׁחָטָאנוּ לְפָנֶיךָ בִּצְדִיַּת רֵעַ.
עַל חֵטְא שֶׁחָטָאנוּ לְפָנֶיךָ בְּקַלּוּת רֹאשׁ,
וְעַל חֵטְא שֶׁחָטָאנוּ לְפָנֶיךָ בְּרִיצַת רַגְלַיִם לְהָרַע.
עַל חֵטְא שֶׁחָטָאנוּ לְפָנֶיךָ בִּשְׁבוּעַת שָׁוְא,
וְעַל חֵטְא שֶׁחָטָאנוּ לְפָנֶיךָ בִּתְשׂוּמֶת יָד.

וְעַל כֻּלָּם אֱלוֹהַּ סְלִיחוֹת, סְלַח לָנוּ, מְחַל לָנוּ, כַּפֶּר־לָנוּ.

וְעַל מִצְוַת עֲשֵׂה וְעַל מִצְוַת לֹא תַעֲשֶׂה, בֵּין שֶׁיֵּשׁ־בָּהּ קוּם עֲשֵׂה וּבֵין שֶׁאֵין בָּהּ קוּם עֲשֵׂה, אֶת־הַגְּלוּיִים לָנוּ וְאֶת־שֶׁאֵינָם גְּלוּיִים לָנוּ. אֶת־הַגְּלוּיִים לָנוּ כְּבָר אֲמַרְנוּם לְפָנֶיךָ וְהוֹדִינוּ לְךָ עֲלֵיהֶם, וְאֶת־שֶׁאֵינָם גְּלוּיִים לָנוּ לְפָנֶיךָ הֵם גְּלוּיִים וִידוּעִים, כַּדָּבָר שֶׁנֶּאֱמַר: הַנִּסְתָּרֹת לַייָ אֱלֹהֵינוּ, וְהַנִּגְלֹת לָנוּ וּלְבָנֵינוּ עַד עוֹלָם לַעֲשׂוֹת אֶת־כָּל־דִּבְרֵי הַתּוֹרָה הַזֹּאת. כִּי אַתָּה סָלְחָן לְיִשְׂרָאֵל וּמָחֳלָן לְשִׁבְטֵי יְשֻׁרוּן בְּכָל־דּוֹר וָדוֹר וּמִבַּלְעָדֶיךָ אֵין לָנוּ מֶלֶךְ מוֹחֵל וְסוֹלֵחַ אֶלָּא אָתָּה.

At the conclusion of the Amidah, personal prayers may be added.

אֱלֹהַי, עַד שֶׁלֹּא נוֹצַרְתִּי אֵינִי כְדַי וְעַכְשָׁו שֶׁנּוֹצַרְתִּי כְּאִלּוּ לֹא נוֹצַרְתִּי. עָפָר אֲנִי בְּחַיַּי, קַל וָחֹמֶר בְּמִיתָתִי, הֲרֵי אֲנִי לְפָנֶיךָ כִּכְלִי

We have sinned against You by fraud and by falsehood,

And we have sinned against You by scoffing.

We have sinned against You by dishonesty in business,

And we have sinned against You by usurious interest.

We have sinned against You by idle chatter,

And we have sinned against You by haughtiness.

We have sinned against You by rejecting responsibility,

And we have sinned against You by plotting against others.

We have sinned against You by irreverence,

And we have sinned against You by rushing to do evil.

We have sinned against You by false oaths,

And we have sinned against You by breach of trust.

For all these sins, forgiving God, forgive us, pardon us, grant us atonement.

Forgive us the breach of all commandments and prohibitions, whether involving deeds or not, whether known to us or not. The sins known to us we have acknowledged, and those unknown to us are surely known to You, as the Torah states: "The secret things belong to the Lord our God, but the things that are revealed belong to us and to our children forever, that we may fulfill all the words of this Torah." For You forgive and pardon the people Israel in every generation. But for You we have no King to pardon us and to forgive us for our sins.

At the conclusion of the Amidah, personal prayers
may be added, before or instead of the following.

Before I was born, I had no significance. And now that I have been born, I am of equal worth. Dust am I though I live; surely after death will I be dust. In Your presence, aware of my frailty,

מָלֵא בּוּשָׁה וּכְלִמָּה. יְהִי רָצוֹן מִלְּפָנֶיךָ יְיָ אֱלֹהַי וֵאלֹהֵי אֲבוֹתַי שֶׁלֹּא אֶחֱטָא עוֹד, וּמַה־שֶּׁחָטָאתִי לְפָנֶיךָ מָרֵק בְּרַחֲמֶיךָ הָרַבִּים, אֲבָל לֹא עַל יְדֵי יִסּוּרִים וָחֳלָיִים רָעִים.

תִּשְׁמְרֵנִי מִן הַפְּנִיּוּת וְהַגֵּאוּת וּמִן הַכַּעַס וְהַקַּפְּדָנוּת וְהָעַצְבוּת וְהָרְכִילוּת וּשְׁאָר מִדּוֹת רָעוֹת.

וְתַצִּילֵנִי מִקִּנְאַת אִישׁ בְּרֵעֵהוּ וְלֹא תַעֲלֶה קִנְאַת אָדָם עַל לִבִּי וְלֹא קִנְאָתִי עַל אֲחֵרִים. אַדְּרַבָּה, תֵּן בְּלִבִּי שֶׁאֶרְאֶה מַעֲלַת חֲבֵרַי וְלֹא חֶסְרוֹנוֹ.

עוֹשֶׂה שָׁלוֹם בִּמְרוֹמָיו הוּא יַעֲשֶׂה שָׁלוֹם עָלֵינוּ וְעַל כָּל־יִשְׂרָאֵל, וְאִמְרוּ אָמֵן.

On weekdays, continue on page 386.

I am totally embarrassed and confused. May it be Your will, Lord my God and God of my fathers, to help me abstain from further sin. With Your great compassion wipe away the sins I have committed against You, though not by means of suffering.

Keep me far from petty self-regard and petty pride, from anger, impatience, despair, gossip and all bad traits.

Let me not be overwhelmed by jealousy of others; let others not be overwhelmed by jealousy of me. Grant me the gift of seeing other people's merits, not their faults.

May He who brings peace to His universe bring peace to us and to all the people Israel. And let us say: Amen.

SIN AND CONTRITION

This is how we must begin in our effort to purify the self: *to become aware of our inner enslavement* to the ego, to detect the taints in our virtues, the tinge of idolatry in our worship of God ....

After all our efforts and attempts to purify the self, we discover that envy, vanity, pride continue to prowl in the dark. ... Should we, then, despair of our being unable to retain perfect purity? We should, if perfection were our goal. However, we are not obliged to be perfect once and for all, but only to rise again and again beyond the level of the self. Perfection is divine, and to make it a goal of man is to call on man to be divine. All we can do is try to wring our hearts clean in *contrition*. Contrition begins with a feeling of shame at our being incapable of disentanglement from the self. To be contrite at our failures is holier than to be complacent in perfection.

On weekdays, continue on page 387.

On Shabbat only:

וַיְכֻלּוּ הַשָּׁמַיִם וְהָאָרֶץ וְכָל־צְבָאָם. וַיְכַל אֱלֹהִים בַּיּוֹם הַשְּׁבִיעִי מְלַאכְתּוֹ אֲשֶׁר עָשָׂה, וַיִּשְׁבֹּת בַּיּוֹם הַשְּׁבִיעִי מִכָּל־מְלַאכְתּוֹ אֲשֶׁר עָשָׂה. וַיְבָרֶךְ אֱלֹהִים אֶת־יוֹם הַשְּׁבִיעִי וַיְקַדֵּשׁ אֹתוֹ, כִּי בוֹ שָׁבַת מִכָּל־מְלַאכְתּוֹ אֲשֶׁר בָּרָא אֱלֹהִים לַעֲשׂוֹת.

Ḥazzan:

בָּרוּךְ אַתָּה יְיָ אֱלֹהֵינוּ וֵאלֹהֵי אֲבוֹתֵינוּ, אֱלֹהֵי אַבְרָהָם אֱלֹהֵי יִצְחָק וֵאלֹהֵי יַעֲקֹב, הָאֵל הַגָּדוֹל הַגִּבּוֹר וְהַנּוֹרָא, אֵל עֶלְיוֹן קוֹנֵה שָׁמַיִם וָאָרֶץ.

Congregation and Ḥazzan:

מָגֵן אָבוֹת בִּדְבָרוֹ, מְחַיֵּה מֵתִים בְּמַאֲמָרוֹ, הַמֶּלֶךְ הַקָּדוֹשׁ שֶׁאֵין כָּמוֹהוּ הַמֵּנִיחַ לְעַמּוֹ בְּיוֹם שַׁבַּת קָדְשׁוֹ, כִּי בָם רָצָה לְהָנִיחַ לָהֶם, לְפָנָיו נַעֲבֹד בְּיִרְאָה וָפַחַד, וְנוֹדֶה לִשְׁמוֹ בְּכָל־יוֹם תָּמִיד מֵעֵין הַבְּרָכוֹת. אֵל הַהוֹדָאוֹת, אֲדוֹן הַשָּׁלוֹם, מְקַדֵּשׁ הַשַּׁבָּת וּמְבָרֵךְ שְׁבִיעִי וּמֵנִיחַ בִּקְדֻשָּׁה לְעַם מְדֻשְּׁנֵי־עֹנֶג, זֵכֶר לְמַעֲשֵׂה בְרֵאשִׁית.

Ḥazzan:

אֱלֹהֵינוּ וֵאלֹהֵי אֲבוֹתֵינוּ, רְצֵה בִמְנוּחָתֵנוּ קַדְּשֵׁנוּ בְּמִצְוֹתֶיךָ וְתֵן חֶלְקֵנוּ בְּתוֹרָתֶךָ, שַׂבְּעֵנוּ מִטּוּבֶךָ וְשַׂמְּחֵנוּ בִּישׁוּעָתֶךָ וְטַהֵר לִבֵּנוּ לְעָבְדְּךָ בֶּאֱמֶת, וְהַנְחִילֵנוּ יְיָ אֱלֹהֵינוּ בְּאַהֲבָה וּבְרָצוֹן שַׁבַּת קָדְשֶׁךָ וְיָנוּחוּ בָהּ יִשְׂרָאֵל מְקַדְּשֵׁי שְׁמֶךָ. בָּרוּךְ אַתָּה יְיָ מְקַדֵּשׁ הַשַּׁבָּת.

On Shabbat only:

The heavens and the earth, and all they contain, were completed. On the seventh day God finished the work which He had been doing; He ceased on the seventh day from all the work which He had done. Then God blessed the seventh day and called it holy, because on it He ceased from all His work of creation.

Genesis 2:1–3

Ḥazzan:

Praised are You, Lord our God and God of our fathers, God of Abraham, of Isaac and of Jacob, great, mighty, awesome, exalted God, Creator of heaven and earth.

Congregation and Ḥazzan:

His word was a shield to our fathers. His decree sustains eternal life. God, holy King, beyond compare, desired to favor His people with rest, and gave them the holy Shabbat. We shall worship Him with reverence and awe. With blessings befitting the day and the season we shall thank Him every day. Gratitude is due Him; He is the Lord of peace. He hallows Shabbat, blesses the seventh day, and gives to His joyful people the delights of Shabbat rest, commemorating the act of Creation.

Ḥazzan:

Our God and God of our fathers, accept our offering of rest, make our lives holy with Your commandments and let Your Torah be our portion. Fill our lives with Your goodness and gladden us with Your triumph. Cleanse our hearts to serve You faithfully. Lovingly and willingly, Lord our God, grant that we inherit the gift of Shabbat forever, so that Your people Israel who hallow Your name will always find rest on this day. Praised be You, Lord who hallows Shabbat.

אַךְ בֶּעָשׂוֹר לַחֹדֶשׁ הַשְּׁבִיעִי הַזֶּה יוֹם הַכִּפֻּרִים הוּא . . .
לְכַפֵּר עֲלֵיכֶם לִפְנֵי יְיָ אֱלֹהֵיכֶם. . . .
שַׁבַּת שַׁבָּתוֹן הוּא לָכֶם וְעִנִּיתֶם אֶת־נַפְשֹׁתֵיכֶם בְּתִשְׁעָה לַחֹדֶשׁ בָּעֶרֶב
מֵעֶרֶב עַד־עֶרֶב תִּשְׁבְּתוּ שַׁבַּתְּכֶם.

יַעֲלֶה תַחֲנוּנֵנוּ מֵעֶרֶב, וְיָבוֹא שַׁוְעָתֵנוּ מִבֹּקֶר, וְיֵרָאֶה רִנּוּנֵנוּ עַד עָרֶב.
יַעֲלֶה קוֹלֵנוּ מֵעֶרֶב, וְיָבוֹא צִדְקָתֵנוּ מִבֹּקֶר, וְיֵרָאֶה פִּדְיוֹנֵנוּ עַד עָרֶב.
יַעֲלֶה עִנּוּיֵנוּ מֵעֶרֶב, וְיָבוֹא סְלִיחָתֵנוּ מִבֹּקֶר, וְיֵרָאֶה נַאֲקָתֵנוּ עַד עָרֶב.
יַעֲלֶה מְנוּסֵנוּ מֵעֶרֶב, וְיָבוֹא לְמַעֲנוֹ מִבֹּקֶר, וְיֵרָאֶה כִּפּוּרֵנוּ עַד עָרֶב.
יַעֲלֶה יִשְׁעֵנוּ מֵעֶרֶב, וְיָבוֹא טָהֳרֵנוּ מִבֹּקֶר, וְיֵרָאֶה חִנּוּנֵנוּ עַד עָרֶב.
יַעֲלֶה זִכְרוֹנֵנוּ מֵעֶרֶב, וְיָבוֹא וִעוּדֵנוּ מִבֹּקֶר, וְיֵרָאֶה הַדְרָתֵנוּ עַד עָרֶב.
יַעֲלֶה דָפְקֵנוּ מֵעֶרֶב, וְיָבוֹא גִילֵנוּ מִבֹּקֶר, וְיֵרָאֶה בַקָּשָׁתֵנוּ עַד עָרֶב.
יַעֲלֶה אֶנְקָתֵנוּ מֵעֶרֶב, וְיָבוֹא אֵלֶיךָ מִבֹּקֶר, וְיֵרָאֶה אֵלֵינוּ עַד עָרֶב.

לְכוּ נְרַנְּנָה לַיְיָ, נָרִיעָה לְצוּר יִשְׁעֵנוּ.
נְקַדְּמָה פָנָיו בְּתוֹדָה, בִּזְמִרוֹת נָרִיעַ לוֹ.
צֶדֶק וּמִשְׁפָּט מְכוֹן כִּסְאֶךָ, חֶסֶד וֶאֱמֶת יְקַדְּמוּ פָנֶיךָ.
אֲשֶׁר יַחְדָּו נַמְתִּיק סוֹד, בְּבֵית אֱלֹהִים נְהַלֵּךְ בְּרָגֶשׁ.
אֲשֶׁר לוֹ הַיָּם וְהוּא עָשָׂהוּ, וְיַבֶּשֶׁת יָדָיו יָצָרוּ.
אֲשֶׁר בְּיָדוֹ נֶפֶשׁ כָּל־חָי, וְרוּחַ כָּל־בְּשַׂר אִישׁ.

Seliḥot

"The tenth day of the seventh month is the Day of
Atonement . . . on which expiation is made on your
behalf before the Lord . . . It shall be a Shabbat of
complete rest to you, and you shall practice self-denial;
on the ninth day of the month at evening, from dusk
to dusk, you shall observe this your Shabbat."

Leviticus 23:27–32

May our supplications rise at dusk,
our pleas approach Your Presence from the dawn,
and let us sing thanksgiving praise at dusk.

May our words and deeds of penance rise at dusk,
our pardon come to greet us with the dawn,
and let atonement cleanse us all at dusk.

May our knocking at the gates ascend at dusk,
our glad glimpse of forgiveness come at dawn,
and let us enter mercy's court at dusk.

May our prayers of confession rise at dusk,
our anguish at our imperfection meet the dawn,
and let reconciliation make us whole at dusk.

Come, let us sing to the Lord,
acclaim the Rock of our salvation.

> *Let us approach Him with thanksgiving.*
> *Let us acclaim Him with joyous psalms.*

Righteousness and justice sustain His throne.
Love and truth are His constant attendants.

> *Come, let us join in fellowship,*
> *let us throng to the house of God.*

The sea is His, for He made it;
His hands fashioned the dry land.

> *The soul of all life is in His hand,*
> *the spirit of all human flesh.*

הַנְּשָׁמָה לָךְ וְהַגּוּף פָּעֳלָךְ. חוּסָה עַל עֲמָלָךְ.
הַנְּשָׁמָה לָךְ וְהַגּוּף שֶׁלָּךְ. יְיָ עֲשֵׂה לְמַעַן שְׁמֶךָ.

אָתָאנוּ עַל שִׁמְךָ יְיָ, עֲשֵׂה לְמַעַן שְׁמֶךָ.
בַּעֲבוּר כְּבוֹד שִׁמְךָ, כִּי אֵל חַנּוּן וְרַחוּם שְׁמֶךָ.
לְמַעַן שִׁמְךָ יְיָ וְסָלַחְתָּ לַעֲוֹנֵנוּ כִּי רַב הוּא.

דַּרְכְּךָ אֱלֹהֵינוּ לְהַאֲרִיךְ אַפֶּךָ לָרָעִים וְלַטּוֹבִים. וְהִיא תְהִלָּתֶךָ.
לְמַעַנְךָ אֱלֹהֵינוּ עֲשֵׂה וְלֹא לָנוּ. רְאֵה עֲמִידָתֵנוּ דַּלִּים וְרֵיקִים.

תַּעֲלֶה אֲרוּכָה לְעָלֶה נִדָּף. תְּנַחֵם עַל עָפָר וָאֵפֶר. תַּשְׁלִיךְ חֲטָאֵינוּ
וְתָחֹן מַעֲשֶׂיךָ. תֵּרֶא כִּי אֵין אִישׁ עֲשֵׂה עִמָּנוּ צְדָקָה.

לְדָוִד. בָּרְכִי נַפְשִׁי אֶת־יְיָ, וְכָל־קְרָבַי אֶת־שֵׁם קָדְשׁוֹ.
בָּרְכִי נַפְשִׁי אֶת־יְיָ, וְאַל תִּשְׁכְּחִי כָּל־גְּמוּלָיו.

הַסֹּלֵחַ לְכָל־עֲוֹנֵכִי, הָרֹפֵא לְכָל־תַּחֲלוּאָיְכִי.
הַגּוֹאֵל מִשַּׁחַת חַיָּיְכִי, הַמְעַטְּרֵכִי חֶסֶד וְרַחֲמִים.

הַמַּשְׂבִּיעַ בַּטּוֹב עֶדְיֵךְ, תִּתְחַדֵּשׁ כַּנֶּשֶׁר נְעוּרָיְכִי.

עֹשֵׂה צְדָקוֹת יְיָ, וּמִשְׁפָּטִים לְכָל־עֲשׁוּקִים.

יוֹדִיעַ דְּרָכָיו לְמֹשֶׁה, לִבְנֵי יִשְׂרָאֵל עֲלִילוֹתָיו.

רַחוּם וְחַנּוּן יְיָ, אֶרֶךְ אַפַּיִם וְרַב חָסֶד.

לֹא לָנֶצַח יָרִיב, וְלֹא לְעוֹלָם יִטּוֹר.

לֹא כַחֲטָאֵינוּ עָשָׂה לָנוּ, וְלֹא כַעֲוֹנֹתֵינוּ גָּמַל עָלֵינוּ.

The soul is Yours, the body is Your creation.
Lord, have compassion upon Your handiwork.

> *The soul is Yours, the body is Yours.*
> *Deal with us according to Your name.*

We come before You relying on Your name.
According to Your glorious name, help us.

> *Your name is "gracious, compassionate God."*
> *Forgive, then, our sin, though it is great.*

Your path, O Lord, is patience with the wicked as well as with the good. And that is Your praise. For Your sake, not ours, help us, Lord. We stand before You bereft of virtue.

Man is a driven leaf, dust and ashes. Have compassion for us, heal us. Cast away our sins, show pity for Your creatures. You know we have no one to plead for us. Meet us with mercy.

My soul, my heart, and every inward part:
Praise God! Forget not all His kindness.

> *He pardons all sin; He heals all sickness.*
> *He redeems life from the grave,*
> *He crowns us with love and with compassion.*

He satisfies us with goodness,
renewing life as eagles renew their plumage.

> *The righteous Lord brings justice for the oppressed.*

He showed His ways to Moses, His deeds to Israel.

> *The Lord is gracious and compassionate,*
> *patient and abounding in kindness.*

He does not quarrel endlessly,
nor does He bear a grudge forever.

> *He does not discipline us as we deserve,*
> *nor punish us according to our sins.*

כִּי כִגְבֹהַּ שָׁמַיִם עַל הָאָרֶץ, גָּבַר חַסְדּוֹ עַל יְרֵאָיו.

כִּרְחֹק מִזְרָח מִמַּעֲרָב, הִרְחִיק מִמֶּנּוּ אֶת־פְּשָׁעֵינוּ.

כְּרַחֵם אָב עַל בָּנִים, רִחַם יְיָ עַל יְרֵאָיו.

כִּי הוּא יָדַע יִצְרֵנוּ, זָכוּר כִּי עָפָר אֲנָחְנוּ.

אֱנוֹשׁ כֶּחָצִיר יָמָיו, כְּצִיץ הַשָּׂדֶה כֵּן יָצִיץ.

כִּי רוּחַ עָבְרָה בּוֹ וְאֵינֶנּוּ, וְלֹא יַכִּירֶנּוּ עוֹד מְקוֹמוֹ.

וְחֶסֶד יְיָ מֵעוֹלָם וְעַד עוֹלָם עַל יְרֵאָיו, וְצִדְקָתוֹ לִבְנֵי בָנִים,
לְשֹׁמְרֵי בְרִיתוֹ וּלְזֹכְרֵי פִקֻּדָיו לַעֲשׂוֹתָם.

יְיָ בַּשָּׁמַיִם הֵכִין כִּסְאוֹ, וּמַלְכוּתוֹ בַּכֹּל מָשָׁלָה.

בָּרְכוּ יְיָ מַלְאָכָיו גִּבֹּרֵי כֹחַ, עֹשֵׂי דְבָרוֹ
לִשְׁמֹעַ בְּקוֹל דְּבָרוֹ.

בָּרְכוּ יְיָ כָּל־צְבָאָיו, מְשָׁרְתָיו עֹשֵׂי רְצוֹנוֹ.
בָּרְכוּ יְיָ כָּל־מַעֲשָׂיו בְּכָל־מְקֹמוֹת מֶמְשַׁלְתּוֹ.

בָּרְכִי נַפְשִׁי אֶת־יְיָ. הַלְלוּיָהּ.

God's covenant of compassion leads to forgiveness and atonement

אֵל אֶרֶךְ אַפַּיִם אַתָּה, וּבַעַל הָרַחֲמִים נִקְרֵאתָ, וְדֶרֶךְ תְּשׁוּבָה הוֹרֵיתָ. גְּדֻלַּת רַחֲמֶיךָ וַחֲסָדֶיךָ תִּזְכֹּר הַיּוֹם וּבְכָל־יוֹם לְזֶרַע יְדִידֶיךָ. תֵּפֶן אֵלֵינוּ בְּרַחֲמִים, כִּי אַתָּה הוּא בַּעַל הָרַחֲמִים.

בְּתַחֲנוּן וּבִתְפִלָּה פָּנֶיךָ נְקַדֵּם, כְּהוֹדַעְתָּ לֶעָנָו מִקֶּדֶם. מֵחֲרוֹן אַפְּךָ שׁוּב, כְּמוֹ בְּתוֹרָתְךָ כָּתוּב, וּבְצֵל כְּנָפֶיךָ נֶחֱסֶה וְנִתְלוֹנָן, כְּיוֹם וַיֵּרֶד יְיָ בֶּעָנָן. תַּעֲבֹר עַל פֶּשַׁע וְתִמְחֶה אָשָׁם, כְּיוֹם וַיִּתְיַצֵּב עִמּוֹ

His love for those who revere Him is greater
than the distance between heaven and earth.

As far removed as east from west
does He remove our sins from us.

As tender as a father with his children,
the Lord is merciful with His worshipers.

He knows how we are fashioned,
He remembers that we are dust.

The days of man are as grass.
He flourishes as a flower in the field.

The wind passes over it and it is gone,
and no one can recognize where it grew.

But the Lord's love for His worshipers,
His righteousness to children's children,
remain, age after age, if they keep His covenant.

The Lord is enthroned in the heavens;
His dominion embraces all.

Praise the Lord, all creatures throughout His dominion.

Let all my being praise the Lord. Halleluyah!

Psalm 103

Because of our frailty we sin, we have constant faults and
failures. Because God's compassion is greater than His
justice, He forgives. We now recall His covenant of compassion,
which leads to forgiveness and atonement.

Most patient God, Master of mercy, You have shown us the
path of repentance. This day and every day embrace with lov-
ingkindness the descendants of Your beloved people. We seek
Your Presence in supplication. Meet us with mercy, Master
of mercy.

We come before You in prayer. Turn away wrath; shelter us,
protect us. Forgive transgression, blot out sin, as on the day
when You answered Moses who sought to understand You.

שָׁם. תַּאֲזִין שַׁוְעָתֵנוּ וְתַקְשִׁיב מֶנּוּ מַאֲמָר, כְּיוֹם וַיִּקְרָא בְשֵׁם יְיָ. וְשָׁם נֶאֱמַר: וַיַּעֲבֹר יְיָ עַל פָּנָיו וַיִּקְרָא:

The covenant

יְיָ יְיָ אֵל רַחוּם וְחַנּוּן, אֶרֶךְ אַפַּיִם וְרַב חֶסֶד וֶאֱמֶת
נֹצֵר חֶסֶד לָאֲלָפִים נֹשֵׂא עָוֹן וָפֶשַׁע וְחַטָּאָה, וְנַקֵּה.

וְסָלַחְתָּ לַעֲוֹנֵנוּ וּלְחַטָּאתֵנוּ, וּנְחַלְתָּנוּ.

יְיָ	אֲנִי הוּא קֹדֶם שֶׁיֶּחֱטָא הָאָדָם
יְיָ	אֲנִי הוּא לְאַחַר שֶׁיֶּחֱטָא הָאָדָם
אֵל	מִדַּת הָרַחֲמִים גַּם לַגּוֹיִם
רַחוּם	לְמִי שֶׁיֵּשׁ לוֹ זְכוּת
וְחַנּוּן	לְמִי שֶׁאֵין לוֹ זְכוּת
אֶרֶךְ אַפַּיִם	מַאֲרִיךְ אַף לָרְשָׁעִים אוּלַי יָשׁוּבוּן
וְרַב חֶסֶד	לִנְצְרְכֵי חֶסֶד
וֶאֱמֶת	לְשַׁלֵּם שָׂכָר לְעוֹשֵׂי רְצוֹנוֹ
נֹצֵר חֶסֶד לָאֲלָפִים	כְּשֶׁאָדָם עוֹשֶׂה טוֹב
נֹשֵׂא עָוֹן	לְעוֹשֶׂה בְּזָדוֹן
וָפֶשַׁע	הַמּוֹרְדִים לְהַכְעִיס
וְחַטָּאָה	הָעוֹשֶׂה בִּשְׁגָגָה
וְנַקֵּה	לַשָּׁבִים

סְלַח לָנוּ אָבִינוּ כִּי חָטָאנוּ,
מְחַל לָנוּ מַלְכֵּנוּ כִּי פָשָׁעְנוּ.

כִּי אַתָּה, יְיָ, טוֹב וְסַלָּח וְרַב חֶסֶד לְכָל־קוֹרְאֶיךָ.

Heed now our cry as on the day of Your revelation, when You proclaimed to Moses:

The covenant

THE LORD, THE LORD GOD IS GRACIOUS AND COMPASSIONATE, PATIENT. ABOUNDING IN KINDNESS AND FAITHFULNESS, ASSURING LOVE FOR A THOUSAND GENERATIONS, FORGIVING INIQUITY, TRANSGRESSION AND SIN, AND GRANTING PARDON.

Exodus 34:6–7

Then Moses prayed: "Pardon our iniquity and our sin; claim us for Your own."

THE LORD   *I am He before you sin*

THE LORD   *I am He after you sin*

GOD   *merciful to all, Gentile and Jew*

GRACIOUS   *to those with merit*

AND COMPASSIONATE   *to those without merit*

PATIENT   *with the wicked, who may repent*

ABOUNDING IN KINDNESS   *with those in need of kindness*

AND FAITHFULNESS   *rewarding those who do My will*

ASSURING LOVE FOR A THOUSAND GENERATIONS   *when you do good deeds*

FORGIVING INIQUITY   *when you sin deliberately*

TRANSGRESSION   *when you rebel maliciously*

AND SIN   *when you sin unintentionally*

AND GRANTING PARDON   *when you repent*

Forgive us, our Father, for we have sinned.
Pardon us, our King, for we have transgressed.

You, O Lord, are generous and forgiving.
Great is Your love for all who call to You.

כִּי הִנֵּה כַּחֹמֶר בְּיַד הַיּוֹצֵר, בִּרְצוֹתוֹ מַרְחִיב וּבִרְצוֹתוֹ מְקַצֵּר.
כֵּן אֲנַחְנוּ בְיָדְךָ חֶסֶד נוֹצֵר, לַבְּרִית הַבֵּט וְאַל תֵּפֶן לַיֵּצֶר.

כִּי הִנֵּה כָּאֶבֶן בְּיַד הַמְסַתֵּת, בִּרְצוֹתוֹ אוֹחֵז וּבִרְצוֹתוֹ מְכַתֵּת.
כֵּן אֲנַחְנוּ בְיָדְךָ מְחַיֶּה וּמְמוֹתֵת, לַבְּרִית הַבֵּט וְאַל תֵּפֶן לַיֵּצֶר.

כִּי הִנֵּה כַּגַּרְזֶן בְּיַד הֶחָרָשׁ, בִּרְצוֹתוֹ דִּבֵּק לָאוּר וּבִרְצוֹתוֹ פֵּרַשׁ.
כֵּן אֲנַחְנוּ בְיָדְךָ תּוֹמֵךְ עָנִי וָרָשׁ, לַבְּרִית הַבֵּט וְאַל תֵּפֶן לַיֵּצֶר.

כִּי הִנֵּה כָּהֶגֶה בְּיַד הַמַּלָּח, בִּרְצוֹתוֹ אוֹחֵז וּבִרְצוֹתוֹ שִׁלַּח.
כֵּן אֲנַחְנוּ בְיָדְךָ אֵל טוֹב וְסַלָּח, לַבְּרִית הַבֵּט וְאַל תֵּפֶן לַיֵּצֶר.

כִּי הִנֵּה כִּזְכוּכִית בְּיַד הַמְזַגֵּג, בִּרְצוֹתוֹ חוֹגֵג וּבִרְצוֹתוֹ מְמוֹגֵג.
כֵּן אֲנַחְנוּ בְיָדְךָ מַעֲבִיר זָדוֹן וְשֶׁגֶג, לַבְּרִית הַבֵּט וְאַל תֵּפֶן לַיֵּצֶר.

כִּי הִנֵּה כַּיְרִיעָה בְּיַד הָרוֹקֵם, בִּרְצוֹתוֹ מְיַשֵּׁר וּבִרְצוֹתוֹ מְעַקֵּם.
כֵּן אֲנַחְנוּ בְיָדְךָ אֵל קַנֹּא וְנוֹקֵם, לַבְּרִית הַבֵּט וְאַל תֵּפֶן לַיֵּצֶר.

כִּי הִנֵּה כַּכֶּסֶף בְּיַד הַצּוֹרֵף, בִּרְצוֹתוֹ מְסַגְסֵג וּבִרְצוֹתוֹ מְצָרֵף.
כֵּן אֲנַחְנוּ בְיָדְךָ מַמְצִיא לְמָזוֹר תֶּרֶף, לַבְּרִית הַבֵּט וְאַל תֵּפֶן לַיֵּצֶר.

אֶל מִי מִגּוֹאֲלֵי דָם אֶצְעַק, וְיָדַי שָׁפְכוּ דָמִי?!
בָּחַנְתִּי לְבוֹת מְשַׂנְאִים, וְאֵין לִי שׂוֹנֵא כִּלְבָבִי.
רַבִּים פִּצְעֵי אוֹיְבִים וּמַכּוֹתָם, וְאֵין מַכֶּה וּפוֹצֵעַ כְּנַפְשִׁי,
הֱדִיחוּנִי מַשְׁחִיתִים לְחַבֵּל, וְאֵין מֵסִית וּמַדִּיחַ כְּעֵינָי.
מִגַּחַל אֶל גַּחַל הִתְהַלַּכְתִּי, וְלֹא שְׂרָפַתְנִי אֵשׁ כְּחֹם תַּאֲוָתִי.

As clay in the hand of the potter, to be thickened
or thinned as he wishes, are we in Your hand. Pre-
serve us with Your love.

La-brit ha-bet v'al tei-fen la-yeitzer.

Your covenant recall, and not our imperfection.

As stone in the hand of the mason, to be broken
or preserved as he wishes, are we in Your hand,
Master of life and death.

Your covenant recall, and not our imperfection.

As iron in the hand of the blacksmith, to be thrust
into fire or withdrawn as he wishes, are we in Your
hand. Help us heal our wounds with deeds of charity.

Your covenant recall, and not our imperfection.

As a rudder in the hand of the helmsman, to be guided
or abandoned as he wishes, are we in Your hand. Pre-
vent our constant drifting.

Your covenant recall, and not our imperfection.

As glass in the hand of the glazier, to be melted
or shaped as he wishes, are we in Your hand. Main-
tain our fragile balance with Your grace.

Your covenant recall, and not our imperfection.

Whom can I accuse, of whom revenge demand,
When I have borne deep suffering at my own hand?

Other hearts have held hatred for me,
But my own heart hates me more than anyone knows.

My body bears the wounds of relentless foes,
But none can match my self-inflicted wounds.

I have been seduced for my destruction
But none have lured me more than my own eyes.

I have been burned by countless fires,
But none compare to the heat of my desires.

בְּפַחִים נִלְכַּדְתִּי וּבִמְצוּדוֹת, וְלֹא לְכָדֽוּנִי מוֹקֵשׁ כִּלְשׁוֹנִי.
נְשָׁכֽוּנִי נָחָשׁ וְעַקְרָב, וְאֵין נוֹשֵׁךְ בִּבְשָׂרִי כְּשִׁנַּי,
שׁוֹדְדִים עַל קַל רְדָפֽוּנִי, וְאֵין רוֹדֵף אוֹתִי כְּרַגְלָי.
מַכְאוֹבֵי עָצְמוּ וְאָמְצוּ מִמֶּֽנִּי, וְאֵין מַכְאוֹב כְּמְרִי,
וַיִּרְבּוּ מַדְוֵי לְבָבִי, וַעֲוֹנִי יוֹתֵר מִכֻּלָּם.
אֶל מִי אֶצְעַק וְעַל מִי? וּמַחֲרִיבַי מִמֶּֽנִּי יֵצֵֽאוּ!
לֹא מָצָֽאתִי לִי טוֹב כִּי אִם לָבוֹא בְּסֵֽתֶר רַחֲמֶֽיךָ.

רַחֲמֶֽיךָ הַפְלֵה עַל לֵב נִדְהָמִים,
אֵל מֶֽלֶךְ יוֹשֵׁב עַל כִּסֵּא רַחֲמִים.

אֵל מֶֽלֶךְ יוֹשֵׁב עַל כִּסֵּא רַחֲמִים, מִתְנַהֵג בַּחֲסִידוּת, מוֹחֵל עֲוֹנוֹת עַמּוֹ, מַעֲבִיר רִאשׁוֹן רִאשׁוֹן, מַרְבֶּה מְחִילָה לְחַטָּאִים וּסְלִיחָה לְפוֹשְׁעִים. עוֹשֶׂה צְדָקוֹת עִם כָּל־בָּשָׂר וָרֽוּחַ, וְלֹא כְרָעָתָם תִּגְמֹל.

אֵל הוֹרֵֽיתָ לָּֽנוּ לוֹמַר שְׁלֹשׁ עֶשְׂרֵה, זְכָר־לָֽנוּ הַיּוֹם בְּרִית שְׁלֹשׁ עֶשְׂרֵה כְּהוֹדַֽעְתָּ לֶעָנָו מִקֶּֽדֶם, וְכֵן כָּתוּב: וַיֵּֽרֶד יְיָ בֶּעָנָן וַיִּתְיַצֵּב עִמּוֹ שָׁם, וַיִּקְרָא בְשֵׁם יְיָ. וַיַּעֲבֹר יְיָ עַל פָּנָיו וַיִּקְרָא:

The covenant

יְיָ יְיָ אֵל רַחוּם וְחַנּוּן, אֶֽרֶךְ אַפַּֽיִם וְרַב חֶֽסֶד וֶאֱמֶת
נֹצֵר חֶֽסֶד לָאֲלָפִים נֹשֵׂא עָוֹן וָפֶֽשַׁע וְחַטָּאָה, וְנַקֵּה.

וְסָלַחְתָּֽ לַעֲוֹנֵֽנוּ וּלְחַטָּאתֵֽנוּ, וּנְחַלְתָּֽנוּ.

סְלַח לָֽנוּ אָבִֽינוּ כִּי חָטָֽאנוּ, מְחַל לָֽנוּ מַלְכֵּֽנוּ כִּי פָשָֽׁעְנוּ.
כִּי אַתָּה יְיָ טוֹב וְסַלָּח וְרַב חֶֽסֶד לְכָל־קוֹרְאֶֽיךָ.

> *In traps I've been ensnared by old and young,*
> *But none have trapped me better than my tongue.*

Bandits have pursued me, fast and fleet,
But none pursue me faster than my feet.

> *Pain overwhelms me, but no pain more than my rebellion.*
> *Anguish increases, but never faster than transgression.*

Whom can I blame, how can I function,
When I am the source of my own destruction?

> *I seek shelter for my soul, which You alone did fashion,*
> *For You, our God and King, are enthroned upon compassion.*

Our God and King, enthroned upon compassion, rules with lovingkindness, forgives the transgressions of His people, and repeatedly pardons. He generously forgives sin, and deals mercifully with all mortals.

You have taught us, Lord, to recite the words which You proclaimed to Moses, declaring Your attributes of mercy. Remember in our favor Your covenant of compassion which You then revealed. Thus it is written in Your Torah: The Lord descended in a cloud and stood with him there, and proclaimed the name Lord. The Lord passed before him and proclaimed:

The covenant

THE LORD, THE LORD GOD IS GRACIOUS AND COMPASSIONATE, PATIENT, ABOUNDING IN KINDNESS AND FAITHFULNESS, ASSURING LOVE FOR A THOUSAND GENERATIONS, FORGIVING INIQUITY, TRANSGRESSION AND SIN, AND GRANTING PARDON.

Then Moses prayed: "Pardon our iniquity and our sin; claim us for Your own."

Forgive us, our Father, for we have sinned.
Pardon us, our King, for we have transgressed.

> *You, O Lord, are generous and forgiving.*
> *Great is Your love for all who call to You.*

Sh'ma Koleinu

We rise

שְׁמַע קוֹלֵנוּ, יְיָ אֱלֹהֵינוּ, חוּס וְרַחֵם עָלֵינוּ,
וְקַבֵּל בְּרַחֲמִים וּבְרָצוֹן אֶת־תְּפִלָּתֵנוּ.
הֲשִׁיבֵנוּ יְיָ אֵלֶיךָ וְנָשׁוּבָה, חַדֵּשׁ יָמֵינוּ כְּקֶדֶם.

אַל תַּשְׁלִיכֵנוּ מִלְּפָנֶיךָ, וְרוּחַ קָדְשְׁךָ אַל תִּקַּח מִמֶּנּוּ.
אַל תַּשְׁלִיכֵנוּ לְעֵת זִקְנָה, כִּכְלוֹת כֹּחֵנוּ אַל תַּעַזְבֵנוּ.
אַל תַּעַזְבֵנוּ, יְיָ אֱלֹהֵינוּ, אַל תִּרְחַק מִמֶּנּוּ.

עֲשֵׂה עִמָּנוּ אוֹת לְטוֹבָה וְיִרְאוּ שׂוֹנְאֵינוּ וְיֵבוֹשׁוּ,
כִּי אַתָּה יְיָ עֲזַרְתָּנוּ וְנִחַמְתָּנוּ.

אֲמָרֵינוּ הַאֲזִינָה יְיָ, בִּינָה הֲגִיגֵנוּ.
יִהְיוּ לְרָצוֹן אִמְרֵי־פִינוּ וְהֶגְיוֹן לִבֵּנוּ לְפָנֶיךָ, יְיָ צוּרֵנוּ וְגוֹאֲלֵנוּ.

כִּי לְךָ יְיָ הוֹחָלְנוּ, אַתָּה תַעֲנֶה, אֲדֹנָי אֱלֹהֵינוּ.

We are seated

כָּל־נִדְרֵי שְׂפָתֵינוּ, קַבָּלוֹת שֶׁבְּלִבֵּנוּ
וְהִרְהוּרֵי הַתְּשׁוּבָה שֶׁהָגִינוּ וּבִטֵּאנוּ
בְּאַלְפֵי תְפִלּוֹתֵינוּ בְּיוֹם כִּפּוּר שֶׁהָיָה
לֹא שִׁנּוּ אֹרַח חַיֵּינוּ,
לֹא הֵבִיאוּ גְאֻלָּתֵנוּ
בַּשָּׁנָה שֶׁנִּסְתַּיְּמָה.
מִמְּרוֹמֵי הִתְלַהֲבוּתֵנוּ
אֶל חֻלִּין הֶרְגֵּלֵנוּ
שַׁבְנוּ מִיָּד עִם נְעִילָה.

הֲתִשְׁמַע חֲרָטָתֵנוּ, אִם תַּתִּיר אֶת־מַאֲסָרֵנוּ
בִּידֵי יֵצֶר שֶׁל שִׁגְרָה?

Sh'ma Koleinu

We rise

Hear our voice, Lord our God, pity us, save us,
Accept our prayer with compassion and kindness.

Help us return to You, and we shall return;
Renew our lives as when we were young.

Cast us not away from Your Presence,
Take not Your holy spirit from us.

Cast us not away when we are old,
When our strength is gone do not abandon us.

Do not abandon us, Lord our God, do not be far from us.

Show us a sign of grace, in spite of our foes;
For You are our help and our comfort.

Hear our words, O Lord, and consider our inmost thoughts.

May the words of our mouth and the meditations of our heart
Be acceptable to You, O Lord, our Rock and our Redeemer.

For You we wait, our God; You, O Lord, will answer.

We are seated

All the vows on our lips,
the burdens in our hearts,
the pent-up regrets about
which we brooded and spoke
through prayers without end
on last Atonement Day
did not change our way of life,
did not bring deliverance
in the year that has gone.
From mountain peaks of fervor
we fell to common ways
at the close of the fast.

Will You hear our regret?
Will You open our prison,
release us from shackles of habit?

הֲתִרְצֶה תְפִלָּתֵנוּ לְכַפֵּר עַל פְּשָׁעֵינוּ
אַף אִם נָשׁוּב וְנֶחֱטָא?
דַּע כִּי בִּשְׁעַת חֻלְשָׁתֵנוּ לֹא נִזְכֹּר מוֹדָעָתֵנוּ
מִיּוֹם כִּפּוּר שֶׁהָיָה.
תִּתְחַשֵּׁב בְּשִׁכְחָתֵנוּ וּתְקַבֵּל כַּוָּנוֹתֵינוּ
לִסְלִיחָה וְלִמְחִילָה.

אֱלֹהֵינוּ וֵאלֹהֵי אֲבוֹתֵינוּ, אַל תַּעַזְבֵנוּ וְאַל תִּטְּשֵׁנוּ וְאַל תַּכְלִימֵנוּ וְאַל תָּפֵר בְּרִיתְךָ אִתָּנוּ. קָרְבֵנוּ לְתוֹרָתֶךָ, לַמְּדֵנוּ מִצְוֹתֶיךָ, הוֹרֵנוּ דְרָכֶיךָ. הַט לִבֵּנוּ לְיִרְאָה אֶת־שְׁמֶךָ וּמוֹל אֶת־לְבָבֵנוּ לְאַהֲבָתֶךָ וְנָשׁוּב אֵלֶיךָ בֶּאֱמֶת וּבְלֵב שָׁלֵם. וּלְמַעַן שִׁמְךָ הַגָּדוֹל תִּמְחַל וְתִסְלַח לַעֲוֹנֵינוּ, כַּכָּתוּב בְּדִבְרֵי קָדְשֶׁךָ: לְמַעַן שִׁמְךָ יְיָ, וְסָלַחְתָּ לַעֲוֹנִי כִּי רַב הוּא.

אֱלֹהֵינוּ וֵאלֹהֵי אֲבוֹתֵינוּ, סְלַח לָנוּ, מְחַל לָנוּ, כַּפֶּר־לָנוּ.

כִּי אָנוּ עַמֶּךָ וְאַתָּה אֱלֹהֵינוּ, אָנוּ בָנֶיךָ וְאַתָּה אָבִינוּ.

אָנוּ עֲבָדֶיךָ וְאַתָּה אֲדוֹנֵנוּ, אָנוּ קְהָלֶךָ וְאַתָּה חֶלְקֵנוּ.

אָנוּ נַחֲלָתֶךָ וְאַתָּה גוֹרָלֵנוּ, אָנוּ צֹאנֶךָ וְאַתָּה רוֹעֵנוּ.

אָנוּ כַרְמֶךָ וְאַתָּה נוֹטְרֵנוּ, אָנוּ פְעֻלָּתֶךָ וְאַתָּה יוֹצְרֵנוּ.

אָנוּ רַעְיָתֶךָ וְאַתָּה דוֹדֵנוּ, אָנוּ סְגֻלָּתֶךָ וְאַתָּה קְרוֹבֵנוּ.

אָנוּ עַמֶּךָ וְאַתָּה מַלְכֵּנוּ, אָנוּ מַאֲמִירֶךָ וְאַתָּה מַאֲמִירֵנוּ.

אָנוּ עַזֵּי פָנִים וְאַתָּה רַחוּם וְחַנּוּן. אָנוּ קְשֵׁי עֹרֶף וְאַתָּה אֶרֶךְ אַפַּיִם. אָנוּ מְלֵאֵי עָוֹן וְאַתָּה מָלֵא רַחֲמִים. אָנוּ יָמֵינוּ כְּצֵל עוֹבֵר וְאַתָּה הוּא וּשְׁנוֹתֶיךָ לֹא יִתָּמּוּ.

Will You accept our prayers,
forgive our wrongs,
though we sin again and again?

In moments of weakness
we do not remember
promises of Atonement Day.
Recall that we easily forget,
take only our heart's intent.
Forgive us, pardon us.

Our God and God of our fathers, forsake us not, shame us not.
Break not Your covenant with us. Bring us nearer to Your Torah,
teach us Your commandments, show us Your ways. Soften our
hardened hearts so that we may love and revere You, returning
to You wholeheartedly. As the Psalmist sang: "For Your own
sake, Lord, pardon my sin though it is great."

Our God and God of our fathers, forgive us, pardon us,
grant us atonement.

For we are Your people, and You our God.
> *We are Your children, and You our Father.*

We are Your servants, and You our Master.
> *We are Your congregation, and You our only One.*

We are Your heritage, and You our Destiny.
> *We are Your flock, and You our Shepherd.*

We are Your vineyard, and You our Watchman.
> *We are Your creatures, and You our Creator.*

We are Your faithful, and You our Beloved.
> *We are Your treasure, and You our Protector.*

We are Your subjects, and You our King.
> *We have chosen You, and You have chosen us.*

We are insolent, but You are gracious and compassionate. We
are obstinate, but You are patient. We excel at sin, but You excel
at mercy. Our days are a passing shadow, while You are eternal,
Your years without end.

Merely to have survived is not an index of excellence,
Nor, given the way things go,
Even of low cunning.
Yet we have seen the wicked in great power,
And spreading himself like a green bay tree.
And the good as if they had never been;
Their voices are blown away on the winter wind.
And again we wander the wilderness
For our transgressions
Which are confessed in the daily papers.

Except the Lord of hosts had left unto us
A very small remnant,
We should have been as Sodom,
We should have been like unto Gomorrah.
And to what purpose, as the darkness closes about,
Had best be our present concern,
Here, in this wilderness of comfort
In which we dwell.

                    Shall we now consider
The suspicious posture of our virtue,
The deformed consequences of our love,
The painful issues of our mildest acts?
Shall we ask
Where is there one
Mad, poor and betrayed enough to find
Forgiveness for us, saying,
"None does offend,
None, I say,
None"?

אֱלֹהֵינוּ וֵאלֹהֵי אֲבוֹתֵינוּ, תָּבוֹא לְפָנֶיךָ תְּפִלָּתֵנוּ וְאַל תִּתְעַלַּם
מִתְּחִנָּתֵנוּ, שֶׁאֵין אֲנַחְנוּ עַזֵּי פָנִים וּקְשֵׁי עֹרֶף לוֹמַר לְפָנֶיךָ, יְיָ
אֱלֹהֵינוּ וֵאלֹהֵי אֲבוֹתֵינוּ, צַדִּיקִים אֲנַחְנוּ וְלֹא חָטָאנוּ, אֲבָל אֲנַחְנוּ
חָטָאנוּ.

Hear our prayer; do not ignore our plea. We are neither so
insolent nor so obstinate as to claim that we are righteous,
without sin, for we have surely sinned.

Vidui

Congregation rises

אָשַׁמְנוּ, בָּגַדְנוּ, גָּזַלְנוּ, דִּבַּרְנוּ דֹפִי.
הֶעֱוִינוּ, וְהִרְשַׁעְנוּ, זַדְנוּ, חָמַסְנוּ,
טָפַלְנוּ שֶׁקֶר. יָעַצְנוּ רָע, כִּזַּבְנוּ, לַצְנוּ,
מָרַדְנוּ, נִאַצְנוּ, סָרַרְנוּ, עָוִינוּ,
פָּשַׁעְנוּ, צָרַרְנוּ, קִשִּׁינוּ עֹרֶף. רָשַׁעְנוּ,
שִׁחַתְנוּ, תִּעַבְנוּ, תָּעִינוּ, תִּעְתָּעְנוּ.

Ashamnu bagadnu gazalnu dibarnu dofi.
He'evinu vehirshanu zadnu ḥamasnu
tafalnu shaker. Ya'atznu ra, kizavnu latznu
maradnu ni'atznu sararnu avinu
pashanu tzararnu kishinu oref. Rashanu
shiḥatnu ti'avnu ta'inu titanu.

We abuse, we betray, we are cruel.
We destroy, we embitter, we falsify.
We gossip, we hate, we insult.
We jeer, we kill, we lie.
We mock, we neglect, we oppress.
We pervert, we quarrel, we rebel.
We steal, we transgress, we are unkind.
We are violent, we are wicked, we are xenophobic.
We yield to evil, we are zealots for bad causes.

Congregation is seated

סַרְנוּ מִמִּצְוֹתֶיךָ וּמִמִּשְׁפָּטֶיךָ הַטּוֹבִים וְלֹא שָׁוָה לָנוּ, וְאַתָּה צַדִּיק עַל כָּל־הַבָּא עָלֵינוּ, כִּי אֱמֶת עָשִׂיתָ וַאֲנַחְנוּ הִרְשָׁעְנוּ.

הִרְשַׁעְנוּ וּפָשַׁעְנוּ, לָכֵן לֹא נוֹשָׁעְנוּ. וְתֵן בְּלִבֵּנוּ לַעֲזֹב דֶּרֶךְ רֶשַׁע וְחִישׁ לָנוּ יֶשַׁע, כַּכָּתוּב עַל יַד נְבִיאֶךָ: יַעֲזֹב רָשָׁע דַּרְכּוֹ וְאִישׁ אָוֶן מַחְשְׁבֹתָיו, וְיָשֹׁב אֶל יְיָ וִירַחֲמֵהוּ וְאֶל אֱלֹהֵינוּ כִּי יַרְבֶּה לִסְלוֹחַ.

אֱלֹהֵינוּ וֵאלֹהֵי אֲבוֹתֵינוּ, סְלַח וּמְחַל לַעֲוֹנוֹתֵינוּ בְּיוֹם הַשַּׁבָּת הַזֶּה וּבְיוֹם הַכִּפּוּרִים הַזֶּה. מְחֵה וְהַעֲבֵר פְּשָׁעֵינוּ וְחַטֹּאתֵינוּ מִנֶּגֶד עֵינֶיךָ וְכֹף אֶת־יִצְרֵנוּ לְהִשְׁתַּעְבֶּד־לָךְ, וְהַכְנַע עָרְפֵּנוּ לָשׁוּב אֵלֶיךָ וְחַדֵּשׁ כִּלְיוֹתֵינוּ לִשְׁמֹר פִּקֻּדֶיךָ וּמוֹל אֶת־לְבָבֵנוּ לְאַהֲבָה וּלְיִרְאָה אֶת־שְׁמֶךָ, כַּכָּתוּב בְּתוֹרָתֶךָ: וּמָל יְיָ אֱלֹהֶיךָ אֶת־לְבָבְךָ וְאֶת־לְבַב זַרְעֶךָ, לְאַהֲבָה אֶת־יְיָ אֱלֹהֶיךָ בְּכָל־לְבָבְךָ וּבְכָל־נַפְשְׁךָ לְמַעַן חַיֶּיךָ.

הַזְּדוֹנוֹת וְהַשְּׁגָגוֹת אַתָּה מַכִּיר. הָרָצוֹן וְהָאֹנֶס, הַגְּלוּיִים וְהַנִּסְתָּרִים לְפָנֶיךָ הֵם גְּלוּיִים וִידוּעִים. מָה אָנוּ, מֶה חַיֵּינוּ, מֶה חַסְדֵּנוּ, מַה־צִּדְקֵנוּ, מַה־יִּשְׁעֵנוּ, מַה־כֹּחֵנוּ, מַה־גְּבוּרָתֵנוּ. מַה־נֹּאמַר לְפָנֶיךָ, יְיָ אֱלֹהֵינוּ וֵאלֹהֵי אֲבוֹתֵינוּ, הֲלֹא כָּל־הַגִּבּוֹרִים כְּאַיִן לְפָנֶיךָ וְאַנְשֵׁי הַשֵּׁם כְּלֹא הָיוּ וַחֲכָמִים כִּבְלִי מַדָּע וּנְבוֹנִים כִּבְלִי הַשְׂכֵּל, כִּי רֹב מַעֲשֵׂיהֶם תֹּהוּ וִימֵי חַיֵּיהֶם הֶבֶל לְפָנֶיךָ. וּמוֹתַר הָאָדָם מִן הַבְּהֵמָה אָיִן, כִּי הַכֹּל הָבֶל.

מַה־נֹּאמַר לְפָנֶיךָ יוֹשֵׁב מָרוֹם וּמַה־נְּסַפֵּר לְפָנֶיךָ שׁוֹכֵן שְׁחָקִים.
הֲלֹא כָּל־הַנִּסְתָּרוֹת וְהַנִּגְלוֹת אַתָּה יוֹדֵעַ.

שִׁמְךָ מֵעוֹלָם עוֹבֵר עַל פֶּשַׁע. שַׁוְעָתֵנוּ תַּאֲזִין בְּעָמְדֵנוּ לְפָנֶיךָ בִּתְפִלָּה. תַּעֲבֹר עַל פֶּשַׁע לְעַם שָׁבֵי פֶשַׁע. תִּמְחֶה אַשְׁמָתֵנוּ מִנֶּגֶד עֵינֶיךָ.

We have ignored Your commandments and statutes, and it has not profited us. You are just, we have stumbled. You have acted faithfully, we have been unrighteous.

We have sinned, we have transgressed. Therefore we have not been saved. Endow us with the will to forsake evil; save us soon. Thus Your prophet Isaiah declared: "Let the wicked forsake his path, and the unrighteous man his plottings. Let him return to the Lord, who will show him compassion. Let him return to our God, who will surely forgive him."

Our God and God of our fathers, forgive and pardon our sins *on this Shabbat and* on this Yom Kippur. Answer our prayers by removing our transgressions from Your sight. Subdue our impulse to evil; submit us to Your service, that we may return to You. Renew our will to observe Your precepts. Soften our hardened hearts so that we may love and revere You, as it is written in Your Torah: "And the Lord your God will soften your heart and the heart of your children, so that you will love the Lord your God with all your heart and with all your being, that you may live."

You know our sins, whether deliberate or not, whether committed willingly or under compulsion, whether in public or in private. What are we? What is our piety? What is our righteousness, our attainment, our power, our might? What can we say, Lord our God and God of our fathers? Compared to You, all the mighty are nothing, the famous are non-existent, the wise lack wisdom, the clever lack reason. For most of their actions are meaninglessness, the days of their lives emptiness. All life is a fleeting breath.

What can we say to You, what can we tell You?
You know all things, secret and revealed.

You always forgive transgressions. Hear the cry of our prayer. Pass over the transgressions of a people who turn away from transgression. Blot out our sins from Your sight.

אַתָּה יוֹדֵעַ רָזֵי עוֹלָם וְתַעֲלוּמוֹת סִתְרֵי כָל־חָי. אַתָּה חוֹפֵשׂ כָּל־חַדְרֵי־בָטֶן וּבוֹחֵן כְּלָיוֹת וָלֵב. אֵין דָּבָר נֶעְלָם מִמֶּךָּ וְאֵין נִסְתָּר מִנֶּגֶד עֵינֶיךָ.

וּבְכֵן יְהִי רָצוֹן מִלְּפָנֶיךָ יְיָ אֱלֹהֵינוּ וֵאלֹהֵי אֲבוֹתֵינוּ שֶׁתִּסְלַח לָנוּ עַל כָּל־חַטֹּאתֵינוּ וְתִמְחַל לָנוּ עַל כָּל־עֲוֹנוֹתֵינוּ וּתְכַפֶּר־לָנוּ עַל כָּל־פְּשָׁעֵינוּ.

We rise to confess our moral failure.

עַל חֵטְא שֶׁחָטָאנוּ לְפָנֶיךָ בְּאִמּוּץ הַלֵּב,
וְעַל חֵטְא שֶׁחָטָאנוּ לְפָנֶיךָ בְּבִטּוּי שְׂפָתָיִם.
עַל חֵטְא שֶׁחָטָאנוּ לְפָנֶיךָ בַּגָּלוּי וּבַסָּתֶר,
וְעַל חֵטְא שֶׁחָטָאנוּ לְפָנֶיךָ בְּדִבּוּר פֶּה.
עַל חֵטְא שֶׁחָטָאנוּ לְפָנֶיךָ בְּהַרְהוֹר הַלֵּב,
וְעַל חֵטְא שֶׁחָטָאנוּ לְפָנֶיךָ בְּוִדּוּי פֶּה.
עַל חֵטְא שֶׁחָטָאנוּ לְפָנֶיךָ בְּזָדוֹן וּבִשְׁגָגָה,
וְעַל חֵטְא שֶׁחָטָאנוּ לְפָנֶיךָ בְּחִלּוּל הַשֵּׁם.
עַל חֵטְא שֶׁחָטָאנוּ לְפָנֶיךָ בְּטִפְּשׁוּת פֶּה,
וְעַל חֵטְא שֶׁחָטָאנוּ לְפָנֶיךָ בְּיוֹדְעִים וּבְלֹא יוֹדְעִים.

וְעַל כֻּלָּם אֱלוֹהַּ סְלִיחוֹת, סְלַח לָנוּ, מְחַל לָנוּ, כַּפֶּר־לָנוּ.

עַל חֵטְא שֶׁחָטָאנוּ לְפָנֶיךָ בְּכַפַּת שֹׁחַד,
וְעַל חֵטְא שֶׁחָטָאנוּ לְפָנֶיךָ בִּלְשׁוֹן הָרָע.
עַל חֵטְא שֶׁחָטָאנוּ לְפָנֶיךָ בְּמַאֲכָל וּבְמִשְׁתֶּה,
וְעַל חֵטְא שֶׁחָטָאנוּ לְפָנֶיךָ בִּנְטִיַּת גָּרוֹן.
עַל חֵטְא שֶׁחָטָאנוּ לְפָנֶיךָ בְּשִׂקּוּר עָיִן,
וְעַל חֵטְא שֶׁחָטָאנוּ לְפָנֶיךָ בְּעַזּוּת מֵצַח.

You know the mysteries of the universe, the secrets of everyone alive. You probe our innermost depths, You examine our thoughts and desires. Nothing escapes You, nothing is hidden from You.

May it therefore be Your will, Lord our God and God of our fathers, to forgive us all our sins, to pardon all our iniquities, to grant us atonement for all our transgressions.

We rise to confess our moral failure.

We have sinned against You by being heartless,

And we have sinned against You by speaking recklessly.

We have sinned against You openly and in secret,

And we have sinned against You through offensive talk.

We have sinned against You through impure thoughts,

And we have sinned against You through empty confession.

We have sinned against You purposely and by mistake,

And we have sinned against You by public desecration of Your name.

We have sinned against You through foolish talk,

And we have sinned against you wittingly and unwittingly.

V'al kulam Elo-ah seliḥot, selaḥ lanu, meḥal, lanu, kapper lanu.

For all these sins, forgiving God, forgive us, pardon us, grant us atonement.

We have sinned against You through bribery,

And we have sinned against You through slander.

We have sinned against You through gluttony.

And we have sinned against You through arrogance.

We have sinned against You through wanton glances,

And we have sinned against You through effrontery.

עַל חֵטְא שֶׁחָטָֽאנוּ לְפָנֶֽיךָ בִּפְלִילוּת,
וְעַל חֵטְא שֶׁחָטָֽאנוּ לְפָנֶֽיךָ בְּצָרוּת עָֽיִן.
עַל חֵטְא שֶׁחָטָֽאנוּ לְפָנֶֽיךָ בְּקַשְׁיוּת עֹֽרֶף,
וְעַל חֵטְא שֶׁחָטָֽאנוּ לְפָנֶֽיךָ בִּרְכִילוּת.
עַל חֵטְא שֶׁחָטָֽאנוּ לְפָנֶֽיךָ בְּשִׂנְאַת חִנָּם,
וְעַל חֵטְא שֶׁחָטָֽאנוּ לְפָנֶֽיךָ בְּתִמְהוֹן לֵבָב.

וְעַל כֻּלָּם אֱלֽוֹהַ סְלִיחוֹת, סְלַח לָֽנוּ, מְחַל לָֽנוּ, כַּפֶּר־לָֽנוּ.

We are seated.

וְאַתָּה רַחוּם מְקַבֵּל שָׁבִים, וְעַל הַתְּשׁוּבָה מֵרֹאשׁ הִבְטַחְתָּֽנוּ וְעַל הַתְּשׁוּבָה עֵינֵֽינוּ מְיַחֲלוֹת לָךְ.

וְדָוִד עַבְדְּךָ אָמַר לְפָנֶֽיךָ: שְׁגִיאוֹת מִי יָבִין, מִנִּסְתָּרוֹת נַקֵּֽנִי. נַקֵּֽנוּ יְיָ אֱלֹהֵֽינוּ מִכָּל־פְּשָׁעֵֽינוּ וְטַהֲרֵֽנוּ מִכָּל־טֻמְאוֹתֵֽינוּ וּזְרֹק עָלֵֽינוּ מַֽיִם טְהוֹרִים וְטַהֲרֵֽנוּ, כַּכָּתוּב עַל יַד נְבִיאֶֽךָ: וְזָרַקְתִּי עֲלֵיכֶם מַֽיִם טְהוֹרִים וּטְהַרְתֶּם, מִכֹּל טֻמְאוֹתֵיכֶם וּמִכָּל־גִּלּוּלֵיכֶם אֲטַהֵר אֶתְכֶם.

מִיכָה עַבְדְּךָ אָמַר לְפָנֶֽיךָ: מִי אֵל כָּמֽוֹךָ נֹשֵׂא עָוֹן וְעֹבֵר עַל פֶּֽשַׁע לִשְׁאֵרִית נַחֲלָתוֹ, לֹא הֶחֱזִיק לָעַד אַפּוֹ כִּי חָפֵץ חֶֽסֶד הוּא. יָשׁוּב יְרַחֲמֵֽנוּ יִכְבּשׁ עֲוֹנֹתֵֽינוּ וְתַשְׁלִיךְ בִּמְצֻלוֹת יָם כָּל־חַטֹּאתָם. תִּתֵּן אֱמֶת לְיַעֲקֹב חֶֽסֶד לְאַבְרָהָם אֲשֶׁר נִשְׁבַּֽעְתָּ לַאֲבֹתֵֽינוּ מִימֵי קֶֽדֶם.

אַל תַּעַזְבֵֽנוּ אָבִֽינוּ וְאַל תִּטְּשֵֽׁנוּ בּוֹרְאֵֽנוּ וְאַל תַּזְנִיחֵֽנוּ יוֹצְרֵֽנוּ וְאַל תַּעַשׂ עִמָּֽנוּ כָּלָה כְּחַטֹּאתֵֽינוּ. וְקַיֶּם־לָֽנוּ יְיָ אֱלֹהֵֽינוּ אֶת־הַדָּבָר שֶׁהִבְטַחְתָּֽנוּ בְּקַבָּלָה עַל יְדֵי יִרְמְיָֽהוּ חוֹזָךְ, כָּאָמוּר: בַּיָּמִים הָהֵם וּבָעֵת הַהִיא נְאֻם יְיָ יְבֻקַּשׁ אֶת־עֲוֹן יִשְׂרָאֵל וְאֵינֶֽנּוּ וְאֶת־חַטֹּאת

We have sinned against You by rashly judging others.

And we have sinned against You through selfishness.

We have sinned against You through stubbornness,

And we have sinned against You through gossip.

We have sinned against You through baseless hatred,

And we have sinned against You by succumbing to dismay.

V'al kulam Elo-ah seliḥot, selaḥ lanu, meḥal lanu, kapper lanu.
For all these sins, forgiving God, forgive us, pardon us, grant us atonement.

We are seated.

For You are compassionate, welcoming those who turn back to You. You have made repentance possible since the dawn of Creation. Because of repentance, we can look hopefully to You.

Your servant David cried out to You: "Who can discern his own errors? Cleanse me, therefore, of secret sin." Cleanse us, Lord, of all our transgressions; purify us of all our impurities, as Ezekiel spoke in Your name: "I will sprinkle clean water upon you, and you shall be cleansed; of all your impurities and all your idolatries will I cleanse you."

And Your servant Micah declared: "Who is like You, forgiving iniquity and pardoning the transgression of the remnant of Your people? You do not maintain anger forever, but You delight in lovingkindness. You will again have compassion upon us, subduing our sins, casting all our sins into the depths of the sea. You will show faithfulness to Jacob and enduring love to Abraham, as You promised our fathers from days of old."

Forsake us not, our Father. Cast us not away, our Creator. Consume us not according to our sins. Fulfill the promise which we have received through Your prophet Jeremiah: "In those days and in that time, says the Lord, iniquity shall be sought in Israel but there shall be none; and sin shall be sought in Judah but

יְהוּדָה וְלֹא תִמָּצֶאנָה, כִּי אֶסְלַח לַאֲשֶׁר אַשְׁאִיר. עַמְּךָ וְנַחֲלָתְךָ רְעֵבֵי טוּבְךָ צְמֵאֵי חַסְדְּךָ תְּאֵבֵי יִשְׁעֶךָ. יַכִּירוּ וְיֵדְעוּ כִּי לַייָ אֱלֹהֵינוּ הָרַחֲמִים וְהַסְּלִיחוֹת.

Omitted on Shabbat, when we continue on page 412, line five.

מִי שֶׁעָנָה לְאַבְרָהָם אָבִינוּ בְּהַר הַמּוֹרִיָּה הוּא יַעֲנֵנוּ.

מִי שֶׁעָנָה לְיִצְחָק בְּנוֹ כְּשֶׁנֶּעֱקַד עַל גַּב הַמִּזְבֵּחַ הוּא יַעֲנֵנוּ.

מִי שֶׁעָנָה לְיַעֲקֹב בְּבֵית אֵל הוּא יַעֲנֵנוּ.

מִי שֶׁעָנָה לְיוֹסֵף בְּבֵית הָאֲסוּרִים הוּא יַעֲנֵנוּ.

מִי שֶׁעָנָה לַאֲבוֹתֵינוּ עַל יַם סוּף הוּא יַעֲנֵנוּ.

מִי שֶׁעָנָה לְמֹשֶׁה בְּחוֹרֵב הוּא יַעֲנֵנוּ.

מִי שֶׁעָנָה לְאַהֲרֹן בַּמַּחְתָּה הוּא יַעֲנֵנוּ.

מִי שֶׁעָנָה לְפִינְחָס בְּקוּמוֹ מִתּוֹךְ הָעֵדָה הוּא יַעֲנֵנוּ.

מִי שֶׁעָנָה לִיהוֹשֻׁעַ בַּגִּלְגָּל הוּא יַעֲנֵנוּ.

מִי שֶׁעָנָה לִשְׁמוּאֵל בַּמִּצְפָּה הוּא יַעֲנֵנוּ.

מִי שֶׁעָנָה לְדָוִד וּשְׁלֹמֹה בְנוֹ בִּירוּשָׁלָיִם הוּא יַעֲנֵנוּ.

מִי שֶׁעָנָה לְאֵלִיָּהוּ בְּהַר הַכַּרְמֶל הוּא יַעֲנֵנוּ.

מִי שֶׁעָנָה לֶאֱלִישָׁע בִּירִיחוֹ הוּא יַעֲנֵנוּ.

מִי שֶׁעָנָה לְיוֹנָה בִּמְעֵי הַדָּגָה הוּא יַעֲנֵנוּ.

מִי שֶׁעָנָה לְחִזְקִיָּהוּ בְּחָלְיוֹ הוּא יַעֲנֵנוּ.

מִי שֶׁעָנָה לַחֲנַנְיָה מִישָׁאֵל וַעֲזַרְיָה בְּתוֹךְ כִּבְשַׁן הָאֵשׁ הוּא יַעֲנֵנוּ.

מִי שֶׁעָנָה לְדָנִיֵּאל בְּגֹב הָאֲרָיוֹת הוּא יַעֲנֵנוּ.

מִי שֶׁעָנָה לְמָרְדֳּכַי וְאֶסְתֵּר בְּשׁוּשַׁן הַבִּירָה הוּא יַעֲנֵנוּ.

מִי שֶׁעָנָה לְעֶזְרָא בַּגּוֹלָה הוּא יַעֲנֵנוּ.

מִי שֶׁעָנָה לְכָל־הַצַּדִּיקִים וְהַחֲסִידִים וְהַתְּמִימִים וְהַיְשָׁרִים הוּא יַעֲנֵנוּ.

none shall be found. For I will pardon those whom I leave as a remnant." Your people hunger for Your goodness, thirst for Your lovingkindness, long for Your salvation. Let them know that compassion and forgiveness come from the Lord our God.

Omitted on Shabbat, when we continue on page 413, line four.

He answered Abraham on Mount Moriah
and His son Isaac, bound on the altar. *Hu ya'aneinu.*
May He answer us.

He answered Jacob, praying at Beth El
and His son Joseph, imprisoned in Egypt.
May He answer us.

He answered our fathers at the Red Sea
and our teacher Moses standing at Sinai.
May He answer us.

He answered Aaron, bearing an offering
and his grandson Phineas, the priestly hero.
May He answer us.

He answered Joshua at Gilgal
and Samuel the prophet at Mitzpah.
May He answer us.

He answered David facing Goliath
and Solomon, his son, king in Jerusalem.
May He answer us.

He answered Elijah on Mount Carmel
and his disciple Elisha in Jericho.
May He answer us.

He answered Jonah in the great fish
and King Hezekiah during his illness.
May He answer us.

He answered Ḥananiah, Mishael and Azariah
when they were thrown into the fiery furnace.
May He answer us.

He answered Daniel in the den of lions,
Mordecai and Esther in the city of Shushan.
May He answer us.

He answered Ezra in exile,
and all the righteous and upright.
May He answer us.

רַחֲמָנָא דְּעָנֵי לַעֲנִיֵּי, עֲנֵינָא. רַחֲמָנָא דְּעָנֵי לְמַכִּיכֵי רוּחָא, עֲנֵינָא. רַחֲמָנָא דְּעָנֵי לִתְבִירֵי לִבָּא, עֲנֵינָא. רַחֲמָנָא עֲנֵינָא. רַחֲמָנָא חוּס. רַחֲמָנָא פְּרוֹק. רַחֲמָנָא שֵׁזִיב. רַחֲמָנָא רַחֵם עֲלַן, הַשְׁתָּא בַּעֲגָלָא וּבִזְמַן קָרִיב.

זֹאת תְּפִלָּתִי לְךָ, אֵל אֱלֹהַי:
שָׁמְרֵנִי לְבַל אֶשְׁטְ מִנְּתִיב חַיַּי,
לְבַל יִמַּק רוּחִי וּלְבַל יִדַּל
מִצִּמְאוֹנוֹ לְךָ וּמִן הַטַּל
עָלָיו הִזְלַפְתָּ בְּעוֹדֶנִּי רַךְ.

יְהִי לִבִּי פָּתוּחַ אֶל כָּל־דַּךְ,
אֶל כָּל־יְתוֹם חַיִּים, אֶל כָּל־כּוֹשֵׁל
נִפְתָּל בַּסֵּתֶר וּמְגַשֵּׁשׁ בַּצֵּל.

בָּרֵךְ עֵינַי, זַכֵּנִי לִרְאוֹת
יְפִי אָדָם עוֹלֶה בְּתֵבֵל זֹאת.

וְאֶת־חוּשַׁי בִּי הַעְמֵק, הַרְחֵב
לִסְפֹּג עוֹלָם יָרֹק, נִצָּן וָאֵב,
לִקְלֹט מֵהֶם סוֹד הַלִּבְלוּב בְּדָמִי.

חָנֵּנִי אוֹן לָתֵת מֵיטַב כָּל־פְּרִי,
תַּמְצִית חַיַּי, בְּנִיב שִׁקּוּי לְשַׁדִּי
מִבְּלִי צַפּוֹת לִגְמוּל צָפוּי בַּעֲדִי.

וּכְבוֹא יוֹמִי – לַחֲמֹק לִרְשׁוּת הַלֵּיל
בְּלִי תִּבַּע מָה מֵאִישׁ וּמִמְּךָ, אֵל.

Merciful God who answers the poor, the contrite in spirit, and
the broken-hearted, answer us. Merciful God, take pity, redeem
us and save us, show us compassion soon.

Let me not swerve from my life's path,
Let not my spirit wither and shrivel
In its thirst for You
And lose the dew
With which You sprinkled it
When I was young.

May my heart be open
To every broken soul,
To orphaned life,
To every stumbler
Wandering unknown
And groping in the shadow.

Bless my eyes, purify me to see
Man's beauty rise in the world.

Deepen and broaden my senses
To absorb a fresh
Green, flowering world,
To take from it the secret
Of blossoming in silence.

Grant strength to yield fine fruits,
Quintessence of my life,
Steeped in my very being,
Without expectation of reward.

And when my time comes—
Let me slip into the night
Demanding nothing, God, of man,
Or of You.

Avinu Malkeinu

*Omitted on Shabbat, when the service continues
with Kaddish on page 418.*

OUR FATHER, OUR KING

The Ark is opened, as we rise.

אָבִינוּ מַלְכֵּנוּ, חָטָאנוּ לְפָנֶיךָ.

אָבִינוּ מַלְכֵּנוּ, אֵין לָנוּ מֶלֶךְ אֶלָּא אָתָּה.

אָבִינוּ מַלְכֵּנוּ, עֲשֵׂה עִמָּנוּ לְמַעַן שְׁמֶךָ.

אָבִינוּ מַלְכֵּנוּ, חַדֵּשׁ עָלֵינוּ שָׁנָה טוֹבָה.

אָבִינוּ מַלְכֵּנוּ, בַּטֵּל מֵעָלֵינוּ כָּל־גְּזֵרוֹת קָשׁוֹת.

אָבִינוּ מַלְכֵּנוּ, בַּטֵּל מַחְשְׁבוֹת שׂוֹנְאֵינוּ.

אָבִינוּ מַלְכֵּנוּ, הָפֵר עֲצַת אוֹיְבֵינוּ.

אָבִינוּ מַלְכֵּנוּ, כַּלֵּה כָּל־צַר וּמַשְׂטִין מֵעָלֵינוּ.

אָבִינוּ מַלְכֵּנוּ, כַּלֵּה דֶּבֶר וְחֶרֶב וְרָעָב, וּשְׁבִי וּמַשְׁחִית וְעָוֹן וּשְׁמָד
מִבְּנֵי בְרִיתֶךָ.

אָבִינוּ מַלְכֵּנוּ, סְלַח וּמְחַל לְכָל־עֲוֹנוֹתֵינוּ.

אָבִינוּ מַלְכֵּנוּ, מְחֵה וְהַעֲבֵר פְּשָׁעֵינוּ וְחַטֹּאתֵינוּ מִנֶּגֶד עֵינֶיךָ.

אָבִינוּ מַלְכֵּנוּ, הַחֲזִירֵנוּ בִּתְשׁוּבָה שְׁלֵמָה לְפָנֶיךָ.

אָבִינוּ מַלְכֵּנוּ, שְׁלַח רְפוּאָה שְׁלֵמָה לְחוֹלֵי עַמֶּךָ.

אָבִינוּ מַלְכֵּנוּ, זָכְרֵנוּ בְּזִכָּרוֹן טוֹב לְפָנֶיךָ.

אָבִינוּ מַלְכֵּנוּ, כָּתְבֵנוּ בְּסֵפֶר חַיִּים טוֹבִים.

אָבִינוּ מַלְכֵּנוּ, כָּתְבֵנוּ בְּסֵפֶר גְּאֻלָּה וִישׁוּעָה.

אָבִינוּ מַלְכֵּנוּ, כָּתְבֵנוּ בְּסֵפֶר פַּרְנָסָה וְכַלְכָּלָה.

אָבִינוּ מַלְכֵּנוּ, כָּתְבֵנוּ בְּסֵפֶר זְכֻיּוֹת.

אָבִינוּ מַלְכֵּנוּ, כָּתְבֵנוּ בְּסֵפֶר סְלִיחָה וּמְחִילָה.

Avinu Malkeinu

*Omitted on Shabbat, when the service continues
with Kaddish on page 419.*

OUR FATHER, OUR KING

The Ark is opened, as we rise.

Avinu malkeinu, we have sinned against You.

Avinu malkeinu, we have no King but You.

Avinu malkeinu, help us for Your own sake.

Avinu malkeinu, grant us a blessed New Year.

Avinu malkeinu, annul all evil decrees against us.

Avinu malkeinu, annul the plots of our enemies.

Avinu malkeinu, frustrate the designs of our foes.

Avinu malkeinu, rid us of tyrants.

Avinu malkeinu, rid us of pestilence, sword, famine,
captivity, sin and destruction.

Avinu malkeinu, forgive and pardon all our sins.

Avinu malkeinu, ignore the record of our transgressions.

Avinu malkeinu, help us return to You fully repentant.

Avinu malkeinu, send complete healing to the sick.

Avinu malkeinu, remember us with favor.

Avinu malkeinu, inscribe us in the Book of happiness.

Avinu malkeinu, inscribe us in the Book of deliverance.

Avinu malkeinu, inscribe us in the Book of prosperity.

Avinu malkeinu, inscribe us in the Book of merit.

Avinu malkeinu, inscribe us in the Book of forgiveness.

אָבִינוּ מַלְכֵּנוּ, הַצְמַח לָנוּ יְשׁוּעָה בְּקָרוֹב.

אָבִינוּ מַלְכֵּנוּ, הָרֵם קֶרֶן יִשְׂרָאֵל עַמֶּךָ.

אָבִינוּ מַלְכֵּנוּ, שְׁמַע קוֹלֵנוּ, חוּס וְרַחֵם עָלֵינוּ.

אָבִינוּ מַלְכֵּנוּ, קַבֵּל בְּרַחֲמִים וּבְרָצוֹן אֶת־תְּפִלָּתֵנוּ.

אָבִינוּ מַלְכֵּנוּ, נָא אַל תְּשִׁיבֵנוּ רֵיקָם מִלְּפָנֶיךָ.

אָבִינוּ מַלְכֵּנוּ, זְכֹר כִּי עָפָר אֲנָחְנוּ.

אָבִינוּ מַלְכֵּנוּ, חֲמֹל עָלֵינוּ וְעַל עוֹלָלֵינוּ וְטַפֵּנוּ.

אָבִינוּ מַלְכֵּנוּ, עֲשֵׂה לְמַעַן טְבוּחִים עַל יִחוּדֶךָ.

אָבִינוּ מַלְכֵּנוּ, עֲשֵׂה לְמַעַן בָּאֵי בָאֵשׁ וּבַמַּיִם עַל קִדּוּשׁ שְׁמֶךָ.

אָבִינוּ מַלְכֵּנוּ, עֲשֵׂה לְמַעַנְךָ אִם לֹא לְמַעֲנֵנוּ.

אָבִינוּ מַלְכֵּנוּ, חָנֵּנוּ וַעֲנֵנוּ, כִּי אֵין בָּנוּ מַעֲשִׂים,
עֲשֵׂה עִמָּנוּ צְדָקָה וָחֶסֶד וְהוֹשִׁיעֵנוּ.

The Ark is closed, and we are seated.

Avinu malkeinu, hasten our deliverance.

Avinu malkeinu, exalt Your people Israel.

Avinu malkeinu, hear us; show us mercy and compassion.

Avinu malkeinu, accept our prayer with favor and mercy.

Avinu malkeinu, do not turn us away unanswered.

Avinu malkeinu, remember that we are dust.

Avinu malkeinu, have pity for us and for our children.

Avinu malkeinu, act for those who were slaughtered for proclaiming Your unique holiness.

Avinu malkeinu, act for those who went through fire and water to sanctify You.

Avinu malkeinu, act for Your sake if not for ours.

Avinu malkeinu, answer us though we have no deeds to plead our cause; save us with mercy and lovingkindness.

Avinu malkeinu, ḥoneinu va'aneinu, kee ein banu ma'asim
Asei eemanu tzedakah vahesed vehoshee-einu.

The Ark is closed, and we are seated.

Kaddish Shalem

Ḥazzan:

יִתְגַּדַּל וְיִתְקַדַּשׁ שְׁמֵהּ רַבָּא בְּעָלְמָא דִּי בְרָא כִרְעוּתֵהּ, וְיַמְלִיךְ מַלְכוּתֵהּ בְּחַיֵּיכוֹן וּבְיוֹמֵיכוֹן וּבְחַיֵּי דְכָל־בֵּית יִשְׂרָאֵל בַּעֲגָלָא וּבִזְמַן קָרִיב, וְאִמְרוּ אָמֵן.

Congregation and Ḥazzan:

יְהֵא שְׁמֵהּ רַבָּא מְבָרַךְ לְעָלַם וּלְעָלְמֵי עָלְמַיָּא.

Ḥazzan:

יִתְבָּרַךְ וְיִשְׁתַּבַּח וְיִתְפָּאַר וְיִתְרוֹמַם וְיִתְנַשֵּׂא וְיִתְהַדַּר וְיִתְעַלֶּה וְיִתְהַלַּל שְׁמֵהּ דְּקֻדְשָׁא בְּרִיךְ הוּא, לְעֵלָּא לְעֵלָּא מִכָּל־בִּרְכָתָא וְשִׁירָתָא תֻּשְׁבְּחָתָא וְנֶחֱמָתָא דַּאֲמִירָן בְּעָלְמָא, וְאִמְרוּ אָמֵן.

תִּתְקַבַּל צְלוֹתְהוֹן וּבָעוּתְהוֹן דְּכָל־יִשְׂרָאֵל קֳדָם אֲבוּהוֹן דִּי בִשְׁמַיָּא, וְאִמְרוּ אָמֵן.

יְהֵא שְׁלָמָא רַבָּא מִן שְׁמַיָּא וְחַיִּים עָלֵינוּ וְעַל כָּל־יִשְׂרָאֵל, וְאִמְרוּ אָמֵן.

עוֹשֶׂה שָׁלוֹם בִּמְרוֹמָיו הוּא יַעֲשֶׂה שָׁלוֹם עָלֵינוּ וְעַל כָּל־יִשְׂרָאֵל, וְאִמְרוּ אָמֵן.

Kaddish Shalem

Ḥazzan:

Hallowed and enhanced may He be throughout the world of His own creation. May He cause His sovereignty soon to be accepted, during our life and the life of all Israel. And let us say: Amen.

Congregation and Ḥazzan:

Ye-hei shmei raba meva-rakh l'alam ul'almei 'almaya.

May He be praised throughout all time.

Ḥazzan:

Glorified and celebrated, lauded and praised, acclaimed and honored, extolled and exalted may the Holy One be, far beyond all song and psalm, beyond all tributes which man can utter. And let us say: Amen.

May the prayers and pleas of the whole House of Israel be accepted by our Father in Heaven. And let us say: Amen.

Let there be abundant peace from Heaven, with life's goodness for us and for all the people Israel. And let us say: Amen.

He who brings peace to His universe will bring peace to us and to all the people Israel. And let us say: Amen.

Aleinu

The purpose of creation is not division. And when all nations are bound together in one association living in justice and righteousness, they atone for each other.

עָלֵינוּ לְשַׁבֵּחַ לַאֲדוֹן הַכֹּל, לָתֵת גְּדֻלָּה לְיוֹצֵר בְּרֵאשִׁית, שֶׁלֹּא עָשָׂנוּ כְּגוֹיֵי הָאֲרָצוֹת וְלֹא שָׂמָנוּ כְּמִשְׁפְּחוֹת הָאֲדָמָה, שֶׁלֹּא שָׂם חֶלְקֵנוּ כָּהֶם וְגוֹרָלֵנוּ כְּכָל־הֲמוֹנָם. וַאֲנַחְנוּ כּוֹרְעִים וּמִשְׁתַּחֲוִים וּמוֹדִים לִפְנֵי מֶלֶךְ מַלְכֵי הַמְּלָכִים הַקָּדוֹשׁ בָּרוּךְ הוּא, שֶׁהוּא נוֹטֶה שָׁמַיִם וְיוֹסֵד אָרֶץ וּמוֹשַׁב יְקָרוֹ בַּשָּׁמַיִם מִמַּעַל וּשְׁכִינַת עֻזּוֹ בְּגָבְהֵי מְרוֹמִים. הוּא אֱלֹהֵינוּ אֵין עוֹד. אֱמֶת מַלְכֵּנוּ אֶפֶס זוּלָתוֹ, כַּכָּתוּב בְּתוֹרָתוֹ: וְיָדַעְתָּ הַיּוֹם וַהֲשֵׁבֹתָ אֶל לְבָבֶךָ כִּי יְיָ הוּא הָאֱלֹהִים בַּשָּׁמַיִם מִמַּעַל וְעַל הָאָרֶץ מִתָּחַת, אֵין עוֹד.

עַל כֵּן נְקַוֶּה לְּךָ יְיָ אֱלֹהֵינוּ לִרְאוֹת מְהֵרָה בְּתִפְאֶרֶת עֻזֶּךָ, לְהַעֲבִיר גִּלּוּלִים מִן הָאָרֶץ וְהָאֱלִילִים כָּרוֹת יִכָּרֵתוּן, לְתַקֵּן עוֹלָם בְּמַלְכוּת שַׁדַּי וְכָל־בְּנֵי בָשָׂר יִקְרְאוּ בִשְׁמֶךָ, לְהַפְנוֹת אֵלֶיךָ כָּל־רִשְׁעֵי־אָרֶץ. יַכִּירוּ וְיֵדְעוּ כָּל־יוֹשְׁבֵי תֵבֵל כִּי לְךָ תִּכְרַע כָּל־בֶּרֶךְ תִּשָּׁבַע כָּל־לָשׁוֹן. לְפָנֶיךָ יְיָ אֱלֹהֵינוּ יִכְרְעוּ וְיִפֹּלוּ וְלִכְבוֹד שִׁמְךָ יְקָר יִתֵּנוּ, וִיקַבְּלוּ כֻלָּם אֶת־עֹל מַלְכוּתֶךָ וְתִמְלֹךְ עֲלֵיהֶם מְהֵרָה לְעוֹלָם וָעֶד, כִּי הַמַּלְכוּת שֶׁלְּךָ הִיא וּלְעוֹלְמֵי עַד תִּמְלֹךְ בְּכָבוֹד, כַּכָּתוּב בְּתוֹרָתֶךָ: יְיָ יִמְלֹךְ לְעֹלָם וָעֶד. וְנֶאֱמַר: וְהָיָה יְיָ לְמֶלֶךְ עַל כָּל־הָאָרֶץ, בַּיּוֹם הַהוּא יִהְיֶה יְיָ אֶחָד וּשְׁמוֹ אֶחָד.

Aleinu

The purpose of creation is not division, not separation. The purpose of the human race is not a struggle to the death between classes, between nations. Humanity is meant to become a single body; humanity is not meant to be a heap of limbs, each maintaining that it is the entire body. Our purpose is the great upbuilding of unity and peace. And when all nations are bound together in one association living in justice and righteousness, they atone for each other.

We rise to our duty to praise the Lord of all the world, to acclaim the Creator. He made our lot unlike that of other people, assigning us a unique destiny. We bend the knee and bow, proclaiming Him as King of kings, the Holy One praised be He, who stretched forth the heavens and established the earth. He is God, our King. There is no other.

Va'anaḥnu kor'im u-mish-taḥavim u-modim
lifnei melekh malkhei ha-melakhim ha-kadosh barukh hu.

And so we hope in You, Lord our God, soon to see Your splendor, sweeping idolatry away so that false gods will be utterly destroyed, perfecting earth by Your kingship so that all mankind will invoke Your name, bringing all the earth's wicked back to You, repentant. Then all who live will know that to You every knee must bend, every tongue pledge loyalty. To You, Lord, may all men bow in worship, may they give honor to Your glory. May everyone accept the rule of Your kingship. Reign over all, soon and for all time. Sovereignty is Yours in glory, now and forever. Thus is it written in Your Torah: The Lord reigns for ever and ever. Such is the assurance of Your prophet Zechariah: The Lord shall be acknowledged King of all the earth. On that day the Lord shall be One and His name One.

Ve-ne'emar ve-haya Adonai le-melekh 'al kol ha'aretz,
bayom ha-hu yiyeh Adonai eḥad u-she-mo eḥad.

Mourner's Kaddish

Mourners and those observing Yahrzeit rise.

יִתְגַּדַּל וְיִתְקַדַּשׁ שְׁמֵהּ רַבָּא בְּעָלְמָא דִּי בְרָא כִרְעוּתֵהּ, וְיַמְלִיךְ מַלְכוּתֵהּ בְּחַיֵּיכוֹן וּבְיוֹמֵיכוֹן וּבְחַיֵּי דְכָל־בֵּית יִשְׂרָאֵל בַּעֲגָלָא וּבִזְמַן קָרִיב, וְאִמְרוּ אָמֵן.

Congregation and mourner:

יְהֵא שְׁמֵהּ רַבָּא מְבָרַךְ לְעָלַם וּלְעָלְמֵי עָלְמַיָּא.

Mourner:

יִתְבָּרַךְ וְיִשְׁתַּבַּח וְיִתְפָּאַר וְיִתְרוֹמַם וְיִתְנַשֵּׂא וְיִתְהַדַּר וְיִתְעַלֶּה וְיִתְהַלַּל שְׁמֵהּ דְּקֻדְשָׁא בְּרִיךְ הוּא, לְעֵלָּא לְעֵלָּא מִכָּל־בִּרְכָתָא וְשִׁירָתָא תֻּשְׁבְּחָתָא וְנֶחֱמָתָא דַּאֲמִירָן בְּעָלְמָא, וְאִמְרוּ אָמֵן.

יְהֵא שְׁלָמָא רַבָּא מִן שְׁמַיָּא וְחַיִּים עָלֵינוּ וְעַל כָּל־יִשְׂרָאֵל, וְאִמְרוּ אָמֵן.

עוֹשֶׂה שָׁלוֹם בִּמְרוֹמָיו הוּא יַעֲשֶׂה שָׁלוֹם עָלֵינוּ וְעַל כָּל־יִשְׂרָאֵל, וְאִמְרוּ אָמֵן.

Hallowed and enhanced may He be throughout the world of His own creation. May He cause His sovereignty soon to be accepted, during our life and the life of all Israel. And let us say: Amen.

Congregation and mourner:

May He be praised throughout all time.

Mourner:

Glorified and celebrated, lauded and praised, acclaimed and honored, extolled and exalted may the Holy One be, far beyond all song and psalm, beyond all tributes which man can utter. And let us say: Amen.

Let there be abundant peace from Heaven, with life's goodness for us and for all the people Israel. And let us say: Amen.

He who brings peace to His universe will bring peace to us and to all the people Israel. And let us say: Amen.

Mourner's Kaddish

Mourners and those observing Yahrzeit rise:

In recalling our dead, of blessed memory, we confront our loss with faith by rising to praise God's name in public assembly, praying that all men recognize His kingship soon. For when His sovereignty is felt in the world, peace, blessing and song fill the world, as well as great consolation.

Yit-gadal ve-yit-kadash shmei raba, b'alma divra khir'utei ve-yamlikh mal-khutei be-hayei-khon uve'yomei-khon uve-ḥayei di-khol beit yisrael ba-agala u-vizman kariv v'imru amen.

Congregation and mourner:

Ye-hei shmei raba meva-rakh l'alam ul'almei 'almaya.

Mourner:

Yit-barakh ve-yish-tabaḥ ve-yitpa'ar ve-yitroman ve-yitnasei ve-yit-hadar ve-yit'aleh ve-yit-halal shmei di-kudsha brikh hu, l'eila l'eila mikol bir-khata ve-shirata tush-be-ḥata ve-neḥe-mata da-amiran b'alma, v'imru amen.

Ye-hei shlama raba min shmaya ve-ḥayim aleinu v'al kol yisrael v'imru amen.

Oseh shalom bimromav hu ya'aseh shalom aleinu v'al kol yisrael v'imru amen.

We live in the light of God's compassion.

לְדָוִד. יְיָ אוֹרִי וְיִשְׁעִי מִמִּי אִירָא, יְיָ מָעוֹז חַיַּי מִמִּי אֶפְחָד. בִּקְרֹב עָלַי מְרֵעִים לֶאֱכֹל אֶת־בְּשָׂרִי, צָרַי וְאֹיְבַי לִי הֵמָּה כָשְׁלוּ וְנָפָלוּ. אִם תַּחֲנֶה עָלַי מַחֲנֶה לֹא יִירָא לִבִּי, אִם תָּקוּם עָלַי מִלְחָמָה בְּזֹאת אֲנִי בוֹטֵחַ. אַחַת שָׁאַלְתִּי מֵאֵת יְיָ אוֹתָהּ אֲבַקֵּשׁ, שִׁבְתִּי בְּבֵית יְיָ כָּל־יְמֵי חַיַּי, לַחֲזוֹת בְּנֹעַם יְיָ וּלְבַקֵּר בְּהֵיכָלוֹ. כִּי יִצְפְּנֵנִי בְּסֻכֹּה בְּיוֹם רָעָה, יַסְתִּרֵנִי בְּסֵתֶר אָהֳלוֹ בְּצוּר יְרוֹמְמֵנִי. וְעַתָּה יָרוּם רֹאשִׁי עַל אֹיְבַי סְבִיבוֹתַי, וְאֶזְבְּחָה בְאָהֳלוֹ זִבְחֵי תְרוּעָה, אָשִׁירָה וַאֲזַמְּרָה לַייָ. שְׁמַע יְיָ קוֹלִי אֶקְרָא וְחָנֵּנִי וַעֲנֵנִי. לְךָ אָמַר לִבִּי בַּקְּשׁוּ פָנָי, אֶת־פָּנֶיךָ יְיָ אֲבַקֵּשׁ. אַל תַּסְתֵּר פָּנֶיךָ מִמֶּנִּי אַל תַּט בְּאַף עַבְדֶּךָ, עֶזְרָתִי הָיִיתָ, אַל תִּטְּשֵׁנִי וְאַל תַּעַזְבֵנִי אֱלֹהֵי יִשְׁעִי. כִּי אָבִי וְאִמִּי עֲזָבוּנִי, וַייָ יַאַסְפֵנִי. הוֹרֵנִי יְיָ דַּרְכֶּךָ, וּנְחֵנִי בְּאֹרַח מִישׁוֹר לְמַעַן שׁוֹרְרָי. אַל תִּתְּנֵנִי בְּנֶפֶשׁ צָרָי, כִּי קָמוּ בִי עֵדֵי שֶׁקֶר וִיפֵחַ חָמָס. לוּלֵא הֶאֱמַנְתִּי לִרְאוֹת בְּטוּב יְיָ בְּאֶרֶץ חַיִּים. קַוֵּה אֶל יְיָ, חֲזַק וְיַאֲמֵץ לִבֶּךָ וְקַוֵּה אֶל יְיָ.

We live in the light of God's compassion.

A Psalm of David. The Lord is my light and my help. Whom shall I fear? The Lord is the strength of my life. Whom shall I dread? When evildoers draw near to devour me, when foes threaten, they stumble and fall. Though armies be arrayed against me, I have no fear. Though wars threaten, I remain steadfast in my faith.

One thing I ask of the Lord, for this I yearn: To dwell in the House of the Lord all the days of my life, to pray in His sanctuary, to behold the Lord's beauty. He will hide me in His shrine, safe from peril. He will shelter me, and put me beyond the reach of disaster. He will raise my head high above my enemies about me. I will bring Him offerings with shouts of joy. I will sing, I will chant praise to the Lord.

O Lord, hear my voice when I call; be gracious, and answer me. "It is You that I seek," says my heart. It is Your Presence that I crave, O Lord. Hide not Your Presence from me, reject not Your servant. You are my help, do not desert me. Forsake me not, God of my deliverance. Though my father and mother forsake me, the Lord will gather me in, and care for me. Teach me Your way, O Lord. Guide me on the right path, to confound those who mock me. Deceivers have risen against me, men who breathe out violence. Abandon me not to the will of my foes. Mine is the faith that I surely will see the Lord's goodness in the land of the living. Hope in the Lord and be strong. Hope in the Lord and take courage.

Psalm 27

Yigdal

The hymn Yigdal is based upon thirteen principles of faith articulated by Maimonides.

יִגְדַּל אֱלֹהִים חַי וְיִשְׁתַּבַּח   נִמְצָא וְאֵין עֵת אֶל מְצִיאוּתוֹ.

אֶחָד וְאֵין יָחִיד כְּיִחוּדוֹ   נֶעְלָם וְגַם אֵין סוֹף לְאַחְדוּתוֹ.

אֵין לוֹ דְּמוּת הַגּוּף וְאֵינוֹ גוּף   לֹא נַעֲרֹךְ אֵלָיו קְדֻשָּׁתוֹ.

קַדְמוֹן לְכָל־דָּבָר אֲשֶׁר נִבְרָא   רִאשׁוֹן וְאֵין רֵאשִׁית לְרֵאשִׁיתוֹ.

הִנּוֹ אֲדוֹן עוֹלָם, וְכָל־נוֹצָר   יוֹרֶה גְדֻלָּתוֹ וּמַלְכוּתוֹ.

שֶׁפַע נְבוּאָתוֹ נְתָנוֹ, אֶל   אַנְשֵׁי סְגֻלָּתוֹ וְתִפְאַרְתּוֹ.

לֹא קָם בְּיִשְׂרָאֵל כְּמֹשֶׁה עוֹד   נָבִיא, וּמַבִּיט אֶת־תְּמוּנָתוֹ.

תּוֹרַת אֱמֶת נָתַן לְעַמּוֹ אֵל   עַל יַד נְבִיאוֹ נֶאֱמַן בֵּיתוֹ.

לֹא יַחֲלִיף הָאֵל וְלֹא יָמִיר   דָּתוֹ, לְעוֹלָמִים לְזוּלָתוֹ.

צוֹפֶה וְיוֹדֵעַ סְתָרֵינוּ   מַבִּיט לְסוֹף דָּבָר בְּקַדְמָתוֹ.

גּוֹמֵל לְאִישׁ חֶסֶד כְּמִפְעָלוֹ   נוֹתֵן לְרָשָׁע רָע כְּרִשְׁעָתוֹ.

יִשְׁלַח לְקֵץ יָמִין מְשִׁיחֵנוּ   לִפְדּוֹת מְחַכֵּי־קֵץ יְשׁוּעָתוֹ.

מֵתִים יְחַיֶּה אֵל בְּרֹב חַסְדּוֹ   בָּרוּךְ עֲדֵי עַד שֵׁם תְּהִלָּתוֹ.

Yigdal

The hymn Yigdal is based upon thirteen principles of faith
articulated by Maimonides, a summary of which follows: There
is a Creator who alone created and creates all things. He is one,
unique. He has no body, no form. He is eternal. He alone is to
be worshipped. The words of the prophets are true. Moses was
the greatest prophet. The source of the Torah is divine. The
Torah is immutable. God knows the deeds and the thoughts of
men. God rewards and punishes. The Messiah will come. God,
forever praised, will resurrect the dead.

Yig-dal Elohim ḥai ve-yish-tabaḥ, nimtza v'ein eit el metzi'uto.

Eḥad v'ein yaḥid ke-yiḥudo, nelam ve-gam ein sof l'aḥduto.

Ein lo de-mut haguf v'eino guf, lo na'arokh eilav kedushato.

Kadmon le-khol davar asher nivra, rishon v'ein reisheet le-rei-sheeto.

Hino Adon Olam ve-khol notzar yoreh gedulato umal-khuto.

Shefa ne-vu'ato netano el anshei segulato ve-tif'arto.

Lo kam be-yisrael ke-Mosheh od navi u-mabeet et temunato.

Torat emet natan l'amo El, al yad ne-vi'o ne'eman beito.

Lo yaḥalif ha'El ve-lo yamir dato l'olamim le-zulato.

Tzofeh ve-yodei'a se-tareinu, mabit le-sof davar be-kadmato.

Gomel l'ish ḥesed ke-mif'alo, notein le-rasha ra ke-rish'ato.

Yishlaḥ le-keitz yamin me-shiḥeinu, lifdot me-ḥakei keitz ye-shu'ato.

Meitim ye-ḥayeh Eil be-rov ḥasdo, barukh adei ad sheim te-hilato.

שַׁחֲרִית
לְיוֹם
כִּפּוּר

YOM KIPPUR MORNING SERVICE

The morning service begins on page 58.

Amidah

We stand in silent prayer, which ends on page 436.
For a translation of the Amidah, see pages 371 to 383.
For reflections on themes of the day
in English, see pages 437 to 439.

אֲדֹנָי שְׂפָתַי תִּפְתָּח וּפִי יַגִּיד תְּהִלָּתֶךָ.

בָּרוּךְ אַתָּה יְיָ אֱלֹהֵינוּ וֵאלֹהֵי אֲבוֹתֵינוּ, אֱלֹהֵי אַבְרָהָם אֱלֹהֵי יִצְחָק וֵאלֹהֵי יַעֲקֹב, הָאֵל הַגָּדוֹל הַגִּבּוֹר וְהַנּוֹרָא אֵל עֶלְיוֹן גּוֹמֵל חֲסָדִים טוֹבִים וְקוֹנֵה הַכֹּל, וְזוֹכֵר חַסְדֵי אָבוֹת וּמֵבִיא גוֹאֵל לִבְנֵי בְנֵיהֶם לְמַעַן שְׁמוֹ בְּאַהֲבָה.

זָכְרֵנוּ לְחַיִּים מֶלֶךְ חָפֵץ בַּחַיִּים,
וְכָתְבֵנוּ בְּסֵפֶר הַחַיִּים לְמַעַנְךָ אֱלֹהִים חַיִּים.

מֶלֶךְ עוֹזֵר וּמוֹשִׁיעַ וּמָגֵן. בָּרוּךְ אַתָּה יְיָ מָגֵן אַבְרָהָם.

אַתָּה גִּבּוֹר לְעוֹלָם אֲדֹנָי מְחַיֵּה מֵתִים אַתָּה רַב לְהוֹשִׁיעַ. מְכַלְכֵּל חַיִּים בְּחֶסֶד מְחַיֵּה מֵתִים בְּרַחֲמִים רַבִּים, סוֹמֵךְ נוֹפְלִים וְרוֹפֵא חוֹלִים וּמַתִּיר אֲסוּרִים וּמְקַיֵּם אֱמוּנָתוֹ לִישֵׁנֵי עָפָר. מִי כָמוֹךָ בַּעַל גְּבוּרוֹת וּמִי דוֹמֶה לָּךְ, מֶלֶךְ מֵמִית וּמְחַיֶּה וּמַצְמִיחַ יְשׁוּעָה.

מִי כָמוֹךָ אַב הָרַחֲמִים, זוֹכֵר יְצוּרָיו לְחַיִּים בְּרַחֲמִים.

וְנֶאֱמָן אַתָּה לְהַחֲיוֹת מֵתִים. בָּרוּךְ אַתָּה יְיָ מְחַיֵּה הַמֵּתִים.

אַתָּה קָדוֹשׁ וְשִׁמְךָ קָדוֹשׁ וּקְדוֹשִׁים בְּכָל־יוֹם יְהַלְלוּךָ סֶּלָה.

וּבְכֵן תֵּן פַּחְדְּךָ יְיָ אֱלֹהֵינוּ עַל כָּל־מַעֲשֶׂיךָ וְאֵימָתְךָ עַל כָּל־מַה־שֶּׁבָּרָאתָ, וְיִירָאוּךָ כָּל־הַמַּעֲשִׂים וְיִשְׁתַּחֲווּ לְפָנֶיךָ כָּל־הַבְּרוּאִים, וְיֵעָשׂוּ כֻלָּם אֲגֻדָּה אַחַת לַעֲשׂוֹת רְצוֹנְךָ בְּלֵבָב שָׁלֵם, כְּמוֹ שֶׁיָּדַעְנוּ יְיָ אֱלֹהֵינוּ שֶׁהַשִּׁלְטוֹן לְפָנֶיךָ, עֹז בְּיָדְךָ וּגְבוּרָה בִּימִינֶךָ וְשִׁמְךָ נוֹרָא עַל כָּל־מַה־שֶּׁבָּרָאתָ.

וּבְכֵן תֵּן כָּבוֹד יְיָ לְעַמֶּךָ תְּהִלָּה לִירֵאֶיךָ וְתִקְוָה לְדוֹרְשֶׁיךָ וּפִתְחוֹן פֶּה לַמְיַחֲלִים לָךְ, שִׂמְחָה לְאַרְצֶךָ וְשָׂשׂוֹן לְעִירֶךָ וּצְמִיחַת קֶרֶן לְדָוִד עַבְדֶּךָ וַעֲרִיכַת נֵר לְבֶן־יִשַׁי מְשִׁיחֶךָ בִּמְהֵרָה בְיָמֵינוּ.

וּבְכֵן צַדִּיקִים יִרְאוּ וְיִשְׂמָחוּ וִישָׁרִים יַעֲלֹזוּ וַחֲסִידִים בְּרִנָּה יָגִילוּ, וְעוֹלָתָה תִּקְפָּץ־פִּיהָ וְכָל־הָרִשְׁעָה כֻּלָּהּ כְּעָשָׁן תִּכְלֶה כִּי תַעֲבִיר מֶמְשֶׁלֶת זָדוֹן מִן הָאָרֶץ.

וְתִמְלֹךְ אַתָּה יְיָ לְבַדֶּךָ עַל כָּל־מַעֲשֶׂיךָ בְּהַר צִיּוֹן מִשְׁכַּן כְּבוֹדֶךָ וּבִירוּשָׁלַיִם עִיר קָדְשֶׁךָ, כַּכָּתוּב בְּדִבְרֵי קָדְשֶׁךָ: יִמְלֹךְ יְיָ לְעוֹלָם אֱלֹהַיִךְ צִיּוֹן לְדֹר וָדֹר, הַלְלוּיָהּ.

קָדוֹשׁ אַתָּה וְנוֹרָא שְׁמֶךָ וְאֵין אֱלוֹהַּ מִבַּלְעָדֶיךָ, כַּכָּתוּב: וַיִּגְבַּהּ יְיָ צְבָאוֹת בַּמִּשְׁפָּט, וְהָאֵל הַקָּדוֹשׁ נִקְדַּשׁ בִּצְדָקָה. בָּרוּךְ אַתָּה יְיָ הַמֶּלֶךְ הַקָּדוֹשׁ.

אַתָּה בְחַרְתָּנוּ מִכָּל־הָעַמִּים, אָהַבְתָּ אוֹתָנוּ וְרָצִיתָ בָּנוּ וְרוֹמַמְתָּנוּ מִכָּל־הַלְּשׁוֹנוֹת וְקִדַּשְׁתָּנוּ בְּמִצְוֹתֶיךָ וְקֵרַבְתָּנוּ מַלְכֵּנוּ לַעֲבוֹדָתֶךָ וְשִׁמְךָ הַגָּדוֹל וְהַקָּדוֹשׁ עָלֵינוּ קָרָאתָ.

וַתִּתֶּן־לָנוּ יְיָ אֱלֹהֵינוּ בְּאַהֲבָה אֶת־יוֹם הַשַּׁבָּת הַזֶּה לִקְדֻשָּׁה וְלִמְנוּחָה וְאֶת־יוֹם הַכִּפּוּרִים הַזֶּה לִמְחִילָה וְלִסְלִיחָה וּלְכַפָּרָה וְלִמְחָל־בּוֹ אֶת־כָּל־עֲוֹנוֹתֵינוּ בְּאַהֲבָה מִקְרָא קֹדֶשׁ זֵכֶר לִיצִיאַת מִצְרָיִם.

אֱלֹהֵינוּ וֵאלֹהֵי אֲבוֹתֵינוּ, יַעֲלֶה וְיָבוֹא וְיַגִּיעַ וְיֵרָאֶה וְיֵרָצֶה וְיִשָּׁמַע וְיִפָּקֵד וְיִזָּכֵר זִכְרוֹנֵנוּ וּפִקְדוֹנֵנוּ, וְזִכְרוֹן אֲבוֹתֵינוּ וְזִכְרוֹן מָשִׁיחַ בֶּן־דָּוִד עַבְדֶּךָ וְזִכְרוֹן יְרוּשָׁלַיִם עִיר קָדְשֶׁךָ, וְזִכְרוֹן כָּל־עַמְּךָ בֵּית יִשְׂרָאֵל לְפָנֶיךָ, לִפְלֵיטָה וּלְטוֹבָה וּלְחֵן וּלְחֶסֶד וּלְרַחֲמִים וּלְחַיִּים וּלְשָׁלוֹם בְּיוֹם הַכִּפּוּרִים הַזֶּה. זָכְרֵנוּ יְיָ אֱלֹהֵינוּ בּוֹ לְטוֹבָה, וּפָקְדֵנוּ בוֹ לִבְרָכָה, וְהוֹשִׁיעֵנוּ בוֹ לְחַיִּים. וּבִדְבַר יְשׁוּעָה וְרַחֲמִים חוּס

וְחָנֵּנוּ וְרַחֵם עָלֵינוּ וְהוֹשִׁיעֵנוּ כִּי אֵלֶיךָ עֵינֵינוּ, כִּי אֵל מֶלֶךְ חַנּוּן וְרַחוּם אָתָּה.

אֱלֹהֵינוּ וֵאלֹהֵי אֲבוֹתֵינוּ, מְחַל לַעֲוֹנוֹתֵינוּ בְּיוֹם הַשַּׁבָּת הַזֶּה וּבְיוֹם הַכִּפּוּרִים הַזֶּה, מְחֵה וְהַעֲבֵר פְּשָׁעֵינוּ וְחַטֹּאתֵינוּ מִנֶּגֶד עֵינֶיךָ, כָּאָמוּר: אָנֹכִי אָנֹכִי הוּא מֹחֶה פְּשָׁעֶיךָ לְמַעֲנִי, וְחַטֹּאתֶיךָ לֹא אֶזְכֹּר. וְנֶאֱמַר: מָחִיתִי כָעָב פְּשָׁעֶיךָ וְכֶעָנָן חַטֹּאתֶיךָ, שׁוּבָה אֵלַי כִּי גְאַלְתִּיךָ. וְנֶאֱמַר: כִּי בַיּוֹם הַזֶּה יְכַפֵּר עֲלֵיכֶם לְטַהֵר אֶתְכֶם מִכֹּל חַטֹּאתֵיכֶם לִפְנֵי יְיָ תִּטְהָרוּ. אֱלֹהֵינוּ וֵאלֹהֵי אֲבוֹתֵינוּ, רְצֵה בִמְנוּחָתֵנוּ קַדְּשֵׁנוּ בְּמִצְוֹתֶיךָ וְתֵן חֶלְקֵנוּ בְּתוֹרָתֶךָ, שַׂבְּעֵנוּ מִטּוּבֶךָ וְשַׂמְּחֵנוּ בִּישׁוּעָתֶךָ וְהַנְחִילֵנוּ יְיָ אֱלֹהֵינוּ בְּאַהֲבָה וּבְרָצוֹן שַׁבַּת קָדְשֶׁךָ וְיָנוּחוּ בָהּ יִשְׂרָאֵל מְקַדְּשֵׁי שְׁמֶךָ וְטַהֵר לִבֵּנוּ לְעָבְדְּךָ בֶּאֱמֶת, כִּי אַתָּה סָלְחָן לְיִשְׂרָאֵל וּמָחֳלָן לְשִׁבְטֵי יְשֻׁרוּן בְּכָל־דּוֹר וָדוֹר וּמִבַּלְעָדֶיךָ אֵין לָנוּ מֶלֶךְ מוֹחֵל וְסוֹלֵחַ אֶלָּא אָתָּה. בָּרוּךְ אַתָּה יְיָ מֶלֶךְ מוֹחֵל וְסוֹלֵחַ לַעֲוֹנוֹתֵינוּ וְלַעֲוֹנוֹת עַמּוֹ בֵּית יִשְׂרָאֵל וּמַעֲבִיר אַשְׁמוֹתֵינוּ בְּכָל־שָׁנָה וְשָׁנָה, מֶלֶךְ עַל כָּל־הָאָרֶץ מְקַדֵּשׁ הַשַּׁבָּת וְ יִשְׂרָאֵל וְיוֹם הַכִּפּוּרִים.

רְצֵה יְיָ אֱלֹהֵינוּ בְּעַמְּךָ יִשְׂרָאֵל וּבִתְפִלָּתָם וְהָשֵׁב אֶת־הָעֲבוֹדָה לִדְבִיר בֵּיתֶךָ וּתְפִלָּתָם בְּאַהֲבָה תְקַבֵּל בְּרָצוֹן וּתְהִי לְרָצוֹן תָּמִיד עֲבוֹדַת יִשְׂרָאֵל עַמֶּךָ. וְתֶחֱזֶינָה עֵינֵינוּ בְּשׁוּבְךָ לְצִיּוֹן בְּרַחֲמִים. בָּרוּךְ אַתָּה יְיָ הַמַּחֲזִיר שְׁכִינָתוֹ לְצִיּוֹן.

מוֹדִים אֲנַחְנוּ לָךְ שָׁאַתָּה הוּא יְיָ אֱלֹהֵינוּ וֵאלֹהֵי אֲבוֹתֵינוּ לְעוֹלָם וָעֶד, צוּר חַיֵּינוּ מָגֵן יִשְׁעֵנוּ אַתָּה הוּא. לְדוֹר וָדוֹר נוֹדֶה לְּךָ וּנְסַפֵּר תְּהִלָּתֶךָ עַל חַיֵּינוּ הַמְּסוּרִים בְּיָדֶךָ וְעַל נִשְׁמוֹתֵינוּ הַפְּקוּדוֹת לָךְ וְעַל נִסֶּיךָ שֶׁבְּכָל־יוֹם עִמָּנוּ וְעַל נִפְלְאוֹתֶיךָ וְטוֹבוֹתֶיךָ שֶׁבְּכָל־עֵת עֶרֶב וָבֹקֶר וְצָהֳרָיִם. הַטּוֹב כִּי לֹא כָלוּ רַחֲמֶיךָ וְהַמְרַחֵם כִּי לֹא תַמּוּ חֲסָדֶיךָ מֵעוֹלָם קִוִּינוּ לָךְ.

וְעַל כֻּלָּם יִתְבָּרַךְ וְיִתְרוֹמַם שִׁמְךָ מַלְכֵּנוּ תָּמִיד לְעוֹלָם וָעֶד.

וּכְתֹב לְחַיִּים טוֹבִים כָּל־בְּנֵי בְרִיתֶךָ.

וְכֹל הַחַיִּים יוֹדוּךָ סֶּלָה וִיהַלְלוּ אֶת־שִׁמְךָ בֶּאֱמֶת הָאֵל יְשׁוּעָתֵנוּ וְעֶזְרָתֵנוּ סֶלָה. בָּרוּךְ אַתָּה יְיָ הַטּוֹב שִׁמְךָ וּלְךָ נָאֶה לְהוֹדוֹת.

שִׂים שָׁלוֹם בָּעוֹלָם, טוֹבָה וּבְרָכָה חֵן וָחֶסֶד וְרַחֲמִים עָלֵינוּ וְעַל כָּל־יִשְׂרָאֵל עַמֶּךָ. בָּרְכֵנוּ אָבִינוּ כֻּלָּנוּ כְּאֶחָד בְּאוֹר פָּנֶיךָ, כִּי בְאוֹר פָּנֶיךָ נָתַתָּ לָּנוּ, יְיָ אֱלֹהֵינוּ, תּוֹרַת חַיִּים וְאַהֲבַת חֶסֶד וּצְדָקָה וּבְרָכָה וְרַחֲמִים וְחַיִּים וְשָׁלוֹם. וְטוֹב בְּעֵינֶיךָ לְבָרֵךְ אֶת־עַמְּךָ יִשְׂרָאֵל בְּכָל־עֵת וּבְכָל־שָׁעָה בִּשְׁלוֹמֶךָ.

בְּסֵפֶר חַיִּים בְּרָכָה וְשָׁלוֹם וּפַרְנָסָה טוֹבָה נִזָּכֵר וְנִכָּתֵב לְפָנֶיךָ אֲנַחְנוּ וְכָל־עַמְּךָ בֵּית יִשְׂרָאֵל לְחַיִּים טוֹבִים וּלְשָׁלוֹם.

בָּרוּךְ אַתָּה יְיָ עוֹשֵׂה הַשָּׁלוֹם.

אֱלֹהֵינוּ וֵאלֹהֵי אֲבוֹתֵינוּ, תָּבוֹא לְפָנֶיךָ תְּפִלָּתֵנוּ וְאַל תִּתְעַלַּם מִתְּחִנָּתֵנוּ, שֶׁאֵין אֲנַחְנוּ עַזֵּי פָנִים וּקְשֵׁי עֹרֶף לוֹמַר לְפָנֶיךָ, יְיָ אֱלֹהֵינוּ וֵאלֹהֵי אֲבוֹתֵינוּ, צַדִּיקִים אֲנַחְנוּ וְלֹא חָטָאנוּ, אֲבָל אֲנַחְנוּ חָטָאנוּ.

אָשַׁמְנוּ, בָּגַדְנוּ, גָּזַלְנוּ, דִּבַּרְנוּ דֹּפִי.
הֶעֱוִינוּ, וְהִרְשַׁעְנוּ, זַדְנוּ, חָמַסְנוּ,
טָפַלְנוּ שֶׁקֶר. יָעַצְנוּ רָע, כִּזַּבְנוּ, לַצְנוּ,
מָרַדְנוּ, נִאַצְנוּ, סָרַרְנוּ, עָוִינוּ,
פָּשַׁעְנוּ, צָרַרְנוּ, קִשִּׁינוּ עֹרֶף. רָשַׁעְנוּ,
שִׁחַתְנוּ, תִּעַבְנוּ, תָּעִינוּ, תִּעְתָּעְנוּ.

סַֽרְנוּ מִמִּצְוֹתֶֽיךָ וּמִמִּשְׁפָּטֶֽיךָ הַטּוֹבִים וְלֹא שָֽׁוָה לָֽנוּ וְאַתָּה צַדִּיק עַל כָּל־הַבָּא עָלֵֽינוּ, כִּי אֱמֶת עָשִֽׂיתָ וַאֲנַֽחְנוּ הִרְשָֽׁעְנוּ. מַה־נֹּאמַר לְפָנֶֽיךָ יוֹשֵׁב מָרוֹם וּמַה־נְּסַפֵּר לְפָנֶֽיךָ שׁוֹכֵן שְׁחָקִים. הֲלֹא כָּל־הַנִּסְתָּרוֹת וְהַנִּגְלוֹת אַתָּה יוֹדֵֽעַ.

אַתָּה יוֹדֵֽעַ רָזֵי עוֹלָם וְתַעֲלוּמוֹת סִתְרֵי כָל־חָי. אַתָּה חוֹפֵשׂ כָּל־חַדְרֵי־בָֽטֶן וּבוֹחֵן כְּלָיוֹת וָלֵב. אֵין דָּבָר נֶעְלָם מִמֶּֽךָּ וְאֵין נִסְתָּר מִנֶּֽגֶד עֵינֶֽיךָ.

וּבְכֵן יְהִי רָצוֹן מִלְּפָנֶֽיךָ, יְיָ אֱלֹהֵֽינוּ וֵאלֹהֵי אֲבוֹתֵֽינוּ, שֶׁתִּסְלַח לָֽנוּ עַל כָּל־חַטֹּאתֵֽינוּ וְתִמְחַל לָֽנוּ עַל כָּל־עֲוֹנוֹתֵֽינוּ וּתְכַפֶּר־לָֽנוּ עַל כָּל־פְּשָׁעֵֽינוּ.

עַל חֵטְא שֶׁחָטָֽאנוּ לְפָנֶֽיךָ בְּאִמּוּץ הַלֵּב,
וְעַל חֵטְא שֶׁחָטָֽאנוּ לְפָנֶֽיךָ בְּבִטּוּי שְׂפָתָֽיִם.
עַל חֵטְא שֶׁחָטָֽאנוּ לְפָנֶֽיךָ בַּגָּלוּי וּבַסָּֽתֶר,
וְעַל חֵטְא שֶׁחָטָֽאנוּ לְפָנֶֽיךָ בְּדִבּוּר פֶּה.
עַל חֵטְא שֶׁחָטָֽאנוּ לְפָנֶֽיךָ בְּהַרְהוֹר הַלֵּב,
וְעַל חֵטְא שֶׁחָטָֽאנוּ לְפָנֶֽיךָ בְּוִדּוּי פֶּה.
עַל חֵטְא שֶׁחָטָֽאנוּ לְפָנֶֽיךָ בְּזָדוֹן וּבִשְׁגָגָה,
וְעַל חֵטְא שֶׁחָטָֽאנוּ לְפָנֶֽיךָ בְּחִלּוּל הַשֵּׁם.
עַל חֵטְא שֶׁחָטָֽאנוּ לְפָנֶֽיךָ בְּטִפְּשׁוּת פֶּה,
וְעַל חֵטְא שֶׁחָטָֽאנוּ לְפָנֶֽיךָ בְּיוֹדְעִים וּבְלֹא יוֹדְעִים.

וְעַל כֻּלָּם אֱלוֹהַּ סְלִיחוֹת, סְלַח לָֽנוּ, מְחַל לָֽנוּ, כַּפֶּר־לָֽנוּ.

עַל חֵטְא שֶׁחָטָאנוּ לְפָנֶיךָ בְּכַפַּת שֹׁחַד,

וְעַל חֵטְא שֶׁחָטָאנוּ לְפָנֶיךָ בְּלָשׁוֹן הָרָע.

עַל חֵטְא שֶׁחָטָאנוּ לְפָנֶיךָ בְּמַאֲכָל וּבְמִשְׁתֶּה,

וְעַל חֵטְא שֶׁחָטָאנוּ לְפָנֶיךָ בִּנְטִיַּת גָּרוֹן.

עַל חֵטְא שֶׁחָטָאנוּ לְפָנֶיךָ בְּשִׂקּוּר עָיִן,

וְעַל חֵטְא שֶׁחָטָאנוּ לְפָנֶיךָ בְּעַזּוּת מֶצַח.

עַל חֵטְא שֶׁחָטָאנוּ לְפָנֶיךָ בִּפְלִילוּת,

וְעַל חֵטְא שֶׁחָטָאנוּ לְפָנֶיךָ בְּצָרוּת עָיִן.

עַל חֵטְא שֶׁחָטָאנוּ לְפָנֶיךָ בְּקַשְׁיוּת עֹרֶף,

וְעַל חֵטְא שֶׁחָטָאנוּ לְפָנֶיךָ בִּרְכִילוּת.

עַל חֵטְא שֶׁחָטָאנוּ לְפָנֶיךָ בְּשִׂנְאַת חִנָּם,

וְעַל חֵטְא שֶׁחָטָאנוּ לְפָנֶיךָ בְּתִמְהוֹן לֵבָב.

וְעַל כֻּלָּם אֱלוֹהַּ סְלִיחוֹת, סְלַח לָנוּ, מְחַל לָנוּ, כַּפֶּר־לָנוּ.

וְעַל מִצְוַת עֲשֵׂה וְעַל מִצְוַת לֹא תַעֲשֶׂה, בֵּין שֶׁיֶּשׁ־בָּהּ קוּם עֲשֵׂה וּבֵין שֶׁאֵין בָּהּ קוּם עֲשֵׂה, אֶת־הַגְּלוּיִים לָנוּ וְאֶת־שֶׁאֵינָם גְּלוּיִים לָנוּ. אֶת־הַגְּלוּיִים לָנוּ כְּבָר אֲמַרְנוּם לְפָנֶיךָ וְהוֹדִינוּ לְךָ עֲלֵיהֶם, וְאֶת־שֶׁאֵינָם גְּלוּיִים לָנוּ לְפָנֶיךָ הֵם גְּלוּיִים וִידוּעִים, כַּדָּבָר שֶׁנֶּאֱמַר: הַנִּסְתָּרֹת לַייָ אֱלֹהֵינוּ, וְהַנִּגְלֹת לָנוּ וּלְבָנֵינוּ עַד עוֹלָם לַעֲשׂוֹת אֶת־כָּל־דִּבְרֵי הַתּוֹרָה הַזֹּאת. כִּי אַתָּה סָלְחָן לְיִשְׂרָאֵל וּמָחֳלָן לְשִׁבְטֵי יְשֻׁרוּן בְּכָל־דּוֹר וָדוֹר וּמִבַּלְעָדֶיךָ אֵין לָנוּ מֶלֶךְ מוֹחֵל וְסוֹלֵחַ אֶלָּא אָתָּה.

At the conclusion of the Amidah personal prayers may be added, before or instead of the following.

אֱלֹהַי, עַד שֶׁלֹּא נוֹצַרְתִּי אֵינִי כְדַי וְעַכְשָׁו שֶׁנּוֹצַרְתִּי כְּאִלּוּ לֹא נוֹצַרְתִּי. עָפָר אֲנִי בְּחַיָּי, קַל וָחֹמֶר בְּמִיתָתִי, הֲרֵי אֲנִי לְפָנֶיךָ כִּכְלִי מָלֵא בוּשָׁה וּכְלִמָּה. יְהִי רָצוֹן מִלְּפָנֶיךָ יְיָ אֱלֹהַי וֵאלֹהֵי אֲבוֹתַי שֶׁלֹּא אֶחֱטָא עוֹד, וּמַה־שֶּׁחָטָאתִי לְפָנֶיךָ מָרֵק בְּרַחֲמֶיךָ הָרַבִּים, אֲבָל לֹא עַל יְדֵי יִסּוּרִים וָחֳלָיִים רָעִים.

אֱלֹהַי, נְצֹר לְשׁוֹנִי מֵרָע וּשְׂפָתַי מִדַּבֵּר מִרְמָה, וְלִמְקַלְלַי נַפְשִׁי תִדֹּם וְנַפְשִׁי כֶּעָפָר לַכֹּל תִּהְיֶה. פְּתַח לִבִּי בְּתוֹרָתֶךָ וּבְמִצְוֹתֶיךָ תִּרְדֹּף נַפְשִׁי. וְכֹל הַחוֹשְׁבִים עָלַי רָעָה, מְהֵרָה הָפֵר עֲצָתָם וְקַלְקֵל מַחֲשַׁבְתָּם. עֲשֵׂה לְמַעַן שְׁמֶךָ, עֲשֵׂה לְמַעַן יְמִינֶךָ, עֲשֵׂה לְמַעַן קְדֻשָּׁתֶךָ, עֲשֵׂה לְמַעַן תּוֹרָתֶךָ, לְמַעַן יֵחָלְצוּן יְדִידֶיךָ הוֹשִׁיעָה יְמִינְךָ וַעֲנֵנִי. יִהְיוּ לְרָצוֹן אִמְרֵי־פִי וְהֶגְיוֹן לִבִּי לְפָנֶיךָ, יְיָ צוּרִי וְגֹאֲלִי. עֹשֶׂה שָׁלוֹם בִּמְרוֹמָיו הוּא יַעֲשֶׂה שָׁלוֹם עָלֵינוּ וְעַל כָּל־יִשְׂרָאֵל, וְאִמְרוּ אָמֵן.

Reflections

When Rabbi Yoḥanan was ill, his disciples visited him.
"Master, please bless us," they said.
Said he: May you fear God as much as you fear men.
Said they: Only that much?
Said he: I wish that you feared Him *that* much. For whenever a person sins, he says to himself, "I just hope that nobody sees me."

Our acts of rebellion against God are past counting, and our sins bear witness against us. We remember our many rebellions, we know well our guilt: We have rebelled and broken faith with the Lord, we have relapsed and forsaken our God; we have conceived lies in our hearts and repeated them in slanderous and treacherous words. Justice is rebuffed and flouted while righteousness stands aloof; truth stumbles in the market place and honesty is kept out of court, so truth is lost to sight, and whoever shuns evil is thought a madman.

How is the sinner punished? When the Books of Wisdom were asked this question, they replied: "Evil pursues sinners" (Proverbs 13:21). When the Books of Prophecy were asked the question, Prophecy replied: "The soul that sins shall die" (Ezekiel 18:4). When the Torah was asked how the sinner is punished, the Torah replied: Let him bring a guilt offering and he shall gain atonement, for it is written that "it shall be acceptable on his behalf, in expiation for him" (Leviticus 1:4). The Holy One was asked: How is the sinner punished? The Holy One replied: Let him turn in repentance and he shall gain atonement, as it is written: "The Lord is good and upright; therefore He teaches sinners the way that they should go" (Psalms 25:8).

Haughtiness is more serious than sin. Haughtiness is found in the man who thinks that he has not sinned. Such a person needs God's compassion, to help gain atonement for his haughty heart.

There is no limit to the havoc man works once he begins to exalt himself and usurp the place of God, and nowhere is the devastation greater than in his own soul. . . . Only by turning back to God can man remove the wall of alienation and regain his fellowship with the divine. . . . Not by the denial of sin or an attempt to evade responsibility for it, but by a contrite recognition of the true source of our guilt in the self, estranged from God, can we hope to find a path that will lead us back to the Lord of life from whom alone ultimate security and fulfillment can come.

Pride is the root of all evil, man setting himself up as an idol, worshipping his own self, and thus forced to come into collision with God and his fellowmen.

Man was created on the last day of Creation so that if he becomes overbearing and haughty, he can be told—even the flea was created before you.

Forgive your neighbor his wrongdoing; then, when you pray, your sins will be forgiven. If a man harbors a grudge against another, is he to expect healing from the Lord? If he has no mercy on his fellow-man is he still to ask forgiveness for his own sins? If a mere mortal cherishes rage, where is he to look for pardon? Think of the end that awaits you, and be done with hate; think of mortality and death, and be true to the commandments; think of the commandments, and do not be enraged at your neighbor; think of the Covenant of the Most High, and overlook faults.

Atonement is no mere act of grace, or miracle of salvation, which befalls the chosen; it demands the free ethical choice and deed of the human being. Man is not granted something unconditionally; he has rather to decide for something unconditionally. In his deed is the beginning of his atonement. The first step is the return of man.

The sinner himself is to turn to God, since it is he who turned away. No one can substitute for him in his return, no one can atone for him; no one stands between him and God, no mediator or past event, no redeemer and no sacrament. He must purify himself, he must attain his own freedom, for he was responsible for his loss of it. Faith and trust alone are not sufficient.

Six things the Lord hates, seven are detestable to Him: A haughty eye, a lying tongue, hands that shed innocent blood, a heart that devises wicked thoughts, feet that run swiftly to do evil, a false witness who breathes out lies, and one who plants discord among brothers.

Seek peace and pursue it, and by all your acts be witness to God.

Who deserves to enter God's sanctuary? Who merits a place in His Presence? He who has clean hands and a pure heart, who does not use God's name in vain oaths, who does not set his mind on worthless things. He shall receive a blessing from the Lord, a just reward from the God of his deliverance.

Even God prays. What is His prayer? "May it be My will that My love of compassion overwhelm My demand for strict justice."

Amidah

The Ḥazzan leads in reciting the Amidah.

God of our fathers

בָּרוּךְ אַתָּה יְיָ אֱלֹהֵינוּ וֵאלֹהֵי אֲבוֹתֵינוּ, אֱלֹהֵי אַבְרָהָם אֱלֹהֵי יִצְחָק וֵאלֹהֵי יַעֲקֹב, הָאֵל הַגָּדוֹל הַגִּבּוֹר וְהַנּוֹרָא אֵל עֶלְיוֹן גּוֹמֵל חֲסָדִים טוֹבִים וְקוֹנֵה הַכֹּל, וְזוֹכֵר חַסְדֵי אָבוֹת וּמֵבִיא גוֹאֵל לִבְנֵי בְנֵיהֶם לְמַעַן שְׁמוֹ בְּאַהֲבָה.

מִסּוֹד חֲכָמִים וּנְבוֹנִים, וּמִלֶּמֶד דַּעַת מְבִינִים, אֶפְתְּחָה פִּי בִּתְפִלָּה וּבְתַחֲנוּנִים, לְחַלּוֹת וּלְחַנֵּן פְּנֵי מֶלֶךְ מָלֵא רַחֲמִים מוֹחֵל וְסוֹלֵחַ לַעֲוֹנִים.

The Ark is opened.

אֲמֶיךָ נָשָׂאתִי חִין בְּעֶרְכִּי, בְּמַלְאֲכוּת עַמְּךָ בֶּרֶךְ בְּבָרְכִּי
גּוֹחִי מִבֶּטֶן הֲגִיהַּ חָשְׁכִּי, דַּבֵּר צָחוֹת וּבַאֲמִתְּךָ הַדְרִיכִי.
הוֹרֵנִי שְׁפֹּךְ שִׂיחַ עָרֵב, וְלוֹנְנִי בְצִלְּךָ אוֹתִי לְקָרֵב
זַעַק יוֹפַק בְּכִוּוּן קֶרֶב, חַלּוֹתִי פָּנֶיךָ צִדְקָתְךָ תְּקָרֵב.
טְהוֹר עֵינַיִם מְאֹד נַעֲלָה, יַדְּעֵנִי בִּין עֶרֶךְ תְּפִלָּה
כַּדָּת לְחַנֵּן בְּלִי תִפְלָה, לְהַמְצִיא שׁוֹלְחַי אֶרֶךְ וּתְעָלָה.
מְפַתֵּחַ שְׂפָתַי תְּבָרֵר וּתְיַשֵּׁר, נִדְבוֹת פִּי רְצֵה וְהַכְשֵׁר
סֵדֶר הֲגִיגִי כְּשַׁי יְתֻשַּׁר, עֲתֶר פִּצְחִי כְּזִילַת חָשֵׁר.
פְּעָמַי הָכֵן פְּצוֹתִי מִכֶּשֶׁל, צוּר תְּמֹךְ אֲשׁוּרַי מֵהִנָּשֵׁל
קוֹמְמֵנִי וְחַזְּקֵנִי מֵרִפְיוֹן וָחֵשֶׁל, רְצוֹת אֲמָרַי וְלֹא אֶכָּשֵׁל.
שָׁמְרֵנִי כְאִישׁוֹן מִפֶּלֶץ וּבְעָתָה, שׁוּר שִׁפְלוּתִי וּלְכָה לִישׁוּעָתָה
תָּחוֹן דִּכְאוּתִי כְּלַחוֹנְךָ פַּצְתָּ, תְּרַחֵם עַל בֵּן אֲמַצְתָּ.

The Ark is closed.

Amidah

The Ḥazzan leads in reciting the Amidah.

God of our fathers

Praised are You, Lord our God and God of our fathers, God of Abraham, of Isaac and of Jacob, great, mighty, awesome, exalted God, bestowing lovingkindness and creating all things. You remember the pious deeds of our fathers, and will send a redeemer to their children's children because of Your love and for the sake of Your glory.

Prompted by teachings of our sages, guided by traditions of the ages, I open my mouth in prayer and petition, before the merciful King who forgives our sins at this time of contrition.

The Ark is opened.

With trepidation I prepare my supplication, praying for Your people with bended knee. From the womb You brought me forth; illumine my darkness now, that with fervor I may utter my plea. I seek Your shelter, Lord; embrace me and help to dispel fear. My cry issues forth from the depths of my soul as I seek Your Presence. May Your charity in judgment draw me near. O pure of vision, greatly exalted, teach me to pray with understanding, that I may help bring comfort to those whose prayer I bring to You. Purify the offering of my lips, accept my plea. Let my entreaty be as fresh and as welcome as the dew. Prepare my way, lest I stumble in my task. Strengthen and support me, lest I falter. Dispel my weariness and my weakness, lest I fail. Preserve me from terror and trembling; consider my contrition and come to my aid. Be gracious to the bruised in spirit, and embrace Your people Israel with the mercy for which we have prayed.

The Ark is closed.

זָכְרֵנוּ לְחַיִּים מֶלֶךְ חָפֵץ בְּחַיִּים,
וְכָתְבֵנוּ בְּסֵפֶר הַחַיִּים לְמַעַנְךָ אֱלֹהִים חַיִּים.

מֶלֶךְ עוֹזֵר וּמוֹשִׁיעַ וּמָגֵן. בָּרוּךְ אַתָּה יְיָ מָגֵן אַבְרָהָם.

Master of nature

אַתָּה גִּבּוֹר לְעוֹלָם אֲדֹנָי מְחַיֵּה מֵתִים אַתָּה רַב לְהוֹשִׁיעַ. מְכַלְכֵּל חַיִּים בְּחֶסֶד מְחַיֵּה מֵתִים בְּרַחֲמִים רַבִּים, סוֹמֵךְ נוֹפְלִים וְרוֹפֵא חוֹלִים וּמַתִּיר אֲסוּרִים וּמְקַיֵּם אֱמוּנָתוֹ לִישֵׁנֵי עָפָר. מִי כָמוֹךָ בַּעַל גְּבוּרוֹת וּמִי דּוֹמֶה לָּךְ, מֶלֶךְ מֵמִית וּמְחַיֶּה וּמַצְמִיחַ יְשׁוּעָה.

מִי כָמוֹךָ אַב הָרַחֲמִים, זוֹכֵר יְצוּרָיו לְחַיִּים בְּרַחֲמִים.

וְנֶאֱמָן אַתָּה לְהַחֲיוֹת מֵתִים. בָּרוּךְ אַתָּה יְיָ מְחַיֵּה הַמֵּתִים.

Holy, awesome God

יִמְלֹךְ יְיָ לְעוֹלָם אֱלֹהַיִךְ צִיּוֹן לְדֹר וָדֹר, הַלְלוּיָהּ.
וְאַתָּה קָדוֹשׁ, יוֹשֵׁב תְּהִלּוֹת יִשְׂרָאֵל.

The Ark is opened, as we rise

אֵל נָא, אַתָּה הוּא אֱלֹהֵינוּ

בַּשָּׁמַיִם וּבָאָרֶץ גִּבּוֹר וְנַעֲרָץ.
דָּגוּל מֵרְבָבָה הוּא שָׂח וַיֶּהִי.
וְצִוָּה וְנִבְרָאוּ זִכְרוֹ לָנֶצַח.
חַי עוֹלָמִים טְהוֹר עֵינַיִם.
יוֹשֵׁב סֵתֶר כִּתְרוֹ יְשׁוּעָה.
לְבוּשׁוֹ צְדָקָה מַעֲטֵהוּ קִנְאָה.

Zokhrei-nu l'ḥayyim melekh ḥafeitz b'ḥayyim
v'khot-veinu b'seifer ha-ḥayyim, l'ma-ankha Elohim ḥayyim.

Remember us that we may live, O King who delights in life.
Inscribe us in the Book of Life, for Your sake, living God.

You are the King who helps and saves and shields. Praised are
You, Lord, Shield of Abraham.

Master of nature

Your might, O Lord, is boundless. Your lovingkindness sustains
the living, Your great mercies give life to the dead. You support
the falling, heal the ailing, free the fettered. You keep Your faith
with those who sleep in dust. Whose power can compare with
Yours? You are the master of life and death and deliverance.

Whose mercy can compare with Yours, merciful Father?
In mercy You remember Your creatures with life.

Faithful are You in giving life to the dead. Praised are You, Lord,
Master of life and death.

Holy, awesome God

The Lord shall reign through all generations; your God, Zion,
shall reign forever. Halleluyah. You are holy, Lord, enthroned
upon the praises of the House of Israel.

The Ark is opened, as we rise

Our God

in heaven and on earth, mighty and revered,

one among millions, whose word is power,

whose command creates, whose fame is eternal,

who lives forever, who sees everything,

enthroned in mystery, crowned with deliverance,

robed in righteousness, cloaked in zeal,

נֶאְפָּד נְקָמָה סִתְרוֹ יֹשֶׁר.
עֲצָתוֹ אֱמוּנָה פְּעֻלָּתוֹ אֱמֶת.
צַדִּיק וְיָשָׁר קָרוֹב לְקוֹרְאָיו בֶּאֱמֶת.
רָם וּמִתְנַשֵּׂא שׁוֹכֵן שְׁחָקִים.

תּוֹלֶה אֶרֶץ עַל בְּלִימָה.
חַי וְקַיָּם נוֹרָא וּמָרוֹם וְקָדוֹשׁ.

וּבְכֵן לְךָ הַכֹּל יַכְתִּירוּ

לְאֵל עוֹרֵךְ דִּין
לְבוֹחֵן לְבָבוֹת בְּיוֹם דִּין, לְגוֹלֶה עֲמֻקּוֹת בַּדִּין.
לְדוֹבֵר מֵישָׁרִים בְּיוֹם דִּין, לְהוֹגֶה דֵעוֹת בַּדִּין.
לְוָתִיק וְעוֹשֶׂה חֶסֶד בְּיוֹם דִּין, לְזוֹכֵר בְּרִיתוֹ בַּדִּין.
לְחוֹמֵל מַעֲשָׂיו בְּיוֹם דִּין, לְטַהֵר חוֹסָיו בַּדִּין.
לְיוֹדֵעַ מַחֲשָׁבוֹת בְּיוֹם דִּין, לְכוֹבֵשׁ כַּעְסוֹ בַּדִּין.
לְלוֹבֵשׁ צְדָקוֹת בְּיוֹם דִּין, לְמוֹחֵל עֲוֹנוֹת בַּדִּין.
לְנוֹרָא תְהִלּוֹת בְּיוֹם דִּין, לְסוֹלֵחַ לַעֲמוּסָיו בַּדִּין.
לְעוֹנֶה לְקוֹרְאָיו בְּיוֹם דִּין, לְפוֹעֵל רַחֲמָיו בַּדִּין.
לְצוֹפֶה נִסְתָּרוֹת בְּיוֹם דִּין, לְקוֹנֶה עֲבָדָיו בַּדִּין.
לְרַחֵם עַמּוֹ בְּיוֹם דִּין, לְשׁוֹמֵר אוֹהֲבָיו בַּדִּין.

לְתוֹמֵךְ תְּמִימָיו בְּיוֹם דִּין.

girded with justice, equity His shelter,
faithfulness His counsel, truth His work,
righteous and just, near to those calling in truth,
lofty and exalted, abiding in the heavens.

He suspends the earth in space;
He lives, awesome, exalted and holy.

Let us now hail God's sovereignty,
acclaiming Him who sits in judgment.

He probes all hearts on the day of judgment;
  He reveals the concealed, in judgment.
He ordains righteousness on the day of judgment;
  He knows our deepest secrets, in judgment.
He is deliberate and merciful on the day of judgment;
  He remembers His covenant in judgment.
He spares His creatures on the day of judgment;
  He cleanses those who trust in Him, in judgment.
He knows man's thoughts on the day of judgment;
  He suppresses His wrath, in judgment.
He is clothed in compassion on the day of judgment;
  He pardons wrongdoing, in judgment.
He is deeply revered on the day of judgment;
  He forgives the people He has tended, in judgment.
He answers those who call Him on the day of judgment;
  He acts with compassion, in judgment.
He is aware of all mysteries on the day of judgment;
  He accepts those who serve Him, in judgment.
He has mercy for His people on the day of judgment;
  He guards those who love Him, in judgment.
He sustains His faithful on the day of judgment.

וּבְכֵן לְךָ תַעֲלֶה קְדֻשָּׁה, כִּי אַתָּה אֱלֹהֵינוּ מֶלֶךְ מוֹחֵל וְסוֹלֵחַ.

Kedushah

The Ark is closed. We recite Kedushah while standing, as a community proclaiming God's holiness.

נַעֲרִיצְךָ וְנַקְדִּישְׁךָ כְּסוֹד שִׂיחַ שַׂרְפֵי־קֹדֶשׁ הַמַּקְדִּישִׁים שִׁמְךָ בַּקֹּדֶשׁ, כַּכָּתוּב עַל יַד נְבִיאֶךָ, וְקָרָא זֶה אֶל זֶה וְאָמַר:

קָדוֹשׁ קָדוֹשׁ קָדוֹשׁ יְיָ צְבָאוֹת, מְלֹא כָל־הָאָרֶץ כְּבוֹדוֹ.

כְּבוֹדוֹ מָלֵא עוֹלָם, מְשָׁרְתָיו שׁוֹאֲלִים זֶה לָזֶה אַיֵּה מְקוֹם כְּבוֹדוֹ, לְעֻמָּתָם בָּרוּךְ יֹאמֵרוּ:

בָּרוּךְ כְּבוֹד יְיָ מִמְּקוֹמוֹ.

מִמְּקוֹמוֹ הוּא יִֽפֶן בְּרַחֲמִים וְיָחֹן עַם הַמְיַחֲדִים שְׁמוֹ עֶרֶב וָבֹקֶר בְּכָל־יוֹם תָּמִיד פַּעֲמַיִם בְּאַהֲבָה שְׁמַע אוֹמְרִים:

שְׁמַע יִשְׂרָאֵל יְיָ אֱלֹהֵינוּ יְיָ אֶחָד.

הוּא אֱלֹהֵינוּ הוּא אָבִינוּ הוּא מַלְכֵּנוּ הוּא מוֹשִׁיעֵנוּ, וְהוּא יַשְׁמִיעֵנוּ בְּרַחֲמָיו שֵׁנִית לְעֵינֵי כָּל־חָי, לִהְיוֹת לָכֶם לֵאלֹהִים:

אֲנִי יְיָ אֱלֹהֵיכֶם.

אַדִּיר אַדִּירֵנוּ יְיָ אֲדוֹנֵינוּ, מָה אַדִּיר שִׁמְךָ בְּכָל־הָאָרֶץ. וְהָיָה יְיָ לְמֶלֶךְ עַל כָּל־הָאָרֶץ, בַּיּוֹם הַהוּא יִהְיֶה יְיָ אֶחָד וּשְׁמוֹ אֶחָד. וּבְדִבְרֵי קָדְשְׁךָ כָּתוּב לֵאמֹר:

יִמְלֹךְ יְיָ לְעוֹלָם אֱלֹהַיִךְ צִיּוֹן לְדֹר וָדֹר, הַלְלוּיָהּ.

Our *Kedushah* ascends only to You, for You, our God, are a forgiving King.

Kedushah

The Ark is closed. We recite Kedushah while standing, as a community proclaiming God's holiness. The congregation chants the indented lines aloud.

We hallow Your name as celestial choirs hallow Your name, as in Your prophet's vision: The angels called one to another:

> *Ka-dosh ka-dosh ka-dosh Adonai tz'va-ot, m'lo khol ha-aretz k'vodo.*

> Holy, holy, holy Lord of hosts. The whole world is filled with His glory.

His glory fills the universe. When one angelic chorus asks, "Where is His glory?" another responds with praise:

> *Barukh k'vod Adonai mi-m'komo.*

> Praised is the Lord's glory throughout the universe.

May He turn in compassion, granting mercy to His people who twice daily, morning and evening, proclaim His Oneness with love:

> *Sh'ma yisra'el Adonai Elo-heinu Adonai eḥad.*

> Hear, O Israel: The Lord our God, the Lord is One.

He is our God and our Father. He is our King and our Redeemer. And in His mercy again will He declare, before all the world:

> *Ani Adonai Elo-hei-khem.*

> I am the Lord your God.

Our Lord eternal, how magnificent Your name in all the world. The Lord shall be acknowledged King of all the earth. On that day the Lord shall be One and His name One. And thus sang the Psalmist:

> *Yimlokh Adonai l'olam Elo-hayikh tzi-yon l'dor vador, ha-le-luyah.*

> The Lord shall reign through all generations; your God, Zion, shall reign forever. Halleluyah.

לְדוֹר וָדוֹר נַגִּיד גָּדְלֶךָ, וּלְנֵצַח נְצָחִים קְדֻשָּׁתְךָ נַקְדִּישׁ. וְשִׁבְחֲךָ אֱלֹהֵינוּ מִפִּינוּ לֹא יָמוּשׁ לְעוֹלָם וָעֶד כִּי אֵל מֶלֶךְ גָּדוֹל וְקָדוֹשׁ אָתָּה.

We are seated

חֲמוֹל עַל מַעֲשֶׂיךָ וְתִשְׂמַח בְּמַעֲשֶׂיךָ, וְיֹאמְרוּ לְךָ חוֹסֶיךָ בְּצַדֶּקְךָ עֲמוּסֶיךָ, תֻּקְדַּשׁ אָדוֹן עַל כָּל־מַעֲשֶׂיךָ.

וּבְכֵן תֵּן פַּחְדְּךָ יְיָ אֱלֹהֵינוּ עַל כָּל־מַעֲשֶׂיךָ וְאֵימָתְךָ עַל כָּל־מַה־שֶּׁבָּרָאתָ, וְיִירָאוּךָ כָּל־הַמַּעֲשִׂים וְיִשְׁתַּחֲווּ לְפָנֶיךָ כָּל־הַבְּרוּאִים, וְיֵעָשׂוּ כֻלָּם אֲגֻדָּה אַחַת לַעֲשׂוֹת רְצוֹנְךָ בְּלֵבָב שָׁלֵם, כְּמוֹ שֶׁיָּדַעְנוּ יְיָ אֱלֹהֵינוּ שֶׁהַשִּׁלְטוֹן לְפָנֶיךָ, עֹז בְּיָדְךָ וּגְבוּרָה בִּימִינֶךָ וְשִׁמְךָ נוֹרָא עַל כָּל־מַה־שֶּׁבָּרָאתָ.

וּבְכֵן תֵּן כָּבוֹד יְיָ לְעַמֶּךָ תְּהִלָּה לִירֵאֶיךָ וְתִקְוָה לְדוֹרְשֶׁיךָ וּפִתְחוֹן פֶּה לַמְיַחֲלִים לָךְ, שִׂמְחָה לְאַרְצֶךָ וְשָׂשׂוֹן לְעִירֶךָ וּצְמִיחַת קֶרֶן לְדָוִד עַבְדֶּךָ וַעֲרִיכַת נֵר לְבֶן־יִשַׁי מְשִׁיחֶךָ בִּמְהֵרָה בְיָמֵינוּ.

וּבְכֵן צַדִּיקִים יִרְאוּ וְיִשְׂמָחוּ וִישָׁרִים יַעֲלֹזוּ וַחֲסִידִים בְּרִנָּה יָגִילוּ, וְעוֹלָתָה תִּקְפָּץ־פִּיהָ וְכָל־הָרִשְׁעָה כֻּלָּהּ כְּעָשָׁן תִּכְלֶה כִּי תַעֲבִיר מֶמְשֶׁלֶת זָדוֹן מִן הָאָרֶץ.

וְתִמְלֹךְ אַתָּה יְיָ לְבַדֶּךָ עַל כָּל־מַעֲשֶׂיךָ בְּהַר צִיּוֹן מִשְׁכַּן כְּבוֹדֶךָ וּבִירוּשָׁלַיִם עִיר קָדְשֶׁךָ, כַּכָּתוּב בְּדִבְרֵי קָדְשֶׁךָ: יִמְלֹךְ יְיָ לְעוֹלָם אֱלֹהַיִךְ צִיּוֹן לְדֹר וָדֹר, הַלְלוּיָהּ.

קָדוֹשׁ אַתָּה וְנוֹרָא שְׁמֶךָ וְאֵין אֱלוֹהַּ מִבַּלְעָדֶיךָ, כַּכָּתוּב: וַיִּגְבַּהּ יְיָ צְבָאוֹת בַּמִּשְׁפָּט, וְהָאֵל הַקָּדוֹשׁ נִקְדַּשׁ בִּצְדָקָה. בָּרוּךְ אַתָּה יְיָ הַמֶּלֶךְ הַקָּדוֹשׁ.

We declare Your greatness through all generations, hallow Your holiness to all eternity. Your praise will never leave our lips, for You are God and King, great and holy.

We are seated

Have mercy for Your creatures, and rejoice in them. When in mercy You acquit Your flock on this day of judgment, those who trust in You shall declare: Be hallowed, Lord, through all You have created.

O Lord our God, let all Your creatures sense Your awesome power, let all that You have fashioned stand in fear and trembling. Let all mankind pledge You their allegiance, united wholeheartedly to carry out Your will. For we know, Lord our God, that Your sovereignty, Your power and Your awesome majesty are supreme over all creation.

Grant honor, Lord, to Your people, glory to those who revere You, hope to those who seek You and confidence to those who await You. Grant joy to Your land and gladness to Your city. Kindle the lamp of Your anointed servant, David, by fulfilling our prayers for the days of Messiah soon, in our days.

Then will the righteous be glad, the upright rejoice, the pious celebrate in song. When You remove the tyranny of arrogance from the earth, evil will be silenced, all wickedness will vanish like smoke.

Then You alone will rule all creation from Mount Zion, Your glorious throne, from Jerusalem, Your holy city. So is it written in the Psalms of David: The Lord will reign through all generations; your God, Zion, will reign forever. Halleluyah!

Holy, awesome, there is no God but You. Thus is it written by Your prophet: The Lord is exalted in justice, His holiness is seen in lovingkindness. Praised are You, Lord, holy King.

אַתָּה בְחַרְתָּנוּ מִכָּל־הָעַמִּים, אָהַבְתָּ אוֹתָנוּ וְרָצִיתָ בָּנוּ וְרוֹמַמְתָּנוּ מִכָּל־הַלְּשׁוֹנוֹת וְקִדַּשְׁתָּנוּ בְּמִצְוֹתֶיךָ וְקֵרַבְתָּנוּ מַלְכֵּנוּ לַעֲבוֹדָתֶךָ וְשִׁמְךָ הַגָּדוֹל וְהַקָּדוֹשׁ עָלֵינוּ קָרָאתָ.

וַתִּתֶּן־לָנוּ יְיָ אֱלֹהֵינוּ בְּאַהֲבָה אֶת־יוֹם הַשַּׁבָּת הַזֶּה לִקְדֻשָּׁה וְלִמְנוּחָה וְאֶת־יוֹם הַכִּפּוּרִים הַזֶּה לִמְחִילָה וְלִסְלִיחָה וּלְכַפָּרָה וְלִמְחָל־בּוֹ אֶת־כָּל־עֲוֹנוֹתֵינוּ בְּאַהֲבָה מִקְרָא קֹדֶשׁ, זֵכֶר לִיצִיאַת מִצְרָיִם.

אֱלֹהֵינוּ וֵאלֹהֵי אֲבוֹתֵינוּ, יַעֲלֶה וְיָבוֹא וְיַגִּיעַ וְיֵרָאֶה וְיֵרָצֶה וְיִשָּׁמַע וְיִפָּקֵד וְיִזָּכֵר זִכְרוֹנֵנוּ וּפִקְדוֹנֵנוּ, וְזִכְרוֹן אֲבוֹתֵינוּ וְזִכְרוֹן מָשִׁיחַ בֶּן־דָּוִד עַבְדֶּךָ וְזִכְרוֹן יְרוּשָׁלַיִם עִיר קָדְשֶׁךָ, וְזִכְרוֹן כָּל־עַמְּךָ בֵּית יִשְׂרָאֵל לְפָנֶיךָ, לִפְלֵיטָה וּלְטוֹבָה וּלְחֵן וּלְחֶסֶד וּלְרַחֲמִים וּלְחַיִּים וּלְשָׁלוֹם בְּיוֹם הַכִּפּוּרִים הַזֶּה. זָכְרֵנוּ יְיָ אֱלֹהֵינוּ בּוֹ לְטוֹבָה, וּפָקְדֵנוּ בוֹ לִבְרָכָה, וְהוֹשִׁיעֵנוּ בוֹ לְחַיִּים. וּבִדְבַר יְשׁוּעָה וְרַחֲמִים חוּס וְחָנֵּנוּ וְרַחֵם עָלֵינוּ וְהוֹשִׁיעֵנוּ כִּי אֵלֶיךָ עֵינֵינוּ, כִּי אֵל מֶלֶךְ חַנּוּן וְרַחוּם אָתָּה.

Seliḥot

אֵל מִי מְגוֹאֲלֵי דָם אֶצְעַק, וְיָדַי שָׁפְכוּ דָמִי?!
בָּחַנְתִּי לִבּוֹת מְשַׂנְאִים, וְאֵין לִי שׂוֹנֵא כִּלְבָבִי.
רַבִּים פִּצְעֵי אוֹיְבִים וּמַכּוֹתָם, וְאֵין מַכֶּה וּפוֹצֵעַ כְּנַפְשִׁי,
הֱדִיחוּנִי מַשְׁחִיתִים לְחַבֵּל, וְאֵין מֵסִית וּמַדִּיחַ כְּעֵינָי.
מִגַּחַל אֶל גַּחַל הִתְהַלַּכְתִּי, וְלֹא שְׂרָפַתְנִי אֵשׁ כְּחֹם תַּאֲוָתִי.
בְּפַחִים נִלְכַּדְתִּי וּבִמְצוֹדוֹת, וְלֹא לְכָדַנִי מוֹקֵשׁ כִּלְשׁוֹנִי.

You sanctify this day of pardon and forgiveness

You have chosen us of all nations for Your service by loving and favoring us as bearers of Your Torah. You have exalted us as a people by sanctifying us with Your commandments, identifying us with Your great and holy name.

Lord our God, lovingly have You given us *this Shabbat for sanctity and rest, and* this Yom Kippur for pardon, forgiveness and atonement, to pardon us for all our sins, a day for holy assembly and for recalling the Exodus from Egypt.

Our God and God of our fathers, on this Yom Kippur remember our fathers and be gracious to us. Consider the people standing before You praying for the days of Messiah and for Jerusalem Your holy city. Grant us life, well-being, lovingkindness and peace. Bless us, Lord our God, with all that is good. Remember Your promise of mercy and redemption. Be merciful to us and save us, for we place our hope in You, gracious and merciful God and King.

Seliḥot

Whom can I accuse, of whom revenge demand,
When I have borne deep suffering at my own hand?

Other hearts have held hatred for me,
But my own heart hates me more than anyone knows.

My body bears the wounds of relentless foes,
But none can match my self-inflicted wounds.

I have been seduced for my destruction
But none have lured me more than my own eyes.

I have been burned by countless fires,
But none compare to the heat of my desires.

In traps I've been ensnared by old and young,
But none have trapped me better than my tongue.

נְשָׁכוּנִי נָחָשׁ וְעַקְרָב, וְאֵין נוֹשֵׁךְ בְּשָׂרִי כְּשִׁנַּי,
שׁוֹדְדִים עַל קַל רְדָפוּנִי, וְאֵין רוֹדֵף אוֹתִי כְּרַגְלַי.
מַכְאוֹבַי עָצְמוּ וְאָמְצוּ מִמֶּנִּי, וְאֵין מַכְאוֹב כְּמָרְיִי,
וַיִּרְבּוּ מַדְוֵי לְבָבִי, וַעֲוֹנִי יוֹתֵר מִכֻּלָּם.
אֶל מִי אֶצְעַק וְעַל מִי? וּמַחֲרִיבַי מִמֶּנִּי יֵצֵאוּ!
לֹא מָצָאתִי לִי טוֹב כִּי אִם לָבוֹא בְּסֵתֶר רַחֲמֶיךָ.
רַחֲמֶיךָ הַפְלֵה עַל לֵב נִדְהָמִים,
אֵל מֶלֶךְ יוֹשֵׁב עַל כִּסֵּא רַחֲמִים.

God's covenant of compassion leads to forgiveness and atonement.

אֵל מֶלֶךְ יוֹשֵׁב עַל כִּסֵּא רַחֲמִים, מִתְנַהֵג בַּחֲסִידוּת, מוֹחֵל עֲוֹנוֹת עַמּוֹ, מַעֲבִיר רִאשׁוֹן רִאשׁוֹן, מַרְבֶּה מְחִילָה לְחַטָּאִים וּסְלִיחָה לְפוֹשְׁעִים. עוֹשֶׂה צְדָקוֹת עִם כָּל־בָּשָׂר וָרוּחַ, וְלֹא כְרָעָתָם תִּגְמֹל.

אֵל הוֹרֵיתָ לָּנוּ לוֹמַר שְׁלֹשׁ עֶשְׂרֵה, זְכָר־לָנוּ הַיּוֹם בְּרִית שְׁלֹשׁ עֶשְׂרֵה כְּהוֹדַעְתָּ לֶעָנָו מִקֶּדֶם, וְכֵן כָּתוּב: וַיֵּרֶד יְיָ בֶּעָנָן וַיִּתְיַצֵּב עִמּוֹ שָׁם, וַיִּקְרָא בְשֵׁם יְיָ. וַיַּעֲבֹר יְיָ עַל פָּנָיו וַיִּקְרָא:

The covenant

יְיָ יְיָ אֵל רַחוּם וְחַנּוּן, אֶרֶךְ אַפַּיִם וְרַב חֶסֶד וֶאֱמֶת
נֹצֵר חֶסֶד לָאֲלָפִים נֹשֵׂא עָוֹן וָפֶשַׁע וְחַטָּאָה, וְנַקֵּה.

וְסָלַחְתָּ לַעֲוֹנֵנוּ וּלְחַטָּאתֵנוּ, וּנְחַלְתָּנוּ.

Bandits have pursued me, fast and fleet,
But none pursue me faster than my feet.

> Pain overwhelms me, but no pain more than my rebellion.
> Anguish increases, but never faster than transgression.

Whom can I blame, how can I function,
When I am the source of my own destruction?

> I seek shelter for my soul, which You alone did fashion,
> For You, our God and King, are enthroned upon compassion.

*Because of our frailty we sin, we have constant faults and
failures. Because God's compassion is greater than His
justice, He forgives. We now recall His covenant of
compassion, which leads to forgiveness and atonement.*

Our God and King, enthroned upon compassion, rules with lovingkindness, forgives the transgressions of His people, and repeatedly pardons. He generously forgives sin, and deals mercifully with all mortals.

You have taught us, Lord, to recite the words which You proclaimed to Moses, declaring Your attributes of mercy. Remember in our favor Your covenant of compassion which You then revealed. Thus it is written in Your Torah: The Lord descended in a cloud and stood with him there, and proclaimed the name Lord. The Lord passed before him and proclaimed:

The covenant

THE LORD, THE LORD GOD IS GRACIOUS AND COMPASSIONATE, PATIENT, ABOUNDING IN KINDNESS AND FAITHFULNESS, ASSURING LOVE FOR A THOUSAND GENERATIONS, FORGIVING INIQUITY, TRANSGRESSION AND SIN, AND GRANTING PARDON.

Exodus 34:6–7

Then Moses prayed: "Pardon our iniquity, and our sin; claim us for Your own."

סְלַח לָֽנוּ אָבִֽינוּ כִּי חָטָֽאנוּ, מְחַל לָֽנוּ מַלְכֵּֽנוּ כִּי פָשָֽׁעְנוּ.
כִּי אַתָּה יְיָ טוֹב וְסַלָּח וְרַב חֶֽסֶד לְכָל־קוֹרְאֶֽיךָ.

אַל נָא תָשֵׁת עָלֵֽינוּ חַטָּאת, אֲשֶׁר נוֹאַֽלְנוּ וַאֲשֶׁר חָטָֽאנוּ.
חָטָֽאנוּ צוּרֵֽנוּ, סְלַח לָֽנוּ יוֹצְרֵֽנוּ.

זְכָר־לָֽנוּ בְּרִית אָבוֹת כַּאֲשֶׁר אָמַֽרְתָּ: וְזָכַרְתִּי אֶת־בְּרִיתִי יַעֲקוֹב, וְאַף אֶת־בְּרִיתִי יִצְחָק וְאַף אֶת־בְּרִיתִי אַבְרָהָם אֶזְכֹּר וְהָאָֽרֶץ אֶזְכֹּר. זְכָר־לָֽנוּ בְּרִית רִאשׁוֹנִים כַּאֲשֶׁר אָמַֽרְתָּ: וְזָכַרְתִּי לָהֶם בְּרִית רִאשֹׁנִים, אֲשֶׁר הוֹצֵֽאתִי אֹתָם מֵאֶֽרֶץ מִצְרַֽיִם לְעֵינֵי הַגּוֹיִם לִהְיוֹת לָהֶם לֵאלֹהִים, אֲנִי יְיָ. רַחֵם עָלֵֽינוּ וְאַל תַּשְׁחִיתֵֽנוּ, כְּמָה שֶׁכָּתוּב: כִּי אֵל רַחוּם יְיָ אֱלֹהֶֽיךָ, לֹא יַרְפְּךָ וְלֹא יַשְׁחִיתֶֽךָ וְלֹא יִשְׁכַּח אֶת־בְּרִית אֲבֹתֶֽיךָ אֲשֶׁר נִשְׁבַּע לָהֶם. הִמָּצֵא לָֽנוּ בְּבַקָּשָׁתֵֽנוּ, כְּמָה שֶׁכָּתוּב: וּבִקַּשְׁתֶּם מִשָּׁם אֶת־יְיָ אֱלֹהֶֽיךָ וּמָצָֽאתָ, כִּי תִדְרְשֶֽׁנּוּ בְּכָל־לְבָבְךָ וּבְכָל־נַפְשֶֽׁךָ.

מְחֵה פְשָׁעֵֽינוּ כָּעָב וְכֶעָנָן, כַּאֲשֶׁר אָמַֽרְתָּ: מָחִֽיתִי כָעָב פְּשָׁעֶֽיךָ וְכֶעָנָן חַטֹּאותֶֽיךָ, שׁוּבָה אֵלַי כִּי גְאַלְתִּֽיךָ. זְרֹק עָלֵֽינוּ מַֽיִם טְהוֹרִים וְטַהֲרֵֽנוּ, כְּמָה שֶׁכָּתוּב: וְזָרַקְתִּי עֲלֵיכֶם מַֽיִם טְהוֹרִים וּטְהַרְתֶּם, מִכֹּל טֻמְאוֹתֵיכֶם וּמִכָּל־גִּלּוּלֵיכֶם אֲטַהֵר אֶתְכֶם. כַּפֵּר חֲטָאֵֽינוּ בַּיּוֹם הַזֶּה וְטַהֲרֵֽנוּ, כְּמָה שֶׁכָּתוּב: כִּי בַיּוֹם הַזֶּה יְכַפֵּר עֲלֵיכֶם לְטַהֵר אֶתְכֶם, מִכֹּל חַטֹּאתֵיכֶם לִפְנֵי יְיָ תִּטְהָֽרוּ. הֲבִיאֵֽנוּ אֶל הַר קָדְשֶֽׁךָ וְשַׂמְּחֵֽנוּ בְּבֵית תְּפִלָּתֶֽךָ, כְּמָה שֶׁכָּתוּב: וַהֲבִיאוֹתִים אֶל הַר קָדְשִׁי וְשִׂמַּחְתִּים בְּבֵית תְּפִלָּתִי . . . כִּי בֵיתִי בֵּית תְּפִלָּה יִקָּרֵא לְכָל־הָעַמִּים.

Forgive us, our Father, for we have sinned.
Pardon us, our King, for we have transgressed.

You, O Lord, are generous and forgiving.
Great is Your love for all who call to You.

Judge us not harshly for the sins which we have foolishly committed. We have sinned, our Rock! Forgive us, our Creator!

Remember Your covenant with our fathers, as promised in the Torah: "I will remember My covenant with Jacob, Isaac and Abraham, and the Land will I remember. . . . And I will remember My covenant with their ancestors whom I took out of the land of Egypt in the sight of all nations, to be their God. I am the Lord." Have compassion for us, destroy us not, as it is written in the Torah: "The Lord your God is compassionate. He will neither fail nor destroy you; He will not forget the covenant He made with your fathers." Be with us when we seek You, for it is written in the Torah: "When you seek the Lord your God, you will find Him if you seek with all your heart and with all your might."

Sweep aside our transgressions like a mist, disperse them like a cloud, as You have promised: "I have swept aside your transgressions like a mist, your sins are dispersed like a cloud. Return unto Me, for I have redeemed you." Purify us, as Your prophet Ezekiel promised in Your name: "I will sprinkle clean water upon you and you shall be cleansed. Of all your impurities and idolatries shall I cleanse you." Pardon our sins this day, cleanse us, as promised in the Torah: "For on this day atonement shall be made for you to cleanse you; of all your sins before the Lord you shall be cleansed." Bring us to Your holy mountain, that we may rejoice in Your house of prayer, as Your prophet Isaiah declared in Your name: "I will bring them to My holy mountain, that they may rejoice in My house of prayer, for My house of prayer shall be called a house of prayer for all people."

Sh'ma Koleinu

We rise

שְׁמַע קוֹלֵנוּ, יְיָ אֱלֹהֵינוּ, חוּס וְרַחֵם עָלֵינוּ,
וְקַבֵּל בְּרַחֲמִים וּבְרָצוֹן אֶת־תְּפִלָּתֵנוּ.
הֲשִׁיבֵנוּ יְיָ אֵלֶיךָ וְנָשׁוּבָה, חַדֵּשׁ יָמֵינוּ כְּקֶדֶם.

אַל תַּשְׁלִיכֵנוּ מִלְּפָנֶיךָ, וְרוּחַ קָדְשְׁךָ אַל תִּקַּח מִמֶּנּוּ.
אַל תַּשְׁלִיכֵנוּ לְעֵת זִקְנָה, כִּכְלוֹת כֹּחֵנוּ אַל תַּעַזְבֵנוּ.
אַל תַּעַזְבֵנוּ, יְיָ אֱלֹהֵינוּ, אַל תִּרְחַק מִמֶּנּוּ.

עֲשֵׂה עִמָּנוּ אוֹת לְטוֹבָה וְיִרְאוּ שׂוֹנְאֵינוּ וְיֵבֹשׁוּ,
כִּי אַתָּה יְיָ עֲזַרְתָּנוּ וְנִחַמְתָּנוּ.

אֲמָרֵינוּ הַאֲזִינָה יְיָ, בִּינָה הֲגִיגֵנוּ.
יִהְיוּ לְרָצוֹן אִמְרֵי־פִינוּ וְהֶגְיוֹן לִבֵּנוּ לְפָנֶיךָ, יְיָ צוּרֵנוּ וְגוֹאֲלֵנוּ.

כִּי לְךָ יְיָ הוֹחָלְנוּ, אַתָּה תַעֲנֶה, אֲדֹנָי אֱלֹהֵינוּ.

We are seated

אֱלֹהֵינוּ וֵאלֹהֵי אֲבוֹתֵינוּ, אַל תַּעַזְבֵנוּ וְאַל תִּטְּשֵׁנוּ וְאַל תַּכְלִימֵנוּ
וְאַל תָּפֵר בְּרִיתְךָ אִתָּנוּ. קָרְבֵנוּ לְתוֹרָתֶךָ, לַמְּדֵנוּ מִצְוֹתֶיךָ, הוֹרֵנוּ
דְרָכֶיךָ. הַט לִבֵּנוּ לְיִרְאָה אֶת־שְׁמֶךָ וּמוֹל אֶת־לְבָבֵנוּ לְאַהֲבָתֶךָ
וְנָשׁוּב אֵלֶיךָ בֶּאֱמֶת וּבְלֵב שָׁלֵם. וּלְמַעַן שִׁמְךָ הַגָּדוֹל תִּמְחַל
וְתִסְלַח לַעֲוֹנֵינוּ, כַּכָּתוּב בְּדִבְרֵי קָדְשֶׁךָ: לְמַעַן שִׁמְךָ יְיָ, וְסָלַחְתָּ
לַעֲוֹנִי כִּי רַב הוּא.

Sh'ma Koleinu

We rise

Hear our voice, Lord our God, pity us, save us,
Accept our prayer with compassion and kindness.

> *Help us return to You, and we shall return;*
> *Renew our lives as when we were young.*

Cast us not away from Your Presence,
Take not Your holy spirit from us.

> *Cast us not away when we are old,*
> *When our strength is gone do not abandon us.*

Do not abandon us, Lord our God, do not be far from us.

> *Show us a sign of grace, in spite of our foes;*
> *For You are our help and our comfort.*

Hear our words, O Lord, and consider our inmost thoughts.

> *May the words of our mouth and the meditations of our heart*
> *Be acceptable to You, O Lord, our Rock and our Redeemer.*

For You we wait, our God; You, O Lord, will answer.

We are seated

Our God and God of our fathers, forsake us not, shame us not. Break not Your covenant with us. Bring us nearer to Your Torah, teach us Your commandments, show us Your ways. Soften our hardened hearts so that we may love and revere You, returning to You wholeheartedly. As the Psalmist sang: "For Your own sake, Lord, pardon my sin though it is great."

This confession of faith expresses the profound reciprocity between God and man.

אֱלֹהֵינוּ וֵאלֹהֵי אֲבוֹתֵינוּ, סְלַח לָנוּ, מְחַל לָנוּ, כַּפֶּר־לָנוּ.

כִּי אָנוּ עַמֶּךָ וְאַתָּה אֱלֹהֵינוּ, אָנוּ בָנֶיךָ וְאַתָּה אָבִינוּ.

אָנוּ עֲבָדֶיךָ וְאַתָּה אֲדוֹנֵנוּ, אָנוּ קְהָלֶךָ וְאַתָּה חֶלְקֵנוּ.

אָנוּ נַחֲלָתֶךָ וְאַתָּה גוֹרָלֵנוּ, אָנוּ צֹאנֶךָ וְאַתָּה רוֹעֵנוּ.

אָנוּ כַרְמֶךָ וְאַתָּה נוֹטְרֵנוּ, אָנוּ פְעֻלָּתֶךָ וְאַתָּה יוֹצְרֵנוּ.

אָנוּ רַעְיָתֶךָ וְאַתָּה דוֹדֵנוּ, אָנוּ סְגֻלָּתֶךָ וְאַתָּה קְרוֹבֵנוּ.

אָנוּ עַמֶּךָ וְאַתָּה מַלְכֵּנוּ, אָנוּ מַאֲמִירֶךָ וְאַתָּה מַאֲמִירֵנוּ.

This confession of faith expresses the profound contrast between God and man.

אָנוּ עַזֵּי פָנִים וְאַתָּה רַחוּם וְחַנּוּן. אָנוּ קְשֵׁי עֹרֶף וְאַתָּה אֶרֶךְ אַפַּיִם. אָנוּ מְלֵאֵי עָוֹן וְאַתָּה מָלֵא רַחֲמִים. אָנוּ יָמֵינוּ כְּצֵל עוֹבֵר וְאַתָּה הוּא וּשְׁנוֹתֶיךָ לֹא יִתָּמּוּ.

אֱלֹהֵינוּ וֵאלֹהֵי אֲבוֹתֵינוּ, תָּבוֹא לְפָנֶיךָ תְּפִלָּתֵנוּ וְאַל תִּתְעַלַּם מִתְּחִנָּתֵנוּ, שֶׁאֵין אֲנַחְנוּ עַזֵּי פָנִים וּקְשֵׁי עֹרֶף לוֹמַר לְפָנֶיךָ, יְיָ אֱלֹהֵינוּ וֵאלֹהֵי אֲבוֹתֵינוּ, צַדִּיקִים אֲנַחְנוּ וְלֹא חָטָאנוּ, אֲבָל אֲנַחְנוּ חָטָאנוּ.

This confession of faith expresses the profound reciprocity between God and man.

Our God and God of our fathers, forgive us, pardon us, grant us atonement.

For we are Your People, and You our God.

We are Your children, and You our Father.

We are Your servants, and You our Master.

We are Your congregation, and You our only One.

We are Your heritage, and You our Destiny.

We are Your flock, and You our Shepherd.

We are Your vineyard, and You our Watchman.

We are Your creatures, and You our Creator.

We are Your faithful, and You our Beloved.

We are Your treasure, and You our Protector.

We are Your subjects, and You our King.

We have chosen You, and You have chosen us.

This confession of faith expresses the profound contrast between God and man.

We are insolent, but You are gracious and compassionate. We are obstinate, but You are patient. We excel at sin, but You excel at mercy. Our days are a passing shadow, while You are eternal, Your years without end.

Hear our prayer; do not ignore our plea. We are neither so insolent nor so obstinate as to claim that we are righteous, without sin, for we have surely sinned.

Vidui

Congregation rises

אָשַׁמְנוּ, בָּגַדְנוּ, גָּזַלְנוּ, דִּבַּרְנוּ דֹפִי.

הֶעֱוִינוּ, וְהִרְשַׁעְנוּ, זַדְנוּ, חָמַסְנוּ,

טָפַלְנוּ שֶׁקֶר. יָעַצְנוּ רָע, כִּזַּבְנוּ, לַצְנוּ,

מָרַדְנוּ, נִאַצְנוּ, סָרַרְנוּ, עָוִינוּ,

פָּשַׁעְנוּ, צָרַרְנוּ, קִשִּׁינוּ עֹרֶף. רָשַׁעְנוּ,

שִׁחַתְנוּ, תִּעַבְנוּ, תָּעִינוּ, תִּעְתָּעְנוּ.

Congregation is seated

סַרְנוּ מִמִּצְוֹתֶיךָ וּמִמִּשְׁפָּטֶיךָ הַטּוֹבִים וְלֹא שָׁוָה לָנוּ, וְאַתָּה צַדִּיק עַל כָּל־הַבָּא עָלֵינוּ, כִּי אֱמֶת עָשִׂיתָ וַאֲנַחְנוּ הִרְשָׁעְנוּ.

הִרְשַׁעְנוּ וּפָשַׁעְנוּ, לָכֵן לֹא נוֹשָׁעְנוּ. וְתֵן בְּלִבֵּנוּ לַעֲזֹב דֶּרֶךְ רֶשַׁע וְחִישׁ לָנוּ יֶשַׁע, כַּכָּתוּב עַל יַד נְבִיאֶךָ: יַעֲזֹב רָשָׁע דַּרְכּוֹ וְאִישׁ אָוֶן מַחְשְׁבֹתָיו, וְיָשֹׁב אֶל יְיָ וִירַחֲמֵהוּ וְאֶל אֱלֹהֵינוּ כִּי יַרְבֶּה לִסְלוֹחַ.

אֱלֹהֵינוּ וֵאלֹהֵי אֲבוֹתֵינוּ, סְלַח וּמְחַל לַעֲוֹנוֹתֵינוּ בְּיוֹם הַשַּׁבָּת הַזֶּה וּבְיוֹם הַכִּפּוּרִים הַזֶּה. מְחֵה וְהַעֲבֵר פְּשָׁעֵינוּ וְחַטֹּאתֵינוּ מִנֶּגֶד עֵינֶיךָ וְכֹף אֶת־יִצְרֵנוּ לְהִשְׁתַּעְבֶּד־לָךְ, וְהַכְנַע עָרְפֵּנוּ לָשׁוּב אֵלֶיךָ וְחַדֵּשׁ כִּלְיוֹתֵינוּ לִשְׁמֹר פִּקּוּדֶיךָ וּמוֹל אֶת־לְבָבֵנוּ לְאַהֲבָה וּלְיִרְאָה אֶת־

Vidui

Congregation rises

Ashamnu bagadnu gazalnu dibarnu dofi.
He'evinu vehirshanu zadnu ḥamasnu
tafalnu shaker. Ya'atznu ra, kizavnu latznu
maradnu ni'atznu sararnu 'avinu
pashanu tzararnu kishinu 'oref. Rashanu
shiḥatnu ti'avnu ta'inu titanu.

We abuse, we betray, we are cruel.
We destroy, we embitter, we falsify.
We gossip, we hate, we insult.
We jeer, we kill, we lie.
We mock, we neglect, we oppress.
We pervert, we quarrel, we rebel.
We steal, we transgress, we are unkind.
We are violent, we are wicked, we are xenophobic.
We yield to evil, we are zealots for bad causes.

Congregation is seated

We have ignored Your commandments and statutes, and it has not profited us. You are just, we have stumbled. You have acted faithfully, we have been unrighteous.

We have sinned, we have transgressed. Therefore we have not been saved. Endow us with the will to forsake evil; save us soon. Thus Your prophet Isaiah declared: "Let the wicked forsake his path, and the unrighteous man his plottings. Let him return to the Lord, who will show him compassion. Let him return to our God, who will surely forgive him."

Our God and God of our fathers, forgive and pardon our sins *on this Shabbat and* on this Yom Kippur. Answer our prayers by removing our transgressions from Your sight. Subdue our impulse to evil; submit us to Your service, that we may return to You. Renew our will to observe Your precepts. Soften our

שְׁמֶךָ, כַּכָּתוּב בְּתוֹרָתֶךָ: וּמָל יְיָ אֱלֹהֶיךָ אֶת־לְבָבְךָ וְאֶת־לְבַב זַרְעֶךָ, לְאַהֲבָה אֶת־יְיָ אֱלֹהֶיךָ בְּכָל־לְבָבְךָ וּבְכָל־נַפְשְׁךָ לְמַעַן חַיֶּיךָ.

הַזְּדוֹנוֹת וְהַשְּׁגָגוֹת אַתָּה מַכִּיר. הָרָצוֹן וְהָאֹנֶס, הַגְּלוּיִים וְהַנִּסְתָּרִים לְפָנֶיךָ הֵם גְּלוּיִים וִידוּעִים. מָה אָנוּ, מֶה חַיֵּינוּ, מֶה חַסְדֵּנוּ, מַה־צִּדְקֵנוּ, מַה־יִּשְׁעֵנוּ, מַה־כֹּחֵנוּ, מַה־גְּבוּרָתֵנוּ. מַה־נֹּאמַר לְפָנֶיךָ, יְיָ אֱלֹהֵינוּ וֵאלֹהֵי אֲבוֹתֵינוּ, הֲלֹא כָּל־הַגִּבּוֹרִים כְּאַיִן לְפָנֶיךָ וְאַנְשֵׁי הַשֵּׁם כְּלֹא הָיוּ וַחֲכָמִים כִּבְלִי מַדָּע וּנְבוֹנִים כִּבְלִי הַשְׂכֵּל, כִּי רֹב מַעֲשֵׂיהֶם תֹּהוּ וִימֵי חַיֵּיהֶם הֶבֶל לְפָנֶיךָ. וּמוֹתַר הָאָדָם מִן הַבְּהֵמָה אָיִן, כִּי הַכֹּל הָבֶל.

מַה־נֹּאמַר לְפָנֶיךָ יוֹשֵׁב מָרוֹם וּמַה־נְּסַפֵּר לְפָנֶיךָ שׁוֹכֵן שְׁחָקִים. הֲלֹא כָּל־הַנִּסְתָּרוֹת וְהַנִּגְלוֹת אַתָּה יוֹדֵעַ.

שִׁמְךָ מֵעוֹלָם עוֹבֵר עַל פֶּשַׁע. שַׁוְעָתֵנוּ תַּאֲזִין בְּעָמְדֵנוּ לְפָנֶיךָ בִּתְפִלָּה. תַּעֲבֹר עַל פֶּשַׁע לְעַם שָׁבֵי פֶשַׁע. תִּמְחֶה אַשְׁמָתֵינוּ מִנֶּגֶד עֵינֶיךָ.

אַתָּה יוֹדֵעַ רָזֵי עוֹלָם וְתַעֲלוּמוֹת סִתְרֵי כָל־חָי. אַתָּה חוֹפֵשׂ כָּל־חַדְרֵי־בָטֶן וּבוֹחֵן כְּלָיוֹת וָלֵב. אֵין דָּבָר נֶעְלָם מִמֶּךָּ וְאֵין נִסְתָּר מִנֶּגֶד עֵינֶיךָ.

וּבְכֵן יְהִי רָצוֹן מִלְּפָנֶיךָ יְיָ אֱלֹהֵינוּ וֵאלֹהֵי אֲבוֹתֵינוּ שֶׁתִּסְלַח לָנוּ עַל כָּל־חַטֹּאתֵינוּ וְתִמְחַל לָנוּ עַל כָּל־עֲוֹנוֹתֵינוּ וּתְכַפֶּר־לָנוּ עַל כָּל־פְּשָׁעֵינוּ.

hardened hearts so that we may love and revere You, as it is written in Your Torah: "And the Lord your God will soften your heart and the heart of your children, so that you will love the Lord your God with all your heart and with all your being, that you may live."

You know our sins, whether deliberate or not, whether committed willingly or under compulsion, whether in public or in private. What are we? What is our piety? What is our righteousness, our attainment, our power, our might? What can we say, Lord our God and God of our fathers? Compared to You, all the mighty are nothing, the famous are non-existent, the wise lack wisdom, the clever lack reason. For most of their actions are meaninglessness, the days of their lives emptiness. Man's superiority to the beast is an illusion. All life is a fleeting breath.

What can we say to You, what can we tell You?
You know all things, secret and revealed.

You always forgive transgressions. Hear the cry of our prayer. Pass over the transgressions of a people who turn away from transgression. Blot out our sins from Your sight.

You know the mysteries of the universe, the secrets of everyone alive. You probe our innermost depths, You examine our thoughts and desires. Nothing escapes You, nothing is hidden from You.

May it therefore be Your will, Lord our God and God of our fathers, to forgive us all our sins, to pardon all our iniquities, to grant us atonement for all our transgressions.

We rise to confess our moral failures.

עַל חֵטְא שֶׁחָטָאנוּ לְפָנֶיךָ בְּאֹנֶס וּבְרָצוֹן,

וְעַל חֵטְא שֶׁחָטָאנוּ לְפָנֶיךָ בִּבְלִי דָעַת.

עַל חֵטְא שֶׁחָטָאנוּ לְפָנֶיךָ בְּגִלּוּי עֲרָיוֹת,

וְעַל חֵטְא שֶׁחָטָאנוּ לְפָנֶיךָ בְּדַעַת וּבְמִרְמָה.

עַל חֵטְא שֶׁחָטָאנוּ לְפָנֶיךָ בְּהוֹנָאַת רֵעַ,

וְעַל חֵטְא שֶׁחָטָאנוּ לְפָנֶיךָ בִּוְעִידַת זְנוּת.

עַל חֵטְא שֶׁחָטָאנוּ לְפָנֶיךָ בְּזִלְזוּל הוֹרִים וּמוֹרִים,

וְעַל חֵטְא שֶׁחָטָאנוּ לְפָנֶיךָ בְּחֹזֶק יָד.

עַל חֵטְא שֶׁחָטָאנוּ לְפָנֶיךָ בְּטֻמְאַת שְׂפָתָיִם,

וְעַל חֵטְא שֶׁחָטָאנוּ לְפָנֶיךָ בְּיֵצֶר הָרָע.

וְעַל כֻּלָּם אֱלוֹהַּ סְלִיחוֹת, סְלַח לָנוּ, מְחַל לָנוּ, כַּפֶּר־לָנוּ.

עַל חֵטְא שֶׁחָטָאנוּ לְפָנֶיךָ בְּכַחַשׁ וּבְכָזָב,

וְעַל חֵטְא שֶׁחָטָאנוּ לְפָנֶיךָ בְּלָצוֹן.

עַל חֵטְא שֶׁחָטָאנוּ לְפָנֶיךָ בְּמַשָּׂא וּבְמַתָּן,

וְעַל חֵטְא שֶׁחָטָאנוּ לְפָנֶיךָ בְּנֶשֶׁךְ וּבְמַרְבִּית.

עַל חֵטְא שֶׁחָטָאנוּ לְפָנֶיךָ בְּשִׂיחַ שִׂפְתוֹתֵינוּ,

וְעַל חֵטְא שֶׁחָטָאנוּ לְפָנֶיךָ בְּעֵינַיִם רָמוֹת.

עַל חֵטְא שֶׁחָטָאנוּ לְפָנֶיךָ בִּפְרִיקַת עֹל,

וְעַל חֵטְא שֶׁחָטָאנוּ לְפָנֶיךָ בִּצְדִיַּת רֵעַ.

עַל חֵטְא שֶׁחָטָאנוּ לְפָנֶיךָ בְּקַלּוּת רֹאשׁ,

וְעַל חֵטְא שֶׁחָטָאנוּ לְפָנֶיךָ בְּרִיצַת רַגְלַיִם לְהָרַע.

עַל חֵטְא שֶׁחָטָאנוּ לְפָנֶיךָ בִּשְׁבוּעַת שָׁוְא,

וְעַל חֵטְא שֶׁחָטָאנוּ לְפָנֶיךָ בִּתְשׂוּמֶת יָד.

וְעַל כֻּלָּם אֱלוֹהַּ סְלִיחוֹת, סְלַח לָנוּ, מְחַל לָנוּ, כַּפֶּר־לָנוּ.

We are seated.

We rise to confess our moral failures.

We have sinned against You unwillingly and willingly,

And we have sinned against You by misusing our minds.

We have sinned against You by immoral sexual acts,

And we have sinned against you knowingly and deceitfully.

We have sinned against You by wronging others,

And we have sinned against You by supporting immorality.

We have sinned against You by deriding parents and teachers.

And we have sinned against You by using violence.

We have sinned against You by being foul-mouthed.

And we have sinned against You by not resisting the impulse to evil.

V'al kulam Elo-ah seliḥot, selaḥ lanu, meḥal lanu, kapper lanu.

For all these sins, forgiving God, forgive us, pardon us, grant us atonement.

We have sinned against You by fraud and by falsehood,

And we have sinned against You by scoffing.

We have sinned against You by dishonesty in business,

And we have sinned against You by taking usurious interest.

We have sinned against You by idle chatter,

And we have sinned against You by haughtiness.

We have sinned against You by rejecting responsibility,

And we have sinned against You by plotting against others.

We have sinned against You by irreverence,

And we have sinned against You by rushing to do evil.

We have sinned against You by taking vain oaths,

And we have sinned against You by breach of trust.

V'al kulam Elo-ah seliḥot, selaḥ, lanu, meḥal, lanu, kapper lanu.

For all these sins, forgiving God, forgive us, pardon us, grant us atonement.

We are seated.

וְעַל מִצְוַת עֲשֵׂה וְעַל מִצְוַת לֹא תַעֲשֶׂה, בֵּין שֶׁיֶּשׁ־בָּהּ קוּם עֲשֵׂה וּבֵין שֶׁאֵין בָּהּ קוּם עֲשֵׂה, אֶת־הַגְּלוּיִים לָנוּ וְאֶת־שֶׁאֵינָם גְּלוּיִים לָנוּ. אֶת־הַגְּלוּיִים לָנוּ כְּבָר אֲמַרְנוּם לְפָנֶיךָ וְהוֹדִינוּ לְךָ עֲלֵיהֶם, וְאֶת־שֶׁאֵינָם גְּלוּיִים לָנוּ לְפָנֶיךָ הֵם גְּלוּיִים וִידוּעִים, כַּדָּבָר שֶׁנֶּאֱמַר: הַנִּסְתָּרֹת לַייָ אֱלֹהֵינוּ, וְהַנִּגְלֹת לָנוּ וּלְבָנֵינוּ עַד עוֹלָם לַעֲשׂוֹת אֶת־כָּל־דִּבְרֵי הַתּוֹרָה הַזֹּאת.

וְדָוִד עַבְדְּךָ אָמַר לְפָנֶיךָ: שְׁגִיאוֹת מִי יָבִין, מִנִּסְתָּרוֹת נַקֵּנִי. נַקֵּנוּ יְיָ אֱלֹהֵינוּ מִכָּל־פְּשָׁעֵינוּ וְטַהֲרֵנוּ מִכָּל־טֻמְאוֹתֵינוּ וּזְרֹק עָלֵינוּ מַיִם טְהוֹרִים וְטַהֲרֵנוּ, כַּכָּתוּב עַל יַד נְבִיאֶךָ: וְזָרַקְתִּי עֲלֵיכֶם מַיִם טְהוֹרִים וּטְהַרְתֶּם, מִכֹּל טֻמְאוֹתֵיכֶם וּמִכָּל־גִּלּוּלֵיכֶם אֲטַהֵר אֶתְכֶם.

וְנֶאֱמַר: שׁוּבָה יִשְׂרָאֵל עַד יְיָ אֱלֹהֶיךָ, כִּי כָשַׁלְתָּ בַּעֲוֺנֶךָ. קְחוּ עִמָּכֶם דְּבָרִים וְשׁוּבוּ אֶל יְיָ, אִמְרוּ אֵלָיו כָּל־תִּשָּׂא עָוֺן וְקַח טוֹב וּנְשַׁלְּמָה פָרִים שְׂפָתֵינוּ.

וְאַתָּה רַחוּם מְקַבֵּל שָׁבִים, וְעַל הַתְּשׁוּבָה מֵרֹאשׁ הִבְטַחְתָּנוּ וְעַל הַתְּשׁוּבָה עֵינֵינוּ מְיַחֲלוֹת לָךְ.

אֱלֹהֵינוּ וֵאלֹהֵי אֲבוֹתֵינוּ, מְחַל לַעֲוֺנוֹתֵינוּ בְּיוֹם הַשַּׁבָּת הַזֶּה וּבְיוֹם הַכִּפּוּרִים הַזֶּה מְחֵה וְהַעֲבֵר פְּשָׁעֵינוּ וְחַטֹּאתֵינוּ מִנֶּגֶד עֵינֶיךָ, כָּאָמוּר: אָנֹכִי אָנֹכִי הוּא מֹחֶה פְשָׁעֶיךָ לְמַעֲנִי, וְחַטֹּאתֶיךָ לֹא אֶזְכֹּר. וְנֶאֱמַר: מָחִיתִי כָעָב פְּשָׁעֶיךָ וְכֶעָנָן חַטֹּאתֶיךָ, שׁוּבָה אֵלַי כִּי גְאַלְתִּיךָ. וְנֶאֱמַר: כִּי בַיּוֹם הַזֶּה יְכַפֵּר עֲלֵיכֶם לְטַהֵר אֶתְכֶם מִכֹּל חַטֹּאתֵיכֶם לִפְנֵי יְיָ תִּטְהָרוּ. אֱלֹהֵינוּ וֵאלֹהֵי אֲבוֹתֵינוּ, רְצֵה בִמְנוּחָתֵנוּ קַדְּשֵׁנוּ בְּמִצְוֺתֶיךָ וְתֵן חֶלְקֵנוּ בְּתוֹרָתֶךָ, שַׂבְּעֵנוּ מִטּוּבֶךָ וְשַׂמְּחֵנוּ בִּישׁוּעָתֶךָ וְהַנְחִילֵנוּ יְיָ אֱלֹהֵינוּ בְּאַהֲבָה וּבְרָצוֹן שַׁבַּת קָדְשֶׁךָ וְיָנוּחוּ בָהּ

Forgive us the breach of all commandments and prohibitions, whether involving deeds or not, whether known to us or not. The sins known to us we have acknowledged, and those unknown to us are surely known to You, as the Torah states: "The secret things belong to the Lord our God, but the things that are revealed belong to us and to our children forever, that we may fulfill all the words of this Torah."

Your servant David cried out to You: "Who can discern his own errors? Cleanse me, therefore, of secret sin." Cleanse us, Lord, of all our transgressions; purify us of all our impurities, as Ezekiel spoke in Your name: "I will sprinkle clean water upon you, and you shall be cleansed; of all your impurities and all your idolatries will I cleanse you."

Your prophet Hosea declared: "Return, O Israel, to the Lord your God, for you have stumbled because of your sin. Take words with you and return to the Lord. Say to Him: Forgive all sin, and accept that which is good. Thus will we offer the prayers on our lips in place of bullocks."

For You are compassionate, welcoming those who turn back to You. You have made repentance possible since the dawn of Creation. Because repentance exists, we look hopefully to You.

Our God and God of our fathers, forgive our sins on this *Shabbat and this* Yom Kippur. Blot out and disregard our transgressions, as Isaiah declared in Your name: "I alone blot out your transgressions, for My sake; your sins I shall not recall. I have swept away your transgressions like a cloud, your sins like mist. Return to Me, for I have redeemed you." And the Torah promises: "For on this day atonement shall be made for you, to cleanse you; of all your sins before the Lord shall you be cleansed."

Our God and God of our fathers *accept our Shabbat offering of rest,* make our lives holy with Your commandments and let Your Torah be our portion. Fill our lives with Your goodness, and gladden us with Your triumph. *Lovingly and willingly, Lord*

יִשְׂרָאֵל מְקַדְּשֵׁי שְׁמֶךָ וְטַהֵר לִבֵּנוּ לְעָבְדְּךָ בֶּאֱמֶת, כִּי אַתָּה סָלְחָן לְיִשְׂרָאֵל וּמָחֳלָן לְשִׁבְטֵי יְשֻׁרוּן בְּכָל־דּוֹר וָדוֹר וּמִבַּלְעָדֶיךָ אֵין לָנוּ מֶלֶךְ מוֹחֵל וְסוֹלֵחַ אֶלָּא אָתָּה. בָּרוּךְ אַתָּה יְיָ מֶלֶךְ מוֹחֵל וְסוֹלֵחַ לַעֲוֹנוֹתֵינוּ וְלַעֲוֹנוֹת עַמּוֹ בֵּית יִשְׂרָאֵל וּמַעֲבִיר אַשְׁמוֹתֵינוּ בְּכָל־שָׁנָה וְשָׁנָה, מֶלֶךְ עַל כָּל־הָאָרֶץ מְקַדֵּשׁ הַשַּׁבָּת וְיִשְׂרָאֵל וְיוֹם הַכִּפּוּרִים.

Accept our prayer

רְצֵה יְיָ אֱלֹהֵינוּ בְּעַמְּךָ יִשְׂרָאֵל וּבִתְפִלָּתָם וְהָשֵׁב אֶת־הָעֲבוֹדָה לִדְבִיר בֵּיתֶךָ וּתְפִלָּתָם בְּאַהֲבָה תְקַבֵּל בְּרָצוֹן וּתְהִי לְרָצוֹן תָּמִיד עֲבוֹדַת יִשְׂרָאֵל עַמֶּךָ. וְתֶחֱזֶינָה עֵינֵינוּ בְּשׁוּבְךָ לְצִיּוֹן בְּרַחֲמִים. בָּרוּךְ אַתָּה יְיָ הַמַּחֲזִיר שְׁכִינָתוֹ לְצִיּוֹן.

We thank You for life and for Your love

Congregation reads this paragraph silently, while Ḥazzan chants the next paragraph.

מוֹדִים אֲנַחְנוּ לָךְ שָׁאַתָּה הוּא יְיָ אֱלֹהֵינוּ וֵאלֹהֵי אֲבוֹתֵינוּ אֱלֹהֵי כָל־בָּשָׂר יוֹצְרֵנוּ יוֹצֵר בְּרֵאשִׁית. בְּרָכוֹת וְהוֹדָאוֹת לְשִׁמְךָ הַגָּדוֹל וְהַקָּדוֹשׁ עַל שֶׁהֶחֱיִיתָנוּ וְקִיַּמְתָּנוּ. כֵּן תְּחַיֵּנוּ וּתְקַיְּמֵנוּ וְתֶאֱסֹף גָּלֻיּוֹתֵינוּ לְחַצְרוֹת קָדְשֶׁךָ לִשְׁמֹר חֻקֶּיךָ וְלַעֲשׂוֹת רְצוֹנֶךָ וּלְעָבְדְּךָ בְּלֵבָב שָׁלֵם עַל שֶׁאֲנַחְנוּ מוֹדִים לָךְ. בָּרוּךְ אֵל הַהוֹדָאוֹת.

Ḥazzan

מוֹדִים אֲנַחְנוּ לָךְ שָׁאַתָּה הוּא יְיָ אֱלֹהֵינוּ וֵאלֹהֵי אֲבוֹתֵינוּ לְעוֹלָם וָעֶד, צוּר חַיֵּינוּ מָגֵן יִשְׁעֵנוּ אַתָּה הוּא. לְדוֹר וָדוֹר נוֹדֶה לְּךָ וּנְסַפֵּר תְּהִלָּתֶךָ עַל חַיֵּינוּ הַמְּסוּרִים בְּיָדֶךָ וְעַל נִשְׁמוֹתֵינוּ הַפְּקוּדוֹת לָךְ וְעַל נִסֶּיךָ שֶׁבְּכָל־יוֹם עִמָּנוּ וְעַל נִפְלְאוֹתֶיךָ וְטוֹבוֹתֶיךָ שֶׁבְּכָל־עֵת עֶרֶב וָבֹקֶר וְצָהֳרָיִם. הַטּוֹב כִּי לֹא כָלוּ רַחֲמֶיךָ וְהַמְרַחֵם כִּי לֹא תַמּוּ חֲסָדֶיךָ מֵעוֹלָם קִוִּינוּ לָךְ.

וְעַל כֻּלָּם יִתְבָּרַךְ וְיִתְרוֹמַם שִׁמְךָ מַלְכֵּנוּ תָּמִיד לְעוֹלָם וָעֶד.

our God, grant that we inherit the gift of Shabbat forever, so that Your people Israel who hallow Your name will always find rest on this day. Cleanse our hearts to serve You faithfully, for You forgive and pardon the people Israel in every generation. Except for You we have no King who pardons and forgives. Praised are You, Lord, King who pardons and forgives our sins and the sins of all His people Israel, absolving us of guilt each year, King of all the earth who sanctifies *Shabbat,* the people Israel and Yom Kippur.

Accept our prayer

Accept the prayer of Your people Israel as lovingly as it is offered. Restore worship to Your sanctuary. May the worship of Your people Israel always be acceptable to You. May we bear witness to Your merciful return to Zion. Praised are You, Lord who restores His Presence to Zion.

We thank You for life and for Your love

Congregation reads this paragraph silently, while Ḥazzan chants the next paragraph.

We proclaim that You are the Lord our God and God of our fathers, Creator of all who created us, God of all flesh. We praise You and thank You for granting us life and for sustaining us. May You continue to do so, and may You gather our exiles, that we may all fulfill Your commandments and serve You wholeheartedly, doing Your will. For this shall we thank You. Praised be God to whom thanksgiving is due.

Ḥazzan:

We proclaim that You are the Lord our God and God of our fathers throughout all time. You are the Rock of our lives, the Shield of our salvation. We thank You and praise You through all generations, for our lives are in Your hand, our souls are in Your charge. We thank You for Your miracles which daily attend us, for Your wondrous kindness, morning, noon and night. Your mercy and love are boundless. We have always placed our hope in You.

For all these blessings we shall ever praise and exalt You.

Congregation and Ḥazzan:

אָבִינוּ מַלְכֵּנוּ, זְכֹר רַחֲמֶיךָ וּכְבֹשׁ כַּעַסְךָ, וְכַלֵּה דֶּבֶר וְחֶרֶב וְרָעָב וּשְׁבִי וּמַשְׁחִית וְעָוֹן וּשְׁמַד וּמַגֵּפָה וּפֶגַע רַע וְכָל־מַחֲלָה וְכָל־תְּקָלָה וְכָל־קְטָטָה וְכָל־מִינֵי פֻרְעָנִיּוֹת וְכָל־גְּזֵרָה רָעָה וְשִׂנְאַת חִנָּם, מֵעָלֵינוּ וּמֵעַל כָּל־בְּנֵי בְרִיתֶךָ.

וּכְתֹב לְחַיִּים טוֹבִים כָּל־בְּנֵי בְרִיתֶךָ.

וְכֹל הַחַיִּים יוֹדוּךָ סֶּלָה וִיהַלְלוּ אֶת־שִׁמְךָ בֶּאֱמֶת הָאֵל יְשׁוּעָתֵנוּ וְעֶזְרָתֵנוּ סֶלָה. בָּרוּךְ אַתָּה יְיָ הַטּוֹב שִׁמְךָ וּלְךָ נָאֶה לְהוֹדוֹת.

Bless us with peace

אֱלֹהֵינוּ וֵאלֹהֵי אֲבוֹתֵינוּ, בָּרְכֵנוּ בַבְּרָכָה הַמְשֻׁלֶּשֶׁת בַּתּוֹרָה הַכְּתוּבָה עַל יְדֵי מֹשֶׁה עַבְדֶּךָ, הָאֲמוּרָה מִפִּי אַהֲרֹן וּבָנָיו כֹּהֲנִים עַם קְדוֹשֶׁךָ, כָּאָמוּר:

Ḥazzan:	*Congregation:*
יְבָרֶכְךָ יְיָ וְיִשְׁמְרֶךָ.	כֵּן יְהִי רָצוֹן.
יָאֵר יְיָ פָּנָיו אֵלֶיךָ וִיחֻנֶּךָּ.	כֵּן יְהִי רָצוֹן.
יִשָּׂא יְיָ פָּנָיו אֵלֶיךָ וְיָשֵׂם לְךָ שָׁלוֹם.	כֵּן יְהִי רָצוֹן.

שִׂים שָׁלוֹם בָּעוֹלָם, טוֹבָה וּבְרָכָה חֵן וָחֶסֶד וְרַחֲמִים עָלֵינוּ וְעַל כָּל־יִשְׂרָאֵל עַמֶּךָ. בָּרְכֵנוּ אָבִינוּ כֻּלָּנוּ כְּאֶחָד בְּאוֹר פָּנֶיךָ, כִּי בְאוֹר פָּנֶיךָ נָתַתָּ לָּנוּ יְיָ אֱלֹהֵינוּ תּוֹרַת חַיִּים וְאַהֲבַת חֶסֶד וּצְדָקָה וּבְרָכָה וְרַחֲמִים וְחַיִּים וְשָׁלוֹם. וְטוֹב בְּעֵינֶיךָ לְבָרֵךְ אֶת־עַמְּךָ יִשְׂרָאֵל בְּכָל־עֵת וּבְכָל־שָׁעָה בִּשְׁלוֹמֶךָ.

Congregation and Ḥazzan:

בְּסֵפֶר חַיִּים בְּרָכָה וְשָׁלוֹם וּפַרְנָסָה טוֹבָה נִזָּכֵר וְנִכָּתֵב לְפָנֶיךָ אֲנַחְנוּ וְכָל־עַמְּךָ בֵּית יִשְׂרָאֵל לְחַיִּים טוֹבִים וּלְשָׁלוֹם.

בָּרוּךְ אַתָּה יְיָ עוֹשֵׂה הַשָּׁלוֹם.

Congregation and Ḥazzan:

Our Father, our King, let Your compassion overwhelm Your wrath, for us and for all the people of Your covenant. Bring an end to pestilence and plundering, fighting and famine, captivity, destruction, plague and affliction, every illness and misfortune, calamity and quarrel, every evil decree and causeless hatred.

Inscribe all the people of Your covenant for a good life.

May every living creature thank You and praise You faithfully, our deliverance and our help. Praised are You, beneficent Lord to whom all praise is due.

Bless us with peace

Bless us, our God and God of our fathers, with the threefold blessing written in the Torah by Moses, Your servant, pronounced by Aaron and by his sons, the consecrated priests of Your people:

Ḥazzan:	*Congregation:*
May the Lord bless you and guard you.	*Kein yehi ratzon.*
May the Lord show you favor and be gracious to you.	*Kein yehi ratzon.*
May the Lord show you kindness and grant you peace.	*Kein yehi ratzon.*

Grant peace, happiness and blessing to the world, with grace, love and mercy for us and for all the people Israel. Bless us, our Father, one and all, with Your light; for by that light did You teach us Torah and life, love and tenderness, justice, mercy and peace. May it please You to bless Your people Israel in every season and at all times with Your gift of peace.

Congregation and Ḥazzan:

May we and the entire House of Israel be remembered and recorded in the Book of life, blessing, sustenance and peace.

Praised are You, Lord, Source of peace.

Avinu Malkeinu

*Omitted on Shabbat, when the service continues
with Kaddish on page 476.*

OUR FATHER, OUR KING

The Ark is opened, as we rise.

אָבִינוּ מַלְכֵּנוּ, חָטָאנוּ לְפָנֶיךָ.

אָבִינוּ מַלְכֵּנוּ, אֵין לָנוּ מֶלֶךְ אֶלָּא אָתָּה.

אָבִינוּ מַלְכֵּנוּ, עֲשֵׂה עִמָּנוּ לְמַעַן שְׁמֶךָ.

אָבִינוּ מַלְכֵּנוּ, חַדֵּשׁ עָלֵינוּ שָׁנָה טוֹבָה.

אָבִינוּ מַלְכֵּנוּ, בַּטֵּל מֵעָלֵינוּ כָּל־גְּזֵרוֹת קָשׁוֹת.

אָבִינוּ מַלְכֵּנוּ, בַּטֵּל מַחְשְׁבוֹת שׂוֹנְאֵינוּ.

אָבִינוּ מַלְכֵּנוּ, הָפֵר עֲצַת אוֹיְבֵינוּ.

אָבִינוּ מַלְכֵּנוּ, כַּלֵּה כָּל־צַר וּמַשְׂטִין מֵעָלֵינוּ.

אָבִינוּ מַלְכֵּנוּ, כַּלֵּה דֶּבֶר וְחֶרֶב וְרָעָב, וּשְׁבִי וּמַשְׁחִית וְעָוֹן וּשְׁמָד
מִבְּנֵי בְרִיתֶךָ.

אָבִינוּ מַלְכֵּנוּ, סְלַח וּמְחַל לְכָל־עֲוֹנוֹתֵינוּ.

אָבִינוּ מַלְכֵּנוּ, מְחֵה וְהַעֲבֵר פְּשָׁעֵינוּ וְחַטֹּאתֵינוּ מִנֶּגֶד עֵינֶיךָ.

אָבִינוּ מַלְכֵּנוּ, הַחֲזִירֵנוּ בִּתְשׁוּבָה שְׁלֵמָה לְפָנֶיךָ.

אָבִינוּ מַלְכֵּנוּ, שְׁלַח רְפוּאָה שְׁלֵמָה לְחוֹלֵי עַמֶּךָ.

אָבִינוּ מַלְכֵּנוּ, זָכְרֵנוּ בְּזִכָּרוֹן טוֹב לְפָנֶיךָ.

אָבִינוּ מַלְכֵּנוּ, כָּתְבֵנוּ בְּסֵפֶר חַיִּים טוֹבִים.

אָבִינוּ מַלְכֵּנוּ, כָּתְבֵנוּ בְּסֵפֶר גְּאֻלָּה וִישׁוּעָה.

אָבִינוּ מַלְכֵּנוּ, כָּתְבֵנוּ בְּסֵפֶר פַּרְנָסָה וְכַלְכָּלָה.

אָבִינוּ מַלְכֵּנוּ, כָּתְבֵנוּ בְּסֵפֶר זְכֻיּוֹת.

אָבִינוּ מַלְכֵּנוּ, כָּתְבֵנוּ בְּסֵפֶר סְלִיחָה וּמְחִילָה.

Avinu Malkeinu

*Omitted on Shabbat, when the service continues
with Kaddish on page 477.*

OUR FATHER, OUR KING

The Ark is opened, as we rise.

Avinu malkeinu, we have sinned against You.
Avinu malkeinu, we have no King but You.
Avinu malkeinu, help us for Your own sake.
Avinu malkeinu, grant us a blessed New Year.

Avinu malkeinu, annul all evil decrees against us.
Avinu malkeinu, annul the plots of our enemies.
Avinu malkeinu, frustrate the designs of our foes.
Avinu malkeinu, rid us of tyrants.
Avinu malkeinu, rid us of pestilence, sword, famine,
captivity, sin and destruction.

Avinu malkeinu, forgive and pardon all our sins.
Avinu malkeinu, ignore the record of our transgressions.

Avinu malkeinu, help us return to You fully repentant.
Avinu malkeinu, send complete healing to the sick.
Avinu malkeinu, remember us with favor.

Avinu malkeinu, inscribe us in the Book of happiness.
Avinu malkeinu, inscribe us in the Book of deliverance.
Avinu malkeinu, inscribe us in the Book of prosperity.
Avinu malkeinu, inscribe us in the Book of merit.
Avinu malkeinu, inscribe us in the Book of forgiveness.

אָבִינוּ מַלְכֵּנוּ, הַצְמַח לָנוּ יְשׁוּעָה בְּקָרוֹב.
אָבִינוּ מַלְכֵּנוּ, הָרֵם קֶרֶן יִשְׂרָאֵל עַמֶּךָ.
אָבִינוּ מַלְכֵּנוּ, שְׁמַע קוֹלֵנוּ, חוּס וְרַחֵם עָלֵינוּ.
אָבִינוּ מַלְכֵּנוּ, קַבֵּל בְּרַחֲמִים וּבְרָצוֹן אֶת־תְּפִלָּתֵנוּ.
אָבִינוּ מַלְכֵּנוּ, נָא אַל תְּשִׁיבֵנוּ רֵיקָם מִלְּפָנֶיךָ.

אָבִינוּ מַלְכֵּנוּ, זְכֹר כִּי עָפָר אֲנָחְנוּ.
אָבִינוּ מַלְכֵּנוּ, חֲמֹל עָלֵינוּ וְעַל עוֹלָלֵינוּ וְטַפֵּנוּ.

אָבִינוּ מַלְכֵּנוּ, עֲשֵׂה לְמַעַן טְבוּחִים עַל יִחוּדֶךָ.
אָבִינוּ מַלְכֵּנוּ, עֲשֵׂה לְמַעַן בָּאֵי בָאֵשׁ וּבַמַּיִם עַל קִדּוּשׁ שְׁמֶךָ.
אָבִינוּ מַלְכֵּנוּ, עֲשֵׂה לְמַעַנְךָ אִם לֹא לְמַעֲנֵנוּ.
אָבִינוּ מַלְכֵּנוּ, חָנֵּנוּ וַעֲנֵנוּ, כִּי אֵין בָּנוּ מַעֲשִׂים,
עֲשֵׂה עִמָּנוּ צְדָקָה וָחֶסֶד וְהוֹשִׁיעֵנוּ.

The Ark is closed, and we are seated.

Avinu malkeinu, hasten our deliverance.
Avinu malkeinu, exalt Your people Israel.
Avinu malkeinu, hear us; show us mercy and compassion.
Avinu malkeinu, accept our prayer with favor and mercy.
Avinu malkeinu, do not turn us away unanswered.

Avinu malkeinu, remember that we are dust.
Avinu malkeinu, have pity for us and for our children.

Avinu malkeinu, act for those who were slaughtered for proclaiming Your unique holiness.
Avinu malkeinu, act for the sake of those who went through fire and water to sanctify You.
Avinu malkeinu, act for Your sake if not for ours.
Avinu malkeinu, answer us though we have no deeds to plead our cause; save us with mercy and lovingkindness.

Avinu malkeinu, ḥoneinu va'aneinu, kee ein banu ma'asim Asei eemanu tzedakah vaḥesed vehoshee-einu.

The Ark is closed, and we are seated.

Kaddish Shalem

Ḥazzan:

יִתְגַּדַּל וְיִתְקַדַּשׁ שְׁמֵהּ רַבָּא בְּעָלְמָא דִּי בְרָא כִרְעוּתֵהּ, וְיַמְלִיךְ מַלְכוּתֵהּ בְּחַיֵּיכוֹן וּבְיוֹמֵיכוֹן וּבְחַיֵּי דְכָל־בֵּית יִשְׂרָאֵל בַּעֲגָלָא וּבִזְמַן קָרִיב, וְאִמְרוּ אָמֵן.

Congregation and Ḥazzan:

יְהֵא שְׁמֵהּ רַבָּא מְבָרַךְ לְעָלַם וּלְעָלְמֵי עָלְמַיָּא.

Ḥazzan:

יִתְבָּרַךְ וְיִשְׁתַּבַּח וְיִתְפָּאַר וְיִתְרוֹמַם וְיִתְנַשֵּׂא וְיִתְהַדַּר וְיִתְעַלֶּה וְיִתְהַלַּל שְׁמֵהּ דְּקֻדְשָׁא בְּרִיךְ הוּא, לְעֵלָּא לְעֵלָּא מִכָּל־בִּרְכָתָא וְשִׁירָתָא תֻּשְׁבְּחָתָא וְנֶחֱמָתָא דַּאֲמִירָן בְּעָלְמָא, וְאִמְרוּ אָמֵן.

תִּתְקַבֵּל צְלוֹתְהוֹן וּבָעוּתְהוֹן דְּכָל־יִשְׂרָאֵל קֳדָם אֲבוּהוֹן דִּי בִשְׁמַיָּא, וְאִמְרוּ אָמֵן.

יְהֵא שְׁלָמָא רַבָּא מִן שְׁמַיָּא וְחַיִּים עָלֵינוּ וְעַל כָּל־יִשְׂרָאֵל, וְאִמְרוּ אָמֵן.

עוֹשֶׂה שָׁלוֹם בִּמְרוֹמָיו הוּא יַעֲשֶׂה שָׁלוֹם עָלֵינוּ וְעַל כָּל־יִשְׂרָאֵל, וְאִמְרוּ אָמֵן.

Kaddish Shalem

Ḥazzan:

Hallowed and enhanced may He be throughout the world of His own creation. May He cause His sovereignty soon to be accepted, during our life and the life of all Israel. And let us say: Amen.

Congregation and Ḥazzan:

Ye-hei shmei raba meva-rakh l'alam ul'almei 'almaya.

May He be praised throughout all time.

Ḥazzan:

Glorified and celebrated, lauded and praised, acclaimed and honored, extolled and exalted may the Holy One be, far beyond all song and psalm, beyond all tributes which man can utter. And let us say: Amen.

May the prayers and pleas of the whole House of Israel be accepted by our Father in Heaven. And let us say: Amen.

Let there be abundant peace from Heaven, with life's goodness for us and for all the people Israel. And let us say: Amen.

He who brings peace to His universe will bring peace to us and to all the people Israel. And let us say: Amen.

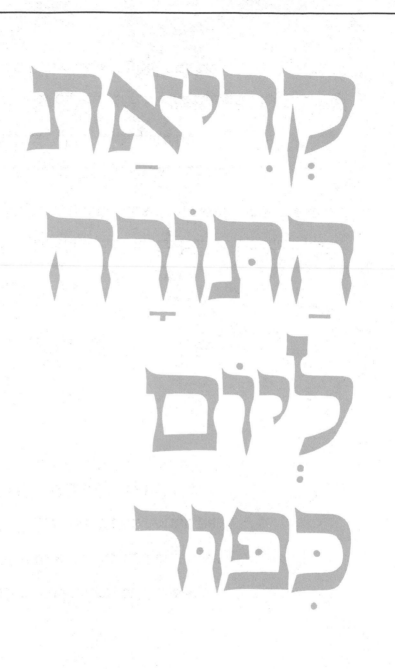

קְרִיאַת הַתּוֹרָה לְיוֹם כִּפּוּר

YOM KIPPUR TORAH READING

We rise.

אֵין כָּמְוֹךָ בָאֱלֹהִים אֲדֹנָי, וְאֵין כְּמַעֲשֶׂיךָ.

מַלְכוּתְךָ מַלְכוּת כָּל־עֹלָמִים וּמֶמְשַׁלְתְּךָ בְּכָל־דּוֹר וָדֹר.

יְיָ מֶלֶךְ, יְיָ מָלָךְ, יְיָ יִמְלֹךְ לְעֹלָם וָעֶד.

יְיָ עֹז לְעַמּוֹ יִתֵּן, יְיָ יְבָרֵךְ אֶת־עַמּוֹ בַשָּׁלוֹם.

אַב הָרַחֲמִים, הֵיטִיבָה בִרְצוֹנְךָ אֶת־צִיּוֹן, תִּבְנֶה חוֹמוֹת יְרוּשָׁלָיִם.

כִּי בְךָ לְבַד בָּטָחְנוּ, מֶלֶךְ אֵל רָם וְנִשָּׂא אֲדוֹן עוֹלָמִים.

The Ark is opened.

וַיְהִי בִּנְסֹעַ הָאָרֹן וַיֹּאמֶר משֶׁה:

קוּמָה יְיָ וְיָפֻצוּ אֹיְבֶיךָ וְיָנֻסוּ מְשַׂנְאֶיךָ מִפָּנֶיךָ.

כִּי מִצִּיּוֹן תֵּצֵא תוֹרָה וּדְבַר יְיָ מִירוּשָׁלָיִם.

בָּרוּךְ שֶׁנָּתַן תּוֹרָה לְעַמּוֹ יִשְׂרָאֵל בִּקְדֻשָּׁתוֹ.

We rise.

None can compare to You, O Lord, and nothing compares to Your creation. Your kingdom is an everlasting kingdom, Your dominion endures throughout all generations.

Adonai melekh, Adonai malakh, Adonai yimlokh l'olam va'ed.
Adonai 'oz l'amo yitein, Adonai yeva-reikh et 'amo va-shalom.

The Lord is King, the Lord was King, the Lord shall be King throughout all time. May the Lord grant His people dignity; may the Lord bless His people with peace.

Av ha-raḥamim hei-tivah vir-tzon-kha et tzion, tivneh ḥomot yeru-shalayim.
Kı ve-kha levad bataḥnu, melekh Eil ram ve-nisa Adon 'olamim.

Merciful Father, favor Zion with Your goodness; build the walls of Jerusalem. For in You alone do we put our trust, King, exalted God, eternal Lord.

The Ark is opened.

Whenever the Ark was carried forward, Moses would say: May Your enemies be scattered, Lord, may Your foes be put to flight.

Ki mi-tzion tei-tzei Torah, u-d'var Adonai miru-shalayim.

Torah shall come from Zion, the word of the Lord from Jerusalem.

Barukh sheh-natan Torah l'amo yisrael bi-ke-dushato.

Praised is He who in His holiness gave the Torah to His people Israel.

Omitted on Shabbat

יְיָ יְיָ אֵל רַחוּם וְחַנּוּן, אֶרֶךְ אַפַּיִם וְרַב חֶסֶד וֶאֱמֶת
נֹצֵר חֶסֶד לָאֲלָפִים נֹשֵׂא עָוֹן וָפֶשַׁע וְחַטָּאָה, וְנַקֵּה.

יִהְיוּ לְרָצוֹן אִמְרֵי־פִי וְהֶגְיוֹן לִבִּי לְפָנֶיךָ יְיָ צוּרִי וְגֹאֲלִי.

וַאֲנִי תְפִלָּתִי לְךָ יְיָ עֵת רָצוֹן, אֱלֹהִים בְּרָב־חַסְדֶּךָ עֲנֵנִי בֶּאֱמֶת יִשְׁעֶךָ.

Private Meditation:

אָבִינוּ מַלְכֵּנוּ, אֲדוֹן הַשָּׁלוֹם, עָזְרֵנוּ וְהוֹשִׁיעֵנוּ שֶׁנִּזְכֶּה תָמִיד לֶאֱחֹז בְּמִדַּת הַשָּׁלוֹם. וְיִהְיֶה שָׁלוֹם גָּדוֹל בֶּאֱמֶת בֵּין כָּל־אָדָם לַחֲבֵרוֹ וּבֵין אִישׁ לְאִשְׁתּוֹ, וְלֹא תִהְיֶה שׁוּם מַחֲלֹקֶת אֲפִלּוּ בְּלֵב בֵּין כָּל־בְּנֵי מִשְׁפַּחְתִּי. אַתָּה עוֹשֶׂה שָׁלוֹם בִּמְרוֹמֶיךָ, כֵּן תַּמְשִׁיךְ שָׁלוֹם גָּדוֹל עָלֵינוּ וְעַל כָּל־הָעוֹלָם כֻּלּוֹ, וְכֻלָּנוּ נִתְקָרֵב אֵלֶיךָ וּלְתוֹרָתְךָ בֶּאֱמֶת וְנֵעָשֶׂה כֻלָּנוּ אֲגֻדָּה אַחַת לַעֲשׂוֹת רְצוֹנְךָ בְּלֵבָב שָׁלֵם. אֲדוֹן הַשָּׁלוֹם, בָּרְכֵנוּ בַשָּׁלוֹם. אָמֵן.

בְּרִיךְ שְׁמֵהּ דְּמָרֵא עָלְמָא, בְּרִיךְ כִּתְרָךְ וְאַתְרָךְ. יְהֵא רְעוּתָךְ עִם עַמָּךְ יִשְׂרָאֵל לְעָלַם, וּפֻרְקַן יְמִינָךְ אַחֲזֵי לְעַמָּךְ בְּבֵית מִקְדְּשָׁךְ, וּלְאַמְטוּיֵי לָנָא מִטּוּב נְהוֹרָךְ וּלְקַבֵּל צְלוֹתָנָא בְּרַחֲמִין. יְהֵא רַעֲוָא קֳדָמָךְ דְּתוֹרִיךְ לָן חַיִּין בְּטִיבוּתָא וְלֶהֱוֵי אֲנָא פְקִידָא בְּגוֹ צַדִּיקַיָּא, לְמִרְחַם עֲלַי וּלְמִנְטַר יָתִי וְיָת כָּל־דִּי לִי וְדִי לְעַמָּךְ יִשְׂרָאֵל. אַנְתְּ הוּא זָן לְכֹלָּא וּמְפַרְנֵס לְכֹלָּא. אַנְתְּ הוּא שַׁלִּיט עַל כֹּלָּא. אַנְתְּ הוּא דְּשַׁלִּיט עַל מַלְכַיָּא, וּמַלְכוּתָא דִּי לָךְ הִיא. אֲנָא עַבְדָּא דְקֻדְשָׁא בְּרִיךְ הוּא, דְּסָגִדְנָא קַמֵּהּ וּמִקַּמָּא דִּיקַר אוֹרַיְתֵהּ בְּכָל־עִדָּן וְעִדָּן. לָא עַל אֱנָשׁ רָחִיצְנָא. וְלָא עַל בַּר אֱלָהִין סָמִיכְנָא, אֶלָּא

Omitted on Shabbat:

Adonai Adonai eil raḥum v'ḥanun, erekh apayim v'rav ḥesed ve'emet, no-tzeir ḥesed la'alafim, no-sei 'avon va-fesha ve'ḥata'ah v'nakeh.

The Lord, the Lord God is gracious and compassionate, patient, abounding in kindness and faithfulness, assuring love for a thousand generations, forgiving iniquity, transgression and sin, and granting pardon.

May the words of my mouth and the meditation of my heart be acceptable to You, O Lord, my Rock and my Redeemer. I offer my prayer to You, O Lord, at this time of grace. In Your abundant mercy answer me with Your saving truth.

Private Meditation:

Avinu malkeinu, bless my family with peace. Teach us to appreciate the treasure of our lives. Help us always to find contentment in one another. Save us from dissension and jealousy; shield us from pettiness and rivalry. May selfish pride not divide us; may pride in one another unite us. Help us to renew our love for one another continually. In the light of Your Torah grant us, the people Israel and all Your creatures everywhere, health and fulfillment, harmony, peace and joy in the new year. Amen.

Praised be Your name, Lord of the universe, and praised be Your sovereignty. May Your favor abide with Your people Israel, and may Your redeeming power be revealed to them in Your sanctuary. Grant us the good gift of Your light, and with compassion accept our prayer. May it be Your will to grant us long life and well-being, to count us among the righteous and to guard us, our families and all Your people Israel with compassion. You nourish and sustain all life. You rule over all, even kings, for dominion is Yours.

We are servants of the Holy One, whom we revere and whose Torah we revere at all times. Not upon man do we rely, not upon angels do we depend, but upon the God of Heaven, the God of

בֶּאֱלָהָא דִשְׁמַיָּא, דְּהוּא אֱלָהָא קְשׁוֹט וְאוֹרַיְתֵהּ קְשׁוֹט וּנְבִיאוֹהִי קְשׁוֹט, וּמַסְגֵּא לְמֶעְבַּד טַבְוָן וּקְשׁוֹט. בֵּהּ אֲנָא רָחֵץ וְלִשְׁמֵהּ קַדִּישָׁא יַקִּירָא אֲנָא אֵמַר תֻּשְׁבְּחָן. יְהֵא רַעֲוָא קֳדָמָךְ דְּתִפְתַּח לִבִּי בְּאוֹרַיְתָא, וְתַשְׁלִים מִשְׁאֲלִין דְּלִבִּי וְלִבָּא דְכָל־עַמָּךְ יִשְׂרָאֵל, לְטָב וּלְחַיִּין וְלִשְׁלָם. אָמֵן.

Two Sifrei Torah are removed from the Ark.

Ḥazzan, then congregation:

שְׁמַע יִשְׂרָאֵל יְיָ אֱלֹהֵינוּ יְיָ אֶחָד.

אֶחָד אֱלֹהֵינוּ גָּדוֹל אֲדוֹנֵינוּ קָדוֹשׁ וְנוֹרָא שְׁמוֹ.

Ḥazzan

גַּדְּלוּ לַייָ אִתִּי, וּנְרוֹמְמָה שְׁמוֹ יַחְדָּו.

Ḥazzan and congregation:

לְךָ יְיָ הַגְּדֻלָּה וְהַגְּבוּרָה וְהַתִּפְאֶרֶת וְהַנֵּצַח וְהַהוֹד, כִּי כֹל בַּשָּׁמַיִם וּבָאָרֶץ, לְךָ יְיָ הַמַּמְלָכָה וְהַמִּתְנַשֵּׂא לְכֹל לְרֹאשׁ.

רוֹמְמוּ יְיָ אֱלֹהֵינוּ וְהִשְׁתַּחֲווּ לַהֲדֹם רַגְלָיו, קָדוֹשׁ הוּא.
רוֹמְמוּ יְיָ אֱלֹהֵינוּ וְהִשְׁתַּחֲווּ לְהַר קָדְשׁוֹ, כִּי קָדוֹשׁ יְיָ אֱלֹהֵינוּ.

Congregation is seated.

Torah Reader:

אַב הָרַחֲמִים הוּא יְרַחֵם עַם עֲמוּסִים וְיִזְכֹּר בְּרִית אֵיתָנִים וְיַצִּיל נַפְשׁוֹתֵינוּ מִן הַשָּׁעוֹת הָרָעוֹת וְיִגְעַר בְּיֵצֶר הָרָע מִן הַנְּשׂוּאִים וְיָחֹן אוֹתָנוּ לִפְלֵיטַת עוֹלָמִים וִימַלֵּא מִשְׁאֲלוֹתֵינוּ בְּמִדָּה טוֹבָה יְשׁוּעָה וְרַחֲמִים.

truth, whose Torah is truth, whose prophets are truth and who
abounds in deeds of goodness and truth. In Him do we put our
trust; unto His holy, precious being do we utter praise. Open our
hearts to Your Torah, Lord. Answer our prayers and the prayers
of all Your people Israel for goodness, for life and for peace. And
let us say: Amen.

Two Sifrei Torah are removed from the Ark.

Ḥazzan, then congregation:

Sh'ma yisrael Adonai Eloheinu Adonai eḥad.

Hear, O Israel: the Lord our God, the Lord is One.

Eḥad Eloheinu gadol Adoneinu kadosh v'nora sh'mo.

One is our God, great our Lord, holy and awesome.

Ḥazzan:

Proclaim the Lord's greatness with me; let us exalt Him together.

Ḥazzan and congregation:

*L'kha Adonai ha-gedulah v'ha-gevurah v'ha-tiferet v'ha-neitzaḥ
v'ha-hod, ki khol basha-mayim uva-aretz l'kha Adonai ha-mam-
lakhah v'ha-mitnasei l'khol l'rosh.*

Yours, O Lord, is the greatness and the power and the splendor.
Yours is the triumph and the majesty, for all in heaven and on
earth is Yours. Yours, O Lord, is supreme sovereignty.

Exalt the Lord and worship Him, for He is holy. Exalt and wor-
ship Him at His holy mountain. The Lord our God is holy.

Congregation is seated.

Torah Reader:

May our merciful Father have mercy upon the people He has
always sustained, remembering His covenant with the patriarchs.
May He deliver us from evil times, restrain the impulse to evil
within us, and grace our lives with enduring deliverance. May
He answer our petition with an abundant measure of kindness
and compassion.

וְיַעֲזֹר וְיָגֵן וְיוֹשִׁיעַ לְכֹל הַחוֹסִים בּוֹ, וְנֹאמַר אָמֵן. הַכֹּל הָבוּ גֹדֶל לֵאלֹהֵינוּ וּתְנוּ כָבוֹד לַתּוֹרָה. כֹּהֵן קְרָב. יַעֲמֹד (. . . בֶּן . . .) הַכֹּהֵן. בָּרוּךְ שֶׁנָּתַן תּוֹרָה לְעַמּוֹ יִשְׂרָאֵל בִּקְדֻשָּׁתוֹ.

תּוֹרַת יְיָ תְּמִימָה, מְשִׁיבַת נָפֶשׁ. עֵדוּת יְיָ נֶאֱמָנָה, מַחְכִּימַת פֶּתִי. פִּקּוּדֵי יְיָ יְשָׁרִים, מְשַׂמְּחֵי־לֵב. מִצְוַת יְיָ בָּרָה, מְאִירַת עֵינָיִם.

Congregation and Torah Reader:

וְאַתֶּם הַדְּבֵקִים בַּייָ אֱלֹהֵיכֶם, חַיִּים כֻּלְּכֶם הַיּוֹם.

Each congregant honored with an aliyah recites these blessings:

Before the Reading:

בָּרְכוּ אֶת־יְיָ הַמְבֹרָךְ.

Congregation:

בָּרוּךְ יְיָ הַמְבֹרָךְ לְעוֹלָם וָעֶד.

Congregant repeats the above line, and continues:

בָּרוּךְ אַתָּה יְיָ אֱלֹהֵינוּ מֶלֶךְ הָעוֹלָם אֲשֶׁר בָּחַר בָּנוּ מִכָּל־הָעַמִּים וְנָתַן לָנוּ אֶת־תּוֹרָתוֹ. בָּרוּךְ אַתָּה יְיָ נוֹתֵן הַתּוֹרָה.

After the Reading:

בָּרוּךְ אַתָּה יְיָ אֱלֹהֵינוּ מֶלֶךְ הָעוֹלָם אֲשֶׁר נָתַן לָנוּ תּוֹרַת אֱמֶת וְחַיֵּי עוֹלָם נָטַע בְּתוֹכֵנוּ. בָּרוּךְ אַתָּה יְיָ נוֹתֵן הַתּוֹרָה.

May He help, save and shield all who trust in Him. And let us say: Amen. Let us all declare the greatness of our God and render honor to the Torah. (Let the kohen come forward.) Praised is He who in His holiness gave the Torah to His people Israel.

The Torah of the Lord is perfect; it revives the spirit. The testimony of the Lord is sure; it brightens the dull. The precepts of the Lord are right; they gladden the heart. The command of the Lord is clear; it opens the eyes.

Congregation and Torah Reader:

V'atem ha-d'veikim ba-donai Elohei-khem ḥayyim kul-khem hayom.

You who cling to the Lord your God have been sustained to this day.

Each congregant honored with an aliyah recites these blessings:

Before the Reading:

Praise the Lord, Source of blessing.

Congregation:

Praised be the Lord, Source of blessing, throughout all time.

Congregant repeats the above line, and continues:

Praised are You, Lord our God, King of the universe who has chosen us from among all peoples by giving us His Torah. Praised are You, Lord who gives the Torah.

After the Reading:

Praised are You, Lord our God, King of the universe who has given us the Torah of truth, planting within us life eternal. Praised are You, Lord who gives the Torah.

Torah Reading

Kohen

וַיְדַבֵּר יְהוָה אֶל־מֹשֶׁה אַחֲרֵי מוֹת שְׁנֵי בְּנֵי אַהֲרֹן בְּקָרְבָתָם
לִפְנֵי־יְהוָה וַיָּמֻתוּ׃ וַיֹּאמֶר יְהוָה אֶל־מֹשֶׁה דַּבֵּר אֶל־אַהֲרֹן אָחִיךָ
וְאַל־יָבֹא בְכָל־עֵת אֶל־הַקֹּדֶשׁ מִבֵּית לַפָּרֹכֶת אֶל־פְּנֵי הַכַּפֹּרֶת
אֲשֶׁר עַל־הָאָרֹן וְלֹא יָמוּת כִּי בֶּעָנָן אֵרָאֶה עַל־הַכַּפֹּרֶת׃ בְּזֹאת
יָבֹא אַהֲרֹן אֶל־הַקֹּדֶשׁ בְּפַר בֶּן־בָּקָר לְחַטָּאת וְאַיִל לְעֹלָה׃

On Shabbat: Levi

כְּתֹנֶת־בַּד קֹדֶשׁ יִלְבָּשׁ וּמִכְנְסֵי־בַד יִהְיוּ עַל־בְּשָׂרוֹ וּבְאַבְנֵט
בַּד יַחְגֹּר וּבְמִצְנֶפֶת בַּד יִצְנֹף בִּגְדֵי־קֹדֶשׁ הֵם וְרָחַץ בַּמַּיִם אֶת־
בְּשָׂרוֹ וּלְבֵשָׁם׃ וּמֵאֵת עֲדַת בְּנֵי יִשְׂרָאֵל יִקַּח שְׁנֵי־שְׂעִירֵי עִזִּים
לְחַטָּאת וְאַיִל אֶחָד לְעֹלָה׃ וְהִקְרִיב אַהֲרֹן אֶת־פַּר הַחַטָּאת
אֲשֶׁר־לוֹ וְכִפֶּר בַּעֲדוֹ וּבְעַד בֵּיתוֹ׃

Levi
On Shabbat: Shlishi

וְלָקַח אֶת־שְׁנֵי הַשְּׂעִירִם
וְהֶעֱמִיד אֹתָם לִפְנֵי יְהוָה פֶּתַח אֹהֶל מוֹעֵד׃ וְנָתַן אַהֲרֹן עַל־
שְׁנֵי הַשְּׂעִירִם גֹּרָלוֹת גּוֹרָל אֶחָד לַיהוָה וְגוֹרָל אֶחָד לַעֲזָאזֵל׃
וְהִקְרִיב אַהֲרֹן אֶת־הַשָּׂעִיר אֲשֶׁר עָלָה עָלָיו הַגּוֹרָל לַיהוָה
וְעָשָׂהוּ חַטָּאת׃ וְהַשָּׂעִיר אֲשֶׁר עָלָה עָלָיו הַגּוֹרָל לַעֲזָאזֵל יָעֳמַד־
חַי לִפְנֵי יְהוָה לְכַפֵּר עָלָיו לְשַׁלַּח אֹתוֹ לַעֲזָאזֵל הַמִּדְבָּרָה׃
וְהִקְרִיב אַהֲרֹן אֶת־פַּר הַחַטָּאת אֲשֶׁר־לוֹ וְכִפֶּר בַּעֲדוֹ וּבְעַד
בֵּיתוֹ וְשָׁחַט אֶת־פַּר הַחַטָּאת אֲשֶׁר־לוֹ׃

Torah Reading

Leviticus 16

Kohen

The Lord spoke to Moses after the death of the two sons of Aaron who died when they drew too close to the presence of the Lord. The Lord said to Moses:

Tell your brother Aaron that he is not to come at will into the Shrine behind the curtain, in front of the cover that is upon the ark, lest he die; for I appear in the cloud over the cover. Thus only shall Aaron enter the Shrine: with a bull of the herd for a sin offering and a ram for a burnt offering.

On Shabbat: Levi

He shall be dressed in a sacral linen tunic, with linen breeches next to his flesh, and be girt with a linen sash, and he shall wear a linen turban; they are sacral vestments. He shall bathe his body in water and then put them on. And from the Israelite community he shall take two he-goats for a sin offering and a ram for a burnt offering. Aaron is to offer his own bull of sin offering, to make expiation for himself and for his household.

Levi
On Shabbat: Shlishi

Aaron shall take the two he-goats and let them stand before the Lord at the entrance of the Tent of Meeting; and he shall place lots upon the two goats, one marked for the Lord and the other marked for Azazel. Aaron shall bring forward the goat designated by lot for the Lord, which he is to offer as a sin offering; while the goat designated by lot for Azazel shall be left standing alive before the Lord, to make expiation with it and to send it off to the wilderness for Azazel. Aaron shall then offer his bull of sin offering, to make expiation for himself and his household. He shall slaughter his bull of sin offering.

Shlishi
On Shabbat: Revi'i

וְלָקַח מְלֹא־הַמַּחְתָּה
גַּחֲלֵי־אֵשׁ מֵעַל הַמִּזְבֵּחַ מִלִּפְנֵי יהוה וּמְלֹא חָפְנָיו קְטֹרֶת סַמִּים
דַּקָּה וְהֵבִיא מִבֵּית לַפָּרֹכֶת׃ וְנָתַן אֶת־הַקְּטֹרֶת עַל־הָאֵשׁ לִפְנֵי
יהוה וְכִסָּה ׀ עֲנַן הַקְּטֹרֶת אֶת־הַכַּפֹּרֶת אֲשֶׁר עַל־הָעֵדוּת וְלֹא
יָמוּת׃ וְלָקַח מִדַּם הַפָּר וְהִזָּה בְאֶצְבָּעוֹ עַל־פְּנֵי הַכַּפֹּרֶת קֵדְמָה
וְלִפְנֵי הַכַּפֹּרֶת יַזֶּה שֶׁבַע־פְּעָמִים מִן־הַדָּם בְּאֶצְבָּעוֹ׃ וְשָׁחַט
אֶת־שְׂעִיר הַחַטָּאת אֲשֶׁר לָעָם וְהֵבִיא אֶת־דָּמוֹ אֶל־מִבֵּית
לַפָּרֹכֶת וְעָשָׂה אֶת־דָּמוֹ כַּאֲשֶׁר עָשָׂה לְדַם הַפָּר וְהִזָּה אֹתוֹ עַל־
הַכַּפֹּרֶת וְלִפְנֵי הַכַּפֹּרֶת׃ וְכִפֶּר עַל־הַקֹּדֶשׁ מִטֻּמְאֹת בְּנֵי יִשְׂרָאֵל
וּמִפִּשְׁעֵיהֶם לְכָל־חַטֹּאתָם וְכֵן יַעֲשֶׂה לְאֹהֶל מוֹעֵד הַשֹּׁכֵן אִתָּם
בְּתוֹךְ טֻמְאֹתָם׃ וְכָל־אָדָם לֹא־יִהְיֶה ׀ בְּאֹהֶל מוֹעֵד בְּבֹאוֹ
לְכַפֵּר בַּקֹּדֶשׁ עַד־צֵאתוֹ וְכִפֶּר בַּעֲדוֹ וּבְעַד בֵּיתוֹ וּבְעַד כָּל־
קְהַל יִשְׂרָאֵל׃

Revi'i
On Shabbat: Ḥamishi

וְיָצָא אֶל־הַמִּזְבֵּחַ אֲשֶׁר לִפְנֵי־יהוה וְכִפֶּר עָלָיו
וְלָקַח מִדַּם הַפָּר וּמִדַּם הַשָּׂעִיר וְנָתַן עַל־קַרְנוֹת הַמִּזְבֵּחַ סָבִיב׃
וְהִזָּה עָלָיו מִן־הַדָּם בְּאֶצְבָּעוֹ שֶׁבַע פְּעָמִים וְטִהֲרוֹ וְקִדְּשׁוֹ
מִטֻּמְאֹת בְּנֵי יִשְׂרָאֵל׃ וְכִלָּה מִכַּפֵּר אֶת־הַקֹּדֶשׁ וְאֶת־אֹהֶל
מוֹעֵד וְאֶת־הַמִּזְבֵּחַ וְהִקְרִיב אֶת־הַשָּׂעִיר הֶחָי׃ וְסָמַךְ אַהֲרֹן
אֶת־שְׁתֵּי יָדָו עַל־רֹאשׁ הַשָּׂעִיר הַחַי וְהִתְוַדָּה עָלָיו אֶת־כָּל־

Shlishi
On Shabbat: Revi'i

And he shall take a panful of glowing coals scooped from the altar before the Lord, and two handfuls of finely ground aromatic incense, and bring this behind the curtain. He shall put the incense on the fire before the Lord, so that the cloud from the incense screens the cover that is over the Ark of the Pact, lest he die. He shall take some of the blood of the bull and sprinkle it with his finger over the cover on the east side; and in front of the cover he shall sprinkle some of the blood with his finger seven times.

He shall then slaughter the people's goat of sin offering, bring its blood behind the curtain, and do with its blood as he has done with the blood of the bull: he shall sprinkle it over the cover and in front of the cover. Thus he shall purge the Shrine of the uncleanness and transgression of the Israelites, whatever their sins; and he shall do the same for the Tent of Meeting, which abides with them in the midst of their uncleanness. When he goes in to make expiation in the Shrine, nobody else shall be in the Tent of Meeting until he comes out.

Revi'i
On Shabbat: Ḥamishi

When he has made expiation for himself and his household, and for the whole congregation of Israel, he shall go out to the altar that is before the Lord and purge it. He shall take some of the blood of the bull and of the goat and apply it to each of the horns of the altar; and the rest of the blood he shall sprinkle on it with his finger seven times. Thus he shall cleanse it of the uncleanness of the Israelites and consecrate it.

When he has finished purging the Shrine, the Tent of Meeting, and the altar, the live goat shall be brought forward. Aaron shall lay both his hands upon the head of the live goat and confess

עֲוֺנֹת֙ בְּנֵ֣י יִשְׂרָאֵ֔ל וְאֶת־כָּל־פִּשְׁעֵיהֶ֖ם לְכָל־חַטֹּאתָ֑ם וְנָתַ֤ן אֹתָם֙
עַל־רֹ֣אשׁ הַשָּׂעִ֔יר וְשִׁלַּ֛ח בְּיַד־אִ֥ישׁ עִתִּ֖י הַמִּדְבָּֽרָה׃ וְנָשָׂ֨א
הַשָּׂעִ֥יר עָלָ֛יו אֶת־כָּל־עֲוֺנֹתָ֖ם אֶל־אֶ֣רֶץ גְּזֵרָ֑ה וְשִׁלַּ֥ח אֶת־הַשָּׂעִ֖יר
בַּמִּדְבָּֽר׃ וּבָ֤א אַהֲרֹן֙ אֶל־אֹ֣הֶל מוֹעֵ֔ד וּפָשַׁט֙ אֶת־בִּגְדֵ֣י הַבָּ֔ד
אֲשֶׁ֥ר לָבַ֖שׁ בְּבֹא֣וֹ אֶל־הַקֹּ֑דֶשׁ וְהִנִּיחָ֖ם שָֽׁם׃ וְרָחַ֨ץ אֶת־בְּשָׂר֤וֹ
בַמַּ֙יִם֙ בְּמָק֣וֹם קָד֔וֹשׁ וְלָבַ֖שׁ אֶת־בְּגָדָ֑יו וְיָצָ֗א וְעָשָׂ֤ה אֶת־עֹלָתוֹ֙
וְאֶת־עֹלַ֣ת הָעָ֔ם וְכִפֶּ֥ר בַּעֲד֖וֹ וּבְעַ֥ד הָעָֽם׃

Ḥamishi
On Shabbat: Shishi

וְאֵ֛ת חֵ֥לֶב הַֽחַטָּ֖את
יַקְטִ֥יר הַמִּזְבֵּֽחָה׃ וְהַֽמְשַׁלֵּ֤חַ אֶת־הַשָּׂעִיר֙ לַֽעֲזָאזֵ֔ל יְכַבֵּ֣ס בְּגָדָ֔יו
וְרָחַ֥ץ אֶת־בְּשָׂר֖וֹ בַּמָּ֑יִם וְאַחֲרֵי־כֵ֖ן יָב֥וֹא אֶל־הַֽמַּחֲנֶֽה׃ וְאֵת֩
פַּ֨ר הַֽחַטָּ֜את וְאֵ֣ת ׀ שְׂעִ֣יר הַֽחַטָּ֗את אֲשֶׁ֨ר הוּבָ֤א אֶת־דָּמָם֙ לְכַפֵּ֣ר
בַּקֹּ֔דֶשׁ יוֹצִ֖יא אֶל־מִח֣וּץ לַֽמַּחֲנֶ֑ה וְשָׂרְפ֣וּ בָאֵ֔שׁ אֶת־עֹרֹתָ֥ם וְאֶת־
בְּשָׂרָ֖ם וְאֶת־פִּרְשָֽׁם׃ וְהַשֹּׂרֵ֣ף אֹתָ֔ם יְכַבֵּ֣ס בְּגָדָ֔יו וְרָחַ֥ץ אֶת־
בְּשָׂר֖וֹ בַּמָּ֑יִם וְאַחֲרֵי־כֵ֖ן יָב֥וֹא אֶל־הַֽמַּחֲנֶֽה׃ וְהָיְתָ֥ה לָכֶ֖ם לְחֻקַּ֣ת
עוֹלָ֑ם בַּחֹ֣דֶשׁ הַ֠שְּׁבִיעִ֠י בֶּֽעָשׂ֨וֹר לַחֹ֜דֶשׁ תְּעַנּ֣וּ אֶת־נַפְשֹֽׁתֵיכֶ֗ם
וְכָל־מְלָאכָה֙ לֹ֣א תַעֲשׂ֔וּ הָֽאֶזְרָ֔ח וְהַגֵּ֖ר הַגָּ֥ר בְּתוֹכְכֶֽם׃ כִּֽי־בַיּ֥וֹם
הַזֶּ֛ה יְכַפֵּ֥ר עֲלֵיכֶ֖ם לְטַהֵ֣ר אֶתְכֶ֑ם מִכֹּל֙ חַטֹּ֣אתֵיכֶ֔ם לִפְנֵ֥י יהוה
תִּטְהָֽרוּ׃

over it all the iniquities and transgressions of the Israelites, whatever their sins, putting them on the head of the goat; and it shall be sent off to the wilderness through a designated man. Thus the goat shall carry on him all their iniquities to an inaccessible region; and the goat shall be set free in the wilderness. And Aaron shall go into the Tent of Meeting, take off the linen vestments that he put on when he entered the Shrine, and leave them there. He shall bathe his body in water in the holy precinct and put on his vestments; then he shall come out and offer his burnt offering and the burnt offering of the people, making expiation for himself and for the people.

Ḥamishi
On Shabbat: Shishi

The fat of the sin offering he shall turn into smoke on the altar. He who set the goat for Azazel free shall wash his clothes and bathe his body in water; after that he may re-enter the camp.

The bull of sin offering and the goat of sin offering whose blood was brought in to purge the Shrine shall be taken outside the camp; and their hides, flesh, and dung shall be consumed by fire. He who burned them shall wash his clothes and bathe his body in water; after that he may re-enter the camp.

And this shall be to you a law for all time: In the seventh month, on the tenth day of the month, you shall practice self-denial; and you shall do no manner of work, neither the citizen nor the alien who resides among you. For on this day atonement shall be made for you to cleanse you; of all your sins you shall be clean before the Lord.

Shishi
On Shabbat: Shevi'i

שַׁבַּת שַׁבָּתוֹן הִיא לָכֶם וְעִנִּיתֶם אֶת־נַפְשֹׁתֵיכֶם חֻקַּת
עוֹלָם׃ וְכִפֶּר הַכֹּהֵן אֲשֶׁר־יִמְשַׁח אֹתוֹ וַאֲשֶׁר יְמַלֵּא אֶת־יָדוֹ
לְכַהֵן תַּחַת אָבִיו וְלָבַשׁ אֶת־בִּגְדֵי הַבָּד בִּגְדֵי הַקֹּדֶשׁ׃ וְכִפֶּר
אֶת־מִקְדַּשׁ הַקֹּדֶשׁ וְאֶת־אֹהֶל מוֹעֵד וְאֶת־הַמִּזְבֵּחַ יְכַפֵּר וְעַל
הַכֹּהֲנִים וְעַל־כָּל־עַם הַקָּהָל יְכַפֵּר׃ וְהָיְתָה־זֹּאת לָכֶם לְחֻקַּת
עוֹלָם לְכַפֵּר עַל־בְּנֵי יִשְׂרָאֵל מִכָּל־חַטֹּאתָם אַחַת בַּשָּׁנָה וַיַּעַשׂ
כַּאֲשֶׁר צִוָּה יהוה אֶת־מֹשֶׁה׃

We rise as the second Seifer Torah is placed near the Seifer Torah from which the chapter in Leviticus has been read. The Torah Reader recites Ḥatzi Kaddish. The first Seifer Torah is raised.

Congregation:

וְזֹאת הַתּוֹרָה אֲשֶׁר שָׂם מֹשֶׁה לִפְנֵי בְּנֵי יִשְׂרָאֵל עַל פִּי יְיָ בְּיַד מֹשֶׁה.

We are seated.

אָמַר אַבְרָהָם לִפְנֵי הַקָּדוֹשׁ בָּרוּךְ הוּא: רִבּוֹנוֹ שֶׁל עוֹלָם,
שֶׁמָּא חַס וְחָלִילָה יִשְׂרָאֵל חוֹטְאִים לְפָנֶיךָ וְאַתָּה עוֹשֶׂה לָהֶם כְּדוֹר הַמַּבּוּל.

אָמַר לוֹ: לָאו.

אָמַר לְפָנָיו: רִבּוֹנוֹ שֶׁל עוֹלָם, בַּמָּה אֵדַע?

אָמַר לוֹ: קְחָה לִי עֶגְלָה מְשֻׁלֶּשֶׁת וְעֵז מְשֻׁלֶּשֶׁת וְאַיִל מְשֻׁלָּשׁ וְתֹר וְגוֹזָל . . .

Shishi
On Shabbat: Shevi'i

It shall be a sabbath of complete rest for you, and you shall practice self-denial; it is a law for all time. The priest who has been anointed and ordained to serve as priest in place of his father shall make expiation. He shall put on the linen vestments, the sacral vestments. He shall purge the innermost Shrine; he shall purge the Tent of Meeting and the altar; and he shall make expiation for the priests and for all the people of the congregation.

This shall be to you a law for all time: to make atonement for the Israelites for all their sins once a year.

And Moses did as the Lord had commanded him.

We rise as the second Seifer Torah is placed near the Seifer Torah from which the chapter in Leviticus has been read. The Torah Reader recites Ḥatzi Kaddish. The first Seifer Torah is raised.

Congregation:

V'zot ha-torah asher sahm mosheh lifnei b'nei yisrael
'al pi Adonai b'yad mosheh.

This is the Torah given to the people Israel through Moses by the word of God.

We are seated.

Said Abraham to the Holy One: Should the people Israel sin against You, Heaven forbid, You might treat them as the generation that perished in the Flood!

Said God: Not so.

Said Abraham: Give me a sign.

God then directed Abraham to offer animal sacrifices to Him, and Abraham came to understand the atoning power of that ritual act. And he was able to envision that atonement would be gained for the people Israel through the ritual of sacrifice at the Temple in Jerusalem.

אָמַר לְפָנָיו: רִבּוֹנוֹ שֶׁל עוֹלָם,
תֵּינַח בִּזְמַן שֶׁבֵּית הַמִּקְדָּשׁ קַיָּם.
בִּזְמַן שֶׁאֵין בֵּית הַמִּקְדָּשׁ קַיָּם מַה־תְּהֵא עֲלֵיהֶם?

אָמַר לוֹ: כְּבָר תִּקַּנְתִּי לָהֶם סֵדֶר קָרְבָּנוֹת.
כָּל־זְמַן שֶׁקּוֹרְאִין בָּהֶן מַעֲלֶה אֲנִי עֲלֵיהֶן
כְּאִלּוּ מַקְרִיבִין לְפָנַי קָרְבָּן
וּמוֹחֵל אֲנִי עַל כָּל־עֲוֹנוֹתֵיהֶם.

Torah Reading from the second Seifer Torah

Maftir

וּבֶעָשׂוֹר
לַחֹדֶשׁ הַשְּׁבִיעִי הַזֶּה מִקְרָא־קֹדֶשׁ יִהְיֶה לָכֶם וְעִנִּיתֶם אֶת־
נַפְשֹׁתֵיכֶם כָּל־מְלָאכָה לֹא תַעֲשׂוּ: וְהִקְרַבְתֶּם עֹלָה לַיהוה רֵיחַ
נִיחֹחַ פַּר בֶּן־בָּקָר אֶחָד אַיִל אֶחָד כְּבָשִׂים בְּנֵי־שָׁנָה שִׁבְעָה תְּמִימִם
יִהְיוּ לָכֶם: וּמִנְחָתָם סֹלֶת בְּלוּלָה בַשָּׁמֶן שְׁלֹשָׁה עֶשְׂרֹנִים לַפָּר
שְׁנֵי עֶשְׂרֹנִים לָאַיִל הָאֶחָד: עִשָּׂרוֹן עִשָּׂרוֹן לַכֶּבֶשׂ הָאֶחָד לְשִׁבְעַת
הַכְּבָשִׂים: שְׂעִיר־עִזִּים אֶחָד חַטָּאת מִלְּבַד חַטַּאת הַכִּפֻּרִים
וְעֹלַת הַתָּמִיד וּמִנְחָתָהּ וְנִסְכֵּיהֶם:

We rise as the Seifer Torah is raised.

וְזֹאת הַתּוֹרָה אֲשֶׁר שָׂם מֹשֶׁה לִפְנֵי בְּנֵי יִשְׂרָאֵל עַל פִּי יְיָ בְּיַד מֹשֶׁה.

We are seated.

Blessings before the Haftarah:

בָּרוּךְ אַתָּה יְיָ אֱלֹהֵינוּ מֶלֶךְ הָעוֹלָם אֲשֶׁר בָּחַר בִּנְבִיאִים טוֹבִים
וְרָצָה בְדִבְרֵיהֶם הַנֶּאֱמָרִים בֶּאֱמֶת. בָּרוּךְ אַתָּה יְיָ הַבּוֹחֵר בַּתּוֹרָה
וּבְמֹשֶׁה עַבְדּוֹ וּבְיִשְׂרָאֵל עַמּוֹ וּבִנְבִיאֵי הָאֱמֶת וָצֶדֶק.

Said Abraham: That will suffice while the Temple is standing. But when there is no Temple, what will become of the people Israel?

Said God: I have already arranged for them passages concerning the sacrifices. Whenever they read about the sacrifices I shall consider them as having offered sacrifices in My Presence, and I shall forgive them all their sins.

Megillah 31b

Torah Reading from the second Seifer Torah

Numbers 29:7-11

Maftir

On the tenth day of the seventh month you shall observe a sacred occasion when you shall practice self-denial. You shall do no work. You shall present to the Lord a burnt offering of pleasing odor: one bull of the herd, one ram, seven yearling lambs; see that they are without blemish. The meal offering with them—of choice flour with oil mixed in—shall be: three-tenths of a measure for a bull, two-tenths for the one ram, one-tenth for each of the seven lambs. And there shall be one goat for a sin offering, in addition to the sin offering of expiation and the regular burnt offering with its meal offering, each with its libation.

We rise as the Seifer Torah is raised.

V'zot ha-torah asher sahm mosheh lifnei b'nei yisrael
'al pi Adonai b'yad mosheh.

We are seated.

Blessings before the Haftarah:

Praised are You, Lord our God, King of the universe who has loved good prophets, messengers of truth whose teachings He has upheld. Praised are You, Lord who loves the Torah, Moses His servant, Israel His people and prophets of truth and righteousness.

וְאָמַ֣ר סֹֽלּוּ־סֹ֤לּוּ פַּנּוּ־דָ֔רֶךְ הָרִ֥ימוּ

מִכְשׁ֖וֹל מִדֶּ֥רֶךְ עַמִּֽי׃   כִּי֩ כֹ֨ה אָמַ֜ר רָ֣ם וְנִשָּׂ֗א שֹׁכֵ֥ן

עַד֙ וְקָד֣וֹשׁ שְׁמ֔וֹ מָר֥וֹם וְקָד֖וֹשׁ אֶשְׁכּ֑וֹן וְאֶת־דַּכָּא֙ וּשְׁפַל־ר֔וּחַ

לְהַחֲי֙וֹת֙ ר֣וּחַ שְׁפָלִ֔ים וּֽלְהַחֲי֖וֹת לֵ֥ב נִדְכָּאִֽים׃ כִּ֣י לֹ֤א לְעוֹלָם֙

אָרִ֔יב וְלֹ֥א לָנֶ֖צַח אֶקְצ֑וֹף כִּי־ר֙וּחַ֙ מִלְּפָנַ֣י יַֽעֲט֔וֹף וּנְשָׁמ֖וֹת אֲנִ֥י

עָשִֽׂיתִי׃ בַּעֲוֺ֥ן בִּצְע֛וֹ קָצַ֥פְתִּי וְאַכֵּ֖הוּ הַסְתֵּ֣ר וְאֶקְצֹ֑ף וַיֵּ֥לֶךְ שׁוֹבָ֖ב

בְּדֶ֥רֶךְ לִבּֽוֹ׃ דְּרָכָ֥יו רָאִ֖יתִי וְאֶרְפָּאֵ֑הוּ וְאַנְחֵ֕הוּ וַאֲשַׁלֵּ֧ם נִֽחֻמִ֛ים

ל֖וֹ וְלַאֲבֵלָֽיו׃ בּוֹרֵ֖א נ֣וּב שְׂפָתָ֑יִם שָׁל֨וֹם ׀ שָׁל֜וֹם לָרָח֧וֹק וְלַקָּר֛וֹב

אָמַ֥ר יְהֹוָ֖ה וּרְפָאתִֽיו׃ וְהָרְשָׁעִ֖ים כַּיָּ֣ם נִגְרָ֑שׁ כִּ֤י הַשְׁקֵט֙ לֹ֣א

יוּכָ֔ל וַיִּגְרְשׁ֣וּ מֵימָ֔יו רֶ֖פֶשׁ וָטִֽיט׃ אֵ֣ין שָׁל֔וֹם אָמַ֥ר אֱלֹהַ֖י

לָרְשָׁעִֽים׃   קְרָ֤א בְגָרוֹן֙ אַל־תַּחְשֹׂ֔ךְ כַּשּׁוֹפָ֖ר הָרֵ֣ם

קוֹלֶ֑ךָ וְהַגֵּ֤ד לְעַמִּי֙ פִּשְׁעָ֔ם וּלְבֵ֥ית יַעֲקֹ֖ב חַטֹּאתָֽם׃ וְאוֹתִ֗י י֥וֹם י֛וֹם

יִדְרֹשׁ֖וּן וְדַ֣עַת דְּרָכַ֣י יֶחְפָּצ֑וּן כְּג֞וֹי אֲשֶׁר־צְדָקָ֣ה עָשָׂ֗ה וּמִשְׁפַּ֤ט

אֱלֹהָיו֙ לֹ֣א עָזָ֔ב יִשְׁאָל֙וּנִי֙ מִשְׁפְּטֵי־צֶ֔דֶק קִרְבַ֥ת אֱלֹהִ֖ים יֶחְפָּצֽוּן׃

לָ֤מָּה צַּ֙מְנוּ֙ וְלֹ֣א רָאִ֔יתָ עִנִּ֥ינוּ נַפְשֵׁ֖נוּ וְלֹ֣א תֵדָ֑ע הֵ֣ן בְּי֤וֹם צֹֽמְכֶם֙

תִּמְצְאוּ־חֵ֔פֶץ וְכָל־עַצְּבֵיכֶ֖ם תִּנְגֹּֽשׂוּ׃ הֵ֣ן לְרִ֤יב וּמַצָּה֙ תָּצ֔וּמוּ

וּלְהַכּ֖וֹת בְּאֶגְרֹ֣ף רֶ֑שַׁע לֹא־תָצ֣וּמוּ כַיּ֔וֹם לְהַשְׁמִ֥יעַ בַּמָּר֖וֹם

קוֹלְכֶֽם׃ הֲכָזֶ֗ה יִֽהְיֶה֙ צ֣וֹם אֶבְחָרֵ֔הוּ י֛וֹם עַנּ֥וֹת אָדָ֖ם נַפְשׁ֑וֹ הֲלָכֹ֨ף

כְּאַגְמֹ֜ן רֹאשׁ֗וֹ וְשַׂ֤ק וָאֵ֙פֶר֙ יַצִּ֔יעַ הֲלָזֶה֙ תִּקְרָא־צ֔וֹם וְי֥וֹם רָצ֖וֹן

נ״ב

Haftarah

Isaiah 57:14-58:14

Make a path, clear the way, remove all obstacles from My people's path! For thus says the exalted One who inhabits eternity, whose name is Holy: Although I am exalted and holy, I also dwell with those who are humble and contrite, to revive the spirit of the humble and the heart of the contrite. I will not contend forever, nor will I always be wrathful; for I am the source of all spirit, all life.

Their sin has made Me wrathful. I smote them, I hid My face; but they remained willful and rebellious. I have seen their ways, and I will heal them. I will lead them, I will comfort them and their mourners. Peace. Peace to the far and to the near, says the Lord. I will heal them. But the wicked are like the tossing sea which cannot rest; its waters toss up rubbish and mud. There is no peace, says my God, for the wicked.

Cry aloud, hold nothing back; shout as loud as a shofar blast. Tell my people their transgressions, tell the House of Jacob their sins.

Yet they seek Me daily, and delight to know My ways. Like a nation that does what is right and forsakes not God's ordinance they ask Me for righteous judgments, they delight to draw near to God.

"Why have we fasted," they say, "if You see it not? Why have we afflicted ourselves, if You know it not?"

Behold, on the day of your fast you pursue business as usual, and oppress your workers. Behold, you fast only to quarrel and fight, to deal wicked blows. Such fasting will not make your voice audible on high.

Is this the fast that I have chosen? Is this affliction of the soul? Is it to droop your head like a bullrush, to grovel in sackcloth and ashes? Is that what you call fasting, a fast that the Lord would accept?

לַיהוָה׃ הֲלוֹא זֶה צוֹם אֶבְחָרֵהוּ פַּתֵּחַ חַרְצֻבּוֹת רֶשַׁע הַתֵּר
אֲגֻדּוֹת מוֹטָה וְשַׁלַּח רְצוּצִים חָפְשִׁים וְכָל־מוֹטָה תְּנַתֵּקוּ׃ הֲלוֹא
פָרֹס לָרָעֵב לַחְמֶךָ וַעֲנִיִּים מְרוּדִים תָּבִיא בָיִת כִּי־תִרְאֶה עָרֹם
וְכִסִּיתוֹ וּמִבְּשָׂרְךָ לֹא תִתְעַלָּם׃ אָז יִבָּקַע כַּשַּׁחַר אוֹרֶךָ וַאֲרֻכָתְךָ
מְהֵרָה תִצְמָח וְהָלַךְ לְפָנֶיךָ צִדְקֶךָ כְּבוֹד יְהוָה יַאַסְפֶךָ׃ אָז
תִּקְרָא וַיהוָה יַעֲנֶה תְּשַׁוַּע וְיֹאמַר הִנֵּנִי אִם־תָּסִיר מִתּוֹכְךָ
מוֹטָה שְׁלַח אֶצְבַּע וְדַבֶּר־אָוֶן׃ וְתָפֵק לָרָעֵב נַפְשֶׁךָ וְנֶפֶשׁ נַעֲנָה
תַּשְׂבִּיעַ וְזָרַח בַּחֹשֶׁךְ אוֹרֶךָ וַאֲפֵלָתְךָ כַּצָּהֳרָיִם׃ וְנָחֲךָ יְהוָה
תָּמִיד וְהִשְׂבִּיעַ בְּצַחְצָחוֹת נַפְשֶׁךָ וְעַצְמֹתֶיךָ יַחֲלִיץ וְהָיִיתָ כְּגַן
רָוֶה וּכְמוֹצָא מַיִם אֲשֶׁר לֹא־יְכַזְּבוּ מֵימָיו׃ וּבָנוּ מִמְּךָ חָרְבוֹת
עוֹלָם מוֹסְדֵי דוֹר־וָדוֹר תְּקוֹמֵם וְקֹרָא לְךָ גֹּדֵר פֶּרֶץ מְשֹׁבֵב
נְתִיבוֹת לָשָׁבֶת׃ אִם־תָּשִׁיב מִשַּׁבָּת רַגְלֶךָ עֲשׂוֹת חֲפָצֶךָ בְּיוֹם
קָדְשִׁי וְקָרָאתָ לַשַּׁבָּת עֹנֶג לִקְדוֹשׁ יְהוָה מְכֻבָּד וְכִבַּדְתּוֹ
מֵעֲשׂוֹת דְּרָכֶיךָ מִמְּצוֹא חֶפְצְךָ וְדַבֵּר דָּבָר׃ אָז תִּתְעַנַּג עַל־
יְהוָה וְהִרְכַּבְתִּיךָ עַל־במותי אָרֶץ וְהַאֲכַלְתִּיךָ נַחֲלַת יַעֲקֹב   בָּמֳתֵי
אָבִיךָ כִּי פִּי יְהוָה דִּבֵּר׃

This is My chosen fast: to loosen all the bonds that bind men unfairly, to let the oppressed go free, to break every yoke. Share your bread with the hungry, take the homeless into your home. Clothe the naked when you see him, do not turn away from people in need. Then cleansing light shall break forth like the dawn, and your wounds shall soon be healed. Your triumph shall go before you and the Lord's glory shall be your rearguard. Then you shall call and the Lord will answer; you shall cry out and He will say, "Here I am."

If you remove from your midst the yoke of oppression, the finger of scorn and the tongue of malice, if you put yourself out for the hungry and relieve the wretched, then shall your light shine in the darkness, and your gloom shall be as noonday. And the Lord will guide you continually. He will refresh you in dry places, renewing your strength. And you shall be like a watered garden, like a never-failing spring. And you shall rebuild ancient ruins, restoring old foundations. You shall be known as the rebuilder of broken walls, the restorer of dwelling places.

If you refrain from doing business on Shabbat, My holy day, and regard Shabbat as a delight, the Lord's holy day as honorable, if you honor it by not doing your own business and by not talking idly, then shall you find delight in the Lord. And I will set you safely upon the heights of the earth, and I will let you enjoy the heritage of Jacob your father. This is the promise of the Lord.

Concluding blessings, after the Haftarah:

בָּרוּךְ אַתָּה יְיָ אֱלֹהֵינוּ מֶלֶךְ הָעוֹלָם, צוּר כָּל־הָעוֹלָמִים, צַדִּיק בְּכָל־הַדּוֹרוֹת, הָאֵל הַנֶּאֱמָן הָאוֹמֵר וְעוֹשֶׂה הַמְדַבֵּר וּמְקַיֵּם, שֶׁכָּל־דְּבָרָיו אֱמֶת וָצֶדֶק. נֶאֱמָן אַתָּה הוּא יְיָ אֱלֹהֵינוּ וְנֶאֱמָנִים דְּבָרֶיךָ, וְדָבָר אֶחָד מִדְּבָרֶיךָ אָחוֹר לֹא יָשׁוּב רֵיקָם, כִּי אֵל מֶלֶךְ נֶאֱמָן וְרַחֲמָן אָתָּה. בָּרוּךְ אַתָּה יְיָ הָאֵל הַנֶּאֱמָן בְּכָל־דְּבָרָיו.

רַחֵם עַל צִיּוֹן כִּי הִיא בֵּית חַיֵּינוּ. וְלַעֲלוּבַת נֶפֶשׁ תּוֹשִׁיעַ בִּמְהֵרָה בְיָמֵינוּ. בָּרוּךְ אַתָּה יְיָ מְשַׂמֵּחַ צִיּוֹן בְּבָנֶיהָ.

שַׂמְּחֵנוּ יְיָ אֱלֹהֵינוּ בְּאֵלִיָּהוּ הַנָּבִיא עַבְדֶּךָ וּבְמַלְכוּת בֵּית דָּוִד מְשִׁיחֶךָ. בִּמְהֵרָה יָבוֹא וְיָגֵל לִבֵּנוּ, עַל כִּסְאוֹ לֹא יֵשֵׁב זָר וְלֹא יִנְחֲלוּ עוֹד אֲחֵרִים אֶת־כְּבוֹדוֹ, כִּי בְשֵׁם קָדְשְׁךָ נִשְׁבַּעְתָּ לוֹ שֶׁלֹּא יִכְבֶּה נֵרוֹ לְעוֹלָם וָעֶד. בָּרוּךְ אַתָּה יְיָ מָגֵן דָּוִד.

עַל הַתּוֹרָה וְעַל הָעֲבוֹדָה וְעַל הַנְּבִיאִים וְעַל יוֹם הַשַּׁבָּת הַזֶּה וְעַל יוֹם הַכִּפּוּרִים הַזֶּה, שֶׁנָּתַתָּ לָּנוּ יְיָ אֱלֹהֵינוּ לִקְדֻשָּׁה וְלִמְנוּחָה לִמְחִילָה וְלִסְלִיחָה וּלְכַפָּרָה, לְכָבוֹד וּלְתִפְאָרֶת.

עַל הַכֹּל יְיָ אֱלֹהֵינוּ אֲנַחְנוּ מוֹדִים לָךְ, וּמְבָרְכִים אוֹתָךְ. יִתְבָּרַךְ שִׁמְךָ בְּפִי כָּל־חַי תָּמִיד לְעוֹלָם וָעֶד. וּדְבָרְךָ אֱמֶת וְקַיָּם לָעַד. בָּרוּךְ אַתָּה יְיָ מֶלֶךְ מוֹחֵל וְסוֹלֵחַ לַעֲוֹנוֹתֵינוּ וְלַעֲוֹנוֹת עַמּוֹ בֵּית יִשְׂרָאֵל, וּמַעֲבִיר אַשְׁמוֹתֵינוּ בְּכָל־שָׁנָה וְשָׁנָה, מֶלֶךְ עַל כָּל־הָאָרֶץ מְקַדֵּשׁ הַשַּׁבָּת וְ יִשְׂרָאֵל וְיוֹם הַכִּפּוּרִים.

Concluding blessings, after the Haftarah:

Praised are You, Lord our God, King of the universe, Rock of all ages, righteous in all generations, steadfast God whose word is deed, whose decree is fulfillment, whose every teaching is truth and righteousness. Faithful are You, Lord our God, in all Your promises, not one of which will remain unfulfilled, for You are a faithful and merciful God and King. Praised are You, Lord God, faithful in all Your promises.

Show compassion for Zion, the fount of our existence. And raise the humbled spirit soon. Praised are You, Lord who brings joy to Zion.

Bring us joy, Lord our God, through Your prophet Elijah and the kingdom of the House of David Your anointed. May Elijah come soon, to gladden our hearts. May no outsider usurp David's throne, and may no other inherit his glory. For by Your holy name have You promised that his light shall never be extinguished. Praised are You, Lord, Shield of David.

We thank You and praise You, Lord our God, for the Torah, for worship, for the prophets, for *this Shabbat and* this Day of Atonement which You have given us *for holiness and rest,* for forgiveness, pardon and atonement, for dignity and splendor.

May Your name be praised continually by every living creature. Your true teaching endures forever. Praised are You, Lord, King who pardons and forgives our sins and the sins of His people the House of Israel, removing our guilt year after year, King of all the earth who sanctifies *Shabbat and* the people Israel and the Day of Atonement.

On Shabbat only:

יְקוּם פֻּרְקָן מִן שְׁמַיָּא, חִנָּא וְחִסְדָּא וְרַחֲמֵי וְחַיֵּי אֲרִיכֵי וּמְזוֹנֵי רְוִיחֵי וְסִיַּעְתָּא דִשְׁמַיָּא וּבַרְיוּת גּוּפָא וּנְהוֹרָא מַעַלְיָא, זַרְעָא חַיָּא וְקַיָּמָא, זַרְעָא דִּי לָא יִפְסֻק וְדִי לָא יִבְטֻל מִפִּתְגָּמֵי אוֹרַיְתָא, לְכָל־קְהָלָא קַדִּישָׁא הָדֵין, רַבְרְבַיָּא עִם זְעֵרַיָּא טַפְלָא וּנְשַׁיָּא. מַלְכָּא דְעָלְמָא יְבָרֵךְ יָתְכוֹן, יַפִּישׁ חַיֵּיכוֹן וְיַסְגֵּא יוֹמֵיכוֹן וְיִתֵּן אַרְכָה לִשְׁנֵיכוֹן, וְתִתְפָּרְקוּן וְתִשְׁתֵּזְבוּן מִן כָּל־עָקָא וּמִן כָּל־מַרְעִין בִּישִׁין. מָרָן דִּי בִשְׁמַיָּא יְהֵא בְסַעְדְּכוֹן כָּל־זְמַן וְעִדָּן, וְנֹאמַר אָמֵן.

מִי שֶׁבֵּרַךְ אֲבוֹתֵינוּ אַבְרָהָם יִצְחָק וְיַעֲקֹב הוּא יְבָרֵךְ אֶת־כָּל־הַקָּהָל הַקָּדוֹשׁ הַזֶּה עִם כָּל־קְהִלּוֹת הַקֹּדֶשׁ, הֵם וּנְשֵׁיהֶם וּבְנֵיהֶם וּבְנוֹתֵיהֶם וְכֹל אֲשֶׁר לָהֶם, וּמִי שֶׁמְּיַחֲדִים בָּתֵּי כְנֵסִיּוֹת לִתְפִלָּה, וּמִי שֶׁבָּאִים בְּתוֹכָם לְהִתְפַּלֵּל, וּמִי שֶׁנּוֹתְנִים נֵר לַמָּאוֹר וְיַיִן לְקִדּוּשׁ וּלְהַבְדָּלָה, וּפַת לָאוֹרְחִים וּצְדָקָה לָעֲנִיִּים, וְכָל־מִי שֶׁעוֹסְקִים בְּצָרְכֵי צִבּוּר וּבְבִנְיַן אֶרֶץ יִשְׂרָאֵל בֶּאֱמוּנָה. הַקָּדוֹשׁ בָּרוּךְ הוּא יְשַׁלֵּם שְׂכָרָם וְיָסִיר מֵהֶם כָּל־מַחֲלָה וְיִרְפָּא לְכָל־גּוּפָם וְיִסְלַח לְכָל־עֲוֹנָם, וְיִשְׁלַח בְּרָכָה וְהַצְלָחָה בְּכָל־מַעֲשֵׂה יְדֵיהֶם עִם כָּל־יִשְׂרָאֵל אֲחֵיהֶם, וְנֹאמַר אָמֵן.

On Shabbat only:

May the blessings of Heaven—kindness and compassion, long life, ample sustenance, health, and healthy children who do not neglect the Torah—be granted to all members of this congregation. May the King of the universe bless you, adding to your days and your years. May you be spared all distress and disease. May our Father in Heaven be your help at all times. And let us say: Amen.

May He who blessed our ancestors, Abraham, Isaac and Jacob, bless this entire congregation, together with all holy congregations: them, their sons and daughters, their families, and all that is theirs, along with those who unite to establish synagogues for prayer, and those who enter them to pray, and those who give funds for heat and light, and wine for Kiddush and Havdalah, bread to the wayfarer and charity to the poor, and all who devotedly involve themselves with the needs of this community and the Land of Israel. May the Holy One Praised Be He reward them; may He remove sickness from them, heal them and forgive their sins. May He bless them by prospering all their worthy endeavors, as well as those of all Israel, their brothers. And let us say: Amen.

A Prayer for our Country

אֱלֹהֵינוּ וֵאלֹהֵי אֲבוֹתֵינוּ, קַבֵּל־נָא בְּרַחֲמִים אֶת־תְּפִלָּתֵנוּ בְּעַד אַרְצֵנוּ וּמֶמְשַׁלְתָּהּ. הָרֵק אֶת־בִּרְכָתְךָ עַל הָאָרֶץ הַזֹּאת, עַל רָאשֶׁיהָ שׁוֹפְטֶיהָ שׁוֹטְרֶיהָ וּפְקִידֶיהָ הָעוֹסְקִים בְּצָרְכֵי צִבּוּר בֶּאֱמוּנָה. הוֹרֵם מֵחֻקֵּי תוֹרָתֶךָ, הֲבִינֵם מִשְׁפְּטֵי צִדְקֶךָ לְמַעַן לֹא יָסֽוּרוּ מֵאַרְצֵנוּ שָׁלוֹם וְשַׁלְוָה אֹשֶׁר וָחֹפֶשׁ כָּל־הַיָּמִים. אָנָּא יְיָ אֱלֹהֵי הָרוּחוֹת לְכָל־בָּשָׂר, שְׁלַח רוּחֲךָ עַל כָּל־תּוֹשְׁבֵי אַרְצֵנוּ וְטַע בֵּין בְּנֵי הָאֻמּוֹת וְהָאֱמוּנוֹת הַשּׁוֹנוֹת הַשּׁוֹכְנִים בָּהּ אַהֲבָה וְאַחֲוָה שָׁלוֹם וְרֵעוּת. וַעֲקֹר מִלִּבָּם כָּל־שִׂנְאָה וְאֵיבָה קִנְאָה וְתַחֲרוּת, לְמַלְּאוֹת מַשָּׂא נֶפֶשׁ בָּנֶיהָ הַמִּתְיַמְּרִים בִּכְבוֹדָהּ וְהַמִּשְׁתּוֹקְקִים לִרְאוֹתָהּ אוֹר לְכָל־הַגּוֹיִם.

וְכֵן יְהִי רָצוֹן מִלְּפָנֶיךָ שֶׁתְּהִי אַרְצֵנוּ בְּרָכָה לְכָל־יוֹשְׁבֵי תֵבֵל וְתַשְׁרֶה בֵּינֵיהֶם רֵעוּת וְחֵרוּת, וְקַיֵּם בִּמְהֵרָה חֲזוֹן נְבִיאֶיךָ: לֹא יִשָּׂא גוֹי אֶל גּוֹי חֶרֶב וְלֹא יִלְמְדוּ עוֹד מִלְחָמָה. וְנֶאֱמַר: כִּי כוּלָּם יֵדְעוּ אוֹתִי לְמִקְטַנָּם וְעַד גְּדוֹלָם, וְנֹאמַר אָמֵן.

A Prayer for the State of Israel

אָבִינוּ שֶׁבַּשָּׁמַיִם, צוּר יִשְׂרָאֵל וְגוֹאֲלוֹ, בָּרֵךְ אֶת־מְדִינַת יִשְׂרָאֵל רֵאשִׁית צְמִיחַת גְּאֻלָּתֵנוּ. הָגֵן עָלֶיהָ בְּאֶבְרַת חַסְדֶּךָ וּפְרֹס עָלֶיהָ סֻכַּת שְׁלוֹמֶךָ. וּשְׁלַח אוֹרְךָ וַאֲמִתְּךָ לְרָאשֶׁיהָ שָׂרֶיהָ וְיוֹעֲצֶיהָ, וְתַקְּנֵם בְּעֵצָה טוֹבָה מִלְּפָנֶיךָ. חַזֵּק אֶת־יְדֵי מְגִנֵּי אֶרֶץ קָדְשֵׁנוּ, וְהַנְחִילֵם אֱלֹהֵינוּ יְשׁוּעָה וַעֲטֶרֶת נִצָּחוֹן תְּעַטְּרֵם. וְנָתַתָּ שָׁלוֹם בָּאָרֶץ וְשִׂמְחַת עוֹלָם לְיוֹשְׁבֶיהָ, וְנֹאמַר אָמֵן.

A Prayer for our Country

Our God and God of our fathers: We ask Your blessing for our country, for its government, for its leader and advisors, and for all who exercise just and rightful authority. Teach them insights of Your Torah, that they may administer all affairs of state fairly, that peace and security, happiness and prosperity, justice and freedom may forever abide in our midst.

Creator of all flesh, bless all the inhabitants of our country with Your spirit. Then citizens of all races and creeds will forge a common bond in true brotherhood, to banish all hatred and bigotry, and to safeguard the ideals and free institutions which are our country's pride and glory.

May this land under Your Providence be an influence for good throughout the world, uniting all men in peace and freedom, and helping them to fulfill the vision of Your prophet: "Nation shall not lift up sword against nation, neither shall men learn war any more." And let us say: Amen.

A Prayer for the State of Israel

Our Father in Heaven, Rock and Redeemer of the people Israel: Bless the State of Israel, the dawn of our redemption. Shield it with Your love; spread over it the shelter of Your peace. Guide its leaders and advisors with Your light and Your truth. Help them with Your good counsel. Strengthen the hands of those who defend our Holy Land. Deliver them; crown their efforts with triumph. Bless the land with peace, and its inhabitants with lasting joy. And let us say: Amen.

A Prayer for Peace

יְהִי רָצוֹן מִלְּפָנֶיךָ יְיָ אֱלֹהֵינוּ וֵאלֹהֵי אֲבוֹתֵינוּ
שֶׁתְּבַטֵּל מִלְחָמוֹת וּשְׁפִיכוּת דָּמִים מִן הָעוֹלָם
וְתַמְשִׁיךְ שָׁלוֹם גָּדוֹל וְנִפְלָא בָּעוֹלָם
וְלֹא יִשָּׂא גוֹי אֶל גּוֹי חֶרֶב וְלֹא יִלְמְדוּ עוֹד מִלְחָמָה.

רַק יַכִּירוּ וְיֵדְעוּ כָּל־יוֹשְׁבֵי תֵבֵל הָאֱמֶת לַאֲמִתּוֹ
אֲשֶׁר לֹא בָאנוּ לָזֶה הָעוֹלָם בִּשְׁבִיל רִיב וּמַחֲלֹקֶת
וְלֹא בִּשְׁבִיל שִׂנְאָה וְקִנְאָה וְקִנְתּוּר וּשְׁפִיכוּת דָּמִים.
רַק בָּאנוּ לָעוֹלָם כְּדֵי לְהַכִּיר אוֹתְךָ תִּתְבָּרַךְ לָנֶצַח.

וּבְכֵן תְּרַחֵם עָלֵינוּ וִיקַיֵּם בָּנוּ מִקְרָא שֶׁכָּתוּב:
וְנָתַתִּי שָׁלוֹם בָּאָרֶץ וּשְׁכַבְתֶּם וְאֵין מַחֲרִיד
וְהִשְׁבַּתִּי חַיָּה רָעָה מִן הָאָרֶץ וְחֶרֶב לֹא תַעֲבֹר בְּאַרְצְכֶם.
וְיִגַּל כַּמַּיִם מִשְׁפָּט, וּצְדָקָה כְּנַחַל אֵיתָן.
כִּי מָלְאָה הָאָרֶץ דֵּעָה אֶת־יְיָ כַּמַּיִם לַיָּם מְכַסִּים.

A Prayer for Peace

May we see the day when war and bloodshed cease,
when a great peace will embrace the whole world.

> *Then nation will not threaten nation,*
> *and mankind will not again know war.*

For all who live on earth shall realize
we have not come into being to hate or to destroy.

> *We have come into being*
> *to praise, to labor and to love.*

Compassionate God, bless the leaders of all nations
with the power of compassion.

> *Fulfill the promise conveyed in Scripture:*

I will bring peace to the land,
and you shall lie down and no one shall terrify you.

> *I will rid the land of vicious beasts*
> *and it shall not be ravaged by war.*

Let love and justice flow like a mighty stream.

> *Let peace fill the earth as the waters fill the sea.*

And let us say: Amen.

Ashrei

אַשְׁרֵי יוֹשְׁבֵי בֵיתֶךָ, עוֹד יְהַלְלְוּךָ סֶּלָה.

אַשְׁרֵי הָעָם שֶׁכָּכָה לּוֹ, אַשְׁרֵי הָעָם שֶׁיְיָ אֱלֹהָיו.

תְּהִלָּה לְדָוִד.

אֲרוֹמִמְךָ אֱלוֹהַי הַמֶּלֶךְ וַאֲבָרְכָה שִׁמְךָ לְעוֹלָם וָעֶד.

בְּכָל־יוֹם אֲבָרְכֶךָּ וַאֲהַלְלָה שִׁמְךָ לְעוֹלָם וָעֶד.

גָּדוֹל יְיָ וּמְהֻלָּל מְאֹד וְלִגְדֻלָּתוֹ אֵין חֵקֶר.

דּוֹר לְדוֹר יְשַׁבַּח מַעֲשֶׂיךָ וּגְבוּרֹתֶיךָ יַגִּידוּ.

הֲדַר כְּבוֹד הוֹדֶךָ וְדִבְרֵי נִפְלְאֹתֶיךָ אָשִׂיחָה.

וֶעֱזוּז נוֹרְאוֹתֶיךָ יֹאמֵרוּ וּגְדוּלָּתְךָ אֲסַפְּרֶנָּה.

זֵכֶר רַב טוּבְךָ יַבִּיעוּ וְצִדְקָתְךָ יְרַנֵּנוּ.

חַנּוּן וְרַחוּם יְיָ, אֶרֶךְ אַפַּיִם וּגְדָל־חָסֶד.

טוֹב יְיָ לַכֹּל וְרַחֲמָיו עַל כָּל־מַעֲשָׂיו.

יוֹדוּךָ יְיָ כָּל־מַעֲשֶׂיךָ וַחֲסִידֶיךָ יְבָרְכוּכָה.

כְּבוֹד מַלְכוּתְךָ יֹאמֵרוּ וּגְבוּרָתְךָ יְדַבֵּרוּ.

לְהוֹדִיעַ לִבְנֵי הָאָדָם גְּבוּרֹתָיו וּכְבוֹד הֲדַר מַלְכוּתוֹ.

מַלְכוּתְךָ מַלְכוּת כָּל־עֹלָמִים וּמֶמְשַׁלְתְּךָ בְּכָל־דּוֹר וָדֹר.

סוֹמֵךְ יְיָ לְכָל־הַנֹּפְלִים וְזוֹקֵף לְכָל־הַכְּפוּפִים.

עֵינֵי כֹל אֵלֶיךָ יְשַׂבֵּרוּ וְאַתָּה נוֹתֵן לָהֶם אֶת־אָכְלָם בְּעִתּוֹ.

פּוֹתֵחַ אֶת־יָדֶךָ וּמַשְׂבִּיעַ לְכָל־חַי רָצוֹן.

Ashrei

Blessed are they who dwell in Your house; they shall praise You forever.

Blessed the people who are so favored; blessed the people whose God is the Lord.

David sang: I glorify You, my God, my King;
I praise You throughout all time.

Every day do I praise You, exalting Your glory forever.

Great is the Lord, and praiseworthy;
His greatness exceeds definition.

One generation lauds Your works to another,
Declaring Your mighty deeds.

They tell of Your wonders, and of Your glorious splendor.

They speak of Your greatness, and of Your awesome power.

They recall Your goodness; they sing of Your faithfulness.

Gracious and compassionate is the Lord;
Patient, and abounding in love.

To all the Lord is good; His compassion embraces all creatures.

All of Your creatures shall praise You;
The faithful shall repeatedly bless You.

They shall describe Your glorious kingdom, declaring Your power;

And men will know of Your might, the splendor of Your dominion.

Your kingdom is an everlasting kingdom;

Your dominion endures for all generations.

The Lord supports all who stumble,

He raises all who are bowed down.

All eyes look hopefully to You, to receive their food in due time.

You open Your hand, and all the living feast upon Your favor.

צַדִּיק יְיָ בְּכָל־דְּרָכָיו וְחָסִיד בְּכָל־מַעֲשָׂיו.

קָרוֹב יְיָ לְכָל־קֹרְאָיו, לְכֹל אֲשֶׁר יִקְרָאֻהוּ בֶאֱמֶת.

רְצוֹן יְרֵאָיו יַעֲשֶׂה וְאֶת־שַׁוְעָתָם יִשְׁמַע וְיוֹשִׁיעֵם.

שׁוֹמֵר יְיָ אֶת־כָּל־אֹהֲבָיו וְאֵת כָּל־הָרְשָׁעִים יַשְׁמִיד.

תְּהִלַּת יְיָ יְדַבֶּר־פִּי וִיבָרֵךְ כָּל־בָּשָׂר שֵׁם קָדְשׁוֹ לְעוֹלָם וָעֶד.

וַאֲנַחְנוּ נְבָרֵךְ יָהּ מֵעַתָּה וְעַד עוֹלָם. הַלְלוּיָהּ.

We rise, to return the Sifrei Torah to the Ark.

Ḥazzan:

יְהַלְלוּ אֶת־שֵׁם יְיָ כִּי נִשְׂגָּב שְׁמוֹ לְבַדּוֹ.

Congregation:

הוֹדוֹ עַל אֶרֶץ וְשָׁמָיִם. וַיָּרֶם קֶרֶן לְעַמּוֹ
תְּהִלָּה לְכָל־חֲסִידָיו, לִבְנֵי יִשְׂרָאֵל עַם קְרוֹבוֹ. הַלְלוּיָהּ.

On Shabbat only:

מִזְמוֹר לְדָוִד. הָבוּ לַייָ בְּנֵי אֵלִים, הָבוּ לַייָ כָּבוֹד וָעֹז. הָבוּ לַייָ
כְּבוֹד שְׁמוֹ, הִשְׁתַּחֲווּ לַייָ בְּהַדְרַת קֹדֶשׁ. קוֹל יְיָ עַל הַמָּיִם, אֵל
הַכָּבוֹד הִרְעִים, יְיָ עַל מַיִם רַבִּים. קוֹל יְיָ בַּכֹּחַ, קוֹל יְיָ בֶּהָדָר.
קוֹל יְיָ שֹׁבֵר אֲרָזִים וַיְשַׁבֵּר יְיָ אֶת־אַרְזֵי הַלְּבָנוֹן. וַיַּרְקִידֵם כְּמוֹ
עֵגֶל, לְבָנוֹן וְשִׂרְיוֹן כְּמוֹ בֶן־רְאֵמִים. קוֹל יְיָ חֹצֵב לַהֲבוֹת אֵשׁ.
קוֹל יְיָ יָחִיל מִדְבָּר, יָחִיל יְיָ מִדְבַּר קָדֵשׁ. קוֹל יְיָ יְחוֹלֵל אַיָּלוֹת

In all His paths the Lord is faithful,
In all His deeds He is loving.

> To all who call the Lord is near,
> To all who call upon Him in truth.

He fulfills the desire of those who revere Him;
He hears their cry and delivers them.

> All who love the Lord He preserves,
> but all the wicked He destroys.

My mouth shall praise the Lord.

> Let all flesh praise His name throughout all time.

We shall praise the Lord now and always. Halleluyah!

We rise, to return the Sifrei Torah to the Ark.

Ḥazzan:

Praise the Lord, for He is unique, exalted.

Congregation:

*Hodo al eretz v'shamayim, va'yarem keren l'amo, te'hilah lekhol
ḥasidav, liv-nei yisrael 'am kerovo, Halleluyah!*

His glory encompasses heaven and earth. He exalts and extols
His faithful, the people Israel who are close to Him. Halleluyah.

On Shabbat only:

Acclaim the Lord, all the mighty. Praise Him for His power and
glory. Acclaim the Lord, for great is His renown; worship the
Lord in sacred beauty. The voice of the Lord peals above the
waters, the God of glory thunders over oceans. The voice of the
Lord echoes with majesty and might. It shatters stately cedars
until the hills of Lebanon leap like a calf, the hills of Sirion like
an antelope. The Lord's voice commands the lightning that
cleaves stone. His voice stirs the desert sands, it shakes the
Kadesh wilderness. The voice of the Lord twists the trees, it

וַיֶּחֱשֹׂף יְעָרוֹת, וּבְהֵיכָלוֹ כֻּלּוֹ אֹמֵר כָּבוֹד. יְיָ לַמַּבּוּל יָשָׁב, וַיֵּשֶׁב יְיָ מֶלֶךְ לְעוֹלָם. יְיָ עֹז לְעַמּוֹ יִתֵּן, יְיָ יְבָרֵךְ אֶת־עַמּוֹ בַשָּׁלוֹם.

On weekdays:

לְדָוִד מִזְמוֹר. לַייָ הָאָרֶץ וּמְלוֹאָהּ, תֵּבֵל וְיֹשְׁבֵי בָהּ. כִּי הוּא עַל יַמִּים יְסָדָהּ, וְעַל נְהָרוֹת יְכוֹנְנֶהָ. מִי יַעֲלֶה בְהַר יְיָ, וּמִי יָקוּם בִּמְקוֹם קָדְשׁוֹ. נְקִי כַפַּיִם וּבַר לֵבָב, אֲשֶׁר לֹא נָשָׂא לַשָּׁוְא נַפְשִׁי, וְלֹא נִשְׁבַּע לְמִרְמָה. יִשָּׂא בְרָכָה מֵאֵת יְיָ, וּצְדָקָה מֵאֱלֹהֵי יִשְׁעוֹ. זֶה דּוֹר דֹּרְשָׁיו, מְבַקְשֵׁי פָנֶיךָ יַעֲקֹב, סֶלָה. שְׂאוּ שְׁעָרִים רָאשֵׁיכֶם וְהִנָּשְׂאוּ פִּתְחֵי עוֹלָם, וְיָבוֹא מֶלֶךְ הַכָּבוֹד. מִי זֶה מֶלֶךְ הַכָּבוֹד, יְיָ עִזּוּז וְגִבּוֹר, יְיָ גִּבּוֹר מִלְחָמָה. שְׂאוּ שְׁעָרִים רָאשֵׁיכֶם וּשְׂאוּ פִּתְחֵי עוֹלָם, וְיָבֹא מֶלֶךְ הַכָּבוֹד. מִי הוּא זֶה מֶלֶךְ הַכָּבוֹד, יְיָ צְבָאוֹת, הוּא מֶלֶךְ הַכָּבוֹד, סֶלָה.

וּבְנֻחֹה יֹאמַר: שׁוּבָה יְיָ, רִבְבוֹת אַלְפֵי יִשְׂרָאֵל. קוּמָה יְיָ לִמְנוּחָתֶךָ, אַתָּה וַאֲרוֹן עֻזֶּךָ. כֹּהֲנֶיךָ יִלְבְּשׁוּ־צֶדֶק, וַחֲסִידֶיךָ יְרַנֵּנוּ. בַּעֲבוּר דָּוִד עַבְדֶּךָ, אַל תָּשֵׁב פְּנֵי מְשִׁיחֶךָ. כִּי לֶקַח טוֹב נָתַתִּי לָכֶם, תּוֹרָתִי אַל תַּעֲזֹבוּ.

עֵץ חַיִּים הִיא לַמַּחֲזִיקִים בָּהּ, וְתֹמְכֶיהָ מְאֻשָּׁר.

דְּרָכֶיהָ דַרְכֵי־נֹעַם, וְכָל־נְתִיבוֹתֶיהָ שָׁלוֹם.

הֲשִׁיבֵנוּ יְיָ אֵלֶיךָ וְנָשׁוּבָה, חַדֵּשׁ יָמֵינוּ כְּקֶדֶם.

Eitz ḥayyim hi la-maḥazikim bah, ve-tomkhe-ha m'ushar.

D'rakhe-ha darkhei no'am, ve'khol n'tivote-ha shalom.

Hashiveinu Adonai eilekha v'nashuva, ḥadeish yameinu k'kedem.

strips the forest bare. In His sanctuary nothing is heard but the praise of His glory. The Lord was enthroned at the Flood, He is enthroned as King forever. The Lord will grant His people dignity. The Lord will bless His people with peace.

Psalm 29

On weekdays:

The earth is the Lord's, and all that it holds, the world and all its inhabitants. He founded it upon the seas, He set it firm upon flowing waters. Who deserves to enter God's sanctuary? Who merits a place in His Presence? He who has clean hands and a pure heart, who does not use God's name in vain oaths, who does not set His mind on worthless things. He shall receive a blessing from the Lord, a just reward from the God of his deliverance. Such are the people who seek Him, who, like Jacob, long for His Presence. Lift high your lintels, O you gates; open wide, you ancient doors! Welcome the glorious King! Who is the glorious King? The Lord, with dignity and power; the Lord, triumphant in battle. Lift high your lintels, O you gates; open wide, you ancient doors! Welcome the glorious King! Who is the glorious King? The Lord of hosts; He is the glorious King.

Psalm 24

Whenever the Ark was set down, Moses would say: O Lord, may You dwell among the myriad families of Israel. Return, O Lord, to Your sanctuary, You and Your glorious Ark. Let Your priests be robed in righteousness, let Your faithful sing with joy. For the sake of David, Your servant, do not reject Your anointed.

Precious teaching do I give you:
Never forsake My Torah.

It is a tree of life for those who grasp it,
and all who uphold it are blessed.

Its ways are pleasantness, and all its paths are peace.

Help us turn to You, and we shall return.
Renew our lives as in days of old.

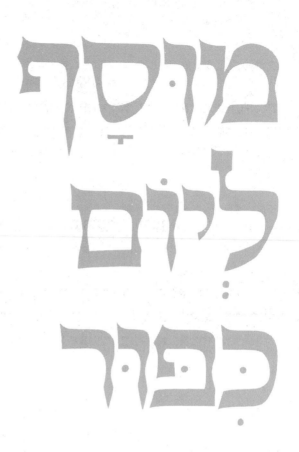

מוּסָף לְיוֹם כִּפּוּר

YOM KIPPUR MUSAF SERVICE

In some congregations, the Ḥazzan now chants Hineni, *page 532.*

Ḥatzi Kaddish

Ḥazzan:

יִתְגַּדַּל וְיִתְקַדַּשׁ שְׁמֵהּ רַבָּא בְּעָלְמָא דִּי בְרָא כִרְעוּתֵהּ, וְיַמְלִיךְ מַלְכוּתֵהּ בְּחַיֵּיכוֹן וּבְיוֹמֵיכוֹן וּבְחַיֵּי דְכָל־בֵּית יִשְׂרָאֵל בַּעֲגָלָא וּבִזְמַן קָרִיב, וְאִמְרוּ אָמֵן.

Congregation and Ḥazzan:

יְהֵא שְׁמֵהּ רַבָּא מְבָרַךְ לְעָלַם וּלְעָלְמֵי עָלְמַיָּא.

Ḥazzan:

יִתְבָּרַךְ וְיִשְׁתַּבַּח וְיִתְפָּאַר וְיִתְרוֹמַם וְיִתְנַשֵּׂא וְיִתְהַדַּר וְיִתְעַלֶּה וְיִתְהַלַּל שְׁמֵהּ דְּקֻדְשָׁא בְּרִיךְ הוּא, לְעֵלָּא לְעֵלָּא מִכָּל־בִּרְכָתָא וְשִׁירָתָא תֻּשְׁבְּחָתָא וְנֶחֱמָתָא דַּאֲמִירָן בְּעָלְמָא, וְאִמְרוּ אָמֵן.

In some congregations, the Ḥazzan now chants Hineni, page 533.

Ḥatzi Kaddish

Ḥazzan:

Hallowed and enhanced may He be throughout the world of His own creation. May He cause His sovereignty soon to be accepted, during our life and the life of all Israel. And let us say: Amen.

Congregation and Ḥazzan:

Ye-hei *shmei raba meva-rakh l'alam ul'almei 'almaya.*

May He be praised throughout all time.

Ḥazzan:

Glorified and celebrated, lauded and praised, acclaimed and honored, extolled and exalted may the Holy One be, beyond all song and psalm, beyond all tributes which man can utter. And let us say: Amen.

Amidah

We stand in silent prayer, which ends on page 526.
For translation of a Yom Kippur Amidah, see pages 371 to 383.
For reflections on themes of the day,
see pages 527 to 531.

כִּי שֵׁם יְיָ אֶקְרָא הָבוּ גֹדֶל לֵאלֹהֵינוּ. אֲדֹנָי שְׂפָתַי תִּפְתָּח וּפִי יַגִּיד תְּהִלָּתֶךָ. כִּי לֹא תַחְפֹּץ זֶבַח וְאֶתֵּנָה, עוֹלָה לֹא תִרְצֶה. זִבְחֵי אֱלֹהִים רוּחַ נִשְׁבָּרָה, לֵב נִשְׁבָּר וְנִדְכֶּה אֱלֹהִים לֹא תִבְזֶה.

בָּרוּךְ אַתָּה יְיָ אֱלֹהֵינוּ וֵאלֹהֵי אֲבוֹתֵינוּ, אֱלֹהֵי אַבְרָהָם אֱלֹהֵי יִצְחָק וֵאלֹהֵי יַעֲקֹב, הָאֵל הַגָּדוֹל הַגִּבּוֹר וְהַנּוֹרָא אֵל עֶלְיוֹן גּוֹמֵל חֲסָדִים טוֹבִים וְקוֹנֵה הַכֹּל, וְזוֹכֵר חַסְדֵי אָבוֹת וּמֵבִיא גוֹאֵל לִבְנֵי בְנֵיהֶם לְמַעַן שְׁמוֹ בְּאַהֲבָה.

זָכְרֵנוּ לְחַיִּים מֶלֶךְ חָפֵץ בַּחַיִּים,
וְכָתְבֵנוּ בְּסֵפֶר הַחַיִּים לְמַעַנְךָ אֱלֹהִים חַיִּים.

מֶלֶךְ עוֹזֵר וּמוֹשִׁיעַ וּמָגֵן. בָּרוּךְ אַתָּה יְיָ מָגֵן אַבְרָהָם.

אַתָּה גִּבּוֹר לְעוֹלָם אֲדֹנָי מְחַיֵּה מֵתִים אַתָּה רַב לְהוֹשִׁיעַ. מְכַלְכֵּל חַיִּים בְּחֶסֶד מְחַיֵּה מֵתִים בְּרַחֲמִים רַבִּים, סוֹמֵךְ נוֹפְלִים וְרוֹפֵא חוֹלִים וּמַתִּיר אֲסוּרִים וּמְקַיֵּם אֱמוּנָתוֹ לִישֵׁנֵי עָפָר. מִי כָמוֹךָ בַּעַל גְּבוּרוֹת וּמִי דוֹמֶה לָּךְ, מֶלֶךְ מֵמִית וּמְחַיֶּה וּמַצְמִיחַ יְשׁוּעָה.

מִי כָמוֹךָ אַב הָרַחֲמִים, זוֹכֵר יְצוּרָיו לְחַיִּים בְּרַחֲמִים.

וְנֶאֱמָן אַתָּה לְהַחֲיוֹת מֵתִים. בָּרוּךְ אַתָּה יְיָ מְחַיֵּה הַמֵּתִים.

אַתָּה קָדוֹשׁ וְשִׁמְךָ קָדוֹשׁ וּקְדוֹשִׁים בְּכָל־יוֹם יְהַלְלוּךָ סֶּלָה.

וּבְכֵן תֵּן פַּחְדְּךָ יְיָ אֱלֹהֵינוּ עַל כָּל־מַעֲשֶׂיךָ וְאֵימָתְךָ עַל כָּל־מַה־
שֶּׁבָּרָאתָ, וְיִירָאוּךָ כָּל־הַמַּעֲשִׂים וְיִשְׁתַּחֲווּ לְפָנֶיךָ כָּל־הַבְּרוּאִים,
וְיֵעָשׂוּ כֻלָּם אֲגֻדָּה אַחַת לַעֲשׂוֹת רְצוֹנְךָ בְּלֵבָב שָׁלֵם, כְּמוֹ שֶׁיָּדַעְנוּ
יְיָ אֱלֹהֵינוּ שֶׁהַשִּׁלְטוֹן לְפָנֶיךָ, עֹז בְּיָדְךָ וּגְבוּרָה בִּימִינֶךָ וְשִׁמְךָ נוֹרָא
עַל כָּל־מַה־שֶּׁבָּרָאתָ.

וּבְכֵן תֵּן כָּבוֹד יְיָ לְעַמֶּךָ תְּהִלָּה לִירֵאֶיךָ וְתִקְוָה לְדוֹרְשֶׁיךָ וּפִתְחוֹן
פֶּה לַמְיַחֲלִים לָךְ, שִׂמְחָה לְאַרְצֶךָ וְשָׂשׂוֹן לְעִירֶךָ וּצְמִיחַת קֶרֶן לְדָוִד
עַבְדֶּךָ וַעֲרִיכַת נֵר לְבֶן־יִשַׁי מְשִׁיחֶךָ בִּמְהֵרָה בְיָמֵינוּ.

וּבְכֵן צַדִּיקִים יִרְאוּ וְיִשְׂמָחוּ וִישָׁרִים יַעֲלֹזוּ וַחֲסִידִים בְּרִנָּה יָגִילוּ,
וְעוֹלָתָה תִּקְפָּץ־פִּיהָ וְכָל־הָרִשְׁעָה כֻּלָּהּ כְּעָשָׁן תִּכְלֶה כִּי תַעֲבִיר
מֶמְשֶׁלֶת זָדוֹן מִן הָאָרֶץ.

וְתִמְלֹךְ אַתָּה יְיָ לְבַדֶּךָ עַל כָּל־מַעֲשֶׂיךָ בְּהַר צִיּוֹן מִשְׁכַּן כְּבוֹדֶךָ
וּבִירוּשָׁלַיִם עִיר קָדְשֶׁךָ, כַּכָּתוּב בְּדִבְרֵי קָדְשֶׁךָ: יִמְלֹךְ יְיָ לְעוֹלָם
אֱלֹהַיִךְ צִיּוֹן לְדֹר וָדֹר, הַלְלוּיָהּ.

קָדוֹשׁ אַתָּה וְנוֹרָא שְׁמֶךָ וְאֵין אֱלוֹהַּ מִבַּלְעָדֶיךָ, כַּכָּתוּב: וַיִּגְבַּהּ יְיָ
צְבָאוֹת בַּמִּשְׁפָּט, וְהָאֵל הַקָּדוֹשׁ נִקְדַּשׁ בִּצְדָקָה. בָּרוּךְ אַתָּה יְיָ הַמֶּלֶךְ
הַקָּדוֹשׁ.

אַתָּה בְחַרְתָּנוּ מִכָּל־הָעַמִּים, אָהַבְתָּ אוֹתָנוּ וְרָצִיתָ בָּנוּ וְרוֹמַמְתָּנוּ
מִכָּל־הַלְּשׁוֹנוֹת וְקִדַּשְׁתָּנוּ בְּמִצְוֹתֶיךָ וְקֵרַבְתָּנוּ מַלְכֵּנוּ לַעֲבוֹדָתֶךָ
וְשִׁמְךָ הַגָּדוֹל וְהַקָּדוֹשׁ עָלֵינוּ קָרָאתָ.

וַתִּתֶּן־לָנוּ יְיָ אֱלֹהֵינוּ בְּאַהֲבָה אֶת־יוֹם הַשַּׁבָּת הַזֶּה לִקְדֻשָּׁה וְלִמְנוּחָה
וְאֶת־יוֹם הַכִּפּוּרִים הַזֶּה לִמְחִילָה וְלִסְלִיחָה וּלְכַפָּרָה וְלִמְחָל־בּוֹ
אֶת־כָּל־עֲוֹנוֹתֵינוּ בְּאַהֲבָה מִקְרָא קֹדֶשׁ זֵכֶר לִיצִיאַת מִצְרָיִם.

וּמִפְּנֵי חֲטָאֵינוּ גָּלִינוּ מֵאַרְצֵנוּ וְנִתְרַחַקְנוּ מֵעַל אַדְמָתֵנוּ. יְהִי רָצוֹן מִלְּפָנֶיךָ יְיָ אֱלֹהֵינוּ וֵאלֹהֵי אֲבוֹתֵינוּ, מֶלֶךְ רַחֲמָן הַמֵּשִׁיב בָּנִים לִגְבוּלָם, שֶׁתָּשׁוּב וּתְרַחֵם עָלֵינוּ וְעַל מִקְדָּשְׁךָ בְּרַחֲמֶיךָ הָרַבִּים וְתִבְנֵהוּ מְהֵרָה וּתְגַדֵּל כְּבוֹדוֹ. אָבִינוּ מַלְכֵּנוּ, גַּלֵּה כְּבוֹד מַלְכוּתְךָ עָלֵינוּ מְהֵרָה וְהוֹפַע וְהִנָּשֵׂא עָלֵינוּ לְעֵינֵי כָּל־חָי, וְקָרֵב פְּזוּרֵינוּ מִבֵּין הַגּוֹיִם וּנְפוּצוֹתֵינוּ כַּנֵּס מִיַּרְכְּתֵי־אָרֶץ. וַהֲבִיאֵנוּ לְצִיּוֹן עִירְךָ בְּרִנָּה וְלִירוּשָׁלַיִם בֵּית מִקְדָּשְׁךָ בְּשִׂמְחַת עוֹלָם, שֶׁשָּׁם עָשׂוּ אֲבוֹתֵינוּ לְפָנֶיךָ אֶת־קָרְבְּנוֹת חוֹבוֹתֵיהֶם, תְּמִידִים כְּסִדְרָם וּמוּסָפִים כְּהִלְכָתָם, וְאֶת־מוּסַף יוֹם הַשַּׁבָּת הַזֶּה וְאֶת־מוּסַף יוֹם הַכִּפּוּרִים הַזֶּה עָשׂוּ וְהִקְרִיבוּ לְפָנֶיךָ בְּאַהֲבָה כְּמִצְוַת רְצוֹנֶךָ כַּכָּתוּב בְּתוֹרָתֶךָ. וְשָׁם אוֹתְךָ בְּיִרְאָה נַעֲבֹד. אֱלֹהֵינוּ וֵאלֹהֵי אֲבוֹתֵינוּ, רַחֵם עַל אַחֵינוּ בֵּית יִשְׂרָאֵל הַנְּתוּנִים בְּצָרָה וְהוֹצִיאֵם מֵאֲפֵלָה לְאוֹרָה. וְקַבֵּל בְּרַחֲמִים אֶת־תְּפִלַּת עַמְּךָ בְּנֵי יִשְׂרָאֵל, בְּכָל־מְקוֹמוֹת מוֹשְׁבוֹתֵיהֶם, הַשּׁוֹפְכִים אֶת־לִבָּם לְפָנֶיךָ בְּיוֹם הַשַּׁבָּת הַזֶּה וּבְיוֹם הַכִּפּוּרִים הַזֶּה.

On Shabbat only:

יִשְׂמְחוּ בְמַלְכוּתְךָ שׁוֹמְרֵי שַׁבָּת וְקוֹרְאֵי עֹנֶג. עַם מְקַדְּשֵׁי שְׁבִיעִי כֻּלָּם יִשְׂבְּעוּ וְיִתְעַנְּגוּ מִטּוּבֶךָ. וְהַשְּׁבִיעִי רָצִיתָ בּוֹ וְקִדַּשְׁתּוֹ חֶמְדַּת יָמִים אוֹתוֹ קָרָאתָ זֵכֶר לְמַעֲשֵׂה בְרֵאשִׁית.

אֱלֹהֵינוּ וֵאלֹהֵי אֲבוֹתֵינוּ, מְחַל לַעֲוֹנוֹתֵינוּ בְּיוֹם הַשַּׁבָּת הַזֶּה וּבְיוֹם הַכִּפּוּרִים הַזֶּה, מְחֵה וְהַעֲבֵר פְּשָׁעֵינוּ וְחַטֹּאתֵינוּ מִנֶּגֶד עֵינֶיךָ, כָּאָמוּר: אָנֹכִי אָנֹכִי הוּא מֹחֶה פְשָׁעֶיךָ לְמַעֲנִי, וְחַטֹּאתֶיךָ לֹא אֶזְכֹּר. וְנֶאֱמַר: מָחִיתִי כָעָב פְּשָׁעֶיךָ וְכֶעָנָן חַטֹּאתֶיךָ, שׁוּבָה אֵלַי כִּי גְאַלְתִּיךָ. וְנֶאֱמַר: כִּי בַיּוֹם הַזֶּה יְכַפֵּר עֲלֵיכֶם לְטַהֵר אֶתְכֶם מִכֹּל חַטֹּאתֵיכֶם לִפְנֵי יְיָ תִּטְהָרוּ. אֱלֹהֵינוּ וֵאלֹהֵי אֲבוֹתֵינוּ, רְצֵה בִמְנוּחָתֵנוּ קַדְּשֵׁנוּ בְּמִצְוֹתֶיךָ וְתֵן חֶלְקֵנוּ בְּתוֹרָתֶךָ, שַׂבְּעֵנוּ מִטּוּבֶךָ וְשַׂמְּחֵנוּ בִּישׁוּעָתֶךָ

וְהַנְחִילֵנוּ יְיָ אֱלֹהֵינוּ בְּאַהֲבָה וּבְרָצוֹן שַׁבַּת קָדְשֶׁךָ וְיָנוּחוּ בָהּ יִשְׂרָאֵל מְקַדְּשֵׁי שְׁמֶךָ וְטַהֵר לִבֵּנוּ לְעָבְדְּךָ בֶּאֱמֶת, כִּי אַתָּה סָלְחָן לְיִשְׂרָאֵל וּמָחֳלָן לְשִׁבְטֵי יְשֻׁרוּן בְּכָל־דּוֹר וָדוֹר וּמִבַּלְעָדֶיךָ אֵין לָנוּ מֶלֶךְ מוֹחֵל וְסוֹלֵחַ אֶלָּא אָתָּה. בָּרוּךְ אַתָּה יְיָ מֶלֶךְ מוֹחֵל וְסוֹלֵחַ לַעֲוֹנוֹתֵינוּ וְלַעֲוֹנוֹת עַמּוֹ בֵּית יִשְׂרָאֵל וּמַעֲבִיר אַשְׁמוֹתֵינוּ בְּכָל־שָׁנָה וְשָׁנָה, מֶלֶךְ עַל כָּל־הָאָרֶץ מְקַדֵּשׁ הַשַּׁבָּת וְיִשְׂרָאֵל וְיוֹם הַכִּפּוּרִים.

רְצֵה יְיָ אֱלֹהֵינוּ בְּעַמְּךָ יִשְׂרָאֵל וּבִתְפִלָּתָם וְהָשֵׁב אֶת־הָעֲבוֹדָה לִדְבִיר בֵּיתֶךָ וּתְפִלָּתָם בְּאַהֲבָה תְקַבֵּל בְּרָצוֹן וּתְהִי לְרָצוֹן תָּמִיד עֲבוֹדַת יִשְׂרָאֵל עַמֶּךָ. וְתֶחֱזֶינָה עֵינֵינוּ בְּשׁוּבְךָ לְצִיּוֹן בְּרַחֲמִים. בָּרוּךְ אַתָּה יְיָ הַמַּחֲזִיר שְׁכִינָתוֹ לְצִיּוֹן.

מוֹדִים אֲנַחְנוּ לָךְ שָׁאַתָּה הוּא יְיָ אֱלֹהֵינוּ וֵאלֹהֵי אֲבוֹתֵינוּ לְעוֹלָם וָעֶד, צוּר חַיֵּינוּ מָגֵן יִשְׁעֵנוּ אַתָּה הוּא. לְדוֹר וָדוֹר נוֹדֶה לְּךָ וּנְסַפֵּר תְּהִלָּתֶךָ עַל חַיֵּינוּ הַמְּסוּרִים בְּיָדֶךָ וְעַל נִשְׁמוֹתֵינוּ הַפְּקוּדוֹת לָךְ וְעַל נִסֶּיךָ שֶׁבְּכָל־יוֹם עִמָּנוּ וְעַל נִפְלְאוֹתֶיךָ וְטוֹבוֹתֶיךָ שֶׁבְּכָל־עֵת עֶרֶב וָבֹקֶר וְצָהֳרָיִם. הַטּוֹב כִּי לֹא כָלוּ רַחֲמֶיךָ וְהַמְרַחֵם כִּי לֹא תַמּוּ חֲסָדֶיךָ מֵעוֹלָם קִוִּינוּ לָךְ.

וְעַל כֻּלָּם יִתְבָּרַךְ וְיִתְרוֹמַם שִׁמְךָ מַלְכֵּנוּ תָּמִיד לְעוֹלָם וָעֶד.

וּכְתֹב לְחַיִּים טוֹבִים כָּל־בְּנֵי בְרִיתֶךָ.

וְכֹל הַחַיִּים יוֹדוּךָ סֶּלָה וִיהַלְלוּ אֶת־שִׁמְךָ בֶּאֱמֶת הָאֵל יְשׁוּעָתֵנוּ וְעֶזְרָתֵנוּ סֶלָה. בָּרוּךְ אַתָּה יְיָ הַטּוֹב שִׁמְךָ וּלְךָ נָאֶה לְהוֹדוֹת.

שִׂים שָׁלוֹם בָּעוֹלָם, טוֹבָה וּבְרָכָה חֵן וָחֶסֶד וְרַחֲמִים עָלֵינוּ וְעַל כָּל־יִשְׂרָאֵל עַמֶּךָ. בָּרְכֵנוּ אָבִינוּ כֻּלָּנוּ כְּאֶחָד בְּאוֹר פָּנֶיךָ, כִּי בְאוֹר פָּנֶיךָ נָתַתָּ לָּנוּ, יְיָ אֱלֹהֵינוּ, תּוֹרַת חַיִּים וְאַהֲבַת חֶסֶד וּצְדָקָה וּבְרָכָה

וְרַחֲמִים וְחַיִּים וְשָׁלוֹם. וְטוֹב בְּעֵינֶיךָ לְבָרֵךְ אֶת־עַמְּךָ יִשְׂרָאֵל בְּכָל־עֵת וּבְכָל־שָׁעָה בִּשְׁלוֹמֶךָ.

בְּסֵפֶר חַיִּים בְּרָכָה וְשָׁלוֹם וּפַרְנָסָה טוֹבָה נִזָּכֵר וְנִכָּתֵב לְפָנֶיךָ אֲנַחְנוּ וְכָל־עַמְּךָ בֵּית יִשְׂרָאֵל לְחַיִּים טוֹבִים וּלְשָׁלוֹם.

בָּרוּךְ אַתָּה יְיָ עוֹשֵׂה הַשָּׁלוֹם.

אֱלֹהֵינוּ וֵאלֹהֵי אֲבוֹתֵינוּ, תָּבוֹא לְפָנֶיךָ תְּפִלָּתֵנוּ וְאַל תִּתְעַלַּם מִתְּחִנָּתֵנוּ, שֶׁאֵין אֲנַחְנוּ עַזֵּי פָנִים וּקְשֵׁי עֹרֶף לוֹמַר לְפָנֶיךָ, יְיָ אֱלֹהֵינוּ וֵאלֹהֵי אֲבוֹתֵינוּ, צַדִּיקִים אֲנַחְנוּ וְלֹא חָטָאנוּ, אֲבָל אֲנַחְנוּ חָטָאנוּ.

אָשַׁמְנוּ, בָּגַדְנוּ, גָּזַלְנוּ, דִּבַּרְנוּ דֹפִי.
הֶעֱוִינוּ, וְהִרְשַׁעְנוּ, זַדְנוּ, חָמַסְנוּ,
טָפַלְנוּ שֶׁקֶר. יָעַצְנוּ רָע, כִּזַּבְנוּ, לַצְנוּ,
מָרַדְנוּ, נִאַצְנוּ, סָרַרְנוּ, עָוִינוּ,
פָּשַׁעְנוּ, צָרַרְנוּ, קִשִּׁינוּ עֹרֶף. רָשַׁעְנוּ,
שִׁחַתְנוּ, תִּעַבְנוּ, תָּעִינוּ, תִּעְתָּעְנוּ.

סַרְנוּ מִמִּצְוֹתֶיךָ וּמִמִּשְׁפָּטֶיךָ הַטּוֹבִים וְלֹא שָׁוָה לָנוּ, וְאַתָּה צַדִּיק עַל כָּל־הַבָּא עָלֵינוּ, כִּי אֱמֶת עָשִׂיתָ וַאֲנַחְנוּ הִרְשָׁעְנוּ. מַה־נֹּאמַר לְפָנֶיךָ יוֹשֵׁב מָרוֹם וּמַה־נְּסַפֵּר לְפָנֶיךָ שׁוֹכֵן שְׁחָקִים. הֲלֹא כָּל־הַנִּסְתָּרוֹת וְהַנִּגְלוֹת אַתָּה יוֹדֵעַ.

אַתָּה יוֹדֵעַ רָזֵי עוֹלָם וְתַעֲלוּמוֹת סִתְרֵי כָל־חָי. אַתָּה חוֹפֵשׂ כָּל־חַדְרֵי־בָטֶן וּבוֹחֵן כְּלָיוֹת וָלֵב. אֵין דָּבָר נֶעְלָם מִמֶּךָּ וְאֵין נִסְתָּר מִנֶּגֶד עֵינֶיךָ.

וּבְכֵן יְהִי רָצוֹן מִלְּפָנֶיךָ, יְיָ אֱלֹהֵינוּ וֵאלֹהֵי אֲבוֹתֵינוּ, שֶׁתִּסְלַח לָנוּ עַל כָּל־חַטֹּאתֵינוּ וְתִמְחַל לָנוּ עַל כָּל־עֲוֹנוֹתֵינוּ וּתְכַפֶּר־לָנוּ עַל כָּל־פְּשָׁעֵינוּ.

עַל חֵטְא שֶׁחָטָאנוּ לְפָנֶיךָ בְּאֹנֶס וּבְרָצוֹן,

וְעַל חֵטְא שֶׁחָטָאנוּ לְפָנֶיךָ בִּבְלִי דָעַת.

עַל חֵטְא שֶׁחָטָאנוּ לְפָנֶיךָ בְּגִלּוּי עֲרָיוֹת,

וְעַל חֵטְא שֶׁחָטָאנוּ לְפָנֶיךָ בְּדַעַת וּבְמִרְמָה.

עַל חֵטְא שֶׁחָטָאנוּ לְפָנֶיךָ בְּהוֹנָאַת רֵעַ,

וְעַל חֵטְא שֶׁחָטָאנוּ לְפָנֶיךָ בִּוְעִידַת זְנוּת.

עַל חֵטְא שֶׁחָטָאנוּ לְפָנֶיךָ בְּזִלְזוּל הוֹרִים וּמוֹרִים,

וְעַל חֵטְא שֶׁחָטָאנוּ לְפָנֶיךָ בְּחֹזֶק יָד.

עַל חֵטְא שֶׁחָטָאנוּ לְפָנֶיךָ בְּטֻמְאַת שְׂפָתָיִם,

וְעַל חֵטְא שֶׁחָטָאנוּ לְפָנֶיךָ בְּיֵצֶר הָרָע.

וְעַל כֻּלָּם אֱלוֹהַּ סְלִיחוֹת, סְלַח לָנוּ, מְחַל לָנוּ, כַּפֶּר־לָנוּ.

עַל חֵטְא שֶׁחָטָאנוּ לְפָנֶיךָ בְּכַחַשׁ וּבְכָזָב,

וְעַל חֵטְא שֶׁחָטָאנוּ לְפָנֶיךָ בְּלָצוֹן.

עַל חֵטְא שֶׁחָטָאנוּ לְפָנֶיךָ בְּמַשָּׂא וּבְמַתָּן,

וְעַל חֵטְא שֶׁחָטָאנוּ לְפָנֶיךָ בְּנֶשֶׁךְ וּבְמַרְבִּית.

עַל חֵטְא שֶׁחָטָאנוּ לְפָנֶיךָ בְּשִׂיחַ שִׂפְתוֹתֵינוּ,

וְעַל חֵטְא שֶׁחָטָאנוּ לְפָנֶיךָ בְּעֵינַיִם רָמוֹת.

עַל חֵטְא שֶׁחָטָאנוּ לְפָנֶיךָ בִּפְרִיקַת עֹל,

וְעַל חֵטְא שֶׁחָטָאנוּ לְפָנֶיךָ בִּצְדִיַּת רֵעַ.

עַל חֵטְא שֶׁחָטָאנוּ לְפָנֶיךָ בְּקַלּוּת רֹאשׁ,

וְעַל חֵטְא שֶׁחָטָאנוּ לְפָנֶיךָ בְּרִיצַת רַגְלַיִם לְהָרַע.

עַל חֵטְא שֶׁחָטָאנוּ לְפָנֶיךָ בִּשְׁבוּעַת שָׁוְא,

וְעַל חֵטְא שֶׁחָטָאנוּ לְפָנֶיךָ בִּתְשׂוּמֶת יָד.

וְעַל כֻּלָּם אֱלוֹהַּ סְלִיחוֹת, סְלַח לָנוּ, מְחַל לָנוּ, כַּפֶּר־לָנוּ.

וְעַל מִצְוַת עֲשֵׂה וְעַל מִצְוַת לֹא תַעֲשֶׂה, בֵּין שֶׁיֶּשׁ־בָּהּ קוּם עֲשֵׂה וּבֵין שֶׁאֵין בָּהּ קוּם עֲשֵׂה, אֶת־הַגְּלוּיִים לָנוּ וְאֶת־שֶׁאֵינָם גְּלוּיִים לָנוּ. אֶת הַגְּלוּיִים לָנוּ כְּבָר אֲמַרְנוּם לְפָנֶיךָ וְהוֹדִינוּ לְךָ עֲלֵיהֶם, וְאֶת־שֶׁאֵינָם גְּלוּיִים לָנוּ לְפָנֶיךָ הֵם גְּלוּיִים וִידוּעִים, כַּדָּבָר שֶׁנֶּאֱמַר: הַנִּסְתָּרֹת לַייָ אֱלֹהֵינוּ, וְהַנִּגְלֹת לָנוּ וּלְבָנֵינוּ עַד עוֹלָם לַעֲשׂוֹת אֶת־כָּל־דִּבְרֵי הַתּוֹרָה הַזֹּאת. כִּי אַתָּה סָלְחָן לְיִשְׂרָאֵל וּמָחֳלָן לְשִׁבְטֵי יְשֻׁרוּן בְּכָל־דּוֹר וָדוֹר וּמִבַּלְעָדֶיךָ אֵין לָנוּ מֶלֶךְ מוֹחֵל וְסוֹלֵחַ אֶלָּא אָתָּה.

At the conclusion of the Amidah, personal prayers may be added, before or instead of the following.

אֱלֹהַי, עַד שֶׁלֹּא נוֹצַרְתִּי אֵינִי כְדַי וְעַכְשָׁו שֶׁנּוֹצַרְתִּי כְּאִלּוּ לֹא נוֹצַרְתִּי. עָפָר אֲנִי בְּחַיַּי, קַל וָחֹמֶר בְּמִיתָתִי, הֲרֵי אֲנִי לְפָנֶיךָ כִּכְלִי מָלֵא בוּשָׁה וּכְלִמָּה. יְהִי רָצוֹן מִלְּפָנֶיךָ יְיָ אֱלֹהַי וֵאלֹהֵי אֲבוֹתַי שֶׁלֹּא אֶחֱטָא עוֹד, וּמַה־שֶּׁחָטָאתִי לְפָנֶיךָ מָרֵק בְּרַחֲמֶיךָ הָרַבִּים, אֲבָל לֹא עַל יְדֵי יִסּוּרִים וָחֳלָיִים רָעִים.

תִּשְׁמְרֵנִי מִן הַפְּנִיּוֹת וְהַגֵּאוּת וּמִן הַכַּעַס וְהַקַּפְּדָנוּת וְהָעַצְבוּת וְהָרְכִילוּת וּשְׁאָר מִדּוֹת רָעוֹת.

וְתַצִּילֵנִי מִקִּנְאַת אִישׁ בְּרֵעֵהוּ וְלֹא תַעֲלֶה קִנְאַת אָדָם עַל לִבִּי וְלֹא קִנְאָתִי עַל אֲחֵרִים. אַדְּרַבָּה, תֵּן בְּלִבִּי שֶׁאֶרְאֶה מַעֲלַת חֲבֵרַי וְלֹא חֶסְרוֹנָם.

עוֹשֶׂה שָׁלוֹם בִּמְרוֹמָיו הוּא יַעֲשֶׂה שָׁלוֹם עָלֵינוּ וְעַל כָּל־יִשְׂרָאֵל, וְאִמְרוּ אָמֵן.

Reflections

Whenever a person breaks faith with the Lord by committing a wrong against somebody else, and realizes his guilt, he shall confess the wrong that he has done.

According to some medieval sources, a *ḥassid* is a person who does more than what the law requires. For example, there is a law which states, "You shall not deceive your fellow man" (Leviticus 19:11). A *ḥassid* goes beyond the law. He will not even deceive himself.

Self-deceit is a strong fort;
It will last a lifetime.
Self-truth is a lightning bolt lost as I grasp it.
And the fires that it strikes can raze my house.

You ask me to yearn after truth, Lord,
But who would choose to be whipped with fire?—

—Unless in the burning there can be great light,
Unless the lightning that strikes terror
Lights enough to show the boundaries
Where terror ends,
And at the limits, still enduring and alive,
Shows me myself
And a hope no longer blind.

If a person violates any commandment or prohibition in the Torah, whether accidentally or intentionally, when he repents and turns from his sin, he is obliged to confess before God. One should say as follows: "O God, I have sinned, I have done iniquity, and I have transgressed before You, doing thus and so. I am sorry and ashamed of my deeds, and I shall not repeat them." This is the essence of confession. And whoever confesses at length is praiseworthy. One does not gain atonement until he has confessed and has stopped doing that for which he has confessed.

Our agony is that we are capable of acts which contradict God's great expectations of us. Our glory is that we are capable of achieving atonement and reconciliation.

Atonement is nothing less than man's redemption from his own inner contradictions. It is thus more than mere redemption from sin, for it not only shakes off the sins of the past, but it overcomes sin, it cuts off the evil in man.

Atonement with God means redemption from sinfulness. It does not redeem us from our earthly fate. We are not transported into the other world as a consolation for suffering. We are redeemed from the illusion that our share in evil is unavoidable. . . .

God in His mercy can grant atonement only to those who strive for the good, who recognize sin and wish to avoid it. Without our moral work in repentance, God would be unable to redeem us.

The first Temple was destroyed because of the sins of idolatry, sexual immorality and murder. The second Temple fell because of groundless hatred, in spite of the Torah studied and the commandments and the deeds of lovingkindness carried out during its existence. This teaches that groundless hatred weighs as heavily as idolatry, sexual immorality and murder.

Moral evil—the dreadful ills inflicted by man upon himself and his fellow-men—is the fruit of the same spiritual freedom that constitutes his glory and makes possible his fellowship with God: it is the fruit of the wrong use of that freedom. Man alone possesses the power to defy and frustrate his essential nature.

. . . Man's freedom and capacity for decision give him power to make or mar life, to serve God or defy Him.

"You shall walk in His ways" (Deuteronomy 28:9). What are His ways? It is God's way to be merciful and forgiving to sinners, and to welcome them when they turn back to Him in repentance. So you should be merciful with one another. God is gracious, giving gifts freely to those who know Him and to those who know Him not. So you should give gifts freely to one another. God is patient with sinners; so you should be patient with sinners.

God loves all men, all creatures, even the wicked. Not even sin can annul or destroy this relation; on the contrary, it is precisely when man is lost in sin and alienated from God that the divine fatherhood means so much to him, for it means the ever-available possibility of repentance and return. . . . The fatherhood of God, with the unfailing love and tender concern that it implies, is the one sure resource we possess against the oppressions of the world and the crushing burden of guilt that we in our perversity bring upon ourselves.

Idolatry is the root source of our sin and wrongdoing. Ultimately, all idolatry is worship of the self, projected and objectified. . . . In proclaiming as ultimate the ideas and programs to which we are devoted, we are but proclaiming the work of our minds to be the final truth of life. In the last analysis, the choice is only between love of God and love of self, between a *God*-centered and a *self*-centered existence.

Keep your tongue from evil and your lips from uttering lies; turn from evil and do good, seek peace and pursue it.

"You shall not wrong one another" (Leviticus 25:17). This refers to verbal wrongs. For example, one must not say to a repentant sinner: "Remember your former deeds." One must not taunt the child of a convert by saying: "Remember the deeds of your ancestors." One must not speak to a person who is suffering or who has buried his children, as Job's companions spoke to him: "What innocent man has ever perished? Where have you seen the upright destroyed?" (Job 4:7)

He who shames his neighbor in public is considered to have shed blood.

Once a person has committed a sin a number of times, once he has become accustomed to doing it, it seems to him to be permitted.

Whoever spreads malicious gossip is considered as one who denies the Holy One. Likewise, one is forbidden to listen to malicious gossip. Our Sages taught that there are four categories of people who cannot receive the Divine Presence: those who scoff, those who lie, those who flatter and those who spread malicious gossip.

Every person has an obligation to be merciful, as it is written: "Do not harden your heart or shut your hand against your needy brother" (Deuteronomy 15:7). One should keep himself free of arrogance, as it is written: "The arrogant is an abomination to the Lord" (Proverbs 16:5).

One should be free of hatred, as it is written: "You shall not hate your brother in your heart" (Leviticus 19:17). And it is written: "Love your neighbor as yourself; I am the Lord (Leviticus 19:18). Our Sages declared this to be the essence of the Torah. For through love of one's neighbor, and through peace, the people of Israel translate the Torah's teachings into reality.

If one who has sinned opens the door of repentance even slightly, even the width of the eye of a needle, God will open that door so wide that wagons and chariots could pass through.

You may have grown old in sin; every thought, every word, every action up to now may have been a defiance of your God, the tablets of the Law of your God may long have lain shattered in your house, you may in misguided frenzy have danced around the golden calf of a deified sensuality, you may everywhere have sown only curses for yourself and extinguished in yourself every spark of purity and saintliness of thought and feeling, yet . . . God forgives, He atones, He purifies. Only do you do your part. Repair what can still be repaired, cast out of your house the unjust penny, make peace with the injured brother, restore the man you have wronged, remove what is unlawful and ungodly in your married life, in your business and pleasures, and then come to Him, the Father who never rejects, who proclaims eternally: "I desire not the death of the sinner, but that he should return and win new life." He not only forgives in His grace, but when He has forgiven, He lays hold on the spokes of the wheel of destiny, on the fabric of your being, and with His forgiveness He uproots every seed of curse which you have yourself sown in the field of your destiny. With His purifying and sanctifying force He plucks out every poisonous grain of sin with which you have defiled your soul and made it troubled, sick, ill and lifeless, calling: Be clean again (Leviticus 16:30) to all who in His Presence seek to be pure again with a new spirit and a new life.

Ḥazzan:

הִנְנִי הֶעָנִי מִמַּעַשׂ, נִרְעָשׁ וְנִפְחָד מִפַּחַד יוֹשֵׁב תְּהִלּוֹת יִשְׂרָאֵל. בָּאתִי לַעֲמֹד וּלְהִתְחַנֵּן לְפָנֶיךָ עַל עַמְּךָ יִשְׂרָאֵל אֲשֶׁר שְׁלָחוּנִי, אַף עַל פִּי שֶׁאֵינִי כְדַאי וְהָגוּן לְכָךְ. עַל כֵּן אֲבַקֶּשְׁךָ אֱלֹהֵי אַבְרָהָם אֱלֹהֵי יִצְחָק וֵאלֹהֵי יַעֲקֹב, יְיָ יְיָ אֵל רַחוּם וְחַנּוּן, אֱלֹהֵי יִשְׂרָאֵל, שַׁדַּי אָיֹם וְנוֹרָא: הֱיֵה נָא מַצְלִיחַ דַּרְכִּי אֲשֶׁר אָנֹכִי הוֹלֵךְ, לַעֲמֹד לְבַקֵּשׁ רַחֲמִים עָלַי וְעַל שׁוֹלְחָי. וְנָא אַל תַּפְשִׁיעֵם בְּחַטֹּאתַי וְאַל תְּחַיְּבֵם בַּעֲוֹנוֹתַי, כִּי חוֹטֵא וּפוֹשֵׁעַ אָנִי. וְאַל יִכָּלְמוּ בִּפְשָׁעַי וְאַל יֵבוֹשׁוּ בִּי וְאַל אֵבוֹשָׁה בָּהֶם. וְקַבֵּל תְּפִלָּתִי כִּתְפִלַּת זָקֵן וְרָגִיל וּפִרְקוֹ נָאֶה וּזְקָנוֹ מְגֻדָּל וְקוֹלוֹ נָעִים, וּמְעֹרָב בְּדַעַת עִם הַבְּרִיּוֹת. וְתִגְעַר בְּשָׂטָן לְבַל יַשְׂטִינֵנִי. וִיהִי נָא דִגְלֵנוּ עָלֶיךָ אַהֲבָה, וְעַל כָּל־פְּשָׁעִים תְּכַסֶּה בְּאַהֲבָה. וְכָל־צָרוֹת וְרָעוֹת הֲפָךְ־לָנוּ וּלְכָל־יִשְׂרָאֵל לְשָׂשׂוֹן וּלְשִׂמְחָה, לְחַיִּים וּלְשָׁלוֹם. הָאֱמֶת וְהַשָּׁלוֹם אֱהָבוּ, וְלֹא יְהִי שׁוּם מִכְשׁוֹל בִּתְפִלָּתִי.

וִיהִי רָצוֹן לְפָנֶיךָ יְיָ אֱלֹהֵי אַבְרָהָם אֱלֹהֵי יִצְחָק וֵאלֹהֵי יַעֲקֹב, הָאֵל הַגָּדוֹל הַגִּבּוֹר וְהַנּוֹרָא, אֵל עֶלְיוֹן, אֶהְיֶה אֲשֶׁר אֶהְיֶה, שֶׁכָּל־הַמַּלְאָכִים שֶׁהֵם בַּעֲלֵי תְפִלּוֹת יָבִיאוּ תְפִלָּתִי לִפְנֵי כִּסֵּא כְבוֹדֶךָ, וְיַצִּיגוּ אוֹתָהּ לְפָנֶיךָ, בַּעֲבוּר כָּל־הַצַּדִּיקִים וְהַחֲסִידִים, הַתְּמִימִים וְהַיְשָׁרִים, וּבַעֲבוּר כְּבוֹד שִׁמְךָ הַגָּדוֹל וְהַנּוֹרָא, כִּי אַתָּה שׁוֹמֵעַ תְּפִלַּת עַמְּךָ יִשְׂרָאֵל בְּרַחֲמִים. בָּרוּךְ אַתָּה שׁוֹמֵעַ תְּפִלָּה.

Ḥazzan:

Here I stand, impoverished in merit, trembling in Your Presence, pleading on behalf of Your people Israel even though I am unfit and unworthy for the task. Therefore, gracious and compassionate Lord, awesome God of Abraham, of Isaac and of Jacob, I plead for help as I seek mercy for myself and for those whom I represent. Charge them not with my sins. May they not be shamed for my deeds; and may their deeds cause me no shame. Accept my prayer as the prayer of one uniquely worthy and qualified for this task, whose voice is sweet and whose nature is pleasing to his fellow men. Remove all obstacles and adversaries. Draw Your veil of love over all our faults. Transform our afflictions to joy and gladness, life and peace. May we always love truth and peace. And may no obstacles confront my prayer.

Revered, exalted, awesome God, may my prayer reach Your throne, for the sake of all honest, pious, righteous men, and for the sake of Your glory. Praised are You, merciful God who hears prayer.

Amidah

The Ḥazzan leads in reciting the Amidah.

God of our fathers

בָּרוּךְ אַתָּה יְיָ אֱלֹהֵינוּ וֵאלֹהֵי אֲבוֹתֵינוּ, אֱלֹהֵי אַבְרָהָם אֱלֹהֵי יִצְחָק וֵאלֹהֵי יַעֲקֹב, הָאֵל הַגָּדוֹל הַגִּבּוֹר וְהַנּוֹרָא אֵל עֶלְיוֹן גּוֹמֵל חֲסָדִים טוֹבִים וְקוֹנֵה הַכֹּל, וְזוֹכֵר חַסְדֵי אָבוֹת וּמֵבִיא גוֹאֵל לִבְנֵי בְנֵיהֶם לְמַעַן שְׁמוֹ בְּאַהֲבָה.

מִסּוֹד חֲכָמִים וּנְבוֹנִים, וּמִלֶּמֶד דַּעַת מְבִינִים, אֶפְתְּחָה פִּי בִּתְפִלָּה וּבְתַחֲנוּנִים, לְחַלּוֹת וּלְחַנֵּן פְּנֵי מֶלֶךְ מָלֵא רַחֲמִים מוֹחֵל וְסוֹלֵחַ לַעֲוֹנִים.

זָכְרֵנוּ לְחַיִּים מֶלֶךְ חָפֵץ בַּחַיִּים,
וְכָתְבֵנוּ בְּסֵפֶר הַחַיִּים לְמַעַנְךָ אֱלֹהִים חַיִּים.

מֶלֶךְ עוֹזֵר וּמוֹשִׁיעַ וּמָגֵן. בָּרוּךְ אַתָּה יְיָ מָגֵן אַבְרָהָם.

Master of nature

אַתָּה גִּבּוֹר לְעוֹלָם אֲדֹנָי מְחַיֵּה מֵתִים אַתָּה רַב לְהוֹשִׁיעַ. מְכַלְכֵּל חַיִּים בְּחֶסֶד מְחַיֵּה מֵתִים בְּרַחֲמִים רַבִּים, סוֹמֵךְ נוֹפְלִים וְרוֹפֵא חוֹלִים וּמַתִּיר אֲסוּרִים וּמְקַיֵּם אֱמוּנָתוֹ לִישֵׁנֵי עָפָר. מִי כָמוֹךָ בַּעַל גְּבוּרוֹת וּמִי דּוֹמֶה לָּךְ, מֶלֶךְ מֵמִית וּמְחַיֶּה וּמַצְמִיחַ יְשׁוּעָה.

מִי כָמוֹךָ אַב הָרַחֲמִים, זוֹכֵר יְצוּרָיו לְחַיִּים בְּרַחֲמִים.

וְנֶאֱמָן אַתָּה לְהַחֲיוֹת מֵתִים. בָּרוּךְ אַתָּה יְיָ מְחַיֵּה הַמֵּתִים.

Amidah

The Ḥazzan leads in reciting the Amidah.

God of our fathers

Praised are You, Lord our God and God of our fathers, God of Abraham, of Isaac and of Jacob, great, mighty, awesome, exalted God, bestowing lovingkindness and creating all things. You remember the pious deeds of our fathers, and will send a redeemer to their children's children because of Your love and for the sake of Your glory.

Prompted by teachings of our sages, guided by traditions of the ages, I open my mouth in prayer and petition, before the merciful King who forgives our sins at this time of contrition.

Zokhrei-nu l'ḥayyim melekh ḥafeitz b'ḥayyim
v'khot-veinu b'seifer ha-ḥayyim, l'ma-ankha Elohim ḥayyim.

Remember us that we may live, O King who delights in life.
Inscribe us in the Book of Life, for Your sake, living God.

You are the King who helps and saves and shields. Praised are You, Lord, Shield of Abraham.

Master of nature

Your might, O Lord, is boundless. Your lovingkindness sustains the living, Your great mercies give life to the dead. You support the falling, heal the ailing, free the fettered. You keep Your faith with those who sleep in dust. Whose power can compare with Yours? You are the master of life and death and deliverance.

Whose mercy can compare with Yours, merciful Father?
In mercy You remember Your creatures with life.

Faithful are You in giving life to the dead. Praised are You, Lord, Master of life and death.

Holy, awesome God

וּבְכֵן לְךָ תַעֲלֶה קְדֻשָּׁה, כִּי אַתָּה אֱלֹהֵינוּ מֶלֶךְ מוֹחֵל וְסוֹלֵחַ.

The Ark is opened and we rise.

וּנְתַנֶּה תֹּקֶף קְדֻשַּׁת הַיּוֹם כִּי הוּא נוֹרָא וְאָיֹם. וּבוֹ תִנָּשֵׂא מַלְכוּתֶךָ וְיִכּוֹן בְּחֶסֶד כִּסְאֶךָ וְתֵשֵׁב עָלָיו בֶּאֱמֶת. אֱמֶת כִּי אַתָּה הוּא דַיָּן וּמוֹכִיחַ וְיוֹדֵעַ וָעֵד, וְכוֹתֵב וְחוֹתֵם וְסוֹפֵר וּמוֹנֶה, וְתִזְכֹּר כָּל־הַנִּשְׁכָּחוֹת, וְתִפְתַּח אֶת־סֵפֶר הַזִּכְרוֹנוֹת, וּמֵאֵלָיו יִקָּרֵא וְחוֹתַם יַד כָּל־אָדָם בּוֹ.

וּבְשׁוֹפָר גָּדוֹל יִתָּקַע וְקוֹל דְּמָמָה דַקָּה יִשָּׁמַע. וּמַלְאָכִים יֵחָפֵזוּן וְחִיל וּרְעָדָה יֹאחֵזוּן וְיֹאמְרוּ הִנֵּה יוֹם הַדִּין. לִפְקֹד עַל צְבָא מָרוֹם בַּדִּין כִּי לֹא יִזְכּוּ בְעֵינֶיךָ בַּדִּין, וְכָל־בָּאֵי עוֹלָם יַעַבְרוּן לְפָנֶיךָ כִּבְנֵי מָרוֹן. כְּבַקָּרַת רוֹעֶה עֶדְרוֹ מַעֲבִיר צֹאנוֹ תַּחַת שִׁבְטוֹ, כֵּן תַּעֲבִיר וְתִסְפֹּר וְתִמְנֶה וְתִפְקֹד נֶפֶשׁ כָּל־חָי, וְתַחְתֹּךְ קִצְבָה לְכָל־בְּרִיָּה וְתִכְתֹּב אֶת־גְּזַר דִּינָם.

בְּרֹאשׁ הַשָּׁנָה יִכָּתֵבוּן וּבְיוֹם צוֹם כִּפּוּר יֵחָתֵמוּן.

כַּמָּה יַעַבְרוּן וְכַמָּה יִבָּרֵאוּן, מִי יִחְיֶה וּמִי יָמוּת, מִי בְקִצּוֹ וּמִי לֹא בְקִצּוֹ, מִי בָאֵשׁ וּמִי בַמַּיִם, מִי בַחֶרֶב וּמִי בַחַיָּה, מִי בָרָעָב וּמִי בַצָּמָא, מִי בָרַעַשׁ וּמִי בַמַּגֵּפָה, מִי בַחֲנִיקָה וּמִי בַסְּקִילָה. מִי יָנוּחַ וּמִי יָנוּעַ, מִי יַשְׁקִיט וּמִי יִטָּרֵף, מִי יִשָּׁלֵו וּמִי יִתְיַסָּר, מִי יֵעָנִי וּמִי יֵעָשִׁיר, מִי יֻשְׁפַּל וּמִי יָרוּם.

Holy, awesome God

Our *Kedushah* ascends only to You, for You, our God, are a forgiving King.

The Ark is opened and we rise.

We acclaim this day's pure sanctity, its awesome power. This day, Lord, Your dominion is deeply felt. Compassion and truth, its foundations, are perceived. In truth do You Judge and prosecute, discern motives and bear witness, record and seal, count and measure, remembering all that we have forgotten. You open the Book of Remembrance and it speaks for itself, for every man has signed it with his deeds.

The great shofar is sounded. A still, small voice is heard. This day even angels are alarmed, seized with fear and trembling as they declare: "The day of judgment is here!" For even the hosts of heaven are judged. This day all who walk the earth pass before You as a flock of sheep. And like a shepherd who gathers his flock, bringing them under his staff, You bring everything that lives before You for review. You determine the life and decree the destiny of every creature.

Be-Rosh Ha-shanah yika-teivun.
U-v'Yom Tzom Kippur yei-ḥa-teimun.

On Rosh Hashanah it is written
And on Yom Kippur it is sealed:

How many shall leave this world and how many shall be born into it, who shall live and who shall die, who shall live out the limit of his days and who shall not, who shall perish by fire and who by water, who by sword and who by beast, who by hunger and who by thirst, who by earthquake and who by plague, who by strangling and who by stoning, who shall rest and who shall wander, who shall be at peace and who shall be tormented, who shall be poor and who shall be rich, who shall be humbled and who shall be exalted.

וּתְשׁוּבָה וּתְפִלָּה וּצְדָקָה
מַעֲבִירִין אֶת־רֹעַ הַגְּזֵרָה.

כִּי כְּשִׁמְךָ כֵּן תְּהִלָּתֶךָ, קָשֶׁה לִכְעֹס וְנֽוֹחַ לִרְצוֹת. כִּי לֹא תַחְפֹּץ בְּמוֹת הַמֵּת כִּי אִם בְּשׁוּבוֹ מִדַּרְכּוֹ וְחָיָה. וְעַד יוֹם מוֹתוֹ תְּחַכֶּה־לּוֹ, אִם יָשׁוּב מִיַּד תְּקַבְּלוֹ. אֱמֶת כִּי אַתָּה הוּא יוֹצְרָם וְיוֹדֵעַ יִצְרָם, כִּי הֵם בָּשָׂר וָדָם.

אָדָם יְסוֹדוֹ מֵעָפָר וְסוֹפוֹ לְעָפָר. בְּנַפְשׁוֹ יָבִיא לַחְמוֹ. מָשׁוּל כַּחֶרֶס הַנִּשְׁבָּר, כְּחָצִיר יָבֵשׁ וּכְצִיץ נוֹבֵל, כְּצֵל עוֹבֵר וּכְעָנָן כָּלָה, וּכְרֽוּחַ נוֹשָׁבֶת, וּכְאָבָק פּוֹרֵחַ, וְכַחֲלוֹם יָעוּף.

וְאַתָּה הוּא מֶֽלֶךְ אֵל חַי וְקַיָּם.

אֵין קִצְבָה לִשְׁנוֹתֶֽיךָ וְאֵין קֵץ לְאֹֽרֶךְ יָמֶֽיךָ, וְאֵין שִׁעוּר לְמַרְכְּבוֹת כְּבוֹדֶֽךָ וְאֵין פֵּרוּשׁ לְעֵילוֹם שְׁמֶֽךָ. שִׁמְךָ נָאֶה לְךָ וְאַתָּה נָאֶה לִשְׁמֶֽךָ, וּשְׁמֵֽנוּ קָרָֽאתָ בִשְׁמֶֽךָ.

Kedushah

The Ark is closed. We recite Kedushah while standing,

עֲשֵׂה לְמַֽעַן שְׁמֶֽךָ וְקַדֵּשׁ אֶת־שִׁמְךָ עַל מַקְדִּישֵׁי שְׁמֶֽךָ, בַּעֲבוּר כְּבוֹד שִׁמְךָ הַנַּעֲרָץ וְהַנִּקְדָּשׁ כְּסוֹד שִֽׂיחַ שַׂרְפֵי־קֹֽדֶשׁ הַמַּקְדִּישִׁים שִׁמְךָ בַּקֹּֽדֶשׁ, דָּרֵי מַֽעְלָה עִם דָּרֵי מַֽטָּה כַּכָּתוּב עַל יַד נְבִיאֶֽךָ, וְקָרָא זֶה אֶל זֶה וְאָמַר:

קָדוֹשׁ קָדוֹשׁ קָדוֹשׁ יְיָ צְבָאוֹת מְלֹא כָל־הָאָֽרֶץ כְּבוֹדוֹ.

u-t'shuvah u-t'fillah u-tz'dakah
ma'avirin et ro'a ha-g'zeirah

BUT PENITENCE, PRAYER AND GOOD DEEDS
CAN ANNUL THE SEVERITY OF THE DECREE.

Your glory is Your nature: slow to anger, ready to forgive. You desire not the sinner's death, but that he turn from his path and live. Until the day of his death You wait for him. Whenever he returns, You welcome him at once. Truly You are Creator, and know the weakness of Your creatures, who are but flesh and blood.

Man's origin is dust and his end is dust. He spends his life earning bread. He is like a clay vessel, easily broken, like withering grass, a fading flower, a passing shadow, a fugitive cloud, a fleeting breeze, scattering dust, a vanishing dream.

BUT YOU ARE KING, ETERNAL GOD.

Your years have no limit, Your days have no end. Your sublime glory is beyond comprehension, Your mysterious name is beyond explanation. Your name befits You, as You befit Your name. And You have linked our name with Yours.

Kedushah

> *The Ark is closed. We recite Kedushah while standing,*
> *as a community proclaiming God's holiness.*
> *The congregation chants the indented lines aloud.*

Hallow Your name through those who hallow Your revered name on earth as in heaven, where it is sung by celestial choirs as in Your prophet's vision: The angels called one to another:

> *Ka-dosh ka-dosh ka-dosh Ado-nai tz'va-ot, m'lo khol ha-aretz k'vo-do.*

> Holy, holy, holy Lord of hosts. The whole world is filled with His glory.

כְּבוֹדוֹ מָלֵא עוֹלָם, מְשָׁרְתָיו שׁוֹאֲלִים זֶה לָזֶה אַיֵּה מְקוֹם כְּבוֹדוֹ, לְעֻמָּתָם בָּרוּךְ יֹאמֵרוּ:

בָּרוּךְ כְּבוֹד יְיָ מִמְּקוֹמוֹ.

מִמְּקוֹמוֹ הוּא יִפֶן בְּרַחֲמִים וְיָחֹן עַם הַמְיַחֲדִים שְׁמוֹ עֶרֶב וָבֹקֶר בְּכָל־יוֹם תָּמִיד פַּעֲמַיִם בְּאַהֲבָה שְׁמַע אוֹמְרִים:

שְׁמַע יִשְׂרָאֵל יְיָ אֱלֹהֵינוּ יְיָ אֶחָד.

הוּא אֱלֹהֵינוּ הוּא אָבִינוּ הוּא מַלְכֵּנוּ הוּא מוֹשִׁיעֵנוּ, וְהוּא יַשְׁמִיעֵנוּ בְּרַחֲמָיו שֵׁנִית לְעֵינֵי כָּל־חָי, לִהְיוֹת לָכֶם לֵאלֹהִים:

אֲנִי יְיָ אֱלֹהֵיכֶם.

אַדִּיר אַדִּירֵנוּ יְיָ אֲדוֹנֵינוּ, מָה אַדִּיר שִׁמְךָ בְּכָל־הָאָרֶץ. וְהָיָה יְיָ לְמֶלֶךְ עַל כָּל־הָאָרֶץ, בַּיּוֹם הַהוּא יִהְיֶה יְיָ אֶחָד וּשְׁמוֹ אֶחָד. וּבְדִבְרֵי קָדְשְׁךָ כָּתוּב לֵאמֹר:

יִמְלֹךְ יְיָ לְעוֹלָם אֱלֹהַיִךְ צִיּוֹן לְדֹר וָדֹר, הַלְלוּיָהּ.

לְדוֹר וָדוֹר נַגִּיד גָּדְלֶךָ, וּלְנֵצַח נְצָחִים קְדֻשָּׁתְךָ נַקְדִּישׁ. וְשִׁבְחֲךָ אֱלֹהֵינוּ מִפִּינוּ לֹא יָמוּשׁ לְעוֹלָם וָעֶד כִּי אֵל מֶלֶךְ גָּדוֹל וְקָדוֹשׁ אָתָּה.

We are seated.

חֲמֹל עַל מַעֲשֶׂיךָ, וְתִשְׂמַח בְּמַעֲשֶׂיךָ, וְיֹאמְרוּ לְךָ חוֹסֶיךָ בְּצַדֶּקְךָ עֲמוּסֶיךָ, תֻּקְדַּשׁ אָדוֹן עַל כָּל־מַעֲשֶׂיךָ.

His glory fills the universe. When one angelic chorus asks, "Where is His glory?" another responds with praise:

Barukh k'vod Ado-nai mi-m'komo.

Praised is the Lord's glory throughout the universe.

May He turn in compassion, granting mercy to His people who twice daily, morning and evening, proclaim His oneness with love:

Sh'ma yisra-el Ado-nai Elo-hei-nu Ado-nai eḥad.

Hear, O Israel: The Lord our God, the Lord is One.

He is our God and our Father. He is our King and our Redeemer. And in His mercy again will He declare, before all the world:

A-ni Ado-nai Elo-hei-khem.

I am the Lord your God.

Our Lord eternal, how magnificent Your name in all the world. The Lord shall be acknowledged King of all the earth. On that day the Lord shall be One and His name One. And thus sang the Psalmist:

Yim-lokh Ado-nai l'olam Elo-ha-yikh tzi-yon ledor va-dor ha-le-lu-yah.

The Lord shall reign through all generations; your God, Zion, shall reign forever. Halleluyah.

We shall declare Your greatness through all generations, hallow Your holiness to all eternity. Your praise will never leave our lips, for You are God and King, great and holy.

We are seated.

Have mercy for Your creatures, and rejoice in them. When in mercy You acquit Your flock on this day of judgment, those who trust in You shall declare: Be hallowed, Lord, through all You have created.

הָאוֹחֵז בְּיָד מִדַּת מִשְׁפָּט.

וְכֹל מַאֲמִינִים שֶׁהוּא אֵל אֱמוּנָה.

הַבּוֹחֵן וּבוֹדֵק גִּנְזֵי נִסְתָּרוֹת.

וְכֹל מַאֲמִינִים שֶׁהוּא בּוֹחֵן כְּלָיוֹת.

הַגּוֹאֵל מִמָּוֶת וּפוֹדֶה מִשַּׁחַת.

וְכֹל מַאֲמִינִים שֶׁהוּא גּוֹאֵל חָזָק.

הַדָּן יְחִידִי לְבָאֵי עוֹלָם.

וְכֹל מַאֲמִינִים שֶׁהוּא דַּיָּן אֱמֶת.

הֶהָגוּי בְּאֶהְיֶה אֲשֶׁר אֶהְיֶה.

וְכֹל מַאֲמִינִים שֶׁהוּא הָיָה וְהֹוֶה וְיִהְיֶה.

הַוַּדַּאי כִּשְׁמוֹ כֵּן תְּהִלָּתוֹ.

וְכֹל מַאֲמִינִים שֶׁהוּא וְאֵין בִּלְתּוֹ.

הַזּוֹכֵר לְמַזְכִּירָיו טוֹבוֹת זִכְרוֹנוֹת.

וְכֹל מַאֲמִינִים שֶׁהוּא זוֹכֵר הַבְּרִית.

הַחוֹתֵךְ חַיִּים לְכָל־חָי.

וְכֹל מַאֲמִינִים שֶׁהוּא חַי וְקַיָּם.

הַטּוֹב וּמֵטִיב לָרָעִים וְלַטּוֹבִים.

וְכֹל מַאֲמִינִים שֶׁהוּא טוֹב לַכֹּל.

הַיּוֹדֵעַ יֵצֶר כָּל־יְצוּרִים.

וְכֹל מַאֲמִינִים שֶׁהוּא יוֹצְרָם בַּבָּטֶן.

הַכֹּל יָכֹל וְכוֹלְלָם יַחַד.

וְכֹל מַאֲמִינִים שֶׁהוּא כֹּל יָכֹל.

הַלָּן בְּסֵתֶר בְּצֵל שַׁדָּי.

וְכֹל מַאֲמִינִים שֶׁהוּא לְבַדּוֹ הוּא.

הַמַּמְלִיךְ מְלָכִים וְלוֹ הַמְּלוּכָה.

We believe that God is faithful, without iniquity.

He holds the scales of justice in His hand.

We believe that He knows our hidden thoughts.

Therefore there are no secrets in His Presence.

We believe that He redeems life from the grave.

Therefore we shall not fear death.

We believe that He alone is the true judge.

Therefore we must not judge others.

We believe that He alone is eternal.

Therefore in His remembrance our lives are everlasting.

We believe that He alone is God.

Therefore He alone is worthy of worship.

We believe that He remembers the covenant.

Therefore will He remember us with goodness.

We believe that His life is forever.

Therefore does He sustain the world.

We believe that His goodness embraces the wicked.

Therefore everyone awaits compassion hopefully.

We believe that He remembers our frailty.

Therefore perfection is not His demand.

We believe that He is in no way limited.

Therefore our noblest dreams are not absurd.

We believe that He abides in mystery.

Therefore we need not solve life's every problem.

וְכֹל מַאֲמִינִים שֶׁהוּא מֶלֶךְ עוֹלָם.
הַנּוֹהֵג בְּחַסְדּוֹ עִם כָּל־דּוֹר.
וְכֹל מַאֲמִינִים שֶׁהוּא נוֹצֵר חָסֶד.
הַסּוֹבֵל וּמַעְלִים עַיִן מִסּוֹרְרִים.
וְכֹל מַאֲמִינִים שֶׁהוּא סוֹלֵחַ סֶלָה.
הָעֶלְיוֹן וְעֵינָיו עַל יְרֵאָיו.
וְכֹל מַאֲמִינִים שֶׁהוּא עוֹנֶה לָחַשׁ.
הַפּוֹתֵחַ לְדוֹפְקֵי פִּתְחוֹ בִּתְשׁוּבָה.
וְכֹל מַאֲמִינִים שֶׁהוּא פְּתוּחָה יָדוֹ.
הַצּוֹפֶה לָרָשָׁע וְחָפֵץ לְהַצְדִּיקוֹ.
וְכֹל מַאֲמִינִים שֶׁהוּא צַדִּיק וְיָשָׁר.
הַקָּצַר בְּזַעַם וּמַאֲרִיךְ אַף.
וְכֹל מַאֲמִינִים שֶׁהוּא קָשֶׁה לִכְעֹס.
הָרַחוּם וּמַקְדִּים רַחֲמִים לְרֹגֶז.
וְכֹל מַאֲמִינִים שֶׁהוּא רַךְ לִרְצוֹת.
הַשָּׁוֶה וּמַשְׁוֶה קָטֹן וְגָדוֹל.
וְכֹל מַאֲמִינִים שֶׁהוּא שׁוֹפֵט צֶדֶק.
הַתָּם וּמִתַּמֵּם עִם תְּמִימִים.
וְכֹל מַאֲמִינִים שֶׁהוּא תָּמִים פָּעֳלוֹ.

תִּשְׂגַּב לְבַדֶּךָ וְתִמְלֹךְ עַל כֹּל בְּיִחוּד, כַּכָּתוּב עַל יַד נְבִיאֶךָ: וְהָיָה יְיָ לְמֶלֶךְ עַל כָּל־הָאָרֶץ, בַּיּוֹם הַהוּא יִהְיֶה יְיָ אֶחָד וּשְׁמוֹ אֶחָד.

We believe that He is eternal King.

Therefore earthly rulers deserve no ultimate allegiance.

We believe in the constancy of His compassion.

Therefore we can hope for mercy on a day of judgment.

We believe that He is patient with the rebellious.

Therefore everyone can live with hope.

We believe that He responds to silent prayer.

Therefore His concern embraces those who worship Him.

We believe that He welcomes repentance.

Therefore what we do this day can change our lives.

We believe that He is just.

Therefore the wicked too gain life through repentance.

We believe that He is patient.

Therefore His love shall overwhelm His wrath.

We believe that He seeks reconciliation.

Therefore we know that mercy has priority.

We believe that He is an impartial Judge.

Therefore the life of every person is important.

We believe that perfection is His path.

Therefore our actions contain their own reward.

You alone will be exalted, ruling all in Oneness, as it is written by Your prophet: The Lord shall be acknowledged King of all the earth. On that day the Lord shall be One and His name One.

וּבְכֵן תֵּן פַּחְדְּךָ יְיָ אֱלֹהֵינוּ עַל כָּל־מַעֲשֶׂיךָ וְאֵימָתְךָ עַל כָּל־מַה־שֶּׁבָּרָאתָ, וְיִירָאוּךָ כָּל־הַמַּעֲשִׂים וְיִשְׁתַּחֲווּ לְפָנֶיךָ כָּל־הַבְּרוּאִים, וְיֵעָשׂוּ כֻלָּם אֲגֻדָּה אַחַת לַעֲשׂוֹת רְצוֹנְךָ בְּלֵבָב שָׁלֵם, כְּמוֹ שֶׁיָּדַעְנוּ יְיָ אֱלֹהֵינוּ שֶׁהַשִּׁלְטוֹן לְפָנֶיךָ, עֹז בְּיָדְךָ וּגְבוּרָה בִּימִינֶךָ וְשִׁמְךָ נוֹרָא עַל כָּל־מַה־שֶּׁבָּרָאתָ.

וּבְכֵן תֵּן כָּבוֹד יְיָ לְעַמֶּךָ תְּהִלָּה לִירֵאֶיךָ וְתִקְוָה לְדוֹרְשֶׁיךָ וּפִתְחוֹן פֶּה לַמְיַחֲלִים לָךְ, שִׂמְחָה לְאַרְצֶךָ וְשָׂשׂוֹן לְעִירֶךָ וּצְמִיחַת קֶרֶן לְדָוִד עַבְדֶּךָ וַעֲרִיכַת נֵר לְבֶן־יִשַׁי מְשִׁיחֶךָ בִּמְהֵרָה בְיָמֵינוּ.

וּבְכֵן צַדִּיקִים יִרְאוּ וְיִשְׂמָחוּ וִישָׁרִים יַעֲלֹזוּ וַחֲסִידִים בְּרִנָּה יָגִילוּ, וְעוֹלָתָה תִּקְפָּץ־פִּיהָ וְכָל־הָרִשְׁעָה כֻּלָּהּ כְּעָשָׁן תִּכְלֶה כִּי תַעֲבִיר מֶמְשֶׁלֶת זָדוֹן מִן הָאָרֶץ.

וְיֶאֱתָיוּ כֹּל לְעָבְדֶךָ, וִיבָרְכוּ שֵׁם כְּבוֹדֶךָ
וְיַגִּידוּ בָאִיִּים צִדְקֶךָ, וְיִדְרְשׁוּךָ עַמִּים לֹא יְדָעוּךָ
וִיהַלְלוּךָ כָּל־אַפְסֵי־אָרֶץ, וְיֹאמְרוּ תָמִיד יִגְדַּל יְיָ.

וְיִזְנְחוּ אֶת־עֲצַבֵּיהֶם, וְיַחְפְּרוּ עִם פְּסִילֵיהֶם
וְיַטּוּ שְׁכֶם אֶחָד לְעָבְדֶךָ, וְיִירָאוּךָ מְבַקְשֵׁי פָנֶיךָ
וְיַכִּירוּ כֹּחַ מַלְכוּתֶךָ, וְיִלְמְדוּ תוֹעִים בִּינָה
וִימַלְּלוּ אֶת־גְּבוּרָתֶךָ, וִינַשְּׂאוּךָ מִתְנַשֵּׂא לְכֹל לְרֹאשׁ.

וִיסַלְּדוּ בְחִילָה פָּנֶיךָ, וִיעַטְּרוּךָ נֵזֶר תִּפְאָרָה
וְיִפְצְחוּ הָרִים רִנָּה, וְיִצְהֲלוּ אִיִּים בְּמָלְכֶךָ
וִיקַבְּלוּ עֹל מַלְכוּתְךָ עֲלֵיהֶם, וִירוֹמְמוּךָ בִּקְהַל עָם
וְיִשְׁמְעוּ רְחוֹקִים וְיָבוֹאוּ, וְיִתְּנוּ לְךָ כֶּתֶר מְלוּכָה.

וְתִמְלֹךְ אַתָּה יְיָ לְבַדֶּךָ עַל כָּל־מַעֲשֶׂיךָ בְּהַר צִיּוֹן מִשְׁכַּן כְּבוֹדֶךָ וּבִירוּשָׁלַיִם עִיר קָדְשֶׁךָ, כַּכָּתוּב בְּדִבְרֵי קָדְשֶׁךָ: יִמְלֹךְ יְיָ לְעוֹלָם אֱלֹהַיִךְ צִיּוֹן לְדֹר וָדֹר, הַלְלוּיָהּ.

O Lord our God, let all Your creatures sense Your awesome power, let all that You have fashioned stand in fear and trembling. Let all mankind pledge You their allegiance, united wholeheartedly to carry out Your will. For we know, Lord our God, that Your sovereignty, Your power and Your awesome majesty are supreme over all creation.

Grant honor, Lord, to Your people, glory to those who revere You, hope to those who seek You and confidence to those who await You. Grant joy to Your land and gladness to Your city. Kindle the lamp of Your anointed servant, David, by fulfilling our prayers for the days of Messiah soon, in our days.

Then will the righteous be glad, the upright rejoice, the pious celebrate in song. When You remove the tyranny of arrogance from the earth, evil will be silenced, all wickedness will vanish like smoke.

All the world shall serve You, and praise Your glorious name,
And Your righteousness triumphant all mankind shall acclaim.

Many men shall seek You who knew You not before,
From distant points assembling to praise and to adore.

They shall renounce their idols, accepting Your rule alone.
Those who strayed in darkness shall seek light at Your throne.

Exulting in Your uniqueness, in brotherhood shall they sing
With reverence, love and wonder, praising the only King.

With Your rule established, all creation will burst into song,
And hills and islands will rejoice with the exultant throng.

Through all congregations so clearly Your praise shall ring
That the far removed, inspired, will serve You as their King.

Then You alone will rule all creation from Mount Zion, Your glorious throne, from Jerusalem, Your holy city. So is it written in the Psalms of David: The Lord will reign through all generations; your God, Zion, will reign forever. Halleluyah!

קָדוֹשׁ אַתָּה וְנוֹרָא שְׁמֶךָ וְאֵין אֱלוֹהַּ מִבַּלְעָדֶיךָ, כַּכָּתוּב: וַיִּגְבַּהּ יְיָ צְבָאוֹת בַּמִּשְׁפָּט, וְהָאֵל הַקָּדוֹשׁ נִקְדַּשׁ בִּצְדָקָה. בָּרוּךְ אַתָּה יְיָ הַמֶּלֶךְ הַקָּדוֹשׁ.

You sanctify this day of pardon and forgiveness

אַתָּה בְחַרְתָּנוּ מִכָּל־הָעַמִּים, אָהַבְתָּ אוֹתָנוּ וְרָצִיתָ בָּנוּ וְרוֹמַמְתָּנוּ מִכָּל־הַלְּשׁוֹנוֹת וְקִדַּשְׁתָּנוּ בְּמִצְוֹתֶיךָ וְקֵרַבְתָּנוּ מַלְכֵּנוּ לַעֲבוֹדָתֶךָ וְשִׁמְךָ הַגָּדוֹל וְהַקָּדוֹשׁ עָלֵינוּ קָרָאתָ.

וַתִּתֶּן־לָנוּ יְיָ אֱלֹהֵינוּ בְּאַהֲבָה אֶת־יוֹם הַשַּׁבָּת הַזֶּה לִקְדֻשָּׁה וְלִמְנוּחָה וְאֶת־יוֹם הַכִּפּוּרִים הַזֶּה לִמְחִילָה וְלִסְלִיחָה וּלְכַפָּרָה וְלִמְחָל־בּוֹ אֶת־כָּל־עֲוֹנוֹתֵינוּ בְּאַהֲבָה מִקְרָא קֹדֶשׁ זֵכֶר לִיצִיאַת מִצְרָיִם.

וּמִפְּנֵי חֲטָאֵינוּ גָּלִינוּ מֵאַרְצֵנוּ וְנִתְרַחַקְנוּ מֵעַל אַדְמָתֵנוּ. יְהִי רָצוֹן מִלְּפָנֶיךָ יְיָ אֱלֹהֵינוּ וֵאלֹהֵי אֲבוֹתֵינוּ, מֶלֶךְ רַחֲמָן הַמֵּשִׁיב בָּנִים לִגְבוּלָם, שֶׁתָּשׁוּב וּתְרַחֵם עָלֵינוּ וְעַל מִקְדָּשְׁךָ בְּרַחֲמֶיךָ הָרַבִּים וְתִבְנֵהוּ מְהֵרָה וּתְגַדֵּל כְּבוֹדוֹ. אָבִינוּ מַלְכֵּנוּ, גַּלֵּה כְּבוֹד מַלְכוּתְךָ עָלֵינוּ מְהֵרָה וְהוֹפַע וְהִנָּשֵׂא עָלֵינוּ לְעֵינֵי כָּל־חָי, וְקָרֵב פְּזוּרֵינוּ מִבֵּין הַגּוֹיִם וּנְפוּצוֹתֵינוּ כַּנֵּס מִיַּרְכְּתֵי־אָרֶץ. וַהֲבִיאֵנוּ לְצִיּוֹן עִירְךָ בְּרִנָּה וְלִירוּשָׁלַיִם בֵּית מִקְדָּשְׁךָ בְּשִׂמְחַת עוֹלָם, שֶׁשָּׁם עָשׂוּ אֲבוֹתֵינוּ לְפָנֶיךָ אֶת־קָרְבְּנוֹת חוֹבוֹתֵיהֶם, תְּמִידִים כְּסִדְרָם וּמוּסָפִים כְּהִלְכָתָם, וְאֶת־מוּסַף יוֹם הַשַּׁבָּת הַזֶּה וְאֶת־מוּסַף יוֹם הַכִּפּוּרִים הַזֶּה עָשׂוּ וְהִקְרִיבוּ לְפָנֶיךָ בְּאַהֲבָה כְּמִצְוַת רְצוֹנֶךָ כַּכָּתוּב בְּתוֹרָתֶךָ. וְשָׁם אוֹתְךָ בְּיִרְאָה נַעֲבֹד. אֱלֹהֵינוּ וֵאלֹהֵי אֲבוֹתֵינוּ, רַחֵם עַל אַחֵינוּ בֵּית יִשְׂרָאֵל הַנְּתוּנִים בְּצָרָה וְהוֹצִיאֵם מֵאֲפֵלָה לְאוֹרָה. וְקַבֵּל בְּרַחֲמִים אֶת־תְּפִלַּת עַמְּךָ בְּנֵי יִשְׂרָאֵל, בְּכָל־מְקוֹמוֹת מוֹשְׁבוֹתֵיהֶם, הַשּׁוֹפְכִים אֶת־לִבָּם לְפָנֶיךָ בְּיוֹם הַשַּׁבָּת הַזֶּה וּבְיוֹם הַכִּפּוּרִים הַזֶּה.

Holy, awesome, there is no God but You. Thus is it written by Your prophet: The Lord is exalted in justice, His holiness is seen in lovingkindness. Praised are You, Lord, holy King.

You sanctify this day of pardon and forgiveness

You have chosen us of all nations for Your service by loving and favoring us as bearers of Your Torah. You have exalted us as a people by sanctifying us with Your commandments, identifying us with Your great and holy name.

Lord our God, lovingly have You given us *this Shabbat for sanctity and rest, and* this Yom Kippur for pardon, forgiveness and atonement, to pardon us for all our sins, a day for holy assembly and for recalling the Exodus from Egypt.

Because of our sins were we exiled from our land, far from our soil. May it be Your will, Lord our God and God of our fathers who restores His children to their land, to have compassion for us and for Your sanctuary; enhance its glory. Our Father, our King, manifest the glory of Your sovereignty, reveal to all mankind that You are our King. Unite our scattered people, gather our dispersed from the ends of the earth. Lead us with song to Zion Your city, with everlasting joy to Jerusalem Your sanctuary. There our fore-fathers sacrificed to You, with their daily offerings as well as their special offerings for this *Shabbat and for this* Day of Atonement as written in Your Torah. And there again in reverence may we worship You. Our God and God of our fathers, be merciful to our brothers of the House of Israel who suffer persecution; deliver them from darkness to light. Accept with compassion the prayers of Your people Israel, wherever they dwell, as they stand before You on *this Shabbat and* this Day of Atonement.

On Shabbat only:

יִשְׂמְחוּ בְמַלְכוּתְךָ שׁוֹמְרֵי שַׁבָּת וְקוֹרְאֵי עֹנֶג. עַם מְקַדְּשֵׁי שְׁבִיעִי כֻּלָּם יִשְׂבְּעוּ וְיִתְעַנְּגוּ מִטּוּבֶךָ, וְהַשְּׁבִיעִי רָצִיתָ בּוֹ וְקִדַּשְׁתּוֹ חֶמְדַּת יָמִים אוֹתוֹ קָרָאתָ זֵכֶר לְמַעֲשֵׂה בְרֵאשִׁית.

We rise.

עָלֵינוּ לְשַׁבֵּחַ לַאֲדוֹן הַכֹּל, לָתֵת גְּדֻלָּה לְיוֹצֵר בְּרֵאשִׁית, שֶׁלֹּא עָשָׂנוּ כְּגוֹיֵי הָאֲרָצוֹת וְלֹא שָׂמָנוּ כְּמִשְׁפְּחוֹת הָאֲדָמָה, שֶׁלֹּא שָׂם חֶלְקֵנוּ כָּהֶם וְגוֹרָלֵנוּ כְּכָל־הֲמוֹנָם.

וַאֲנַחְנוּ כּוֹרְעִים וּמִשְׁתַּחֲוִים וּמוֹדִים לִפְנֵי מֶלֶךְ מַלְכֵי הַמְּלָכִים הַקָּדוֹשׁ בָּרוּךְ הוּא, שֶׁהוּא נוֹטֶה שָׁמַיִם וְיוֹסֵד אָרֶץ וּמוֹשַׁב יְקָרוֹ בַּשָּׁמַיִם מִמַּעַל וּשְׁכִינַת עֻזּוֹ בְּגָבְהֵי מְרוֹמִים. הוּא אֱלֹהֵינוּ אֵין עוֹד. אֱמֶת מַלְכֵּנוּ אֶפֶס זוּלָתוֹ, כַּכָּתוּב בְּתוֹרָתוֹ: וְיָדַעְתָּ הַיּוֹם וַהֲשֵׁבֹתָ אֶל לְבָבֶךָ כִּי יְיָ הוּא הָאֱלֹהִים בַּשָּׁמַיִם מִמַּעַל וְעַל הָאָרֶץ מִתָּחַת, אֵין עוֹד.

We are seated.

אֵל אֶרֶךְ אַפַּיִם אַתָּה, וּבַעַל הָרַחֲמִים נִקְרֵאתָ, וְדֶרֶךְ תְּשׁוּבָה הוֹרֵיתָ. גְּדֻלַּת רַחֲמֶיךָ וַחֲסָדֶיךָ תִּזְכֹּר הַיּוֹם וּבְכָל־יוֹם לְזֶרַע יְדִידֶיךָ. תֵּפֶן אֵלֵינוּ בְּרַחֲמִים, כִּי אַתָּה הוּא בַּעַל הָרַחֲמִים.

בְּתַחֲנוּן וּבִתְפִלָּה פָּנֶיךָ נְקַדֵּם, כְּהוֹדַעְתָּ לֶעָנָו מִקֶּדֶם. מֵחֲרוֹן אַפְּךָ שׁוּב, כְּמוֹ בְּתוֹרָתְךָ כָּתוּב, וּבְצֵל כְּנָפֶיךָ נֶחֱסֶה וְנִתְלוֹנָן, כְּיוֹם וַיֵּרֶד יְיָ בֶּעָנָן. תַּעֲבֹר עַל פֶּשַׁע וְתִמְחֶה אָשָׁם, כְּיוֹם וַיִּתְיַצֵּב עִמּוֹ שָׁם. תַּאֲזִין שַׁוְעָתֵנוּ וְתַקְשִׁיב מֶנּוּ מַאֲמָר, כְּיוֹם וַיִּקְרָא בְשֵׁם יְיָ. וְשָׁם נֶאֱמַר: וַיַּעֲבֹר יְיָ עַל פָּנָיו וַיִּקְרָא:

On Shabbat only:

Hallowing the seventh day, calling it delight, those who observe Shabbat rejoice in Your kingship. All of them truly enjoy Your goodness. For it pleased You to sanctify the seventh day, calling it the most desirable day, a reminder of Creation.

We worship no earthly power. Only to the only King do we bow and kneel, as a sign of ultimate loyalty to Him alone, and awareness of our mortality.

We rise to our duty to praise the Lord of all, to acclaim the Creator. He made our lot unlike that of other people, assigning us a unique destiny.

We bend the knee and bow, proclaiming Him as King of kings, the Holy One praised be He. He unfurled the heavens and established the earth. His throne of glory is in the heavens above, His majestic Presence in the loftiest heights. He and no other is God, our faithful King. So we are told in His Torah: "Remember now and always that the Lord is God in heaven and on earth. There is no other."

We are seated.

Most patient God, Master of mercy, You have shown us the path of repentance. This day and every day embrace with lovingkindness the descendants of Your beloved people. We seek Your Presence in supplication. Meet us with mercy, Master of mercy.

We come before You in prayer. Turn away wrath; shelter us, protect us. Forgive transgression, blot out sin, as on the day when You answered Moses who sought to understand You.

Heed now our cry as on the day of Your revelation, when You proclaimed to Moses:

The covenant

יְיָ יְיָ אֵל רַחוּם וְחַנּוּן, אֶֽרֶךְ אַפַּֽיִם וְרַב חֶֽסֶד וֶאֱמֶת
נֹצֵר חֶֽסֶד לָאֲלָפִים נֹשֵׂא עָוֹן וָפֶֽשַׁע וְחַטָּאָה, וְנַקֵּה.

וְסָלַחְתָּ לַעֲוֺנֵֽנוּ וּלְחַטָּאתֵֽנוּ, וּנְחַלְתָּֽנוּ.

יְיָ	אֲנִי הוּא קֹדֶם שֶׁיֶּחֱטָא הָאָדָם
יְיָ	אֲנִי הוּא לְאַחַר שֶׁיֶּחֱטָא הָאָדָם
אֵל	מִדַּת הָרַחֲמִים גַּם לַגּוֹיִם
רַחוּם	לְמִי שֶׁיֵּשׁ לוֹ זְכוּת
וְחַנּוּן	לְמִי שֶׁאֵין לוֹ זְכוּת
אֶֽרֶךְ אַפַּֽיִם	מַאֲרִיךְ אַף לָרְשָׁעִים אוּלַי יָשׁוּבוּן
וְרַב חֶֽסֶד	לִנְצְרְכֵי־חֶֽסֶד
וֶאֱמֶת	לְשַׁלֵּם שָׂכָר לְעוֹשֵׂי רְצוֹנוֹ
נֹצֵר חֶֽסֶד לָאֲלָפִים	כְּשֶׁאָדָם עוֹשֶׂה טוֹב
נֹשֵׂא עָוֹן	לְעוֹשֶׂה בְּזָדוֹן
וָפֶֽשַׁע	הַמּוֹרְדִים לְהַכְעִיס
וְחַטָּאָה	הָעוֹשֶׂה בִּשְׁגָגָה
וְנַקֵּה	לַשָּׁבִים

סְלַח לָֽנוּ אָבִֽינוּ כִּי חָטָֽאנוּ, מְחַל לָֽנוּ מַלְכֵּֽנוּ כִּי פָשָֽׁעְנוּ.
כִּי אַתָּה יְיָ טוֹב וְסַלָּח וְרַב חֶֽסֶד לְכָל־קוֹרְאֶֽיךָ.

The covenant

THE LORD, THE LORD GOD IS GRACIOUS AND COMPASSIONATE, PATIENT, ABOUNDING IN KINDNESS AND FAITHFULNESS, ASSURING LOVE FOR A THOUSAND GENERATIONS, FORGIVING INIQUITY, TRANSGRESSION AND SIN, AND GRANTING PARDON.

Exodus 34:6–7

Then Moses prayed: "Pardon our iniquity and our sin; claim us for Your own."

THE LORD *I am He before you sin*

THE LORD *I am He after you sin*

GOD *merciful to all, Gentile and Jew*

GRACIOUS *to those with merit*

AND COMPASSIONATE *to those without merit*

PATIENT *with the wicked, who may repent*

ABOUNDING IN KINDNESS *with those in need of kindness*

AND FAITHFULNESS *rewarding those who do My will*

ASSURING LOVE FOR A THOUSAND GENERATIONS *when you do good deeds*

FORGIVING INIQUITY *when you sin deliberately*

TRANSGRESSION *when you rebel maliciously*

AND SIN *when you sin unintentionally*

AND GRANTING PARDON *when you repent*

Forgive us, our Father, for we have sinned.
Pardon us, our King, for we have transgressed.

You, O Lord, are generous and forgiving.
Great is Your love for all who call to You.

We pray to be able to pray

אוֹחִילָה לָאֵל, אֲחַלֶּה פָנָיו, אֶשְׁאֲלָה מִמֶּנּוּ מַעֲנֵה לָשׁוֹן. אֲשֶׁר בִּקְהַל עָם אָשִׁירָה עֻזּוֹ, אַבִּיעָה רְנָנוֹת בְּעַד מִפְעָלָיו. לְאָדָם מַעַרְכֵי־לֵב וּמֵיְיָ מַעֲנֵה לָשׁוֹן. אֲדֹנָי שְׂפָתַי תִּפְתָּח וּפִי יַגִּיד תְּהִלָּתֶךָ. יִהְיוּ לְרָצוֹן אִמְרֵי־פִי וְהֶגְיוֹן לִבִּי לְפָנֶיךָ, יְיָ צוּרִי וְגֹאֲלִי.

Those congregations whose custom it is to recite Seder Ha'avodah at this point, turn now to page 598.

Eileh Ezkerah

אֵלֶּה אֶזְכְּרָה וְנַפְשִׁי עָלַי אֶשְׁפְּכָה
כִּי בְלָעוּנוּ זֵדִים כְּעוּגָה בְּלִי הֲפוּכָה.

כִּי בִּימֵי הַשַּׂר לֹא עָלְתָה אֲרוּכָה לַעֲשָׂרָה הֲרוּגֵי מְלוּכָה. וּשְׁנַיִם מֵהֶם הוֹצִיאוּ תְּחִלָּה שֶׁהֵם גְּדוֹלֵי יִשְׂרָאֵל, רַבִּי יִשְׁמָעֵאל כֹּהֵן גָּדוֹל וְרַבָּן שִׁמְעוֹן בֶּן־גַּמְלִיאֵל נְשִׂיא יִשְׂרָאֵל. כְּרֹת רֹאשׁוֹ תְּחִלָּה הִרְבָּה לִבְעוֹן וְנָם: הָרְגֵנִי תְּחִלָּה וְאַל אֶרְאֶה בְּמִיתַת מְשָׁרֵת לְדָר בְּמָעוֹן. וּלְהַפִּיל גּוֹרָלוֹת צִוָּה צִפְעוֹן וְנָפַל הַגּוֹרָל עַל רַבָּן שִׁמְעוֹן. לִשְׁפֹּךְ דָּמוֹ מִהֵר כְּשׁוֹר פָּר וּכְשֶׁנֶּחְתַּךְ רֹאשׁוֹ נְטָלוֹ וְצָרַח עָלָיו בְּקוֹל מַר כַּשּׁוֹפָר: אֵי הַלָּשׁוֹן הַמְמַהֶרֶת לְהוֹרוֹת בְּאִמְרֵי שֶׁפֶר, בַּעֲוֹנוֹת אֵיךְ עַתָּה לוֹחֶכֶת אֶת־הֶעָפָר.

פַּעַם אַחַת גָּזְרָה מַלְכוּת הָרְשָׁעָה שֶׁלֹּא יַעַסְקוּ יִשְׂרָאֵל בַּתּוֹרָה. וְרַבִּי עֲקִיבָא הָיָה מַקְהִיל קְהִלּוֹת בָּרַבִּים וְעוֹסֵק בַּתּוֹרָה. תְּפָסוּהוּ וַחֲבָשׁוּהוּ בְּבֵית הָאֲסוּרִים. בְּשָׁעָה שֶׁהוֹצִיאוּ אֶת־רַבִּי עֲקִיבָא לַהֲרֵגָה זְמַן קְרִיאַת שְׁמַע הָיָה וְהָיוּ סוֹרְקִים אֶת־בְּשָׂרוֹ בְּמַסְרְקוֹת

We pray to be able to pray

I place my hope in God; I pray for His compassion. I ask of Him the gift of expression, that here amidst His flock I might sing praises of His power, chant songs of joy in His works. Man's thoughts are his own, but the gift of expression comes from God. Open my mouth, O Lord, that my lips may proclaim Your praise. May the words of my mouth and the meditations of my heart be acceptable to You, O Lord, my Rock and my Redeemer.

Those congregations whose custom it is to recite Seder Ha'avodah at this point, turn now to page 598.

Eileh Ezkerah

Of steel and iron, cold and hard and numb,
now forge yourself a heart and come
to walk the world of slaughter.
You shall wander in and out of ruins,
look in where all the black and gaping holes
appear like ragged wounds that neither wait
nor hope for healing more in all this world.

An ancient Roman court decreed that Jews could no longer teach the Torah. This court sentenced to death rabbis who chose to ignore the decree. The Torah was more precious than life itself for these rabbis, our teachers.

These I recall and pour my heart out.
How the arrogant have devoured us!

Rabbi Ishmael, the *Kohen Gadol,* asked to be executed first so that he would not see the death of the other rabbis. Rabbi Shimon had the same request. Lots were cast. The lot fell to Rabbi Shimon, who was slaughtered on the spot. Rabbi Ishmael, raising his colleague's severed head, cried out: "How the tongue that taught the words of Torah now licks the dust!" And his own turn came next; his face was flayed.

שֶׁל בַּרְזֶל וְהָיָה מְקַבֵּל עָלָיו עֹל מַלְכוּת שָׁמַיִם. אָמְרוּ לוֹ תַּלְמִידָיו: רַבֵּנוּ! עַד כָּאן? אָמַר לָהֶם: כָּל־יָמַי הָיִיתִי מִצְטָעֵר עַל פָּסוּק זֶה – ״וּבְכָל־נַפְשְׁךָ״, אֲפִלּוּ נוֹטֵל אֶת־נִשְׁמָתֶךָ. אָמַרְתִּי, מָתַי יָבוֹא לְיָדִי וַאֲקַיְּמֶנּוּ! וְעַכְשָׁו שֶׁבָּא לְיָדִי, לֹא אֲקַיְּמֶנּוּ? הָיָה מַאֲרִיךְ בְּ״אֶחָד״ עַד שֶׁיָּצְתָה נִשְׁמָתוֹ בְּ״אֶחָד״.

אֵלֶּה אֶזְכְּרָה וְנַפְשִׁי עָלַי אֶשְׁפְּכָה
כִּי בְלָעוּנוּ זֵדִים כְּעוּגָה בְּלִי הֲפוּכָה.

קוּם לֵךְ לְךָ אֶל עִיר הַהֲרֵגָה וּבָאתָ אֶל הַחֲצֵרוֹת,
וְאֶל עֲלִיּוֹת הַגַּגּוֹת תְּטַפֵּס וְנִצַּבְתָּ שָׁם בָּעֲלָטָה –
עוֹד אֵימַת מַר הַמָּוֶת בַּמַּאֲפֵל הַדּוֹמֵם שָׁטָה;
וּמִכָּל־הַחוֹרִים הָעֲמוּמִים וּמִתּוֹךְ צִלְלֵי הַזָּוִיּוֹת
עֵינַיִם, רְאֵה עֵינַיִם דּוּמָם אֵלֶיךָ צוֹפִיּוֹת.
רוּחוֹת הַקְּדוֹשִׁים הֵן, נְשָׁמוֹת עוֹטְיוֹת וְשׁוֹמֵמוֹת,
אֶל זָוִית אַחַת תַּחַת כִּפַּת הַגַּג הִצְטַמְצְמוּ – וְדוֹמֵמוֹת.
כָּאן מְצָאָן הַקַּרְדֹּם וְאֶל הַמָּקוֹם הַזֶּה תָּבוֹאנָה
לַחְתֹּם פֹּה בְּמַבָּטֵי עֵינֵיהֶן בַּפַּעַם הָאַחֲרוֹנָה
אֵת כָּל־צַעַר מוֹתָן הַתָּפֵל וְאֵת כָּל־תַּאֲלַת חַיֵּיהֶן,
וְהִתְרַפְּקוּ פֹּה זָעוֹת וַחֲרֵדוֹת, וַיַּחְדָּו מִמַּחֲבוֹאֵיהֶן
דּוּמָם תּוֹבְעוֹת עֶלְבּוֹנָן וְעֵינֵיהֶן שׁוֹאֲלוֹת: לָמָּה? –

מַעֲשֶׂה בְּבֶטֶן רְטֻשָׁה שֶׁמִּלְאוּהָ נוֹצוֹת,
מַעֲשֶׂה בִּנְחִירַיִם וּמַסְמְרוֹת, בְּגֻלְגָּלוֹת וּפַטִּישִׁים,
מַעֲשֶׂה בִּבְנֵי אָדָם שְׁחוּטִים שֶׁנִּתְלוּ בְּמַרִישִׁים,
וּמַעֲשֶׂה בְתִינוֹק שֶׁנִּמְצָא בְּצַד אִמּוֹ הַמְדֻקָּרָה
כְּשֶׁהוּא יָשֵׁן וּבְפִיו פִּטְמַת שָׁדָהּ הַקָּרָה;
וּמַעֲשֶׂה בְּיֶלֶד שֶׁנִּקְרַע וְיָצְאָה נִשְׁמָתוֹ בְּ״אִמִּי!״ –

Rabbi Akiba also chose to continue teaching in spite of the decree. When they led him to the executioner, it was time for reciting the *Sh'ma*. With iron combs they scraped away his skin as he recited *Sh'ma Yisrael*, freely accepting the yoke of God's kingship. "Even now?" his disciples asked. His reply: "All my life I have been troubled by a verse: 'Love the Lord your God with all your heart and with all your soul,' which means even if He take your life. I often wondered if I would ever be able to fulfill that obligation. And now I can." He left the world while uttering, "The Lord is One."

These I recall and pour my heart out.
How the arrogant have devoured us!

We walk the world of slaughter,
stumbling and falling in wreckage,
surrounded by the fear of death,
and eyes which gaze at us in silence,
the eyes of other martyred Jews,
of hunted, harried, persecuted souls
who never had a choice,
who've huddled all together in the corner
and press each other closer still and quake.
For here it was the sharpened axes found them
and they have come to take another look
at the stark terror of their savage death.
Their staring eyes all ask the ancient question: Why?

Pogrom. A story of a belly stuffed with feathers,
of nostrils and of nails, of heads and hammers,
of men who, after death, were hung head downward
like geese, along the rafter.
A story of a suckling child asleep,
a dead and cloven breast between its lips,
and of another child they tore in two,
thus cutting short its last and loudest scream....

וְעוֹד כָּאֵלֶּה וְכָאֵלֶּה מַעֲשִׂים
נוֹקְבִים אֶת־הַמֹּחַ וְיֵשׁ בָּהֶם כְּדֵי לְהָמִית
אֶת־רוּחֲךָ וְאֶת־נִשְׁמָתְךָ מִיתָה גְמוּרָה עוֹלָמִית –
וְהִתְאַפַּקְתָּ, וְחָנַקְתָּ בְּתוֹךְ גְּרוֹנְךָ אֶת־הַשְּׁאָגָה
וּקְבַרְתָּהּ בְּמַעֲמַקֵּי לְבָבְךָ לִפְנֵי הִתְפָּרְצָהּ,
וְקָפַצְתָּ מִשָּׁם וְיָצָאתָ – וְהִנֵּה הָאָרֶץ כְּמִנְהָגָהּ,
וְהַשֶּׁמֶשׁ כִּתְמוֹל שִׁלְשׁוֹם תְּשַׁחַת זָהֳרָהּ אָרְצָה.

אֵלֶּה אֶזְכְּרָה וְנַפְשִׁי עָלַי אֶשְׁפְּכָה
כִּי בְלָעוּנוּ זֵדִים כְּעוּגָה בְּלִי הֲפוּכָה.

אָמְרוּ עָלָיו עַל רַבִּי יְהוּדָה בֶּן־בָּבָא שֶׁלֹּא טָעַם חֵטְא מִיָּמָיו וְיָשַׁב בְּתַעֲנִית עֶשְׂרִים וָשֵׁשׁ שָׁנָה. גָּזְרָה הַמַּלְכוּת הָרְשָׁעָה עַל יִשְׂרָאֵל שֶׁכָּל־הַסּוֹמֵךְ יֵהָרֵג וְכָל־הַנִּסְמָךְ יֵהָרֵג וְעִיר שֶׁסּוֹמְכִין בָּהּ תֵּחָרֵב. מֶה עָשָׂה רַבִּי יְהוּדָה בֶּן־בָּבָא? הָלַךְ וְיָשַׁב לוֹ בֵּין שְׁנֵי הָרִים גְּדוֹלִים וּבֵין שְׁתֵּי עֲיָרוֹת גְּדוֹלוֹת בֵּין אוּשָׁא לִשְׁפַרְעָם, וְסָמַךְ שָׁם חֲמִשָּׁה זְקֵנִים. כֵּיוָן שֶׁהִכִּירוּ אוֹיְבֵיהֶן בָּהֶן, אָמַר לָהֶן: בָּנַי, רוּצוּ! אָמְרוּ לוֹ: רַבִּי, מַה־תְּהֵא עָלֶיךָ? אָמַר לָהֶן: הֲרֵינִי מוּטָל לִפְנֵיהֶם כְּאֶבֶן שֶׁאֵין לוֹ הוֹפְכִים. אָמְרוּ, לֹא זָזוּ מִשָּׁם עַד שֶׁנָּעֲצוּ בוֹ שְׁלֹשׁ מֵאוֹת לוֹנְכִיּוֹת שֶׁל בַּרְזֶל וַעֲשָׂאוּהוּ כִּכְבָרָה.

רַבִּי חֲנִינָא הָיָה מַקְהִיל קְהִלּוֹת בָּרַבִּים וְסֵפֶר תּוֹרָה מֻנָּח לוֹ בְּחֵיקוֹ. כְּרָכוּהוּ בְּסֵפֶר תּוֹרָה וְהֶקִּיפוּהוּ בַּחֲבִילֵי זְמוֹרוֹת וְהִצִּיתוּ בָהֶן אֶת־הָאוּר וְהֵבִיא סְפוֹגִין שֶׁל צֶמֶר וּשְׁרָאוּם בְּמַיִם וְהִנִּיחוּם עַל לִבּוֹ כְּדֵי שֶׁלֹּא תֵּצֵא נִשְׁמָתוֹ מְהֵרָה. אָמְרוּ לוֹ תַּלְמִידָיו: רַבִּי, מָה אַתָּה רוֹאֶה? אָמַר לָהֶן: גְּוִילִין נִשְׂרָפִין וְאוֹתִיּוֹת פּוֹרְחוֹת.

אֵלֶּה אֶזְכְּרָה וְנַפְשִׁי עָלַי אֶשְׁפְּכָה
כִּי בְלָעוּנוּ זֵדִים כְּעוּגָה בְּלִי הֲפוּכָה.

Many, many more such fearful stories
pierce the brain and petrify the spirit
while in the world of every day
the usual sun routinely, unashamed, has shed
its wealth of beams at every guilty threshold.

We stifle our scream, bury it deep within our heart
as echoes of the martyrs' prayers ascend through the years.
Listen. They beat the breast and cry *ashamnu*.
Pure souls pray of God forgiveness for their sins
while God Himself weeps, mourning at their graves.

> *These I recall and pour my heart out.*
> *How the arrogant have devoured us!*

They say that Rabbi Judah ben Bava never tasted sin in all his life, that he never erred in teaching or misled in judgment, that he spent many years in fasting and in prayer. The Romans forbade the ordination of rabbis, decreeing death for ordainer and ordainee, and destruction for any city in which ordination would take place. Rabbi Judah ben Bava chose to ordain five rabbis in the hills between two cities, Shefaram and Usha. When the enemy soldiers were upon them, Rabbi Judah told those he had ordained to flee. "What will become of you?" they asked. His reply: "I shall place myself before them as an immovable rock." And three hundred Roman iron lances made of his body a sieve.

Rabbi Ḥanina ben Tradyon also chose to teach Torah in public in spite of the decree, holding a Sefer Torah in his arms. After his capture they wrapped him in a Sefer Torah and piled branches about him, lit them, and placed wet wool over his heart so that he would not die quickly. He told his disciples what he saw: The parchment is burning, but the letters are flying free!

> *These I recall, and pour my heart out.*
> *How the arrogant have devoured us!*

וָרְשָׁה, עִיר וְאֵם בְּיִשְׂרָאֵל. דְּבַר פְּקֻדָּה יָצָא מֵאֵת אִישׁ הַבְּלִיַּעַל אֲשֶׁר תְּחַלֵּלְנָה בְּנוֹת יִשְׂרָאֵל אֶת־כְּבוֹדָן לְמַלֵּא תַּאֲוַת לִבָּם שֶׁל אַנְשֵׁי חֵילוֹ הַזֵּדוֹנִים, וְלֹא – מוֹת תָּמֹתְנָה. אַךְ הַנְּעָרוֹת הָלְכוּ בְּדַרְכֵי הַקְּדוֹשִׁים שֶׁל יִשְׂרָאֵל מִנִּי אָז: הֵן שָׁפְכוּ אֶת־לִבָּן בִּתְפִלָּה, שָׁתוּ כּוֹס רַעַל וְהֵשִׁיבוּ רוּחָן לֵאלֹהִים.

טָבַלְנוּ אֶת־בְּשָׂרֵנוּ וַנִּטְהָר,
חִטֵּאנוּ אֶת־רוּחֵנוּ וַנִּשְׁקֹט.
הַמָּוֶת לֹא יַבְעִית, יָצָאנוּ לִקְרָאתוֹ.
עָבַדְנוּ אֱלֹהֵינוּ בַּחַיִּים, נֵדַע גַּם לְקַדֵּשׁ בַּמָּוֶת שְׁמוֹ.
בְּרִית נֶפֶשׁ לְכֻלָּנוּ, הַתִּשְׁעִים וְהַשָּׁלוֹשׁ:
יַחְדָּו לָמַדְנוּ תּוֹרַת אֵל, יַחְדָּו נָסוּף.
קָרֶאנוּ פִּרְקֵי תְהִלִּים בְּקוֹל וַיִּרְוַח לָנוּ,
אָמַרְנוּ הַוִּדּוּי בַּחֲבוּרָה וַנִּתְחַזֵּק.
כָּעֵת אֲנַחְנוּ מוּכָנוֹת לְהִפָּרֵד.
יָבוֹאוּ הַטְּמֵאִים לְעַנּוֹתֵנוּ, לֹא נִירָאֵם.
לְעֵינֵיהֶם נִשְׁתֶּה כּוֹס רַעַל וְנָמוּת
תַּמּוֹת וּטְהוֹרוֹת, כַּחֹק לִבְנוֹת יַעֲקֹב.
לִפְנֵי שָׂרָה אִמֵּנוּ נִתְנַפֵּל וְנֹאמַר לָהּ:
הִנֵּנוּ! עָמַדְנוּ בְּנִסְיוֹן הָעֲקֵדָה!
קוּמִי וְהִתְפַּלְלִי עִמָּנוּ עַל עַם יִשְׂרָאֵל,
חֲמָל־נָא, אָב הָרַחֲמִים, עַל עַם יְדָעֶךָ.
אָפְסוּ רַחֲמֵי אָדָם, גַּלֵּה אַתָּה אֶת־חֲסָדֶיךָ הַכְּבוּשִׁים.
הַצֵּל וּפְדֵה עַמְּךָ הַמְעֻנֶּה, טַהֵר וּשְׁמֹר אֶת־עוֹלָמֶךָ!
שְׁעַת הַנְּעִילָה קְרוֹבָה. לִבֵּנוּ שָׁלֵו.
אַחַת רַק נְבַקֵּשׁ מֵאֵת אַחֵינוּ בַּאֲשֶׁר הֵם:
אִמְרוּ קַדִּישׁ אַחֲרֵינוּ, תִּשְׁעִים וְשָׁלוֹשׁ בְּנוֹת יִשְׂרָאֵל.

Warsaw. Jewish girls, stripped of everything by the Gestapo, are commanded to prepare themselves for the pleasure of Nazi soldiers. Rather than submit to this, they follow the path of martyrs who preceded them: they pour out their hearts in a final prayer and they swallow poison.

We have cleansed our bodies and purified our souls.
And now we are at peace.
Death holds no terror; we go to meet it.
We have served our God while alive;
We know how to hallow Him in death.
A deep covenant binds all ninety-three of us:
Together we studied God's Torah; together we shall die.
We have chanted Psalms, and are comforted.
We have confessed our sins, and are strengthened.
We are now prepared to take our leave.
Let the unclean come to afflict us; we fear them not.
We shall drink the poison and die, innocent and pure,
as befits the daughters of Jacob.
To our mother Sarah we pray: "Here we are!
We have met the test of Isaac's Binding!
Pray with us for the people Israel."
Compassionate Father!
Have mercy for Your people, who love You.
For there is no more mercy in man.
Reveal Your lovingkindness.
Save Your afflicted people.
Cleanse and preserve Your world.
The hour of Ne'ilah approaches. Quiet grow our hearts.
One request we make of our brethren, wherever they may be.
Say Kaddish for us, for all ninety-three, say Kaddish.

כָּל־הַיּוֹם כְּלִמָּתִי נֶגְדִּי, וּבֹשֶׁת פָּנַי כִּסָּתְנִי.
כָּל־זֹאת בָּאַתְנוּ וְלֹא שְׁכַחֲנוּךָ, וְלֹא שִׁקַּרְנוּ בִּבְרִיתֶךָ.
כִּי עָלֶיךָ הֹרַגְנוּ כָל־הַיּוֹם, נֶחְשַׁבְנוּ כְּצֹאן טִבְחָה.
לָמָּה פָנֶיךָ תַסְתִּיר, תִּשְׁכַּח עָנְיֵנוּ וְלַחֲצֵנוּ.
כִּי שָׁחָה לֶעָפָר נַפְשֵׁנוּ, דָּבְקָה לָאָרֶץ בִּטְנֵנוּ.

Confusion confronts us constantly, our face is covered with shame. All this has come upon us, yet we have not forgotten You, we have not been false to Your covenant. For Your sake are we murdered constantly, treated as sheep for slaughter. Why do You hide Your Presence? Why do You forget our affliction, our oppression? Our spirit is down in the dust, our body cleaves to the ground.

אֵלֶּה אֶזְכְּרָה וְנַפְשִׁי עָלַי אֶשְׁפְּכָה
כִּי בְלָעוּנוּ זֵדִים כְּעוּגָה בְּלִי הֲפוּכָה.

These I recall and pour my heart out.
How the arrogant have devoured us!

Fifteen thousand children passed through the camp of Terezin from 1941 to 1945. One hundred survived. One who did not was Frantisek Bass, born in 1930, deported to Terezin in 1942, murdered at Auschwitz in 1944. He left a poem.

A little garden,
Fragrant and full of roses.
The path is narrow
And a little boy walks along it.

A little boy, a sweet boy,
Like that growing blossom.
When the blossom comes to bloom,
The little boy will be no more.

Six million little boys and girls, and men and women,
six million of our cousins who by the whim of monsters
are no more.
                    That little boy my cousin, whose cry
might have been *my* cry in that dark land—
Where shall I seek you? On what wind shall I
reach out to touch the ash that was your hand?

Where shall I seek you? There's not anywhere
a tomb, a mound, a sod, a broken stick,
marking the sepulchres of those sainted ones
the dogfaced hid in tumuli of air.
O cousin, cousin, you are everywhere!
And in your death, in your ubiquity,
bespeak them all, our sundered, cindered kin:

David, whose cinctured bone—
young branch once wrapped in phylactery—
now hafts the peasant's bladed kitchenware;
and the dark Miriam murdered for her hair;
the relicts nameless, and the tatoo'd skin
fevering from a lampshade in a cultured home—
all, all our gaunt, skull-shaven family—
the faces are *my* face! that lie in lime.
You bring them, jot of horror, here to me,
them and the slow eternity of despair
that tore them, and did tear them, out of time.

Death may be beautiful when, full of years,
ripe with good works, a man, among his sons,
says his last word and turns him to the wall.
But not these deaths! Not these weighted tears!
The flesh of Your sages, Lord, flung prodigal
to the robed fauna with their tubes and shears;
Your chosen for a gold tooth chosen; for
the pervert's wetness, flesh beneath the rod—
death multitudinous as their frustrate spore—
This has been done to us, Lord, thought-lost God;
and things still hidden, and unspeakable more.

A world is emptied. There where Your people praised
in angular ecstasy Your name, Your Torah
is less than a whisper of its thunderclap.
Your synagogues, rubble. Your academies
are silent, dark. They are laid waste, Your cities,
once festive with Your fruit-full calendar,
and where Your curled and caftaned congregations
danced to the first days and the second star,
or made the market places loud and green
to welcome in the Sabbath Queen.

There where dwelt the thirty-six righteous—world's pillars—
and tenfold ancient Egypt's generation, there
is nothing, nothing . . . only the million echoes
calling Your name still trembling on the air.

We who have survived them pray: again renew our days.
Again renew them as they were of old,
and for all time cancel that ashen orbit
in which our days, and hopes, and kin are rolled.

If the prophets broke in
through the doors of night
and sought an ear like a homeland—

Ear of mankind
overgrown with nettles,
would you hear?

If the voice of prophets
blew
on flutes made of martyred children's bones
and exhaled airs burnt with
martyrs' cries—
if they built a bridge of old men's dying
groans—

Ear of mankind
occupied with small sounds,
would you hear?

If the prophets stood up
in the night of mankind
like lovers who seek the heart of the beloved,
night of mankind
would you have a heart to offer?

We will renew our prayer, Creator, even as You have renewed our hearts. We know that a time will come when there will be no strong and no weak, no hunters and no hunted, no oppressors and no oppressed, no slayers and no slain, no masters and no servants, no rich and no poor.

For we know this world is no waiting room for eternity. Eternity is here among us.

Therefore we are bidden to take thought for our own hereafter, and for our brothers' welfare in this world. And we know that this teaching will survive all its enemies and all our own.

Are our enemies mightier than we? Torah is stronger than their might, and our dream is greater than their night.

We know that this world will be saved from evil.

Should this not be true, may we know nothing further, as nothing will be worth knowing.

For we know how difficult, how dangerous, how piteous it is to be a human being. And we know how grand, how glorious it is to be a human being.

When we recall the pain of our past, we also must recall its splendor, the foundation with which our lives begin, and our debt to the long line of our ancestors, of blessed memory, all those who have come before, beginning with Abraham.

Their lives and their teachings sustain us. The merit of their lives stands at our side today as we seek forgiveness for our own deeds which have stained and soiled our lives.

Because of the strength and the beauty and the piety of their lives, because of our hope for the future which they have planted within us—in spite of everything which strangles hope—we say Yes to creation and we say Yes to our Creator and to His eternity and holiness.

We rise.

יִתְגַּדַּל

Kishinev

וְיִתְקַדַּשׁ

Warsaw

שְׁמֵהּ רַבָּא

Auschwitz

בְּעָלְמָא דִּי בְרָא כִרְעוּתֵהּ

Dachau

וְיַמְלִיךְ מַלְכוּתֵהּ

Buchenwald

בְּחַיֵּיכוֹן וּבְיוֹמֵיכוֹן

Babi Yar

וּבְחַיֵּי דְכָל־בֵּית יִשְׂרָאֵל

Baghdad

בַּעֲגָלָא וּבִזְמַן קָרִיב

Ḥebron

וְאִמְרוּ אָמֵן.

יְהֵא שְׁמֵהּ רַבָּא מְבָרַךְ לְעָלַם וּלְעָלְמֵי עָלְמַיָּא.

We rise

Yit-gadal
> Kishinev

ve-yit-kadash
> Warsaw

shmei raba
> Auschwitz

b'alma divra khir'utei
> Dachau

ve-yamlikh mal-khutei
> Buchenwald

be-ḥayei-khon uve'yomei-khon
> Babi Yar

uve-ḥayei di-khol beit yisrael
> Baghdad

ba-agala u-vizman kariv
> Ḥebron

v'imru amen.

Ye-hei shmei raba meva-rakh l'alam ul'almei 'almaya.

יִתְבָּרַךְ וְיִשְׁתַּבַּח

Kfar Etzion

וְיִתְפָּאַר וְיִתְרוֹמַם

Mayence

וְיִתְנַשֵּׂא וְיִתְהַדַּר

Terezin

וְיִתְעַלֶּה וְיִתְהַלַּל

Treblinka

שְׁמֵהּ דְּקֻדְשָׁא בְּרִיךְ הוּא

Bergen-Belsen

לְעֵלָּא לְעֵלָּא

Vilna

מִכָּל־בִּרְכָתָא וְשִׁירָתָא

Usha

תֻּשְׁבְּחָתָא וְנֶחֱמָתָא

Massada

דַּאֲמִירָן בְּעָלְמָא

Jerusalem

וְאִמְרוּ אָמֵן.

יְהֵא שְׁלָמָא רַבָּא מִן שְׁמַיָּא וְחַיִּים עָלֵינוּ וְעַל כָּל־יִשְׂרָאֵל, וְאִמְרוּ אָמֵן.

עוֹשֶׂה שָׁלוֹם בִּמְרוֹמָיו הוּא יַעֲשֶׂה שָׁלוֹם עָלֵינוּ וְעַל כָּל־יִשְׂרָאֵל, וְאִמְרוּ אָמֵן.

We are seated.

Yit-barakh ve-yish-tabaḥ
    Kfar Etzion

ve-yit-pa'ar ve-yitromam
    Mayence

ve-yitnasei ve-yit-hadar
    Terezin

ve-yit'aleh ve-yit-halal
    Treblinka

shmei di-kudsha brikh hu
    Bergen-Belsen

l'eila l'eila
    Vilna

mikol bir-khata ve-shirata
    Usha

tush-be-ḥata ve-neḥe-mata
    Massada

da-amiran b'alma
    Jerusalem

v'imru amen.

Ye-hei shlama raba min shmaya ve-ḥayim aleinu v'al kol yisrael
v'imru amen.

Oseh shalom bimromav hu ya'aseh shalom aleinu v'al kol
yisrael v'imru amen.

We are seated.

זְכָר־לָנוּ בְּרִית אָבוֹת כַּאֲשֶׁר אָמַרְתָּ: וְזָכַרְתִּי אֶת־בְּרִיתִי יַעֲקוֹב, וְאַף אֶת־בְּרִיתִי יִצְחָק וְאַף אֶת־בְּרִיתִי אַבְרָהָם אֶזְכֹּר וְהָאָרֶץ אֶזְכֹּר. זְכָר־לָנוּ בְּרִית רִאשׁוֹנִים כַּאֲשֶׁר אָמַרְתָּ: וְזָכַרְתִּי לָהֶם בְּרִית רִאשֹׁנִים, אֲשֶׁר הוֹצֵאתִי אֹתָם מֵאֶרֶץ מִצְרַיִם לְעֵינֵי הַגּוֹיִם לִהְיוֹת לָהֶם לֵאלֹהִים, אֲנִי יְיָ. רַחֵם עָלֵינוּ וְאַל תַּשְׁחִיתֵנוּ, כְּמָה שֶׁכָּתוּב: כִּי אֵל רַחוּם יְיָ אֱלֹהֶיךָ, לֹא יַרְפְּךָ וְלֹא יַשְׁחִיתֶךָ וְלֹא יִשְׁכַּח אֶת־בְּרִית אֲבֹתֶיךָ אֲשֶׁר נִשְׁבַּע לָהֶם. הִמָּצֵא לָנוּ בְּבַקָּשָׁתֵנוּ, כְּמָה שֶׁכָּתוּב: וּבִקַּשְׁתֶּם מִשָּׁם אֶת־יְיָ אֱלֹהֶיךָ וּמָצָאתָ, כִּי תִדְרְשֶׁנּוּ בְּכָל־לְבָבְךָ וּבְכָל־נַפְשֶׁךָ.

מְחֵה פְשָׁעֵינוּ כָּעָב וְכֶעָנָן, כַּאֲשֶׁר אָמַרְתָּ: מָחִיתִי כָעָב פְּשָׁעֶיךָ וְכֶעָנָן חַטֹּאותֶיךָ, שׁוּבָה אֵלַי כִּי גְאַלְתִּיךָ. זְרֹק עָלֵינוּ מַיִם טְהוֹרִים וְטַהֲרֵנוּ, כְּמָה שֶׁכָּתוּב: וְזָרַקְתִּי עֲלֵיכֶם מַיִם טְהוֹרִים וּטְהַרְתֶּם, מִכֹּל טֻמְאוֹתֵיכֶם וּמִכָּל־גִּלּוּלֵיכֶם אֲטַהֵר אֶתְכֶם. כַּפֵּר חֲטָאֵינוּ בַּיּוֹם הַזֶּה וְטַהֲרֵנוּ, כְּמָה שֶׁכָּתוּב: כִּי בַיּוֹם הַזֶּה יְכַפֵּר עֲלֵיכֶם לְטַהֵר אֶתְכֶם, מִכֹּל חַטֹּאתֵיכֶם לִפְנֵי יְיָ תִּטְהָרוּ. הֲבִיאֵנוּ אֶל הַר קָדְשֶׁךָ וְשַׂמְּחֵנוּ בְּבֵית תְּפִלָּתֶךָ, כְּמָה שֶׁכָּתוּב: וַהֲבִיאוֹתִים אֶל הַר קָדְשִׁי וְשִׂמַּחְתִּים בְּבֵית תְּפִלָּתִי . . . כִּי בֵיתִי בֵּית תְּפִלָּה יִקָּרֵא לְכָל־הָעַמִּים.

Remember Your covenant with our fathers, as promised in the Torah: "I will remember My covenant with Jacob, Isaac and Abraham, and the land will I remember. . . . I will remember My covenant with their ancestors whom I took out of the land of Egypt in the sight of all nations, to be their God. I am the Lord." Have compassion for us, destroy us not, as it is written in the Torah: "The Lord your God is compassionate. He will neither fail nor destroy you; He will not forget the covenant He made with your fathers." Be with us when we seek You, for it is written in the Torah: "When you seek the Lord your God, you will find Him if you seek with all your heart and with all your might."

Sweep aside our transgressions like a mist, disperse them like a cloud, as You have promised: "I have swept aside your transgressions like a mist, your sins are dispersed like a cloud. Return unto Me, for I have redeemed you." Purify us, as Your prophet Ezekiel promised in Your name: "I will sprinkle clean water upon you and you shall be cleansed. Of all your impurities and idolatries shall I cleanse you." Pardon our sins this day, cleanse us, as promised in the Torah: "For on this day atonement shall be made for you to cleanse you; of all your sins before the Lord you shall be cleansed." Bring us to Your holy mountain, that we may rejoice in Your house of prayer, as Your prophet Isaiah declared in Your name: "I will bring them to My holy mountain, that they may rejoice in My house of prayer, for My house of prayer shall be called a house of prayer for all people."

Sh'ma Koleinu

We rise

שְׁמַע קוֹלֵנוּ, יְיָ אֱלֹהֵינוּ, חוּס וְרַחֵם עָלֵינוּ,
וְקַבֵּל בְּרַחֲמִים וּבְרָצוֹן אֶת־תְּפִלָּתֵנוּ.
הֲשִׁיבֵנוּ יְיָ אֵלֶיךָ וְנָשׁוּבָה, חַדֵּשׁ יָמֵינוּ כְּקֶדֶם.

אַל תַּשְׁלִיכֵנוּ מִלְּפָנֶיךָ, וְרוּחַ קָדְשְׁךָ אַל תִּקַּח מִמֶּנּוּ.
אַל תַּשְׁלִיכֵנוּ לְעֵת זִקְנָה, כִּכְלוֹת כֹּחֵנוּ אַל תַּעַזְבֵנוּ.
אַל תַּעַזְבֵנוּ, יְיָ אֱלֹהֵינוּ, אַל תִּרְחַק מִמֶּנּוּ.

עֲשֵׂה עִמָּנוּ אוֹת לְטוֹבָה וְיִרְאוּ שׂוֹנְאֵינוּ וְיֵבֹשׁוּ,
כִּי אַתָּה יְיָ עֲזַרְתָּנוּ וְנִחַמְתָּנוּ.

אֲמָרֵינוּ הַאֲזִינָה יְיָ, בִּינָה הֲגִיגֵנוּ.
יִהְיוּ לְרָצוֹן אִמְרֵי־פִינוּ וְהֶגְיוֹן לִבֵּנוּ לְפָנֶיךָ, יְיָ צוּרֵנוּ וְגוֹאֲלֵנוּ.

כִּי לְךָ יְיָ הוֹחָלְנוּ, אַתָּה תַעֲנֶה, אֲדֹנָי אֱלֹהֵינוּ.

We are seated

אֱלֹהֵינוּ וֵאלֹהֵי אֲבוֹתֵינוּ, אַל תַּעַזְבֵנוּ וְאַל תִּטְּשֵׁנוּ וְאַל תַּכְלִימֵנוּ וְאַל תָּפֵר בְּרִיתְךָ אִתָּנוּ. קָרְבֵנוּ לְתוֹרָתֶךָ, לַמְּדֵנוּ מִצְוֹתֶיךָ, הוֹרֵנוּ דְרָכֶיךָ. הַט לִבֵּנוּ לְיִרְאָה אֶת־שְׁמֶךָ, וּמוֹל אֶת־לְבָבֵנוּ לְאַהֲבָתֶךָ וְנָשׁוּב אֵלֶיךָ בֶּאֱמֶת וּבְלֵב שָׁלֵם. וּלְמַעַן שִׁמְךָ הַגָּדוֹל תִּמְחַל וְתִסְלַח לַעֲוֹנֵינוּ, כַּכָּתוּב בְּדִבְרֵי קָדְשֶׁךָ: לְמַעַן שִׁמְךָ יְיָ, וְסָלַחְתָּ לַעֲוֹנִי כִּי רַב הוּא.

Sh'ma Koleinu

We rise

Hear our voice, Lord our God, pity us, save us,
Accept our prayer with compassion and kindness.

> *Help us return to You, and we shall return;*
> *Renew our lives as when we were young.*

Cast us not away from Your Presence,
Take not Your holy spirit from us.

> *Cast us not away when we are old,*
> *When our strength is gone do not abandon us.*

Do not abandon us, Lord our God, do not be far from us.

> *Show us a sign of grace, in spite of our foes;*
> *For You are our help and our comfort.*

Hear our words, O Lord, and consider our inmost thoughts.

> *May the words of our mouth and the meditations of our heart*
> *Be acceptable to You, O Lord, our Rock and our Redeemer.*

For You we wait, our God; You, O Lord, will answer.

We are seated

Our God and God of our fathers, forsake us not, shame us not. Break not Your covenant with us. Bring us nearer to Your Torah, teach us Your commandments, show us Your ways. Soften our hardened hearts so that we may love and revere You, returning to You wholeheartedly. As the Psalmist sang: "For Your own sake, Lord, pardon my sin though it is great."

This confession of faith expresses the profound reciprocity between God and man.

אֱלֹהֵינוּ וֵאלֹהֵי אֲבוֹתֵינוּ, סְלַח לָנוּ, מְחַל לָנוּ, כַּפֶּר־לָנוּ.

כִּי אָנוּ עַמֶּךָ וְאַתָּה אֱלֹהֵינוּ, אָנוּ בָנֶיךָ וְאַתָּה אָבִינוּ.

אָנוּ עֲבָדֶיךָ וְאַתָּה אֲדוֹנֵנוּ, אָנוּ קְהָלֶךָ וְאַתָּה חֶלְקֵנוּ.

אָנוּ נַחֲלָתֶךָ וְאַתָּה גוֹרָלֵנוּ, אָנוּ צֹאנֶךָ וְאַתָּה רוֹעֵנוּ.

אָנוּ כַרְמֶךָ וְאַתָּה נוֹטְרֵנוּ, אָנוּ פְעֻלָּתֶךָ וְאַתָּה יוֹצְרֵנוּ.

אָנוּ רַעְיָתֶךָ וְאַתָּה דוֹדֵנוּ, אָנוּ סְגֻלָּתֶךָ וְאַתָּה קְרוֹבֵנוּ.

אָנוּ עַמֶּךָ וְאַתָּה מַלְכֵּנוּ, אָנוּ מַאֲמִירֶךָ וְאַתָּה מַאֲמִירֵנוּ.

This confession of faith expresses the profound contrast between God and man.

אָנוּ עַזֵּי פָנִים וְאַתָּה רַחוּם וְחַנּוּן. אָנוּ קְשֵׁי עֹרֶף וְאַתָּה אֶרֶךְ אַפַּיִם. אָנוּ מְלֵאֵי עָוֹן וְאַתָּה מָלֵא רַחֲמִים. אָנוּ יָמֵינוּ כְּצֵל עוֹבֵר וְאַתָּה הוּא וּשְׁנוֹתֶיךָ לֹא יִתָּמּוּ.

This confession of faith expresses the profound reciprocity between God and man.

Our God and God of our fathers, forgive us, pardon us, grant us atonement.

For we are Your people, and You our God.

We are Your children, and You our Father.

We are Your servants, and You our Master.

We are Your congregation, and You our only One.

We are Your heritage, and You our Destiny.

We are Your flock, and You our Shepherd.

We are Your vineyard, and You our Watchman.

We are Your creatures, and You our Creator.

We are Your faithful, and You our Beloved.

We are Your treasure, and You our Protector.

We are Your subjects, and You our King.

We have chosen You, and You have chosen us.

This confession of faith expresses the profound contrast between God and man.

We are insolent, but You are gracious and compassionate. We are obstinate, but You are patient. We excel at sin, but You excel at mercy. Our days are a passing shadow, while You are eternal, Your years without end.

Merely to have survived is not an index of excellence,
Nor, given the way things go,
Even of low cunning.
Yet we have seen the wicked in great power,
And spreading himself like a green bay tree.
And the good as if they had never been;
Their voices are blown away on the winter wind.
And again we wander the wilderness
For our transgressions
Which are confessed in the daily papers.

Except the Lord of hosts had left unto us
A very small remnant,
We should have been as Sodom,
We should have been like unto Gomorrah.
And to what purpose, as the darkness closes about,
Had best be our present concern,
Here, in this wilderness of comfort
In which we dwell.

                    Shall we now consider
The suspicious posture of our virtue,
The deformed consequences of our love,
The painful issues of our mildest acts?
Shall we ask
Where is there one
Mad, poor and betrayed enough to find
Forgiveness for us, saying,
"None does offend,
None, I say,
None"?

אֱלֹהֵינוּ וֵאלֹהֵי אֲבוֹתֵינוּ, תָּבוֹא לְפָנֶיךָ תְּפִלָּתֵנוּ וְאַל תִּתְעַלַּם מִתְּחִנָּתֵנוּ, שֶׁאֵין אֲנַחְנוּ עַזֵּי פָנִים וּקְשֵׁי עֹרֶף לוֹמַר לְפָנֶיךָ, יְיָ אֱלֹהֵינוּ וֵאלֹהֵי אֲבוֹתֵינוּ, צַדִּיקִים אֲנַחְנוּ וְלֹא חָטָאנוּ, אֲבָל אֲנַחְנוּ חָטָאנוּ.

Hear our prayer; do not ignore our plea. We are neither so insolent nor so obstinate as to claim that we are righteous, without sin, for we have surely sinned.

Vidui

Congregation rises.

אָשַׁמְנוּ, בָּגַדְנוּ, גָּזַלְנוּ, דִּבַּרְנוּ דֹפִי.
הֶעֱוִינוּ, וְהִרְשַׁעְנוּ, זַדְנוּ, חָמַסְנוּ,
טָפַלְנוּ שֶׁקֶר. יָעַצְנוּ רָע, כִּזַּבְנוּ, לַצְנוּ,
מָרַדְנוּ, נִאַצְנוּ, סָרַרְנוּ, עָוִינוּ,
פָּשַׁעְנוּ, צָרַרְנוּ, קִשִּׁינוּ עֹרֶף. רָשַׁעְנוּ,
שִׁחַתְנוּ, תִּעַבְנוּ, תָּעִינוּ, תִּעְתָּעְנוּ.

Ashamnu bagadnu gazalnu dibarnu dofi.
He'evinu vehirshanu zadnu ḥamasnu
tafalnu shaker. Ya'atznu ra, kizavnu latznu
maradnu ni'atznu sararnu 'avinu
pashanu tzararnu kishinu 'oref. Rashanu
shiḥatnu ti'avnu ta'inu titanu.

We abuse, we betray, we are cruel.
We destroy, we embitter, we falsify.
We gossip, we hate, we insult.
We jeer, we kill, we lie.
We mock, we neglect, we oppress.
We pervert, we quarrel, we rebel.
We steal, we transgress, we are unkind.
We are violent, we are wicked, we are xenophobic.
We yield to evil, we are zealots for bad causes.

Congregation is seated.

סַרְנוּ מִמִּצְוֹתֶיךָ וּמִמִּשְׁפָּטֶיךָ הַטּוֹבִים וְלֹא שָׁוָה לָנוּ, וְאַתָּה צַדִּיק עַל כָּל־הַבָּא עָלֵינוּ, כִּי אֱמֶת עָשִׂיתָ וַאֲנַחְנוּ הִרְשָׁעְנוּ.

הִרְשַׁעְנוּ וּפָשַׁעְנוּ, לָכֵן לֹא נוֹשָׁעְנוּ. וְתֵן בְּלִבֵּנוּ לַעֲזֹב דֶּרֶךְ רֶשַׁע וְחִישׁ לָנוּ יֶשַׁע, כַּכָּתוּב עַל יַד נְבִיאֶךָ: יַעֲזֹב רָשָׁע דַּרְכּוֹ וְאִישׁ אָוֶן מַחְשְׁבֹתָיו, וְיָשֹׁב אֶל יְיָ וִירַחֲמֵהוּ וְאֶל אֱלֹהֵינוּ כִּי יַרְבֶּה לִסְלוֹחַ.

אֱלֹהֵינוּ וֵאלֹהֵי אֲבוֹתֵינוּ, סְלַח וּמְחַל לַעֲוֹנוֹתֵינוּ בְּיוֹם הַשַּׁבָּת הַזֶּה וּבְיוֹם הַכִּפּוּרִים הַזֶּה. מְחֵה וְהַעֲבֵר פְּשָׁעֵינוּ וְחַטֹּאתֵינוּ מִנֶּגֶד עֵינֶיךָ וְכֹף אֶת־יִצְרֵנוּ לְהִשְׁתַּעְבֶּד־לָךְ, וְהַכְנַע עָרְפֵּנוּ לָשׁוּב אֵלֶיךָ וְחַדֵּשׁ כִּלְיוֹתֵינוּ לִשְׁמֹר פִּקּוּדֶיךָ וּמוֹל אֶת־לְבָבֵנוּ לְאַהֲבָה וּלְיִרְאָה אֶת־שְׁמֶךָ, כַּכָּתוּב בְּתוֹרָתֶךָ: וּמָל יְיָ אֱלֹהֶיךָ אֶת־לְבָבְךָ וְאֶת־לְבַב זַרְעֶךָ, לְאַהֲבָה אֶת־יְיָ אֱלֹהֶיךָ בְּכָל־לְבָבְךָ וּבְכָל־נַפְשְׁךָ לְמַעַן חַיֶּיךָ.

הַזְּדוֹנוֹת וְהַשְּׁגָגוֹת אַתָּה מַכִּיר. הָרָצוֹן וְהָאֹנֶס, הַגְּלוּיִים וְהַנִּסְתָּרִים לְפָנֶיךָ הֵם גְּלוּיִים וִידוּעִים. מָה אָנוּ, מֶה חַיֵּינוּ, מֶה חַסְדֵּנוּ, מַה־צִּדְקֵנוּ, מַה־יִּשְׁעֵנוּ, מַה־כֹּחֵנוּ, מַה־גְּבוּרָתֵנוּ. מַה־נֹּאמַר לְפָנֶיךָ, יְיָ אֱלֹהֵינוּ וֵאלֹהֵי אֲבוֹתֵינוּ, הֲלֹא כָּל־הַגִּבּוֹרִים כְּאַיִן לְפָנֶיךָ וְאַנְשֵׁי הַשֵּׁם כְּלֹא הָיוּ וַחֲכָמִים כִּבְלִי מַדָּע וּנְבוֹנִים כִּבְלִי הַשְׂכֵּל, כִּי רֹב מַעֲשֵׂיהֶם תֹּהוּ וִימֵי חַיֵּיהֶם הֶבֶל לְפָנֶיךָ, וּמוֹתַר הָאָדָם מִן הַבְּהֵמָה אָיִן, כִּי הַכֹּל הָבֶל.

מַה־נֹּאמַר לְפָנֶיךָ יוֹשֵׁב מָרוֹם וּמַה־נְּסַפֵּר לְפָנֶיךָ שׁוֹכֵן שְׁחָקִים. הֲלֹא כָּל־הַנִּסְתָּרוֹת וְהַנִּגְלוֹת אַתָּה יוֹדֵעַ.

שִׁמְךָ מֵעוֹלָם עוֹבֵר עַל פֶּשַׁע. שַׁוְעָתֵנוּ תַּאֲזִין בְּעָמְדֵנוּ לְפָנֶיךָ בִּתְפִלָּה. תַּעֲבֹר עַל פֶּשַׁע לְעַם שָׁבֵי פֶשַׁע. תִּמְחֶה אַשְׁמָתֵינוּ מִנֶּגֶד עֵינֶיךָ.

We have ignored Your commandments and statutes, and it has not profited us. You are just, we have stumbled. You have acted faithfully, we have been unrighteous.

We have sinned, we have transgressed. Therefore we have not been saved. Endow us with the will to forsake evil; save us soon. Thus Your prophet Isaiah declared: Let the wicked forsake his path, and the unrighteous man his plottings. Let him return to the Lord, who will show him compassion. Let him return to our God, who will surely forgive him."

Our God and God of our fathers, forgive and pardon our sins *on this Shabbat and* on this Yom Kippur. Answer our prayers by removing our transgressions from Your sight. Subdue our impulse to evil; submit us to Your service, that we may return to You. Renew our will to observe Your precepts. Soften our hardened hearts so that we may love and revere You, as it is written in Your Torah: "And the Lord your God will soften your heart and the heart of your children, so that you will love the Lord your God with all your heart and with all your being, that you may live."

You know our sins, whether deliberate or not, whether committed willingly or under compulsion, whether in public or in private. What are we? What is our piety? What is our righteousness, our attainment, our power, our might? What can we say, Lord our God and God of our fathers? Compared to You, all the mighty are nothing, the famous are non-existent, the wise lack wisdom, the clever lack reason. For most of their actions are meaninglessness, the days of their lives emptiness. Man's superiority to the beast is an illusion. All life is a fleeting breath.

What can we say to You, what can we tell You?
You know all things, secret and revealed.

You always forgive transgressions. Hear the cry of our prayer. Pass over the transgressions of a people who turn away from transgression. Blot out our sins from Your sight.

אַתָּה יוֹדֵעַ רָזֵי עוֹלָם וְתַעֲלוּמוֹת סִתְרֵי כָל־חָי. אַתָּה חוֹפֵשׂ כָּל־חַדְרֵי־בָטֶן וּבוֹחֵן כְּלָיוֹת וָלֵב. אֵין דָּבָר נֶעְלָם מִמֶּךָּ וְאֵין נִסְתָּר מִנֶּגֶד עֵינֶיךָ.

וּבְכֵן יְהִי רָצוֹן מִלְּפָנֶיךָ יְיָ אֱלֹהֵינוּ וֵאלֹהֵי אֲבוֹתֵינוּ שֶׁתִּסְלַח לָנוּ עַל כָּל־חַטֹּאתֵינוּ וְתִמְחַל לָנוּ עַל כָּל־עֲוֹנוֹתֵינוּ וּתְכַפֶּר־לָנוּ עַל כָּל־פְּשָׁעֵינוּ.

We rise in memory of the six million

עַל חֵטְא שֶׁחָטָאנוּ לְפָנֶיךָ וְלִפְנֵיהֶם בַּאֲטִימַת אֹזֶן,

וְעַל חֵטְא שֶׁחָטָאנוּ לְפָנֶיךָ וְלִפְנֵיהֶם בִּבְגִידַת רֵעִים.

עַל חֵטְא שֶׁחָטָאנוּ לְפָנֶיךָ וְלִפְנֵיהֶם בְּהִסּוּס וּבְהִרְהוּר,

וְעַל חֵטְא שֶׁחָטָאנוּ לְפָנֶיךָ וְלִפְנֵיהֶם בִּוְעִידוֹת שָׁוְא.

עַל חֵטְא שֶׁחָטָאנוּ לְפָנֶיךָ וְלִפְנֵיהֶם בִּזְהִירוּת יֶתֶר,

וְעַל חֵטְא שֶׁחָטָאנוּ לְפָנֶיךָ וְלִפְנֵיהֶם בְּחִבּוּק יָדַיִם.

עַל חֵטְא שֶׁחָטָאנוּ לְפָנֶיךָ וְלִפְנֵיהֶם בְּטִמְטוּם הַמֹּחַ,

וְעַל חֵטְא שֶׁחָטָאנוּ לְפָנֶיךָ וְלִפְנֵיהֶם בְּיֵאוּשׁ מִדַּעַת.

עַל חֵטְא שֶׁחָטָאנוּ לְפָנֶיךָ וְלִפְנֵיהֶם בְּסַבְלָנוּת,

וְעַל חֵטְא שֶׁחָטָאנוּ לְפָנֶיךָ וְלִפְנֵיהֶם בַּעֲלִיזוּת חַיֵּינוּ.

עַל חֵטְא שֶׁחָטָאנוּ לְפָנֶיךָ וְלִפְנֵיהֶם בְּפִצּוּי וּבְפִיּוּס,

וְעַל חֵטְא שֶׁחָטָאנוּ לְפָנֶיךָ וְלִפְנֵיהֶם בְּצִדּוּק הַדִּין.

עַל חֵטְא שֶׁחָטָאנוּ לְפָנֶיךָ וְלִפְנֵיהֶם בְּשַׁאֲנַנּוּת רוּחַ,

וְעַל חֵטְא שֶׁחָטָאנוּ לְפָנֶיךָ וְלִפְנֵיהֶם בְּשִׂנְאַת חִנָּם.

וְעַל כֻּלָּם אֱלוֹהַּ סְלִיחוֹת, סְלַח לָנוּ, מְחַל לָנוּ, כַּפֶּר־לָנוּ.

You know the mysteries of the universe, the secrets of every-one alive. You probe our innermost depths, You examine our thoughts and desires. Nothing escapes You, nothing is hidden from You.

May it therefore be Your will, Lord our God and God of our fathers, to forgive us all our sins, to pardon all our iniquities, to grant us atonement for all our transgressions.

We rise in memory of the six million

We have sinned against You, and them, by refusing to hear,

> *And we have sinned against You, and them, by betraying friends.*

We have sinned against You, and them, by hesitating,

> *And we have sinned against You, and them, by useless conferences.*

We have sinned against You, and them, by being overcautious,

> *And we have sinned against You, and them, by not using our power.*

We have sinned against You, and them, by senselessness,

> *And we have sinned against You, and them, by despairing.*

We have sinned against You, and them, by being patient,

> *And we have sinned against You, and them, by frivolity at dreadful times.*

We have sinned against You, and them, by appeasement,

> *And we have sinned against You, and them, by theological rationalizations.*

We have sinned against You, and them, by complacency,

> *And we have sinned against You, and them, by communal strife.*

V'al kulam Elo-ah seliḥot, selaḥ lanu, meḥal lanu, kapper lanu.

For all these sins, forgiving God, forgive us, pardon us, grant us atonement.

עַל חֵטְא שֶׁחָטָאנוּ לְפָנֶיךָ בְּאֹנֶס,
וְעַל חֵטְא שֶׁחָטָאנוּ לְפָנֶיךָ בְּרָצוֹן.
עַל חֵטְא שֶׁחָטָאנוּ לְפָנֶיךָ בַּסֵּתֶר,
וְעַל חֵטְא שֶׁחָטָאנוּ לְפָנֶיךָ בַּגָּלוּי.
עַל חֵטְא שֶׁחָטָאנוּ לְפָנֶיךָ בְּשׁוֹגֵג,
וְעַל חֵטְא שֶׁחָטָאנוּ לְפָנֶיךָ בְּמֵזִיד.

וְעַל כֻּלָּם אֱלוֹהַּ סְלִיחוֹת, סְלַח לָנוּ, מְחַל לָנוּ, כַּפֶּר־לָנוּ.

We are seated.

וְעַל מִצְוַת עֲשֵׂה וְעַל מִצְוַת לֹא תַעֲשֶׂה, בֵּין שֶׁיֶּשׁ־בָּהּ קוּם עֲשֵׂה וּבֵין שֶׁאֵין בָּהּ קוּם עֲשֵׂה, אֶת־הַגְּלוּיִים לָנוּ וְאֶת־שֶׁאֵינָם גְּלוּיִים לָנוּ. אֶת־הַגְּלוּיִים לָנוּ כְּבָר אֲמַרְנוּם לְפָנֶיךָ וְהוֹדִינוּ לְךָ עֲלֵיהֶם, וְאֶת־שֶׁאֵינָם גְּלוּיִים לָנוּ לְפָנֶיךָ הֵם גְּלוּיִים וִידוּעִים, כַּדָּבָר שֶׁנֶּאֱמַר: הַנִּסְתָּרֹת לַייָ אֱלֹהֵינוּ, וְהַנִּגְלֹת לָנוּ וּלְבָנֵינוּ עַד עוֹלָם לַעֲשׂוֹת אֶת־כָּל־דִּבְרֵי הַתּוֹרָה הַזֹּאת.

וְדָוִד עַבְדְּךָ אָמַר לְפָנֶיךָ: שְׁגִיאוֹת מִי יָבִין, מִנִּסְתָּרוֹת נַקֵּנִי. נַקֵּנוּ יְיָ אֱלֹהֵינוּ מִכָּל־פְּשָׁעֵינוּ וְטַהֲרֵנוּ מִכָּל־טֻמְאוֹתֵינוּ וּזְרֹק עָלֵינוּ מַיִם טְהוֹרִים וְטַהֲרֵנוּ, כַּכָּתוּב עַל יַד נְבִיאֶךָ: וְזָרַקְתִּי עֲלֵיכֶם מַיִם טְהוֹרִים וּטְהַרְתֶּם, מִכֹּל טֻמְאוֹתֵיכֶם וּמִכָּל־גִּלּוּלֵיכֶם אֲטַהֵר אֶתְכֶם.

וְנֶאֱמַר: שׁוּבָה יִשְׂרָאֵל עַד יְיָ אֱלֹהֶיךָ, כִּי כָשַׁלְתָּ בַּעֲוֹנֶךָ. קְחוּ עִמָּכֶם דְּבָרִים וְשׁוּבוּ אֶל יְיָ, אִמְרוּ אֵלָיו כָּל־תִּשָּׂא עָוֹן וְקַח טוֹב וּנְשַׁלְּמָה פָרִים שְׂפָתֵינוּ.

וְאַתָּה רַחוּם מְקַבֵּל שָׁבִים, וְעַל הַתְּשׁוּבָה מֵרֹאשׁ הִבְטַחְתָּנוּ וְעַל הַתְּשׁוּבָה עֵינֵינוּ מְיַחֲלוֹת לָךְ.

We have sinned against You unwillingly,

And we have sinned against You willingly.

We have sinned against You in secret,

And we have sinned against You openly.

We have sinned against You by mistake,

And we have sinned against You purposely.

V'al kulam Elo-ah seliḥot, selaḥ lanu, meḥal lanu, kapper lanu.

For all these sins, forgiving God, forgive us, pardon us, grant us atonement.

We are seated.

Forgive us the breach of all commandments and prohibitions, whether involving deeds or not, whether known to us or not. The sins known to us we have acknowledged, and those unknown to us are surely known to You, as the Torah states: "The secret things belong to the Lord our God, but the things that are revealed belong to us and to our children forever, that we may fulfill all the words of this Torah."

Your servant David cried out to You: "Who can discern his own errors? Cleanse me, therefore, of secret sin." Cleanse us, Lord, of all our transgressions; purify us of all our impurities, as Ezekiel spoke in Your name: "I will sprinkle clean water upon you, and you shall be cleansed; of all your impurities and all your idolatries will I cleanse you."

Your prophet Hosea declared: "Return, O Israel, to the Lord your God, for you have stumbled because of your sin. Take words with you and return to the Lord. Say to Him: Forgive all sin, and accept that which is good. Thus will we offer the prayers on our lips in place of bullocks."

For You are compassionate, welcoming those who turn back to You. You have made repentance possible since the dawn of Creation. Because repentance exists, we look hopefully to You.

אֱלֹהֵינוּ וֵאלֹהֵי אֲבוֹתֵינוּ, מְחַל לַעֲוֹנוֹתֵינוּ בְּיוֹם הַשַּׁבָּת הַזֶּה וּבְיוֹם הַכִּפּוּרִים הַזֶּה מְחֵה וְהַעֲבֵר פְּשָׁעֵינוּ וְחַטֹּאתֵינוּ מִנֶּגֶד עֵינֶיךָ, כָּאָמוּר: אָנֹכִי אָנֹכִי הוּא מֹחֶה פְשָׁעֶיךָ לְמַעֲנִי, וְחַטֹּאתֶיךָ לֹא אֶזְכֹּר. וְנֶאֱמַר: מָחִיתִי כָעָב פְּשָׁעֶיךָ וְכֶעָנָן חַטֹּאתֶיךָ, שׁוּבָה אֵלַי כִּי גְאַלְתִּיךָ. וְנֶאֱמַר: כִּי בַיּוֹם הַזֶּה יְכַפֵּר עֲלֵיכֶם לְטַהֵר אֶתְכֶם מִכֹּל חַטֹּאתֵיכֶם לִפְנֵי יְיָ תִּטְהָרוּ. אֱלֹהֵינוּ וֵאלֹהֵי אֲבוֹתֵינוּ, רְצֵה בִמְנוּחָתֵנוּ קַדְּשֵׁנוּ בְּמִצְוֹתֶיךָ וְתֵן חֶלְקֵנוּ בְּתוֹרָתֶךָ, שַׂבְּעֵנוּ מִטּוּבֶךָ וְשַׂמְּחֵנוּ בִּישׁוּעָתֶךָ וְהַנְחִילֵנוּ יְיָ אֱלֹהֵינוּ בְּאַהֲבָה וּבְרָצוֹן שַׁבַּת קָדְשֶׁךָ וְיָנוּחוּ בָהּ יִשְׂרָאֵל מְקַדְּשֵׁי שְׁמֶךָ וְטַהֵר לִבֵּנוּ לְעָבְדְּךָ בֶּאֱמֶת, כִּי אַתָּה סָלְחָן לְיִשְׂרָאֵל וּמָחֳלָן לְשִׁבְטֵי יְשֻׁרוּן בְּכָל־דּוֹר וָדוֹר וּמִבַּלְעָדֶיךָ אֵין לָנוּ מֶלֶךְ מוֹחֵל וְסוֹלֵחַ אֶלָּא אָתָּה. בָּרוּךְ אַתָּה יְיָ מֶלֶךְ מוֹחֵל וְסוֹלֵחַ לַעֲוֹנוֹתֵינוּ וְלַעֲוֹנוֹת עַמּוֹ בֵּית יִשְׂרָאֵל וּמַעֲבִיר אַשְׁמוֹתֵינוּ בְּכָל־שָׁנָה וְשָׁנָה, מֶלֶךְ עַל כָּל־הָאָרֶץ מְקַדֵּשׁ הַשַּׁבָּת וְיִשְׂרָאֵל וְיוֹם הַכִּפּוּרִים.

Accept our prayer

רְצֵה יְיָ אֱלֹהֵינוּ בְּעַמְּךָ יִשְׂרָאֵל וּבִתְפִלָּתָם וְהָשֵׁב אֶת־הָעֲבוֹדָה לִדְבִיר בֵּיתֶךָ וּתְפִלָּתָם בְּאַהֲבָה תְקַבֵּל בְּרָצוֹן וּתְהִי לְרָצוֹן תָּמִיד עֲבוֹדַת יִשְׂרָאֵל עַמֶּךָ.

In congregations where kohanim chant their blessing from the bimah, this paragraph is said instead of the one which follows it.

וְתֶחֱזֶינָה עֵינֵינוּ בְּשׁוּבְךָ לְצִיּוֹן בְּרַחֲמִים, וְשָׁם נַעֲבָדְךָ בְּיִרְאָה כִּימֵי עוֹלָם וּכְשָׁנִים קַדְמוֹנִיּוֹת. בָּרוּךְ אַתָּה יְיָ שֶׁאוֹתְךָ לְבַדְּךָ בְּיִרְאָה נַעֲבֹד.

וְתֶחֱזֶינָה עֵינֵינוּ בְּשׁוּבְךָ לְצִיּוֹן בְּרַחֲמִים. בָּרוּךְ אַתָּה יְיָ הַמַּחֲזִיר שְׁכִינָתוֹ לְצִיּוֹן.

Our God and God of our fathers, forgive our sins on this *Shabbat and this* Yom Kippur. Blot out and disregard our transgressions, as Isaiah declared in Your name: "I alone blot out your transgressions, for My sake; your sins I shall not recall. I have swept away your transgressions like a cloud, your sins like mist. Return to Me, for I have redeemed you." And the Torah promises: "For on this day atonement shall be made for you. to cleanse you; of all your sins before the Lord shall you be cleansed."

Our God and God of our fathers *accept our Shabbat offering of rest,* make our lives holy with Your commandments and let Your Torah be our portion. Fill our lives with Your goodness, and gladden us with Your triumph. *Lovingly and willingly, Lord our God, grant that we inherit the gift of Shabbat forever, so that Your people Israel who hallow Your name will always find rest on this day.* Cleanse our hearts to serve You faithfully, for You forgive and pardon the people Israel in every generation. Except for You we have no King who pardons and forgives. Praised are You, Lord, King who pardons and forgives our sins and the sins of all His people Israel, absolving us of guilt each year, King of all the earth who sanctifies *Shabbat,* the people Israel and Yom Kippur.

Accept our prayer

Accept the prayer of Your people Israel as lovingly as it is offered. Restore worship to Your sanctuary. May the worship of Your people Israel always be acceptable to You.

In congregations where kohanim chant their blessing from the bimah, this paragraph is said instead of the one which follows it.

May we bear witness to Your merciful return to Zion, where we shall worship You in reverence as in days of old, in years gone by. Praised are You, Lord; You alone shall we worship in reverence.

May we bear witness to Your merciful return to Zion. Praised are You, Lord who restores His Presence to Zion.

We thank You for life and for Your love

*Congregation reads this paragraph silently, while
Ḥazzan chants the next paragraph.*

מוֹדִים אֲנַחְנוּ לָךְ שָׁאַתָּה הוּא יְיָ אֱלֹהֵינוּ וֵאלֹהֵי אֲבוֹתֵינוּ אֱלֹהֵי כָל־בָּשָׂר יוֹצְרֵנוּ
יוֹצֵר בְּרֵאשִׁית. בְּרָכוֹת וְהוֹדָאוֹת לְשִׁמְךָ הַגָּדוֹל וְהַקָּדוֹשׁ עַל שֶׁהֶחֱיִיתָנוּ וְקִיַּמְתָּנוּ. כֵּן
תְּחַיֵּנוּ וּתְקַיְּמֵנוּ וְתֶאֱסֹף גָּלֻיּוֹתֵינוּ לְחַצְרוֹת קָדְשֶׁךָ לִשְׁמֹר חֻקֶּיךָ וְלַעֲשׂוֹת רְצוֹנֶךָ
וּלְעָבְדְּךָ בְּלֵבָב שָׁלֵם עַל שֶׁאֲנַחְנוּ מוֹדִים לָךְ. בָּרוּךְ אֵל הַהוֹדָאוֹת.

Ḥazzan:

מוֹדִים אֲנַחְנוּ לָךְ שָׁאַתָּה הוּא יְיָ אֱלֹהֵינוּ וֵאלֹהֵי אֲבוֹתֵינוּ לְעוֹלָם וָעֶד,
צוּר חַיֵּינוּ מָגֵן יִשְׁעֵנוּ אַתָּה הוּא. לְדוֹר וָדוֹר נוֹדֶה לְּךָ וּנְסַפֵּר תְּהִלָּתֶךָ
עַל חַיֵּינוּ הַמְּסוּרִים בְּיָדֶךָ וְעַל נִשְׁמוֹתֵינוּ הַפְּקוּדוֹת לָךְ וְעַל נִסֶּיךָ
שֶׁבְּכָל־יוֹם עִמָּנוּ וְעַל נִפְלְאוֹתֶיךָ וְטוֹבוֹתֶיךָ שֶׁבְּכָל־עֵת עֶרֶב וָבֹקֶר
וְצָהֳרָיִם. הַטּוֹב כִּי לֹא כָלוּ רַחֲמֶיךָ וְהַמְרַחֵם כִּי לֹא תַמּוּ חֲסָדֶיךָ
מֵעוֹלָם קִוִּינוּ לָךְ.

וְעַל כֻּלָּם יִתְבָּרַךְ וְיִתְרוֹמַם שִׁמְךָ מַלְכֵּנוּ תָּמִיד לְעוֹלָם וָעֶד.

Congregation and Ḥazzan:

אָבִינוּ מַלְכֵּנוּ, זְכֹר רַחֲמֶיךָ וּכְבֹשׁ כַּעַסְךָ, וְכַלֵּה דֶּבֶר וְחֶרֶב
וְרָעָב וּשְׁבִי וּמַשְׁחִית וְעָוֹן וּשְׁמָד וּמַגֵּפָה וּפֶגַע רַע וְכָל־מַחֲלָה
וְכָל־תְּקָלָה וְכָל־קְטָטָה וְכָל־מִינֵי פֻּרְעָנִיּוֹת וְכָל־גְּזֵרָה רָעָה
וְשִׂנְאַת חִנָּם, מֵעָלֵינוּ וּמֵעַל כָּל־בְּנֵי בְרִיתֶךָ.

וּכְתֹב לְחַיִּים טוֹבִים כָּל־בְּנֵי בְרִיתֶךָ.

וְכֹל הַחַיִּים יוֹדוּךָ סֶּלָה וִיהַלְלוּ אֶת־שִׁמְךָ בֶּאֱמֶת הָאֵל יְשׁוּעָתֵנוּ
וְעֶזְרָתֵנוּ סֶלָה. בָּרוּךְ אַתָּה יְיָ הַטּוֹב שִׁמְךָ וּלְךָ נָאֶה לְהוֹדוֹת.

We thank You for life and for Your love

Congregation reads this paragraph silently, while Ḥazzan chants the next paragraph.

We proclaim that You are the Lord our God and God of our fathers, Creator of all who created us, God of all flesh. We praise You and thank You for granting us life and for sustaining us. May You continue to do so, and may You gather our exiles, that we may all fulfill Your commandments and serve You wholeheartedly, doing Your will. For this shall we thank You. Praised be God to whom thanksgiving is due.

Ḥazzan:

We proclaim that You are the Lord our God and God of our fathers throughout all time. You are the Rock of our lives, the Shield of our salvation. We thank You and praise You through all generations, for our lives are in Your hand, our souls are in Your charge. We thank You for Your miracles which daily attend us, for Your wondrous kindness, morning, noon and night. Your mercy and love are boundless. We have always placed our hope in You.

For all these blessings we shall ever praise and exalt You.

Congregation and Ḥazzan:

Our Father, our King, let Your compassion overwhelm Your wrath, for us and for all the people of Your covenant. Bring an end to pestilence and plundering, fighting and famine, captivity, destruction, plague and affliction, every illness and misfortune, calamity and quarrel, every evil decree and causeless hatred.

Inscribe all the people of Your covenant for a good life.

May every living creature thank You and praise You faithfully, our deliverance and our help. Praised are You, beneficent Lord to whom all praise is due.

Bless us with peace

When kohanim chant the blessing, congregation rises.
When they do not, Ḥazzan continues at top of following page.

Ḥazzan:

אֱלֹהֵינוּ וֵאלֹהֵי אֲבוֹתֵינוּ, בָּרְכֵנוּ בַבְּרָכָה הַמְשֻׁלֶּשֶׁת בַּתּוֹרָה הַכְּתוּבָה עַל יְדֵי מֹשֶׁה עַבְדֶּךָ, הָאֲמוּרָה מִפִּי אַהֲרֹן וּבָנָיו

כֹּהֲנִים

Congregation:

עַם קְדוֹשֶׁךָ כָּאָמוּר.

Kohanim:

בָּרוּךְ אַתָּה יְיָ אֱלֹהֵינוּ מֶלֶךְ הָעוֹלָם אֲשֶׁר קִדְּשָׁנוּ בִּקְדֻשָּׁתוֹ שֶׁל אַהֲרֹן וְצִוָּנוּ לְבָרֵךְ אֶת־עַמּוֹ יִשְׂרָאֵל בְּאַהֲבָה.

Ḥazzan, followed by kohanim:	*Congregation:*
יְבָרֶכְךָ יְיָ וְיִשְׁמְרֶךָ.	אָמֵן.
יָאֵר יְיָ פָּנָיו אֵלֶיךָ וִיחֻנֶּךָּ.	אָמֵן.
יִשָּׂא יְיָ פָּנָיו אֵלֶיךָ וְיָשֵׂם לְךָ שָׁלוֹם.	אָמֵן.

Congregation:

אַדִּיר בַּמָּרוֹם, שׁוֹכֵן בִּגְבוּרָה, אַתָּה שָׁלוֹם וְשִׁמְךָ שָׁלוֹם. יְהִי רָצוֹן שֶׁתָּשִׂים עָלֵינוּ וְעַל כָּל־עַמְּךָ בֵּית יִשְׂרָאֵל חַיִּים וּבְרָכָה לְמִשְׁמֶרֶת שָׁלוֹם.

Congregation is seated. *The service continues in the middle of the following page.*

Bless us with peace

When kohanim chant the blessing, congregation rises.
When they do not, Ḥazzan continues at top of following page.

Ḥazzan:

Bless us, our God and God of our fathers, with the threefold blessing written in the Torah by Moses Your servant, pronounced by Aaron and by his descendants,

kohanim,

Congregation:

consecrated priests of Your people.

Kohanim:

Praised are You, Lord our God, King of the universe who has sanctified us with the sanctity of Aaron, commanding us to bless His people Israel lovingly.

Ḥazzan, followed by kohanim:	*Congregation:*
May the Lord bless you and guard you.	Amen.
May the Lord show you favor and be gracious to you.	Amen.
May the Lord show you kindness and grant you peace.	Amen.

Congregation:

Exalted in might, You are peace and Your name is peace. Bless us and the entire House of Israel with life and with enduring peace.

Congregation is seated. The service continues in the middle of the following page.

When kohanim do not chant the blessing,
Ḥazzan continues:

אֱלֹהֵֽינוּ וֵאלֹהֵי אֲבוֹתֵֽינוּ, בָּרְכֵֽנוּ בַּבְּרָכָה הַמְשֻׁלֶּֽשֶׁת בַּתּוֹרָה הַכְּתוּבָה
עַל יְדֵי מֹשֶׁה עַבְדֶּֽךָ, הָאֲמוּרָה מִפִּי אַהֲרֹן וּבָנָיו כֹּהֲנִים עַם קְדוֹשֶֽׁךָ,
כָּאָמוּר:

Ḥazzan:	Congregation:
יְבָרֶכְךָ יְיָ וְיִשְׁמְרֶֽךָ.	כֵּן יְהִי רָצוֹן.
יָאֵר יְיָ פָּנָיו אֵלֶֽיךָ וִיחֻנֶּֽךָּ.	כֵּן יְהִי רָצוֹן.
יִשָּׂא יְיָ פָּנָיו אֵלֶֽיךָ וְיָשֵׂם לְךָ שָׁלוֹם.	כֵּן יְהִי רָצוֹן.

שִׂים שָׁלוֹם בָּעוֹלָם, טוֹבָה וּבְרָכָה חֵן וָחֶֽסֶד וְרַחֲמִים עָלֵֽינוּ וְעַל כָּל־
יִשְׂרָאֵל עַמֶּֽךָ. בָּרְכֵֽנוּ אָבִֽינוּ כֻּלָּֽנוּ כְּאֶחָד בְּאוֹר פָּנֶֽיךָ, כִּי בְאוֹר פָּנֶֽיךָ
נָתַֽתָּ לָּֽנוּ יְיָ אֱלֹהֵֽינוּ תּוֹרַת חַיִּים וְאַהֲבַת חֶֽסֶד וּצְדָקָה וּבְרָכָה וְרַחֲמִים
וְחַיִּים וְשָׁלוֹם. וְטוֹב בְּעֵינֶֽיךָ לְבָרֵךְ אֶת־עַמְּךָ יִשְׂרָאֵל בְּכָל־עֵת
וּבְכָל־שָׁעָה בִּשְׁלוֹמֶֽךָ.

Congregation and Ḥazzan:

בְּסֵֽפֶר חַיִּים בְּרָכָה וְשָׁלוֹם וּפַרְנָסָה טוֹבָה נִזָּכֵר וְנִכָּתֵב לְפָנֶֽיךָ אֲנַֽחְנוּ
וְכָל־עַמְּךָ בֵּית יִשְׂרָאֵל לְחַיִּים טוֹבִים וּלְשָׁלוֹם.

וְנֶאֱמַר: כִּי בִי יִרְבּוּ יָמֶֽיךָ, וְיוֹסִֽיפוּ לְךָ שְׁנוֹת חַיִּים. לְחַיִּים טוֹבִים
תִּכְתְּבֵֽנוּ, אֱלֹהִים חַיִּים. כָּתְבֵֽנוּ בְּסֵֽפֶר הַחַיִּים, כַּכָּתוּב: וְאַתֶּם
הַדְּבֵקִים בַּיְיָ אֱלֹהֵיכֶם, חַיִּים כֻּלְּכֶם הַיּוֹם.

When kohanim do not chant the blessing,
Ḥazzan continues:

Bless us, our God and God of our fathers, with the threefold blessing written in the Torah by Moses, Your servant, pronounced by Aaron and by his sons, the consecrated priests of Your people:

Ḥazzan:	*Congregation:*
May the Lord bless you and guard you.	*Kein yehi ratzon.*
May the Lord show you favor and be gracious to you.	*Kein yehi ratzon.*
May the Lord show you kindness and grant you peace.	*Kein yehi ratzon.*

Grant peace, happiness and blessing to the world, with grace, love and mercy for us and for all the people Israel. Bless us, our Father, one and all, with Your light; for by that light did You teach us Torah and life, love and tenderness, justice, mercy and peace. May it please You to bless Your people Israel in every season and at all times with Your gift of peace.

Congregation and Ḥazzan:

May we and the entire House of Israel be remembered and recorded in the Book of life, blessing, sustenance and peace.

And it is written in the Book of Proverbs: "Knowing Me will add to your days and expand the years of your life." Inscribe us for a happy life. Inscribe us in the Book of Life, as it is written in Your Torah: "And you who cleave to the Lord your God are all alive today."

We rise as the Ark is opened.

הַיּוֹם תְּאַמְּצֵנוּ. אָמֵן.

הַיּוֹם תְּבָרְכֵנוּ. אָמֵן.

הַיּוֹם תְּגַדְּלֵנוּ. אָמֵן.

הַיּוֹם תִּדְרְשֵׁנוּ לְטוֹבָה. אָמֵן.

הַיּוֹם תִּכְתְּבֵנוּ לְחַיִּים טוֹבִים. אָמֵן.

הַיּוֹם תְּקַבֵּל בְּרַחֲמִים וּבְרָצוֹן אֶת־תְּפִלָּתֵנוּ. אָמֵן.

הַיּוֹם תִּשְׁמַע שַׁוְעָתֵנוּ. אָמֵן.

הַיּוֹם תִּתְמְכֵנוּ בִּימִין צִדְקֶךָ. אָמֵן.

הַיּוֹם תִּמְחֹל וְתִסְלַח לְכָל־עֲוֹנוֹתֵינוּ. אָמֵן.

We are seated as the Ark is closed.

כְּהַיּוֹם הַזֶּה תְּבִיאֵנוּ שָׂשִׂים וּשְׂמֵחִים בְּבִנְיָן שָׁלֵם, כַּכָּתוּב עַל יַד נְבִיאֶךָ: וַהֲבִיאוֹתִים אֶל הַר קָדְשִׁי וְשִׂמַּחְתִּים בְּבֵית תְּפִלָּתִי . . . כִּי בֵיתִי בֵּית תְּפִלָּה יִקָּרֵא לְכָל־הָעַמִּים. וּצְדָקָה וּבְרָכָה וְרַחֲמִים וְחַיִּים וְשָׁלוֹם יִהְיֶה־לָּנוּ וּלְכָל־יִשְׂרָאֵל עַד הָעוֹלָם. בָּרוּךְ אַתָּה יְיָ עוֹשֵׂה הַשָּׁלוֹם.

We rise as the Ark is opened.

Today You strengthen us.

Today You bless us.

Today You exalt us.

Today You seek our happiness.

Today You inscribe us for a happy life.

Today You accept with love our prayer.

Today You hear our cry.

Today You sustain us with the power of Your justice.

Today You pardon and forgive all of our sins.

We are seated as the Ark is closed.

Upon a day like this bring us rejoicing to Jerusalem restored, together with all who serve You in love, as declared by Your prophet Isaiah: "And I will bring them to My holy mountain, and make them joyful in My house of prayer . . . and My house shall be called a house of prayer for all people everywhere." May we and the entire people Israel be blessed forever with justice, mercy, life and peace. Praised are You, Lord, Source of peace.

Kaddish Shalem

Ḥazzan:

יִתְגַּדַּל וְיִתְקַדַּשׁ שְׁמֵהּ רַבָּא בְּעָלְמָא דִּי בְרָא כִרְעוּתֵהּ, וְיַמְלִיךְ מַלְכוּתֵהּ בְּחַיֵּיכוֹן וּבְיוֹמֵיכוֹן וּבְחַיֵּי דְכָל־בֵּית יִשְׂרָאֵל בַּעֲגָלָא וּבִזְמַן קָרִיב, וְאִמְרוּ אָמֵן.

Congregation and Ḥazzan:

יְהֵא שְׁמֵהּ רַבָּא מְבָרַךְ לְעָלַם וּלְעָלְמֵי עָלְמַיָּא.

Ḥazzan:

יִתְבָּרַךְ וְיִשְׁתַּבַּח וְיִתְפָּאַר וְיִתְרוֹמַם וְיִתְנַשֵּׂא וְיִתְהַדַּר וְיִתְעַלֶּה וְיִתְהַלַּל שְׁמֵהּ דְּקֻדְשָׁא בְּרִיךְ הוּא, לְעֵלָּא לְעֵלָּא מִכָּל־בִּרְכָתָא וְשִׁירָתָא תֻּשְׁבְּחָתָא וְנֶחֱמָתָא דַּאֲמִירָן בְּעָלְמָא, וְאִמְרוּ אָמֵן.

תִּתְקַבֵּל צְלוֹתְהוֹן וּבָעוּתְהוֹן דְּכָל־יִשְׂרָאֵל קֳדָם אֲבוּהוֹן דִּי בִשְׁמַיָּא, וְאִמְרוּ אָמֵן.

יְהֵא שְׁלָמָא רַבָּא מִן שְׁמַיָּא וְחַיִּים עָלֵינוּ וְעַל כָּל־יִשְׂרָאֵל, וְאִמְרוּ אָמֵן.

עוֹשֶׂה שָׁלוֹם בִּמְרוֹמָיו הוּא יַעֲשֶׂה שָׁלוֹם עָלֵינוּ וְעַל כָּל־יִשְׂרָאֵל, וְאִמְרוּ אָמֵן.

Kaddish Shalem

Ḥazzan:

Hallowed and enhanced may He be throughout the world of His own creation. May He cause His sovereignty soon to be accepted, during our life and the life of all Israel. And let us say: Amen.

Congregation and Ḥazzan:

Ye-hei shmei raba meva-rakh l'alam ul'almei 'almaya.

May He be praised throughout all time.

Ḥazzan:

Glorified and celebrated, lauded and praised, acclaimed and honored, extolled and exalted may the Holy One be, far beyond all song and psalm, beyond all tributes which man can utter. And let us say: Amen.

May the prayers and pleas of the whole House of Israel be accepted by our Father in Heaven. And let us say: Amen.

Let there be abundant peace from Heaven, with life's goodness for us and for all the people Israel. And let us say: Amen.

He who brings peace to His universe will bring peace to us and to all the people Israel. And let us say: Amen.

סֵדֶר הָעֲבוֹדָה

TEMPLE SERVICE OF THE KOHEN GADOL

Seder Ha'avodah

We begin in the deep and distant past, when God's light of Creation dispelled the dark and formless void.

With Adam and Eve we begin. Expelled from Paradise, we bear the burdens of pride and imperfection.

When the earth was filled with violence and corruption, flood waters swept away almost all life.

With Noah we begin anew. God's covenant with Noah, reflected in the rainbow, promised new life, new expectation.

We begin as a faith and as a people four thousand years ago.

We hear the echoes of ages past. We remember our ancestors, as they remembered theirs:

"Beyond the Euphrates our fathers lived of old, and they served many gods. Thus says the Lord, God of Israel: I took your wandering father Abraham from beyond the River, and led him throughout the land of Cannan and made a covenant with him. I gave him Isaac, and to Isaac I gave Jacob and Esau."

Listen to me, all who pursue deliverance, all who seek the Lord. Look to the rock from which you were hewn. Look to Abraham your father, that you might be a blessing.

Look to Jacob, who struggled with God and with man and prevailed, winning the name Israel for himself and for us. Of all the tribes of Israel, Levi was chosen to fashion a priesthood.

Look to the Levite Aaron and his sons, robed in splendid garments, offering sacrifices on behalf of all the people, fulfilling God's command:

"This shall be your statute for all time. In the seventh month, on the tenth day of the month, you shall practice self-denial; and you shall do no manner of work. . . . For on this day atonement shall be made for you to cleanse you; of all your sins before the Lord you shall be cleansed. The *kohen* who has been anointed to serve shall make expiation."

Cleanse me thoroughly of sin. I know my neighbor's transgressions. Can I recognize my own?

God's covenant with us through Abraham was renewed through Moses at Sinai. There Moses summoned all the Israelites to say:

Not only with your fathers did the Lord make this covenant but with us, the living, every one of us here today.

For on this day atonement shall be made for you, to cleanse you.

Of all your sins before the Lord you shall be cleansed.

We pray, we seek atonement. We confess and we fast. But do we feel the spirit which moved our ancestors when a sacrifice was laid upon the altar?

For them this was renewal of their covenant with God. Reminders of this covenant reach us from the distant days of Moses:

"Early in the morning he set up an altar at the foot of the mountain, with twelve pillars for the twelve tribes of Israel. He delegated young men among the Israelites, and they offered burnt offerings to the Lord.

"Moses took part of the blood and put it in basins. And the other part of the blood he dashed against the altar.

"Then he took the record of the covenant and read it aloud to the people.

"And they said: All that the Lord has spoken we will faithfully do.

"Moses took the blood and dashed it on the people and said: This is the blood of the covenant which the Lord now makes with you."

But if people break the covenant, sacrifices cannot heal the breach.

"Hear Me, my people, and I shall speak. I, who am your God, would testify against you. I need no bullock from your farms, no goat from your herds.

"For every beast of the forest is Mine, and the cattle in their thousands on the hills.

"Every bird of the air I know, all roaming creatures on the plains are Mine. The whole earth is Mine, and all it contains.

"Do I eat the flesh of bullocks? Do I drink the blood of goats?"

Make true gratitude your sacrifice to God, let your fulfilled vows be offerings to the Most High.

God's sacrifice is a humble spirit; a contrite heart He will not despise.

"I do not reprove you for your sacrifices," says the Lord. "I do not blame you for your constant burnt offerings in the house called by My name, if you do not break My covenant."

But if you have no love for others, of what use are sacrifices? And if you have no knowledge of the Lord, of what use are offerings?

"And is this the offering of a fast that I have chosen? Is this affliction?

"Is it to droop your head like a bullrush, to lie in sackcloth and ashes?

"Is that what you call fasting, a fast that the Lord would accept? *This* is My chosen fast: let the oppressed go free, break every yoke.

"Share your bread with the hungry, take the homeless into your home, clothe the naked when you see him, do not turn away from people in need."

For on this day atonement shall be made for me to cleanse me. I know my transgressions; cleanse me thoroughly of sin.

> We seek, we pray, we contemplate, we search our deepest selves. We cry out when we are faced by failures, our imperfections.

Words often fail to declare what we want to say. Not with words alone but with a specific act our ancestors expressed their longing for purification in God's Presence. Through a sacred act they sought cleansing atonement. This act, sanctified by Torah and by the generations, was sacrifice at the Temple Service, of which the ancient Rabbis wrote:

> "The world is sustained by three things: Torah, deeds of lovingkindness, and the Temple Service."

They entered His house with sacrifice, and they communed with Him. Sanctity was evoked, blemishes were cast away.

> Sin was consumed; man mingled with Mystery.

Vicariously they gave themselves to God and were received by Him.

> In gratitude and self-surrender they brought goats and bullocks. In ecstasy they gathered on God's holy hill.

We now recall our ancestors who on this day each year went up to Jerusalem in majesty, in awe and in solemn joy to be led to atonement and purification through the Temple Service of the *Kohen Gadol*.

The Service of the Kohen Gadol

Preparation

שִׁבְעַת יָמִים קֹדֶם יוֹם הַכִּפּוּרִים מַפְרִישִׁין כֹּהֵן גָּדוֹל מִבֵּיתוֹ לְלִשְׁכַּת פַּלְהֶדְרִין וּמַתְקִינִין לוֹ כֹּהֵן אַחֵר תַּחְתָּיו, שֶׁמָּא יֶאֱרַע בּוֹ פְסוּל . . . . כָּל־שִׁבְעַת הַיָּמִים הוּא זוֹרֵק אֶת־הַדָּם וּמַקְטִיר אֶת־הַקְּטֹרֶת וּמֵטִיב אֶת־הַנֵּרוֹת וּמַקְרִיב אֶת־הָרֹאשׁ וְאֶת־הָרֶגֶל . . . .

מָסְרוּ לוֹ זְקֵנִים מִזִּקְנֵי בֵית דִּין וְקוֹרִין לְפָנָיו בְּסֵדֶר הַיּוֹם . . . . עֶרֶב יוֹם הַכִּפּוּרִים שַׁחֲרִית – מַעֲמִידִין אוֹתוֹ בְּשַׁעַר הַמִּזְרָח וּמַעֲבִירִין לְפָנָיו פָּרִים וְאֵילִים וּכְבָשִׂים, כְּדֵי שֶׁיְּהֵא מַכִּיר וְרָגִיל בָּעֲבוֹדָה . . . .

אִם הָיָה חָכָם – דּוֹרֵשׁ, וְאִם לָאו – תַּלְמִידֵי חֲכָמִים דּוֹרְשִׁין לְפָנָיו. וְאִם רָגִיל לִקְרוֹת – קוֹרֵא, וְאִם לָאו – קוֹרִין לְפָנָיו . . . . וּמַעֲסִיקִין אוֹתוֹ עַד שֶׁיַּגִּיעַ זְמַן הַשְּׁחִיטָה . . . .

חָמֵשׁ טְבִילוֹת וַעֲשָׂרָה קִדּוּשִׁין טוֹבֵל כֹּהֵן גָּדוֹל וּמְקַדֵּשׁ בּוֹ בַּיּוֹם . . . . פֵּרְסוּ סָדִין שֶׁל בּוּץ בֵּינוֹ לְבֵין הָעָם. פָּשַׁט יָרַד וְטָבַל, עָלָה וְנִסְתַּפַּג.

הֵבִיאוּ לוֹ בִגְדֵי זָהָב, וְלָבַשׁ וְקִדֵּשׁ יָדָיו וְרַגְלָיו. הֵבִיאוּ לוֹ אֶת־הַתָּמִיד. קְרָצוֹ, וּמֵרֵק אַחֵר שְׁחִיטָה עַל יָדוֹ. קִבֵּל אֶת־הַדָּם וּזְרָקוֹ.

The Service of the Kohen Gadol

Preparation

Seven days before Yom Kippur the *Kohen Gadol* was escorted from his own house to a special chamber on the Temple grounds, where he stayed until Yom Kippur. Another *kohen* was also made ready, lest something happen to the *Kohen Gadol* that would render him unfit to perform the *Avodah* Service. To prepare thoroughly for his duties on Yom Kippur, the *Kohen Gadol* himself would perform the detailed Temple ritual throughout these seven days.

Elders of the Temple Court came to read before the *Kohen Gadol* from the prescribed Yom Kippur rite contained in the books of Leviticus and Numbers. On the morning of the day before Yom Kippur they placed the *Kohen Gadol* at the Eastern Gate of the Temple, where the animals with which he would conduct the next day's rituals passed before him.

If the *Kohen Gadol* was a sage, he would teach Torah. If he was not, the disciples of the sages would teach in his presence. If he was well versed in the reading of Scripture, he would read. If not, they would read in his presence. And they would divert him throughout the night, until dawn, the time for offering the regular daily morning sacrifice.

On Yom Kippur the *Kohen Gadol* changed his garments five times during the day; he immersed himself in the ritual bath five times; he ritually washed his hands and feet five times, before and after each change of garments. At each ritual cleansing and change of garments, they would spread a linen sheet between him and the people.

After the first immersion early in the morning, they brought him vestments of gold which were worn for the daily rituals. He dressed himself, and then made a sacrifice for the regular daily offering.

The first confession, for the Kohen Gadol and his household

הֱבִיאוּהוּ לְבֵית הַפַּרְוָה, וּבַקֹּדֶשׁ הָיְתָה. פֵּרְסוּ סָדִין שֶׁלְּבוּץ בֵּינוֹ לְבֵין הָעָם. קִדֵּשׁ יָדָיו וְרַגְלָיו, וּפָשַׁט .... יָרַד וְטָבַל, עָלָה וְנִסְתַּפַּג. הֵבִיאוּ לוֹ בִּגְדֵי לָבָן, לָבַשׁ וְקִדֵּשׁ יָדָיו וְרַגְלָיו .... בָּא לוֹ אֵצֶל פָּרוֹ ... וְסוֹמֵךְ שְׁתֵּי יָדָיו עָלָיו וּמִתְוַדֶּה.

וְכָךְ הָיָה אוֹמֵר: אָנָּא הַשֵּׁם, עָוִיתִי פָּשַׁעְתִּי חָטָאתִי לְפָנֶיךָ, אֲנִי וּבֵיתִי. אָנָּא הַשֵּׁם, כַּפֶּר־נָא לָעֲוֹנוֹת וְלַפְּשָׁעִים וְלַחֲטָאִים, שֶׁעָוִיתִי וְשֶׁפָּשַׁעְתִּי וְשֶׁחָטָאתִי לְפָנֶיךָ, אֲנִי וּבֵיתִי, כַּכָּתוּב בְּתוֹרַת מֹשֶׁה עַבְדֶּךָ: „כִּי בַיּוֹם הַזֶּה יְכַפֵּר עֲלֵיכֶם לְטַהֵר אֶתְכֶם, מִכֹּל חַטֹּאתֵיכֶם לִפְנֵי יְיָ ...״

וְהַכֹּהֲנִים וְהָעָם הָעוֹמְדִים בָּעֲזָרָה, כְּשֶׁהָיוּ שׁוֹמְעִים אֶת־הַשֵּׁם הַנִּכְבָּד וְהַנּוֹרָא מְפֹרָשׁ יוֹצֵא מִפִּי כֹהֵן גָּדוֹל בִּקְדֻשָּׁה וּבְטָהֳרָה, הָיוּ כּוֹרְעִים וּמִשְׁתַּחֲוִים וּמוֹדִים וְנוֹפְלִים עַל פְּנֵיהֶם וְאוֹמְרִים: בָּרוּךְ שֵׁם כְּבוֹד מַלְכוּתוֹ לְעוֹלָם וָעֶד.

וְאַף הוּא הָיָה מִתְכַּוֵּן לִגְמֹר אֶת־הַשֵּׁם כְּנֶגֶד הַמְבָרְכִים וְאוֹמֵר לָהֶם: „תִּטְהָרוּ.״ וְאַתָּה בְּטוּבְךָ מְעוֹרֵר רַחֲמֶיךָ וְסוֹלֵחַ לְאִישׁ חֲסִידֶךָ.

בָּא לוֹ לְמִזְרַח הָעֲזָרָה, לִצְפוֹן הַמִּזְבֵּחַ ....
וְשָׁם שְׁנֵי שְׂעִירִים, וְקַלְפִּי הָיְתָה שָׁם וּבָהּ שְׁנֵי גוֹרָלוֹת ....
טָרַף בַּקַּלְפִּי וְהֶעֱלָה שְׁנֵי גוֹרָלוֹת. אֶחָד כָּתוּב עָלָיו: לַשֵּׁם. וְאֶחָד כָּתוּב עָלָיו: לַעֲזָאזֵל.

קָשַׁר לָשׁוֹן שֶׁלַּזְּהוֹרִית בְּרֹאשׁ שָׂעִיר הַמִּשְׁתַּלֵּחַ וְהֶעֱמִידוֹ כְּנֶגֶד בֵּית שִׁלּוּחוֹ, וְלַנִּשְׁחָט כְּנֶגֶד בֵּית שְׁחִיטָתוֹ.

*The first confession, for the Kohen Gadol
and his household*

After the second immersion they brought him white linen vestments which were worn only while making Yom Kippur sacrifices. After the ritual cleansing, dressed in white linen, in a spirit of humility and purity, the *Kohen Gadol* approached the bullock that had been set aside for him. Placing both hands upon it, he made confession for himself and for his household.

> And thus did he say: O God, I have committed iniquity, I have transgressed, I have sinned against You, I and my household. I beseech You, O God, to forgive the iniquities and the transgressions and the sins which I have committed against You, I and my household, as it is written in the Torah of Your servant Moses: "For on this day atonement shall be made for you to cleanse you; of all your sins before the LORD . . ."

And when they heard the glorious, awesome Name expressly pronounced as it was only on Yom Kippur and only by the *Kohen Gadol,* in a way we no longer know, the *kohanim* and all the people standing in the Temple Court would bow and kneel and fall prostrate to the ground, saying: "Praised be His glorious sovereignty throughout all time!"

The *Kohen Gadol* would prolong his utterance of the Name until the people had completed their praise, whereupon he would complete the verse saying: ". . . you shall be cleansed."

After the first confession, west of the altar, the *Kohen Gadol* walked eastward in the Temple Court, to the north of the altar. There, as prescribed, stood two goats, along with an urn containing two wooden slabs. He shook the urn and removed them, one with each hand. On one was written "For the Lord." On the other was written "For Azazel."

The *Kohen Gadol* bound a thread of crimson wool around the horns of the goat designated for Azazel. He then turned it to face the gate through which it would be sent away. And he bound a thread of crimson wool around the neck of the goat to be slaughtered, the one designated "For the Lord."

The second confession, for all kohanim

בָּא לוֹ אֵצֶל פָּרוֹ שְׁנִיָּה, וְסוֹמֵךְ שְׁתֵּי יָדָיו עָלָיו וּמִתְוַדֶּה.

וְכָךְ הָיָה אוֹמֵר: אָנָּא הַשֵּׁם, עָוִיתִי פָּשַׁעְתִּי חָטָאתִי לְפָנֶיךָ, אֲנִי וּבֵיתִי וּבְנֵי אַהֲרֹן עַם קְדוֹשֶׁךָ. אָנָּא הַשֵּׁם, כַּפֶּר־נָא לָעֲוֹנוֹת וְלַפְּשָׁעִים וְלַחֲטָאִים, שֶׁעָוִיתִי וְשֶׁפָּשַׁעְתִּי וְשֶׁחָטָאתִי לְפָנֶיךָ, אֲנִי וּבֵיתִי וּבְנֵי אַהֲרֹן עַם קְדוֹשֶׁךָ, כַּכָּתוּב בְּתוֹרַת מֹשֶׁה עַבְדֶּךָ: „כִּי בַיּוֹם הַזֶּה יְכַפֵּר עֲלֵיכֶם לְטַהֵר אֶתְכֶם, מִכֹּל חַטֹּאתֵיכֶם לִפְנֵי יְיָ . . .״

וְהַכֹּהֲנִים וְהָעָם הָעוֹמְדִים בָּעֲזָרָה, כְּשֶׁהָיוּ שׁוֹמְעִים אֶת־הַשֵּׁם הַנִּכְבָּד וְהַנּוֹרָא מְפֹרָשׁ יוֹצֵא מִפִּי כֹהֵן גָּדוֹל בִּקְדֻשָּׁה וּבְטָהֳרָה, הָיוּ כּוֹרְעִים וּמִשְׁתַּחֲוִים וּמוֹדִים וְנוֹפְלִים עַל פְּנֵיהֶם וְאוֹמְרִים: בָּרוּךְ שֵׁם כְּבוֹד מַלְכוּתוֹ לְעוֹלָם וָעֶד.

וְאַף הוּא הָיָה מִתְכַּוֵּן לִגְמֹר אֶת־הַשֵּׁם כְּנֶגֶד הַמְבָרְכִים וְאוֹמֵר לָהֶם: „תִּטְהָרוּ.״ וְאַתָּה בְּטוּבְךָ מְעוֹרֵר רַחֲמֶיךָ וְסוֹלֵחַ לְשֵׁבֶט מְשָׁרְתֶיךָ.

Entering the Holy of Holies

שְׁחָטוֹ וְקִבֵּל בַּמִּזְרָק אֶת־דָּמוֹ, וּנְתָנוֹ לְמִי שֶׁהוּא מְמָרֵס בּוֹ עַל הָרוֹבֶד הָרְבִיעִי שֶׁבַּהֵיכָל, כְּדֵי שֶׁלֹּא יִקְרַשׁ. . . . הוֹצִיאוּ לוֹ אֶת־הַכַּף וְאֶת־הַמַּחְתָּה, וְחָפַן מְלֹא חָפְנָיו וְנָתַן לְתוֹךְ הַכַּף . . . . נָטַל אֶת־הַמַּחְתָּה בִּימִינוֹ וְאֶת־הַכַּף בִּשְׂמֹאלוֹ. הָיָה מְהַלֵּךְ בַּהֵיכָל, עַד שֶׁמַּגִּיעַ לְבֵין שְׁתֵּי הַפָּרֹכוֹת הַמַּבְדִּילוֹת בֵּין הַקֹּדֶשׁ וּבֵין קֹדֶשׁ הַקֳּדָשִׁים. . . . הִגִּיעַ לָאָרוֹן, נוֹתֵן אֶת־הַמַּחְתָּה בֵּין שְׁנֵי הַבַּדִּים. צָבַר אֶת־הַקְּטֹרֶת עַל גַּבֵּי הַגֶּחָלִים, וְנִתְמַלָּא כָּל־הַבַּיִת כֻּלּוֹ עָשָׁן.

The second confession, for all kohanim

He then approached the bullock again, laid his hands upon it, and made confession for all of the *kohanim.*

> And thus did he say: O God, I have committed iniquity, I have transgressed, I have sinned against You, I and my household and the children of Aaron, Your holy people. I beseech You, O God, to forgive the iniquities and the transgressions and the sins which I have committed against You, I and my household and the children of Aaron, Your holy people, as it is written in the Torah of Your servant Moses: "For on this day atonement shall be made for you to cleanse you; of all your sins before the LORD . . ."

And when they heard the glorious, awesome Name expressly pronounced as it was only on Yom Kippur and only by the *Kohen Gadol,* in a way we no longer know, the *kohanim* and all the people standing in the Temple Court would bow and kneel and fall prostrate to the ground, saying: "Praised be His glorious sovereignty throughout all time!"

The *Kohen Gadol* would prolong his utterance of the Name until the people had completed their praise, whereupon he would complete the verse saying: ". . . you shall be cleansed."

Entering the Holy of Holies

Having uttered this confession, the *Kohen Gadol* slaughtered the bullock and received the blood in a bowl. He gave it to another *kohen,* who stirred the blood to prevent it from congealing. They then brought him the fire-pan and the ladle, into which he put two handfuls of incense. The *Kohen Gadol* carried the fire-pan and the ladle as he walked through the Sanctuary and into the Holy of Holies. When he reached the Ark there, he placed the fire-pan between the two poles in the rings of the Ark and heaped the incense from the ladle onto the glowing coals in the fire-pan. The entire chamber was filled with smoke. He then left, retracing his steps. In the Sanctuary

יָצָא וּבָא לוֹ בְּדֶרֶךְ בֵּית כְּנִיסָתוֹ וּמִתְפַּלֵּל תְּפִלָּה קְצָרָה בַּבַּיִת הַחִיצוֹן, וְלֹא הָיָה מַאֲרִיךְ בִּתְפִלָּתוֹ, שֶׁלֹּא לְהַבְעִית אֶת־יִשְׂרָאֵל.

נָטַל אֶת־הַדָּם מִמִּי שֶׁהָיָה מְמָרֵס בּוֹ, נִכְנַס לְמָקוֹם שֶׁנִּכְנַס, וְעָמַד בִּמְקוֹם שֶׁעָמַד, וְהִזָּה מִמֶּנּוּ אַחַת לְמַעְלָה וְשֶׁבַע לְמַטָּה, וְלֹא הָיָה מִתְכַּוֵּן לְהַזּוֹת לֹא לְמַעְלָה וְלֹא לְמַטָּה אֶלָּא כְּמַצְלִיף. וְכָךְ הָיָה מוֹנֶה: אַחַת, אַחַת וְאַחַת, אַחַת וּשְׁתַּיִם, אַחַת וְשָׁלֹשׁ, אַחַת וְאַרְבַּע, אַחַת וְחָמֵשׁ, אַחַת וָשֵׁשׁ, אַחַת וָשֶׁבַע.

הֵבִיאוּ לוֹ אֶת־הַשָּׂעִיר, שְׁחָטוֹ וְקִבֵּל בַּמִּזְרָק אֶת־דָּמוֹ. נִכְנַס לְמָקוֹם שֶׁנִּכְנַס, וְעָמַד בִּמְקוֹם שֶׁעָמַד, וְהִזָּה מִמֶּנּוּ אַחַת לְמַעְלָה וְשֶׁבַע לְמָטָּה . . . .

The third confession, for the House of Israel

בָּא לוֹ אֵצֶל שְׂעִיר הַמִּשְׁתַּלֵּחַ וְסוֹמֵךְ שְׁתֵּי יָדָיו עָלָיו, וּמִתְוַדֶּה.

וְכָךְ הָיָה אוֹמֵר: אָנָּא הַשֵּׁם, עָווּ פָּשְׁעוּ חָטְאוּ לְפָנֶיךָ עַמְּךָ בֵּית יִשְׂרָאֵל. אָנָּא בַשֵּׁם, כַּפֶּר־נָא לָעֲוֹנוֹת וְלַפְּשָׁעִים וְלַחֲטָאִים, שֶׁעָווּ וְשֶׁפָּשְׁעוּ וְשֶׁחָטְאוּ לְפָנֶיךָ עַמְּךָ בֵּית יִשְׂרָאֵל, כַּכָּתוּב בְּתוֹרַת מֹשֶׁה עַבְדֶּךָ, לֵאמֹר: „כִּי בַיּוֹם הַזֶּה יְכַפֵּר עֲלֵיכֶם לְטַהֵר אֶתְכֶם, מִכֹּל חַטֹּאתֵיכֶם לִפְנֵי יְיָ . . .״

וְהַכֹּהֲנִים וְהָעָם הָעוֹמְדִים בָּעֲזָרָה, כְּשֶׁהָיוּ שׁוֹמְעִים אֶת־הַשֵּׁם הַנִּכְבָּד וְהַנּוֹרָא מְפֹרָשׁ יוֹצֵא מִפִּי כֹהֵן גָּדוֹל בִּקְדֻשָּׁה וּבְטָהֳרָה,

he uttered a short prayer, taking care not to pray at length, lest the people waiting outside begin to fear that an accident was delaying him.

The *Kohen Gadol* then took the bowl of blood from the *kohen* who had been stirring it, after which he entered the Holy of Holies again. Standing where he had stood before, he sprinkled the blood of the bullock eight times, once upward and seven times downward, not directing it at a specific point above or below. And thus did he count, starting with the number one after sprinkling upward, to remind himself that he must sprinkle all the others downward: "One, one and one, one and two, one and three, one and four, one and five, one and six, one and seven."

He then returned to the Temple Court, and they brought him the goat designated "For the Lord." He slaughtered it, and he received its blood in a bowl. Then, for the third time, he entered the Holy of Holies. He stood among the curtains there, and he sprinkled the blood of the goat eight times, precisely as he had sprinkled the blood of the bullock before.

The third confession, for the House of Israel

After these and other prescribed sprinklings had been performed, the *Kohen Gadol* approached the goat designated "For Azazel," laid his hands upon it, and made confession for the entire people Israel.

> And thus did he say: O God, Your people the House of Israel have committed iniquity, have transgressed, have sinned against You. I beseech You, O God, to forgive the iniquities and the transgressions and the sins which Your people the House of Israel have committed against You, as it is written in the Torah of Your servant Moses: "For on this day atonement shall be made for you to cleanse you; of all your sins before the LORD . . ."

And when they heard the glorious, awesome Name expressly pronounced as it was only on Yom Kippur and only by the *Kohen Gadol,* in a way we no longer know, the *kohanim* and

הָיוּ כּוֹרְעִים וּמִשְׁתַּחֲוִים וּמוֹדִים וְנוֹפְלִים עַל פְּנֵיהֶם וְאוֹמְרִים: בָּרוּךְ שֵׁם כְּבוֹד מַלְכוּתוֹ לְעוֹלָם וָעֶד.

וְאַף הוּא הָיָה מִתְכַּוֵּן לִגְמֹר אֶת־הַשֵּׁם כְּנֶגֶד הַמְבָרְכִים וְאוֹמֵר לָהֶם: "תִּטְהָרוּ." וְאַתָּה בְּטוּבְךָ מְעוֹרֵר רַחֲמֶיךָ וְסוֹלֵחַ לַעֲדַת יְשֻׁרוּן.

The goat for the wilderness

מְסָרוֹ לְמִי שֶׁהָיָה מוֹלִיכוֹ . . . . מֶה הָיָה עוֹשֶׂה? חוֹלֵק לָשׁוֹן שֶׁלַּזְּהוֹרִית, חֶצְיוֹ קָשַׁר בַּסֶּלַע וְחֶצְיוֹ קָשַׁר בֵּין שְׁתֵּי קַרְנָיו, וּדְחָפוֹ לַאֲחוֹרָיו, וְהוּא מִתְגַּלְגֵּל וְיוֹרֵד, וְלֹא הָיָה מַגִּיעַ לַחֲצִי הָהָר, עַד שֶׁנַּעֲשָׂה אֵבָרִים אֵבָרִים.

אָמְרוּ לוֹ לְכֹהֵן גָּדוֹל: הִגִּיעַ שָׂעִיר לַמִּדְבָּר. וּמִנַּיִן הָיוּ יוֹדְעִין שֶׁהִגִּיעַ שָׂעִיר לַמִּדְבָּר? דַּרְכִּיּוֹת הָיוּ עוֹשִׂין, וּמְנִיפִין בַּסּוּדָרִין, וְיוֹדְעִין שֶׁהִגִּיעַ שָׂעִיר לַמִּדְבָּר.

Torah reading and benedictions

בָּא לוֹ כֹּהֵן גָּדוֹל לִקְרוֹת . . . . וְקוֹרֵא ,אַחֲרֵי מוֹת׳ וְ,אַךְ בֶּעָשׂוֹר׳. וְגוֹלֵל אֶת־הַתּוֹרָה וּמַנִּיחָהּ בְּחֵיקוֹ, וְאוֹמֵר: יוֹתֵר מִמַּה־שֶּׁקָּרָאתִי לִפְנֵיכֶם כָּתוּב כָּאן. וּבֶעָשׂוֹר שֶׁבְּחוּמַשׁ הַפְּקוּדִים קוֹרֵא עַל פֶּה, וּמְבָרֵךְ עָלֶיהָ שְׁמוֹנֶה בְרָכוֹת: עַל הַתּוֹרָה, וְעַל הָעֲבוֹדָה, וְעַל הַהוֹדָאָה, וְעַל מְחִילַת הֶעָוֹן, וְעַל הַמִּקְדָּשׁ בִּפְנֵי עַצְמוֹ, וְעַל יִשְׂרָאֵל בִּפְנֵי עַצְמָן, וְעַל הַכֹּהֲנִים בִּפְנֵי עַצְמָן, וְעַל שְׁאָר הַתְּפִלָּה.

all the people standing in the Temple Court would bow and kneel and fall prostrate to the ground, saying: "Praised be His glorious sovereignty throughout all time!"

The *Kohen Gadol* would prolong his utterance of the Name until the people had completed their praise, whereupon he would complete the verse: ". . . you shall be cleansed."

The goat for the wilderness

After this confession, the goat designated for Azazel was given to the *kohen* assigned to lead it away into the wilderness. And when this *kohen* came to the designated ravine in the wilderness, he separated the thread of crimson wool which had been tied around the goat's horns. One half he tied to a rock there, and the other half he tied to the horns again. Then he pushed the goat into the ravine.

The *Kohen Gadol* could not conclude his rites until the goat designated for Azazel had reached the wilderness. And how did they know that the goat had reached the wilderness? They set up sentinel posts along the way from Jerusalem, and from post to post scarves were waved as signals all the way back to Jerusalem. Thus would they know that the goat had reached the wilderness.

Torah reading and benedictions

The *Kohen Gadol* went to the Women's Court, to read for all the people from a *Seifer Torah* passages concerning Yom Kippur. First he read Leviticus 16, and then he read from Leviticus 23. He then rolled up the *Seifer Torah*, to hold it while saying: "There is more written here about Yom Kippur than I have read to you." He recited a passage from the book of Numbers by heart, since he did not want to impose upon the people by forcing them to wait while he rolled the *Seifer Torah* from a passage in Leviticus to one in Numbers. Thereupon he recited eight benedictions: for the Torah, for the Temple Service, for giving thanks, for forgiveness of sin, for the Temple, for the people Israel, for the *kohanim,* and for the rest of the statutory prayer.

קִדֵּשׁ יָדָיו וְרַגְלָיו וּפָשַׁט וְיָרַד וְטָבַל וְעָלָה וְנִסְתַּפֵּג. הֵבִיאוּ לוֹ בִּגְדֵי לָבָן, וְלָבַשׁ, וְקִדֵּשׁ יָדָיו וְרַגְלָיו. נִכְנַס לְהוֹצִיא אֶת־הַכַּף וְאֶת־הַמַּחְתָּה. קִדֵּשׁ יָדָיו וְרַגְלָיו, וּפָשַׁט וְיָרַד וְטָבַל, עָלָה וְנִסְתַּפֵּג. הֵבִיאוּ לוֹ בִּגְדֵי זָהָב וְלָבַשׁ, וְקִדֵּשׁ יָדָיו וְרַגְלָיו, וְנִכְנַס לְהַקְטִיר אֶת־הַקְּטֹרֶת שֶׁלְּבֵין הָעַרְבַּיִם וּלְהֵטִיב אֶת־הַנֵּרוֹת, וְקִדֵּשׁ יָדָיו וְרַגְלָיו, וּפָשַׁט. הֵבִיאוּ לוֹ בִּגְדֵי עַצְמוֹ, וְלָבַשׁ. וּמְלַוִּין אוֹתוֹ עַד בֵּיתוֹ. וְיוֹם טוֹב הָיָה עוֹשֶׂה לְאוֹהֲבָיו בְּשָׁעָה שֶׁיָּצָא בְשָׁלוֹם מִן הַקֹּדֶשׁ.

The splendor of the Kohen Gadol

מַה־נֶּהְדָּר בְּהִשְׁגִּיחוֹ מֵאֹהֶל, וּבְצֵאתוֹ מִבֵּית הַפָּרֹכֶת.
כְּכוֹכַב אוֹר מִבֵּין עָבִים, וּכְיָרֵחַ מָלֵא מִבֵּין בִּימֵי מוֹעֵד.
וּכְשֶׁמֶשׁ מַשְׁרֶקֶת אֶל הֵיכַל הַמֶּלֶךְ, וּכְקֶשֶׁת נִרְאֲתָה בֶּעָנָן.

כְּנֵץ בְּעַנְפֵי בִּימֵי מוֹעֵד, וּכְשׁוֹשָׁן עַל יִבְלֵי־מָיִם.
כִּכְלִי זָהָב בְּבֵית אָצִיל, הַנֶּאֱחָז עַל אַבְנֵי־חֵפֶץ.
כְּזַיִת רַעֲנָן מָלֵא גַּרְגֵּר, וּכְעֵץ שֶׁמֶן מַרְוֶה עָנָף.

בַּעֲטוֹתוֹ בִּגְדֵי כָבוֹד, וְהִתְלַבְּשׁוֹ בִּגְדֵי תִפְאֶרֶת.
בַּעֲלוֹתוֹ עַל מִזְבַּח הוֹד, וַיֶּהְדַּר עֶזְרַת מִקְדָּשׁ.
בְּקַבְּלוֹ נְתָחִים מִיַּד אֶחָיו, וְהוּא נִצָּב עַל מַעֲרָכוֹת.

סָבִיב לוֹ עֲטֶרֶת בָּנִים, כִּשְׁתִילֵי אֲרָזִים בַּלְּבָנוֹן.
וַיַּקִּיפוּהוּ כְּעַרְבֵי־נָחַל, כָּל־בְּנֵי אַהֲרֹן בִּכְבוֹדָם.
וַיָּרֹנּוּ כָּל־עַם הָאָרֶץ, בִּתְפִלָּה לִפְנֵי רַחוּם.
עַד כַּלּוֹתוֹ לְשָׁרֵת מִזְבֵּחַ, וּמִשְׁפָּטָיו הִגִּיעַ אֵלָיו.

אָז יָרַד וְנָשָׂא יָדָיו, עַל כָּל־קְהַל יִשְׂרָאֵל.
וּבִרְכַּת יְיָ בִּשְׂפָתָיו, וּבְשֵׁם יְיָ יִתְפָּאָר.
וַיִּשְׁנוּ לִנְפֹּל שֵׁנִית, בְּרָכָה לְקַבֵּל מִפָּנָיו.

And when the *Kohen Gadol* had performed the concluding rituals of the Temple Service (having completed all five immersions and all five changes of garments and all of the prescribed rituals), removing the ladle and the fire-pan from the Holy of Holies, burning the afternoon incense offering and trimming the lamps, they brought him his own garments once more. After he had put them on, the people accompanied him to his house in great joy, for he had come forth safely from the Holy of Holies, and the people Israel had been assured atonement for their sins. After Yom Kippur, in the evening, he made a banquet for his closest associates and friends, upon having emerged safely from the Sanctuary.

The splendor of the Kohen Gadol

How glorious the *Kohen Gadol* emerging from the Holy of Holies!
He was like the morning star appearing through the clouds,
Or like the moon when it is full,
Like the sun reflected on God's Temple,
Or the rainbow's light on gleaming clouds,
Like a tree blooming in the spring, or a lily by a brook,
Like a cup of beaten gold adorned with precious stones,
Like a luxuriant olive tree laden with fruit,
Or a cypress with its top in the clouds.

When he put on his magnificent vestments, robed himself in perfect splendor, and went up to the holy altar, he added glory to the Court of the Temple. When the *kohanim* assisted him as he stood by the altar with his brethren around him like a garland, he was like a young cedar of Lebanon in the center of a circle of palm trees. And the people entreated the merciful Lord until the *Kohen Gadol* had completed the ritual and liturgy. Then the *Kohen Gadol* descended, and he lifted his hands over the whole congregation of Israel with the Lord's blessing proudly on his lips, exulting in the Name of the Lord. And the people bowed again in worship to receive the blessing of the Most High.

The prayer of the Kohen Gadol

וְכַךְ הָיְתָה תְּפִלָּתוֹ שֶׁל כֹּהֵן גָּדוֹל בְּיוֹם הַכִּפּוּרִים בְּצֵאתוֹ מִבֵּית קֹדֶשׁ הַקֳּדָשִׁים בְּשָׁלוֹם בְּלִי פֶּגַע:

יְהִי רָצוֹן מִלְּפָנֶיךָ יְיָ אֱלֹהֵינוּ וֵאלֹהֵי אֲבוֹתֵינוּ, שֶׁתְּהִי הַשָּׁנָה הַזֹּאת הַבָּאָה עָלֵינוּ וְעַל כָּל־עַמְּךָ בֵּית יִשְׂרָאֵל שְׁנַת אֹסֶם, שְׁנַת בְּרָכָה, שְׁנַת גְּזֵרוֹת טוֹבוֹת מִלְּפָנֶיךָ, שְׁנַת דָּגָן תִּירוֹשׁ וְיִצְהָר, שְׁנַת הַרְוָחָה וְהַצְלָחָה, שְׁנַת וִעוּד בֵּית מִקְדָּשֶׁךָ, שְׁנַת זוֹל, שְׁנַת חַיִּים טוֹבִים מִלְּפָנֶיךָ, שָׁנָה טְלוּלָה וּגְשׁוּמָה אִם שְׁחוּנָה, שְׁנַת יַמְתִּיקוּ מְגָדִים אֶת־תְּנוּבָתָם, שְׁנַת כַּפָּרָה עַל כָּל־עֲוֹנוֹתֵינוּ, שְׁנַת לַחְמֵנוּ וּמֵימֵינוּ תְּבָרֵךְ, שְׁנַת מַשָּׂא וּמַתָּן, שְׁנַת נָבוֹא לְבֵית מִקְדָּשֵׁנוּ, שְׁנַת שֹׂבַע, שְׁנַת עֹנֶג, שְׁנַת פְּרִי בִטְנֵנוּ וּפְרִי אַדְמָתֵנוּ תְּבָרֵךְ, שְׁנַת צֵאתֵנוּ וּבוֹאֵנוּ תְּבָרֵךְ, שְׁנַת קְהָלֵנוּ תּוֹשִׁיעַ, שְׁנַת רַחֲמֶיךָ יִכָּמְרוּ עָלֵינוּ, שְׁנַת שָׁלוֹם וְשַׁלְוָה, שָׁנָה שֶׁתַּעֲלֵנוּ שְׂמֵחִים לְאַרְצֵנוּ, שְׁנַת אוֹצָרְךָ הַטּוֹב תִּפְתַּח לָנוּ, שָׁנָה שֶׁלֹּא יִצְטָרְכוּ עַמְּךָ בֵּית יִשְׂרָאֵל זֶה לָזֶה וְלֹא לְעַם אַחֵר בְּתִתְּךָ בְרָכָה בְּמַעֲשֵׂה יְדֵיהֶם.

וְעַל אַנְשֵׁי הַשָּׁרוֹן הָיָה אוֹמֵר: יְהִי רָצוֹן מִלְּפָנֶיךָ יְיָ אֱלֹהֵינוּ וֵאלֹהֵי אֲבוֹתֵינוּ, שֶׁלֹּא יֵעָשׂוּ בָתֵּיהֶם קִבְרֵיהֶם.

Atonement for sin in a world without the Temple

אַשְׁרֵי עַיִן רָאֲתָה כָל־אֵלֶּה
אַשְׁרֵי עַיִן רָאֲתָה אָהֳלֵנוּ בְּשִׂמְחַת קְהָלֵנוּ
הֲלֹא לְמִשְׁמַע אֹזֶן דָּאֲבָה נַפְשֵׁנוּ.

פַּעַם אַחַת הָיָה רַבָּן יוֹחָנָן בֶּן־זַכַּאי יוֹצֵא מִירוּשָׁלַיִם וְהָיָה רַבִּי יְהוֹשֻׁעַ הוֹלֵךְ אַחֲרָיו וְרָאָה אֶת־בֵּית הַמִּקְדָּשׁ חָרֵב. אָמַר רַבִּי יְהוֹשֻׁעַ: אוֹי לָנוּ עַל זֶה שֶׁהוּא חָרֵב, מָקוֹם שֶׁמְּכַפְּרִים בּוֹ

The prayer of the Kohen Gadol

And this is the prayer which the *Kohen Gadol* recited after he had come out of the Holy of Holies:

May it be Your will, Lord our God and God of our fathers, to grant us, with all Your people Israel, a year of blessing, a year of corn and wine and oil, a year of prosperity, of assembly in Your Temple, a year of abundance, of happy life, of dew and rain and warmth, of ripening fruits, a year of atonement for our sins, a year in which You bless our food and drink, a year of commerce, a year of plenty, a year of joy, a year in which You bless the fruit of the womb and the fruit of the land, a year in which You bless our comings and our goings, a year in which You show us Your compassion, a year of peace and tranquility, a year in which You bring us rejoicing to our land, a year in which Your people Israel will not require support from one another or from other people, the work of their hands being fully blessed by You.

And for the inhabitants of the region of Sharon, who lived in peril of sudden earthquakes, he prayed: May it be Your will, Lord our God and God of our fathers, that their homes not become their graves.

Atonement for sin in a world without the Temple

Blessed were those who shared the joy and delight of our people, blessed were those who saw the splendor of the *Kohen Gadol* at the Temple. They were cleansed and renewed through atonement in that Service. We are diminished by its loss.

The Temple is destroyed. We never witnessed its glory. But Rabbi Joshua did. And when he looked at the Temple ruins one day, he burst into tears. "Alas for us! The place which atoned for the sins of all the people Israel lies in ruins!"

עֲוֹנוֹתֵיהֶם שֶׁל יִשְׂרָאֵל! אָמַר לוֹ רַבָּן יוֹחָנָן: בְּנִי, אַל יֵרַע לְךָ.
יֵשׁ לָנוּ כַּפָּרָה אַחֶרֶת שֶׁהִיא כְּמוֹתָהּ. וְאֵיזוֹ? גְּמִילוּת חֲסָדִים,
שֶׁנֶּאֱמַר: כִּי חֶסֶד חָפַצְתִּי וְלֹא זָבַח.

מַה־הוּא רַחוּם וְחַנּוּן, אַף אַתָּה.

מַה־הוּא מְתַקֵּן אֶת־הַכַּלָּה וּמְבַקֵּר חוֹלִים, אַף אַתָּה.
מַה־הוּא מְנַחֵם אֲבֵלִים וּמְלַוֶּה אֶת־הַמֵּת, אַף אַתָּה.

פָּרֹס לָרָעֵב לַחְמֶךָ וַעֲנִיִּים מְרוּדִים תָּבִיא בָיִת,
כִּי תִרְאֶה עָרֹם וְכִסִּיתוֹ וּמִבְּשָׂרְךָ לֹא תִתְעַלָּם.

לְמִי שֶׁעֶזְרָה אֵין לוֹ, תַּעֲזֹר
וְעֵינַיִם לָעִוֵּר תִּהְיֶה וְרַגְלַיִם לַפִּסֵּחַ.

דַּעֲלָךְ סְנֵי לְחַבְרָךְ לָא תַּעֲבֵיד
וְאָהַבְתָּ לְרֵעֲךָ כָּמוֹךָ.

הֱוֵי מִתַּלְמִידָיו שֶׁל אַהֲרֹן הַכֹּהֵן,
אוֹהֵב שָׁלוֹם וְרוֹדֵף שָׁלוֹם,
אוֹהֵב אֶת־הַבְּרִיּוֹת וּמְקָרְבָן לַתּוֹרָה.

מַה־הוּא רַחוּם וְחַנּוּן, אַף אַתָּה.

אָז יִבָּקַע כַּשַּׁחַר אוֹרֶךָ, וַאֲרֻכָתְךָ מְהֵרָה תִצְמָח,
וְהָלַךְ לְפָנֶיךָ צִדְקֶךָ, כְּבוֹד יְיָ יַאַסְפֶךָ.

עַתָּה בָּרְכוּ נָא אֶת־יְיָ אֱלֹהֵי יִשְׂרָאֵל הַמַּפְלִיא לַעֲשׂוֹת בָּאָרֶץ,
הַמְגַדֵּל אָדָם מֵרֶחֶם וַיַּעֲשֵׂהוּ כְּחַסְדּוֹ.
יִתֶּן־לָנוּ חָכְמַת לֵבָב וִיהִי שָׁלוֹם בֵּינֵינוּ.

Then Rabbi Yoḥanan ben Zakkai spoke to him these words of comfort: "Be not grieved, my son. There is another way of gaining atonement, even though the Temple is destroyed. We must now gain atonement for our sins through deeds of loving-kindness."

As God is gracious and compassionate,
you be gracious and compassionate.

> *Help the needy bride, visit the sick,*
> *comfort the mourners, attend to the dead,*

share your bread with the hungry,
take the homeless into your home.

> *Clothe the naked when you see him;*
> *do not turn away from people in need.*

Help those who have no help;
be eyes to the blind, be feet to the lame.

> *What is hateful to you, do not to your fellow man,*
> *but love your neighbor as yourself.*

Be a disciple of Aaron the *kohen*.
Love peace and pursue peace,
love your fellow creatures and draw them to the Torah.

> *As God is gracious and compassionate,*
> *you be gracious and compassionate.*

Then cleansing light shall break forth as dawn,
and righteousness shall accompany you always.

Let us now praise the God of Israel
who works wonders throughout the world,
who ennobles us from our birth
and deals with us in mercy.
May He grant us wisdom of the heart.
And may there be peace among us. Amen.

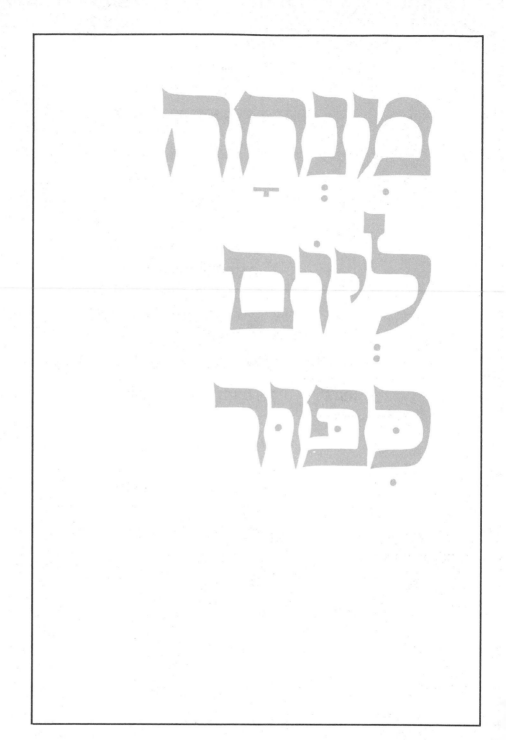

מִנְחָה
לְיוֹם
כִּפּוּר

YOM KIPPUR AFTERNOON SERVICE

The Ark is opened, as we rise.

וַיְהִי בִּנְסֹעַ הָאָרֹן וַיֹּאמֶר מֹשֶׁה:
קוּמָה יְיָ וְיָפֻצוּ אֹיְבֶיךָ וְיָנֻסוּ מְשַׂנְאֶיךָ מִפָּנֶיךָ.

כִּי מִצִּיּוֹן תֵּצֵא תוֹרָה וּדְבַר יְיָ מִירוּשָׁלָיִם.

בָּרוּךְ שֶׁנָּתַן תּוֹרָה לְעַמּוֹ יִשְׂרָאֵל בִּקְדֻשָּׁתוֹ.

A Seifer Torah is taken from the Ark.

גַּדְּלוּ לַייָ אִתִּי וּנְרוֹמְמָה שְׁמוֹ יַחְדָּו.

Ḥazzan and congregation:

לְךָ יְיָ הַגְּדֻלָּה וְהַגְּבוּרָה וְהַתִּפְאֶרֶת וְהַנֵּצַח וְהַהוֹד, כִּי כֹל בַּשָּׁמַיִם וּבָאָרֶץ, לְךָ יְיָ הַמַּמְלָכָה וְהַמִּתְנַשֵּׂא לְכֹל לְרֹאשׁ.

רוֹמְמוּ יְיָ אֱלֹהֵינוּ וְהִשְׁתַּחֲווּ לַהֲדֹם רַגְלָיו, קָדוֹשׁ הוּא.
רוֹמְמוּ יְיָ אֱלֹהֵינוּ וְהִשְׁתַּחֲווּ לְהַר קָדְשׁוֹ, כִּי קָדוֹשׁ יְיָ אֱלֹהֵינוּ.

Congregation is seated.

Torah Reader:

אַב הָרַחֲמִים הוּא יְרַחֵם עַם עֲמוּסִים וְיִזְכֹּר בְּרִית אֵיתָנִים וְיַצִּיל נַפְשׁוֹתֵינוּ מִן הַשָּׁעוֹת הָרָעוֹת וְיִגְעַר בְּיֵצֶר הָרָע מִן הַנְּשׂוּאִים וְיָחֹן אוֹתָנוּ לִפְלֵיטַת עוֹלָמִים וִימַלֵּא מִשְׁאֲלוֹתֵינוּ בְּמִדָּה טוֹבָה יְשׁוּעָה וְרַחֲמִים.

The Ark is opened, as we rise.

Whenever the Ark was carried forward, Moses would say: May Your enemies be scattered, Lord, may Your foes be put to flight.

Ki mi-tzion tei-tzei Torah, u-d'var Adonai miru-shalayim.

Torah shall come from Zion, the word of the Lord from Jerusalem.

Barukh sheh-natan Torah l'amo yisrael bi-ke-dushato.

Praised is He who in His holiness gave the Torah to His people Israel.

A Seifer Torah is taken from the Ark.

Proclaim the Lord's greatness with me; let us exalt Him together.

Ḥazzan and congregation:

L'kha Adonai ha-gedulah v'ha-gevurah v'ha-tiferet v'ha-neitzaḥ v'ha-hod, ki khol basha-mayim uva'aretz l'kha Adonai ha-mam-lakhah v'ha-mitnasei l'khol l'rosh.

Yours, O Lord, is the greatness and the power and the splendor. Yours is the triumph and the majesty, for all in heaven and on earth is Yours. Yours, O Lord, is supreme sovereignty.

Exalt the Lord and worship Him, for He is holy. Exalt and worship Him at His holy mountain. The Lord our God is holy.

Congregation is seated.

Torah Reader:

May our merciful Father have mercy upon the people He has always sustained, remembering His covenant with the patriarchs. May He deliver us from evil times, restrain the impulse to evil within us, and grace our lives with enduring deliverance. May He answer our petition with an abundant measure of kindness and compassion.

וְתִגָּלֶה וְתֵרָאֶה מַלְכוּתוֹ עָלֵינוּ בִּזְמַן קָרוֹב, וְיָחֹן פְּלֵיטָתֵנוּ וּפְלֵיטַת עַמּוֹ בֵּית יִשְׂרָאֵל לְחֵן וּלְחֶסֶד וּלְרַחֲמִים וּלְרָצוֹן, וְנֹאמַר אָמֵן. הַכֹּל הָבוּ גֹדֶל לֵאלֹהֵינוּ וּתְנוּ כָבוֹד לַתּוֹרָה. כֹּהֵן קְרָב. יַעֲמֹד (. . . . בֶּן . . . .) הַכֹּהֵן. בָּרוּךְ שֶׁנָּתַן תּוֹרָה לְעַמּוֹ יִשְׂרָאֵל בִּקְדֻשָּׁתוֹ.

Congregation and Torah Reader:

וְאַתֶּם הַדְּבֵקִים בַּיָי אֱלֹהֵיכֶם, חַיִּים כֻּלְּכֶם הַיּוֹם.

Each congregant honored with an aliyah recites these blessings:

Before the Reading:

בָּרְכוּ אֶת־יְיָ הַמְבֹרָךְ.

Congregation:

בָּרוּךְ יְיָ הַמְבֹרָךְ לְעוֹלָם וָעֶד.

Congregant repeats the above line, and continues:

בָּרוּךְ אַתָּה יְיָ אֱלֹהֵינוּ מֶלֶךְ הָעוֹלָם אֲשֶׁר בָּחַר בָּנוּ מִכָּל־הָעַמִּים וְנָתַן לָנוּ אֶת־תּוֹרָתוֹ. בָּרוּךְ אַתָּה יְיָ נוֹתֵן הַתּוֹרָה.

After the Reading:

בָּרוּךְ אַתָּה יְיָ אֱלֹהֵינוּ מֶלֶךְ הָעוֹלָם אֲשֶׁר נָתַן לָנוּ תּוֹרַת אֱמֶת וְחַיֵּי עוֹלָם נָטַע בְּתוֹכֵנוּ. בָּרוּךְ אַתָּה יְיָ נוֹתֵן הַתּוֹרָה.

May His kingship soon be manifest and apparent. May He graciously grant to the remnant of His people, the House of Israel, grace and lovingkindness, compassion and favor. And let us say: Amen. Let us all declare the greatness of our God and render honor to the Torah. (Let the kohen come forward.) Praised is He who in His holiness gave the Torah to His people Israel.

Congregation and Torah Reader:

V'atem ha-d'veikim ba-donai Elohei-khem ḥayyim kul-khem hayom.

You who cling to the Lord your God have been sustained to this day.

Each congregant honored with an aliyah recites these blessings:

Before the Reading:

Praise the Lord, Source of blessing.

Congregation:

Praised be the Lord, Source of blessing, throughout all time.

Congregant repeats the above line, and continues:

Praised are You, Lord our God, King of the universe who has chosen us from among all peoples by giving us His Torah. Praised are You, Lord who gives the Torah.

After the Reading:

Praised are You, Lord our God, King of the universe who has given us the Torah of truth, planting within us life eternal. Praised are You, Lord who gives the Torah.

Torah Reading

(For an alternate reading, see page 628.)

Kohen

וַיְדַבֵּר יְהוָֹה אֶל־מֹשֶׁה לֵּאמֹר׃ דַּבֵּר אֶל־בְּנֵי יִשְׂרָאֵל וְאָמַרְתָּ
אֲלֵהֶם אֲנִי יְהוָֹה אֱלֹהֵיכֶם׃ כְּמַעֲשֵׂה אֶרֶץ־מִצְרַיִם אֲשֶׁר יְשַׁבְתֶּם־
בָּהּ לֹא תַעֲשׂוּ וּכְמַעֲשֵׂה אֶרֶץ־כְּנַעַן אֲשֶׁר אֲנִי מֵבִיא אֶתְכֶם
שָׁמָּה לֹא תַעֲשׂוּ וּבְחֻקֹּתֵיהֶם לֹא תֵלֵכוּ׃ אֶת־מִשְׁפָּטַי תַּעֲשׂוּ
וְאֶת־חֻקֹּתַי תִּשְׁמְרוּ לָלֶכֶת בָּהֶם אֲנִי יְהוָֹה אֱלֹהֵיכֶם׃ וּשְׁמַרְתֶּם
אֶת־חֻקֹּתַי וְאֶת־מִשְׁפָּטַי אֲשֶׁר יַעֲשֶׂה אֹתָם הָאָדָם וָחַי בָּהֶם אֲנִי
יְהוָֹה׃

Levi

אִישׁ אִישׁ אֶל־כָּל־שְׁאֵר בְּשָׂרוֹ לֹא תִקְרְבוּ
לְגַלּוֹת עֶרְוָה אֲנִי יְהוָֹה׃   עֶרְוַת אָבִיךָ וְעֶרְוַת אִמְּךָ
לֹא תְגַלֵּה אִמְּךָ הִוא לֹא תְגַלֶּה עֶרְוָתָהּ׃   עֶרְוַת
אֵשֶׁת־אָבִיךָ לֹא תְגַלֵּה עֶרְוַת אָבִיךָ הִוא׃   עֶרְוַת
אֲחוֹתְךָ בַת־אָבִיךָ אוֹ בַת־אִמֶּךָ מוֹלֶדֶת בַּיִת אוֹ מוֹלֶדֶת חוּץ
לֹא תְגַלֶּה עֶרְוָתָן׃   עֶרְוַת בַּת־בִּנְךָ אוֹ בַת־
בִּתְּךָ לֹא תְגַלֶּה עֶרְוָתָן כִּי עֶרְוָתְךָ הֵנָּה׃   עֶרְוַת
בַּת־אֵשֶׁת אָבִיךָ מוֹלֶדֶת אָבִיךָ אֲחוֹתְךָ הִוא לֹא תְגַלֶּה
עֶרְוָתָהּ׃   עֶרְוַת אֲחוֹת־אָבִיךָ לֹא תְגַלֵּה שְׁאֵר
אָבִיךָ הִוא׃   עֶרְוַת אֲחוֹת־אִמְּךָ לֹא תְגַלֵּה כִּי־
שְׁאֵר אִמְּךָ הִוא׃   עֶרְוַת אֲחִי־אָבִיךָ לֹא תְגַלֵּה אֶל־
אִשְׁתּוֹ לֹא תִקְרָב דֹּדָתְךָ הִוא׃   עֶרְוַת כַּלָּתְךָ לֹא
תְגַלֵּה אֵשֶׁת בִּנְךָ הִוא לֹא תְגַלֶּה עֶרְוָתָהּ׃   עֶרְוַת
אֵשֶׁת־אָחִיךָ לֹא תְגַלֵּה עֶרְוַת אָחִיךָ הִוא׃   עֶרְוַת

Torah Reading

(For an alternate reading, see page 629.)

Leviticus 18

Kohen

The Lord spoke to Moses, saying: Speak to the Israelite people and say to them:

I the Lord am your God. You shall not copy the practices of the land of Egypt where you dwelt, or of the land of Canaan to which I am taking you; nor shall you follow their laws. My rules alone shall you observe, and faithfully follow My laws: I the Lord am your God. You shall keep My laws and My rules, by the pursuit of which man shall live: I am the Lord.

Levi

None of you shall come near anyone of his own flesh to uncover nakedness: I am the Lord. Your father's nakedness, that is, the nakedness of your mother, you shall not uncover; she is your mother—you shall not uncover her nakedness. Do not uncover the nakedness of your father's wife; it is the nakedness of your father. The nakedness of your sister—your father's daughter or your mother's, whether born into the household or outside—do not uncover their nakedness. The nakedness of your son's daughter, or of your daughter's daughter—do not uncover their nakedness; for their nakedness is yours. The nakedness of your father's wife's daughter, who was born into your father's house-hold—she is your sister; do not uncover her nakedness. Do not uncover the nakedness of your father's sister; she is your father's flesh. Do not uncover the nakedness of your mother's sister; for she is your mother's flesh. Do not uncover the naked-ness of your father's brother: do not approach his wife; she is your aunt. Do not uncover the nakedness of your daughter-in-law: she is your son's wife; you shall not uncover her naked-ness. Do not uncover the nakedness of your brother's wife; it is

אִשָּׁה וּבִתָּהּ לֹא תְגַלֵּה אֶת־בַּת־בְּנָהּ וְאֶת־בַּת־בִּתָּהּ לֹא
תִקַּח לְגַלּוֹת עֶרְוָתָהּ שַׁאֲרָה הֵנָּה זִמָּה הִוא: וְאִשָּׁה אֶל־
אֲחֹתָהּ לֹא תִקָּח לִצְרֹר לְגַלּוֹת עֶרְוָתָהּ עָלֶיהָ בְּחַיֶּיהָ: וְאֶל־
אִשָּׁה בְּנִדַּת טֻמְאָתָהּ לֹא תִקְרַב לְגַלּוֹת עֶרְוָתָהּ: וְאֶל־אֵשֶׁת
עֲמִיתְךָ לֹא־תִתֵּן שְׁכָבְתְּךָ לְזָרַע לְטָמְאָה־בָהּ: וּמִזַּרְעֲךָ לֹא־
תִתֵּן לְהַעֲבִיר לַמֹּלֶךְ וְלֹא תְחַלֵּל אֶת־שֵׁם אֱלֹהֶיךָ אֲנִי יְהוָה:

Maftir

וְאֶת־זָכָר לֹא תִשְׁכַּב מִשְׁכְּבֵי אִשָּׁה תּוֹעֵבָה הִוא: וּבְכָל־בְּהֵמָה
לֹא־תִתֵּן שְׁכָבְתְּךָ לְטָמְאָה־בָהּ וְאִשָּׁה לֹא־תַעֲמֹד לִפְנֵי בְהֵמָה
לְרִבְעָהּ תֶּבֶל הוּא: אַל־תִּטַּמְּאוּ בְּכָל־אֵלֶּה כִּי בְכָל־אֵלֶּה
נִטְמְאוּ הַגּוֹיִם אֲשֶׁר־אֲנִי מְשַׁלֵּחַ מִפְּנֵיכֶם: וַתִּטְמָא הָאָרֶץ
וָאֶפְקֹד עֲוֺנָהּ עָלֶיהָ וַתָּקִא הָאָרֶץ אֶת־יֹשְׁבֶיהָ: וּשְׁמַרְתֶּם אַתֶּם
אֶת־חֻקֹּתַי וְאֶת־מִשְׁפָּטַי וְלֹא תַעֲשׂוּ מִכֹּל הַתּוֹעֵבֹת הָאֵלֶּה
הָאֶזְרָח וְהַגֵּר הַגָּר בְּתוֹכְכֶם: כִּי אֶת־כָּל־הַתּוֹעֵבֹת הָאֵל עָשׂוּ
אַנְשֵׁי־הָאָרֶץ אֲשֶׁר לִפְנֵיכֶם וַתִּטְמָא הָאָרֶץ: וְלֹא־תָקִיא הָאָרֶץ
אֶתְכֶם בְּטַמַּאֲכֶם אֹתָהּ כַּאֲשֶׁר קָאָה אֶת־הַגּוֹי אֲשֶׁר לִפְנֵיכֶם:
כִּי כָּל־אֲשֶׁר יַעֲשֶׂה מִכֹּל הַתּוֹעֵבֹת הָאֵלֶּה וְנִכְרְתוּ הַנְּפָשׁוֹת
הָעֹשֹׂת מִקֶּרֶב עַמָּם: וּשְׁמַרְתֶּם אֶת־מִשְׁמַרְתִּי לְבִלְתִּי עֲשׂוֹת
מֵחֻקּוֹת הַתּוֹעֵבֹת אֲשֶׁר נַעֲשׂוּ לִפְנֵיכֶם וְלֹא תִטַּמְּאוּ בָּהֶם אֲנִי
יְהוָה אֱלֹהֵיכֶם:

The service continues in the middle of page 630.

the nakedness of your brother. Do not uncover the nakedness of a woman and her daughter; nor shall you marry her son's daughter or her daughter's daughter and uncover her nakedness: they are kindred; it is depravity. Do not marry a woman as a rival to her sister and uncover her nakedness in the other's lifetime. Do not come near a woman during her period of uncleanness to uncover her nakedness. Do not have carnal relations with your neighbor's wife and defile yourself with her. Do not allow any of your offspring to be offered up to Molech, and do not profane the name of your God: I am the Lord.

Maftir

Do not lie with a male as one lies with a woman; it is an abhorrence. Do not have carnal relations with any beast and defile yourself thereby; and let no woman lend herself to a beast to mate with it; it is perversion.

Do not defile yourselves in any of those ways, for it is by such that the nations which I am casting out before you defiled themselves. Thus the land became defiled; and I called it to account for its iniquity, and the land spewed out its inhabitants. But you must keep My laws and My rules, and you must not do any of those abhorrent things, neither the citizen nor the stranger who resides among you; for all those abhorrent things were done by the people who were in the land before you and the land became defiled. So let not the land spew you out for defiling it, as it spewed out the nation that came before you. All who do any of those abhorrent things—such persons shall be cut off from their people. You shall keep My charge not to engage in any of the abhorrent practices that were carried on before you, and you shall not defile yourselves through them: I the Lord am your God.

The service continues in the middle of page 631.

Kohen

וַיְדַבֵּ֥ר יְהֹוָ֖ה אֶל־מֹשֶׁ֥ה לֵּאמֹֽר ׃ דַּבֵּ֞ר אֶל־כָּל־עֲדַ֧ת בְּנֵֽי־יִשְׂרָאֵ֛ל
וְאָמַרְתָּ֥ אֲלֵהֶ֖ם קְדֹשִׁ֣ים תִּֽהְי֑וּ כִּ֣י קָד֔וֹשׁ אֲנִ֖י יְהֹוָ֥ה אֱלֹֽהֵיכֶֽם ׃
אִ֣ישׁ אִמּ֤וֹ וְאָבִיו֙ תִּירָ֔אוּ וְאֶת־שַׁבְּתֹתַ֖י תִּשְׁמֹ֑רוּ אֲנִ֖י יְהֹוָ֥ה
אֱלֹֽהֵיכֶֽם ׃ אַל־תִּפְנוּ֙ אֶל־הָ֣אֱלִילִ֔ים וֵֽאלֹהֵי֙ מַסֵּכָ֔ה לֹ֥א תַֽעֲשׂ֖וּ
לָכֶ֑ם אֲנִ֖י יְהֹוָ֥ה אֱלֹֽהֵיכֶֽם ׃

Levi

וְכִ֧י תִזְבְּח֛וּ זֶ֥בַח שְׁלָמִ֖ים לַֽיהֹוָ֑ה
לִֽרְצֹנְכֶ֖ם תִּזְבָּחֻֽהוּ ׃ בְּי֧וֹם זִבְחֲכֶ֛ם יֵֽאָכֵ֖ל וּמִֽמָּחֳרָ֑ת וְהַנּוֹתָר֙ עַד־
י֣וֹם הַשְּׁלִישִׁ֔י בָּאֵ֖שׁ יִשָּׂרֵֽף ׃ וְאִ֛ם הֵֽאָכֹ֥ל יֵֽאָכֵ֖ל בַּיּ֣וֹם הַשְּׁלִישִׁ֑י
פִּגּ֥וּל ה֖וּא לֹ֥א יֵֽרָצֶֽה ׃ וְאֹֽכְלָיו֙ עֲוֺנ֣וֹ יִשָּׂ֔א כִּֽי־אֶת־קֹ֥דֶשׁ יְהֹוָ֖ה
חִלֵּ֑ל וְנִכְרְתָ֛ה הַנֶּ֥פֶשׁ הַהִ֖וא מֵֽעַמֶּֽיהָ ׃ וּֽבְקֻצְרְכֶם֙ אֶת־קְצִ֣יר
אַרְצְכֶ֔ם לֹ֧א תְכַלֶּ֛ה פְּאַ֥ת שָׂדְךָ֖ לִקְצֹ֑ר וְלֶ֥קֶט קְצִֽירְךָ֖ לֹ֥א תְלַקֵּֽט ׃
וְכַרְמְךָ֙ לֹ֣א תְעוֹלֵ֔ל וּפֶ֥רֶט כַּרְמְךָ֖ לֹ֣א תְלַקֵּ֑ט לֶֽעָנִ֤י וְלַגֵּר֙ תַּֽעֲזֹ֣ב
אֹתָ֔ם אֲנִ֖י יְהֹוָ֥ה אֱלֹֽהֵיכֶֽם ׃

Alternate Torah Reading

Leviticus 19:1-18

Kohen

The Lord spoke to Moses, saying: Speak to the whole Israelite community and say to them:

You shall be holy, for I, the Lord your God, am holy. You shall each revere his mother and his father, and keep My sabbaths: I the Lord am your God. Do not turn to idols or make molten gods for yourselves: I the Lord am your God.

Levi

When you sacrifice an offering of well-being to the Lord, sacrifice it so that it may be accepted on your behalf. It shall be eaten on the day you sacrifice it, or on the day following; but what is left by the third day must be consumed in fire. If it should be eaten on the third day, it is an offensive thing, it will not be acceptable. And he who eats of it shall bear his guilt, for he has profaned what is sacred to the Lord; that person shall be cut off from his kin.

When you reap the harvest of your land, you shall not reap all the way to the edges of your field, or gather the gleanings of your harvest. You shall not pick your vineyard bare, or gather the fallen fruit of your vineyard; you shall leave them for the poor and the stranger: I the Lord am your God.

Maftir

לֹא תִּגְנֹבוּ וְלֹא־תְכַחֲשׁוּ וְלֹא־תְשַׁקְּרוּ
אִישׁ בַּעֲמִיתוֹ: וְלֹא־תִשָּׁבְעוּ בִשְׁמִי לַשָּׁקֶר וְחִלַּלְתָּ אֶת־שֵׁם
אֱלֹהֶיךָ אֲנִי יהוה: לֹא־תַעֲשֹׁק אֶת־רֵעֲךָ וְלֹא תִגְזֹל לֹא־תָלִין
פְּעֻלַּת שָׂכִיר אִתְּךָ עַד־בֹּקֶר: לֹא־תְקַלֵּל חֵרֵשׁ וְלִפְנֵי עִוֵּר לֹא
תִתֵּן מִכְשֹׁל וְיָרֵאתָ מֵּאֱלֹהֶיךָ אֲנִי יהוה: לֹא־תַעֲשׂוּ עָוֶל בַּמִּשְׁפָּט
לֹא־תִשָּׂא פְנֵי־דָל וְלֹא תֶהְדַּר פְּנֵי גָדוֹל בְּצֶדֶק תִּשְׁפֹּט עֲמִיתֶךָ:
לֹא־תֵלֵךְ רָכִיל בְּעַמֶּיךָ לֹא תַעֲמֹד עַל־דַּם רֵעֶךָ אֲנִי יהוה:
לֹא־תִשְׂנָא אֶת־אָחִיךָ בִּלְבָבֶךָ הוֹכֵחַ תּוֹכִיחַ אֶת־עֲמִיתֶךָ וְלֹא־
תִשָּׂא עָלָיו חֵטְא: לֹא־תִקֹּם וְלֹא־תִטֹּר אֶת־בְּנֵי עַמֶּךָ וְאָהַבְתָּ
לְרֵעֲךָ כָּמוֹךָ אֲנִי יהוה:

After the Torah Reading, we rise as the Seifer Torah is raised.

וְזֹאת הַתּוֹרָה אֲשֶׁר שָׂם מֹשֶׁה לִפְנֵי בְּנֵי יִשְׂרָאֵל עַל פִּי יְיָ בְּיַד מֹשֶׁה.

We are seated.

Blessings before the Haftarah:

בָּרוּךְ אַתָּה יְיָ אֱלֹהֵינוּ מֶלֶךְ הָעוֹלָם אֲשֶׁר בָּחַר בִּנְבִיאִים טוֹבִים
וְרָצָה בְדִבְרֵיהֶם הַנֶּאֱמָרִים בֶּאֱמֶת. בָּרוּךְ אַתָּה יְיָ הַבּוֹחֵר בַּתּוֹרָה
וּבְמֹשֶׁה עַבְדּוֹ וּבְיִשְׂרָאֵל עַמּוֹ וּבִנְבִיאֵי הָאֱמֶת וָצֶדֶק.

Maftir

You shall not steal; you shall not deal deceitfully or falsely with one another. You shall not swear falsely by My name, profaning the name of your God: I am the Lord.

You shall not defraud your neighbor. You shall not commit robbery. The wages of a laborer shall not remain with you until morning.

You shall not insult the deaf, or place a stumbling block before the blind. You shall fear your God: I am the Lord. You shall not render an unfair decision: do not favor the poor or show deference to the rich; judge your neighbor fairly. Do not deal basely with your fellows. Do not profit by the blood of your neighbor: I am the Lord. You shall not hate your kinsman in your heart. Reprove your neighbor, but incur no guilt because of him. You shall not take vengeance or bear a grudge against your kinsfolk. Love your neighbor as yourself: I am the Lord.

After the Torah Reading, we rise as the Seifer Torah is raised.

V'zot ha-torah asher sahm mosheh lifnei b'nei yisrael 'al pi Adonai b'yad mosheh.

This is the Torah given to the people Israel through Moses by the word of God.

We are seated.

Blessings before the Haftarah:

Praised are You, Lord our God, King of the universe who has loved good prophets, messengers of truth whose teachings He has upheld. Praised are You, Lord who loves the Torah, Moses His servant, Israel His people and prophets of truth and righteousness.

וַיְהִי דְּבַר־יְהוָה אֶל־יוֹנָה בֶן־אֲמִתַּי לֵאמֹר׃ קוּם לֵךְ אֶל־נִינְוֵה
הָעִיר הַגְּדוֹלָה וּקְרָא עָלֶיהָ כִּי־עָלְתָה רָעָתָם לְפָנָי׃ וַיָּקָם יוֹנָה
לִבְרֹחַ תַּרְשִׁישָׁה מִלִּפְנֵי יְהוָה וַיֵּרֶד יָפוֹ וַיִּמְצָא אָנִיָּה ׀ בָּאָה
תַרְשִׁישׁ וַיִּתֵּן שְׂכָרָהּ וַיֵּרֶד בָּהּ לָבוֹא עִמָּהֶם תַּרְשִׁישָׁה מִלִּפְנֵי
יְהוָה׃ וַיהוָה הֵטִיל רוּחַ־גְּדוֹלָה אֶל־הַיָּם וַיְהִי סַעַר־גָּדוֹל בַּיָּם
וְהָאֳנִיָּה חִשְּׁבָה לְהִשָּׁבֵר׃ וַיִּירְאוּ הַמַּלָּחִים וַיִּזְעֲקוּ אִישׁ אֶל־
אֱלֹהָיו וַיָּטִלוּ אֶת־הַכֵּלִים אֲשֶׁר בָּאֳנִיָּה אֶל־הַיָּם לְהָקֵל
מֵעֲלֵיהֶם וְיוֹנָה יָרַד אֶל־יַרְכְּתֵי הַסְּפִינָה וַיִּשְׁכַּב וַיֵּרָדַם׃ וַיִּקְרַב
אֵלָיו רַב הַחֹבֵל וַיֹּאמֶר לוֹ מַה־לְּךָ נִרְדָּם קוּם קְרָא אֶל־אֱלֹהֶיךָ
אוּלַי יִתְעַשֵּׁת הָאֱלֹהִים לָנוּ וְלֹא נֹאבֵד׃ וַיֹּאמְרוּ אִישׁ אֶל־רֵעֵהוּ
לְכוּ וְנַפִּילָה גוֹרָלוֹת וְנֵדְעָה בְּשֶׁלְּמִי הָרָעָה הַזֹּאת לָנוּ וַיַּפִּלוּ
גּוֹרָלוֹת וַיִּפֹּל הַגּוֹרָל עַל־יוֹנָה׃ וַיֹּאמְרוּ אֵלָיו הַגִּידָה־נָּא לָנוּ
בַּאֲשֶׁר לְמִי־הָרָעָה הַזֹּאת לָנוּ מַה־מְּלַאכְתְּךָ וּמֵאַיִן תָּבוֹא מָה
אַרְצֶךָ וְאֵי־מִזֶּה עַם אָתָּה׃ וַיֹּאמֶר אֲלֵיהֶם עִבְרִי אָנֹכִי וְאֶת־
יְהוָה אֱלֹהֵי הַשָּׁמַיִם אֲנִי יָרֵא אֲשֶׁר־עָשָׂה אֶת־הַיָּם וְאֶת־
הַיַּבָּשָׁה׃ וַיִּירְאוּ הָאֲנָשִׁים יִרְאָה גְדוֹלָה וַיֹּאמְרוּ אֵלָיו מַה־זֹּאת
עָשִׂיתָ כִּי־יָדְעוּ הָאֲנָשִׁים כִּי־מִלִּפְנֵי יְהוָה הוּא בֹרֵחַ כִּי הִגִּיד
לָהֶם׃ וַיֹּאמְרוּ אֵלָיו מַה־נַּעֲשֶׂה לָּךְ וְיִשְׁתֹּק הַיָּם מֵעָלֵינוּ כִּי הַיָּם
הוֹלֵךְ וְסֹעֵר׃ וַיֹּאמֶר אֲלֵיהֶם שָׂאוּנִי וַהֲטִילֻנִי אֶל־הַיָּם וְיִשְׁתֹּק
הַיָּם מֵעֲלֵיכֶם כִּי יוֹדֵעַ אָנִי כִּי בְשֶׁלִּי הַסַּעַר הַגָּדוֹל הַזֶּה עֲלֵיכֶם׃
וַיַּחְתְּרוּ הָאֲנָשִׁים לְהָשִׁיב אֶל־הַיַּבָּשָׁה וְלֹא יָכֹלוּ כִּי הַיָּם הוֹלֵךְ
וְסֹעֵר עֲלֵיהֶם׃ וַיִּקְרְאוּ אֶל־יְהוָה וַיֹּאמְרוּ אָנָּה יְהוָה אַל־נָא

Haftarah

Jonah

The word of the Lord came to Jonah son of Amittai: "Go at once to Nineveh, that great city, and proclaim judgment upon it; for their wickedness has come before Me." Jonah, however, started out to flee to Tarshish from the Lord's service. He went down to Joppa and found a ship going to Tarshish. He paid the fare and went aboard to sail with the others to Tarshish, away from the service of the Lord.

But the Lord cast a mighty wind upon the sea, and such a tempest came upon the sea that the ship was in danger of breaking up. In their fright, the sailors cried out, each to his own god; and they flung the ship's cargo overboard to make it lighter for them. Jonah, meanwhile, had gone down into the hold of the vessel, where he lay down and fell asleep. The captain went over to him and cried out, "How can you be sleeping so soundly! Up, call upon your god! Perhaps the god will be kind to us and we will not perish."

The men said to one another, "Let us cast lots and find out on whose account this misfortune has come upon us." They cast lots and the lot fell on Jonah. They said to him, "Tell us, you who have brought this misfortune upon us, what is your business? Where have you come from? What is your country, and of what people are you?" "I am a Hebrew," he replied. "I worship the Lord, the God of Heaven, who made both sea and land." The men were greatly terrified, and they asked him, "What have you done?" And when the men learned that he was fleeing from the service of the Lord—for so he told them—they said to him, "What must we do to you to make the sea calm around us?" For the sea was growing more and more stormy. He answered, "Heave me overboard, and the sea will calm down for you; for I know that this terrible storm came upon you on my account." Nevertheless, the men rowed hard to regain the shore, but they could not, for the sea was growing more and more stormy about them. Then they cried out to the

נֹאבְדָה בְּנֶפֶשׁ הָאִישׁ הַזֶּה וְאַל־תִּתֵּן עָלֵינוּ דָּם נָקִיא כִּי־אַתָּה
יְהוָה כַּאֲשֶׁר חָפַצְתָּ עָשִׂיתָ: וַיִּשְׂאוּ אֶת־יוֹנָה וַיְטִלֻהוּ אֶל־הַיָּם
וַיַּעֲמֹד הַיָּם מִזַּעְפּוֹ: וַיִּירְאוּ הָאֲנָשִׁים יִרְאָה גְדוֹלָה אֶת־יְהוָה
וַיִּזְבְּחוּ־זֶבַח לַיהוָה וַיִּדְּרוּ נְדָרִים: וַיְמַן יְהוָה דָּג גָּדוֹל לִבְלֹעַ אֶת־
יוֹנָה וַיְהִי יוֹנָה בִּמְעֵי הַדָּג שְׁלֹשָׁה יָמִים וּשְׁלֹשָׁה לֵילוֹת: וַיִּתְפַּלֵּל
יוֹנָה אֶל־יְהוָה אֱלֹהָיו מִמְּעֵי הַדָּגָה: וַיֹּאמֶר קָרָאתִי מִצָּרָה לִי
אֶל־יְהוָה וַיַּעֲנֵנִי מִבֶּטֶן שְׁאוֹל שִׁוַּעְתִּי שָׁמַעְתָּ קוֹלִי: וַתַּשְׁלִיכֵנִי
מְצוּלָה בִּלְבַב יַמִּים וְנָהָר יְסֹבְבֵנִי כָּל־מִשְׁבָּרֶיךָ וְגַלֶּיךָ עָלַי
עָבָרוּ: וַאֲנִי אָמַרְתִּי נִגְרַשְׁתִּי מִנֶּגֶד עֵינֶיךָ אַךְ אוֹסִיף לְהַבִּיט אֶל־
הֵיכַל קָדְשֶׁךָ: אֲפָפוּנִי מַיִם עַד־נֶפֶשׁ תְּהוֹם יְסֹבְבֵנִי סוּף חָבוּשׁ
לְרֹאשִׁי: לְקִצְבֵי הָרִים יָרַדְתִּי הָאָרֶץ בְּרִחֶיהָ בַעֲדִי לְעוֹלָם
וַתַּעַל מִשַּׁחַת חַיַּי יְהוָה אֱלֹהָי: בְּהִתְעַטֵּף עָלַי נַפְשִׁי אֶת־יְהוָה
זָכָרְתִּי וַתָּבוֹא אֵלֶיךָ תְּפִלָּתִי אֶל־הֵיכַל קָדְשֶׁךָ: מְשַׁמְּרִים הַבְלֵי־
שָׁוְא חַסְדָּם יַעֲזֹבוּ: וַאֲנִי בְּקוֹל תּוֹדָה אֶזְבְּחָה־לָּךְ אֲשֶׁר נָדַרְתִּי
אֲשַׁלֵּמָה יְשׁוּעָתָה לַיהוָה: וַיֹּאמֶר יְהוָה לַדָּג וַיָּקֵא
אֶת־יוֹנָה אֶל־הַיַּבָּשָׁה: וַיְהִי דְבַר־יְהוָה אֶל־יוֹנָה
שֵׁנִית לֵאמֹר: קוּם לֵךְ אֶל־נִינְוֵה הָעִיר הַגְּדוֹלָה וּקְרָא אֵלֶיהָ
אֶת־הַקְּרִיאָה אֲשֶׁר אָנֹכִי דֹּבֵר אֵלֶיךָ: וַיָּקָם יוֹנָה וַיֵּלֶךְ אֶל־נִינְוֵה
כִּדְבַר יְהוָה וְנִינְוֵה הָיְתָה עִיר־גְּדוֹלָה לֵאלֹהִים מַהֲלַךְ שְׁלֹשֶׁת
יָמִים: וַיָּחֶל יוֹנָה לָבוֹא בָעִיר מַהֲלַךְ יוֹם אֶחָד וַיִּקְרָא וַיֹּאמַר
עוֹד אַרְבָּעִים יוֹם וְנִינְוֵה נֶהְפָּכֶת: וַיַּאֲמִינוּ אַנְשֵׁי נִינְוֵה בֵּאלֹהִים

Lord: "Oh, please, Lord, do not let us perish on account of this man's life. Do not hold us guilty of killing an innocent person! For You, O Lord, by Your will, have brought this about." And they heaved Jonah overboard, and the sea stopped raging.

The men feared the Lord greatly; they offered a sacrifice to the Lord and they made vows.

The Lord provided a huge fish to swallow Jonah; and Jonah remained in the fish's belly three days and three nights. Jonah prayed to the Lord his God from the belly of the fish:

"In my trouble I called to the Lord, and He answered me; from the belly of Sheol I cried out, and You heard my voice. You cast me into the depths, into the heart of the sea, the floods engulfed me; all Your breakers and billows swept over me. I thought I was driven away out of Your sight: "Would I ever gaze again upon Your holy Temple?" The waters closed in over me, the deep engulfed me. Weeds twined around my head. I sank to the base of the mountains; the bars of the earth closed upon me forever. Yet You brought my life up from the pit, O Lord my God! When my life was ebbing away, I called the Lord to mind; and my prayer came before You, into Your holy Temple. They who cling to empty folly forsake their own welfare; but I, with loud thanksgiving, will sacrifice to You; what I have vowed I will perform. Deliverance is the Lord's!"

The Lord commanded the fish, and it spewed Jonah out upon dry land.

The word of the Lord came to Jonah a second time: "Go at once to Nineveh, that great city, and proclaim to it what I tell you." Jonah went at once to Nineveh in accordance with the Lord's command. Nineveh was an enormously large city a three days' walk across. Jonah started out and made his way into the city the distance of one day's walk, and proclaimed: "Forty days more, and Nineveh shall be overthrown!"

וַיִּקְרְאוּ־צוֹם֙ וַיִּלְבְּשׁ֣וּ שַׂקִּ֔ים מִגְּדוֹלָ֖ם וְעַד־קְטַנָּֽם׃ וַיִּגַּ֤ע הַדָּבָר֙
אֶל־מֶ֣לֶךְ נִֽינְוֵ֔ה וַיָּ֙קָם֙ מִכִּסְא֔וֹ וַיַּעֲבֵ֥ר אַדַּרְתּ֖וֹ מֵֽעָלָ֑יו וַיְכַ֣ס שַׂ֔ק
וַיֵּ֖שֶׁב עַל־הָאֵֽפֶר׃ וַ֠יַּזְעֵק וַיֹּ֨אמֶר֙ בְּנִֽינְוֵ֔ה מִטַּ֧עַם הַמֶּ֛לֶךְ וּגְדֹלָ֖יו
לֵאמֹ֑ר הָֽאָדָ֨ם וְהַבְּהֵמָ֜ה הַבָּקָ֣ר וְהַצֹּ֗אן אַל־יִטְעֲמוּ֙ מְא֔וּמָה אַל־
יִרְע֔וּ וּמַ֖יִם אַל־יִשְׁתּֽוּ׃ וְיִתְכַּסּ֣וּ שַׂקִּ֗ים הָֽאָדָם֙ וְהַבְּהֵמָ֔ה וְיִקְרְא֥וּ
אֶל־אֱלֹהִ֖ים בְּחָזְקָ֑ה וְיָשֻׁ֗בוּ אִ֚ישׁ מִדַּרְכּ֣וֹ הָֽרָעָ֔ה וּמִן־הֶחָמָ֖ס אֲשֶׁ֥ר
בְּכַפֵּיהֶֽם׃ מִֽי־יוֹדֵ֣עַ יָשׁ֔וּב וְנִחַ֖ם הָאֱלֹהִ֑ים וְשָׁ֛ב מֵחֲר֥וֹן אַפּ֖וֹ וְלֹ֥א
נֹאבֵֽד׃ וַיַּ֤רְא הָֽאֱלֹהִים֙ אֶֽת־מַ֣עֲשֵׂיהֶ֔ם כִּי־שָׁ֖בוּ מִדַּרְכָּ֣ם הָֽרָעָ֑ה
וַיִּנָּ֣חֶם הָֽאֱלֹהִ֗ים עַל־הָֽרָעָ֛ה אֲשֶׁר־דִּבֶּ֥ר לַעֲשׂוֹת־לָהֶ֖ם וְלֹ֥א
עָשָֽׂה׃ וַיֵּ֥רַע אֶל־יוֹנָ֖ה רָעָ֣ה גְדוֹלָ֑ה וַיִּ֖חַר לֽוֹ׃ וַיִּתְפַּלֵּ֨ל אֶל־יְהוָ֜ה
וַיֹּאמַ֗ר אָנָּ֤ה יְהוָה֙ הֲלוֹא־זֶ֣ה דְבָרִ֔י עַד־הֱיוֹתִי֙ עַל־אַדְמָתִ֔י עַל־כֵּ֥ן
קִדַּ֖מְתִּי לִבְרֹ֣חַ תַּרְשִׁ֑ישָׁה כִּ֣י יָדַ֗עְתִּי כִּ֤י אַתָּה֙ אֵֽל־חַנּ֣וּן וְרַח֔וּם
אֶ֤רֶךְ אַפַּ֙יִם֙ וְרַב־חֶ֔סֶד וְנִחָ֖ם עַל־הָֽרָעָֽה׃ וְעַתָּ֣ה יְהוָ֔ה קַח־נָ֥א
אֶת־נַפְשִׁ֖י מִמֶּ֑נִּי כִּ֛י ט֥וֹב מוֹתִ֖י מֵֽחַיָּֽי׃ וַיֹּ֣אמֶר יְהוָ֔ה הַהֵיטֵ֖ב חָ֥רָה
לָֽךְ׃ וַיֵּצֵ֤א יוֹנָה֙ מִן־הָעִ֔יר וַיֵּ֖שֶׁב מִקֶּ֣דֶם לָעִ֑יר וַיַּ֩עַשׂ֩ ל֨וֹ שָׁ֜ם סֻכָּ֗ה
וַיֵּ֤שֶׁב תַּחְתֶּ֙יהָ֙ בַּצֵּ֔ל עַ֚ד אֲשֶׁ֣ר יִרְאֶ֔ה מַה־יִּהְיֶ֖ה בָּעִֽיר׃ וַיְמַ֣ן יְהוָֽה־
אֱ֠לֹהִים קִֽיקָי֞וֹן וַיַּ֣עַל ׀ מֵעַ֣ל לְיוֹנָ֗ה לִֽהְי֥וֹת צֵל֙ עַל־רֹאשׁ֔וֹ לְהַצִּ֥יל
ל֖וֹ מֵרָֽעָת֑וֹ וַיִּשְׂמַ֥ח יוֹנָ֛ה עַל־הַקִּֽיקָי֖וֹן שִׂמְחָ֥ה גְדוֹלָֽה׃ וַיְמַ֤ן
הָֽאֱלֹהִים֙ תּוֹלַ֔עַת בַּעֲל֥וֹת הַשַּׁ֖חַר לַֽמָּחֳרָ֑ת וַתַּ֥ךְ אֶת־הַקִּֽיקָי֖וֹן
וַיִּיבָֽשׁ׃ וַיְהִ֣י ׀ כִּזְרֹ֣חַ הַשֶּׁ֗מֶשׁ וַיְמַ֨ן אֱלֹהִ֜ים ר֤וּחַ קָדִים֙ חֲרִישִׁ֔ית
וַתַּ֥ךְ הַשֶּׁ֛מֶשׁ עַל־רֹ֥אשׁ יוֹנָ֖ה וַיִּתְעַלָּ֑ף וַיִּשְׁאַ֤ל אֶת־נַפְשׁוֹ֙ לָמ֔וּת
וַיֹּ֕אמֶר ט֥וֹב מוֹתִ֖י מֵחַיָּֽי׃ וַיֹּ֤אמֶר אֱלֹהִים֙ אֶל־יוֹנָ֔ה הַהֵיטֵ֥ב חָרָֽה־
לְךָ֖ עַל־הַקִּֽיקָי֑וֹן וַיֹּ֕אמֶר הֵיטֵ֥ב חָֽרָה־לִ֖י עַד־מָֽוֶת׃ וַיֹּ֣אמֶר יְהוָ֗ה

The people of Nineveh believed God. They proclaimed a fast, and great and small alike put on sackcloth. When the news reached the king of Nineveh, he rose from his throne, took off his robe, put on sackcloth, and sat in ashes. And he had the word cried through Nineveh: "By decree of the king and his nobles: No man or beast—of flock or herd—shall taste anything! They shall not graze, and they shall not drink water! They shall be covered with sackcloth—man and beast—and shall cry mightily to God. Let everyone turn back from his evil ways, and from the injustice of which he is guilty. Who knows but that God may turn and relent? He may turn back from His wrath, so that we do not perish."

God saw what they did, how they were turning back from their evil ways. And God renounced the punishment He had planned to bring upon them, and did not carry it out.

This displeased Jonah greatly, and he was grieved. He prayed to the Lord, saying, "O Lord! Isn't this just what I said when I was still in my own country? That is why I fled beforehand to Tarshish. For I know that You are a compassionate and gracious God, slow to anger, abounding in kindness, renouncing punishment. Please, Lord, take my life, for I would rather die than live." The Lord replied, "Are you deeply grieved?"

Now Jonah had left the city and found a place east of the city. He made a booth there and sat under it in the shade, until he should see what happened to the city. The Lord God provided a ricinus plant, which grew up over Jonah, to provide shade for his head and save him from discomfort. Jonah was very happy about the plant. But the next day at dawn God provided a worm, which attacked the plant so that it withered. And when the sun rose, God provided a sultry east wind; the sun beat down on Jonah's head, and he became faint. He begged for death, saying, "I would rather die than live." Then God said to Jonah, "Are you so deeply grieved about the plant?" "Yes," he replied, "so deeply that I want to die."

אַתָּה חַסְתָּ עַל־הַקִּיקָיוֹן אֲשֶׁר לֹא־עָמַלְתָּ בּוֹ וְלֹא גִדַּלְתּוֹ שֶׁבִּן־לַיְלָה הָיָה וּבִן־לַיְלָה אָבָד: וַאֲנִי לֹא אָחוּס עַל־נִינְוֵה הָעִיר הַגְּדוֹלָה אֲשֶׁר יֶשׁ־בָּהּ הַרְבֵּה מִשְׁתֵּים־עֶשְׂרֵה רִבּוֹ אָדָם אֲשֶׁר לֹא־יָדַע בֵּין־יְמִינוֹ לִשְׂמֹאלוֹ וּבְהֵמָה רַבָּה:

מִי־אֵל כָּמוֹךָ נֹשֵׂא עָוֹן וְעֹבֵר עַל־פֶּשַׁע לִשְׁאֵרִית נַחֲלָתוֹ לֹא־הֶחֱזִיק לָעַד אַפּוֹ כִּי־חָפֵץ חֶסֶד הוּא: יָשׁוּב יְרַחֲמֵנוּ יִכְבֹּשׁ עֲוֹנֹתֵינוּ וְתַשְׁלִיךְ בִּמְצֻלוֹת יָם כָּל־חַטֹּאתָם: תִּתֵּן אֱמֶת לְיַעֲקֹב חֶסֶד לְאַבְרָהָם אֲשֶׁר־נִשְׁבַּעְתָּ לַאֲבֹתֵינוּ מִימֵי קֶדֶם:

Blessings after the Haftarah:

בָּרוּךְ אַתָּה יְיָ אֱלֹהֵינוּ מֶלֶךְ הָעוֹלָם, צוּר כָּל־הָעוֹלָמִים, צַדִּיק בְּכָל־הַדּוֹרוֹת, הָאֵל הַנֶּאֱמָן הָאוֹמֵר וְעוֹשֶׂה הַמְדַבֵּר וּמְקַיֵּם, שֶׁכָּל־דְּבָרָיו אֱמֶת וָצֶדֶק. נֶאֱמָן אַתָּה הוּא יְיָ אֱלֹהֵינוּ וְנֶאֱמָנִים דְּבָרֶיךָ, וְדָבָר אֶחָד מִדְּבָרֶיךָ אָחוֹר לֹא יָשׁוּב רֵיקָם, כִּי אֵל מֶלֶךְ נֶאֱמָן וְרַחֲמָן אָתָּה. בָּרוּךְ אַתָּה יְיָ הָאֵל הַנֶּאֱמָן בְּכָל־דְּבָרָיו.

רַחֵם עַל צִיּוֹן כִּי הִיא בֵּית חַיֵּינוּ. וְלַעֲלוּבַת נֶפֶשׁ תּוֹשִׁיעַ בִּמְהֵרָה בְיָמֵינוּ. בָּרוּךְ אַתָּה יְיָ מְשַׂמֵּחַ צִיּוֹן בְּבָנֶיהָ.

שַׂמְּחֵנוּ יְיָ אֱלֹהֵינוּ בְּאֵלִיָּהוּ הַנָּבִיא עַבְדֶּךָ וּבְמַלְכוּת בֵּית דָּוִד מְשִׁיחֶךָ. בִּמְהֵרָה יָבוֹא וְיָגֵל לִבֵּנוּ, עַל כִּסְאוֹ לֹא יֵשֶׁב זָר וְלֹא יִנְחֲלוּ עוֹד אֲחֵרִים אֶת־כְּבוֹדוֹ, כִּי בְשֵׁם קָדְשְׁךָ נִשְׁבַּעְתָּ לּוֹ שֶׁלֹּא יִכְבֶּה נֵרוֹ לְעוֹלָם וָעֶד. בָּרוּךְ אַתָּה יְיָ מָגֵן דָּוִד.

Then the Lord said: "You cared about the plant, which you did not work for and which you did not grow, which appeared overnight and perished overnight. And should not I care about Nineveh, that great city, in which there are more than a hundred and twenty thousand persons who do not yet know their right hand from their left, and many beasts as well!"

Micah 7:18–20

Who is God like You, forgiving iniquity and pardoning the transgression of the remnant of Your people? You do not maintain anger forever, but You delight in lovingkindness. You will again have compassion upon us, subduing our sins, casting all our sins into the depths of the sea. You will show faithfulness to Jacob and enduring love to Abraham, as You promised our fathers from days of old.

Blessings after the Haftarah:

Praised are You, Lord our God, King of the universe, Rock of all ages, righteous in all generations, steadfast God whose word is deed, whose decree is fulfillment, whose every teaching is truth and righteousness. Faithful are You, Lord our God, in all Your promises, not one of which will remain unfulfilled, for You are a faithful and merciful God and King. Praised are You, Lord God, faithful in all Your promises.

Show compassion for Zion, the fount of our existence. And raise the humbled spirit soon. Praised are You, Lord who brings joy to Zion.

Bring us joy, Lord our God, through Your prophet Elijah and the kingdom of the House of David Your anointed. May Elijah come soon, to gladden our hearts. May no outsider usurp David's throne, and may no other inherit his glory. For by Your holy name have You promised that his light shall never be extinguished. Praised are You, Lord, Shield of David.

We rise, to return the Seifer Torah to the Ark.

יְהַלְלוּ אֶת־שֵׁם יְיָ כִּי נִשְׂגָּב שְׁמוֹ לְבַדּוֹ.

Congregation:

הוֹדוֹ עַל אֶרֶץ וְשָׁמָיִם, וַיָּרֶם קֶרֶן לְעַמּוֹ
תְּהִלָּה לְכָל־חֲסִידָיו, לִבְנֵי יִשְׂרָאֵל עַם קְרוֹבוֹ. הַלְלוּיָהּ.

לְדָוִד מִזְמוֹר. לַייָ הָאָרֶץ וּמְלוֹאָהּ, תֵּבֵל וְיֽשְׁבֵי בָהּ. כִּי הוּא עַל יַמִּים יְסָדָהּ, וְעַל נְהָרוֹת יְכוֹנְנֶהָ. מִי יַעֲלֶה בְהַר יְיָ, וּמִי יָקוּם בִּמְקוֹם קָדְשׁוֹ. נְקִי כַפַּיִם וּבַר לֵבָב, אֲשֶׁר לֹא נָשָׂא לַשָּׁוְא נַפְשִׁי, וְלֹא נִשְׁבַּע לְמִרְמָה. יִשָּׂא בְרָכָה מֵאֵת יְיָ, וּצְדָקָה מֵאֱלֹהֵי יִשְׁעוֹ. זֶה דּוֹר דֹּרְשָׁיו, מְבַקְשֵׁי פָנֶיךָ יַעֲקֹב, סֶלָה. שְׂאוּ שְׁעָרִים רָאשֵׁיכֶם וְהִנָּשְׂאוּ פִּתְחֵי עוֹלָם, וְיָבוֹא מֶלֶךְ הַכָּבוֹד. מִי זֶה מֶלֶךְ הַכָּבוֹד, יְיָ עִזּוּז וְגִבּוֹר, יְיָ גִּבּוֹר מִלְחָמָה. שְׂאוּ שְׁעָרִים רָאשֵׁיכֶם וּשְׂאוּ פִּתְחֵי עוֹלָם, וְיָבֹא מֶלֶךְ הַכָּבוֹד. מִי הוּא זֶה מֶלֶךְ הַכָּבוֹד, יְיָ צְבָאוֹת, הוּא מֶלֶךְ הַכָּבוֹד, סֶלָה.

וּבְנֻחֹה יֹאמַר: שׁוּבָה יְיָ, רִבְבוֹת אַלְפֵי יִשְׂרָאֵל. קוּמָה יְיָ לִמְנוּחָתֶךָ, אַתָּה וַאֲרוֹן עֻזֶּךָ. כֹּהֲנֶיךָ יִלְבְּשׁוּ־צֶדֶק, וַחֲסִידֶיךָ יְרַנֵּנוּ. בַּעֲבוּר דָּוִד עַבְדֶּךָ, אַל תָּשֵׁב פְּנֵי מְשִׁיחֶךָ. כִּי לֶקַח טוֹב נָתַתִּי לָכֶם, תּוֹרָתִי אַל תַּעֲזֹבוּ.

We rise, to return the Seifer Torah to the Ark.

Praise the Lord, for He is unique, exalted.

Congregation:

Hodo al eretz v'shamayim, va-yarem keren l'amo, te-hilah lekhol ḥasidav, liv-nei yisrael 'am kerovo. Halleluyah!

His glory encompasses heaven and earth. He exalts and extols His faithful, the people of Israel who are close to Him. Halleluyah.

The earth is the Lord's, and all that it holds, the world and all its inhabitants. He founded it upon the seas, He set it firm upon flowing waters. Who deserves to enter God's sanctuary? Who merits a place in His Presence? He who has clean hands and a pure heart, who does not use God's name in vain oaths, who does not set His mind on worthless things. He shall receive a blessing from the Lord, a just reward from the God of his deliverance. Such are the people who seek Him, who, like Jacob, long for His Presence. Lift high your lintels, O you gates; open wide, you ancient doors! Welcome the glorious King! Who is the glorious King? The Lord, with dignity and power; the Lord, triumphant in battle. Lift high your lintels, O you gates; open wide, you ancient doors! Welcome the glorious King! Who is the glorious King? The Lord of hosts; He is the glorious King.

Psalm 24

Whenever the Ark was set down, Moses would say: O Lord, may You dwell among the myriad families of Israel. Return, O Lord, to Your sanctuary, You and Your glorious Ark. Let Your priests be robed in righteousness, let Your faithful sing with joy. For the sake of David, Your servant, do not reject Your anointed.

עֵץ חַיִּים הִיא לַמַּחֲזִיקִים בָּהּ, וְתֹמְכֶיהָ מְאֻשָּׁר.

דְּרָכֶיהָ דַרְכֵי־נֹעַם, וְכָל־נְתִיבֹתֶיהָ שָׁלוֹם.

הֲשִׁיבֵנוּ יְיָ אֵלֶיךָ וְנָשׁוּבָה, חַדֵּשׁ יָמֵינוּ כְּקֶדֶם.

Ḥatzi Kaddish

Ḥazzan:

יִתְגַּדַּל וְיִתְקַדַּשׁ שְׁמֵהּ רַבָּא בְּעָלְמָא דִּי בְרָא כִרְעוּתֵהּ, וְיַמְלִיךְ מַלְכוּתֵהּ בְּחַיֵּיכוֹן וּבְיוֹמֵיכוֹן וּבְחַיֵּי דְכָל־בֵּית יִשְׂרָאֵל בַּעֲגָלָא וּבִזְמַן קָרִיב, וְאִמְרוּ אָמֵן.

Congregation and Ḥazzan:

יְהֵא שְׁמֵהּ רַבָּא מְבָרַךְ לְעָלַם וּלְעָלְמֵי עָלְמַיָּא.

Ḥazzan:

יִתְבָּרַךְ וְיִשְׁתַּבַּח וְיִתְפָּאַר וְיִתְרוֹמַם וְיִתְנַשֵּׂא וְיִתְהַדַּר וְיִתְעַלֶּה וְיִתְהַלַּל שְׁמֵהּ דְּקֻדְשָׁא בְּרִיךְ הוּא, לְעֵלָּא לְעֵלָּא מִכָּל־בִּרְכָתָא וְשִׁירָתָא תֻּשְׁבְּחָתָא וְנֶחֱמָתָא דַּאֲמִירָן בְּעָלְמָא, וְאִמְרוּ אָמֵן.

Precious teaching do I give you:
Never forsake My Torah.

> It is a tree of life for those who grasp it,
> and all who uphold it are blessed.

Its ways are pleasantness, and all its paths are peace.

> Help us turn to You, and we shall return.
> Renew our lives as in days of old.

Ḥatzi Kaddish

Ḥazzan:

Hallowed and enhanced may He be throughout the world of His own creation. May He cause His sovereignty soon to be accepted, during our life and the life of all Israel. And let us say: Amen.

Congregation and Ḥazzan:

Ye-hei shmei raba meva-rakh l'alam ul'almei 'almaya.

May He be praised throughout all time.

Ḥazzan:

Glorified and celebrated, lauded and praised, acclaimed and honored, extolled and exalted may the Holy One be, far beyond all song and psalm, beyond all tributes which man can utter. And let us say: Amen.

In some congregations, the Ḥazzan chants the Amidah through Kedushah (next page), after which the congregants recite the entire Amidah in silence.

When the entire Amidah is recited silently (ending on page 650), the Kedushah is omitted.

For a translation of the Amidah, see pages 371 to 383. For reflections in English on themes of this service, turn to page 651.

Amidah

כִּי שֵׁם יְיָ אֶקְרָא, הָבוּ גֹדֶל לֵאלֹהֵינוּ.
אֲדֹנָי שְׂפָתַי תִּפְתָּח וּפִי יַגִּיד תְּהִלָּתֶךָ.

בָּרוּךְ אַתָּה יְיָ אֱלֹהֵינוּ וֵאלֹהֵי אֲבוֹתֵינוּ, אֱלֹהֵי אַבְרָהָם אֱלֹהֵי יִצְחָק וֵאלֹהֵי יַעֲקֹב, הָאֵל הַגָּדוֹל הַגִּבּוֹר וְהַנּוֹרָא אֵל עֶלְיוֹן גּוֹמֵל חֲסָדִים טוֹבִים וְקוֹנֵה הַכֹּל, וְזוֹכֵר חַסְדֵי אָבוֹת וּמֵבִיא גוֹאֵל לִבְנֵי בְנֵיהֶם לְמַעַן שְׁמוֹ בְּאַהֲבָה.

זָכְרֵנוּ לְחַיִּים מֶלֶךְ חָפֵץ בַּחַיִּים,
וְכָתְבֵנוּ בְּסֵפֶר הַחַיִּים לְמַעַנְךָ אֱלֹהִים חַיִּים.

מֶלֶךְ עוֹזֵר וּמוֹשִׁיעַ וּמָגֵן. בָּרוּךְ אַתָּה יְיָ מָגֵן אַבְרָהָם.

אַתָּה גִּבּוֹר לְעוֹלָם אֲדֹנָי מְחַיֵּה מֵתִים אַתָּה רַב לְהוֹשִׁיעַ. מְכַלְכֵּל חַיִּים בְּחֶסֶד מְחַיֵּה מֵתִים בְּרַחֲמִים רַבִּים, סוֹמֵךְ נוֹפְלִים וְרוֹפֵא חוֹלִים וּמַתִּיר אֲסוּרִים וּמְקַיֵּם אֱמוּנָתוֹ לִישֵׁנֵי עָפָר. מִי כָמוֹךָ בַּעַל גְּבוּרוֹת וּמִי דּוֹמֶה לָּךְ, מֶלֶךְ מֵמִית וּמְחַיֶּה וּמַצְמִיחַ יְשׁוּעָה.

מִי כָמוֹךָ אַב הָרַחֲמִים, זוֹכֵר יְצוּרָיו לְחַיִּים בְּרַחֲמִים.

וְנֶאֱמָן אַתָּה לְהַחֲיוֹת מֵתִים. בָּרוּךְ אַתָּה יְיָ מְחַיֵּה הַמֵּתִים.

When reciting silently:

אַתָּה קָדוֹשׁ וְשִׁמְךָ קָדוֹשׁ וּקְדוֹשִׁים בְּכָל־יוֹם יְהַלְלוּךָ סֶּלָה.

Continue on page 646.

When Ḥazzan chants Amidah, Kedushah is added.

Kedushah

כְּכָּתוּב עַל יַד נְבִיאֶךָ, וְקָרָא זֶה אֶל זֶה וְאָמַר:

קָדוֹשׁ קָדוֹשׁ קָדוֹשׁ יְיָ צְבָאוֹת, מְלֹא כָל־הָאָרֶץ כְּבוֹדוֹ.

כְּבוֹדוֹ מָלֵא עוֹלָם, מְשָׁרְתָיו שׁוֹאֲלִים זֶה לָזֶה אַיֵּה מְקוֹם כְּבוֹדוֹ, לְעֻמָּתָם בָּרוּךְ יֹאמֵרוּ:

בָּרוּךְ כְּבוֹד יְיָ מִמְּקוֹמוֹ.

מִמְּקוֹמוֹ הוּא יִפֶן בְּרַחֲמִים וְיָחֹן עַם הַמְיַחֲדִים שְׁמוֹ עֶרֶב וָבֹקֶר בְּכָל־יוֹם תָּמִיד פַּעֲמַיִם בְּאַהֲבָה שְׁמַע אוֹמְרִים:

שְׁמַע יִשְׂרָאֵל יְיָ אֱלֹהֵינוּ יְיָ אֶחָד.

הוּא אֱלֹהֵינוּ הוּא אָבִינוּ הוּא מַלְכֵּנוּ הוּא מוֹשִׁיעֵנוּ, וְהוּא יַשְׁמִיעֵנוּ בְּרַחֲמָיו שֵׁנִית לְעֵינֵי כָּל־חָי, לִהְיוֹת לָכֶם לֵאלֹהִים:

אֲנִי יְיָ אֱלֹהֵיכֶם.

אַדִּיר אַדִּירֵנוּ יְיָ אֲדוֹנֵינוּ, מָה אַדִּיר שִׁמְךָ בְּכָל־הָאָרֶץ. וְהָיָה יְיָ לְמֶלֶךְ עַל כָּל־הָאָרֶץ, בַּיּוֹם הַהוּא יִהְיֶה יְיָ אֶחָד וּשְׁמוֹ אֶחָד. וּבְדִבְרֵי קָדְשְׁךָ כָּתוּב לֵאמֹר:

יִמְלֹךְ יְיָ לְעוֹלָם אֱלֹהַיִךְ צִיּוֹן לְדֹר וָדֹר, הַלְלוּיָהּ.

לְדוֹר וָדוֹר נַגִּיד גָּדְלֶךָ, וּלְנֵצַח נְצָחִים קְדֻשָּׁתְךָ נַקְדִּישׁ. וְשִׁבְחֲךָ אֱלֹהֵינוּ מִפִּינוּ לֹא יָמוּשׁ לְעוֹלָם וָעֶד כִּי אֵל מֶלֶךְ גָּדוֹל וְקָדוֹשׁ אָתָּה.

וּבְכֵן תֵּן פַּחְדְּךָ יְיָ אֱלֹהֵינוּ עַל כָּל־מַעֲשֶׂיךָ וְאֵימָתְךָ עַל כָּל־מַה־שֶּׁבָּרָאתָ, וְיִירָאוּךָ כָּל־הַמַּעֲשִׂים וְיִשְׁתַּחֲווּ לְפָנֶיךָ כָּל־הַבְּרוּאִים, וְיֵעָשׂוּ כֻלָּם אֲגֻדָּה אַחַת לַעֲשׂוֹת רְצוֹנְךָ בְּלֵבָב שָׁלֵם, כְּמוֹ שֶׁיָּדַעְנוּ יְיָ אֱלֹהֵינוּ שֶׁהַשִּׁלְטוֹן לְפָנֶיךָ, עֹז בְּיָדְךָ וּגְבוּרָה בִּימִינֶךָ וְשִׁמְךָ נוֹרָא עַל כָּל־מַה־שֶּׁבָּרָאתָ.

וּבְכֵן תֵּן כָּבוֹד יְיָ לְעַמֶּךָ תְּהִלָּה לִירֵאֶיךָ וְתִקְוָה לְדוֹרְשֶׁיךָ וּפִתְחוֹן פֶּה לַמְיַחֲלִים לָךְ, שִׂמְחָה לְאַרְצֶךָ וְשָׂשׂוֹן לְעִירֶךָ וּצְמִיחַת קֶרֶן לְדָוִד עַבְדֶּךָ וַעֲרִיכַת נֵר לְבֶן־יִשַׁי מְשִׁיחֶךָ בִּמְהֵרָה בְיָמֵינוּ.

וּבְכֵן צַדִּיקִים יִרְאוּ וְיִשְׂמָחוּ וִישָׁרִים יַעֲלֹזוּ וַחֲסִידִים בְּרִנָּה יָגִילוּ, וְעוֹלָתָה תִּקְפָּץ־פִּיהָ וְכָל־הָרִשְׁעָה כֻּלָּהּ כְּעָשָׁן תִּכְלֶה כִּי תַעֲבִיר מֶמְשֶׁלֶת זָדוֹן מִן הָאָרֶץ.

וְתִמְלֹךְ אַתָּה יְיָ לְבַדֶּךָ עַל כָּל־מַעֲשֶׂיךָ בְּהַר צִיּוֹן מִשְׁכַּן כְּבוֹדֶךָ וּבִירוּשָׁלַיִם עִיר קָדְשֶׁךָ, כַּכָּתוּב בְּדִבְרֵי קָדְשֶׁךָ: יִמְלֹךְ יְיָ לְעוֹלָם אֱלֹהַיִךְ צִיּוֹן לְדֹר וָדֹר, הַלְלוּיָהּ.

קָדוֹשׁ אַתָּה וְנוֹרָא שְׁמֶךָ וְאֵין אֱלוֹהַּ מִבַּלְעָדֶיךָ, כַּכָּתוּב: וַיִּגְבַּהּ יְיָ צְבָאוֹת בַּמִּשְׁפָּט, וְהָאֵל הַקָּדוֹשׁ נִקְדַּשׁ בִּצְדָקָה. בָּרוּךְ אַתָּה יְיָ הַמֶּלֶךְ הַקָּדוֹשׁ.

אַתָּה בְחַרְתָּנוּ מִכָּל־הָעַמִּים, אָהַבְתָּ אוֹתָנוּ וְרָצִיתָ בָּנוּ וְרוֹמַמְתָּנוּ מִכָּל־הַלְּשׁוֹנוֹת וְקִדַּשְׁתָּנוּ בְּמִצְוֹתֶיךָ וְקֵרַבְתָּנוּ מַלְכֵּנוּ לַעֲבוֹדָתֶךָ וְשִׁמְךָ הַגָּדוֹל וְהַקָּדוֹשׁ עָלֵינוּ קָרָאתָ.

וַתִּתֶּן־לָנוּ יְיָ אֱלֹהֵינוּ בְּאַהֲבָה אֶת־יוֹם הַשַּׁבָּת הַזֶּה לִקְדֻשָּׁה וְלִמְנוּחָה וְאֶת־יוֹם הַכִּפּוּרִים הַזֶּה לִמְחִילָה וְלִסְלִיחָה וּלְכַפָּרָה וְלִמְחָל־בּוֹ אֶת־כָּל־עֲוֹנוֹתֵינוּ בְּאַהֲבָה מִקְרָא קֹדֶשׁ זֵכֶר לִיצִיאַת מִצְרָיִם.

אֱלֹהֵינוּ וֵאלֹהֵי אֲבוֹתֵינוּ, יַעֲלֶה וְיָבוֹא וְיַגִּיעַ וְיֵרָאֶה וְיֵרָצֶה וְיִשָּׁמַע
וְיִפָּקֵד וְיִזָּכֵר זִכְרוֹנֵנוּ וּפִקְדוֹנֵנוּ, וְזִכְרוֹן אֲבוֹתֵינוּ וְזִכְרוֹן מָשִׁיחַ בֶּן־
דָּוִד עַבְדֶּךָ וְזִכְרוֹן יְרוּשָׁלַיִם עִיר קָדְשֶׁךָ וְזִכְרוֹן כָּל־עַמְּךָ בֵּית
יִשְׂרָאֵל לְפָנֶיךָ, לִפְלֵיטָה וּלְטוֹבָה וּלְחֵן וּלְחֶסֶד וּלְרַחֲמִים וּלְחַיִּים
וּלְשָׁלוֹם בְּיוֹם הַכִּפּוּרִים הַזֶּה. זָכְרֵנוּ יְיָ אֱלֹהֵינוּ בּוֹ לְטוֹבָה, וּפָקְדֵנוּ
בוֹ לִבְרָכָה, וְהוֹשִׁיעֵנוּ בוֹ לְחַיִּים. וּבִדְבַר יְשׁוּעָה וְרַחֲמִים חוּס
וְחָנֵּנוּ וְרַחֵם עָלֵינוּ וְהוֹשִׁיעֵנוּ כִּי אֵלֶיךָ עֵינֵינוּ, כִּי אֵל מֶלֶךְ חַנּוּן
וְרַחוּם אָתָּה.

אֱלֹהֵינוּ וֵאלֹהֵי אֲבוֹתֵינוּ, מְחַל לַעֲוֹנוֹתֵינוּ בְּיוֹם הַשַּׁבָּת הַזֶּה וּבְיוֹם
הַכִּפּוּרִים הַזֶּה, מְחֵה וְהַעֲבֵר פְּשָׁעֵינוּ וְחַטֹּאתֵינוּ מִנֶּגֶד עֵינֶיךָ, כָּאָמוּר:
אָנֹכִי אָנֹכִי הוּא מֹחֶה פְשָׁעֶיךָ לְמַעֲנִי, וְחַטֹּאתֶיךָ לֹא אֶזְכֹּר. וְנֶאֱמַר:
מָחִיתִי כָעָב פְּשָׁעֶיךָ וְכֶעָנָן חַטֹּאתֶיךָ, שׁוּבָה אֵלַי כִּי גְאַלְתִּיךָ. וְנֶאֱמַר:
כִּי בַיּוֹם הַזֶּה יְכַפֵּר עֲלֵיכֶם לְטַהֵר אֶתְכֶם מִכֹּל חַטֹּאתֵיכֶם לִפְנֵי
יְיָ תִּטְהָרוּ. אֱלֹהֵינוּ וֵאלֹהֵי אֲבוֹתֵינוּ, רְצֵה בִמְנוּחָתֵנוּ קַדְּשֵׁנוּ
בְּמִצְוֹתֶיךָ וְתֵן חֶלְקֵנוּ בְּתוֹרָתֶךָ, שַׂבְּעֵנוּ מִטּוּבֶךָ וְשַׂמְּחֵנוּ בִּישׁוּעָתֶךָ
וְהַנְחִילֵנוּ יְיָ אֱלֹהֵינוּ בְּאַהֲבָה וּבְרָצוֹן שַׁבַּת קָדְשֶׁךָ וְיָנוּחוּ בָהּ
יִשְׂרָאֵל מְקַדְּשֵׁי שְׁמֶךָ וְטַהֵר לִבֵּנוּ לְעָבְדְּךָ בֶּאֱמֶת, כִּי אַתָּה סָלְחָן
לְיִשְׂרָאֵל וּמָחֳלָן לְשִׁבְטֵי יְשֻׁרוּן בְּכָל־דּוֹר וָדוֹר וּמִבַּלְעָדֶיךָ אֵין
לָנוּ מֶלֶךְ מוֹחֵל וְסוֹלֵחַ אֶלָּא אָתָּה. בָּרוּךְ אַתָּה יְיָ מֶלֶךְ מוֹחֵל
וְסוֹלֵחַ לַעֲוֹנוֹתֵינוּ וְלַעֲוֹנוֹת עַמּוֹ בֵּית יִשְׂרָאֵל וּמַעֲבִיר אַשְׁמוֹתֵינוּ
בְּכָל־שָׁנָה וְשָׁנָה, מֶלֶךְ עַל כָּל־הָאָרֶץ מְקַדֵּשׁ הַשַּׁבָּת וְיִשְׂרָאֵל
וְיוֹם הַכִּפּוּרִים.

רְצֵה יְיָ אֱלֹהֵינוּ בְּעַמְּךָ יִשְׂרָאֵל וּבִתְפִלָּתָם וְהָשֵׁב אֶת־הָעֲבוֹדָה
לִדְבִיר בֵּיתֶךָ וּתְפִלָּתָם בְּאַהֲבָה תְקַבֵּל בְּרָצוֹן וּתְהִי לְרָצוֹן תָּמִיד

עֲבוֹדַת יִשְׂרָאֵל עַמֶּךָ. וְתֶחֱזֶינָה עֵינֵינוּ בְּשׁוּבְךָ לְצִיּוֹן בְּרַחֲמִים. בָּרוּךְ אַתָּה יְיָ הַמַּחֲזִיר שְׁכִינָתוֹ לְצִיּוֹן.

מוֹדִים אֲנַחְנוּ לָךְ שָׁאַתָּה הוּא יְיָ אֱלֹהֵינוּ וֵאלֹהֵי אֲבוֹתֵינוּ לְעוֹלָם וָעֶד, צוּר חַיֵּינוּ מָגֵן יִשְׁעֵנוּ אַתָּה הוּא. לְדוֹר וָדוֹר נוֹדֶה לְּךָ וּנְסַפֵּר תְּהִלָּתֶךָ עַל חַיֵּינוּ הַמְּסוּרִים בְּיָדֶךָ וְעַל נִשְׁמוֹתֵינוּ הַפְּקוּדוֹת לָךְ וְעַל נִסֶּיךָ שֶׁבְּכָל־יוֹם עִמָּנוּ וְעַל נִפְלְאוֹתֶיךָ וְטוֹבוֹתֶיךָ שֶׁבְּכָל־עֵת עֶרֶב וָבֹקֶר וְצָהֳרָיִם. הַטּוֹב כִּי לֹא כָלוּ רַחֲמֶיךָ וְהַמְרַחֵם כִּי לֹא תַמּוּ חֲסָדֶיךָ מֵעוֹלָם קִוִּינוּ לָךְ.

וְעַל כֻּלָּם יִתְבָּרַךְ וְיִתְרוֹמַם שִׁמְךָ מַלְכֵּנוּ תָּמִיד לְעוֹלָם וָעֶד.

וּכְתֹב לְחַיִּים טוֹבִים כָּל־בְּנֵי בְרִיתֶךָ.

וְכֹל הַחַיִּים יוֹדוּךָ סֶּלָה וִיהַלְלוּ אֶת־שִׁמְךָ בֶּאֱמֶת הָאֵל יְשׁוּעָתֵנוּ וְעֶזְרָתֵנוּ סֶלָה. בָּרוּךְ אַתָּה יְיָ הַטּוֹב שִׁמְךָ וּלְךָ נָאֶה לְהוֹדוֹת.

שִׂים שָׁלוֹם בָּעוֹלָם, טוֹבָה וּבְרָכָה חֵן וָחֶסֶד וְרַחֲמִים עָלֵינוּ וְעַל כָּל־יִשְׂרָאֵל עַמֶּךָ. בָּרְכֵנוּ אָבִינוּ כֻּלָּנוּ כְּאֶחָד בְּאוֹר פָּנֶיךָ, כִּי בְאוֹר פָּנֶיךָ נָתַתָּ לָּנוּ, יְיָ אֱלֹהֵינוּ, תּוֹרַת חַיִּים וְאַהֲבַת חֶסֶד וּצְדָקָה וּבְרָכָה וְרַחֲמִים וְחַיִּים וְשָׁלוֹם. וְטוֹב בְּעֵינֶיךָ לְבָרֵךְ אֶת־עַמְּךָ יִשְׂרָאֵל בְּכָל־עֵת וּבְכָל־שָׁעָה בִּשְׁלוֹמֶךָ.

בְּסֵפֶר חַיִּים בְּרָכָה וְשָׁלוֹם וּפַרְנָסָה טוֹבָה נִזָּכֵר וְנִכָּתֵב לְפָנֶיךָ אֲנַחְנוּ וְכָל־עַמְּךָ בֵּית יִשְׂרָאֵל לְחַיִּים טוֹבִים וּלְשָׁלוֹם.

בָּרוּךְ אַתָּה יְיָ עוֹשֵׂה הַשָּׁלוֹם.

אֱלֹהֵינוּ וֵאלֹהֵי אֲבוֹתֵינוּ, תָּבוֹא לְפָנֶיךָ תְּפִלָּתֵנוּ וְאַל תִּתְעַלַּם מִתְּחִנָּתֵנוּ, שֶׁאֵין אֲנַחְנוּ עַזֵּי פָנִים וּקְשֵׁי עֹרֶף לוֹמַר לְפָנֶיךָ, יְיָ

אֱלֹהֵינוּ וֵאלֹהֵי אֲבוֹתֵינוּ, צַדִּיקִים אֲנַחְנוּ וְלֹא חָטָאנוּ, אֲבָל אֲנַחְנוּ חָטָאנוּ.

אָשַׁמְנוּ, בָּגַדְנוּ, גָּזַלְנוּ, דִּבַּרְנוּ דֹפִי.
הֶעֱוִינוּ, וְהִרְשַׁעְנוּ, זַדְנוּ, חָמַסְנוּ,
טָפַלְנוּ שֶׁקֶר. יָעַצְנוּ רָע, כִּזַּבְנוּ, לַצְנוּ,
מָרַדְנוּ, נִאַצְנוּ, סָרַרְנוּ, עָוִינוּ,
פָּשַׁעְנוּ, צָרַרְנוּ, קִשִּׁינוּ עֹרֶף. רָשַׁעְנוּ,
שִׁחַתְנוּ, תִּעַבְנוּ, תָּעִינוּ, תִּעְתָּעְנוּ.

סַרְנוּ מִמִּצְוֹתֶיךָ וּמִמִּשְׁפָּטֶיךָ הַטּוֹבִים וְלֹא שָׁוָה לָנוּ, וְאַתָּה צַדִּיק עַל כָּל־הַבָּא עָלֵינוּ, כִּי אֱמֶת עָשִׂיתָ וַאֲנַחְנוּ הִרְשָׁעְנוּ. מַה־נֹּאמַר לְפָנֶיךָ יוֹשֵׁב מָרוֹם וּמַה־נְּסַפֵּר לְפָנֶיךָ שׁוֹכֵן שְׁחָקִים. הֲלֹא כָּל־הַנִּסְתָּרוֹת וְהַנִּגְלוֹת אַתָּה יוֹדֵעַ.

אַתָּה יוֹדֵעַ רָזֵי עוֹלָם וְתַעֲלוּמוֹת סִתְרֵי כָל־חָי. אַתָּה חוֹפֵשׂ כָּל־חַדְרֵי־בָטֶן וּבוֹחֵן כְּלָיוֹת וָלֵב. אֵין דָּבָר נֶעְלָם מִמֶּךָּ וְאֵין נִסְתָּר מִנֶּגֶד עֵינֶיךָ.

וּבְכֵן יְהִי רָצוֹן מִלְּפָנֶיךָ, יְיָ אֱלֹהֵינוּ וֵאלֹהֵי אֲבוֹתֵינוּ, שֶׁתִּסְלַח לָנוּ עַל כָּל־חַטֹּאתֵינוּ וְתִמְחַל לָנוּ עַל כָּל־עֲוֹנוֹתֵינוּ וּתְכַפֶּר־לָנוּ עַל כָּל־פְּשָׁעֵינוּ.

עַל חֵטְא שֶׁחָטָאנוּ לְפָנֶיךָ בְּאֹנֶס,
וְעַל חֵטְא שֶׁחָטָאנוּ לְפָנֶיךָ בְּרָצוֹן.
עַל חֵטְא שֶׁחָטָאנוּ לְפָנֶיךָ בַּסֵּתֶר,
וְעַל חֵטְא שֶׁחָטָאנוּ לְפָנֶיךָ בַּגָּלוּי.
עַל חֵטְא שֶׁחָטָאנוּ לְפָנֶיךָ בְּשׁוֹגֵג,
וְעַל חֵטְא שֶׁחָטָאנוּ לְפָנֶיךָ בְּמֵזִיד.

וְעַל כֻּלָּם אֱלוֹהַּ סְלִיחוֹת, סְלַח לָנוּ, מְחַל לָנוּ, כַּפֶּר־לָנוּ.

וְעַל מִצְוַת עֲשֵׂה וְעַל מִצְוַת לֹא תַעֲשֶׂה, בֵּין שֶׁיֶּשׁ־בָּהּ קוּם עֲשֵׂה וּבֵין שֶׁאֵין בָּהּ קוּם עֲשֵׂה, אֶת־הַגְּלוּיִים לָנוּ וְאֶת־שֶׁאֵינָם גְּלוּיִים לָנוּ. אֶת־הַגְּלוּיִים לָנוּ כְּבָר אֲמַרְנוּם לְפָנֶיךָ וְהוֹדִינוּ לְךָ עֲלֵיהֶם, וְאֶת־שֶׁאֵינָם גְּלוּיִים לָנוּ לְפָנֶיךָ הֵם גְּלוּיִים וִידוּעִים, כַּדָּבָר שֶׁנֶּאֱמַר: הַנִּסְתָּרֹת לַייָ אֱלֹהֵינוּ, וְהַנִּגְלֹת לָנוּ וּלְבָנֵינוּ עַד עוֹלָם לַעֲשׂוֹת אֶת־כָּל־דִּבְרֵי הַתּוֹרָה הַזֹּאת. כִּי אַתָּה סָלְחָן לְיִשְׂרָאֵל וּמָחֳלָן לְשִׁבְטֵי יְשֻׁרוּן בְּכָל־דּוֹר וָדוֹר וּמִבַּלְעָדֶיךָ אֵין לָנוּ מֶלֶךְ מוֹחֵל וְסוֹלֵחַ אֶלָּא אָתָּה.

At the conclusion of the silent Amidah personal prayers may be added, before or instead of the following.

אֱלֹהַי, עַד שֶׁלֹּא נוֹצַרְתִּי אֵינִי כְדַי וְעַכְשָׁו שֶׁנּוֹצַרְתִּי כְּאִלּוּ לֹא נוֹצַרְתִּי. עָפָר אֲנִי בְּחַיַּי, קַל וָחֹמֶר בְּמִיתָתִי, הֲרֵי אֲנִי לְפָנֶיךָ כִּכְלִי מָלֵא בוּשָׁה וּכְלִמָּה. יְהִי רָצוֹן מִלְּפָנֶיךָ יְיָ אֱלֹהַי וֵאלֹהֵי אֲבוֹתַי שֶׁלֹּא אֶחֱטָא עוֹד, וּמַה־שֶּׁחָטָאתִי לְפָנֶיךָ מָרֵק בְּרַחֲמֶיךָ הָרַבִּים, אֲבָל לֹא עַל יְדֵי יִסּוּרִים וָחֳלָיִים רָעִים.

אֱלֹהַי, נְצֹר לְשׁוֹנִי מֵרָע וּשְׂפָתַי מִדַּבֵּר מִרְמָה, וְלִמְקַלְלַי נַפְשִׁי תִדֹּם וְנַפְשִׁי כֶּעָפָר לַכֹּל תִּהְיֶה. פְּתַח לִבִּי בְּתוֹרָתֶךָ וּבְמִצְוֹתֶיךָ תִּרְדֹּף נַפְשִׁי. וְכֹל הַחוֹשְׁבִים עָלַי רָעָה, מְהֵרָה הָפֵר עֲצָתָם וְקַלְקֵל מַחֲשַׁבְתָּם. עֲשֵׂה לְמַעַן שְׁמֶךָ, עֲשֵׂה לְמַעַן יְמִינֶךָ, עֲשֵׂה לְמַעַן קְדֻשָּׁתֶךָ, עֲשֵׂה לְמַעַן תּוֹרָתֶךָ, לְמַעַן יֵחָלְצוּן יְדִידֶיךָ הוֹשִׁיעָה יְמִינְךָ וַעֲנֵנִי. יִהְיוּ לְרָצוֹן אִמְרֵי־פִי וְהֶגְיוֹן לִבִּי לְפָנֶיךָ, יְיָ צוּרִי וְגֹאֲלִי. עֹשֶׂה שָׁלוֹם בִּמְרוֹמָיו הוּא יַעֲשֶׂה שָׁלוֹם עָלֵינוּ וְעַל כָּל־יִשְׂרָאֵל, וְאִמְרוּ אָמֵן.

In congregations where the Ḥazzan chanted the Amidah through Kedushah, the service is concluded with Kaddish Shalem, page 680.

When the entire Amidah has been recited silently, the Ḥazzan begins his recitation of the Amidah on page 654.

Reflections

This was the procedure followed on the last of seven days of public fasting occasioned by unrelieved drought. The Ark was carried into the town's main square, and ashes were strewn upon it. Ashes were also strewn upon the heads of the community's leader (*nasi*) and of the chief of the court (*av bet din*). Everyone present then took some ashes to put on his own head. And the eldest among them addressed these words of admonition to all:

Brethren! It is not said of the people of Nineveh that God saw their sackcloth and their fasting. But it is written that "God saw what they did, how they were turning from their evil ways" (Jonah 3:10). And it is written: "Rend your heart, not your garments, and turn back to the Lord your God, for He is gracious and compassionate, patient and abounding in kindness" (Joel 2:13).

Before God created the world He created repentance, so that it would be possible for men to turn from evil ways.

Before creating man, the Holy One spoke to the Torah: "Let us make man in our image, after our likeness" (Genesis 1:26). The Torah replied: "Lord of the universe! The world is Yours, and this man whom You want to create will be Yours. But he will be short on years and long on irritation and will fall into the hands of sin, and if You are not patient with him he would be better off not having been created." Said the Holy One: "Is it for naught that I am called "patient and abounding in kindness?"

The Book of Jonah may be described as a *mashal* . . . a parable, a comparison. In this *mashal* only God is not a metaphor. God is God, but Jonah ben Amittai is no prophet. Not in any narrow sense is he a prophet. He is the people Israel entrusted with a prophetic task. He is men of any color called to serve. He is any man, "everyman"; he is we. In the *mashal*, the city of

Nineveh is no longer the cruel seat of the ruthless Assyrian Empire. It is simply a foreign place, a remote place, neither the fifth nor the eighth pre-Christian century. It is neither the author's time nor the time of Jeroboam II and the historical Jonah ben Amittai. It is the once-upon-a-time, any time, our time. Tarshish is not a Mediterranean port significant for itself. It is anywhere . . . anywhere but the right place. It is the opposite direction, the direction a man takes when he turns his back on his destiny, the direction we take when we turn our back on our destiny. The "great fish" is no whale, no known or unidentified extinct or mythological monster of the sea. It is whatever keeps a people on its course, whatever prevents man from running quite away: character, history, "fate" to the Greek. To the Jew, God, a manifestation of God's generous will.

Only through love of God can God himself enable us to come to Him. Whoever merely fears God denies himself love of the Divine, makes it impossible for himself to experience it. This was known to Amos, who left us the teaching: "Hate the evil, and love the good, and establish judgment in the gate: it may be that the Lord God of hosts will be gracious unto the remnant of Joseph."

The prophet is not merely one who predicts events which will or which must occur in the future. If he were no more than that, there would be no difference between a prophet and a pagan oracle. For the oracle there is no "if" . . . no matter how man should act or fail to act. The decree which the pagan oracle knows is . . . Fate, unchangeable and immutable. Neither human will nor even the will of the gods can alter it. . . . The catastrophe predicted by the oracle is not a punishment for transgression, and has very little relation to morality or immorality. . . .

There is no Fate within the whole Jewish concept. There is no faith in blind decrees. . . . Jonah wanted to see an immutable decree in God's decision to destroy Nineveh. Had he been certain that God interpreted the decision in the same way, he would not have fled to Tarshish. Therein lay his transgression. Instead of being a prophet whose prophecy would bring warning and move the sinful to repent and to purge themselves of their sin, he preferred being an oracle, a *golem* through whom spoke the blind, brutal future. By this he lowered the prophetic calling; he destroyed the conditional nature of God's decrees. He confused God's hatred of the evil in man with God's hatred of the evil man, as if the evil man were evil in essence and beyond hope, and condemned forever to be wicked and with no hope of repentance open to him. By his disbelief in repentance and God's duty to accept it . . . he became a blasphemer, closer to paganism than to the Jewish God.

There were once some lawless men who caused Rabbi Meir a great deal of trouble. Rabbi Meir accordingly prayed that they should die. His wife Beruriah said to him: "How can you think that such a prayer is permitted?. . . . When *sin* ceases there will be no more wicked men. Therefore pray for them that they turn from their ways, and there will be no more wicked." Then he prayed on their behalf.

How does a man find his Father in Heaven? He finds Him by doing good deeds and by studying the Torah.
How does the Holy One find man? He finds him through love, through harmony, through reverence, through companionship, through truth, through peace, through humility, through modesty, through more study, through less commerce, through service of the wise, through the discussion of students, through decency, through No that is really No, through Yes that is really Yes.

Every person should have certain words written on scraps of paper in each of two pockets, so that he can reach into one or the other to take what he needs at the time. In one pocket he should have the words, "For my sake was the world created." And in the other: "I am dust and ashes."

Amidah

The Ḥazzan leads in reciting the Amidah.

God of our fathers

בָּרוּךְ אַתָּה יְיָ אֱלֹהֵינוּ וֵאלֹהֵי אֲבוֹתֵינוּ, אֱלֹהֵי אַבְרָהָם אֱלֹהֵי יִצְחָק וֵאלֹהֵי יַעֲקֹב, הָאֵל הַגָּדוֹל הַגִּבּוֹר וְהַנּוֹרָא אֵל עֶלְיוֹן גּוֹמֵל חֲסָדִים טוֹבִים וְקוֹנֵה הַכֹּל, וְזוֹכֵר חַסְדֵי אָבוֹת וּמֵבִיא גוֹאֵל לִבְנֵי בְנֵיהֶם לְמַעַן שְׁמוֹ בְּאַהֲבָה.

מִסּוֹד חֲכָמִים וּנְבוֹנִים, וּמִלֶּמֶד דַּעַת מְבִינִים, אֶפְתְּחָה פִּי בִּתְפִלָּה וּבְתַחֲנוּנִים, לְחַלּוֹת וּלְחַנֵּן פְּנֵי מֶלֶךְ מָלֵא רַחֲמִים מוֹחֵל וְסוֹלֵחַ לַעֲוֹנִים.

זָכְרֵנוּ לְחַיִּים מֶלֶךְ חָפֵץ בַּחַיִּים,
וְכָתְבֵנוּ בְּסֵפֶר הַחַיִּים לְמַעַנְךָ אֱלֹהִים חַיִּים.

מֶלֶךְ עוֹזֵר וּמוֹשִׁיעַ וּמָגֵן. בָּרוּךְ אַתָּה יְיָ מָגֵן אַבְרָהָם.

Master of nature

אַתָּה גִּבּוֹר לְעוֹלָם אֲדֹנָי מְחַיֵּה מֵתִים אַתָּה רַב לְהוֹשִׁיעַ. מְכַלְכֵּל חַיִּים בְּחֶסֶד מְחַיֵּה מֵתִים בְּרַחֲמִים רַבִּים, סוֹמֵךְ נוֹפְלִים וְרוֹפֵא חוֹלִים וּמַתִּיר אֲסוּרִים וּמְקַיֵּם אֱמוּנָתוֹ לִישֵׁנֵי עָפָר. מִי כָמוֹךָ בַּעַל גְּבוּרוֹת וּמִי דוֹמֶה לָּךְ, מֶלֶךְ מֵמִית וּמְחַיֶּה וּמַצְמִיחַ יְשׁוּעָה.

מִי כָמוֹךָ אַב הָרַחֲמִים, זוֹכֵר יְצוּרָיו לְחַיִּים בְּרַחֲמִים.

וְנֶאֱמָן אַתָּה לְהַחֲיוֹת מֵתִים. בָּרוּךְ אַתָּה יְיָ מְחַיֵּה הַמֵּתִים.

Holy, awesome God

יִמְלֹךְ יְיָ לְעוֹלָם אֱלֹהַיִךְ צִיּוֹן לְדֹר וָדֹר, הַלְלוּיָהּ.

וְאַתָּה קָדוֹשׁ, יוֹשֵׁב תְּהִלּוֹת יִשְׂרָאֵל, אֵל נָא.

Amidah

The Ḥazzan leads in reciting the Amidah.

God of our fathers

Praised are You, Lord our God and God of our fathers, God of Abraham, of Isaac and of Jacob, great, mighty, awesome, exalted God, bestowing lovingkindness and creating all things. You remember the pious deeds of our fathers, and will send a redeemer to their children's children because of Your love and for the sake of Your glory.

Prompted by teachings of our sages, guided by traditions of the ages, I open my mouth in prayer and petition, before the merciful King who forgives our sins at this time of contrition.

Zokhrei-nu l'ḥayyim melekh ḥafeitz b'ḥayyim
v'khot-veinu b'seifer ha-ḥayyim, l'ma-ankha Elohim ḥayyim.

Remember us that we may live, O King who delights in life.
Inscribe us in the Book of Life, for Your sake, living God.

You are the King who helps and saves and shields. Praised are You, Lord, Shield of Abraham.

Master of nature

Your might, O Lord, is boundless. Your lovingkindness sustains the living, Your great mercies give life to the dead. You support the falling, heal the ailing, free the fettered. You keep Your faith with those who sleep in dust. Whose power can compare with Yours? You are the master of life and death and deliverance.

Whose mercy can compare with Yours, merciful Father?
In mercy You remember Your creatures with life.

Faithful are You in giving life to the dead. Praised are You, Lord. Master of life and death.

Holy, awesome God

The Lord shall reign through all generations; your God, Zion, shall reign forever. Halleluyah. You are holy, Lord, enthroned upon the praises of the House of Israel.

Kedushah

We rise.

כְּכָּתוּב עַל יַד נְבִיאֶךָ, וְקָרָא זֶה אֶל זֶה וְאָמַר:

קָדוֹשׁ קָדוֹשׁ קָדוֹשׁ יְיָ צְבָאוֹת, מְלֹא כָל־הָאָרֶץ כְּבוֹדוֹ.

כְּבוֹדוֹ מָלֵא עוֹלָם, מְשָׁרְתָיו שׁוֹאֲלִים זֶה לָזֶה אַיֵּה מְקוֹם כְּבוֹדוֹ, לְעֻמָּתָם בָּרוּךְ יֹאמֵרוּ:

בָּרוּךְ כְּבוֹד יְיָ מִמְּקוֹמוֹ.

מִמְּקוֹמוֹ הוּא יִפֶן בְּרַחֲמִים וְיָחֹן עַם הַמְיַחֲדִים שְׁמוֹ עֶרֶב וָבֹקֶר בְּכָל־יוֹם תָּמִיד פַּעֲמַיִם בְּאַהֲבָה שְׁמַע אוֹמְרִים:

שְׁמַע יִשְׂרָאֵל יְיָ אֱלֹהֵינוּ יְיָ אֶחָד.

הוּא אֱלֹהֵינוּ הוּא אָבִינוּ הוּא מַלְכֵּנוּ הוּא מוֹשִׁיעֵנוּ, וְהוּא יַשְׁמִיעֵנוּ בְּרַחֲמָיו שֵׁנִית לְעֵינֵי כָּל־חָי, לִהְיוֹת לָכֶם לֵאלֹהִים:

אֲנִי יְיָ אֱלֹהֵיכֶם.

אַדִּיר אַדִּירֵנוּ, יְיָ אֲדוֹנֵינוּ, מָה אַדִּיר שִׁמְךָ בְּכָל־הָאָרֶץ. וְהָיָה יְיָ לְמֶלֶךְ עַל כָּל־הָאָרֶץ, בַּיּוֹם הַהוּא יִהְיֶה יְיָ אֶחָד וּשְׁמוֹ אֶחָד. וּבְדִבְרֵי קָדְשְׁךָ כָּתוּב לֵאמֹר:

יִמְלֹךְ יְיָ לְעוֹלָם אֱלֹהַיִךְ צִיּוֹן לְדֹר וָדֹר, הַלְלוּיָהּ.

לְדוֹר וָדוֹר נַגִּיד גָּדְלֶךָ, וּלְנֵצַח נְצָחִים קְדֻשָּׁתְךָ נַקְדִּישׁ. וְשִׁבְחֲךָ אֱלֹהֵינוּ מִפִּינוּ לֹא יָמוּשׁ לְעוֹלָם וָעֶד כִּי אֵל מֶלֶךְ גָּדוֹל וְקָדוֹשׁ אָתָּה.

We are seated.

Kedushah

We rise.

In Your prophet's vision, the angels called one to another:

Ka-dosh ka-dosh ka-dosh Adonai tz'va-ot, m'lo khol ha-aretz k'vodo.

Holy, holy, holy Lord of hosts. The whole world is filled with His glory.

His glory fills the universe. When one angelic chorus asks, "Where is His glory?" another responds with praise:

Barukh k'vod Adonai mi-m'komo.

Praised is the Lord's glory throughout the universe.

May He turn in compassion, granting mercy to His people who twice daily, morning and evening, proclaim His Oneness with love:

Sh'ma yisra-el Adonai Elo-heinu Adonai eḥad.

Hear, O Israel: The Lord our God, the Lord is One.

He is our God and our Father. He is our King and our Redeemer. And in His mercy again will He declare, before all the world:

Ani Adonai Elo-hei-khem.

I am the Lord your God.

Our Lord eternal, how magnificent Your name in all the world. The Lord shall be acknowledged King of all the earth. On that day the Lord shall be One and His name One. And thus sang the Psalmist:

Yimlokh Adonai l'olam elo-hayikh tzi-yon l'dor vador, ha-le-luyah.

The Lord shall reign through all generations; your God, Zion, shall reign forever. Halleluyah.

We declare Your greatness through all generations, hallow Your holiness to all eternity. Your praise will never leave our lips, for You are God and King, great and holy.

We are seated.

חֲמֹל עַל מַעֲשֶׂיךָ וְתִשְׂמַח בְּמַעֲשֶׂיךָ, וְיֹאמְרוּ לְךָ חוֹסֶיךָ בְּצַדֶּקְךָ עֲמוּסֶיךָ, תֻּקְדַּשׁ אָדוֹן עַל כָּל־מַעֲשֶׂיךָ.

וּבְכֵן תֵּן פַּחְדְּךָ יְיָ אֱלֹהֵינוּ עַל כָּל־מַעֲשֶׂיךָ וְאֵימָתְךָ עַל כָּל־מַה־שֶּׁבָּרָאתָ, וְיִירָאוּךָ כָּל־הַמַּעֲשִׂים וְיִשְׁתַּחֲווּ לְפָנֶיךָ כָּל־הַבְּרוּאִים, וְיֵעָשׂוּ כֻלָּם אֲגֻדָּה אַחַת לַעֲשׂוֹת רְצוֹנְךָ בְּלֵבָב שָׁלֵם, כְּמוֹ שֶׁיָּדַעְנוּ יְיָ אֱלֹהֵינוּ שֶׁהַשִּׁלְטוֹן לְפָנֶיךָ, עֹז בְּיָדְךָ וּגְבוּרָה בִּימִינֶךָ וְשִׁמְךָ נוֹרָא עַל כָּל־מַה־שֶּׁבָּרָאתָ.

וּבְכֵן תֵּן כָּבוֹד יְיָ לְעַמֶּךָ תְּהִלָּה לִירֵאֶיךָ וְתִקְוָה לְדוֹרְשֶׁיךָ וּפִתְחוֹן פֶּה לַמְיַחֲלִים לָךְ, שִׂמְחָה לְאַרְצֶךָ וְשָׂשׂוֹן לְעִירֶךָ וּצְמִיחַת קֶרֶן לְדָוִד עַבְדֶּךָ וַעֲרִיכַת נֵר לְבֶן־יִשַׁי מְשִׁיחֶךָ בִּמְהֵרָה בְיָמֵינוּ.

וּבְכֵן צַדִּיקִים יִרְאוּ וְיִשְׂמָחוּ וִישָׁרִים יַעֲלֹזוּ וַחֲסִידִים בְּרִנָּה יָגִילוּ, וְעוֹלָתָה תִּקְפָּץ־פִּיהָ וְכָל־הָרִשְׁעָה כֻּלָּהּ כְּעָשָׁן תִּכְלֶה כִּי תַעֲבִיר מֶמְשֶׁלֶת זָדוֹן מִן הָאָרֶץ.

וְתִמְלֹךְ אַתָּה יְיָ לְבַדֶּךָ עַל כָּל־מַעֲשֶׂיךָ בְּהַר צִיּוֹן מִשְׁכַּן כְּבוֹדֶךָ וּבִירוּשָׁלַיִם עִיר קָדְשֶׁךָ, כַּכָּתוּב בְּדִבְרֵי קָדְשֶׁךָ: יִמְלֹךְ יְיָ לְעוֹלָם אֱלֹהַיִךְ צִיּוֹן לְדֹר וָדֹר, הַלְלוּיָהּ.

קָדוֹשׁ אַתָּה וְנוֹרָא שְׁמֶךָ וְאֵין אֱלוֹהַּ מִבַּלְעָדֶיךָ, כַּכָּתוּב: וַיִּגְבַּהּ יְיָ צְבָאוֹת בַּמִּשְׁפָּט, וְהָאֵל הַקָּדוֹשׁ נִקְדַּשׁ בִּצְדָקָה. בָּרוּךְ אַתָּה יְיָ הַמֶּלֶךְ הַקָּדוֹשׁ.

You sanctify this day of pardon and forgiveness

אַתָּה בְחַרְתָּנוּ מִכָּל־הָעַמִּים, אָהַבְתָּ אוֹתָנוּ וְרָצִיתָ בָּנוּ וְרוֹמַמְתָּנוּ מִכָּל־הַלְּשׁוֹנוֹת וְקִדַּשְׁתָּנוּ בְּמִצְוֹתֶיךָ וְקֵרַבְתָּנוּ מַלְכֵּנוּ לַעֲבוֹדָתֶךָ וְשִׁמְךָ הַגָּדוֹל וְהַקָּדוֹשׁ עָלֵינוּ קָרָאתָ.

Have mercy for Your creatures, and rejoice in them. When in mercy You acquit Your flock on this day of judgment, those who trust in You shall declare: Be hallowed, Lord, through all You have created.

O Lord our God, let all Your creatures sense Your awesome power, let all that You have fashioned stand in fear and trembling. Let all mankind pledge You their allegiance, united wholeheartedly to carry out Your will. For we know, Lord our God, that Your sovereignty, Your power and Your awesome majesty are supreme over all creation.

Grant honor, Lord, to Your people, glory to those who revere You, hope to those who seek You and confidence to those who await You. Grant joy to Your land and gladness to Your city. Kindle the lamp of Your anointed servant, David, by fulfilling our prayers for the days of Messiah soon, in our days.

Then will the righteous be glad, the upright rejoice, the pious celebrate in song. When You remove the tyranny of arrogance from the earth, evil will be silenced, all wickedness will vanish like smoke.

Then You alone will rule all creation from Mount Zion, Your glorious throne, from Jerusalem, Your holy city. So is it written in the Psalms of David: The Lord will reign through all generations; your God, Zion, will reign forever. Halleluyah!

Holy, awesome, there is no God but You. Thus is it written by Your prophet: The Lord is exalted in justice, His holiness is seen in lovingkindness. Praised are You, Lord, holy King.

You sanctify this day of pardon and forgiveness

You have chosen us of all nations for Your service by loving and favoring us as bearers of Your Torah. You have exalted us as a people by sanctifying us with Your commandments, identifying us with Your great and holy name.

וַתִּתֶּן־לָֽנוּ יְיָ אֱלֹהֵֽינוּ בְּאַהֲבָה אֶת־יוֹם הַשַּׁבָּת הַזֶּה לִקְדֻשָּׁה וְלִמְנוּחָה וְאֶת־יוֹם הַכִּפּוּרִים הַזֶּה לִמְחִילָה וְלִסְלִיחָה וּלְכַפָּרָה וְלִמְחָל־בּוֹ אֶת־כָּל־עֲוֹנוֹתֵֽינוּ בְּאַהֲבָה מִקְרָא קֹֽדֶשׁ זֵֽכֶר לִיצִיאַת מִצְרָֽיִם.

אֱלֹהֵֽינוּ וֵאלֹהֵי אֲבוֹתֵֽינוּ, יַעֲלֶה וְיָבוֹא וְיַגִּֽיעַ וְיֵרָאֶה וְיֵרָצֶה וְיִשָּׁמַע וְיִפָּקֵד וְיִזָּכֵר זִכְרוֹנֵֽנוּ וּפִקְדוֹנֵֽנוּ, וְזִכְרוֹן אֲבוֹתֵֽינוּ וְזִכְרוֹן מָשִֽׁיחַ בֶּן־דָּוִד עַבְדֶּֽךָ וְזִכְרוֹן יְרוּשָׁלַֽיִם עִיר קָדְשֶֽׁךָ וְזִכְרוֹן כָּל־עַמְּךָ בֵּית יִשְׂרָאֵל לְפָנֶֽיךָ, לִפְלֵיטָה וּלְטוֹבָה וּלְחֵן וּלְחֶֽסֶד וּלְרַחֲמִים וּלְחַיִּים וּלְשָׁלוֹם בְּיוֹם הַכִּפּוּרִים הַזֶּה. זָכְרֵֽנוּ יְיָ אֱלֹהֵֽינוּ בּוֹ לְטוֹבָה, וּפָקְדֵֽנוּ בוֹ לִבְרָכָה, וְהוֹשִׁיעֵֽנוּ בוֹ לְחַיִּים. וּבִדְבַר יְשׁוּעָה וְרַחֲמִים חוּס וְחָנֵּֽנוּ וְרַחֵם עָלֵֽינוּ וְהוֹשִׁיעֵֽנוּ כִּי אֵלֶֽיךָ עֵינֵֽינוּ, כִּי אֵל מֶֽלֶךְ חַנּוּן וְרַחוּם אָֽתָּה.

Seliḥot

אֵל מֶֽלֶךְ יוֹשֵׁב עַל כִּסֵּא רַחֲמִים, מִתְנַהֵג בַּחֲסִידוּת, מוֹחֵל עֲוֹנוֹת עַמּוֹ, מַעֲבִיר רִאשׁוֹן רִאשׁוֹן, מַרְבֶּה מְחִילָה לְחַטָּאִים וּסְלִיחָה לְפוֹשְׁעִים. עוֹשֶׂה צְדָקוֹת עִם כָּל־בָּשָׂר וָרֽוּחַ, וְלֹא כְרָעָתָם תִּגְמֹל.

אֵל הוֹרֵֽיתָ לָּֽנוּ לוֹמַר שְׁלֹשׁ עֶשְׂרֵה, זְכָר־לָֽנוּ הַיּוֹם בְּרִית שְׁלֹשׁ עֶשְׂרֵה, כְּהוֹדַֽעְתָּ לֶעָנָו מִקֶּֽדֶם, וְכֵן כָּתוּב: וַיֵּֽרֶד יְיָ בֶּעָנָן וַיִּתְיַצֵּב עִמּוֹ שָׁם, וַיִּקְרָא בְשֵׁם יְיָ. וַיַּעֲבֹר יְיָ עַל פָּנָיו וַיִּקְרָא:

The covenant

יְיָ יְיָ אֵל רַחוּם וְחַנּוּן, אֶֽרֶךְ אַפַּֽיִם וְרַב חֶֽסֶד וֶאֱמֶת
נֹצֵר חֶֽסֶד לָאֲלָפִים נֹשֵׂא עָוֹן וָפֶֽשַׁע וְחַטָּאָה, וְנַקֵּה.

וְסָלַחְתָּ לַעֲוֹנֵֽנוּ וּלְחַטָּאתֵֽנוּ, וּנְחַלְתָּֽנוּ.

Lord our God, lovingly have You given us this *Shabbat for sanctity and rest, and this* Yom Kippur for pardon, forgiveness and atonement, to pardon us for all our sins, a day for holy assembly and for recalling the Exodus from Egypt.

Our God and God of our fathers, on this Yom Kippur remember our fathers and be gracious to us. Consider the people standing before You praying for the days of Messiah and for Jerusalem Your holy city. Grant us life, well-being, lovingkindness and peace. Bless us, Lord our God, with all that is good. Remember Your promise of mercy and redemption. Be merciful to us and save us, for we place our hope in You, gracious and merciful God and King.

Seliḥot

Our God and King, enthroned upon compassion, rules with lovingkindness, forgives the transgressions of His people, and repeatedly pardons. He generously forgives sin, and deals mercifully with all mortals.

You have taught us, Lord, to recite the words which You proclaimed to Moses, declaring Your attributes of mercy. Remember in our favor Your covenant of compassion which You then revealed. Thus it is written in Your Torah: The Lord descended in a cloud and stood with him there, and proclaimed the name Lord. The Lord passed before him and proclaimed:

The covenant

THE LORD, THE LORD GOD IS GRACIOUS AND COMPASSIONATE, PATIENT, ABOUNDING IN KINDNESS, AND FAITHFULNESS, ASSURING LOVE FOR A THOUSAND GENERATIONS, FORGIVING INIQUITY, TRANSGRESSION AND SIN, AND GRANTING PARDON.

Exodus 34:6–7

Then Moses prayed: "Pardon our iniquity and our sin; claim us for Your own."

סְלַח לָנוּ אָבִינוּ כִּי חָטָאנוּ, מְחַל לָנוּ מַלְכֵּנוּ כִּי פָשָׁעְנוּ.
כִּי אַתָּה יְיָ טוֹב וְסַלָּח וְרַב חֶסֶד לְכָל־קוֹרְאֶיךָ.

זְכָר־לָנוּ בְּרִית אָבוֹת כַּאֲשֶׁר אָמַרְתָּ: וְזָכַרְתִּי אֶת־בְּרִיתִי יַעֲקוֹב, וְאַף אֶת־בְּרִיתִי יִצְחָק וְאַף אֶת־בְּרִיתִי אַבְרָהָם אֶזְכֹּר וְהָאָרֶץ אֶזְכֹּר. זְכָר־לָנוּ בְּרִית רִאשׁוֹנִים כַּאֲשֶׁר אָמַרְתָּ: וְזָכַרְתִּי לָהֶם בְּרִית רִאשֹׁנִים, אֲשֶׁר הוֹצֵאתִי אֹתָם מֵאֶרֶץ מִצְרַיִם לְעֵינֵי הַגּוֹיִם לִהְיוֹת לָהֶם לֵאלֹהִים, אֲנִי יְיָ. רַחֵם עָלֵינוּ וְאַל תַּשְׁחִיתֵנוּ, כְּמָה שֶׁכָּתוּב: כִּי אֵל רַחוּם יְיָ אֱלֹהֶיךָ, לֹא יַרְפְּךָ וְלֹא יַשְׁחִיתֶךָ וְלֹא יִשְׁכַּח אֶת־בְּרִית אֲבֹתֶיךָ אֲשֶׁר נִשְׁבַּע לָהֶם. הִמָּצֵא לָנוּ בְּבַקָּשָׁתֵנוּ, כְּמָה שֶׁכָּתוּב: וּבִקַּשְׁתֶּם מִשָּׁם אֶת־יְיָ אֱלֹהֶיךָ וּמָצָאתָ, כִּי תִדְרְשֶׁנּוּ בְּכָל־לְבָבְךָ וּבְכָל־נַפְשֶׁךָ.

מְחֵה פְשָׁעֵינוּ כָּעָב וְכֶעָנָן, כַּאֲשֶׁר אָמַרְתָּ: מָחִיתִי כָעָב פְּשָׁעֶיךָ וְכֶעָנָן חַטֹּאותֶיךָ, שׁוּבָה אֵלַי כִּי גְאַלְתִּיךָ. זְרֹק עָלֵינוּ מַיִם טְהוֹרִים וְטַהֲרֵנוּ, כְּמָה שֶׁכָּתוּב: וְזָרַקְתִּי עֲלֵיכֶם מַיִם טְהוֹרִים וּטְהַרְתֶּם, מִכֹּל טֻמְאוֹתֵיכֶם וּמִכָּל־גִּלּוּלֵיכֶם אֲטַהֵר אֶתְכֶם. כַּפֵּר חֲטָאֵינוּ בַּיּוֹם הַזֶּה וְטַהֲרֵנוּ, כְּמָה שֶׁכָּתוּב: כִּי בַיּוֹם הַזֶּה יְכַפֵּר עֲלֵיכֶם לְטַהֵר אֶתְכֶם, מִכֹּל חַטֹּאתֵיכֶם לִפְנֵי יְיָ תִּטְהָרוּ. הֲבִיאֵנוּ אֶל הַר קָדְשֶׁךָ וְשַׂמְּחֵנוּ בְּבֵית תְּפִלָּתֶךָ, כְּמָה שֶׁכָּתוּב: וַהֲבִיאוֹתִים אֶל הַר קָדְשִׁי וְשִׂמַּחְתִּים בְּבֵית תְּפִלָּתִי . . . כִּי בֵיתִי בֵּית תְּפִלָּה יִקָּרֵא לְכָל־הָעַמִּים.

Forgive us, our Father, for we have sinned.
Pardon us, our King, for we have transgressed.

You, O Lord, are generous and forgiving.
Great is Your love for all who call to You.

Remember Your covenant with our fathers, as promised in the Torah: "I will remember My covenant with Jacob, Isaac and Abraham, and the land will I remember. . . . And I will remember My covenant with their ancestors whom I took out of the land of Egypt in the sight of all nations, to be their God. I am the Lord." Have compassion for us, destroy us not, as it is written in the Torah: "The Lord our God is compassionate. He will neither fail nor destroy you; He will not forget the covenant He made with your fathers." Be with us when we seek You, for it is written in the Torah: "When you seek the Lord your God, you will find Him if you seek with all your heart and with all your might."

Sweep aside our transgressions like a mist, disperse them like a cloud, as You have promised: "I have swept aside your transgressions like a mist, your sins are dispersed like a cloud. Return unto Me, for I have redeemed you." Purify us, as Your prophet Ezekiel promised in Your name: "I will sprinkle clean water upon you and you shall be cleansed. Of all your impurities and idolatries shall I cleanse you." Pardon our sins this day, cleanse us, as promised in the Torah: "For on this day atonement shall be made for you to cleanse you; of all your sins before the Lord you shall be cleansed." Bring us to Your holy mountain, that we may rejoice in Your house of prayer, as Your prophet Isaiah declared in Your name: "I will bring them to My holy mountain, that they may rejoice in My house of prayer, for My house of prayer shall be called a house of prayer for all people."

Sh'ma Koleinu

We rise

שְׁמַע קוֹלֵנוּ, יְיָ אֱלֹהֵינוּ, חוּס וְרַחֵם עָלֵינוּ,
וְקַבֵּל בְּרַחֲמִים וּבְרָצוֹן אֶת־תְּפִלָּתֵנוּ.
הֲשִׁיבֵנוּ יְיָ אֵלֶיךָ וְנָשׁוּבָה, חַדֵּשׁ יָמֵינוּ כְּקֶדֶם.

אַל תַּשְׁלִיכֵנוּ מִלְּפָנֶיךָ, וְרוּחַ קָדְשְׁךָ אַל תִּקַּח מִמֶּנּוּ.
אַל תַּשְׁלִיכֵנוּ לְעֵת זִקְנָה, כִּכְלוֹת כֹּחֵנוּ אַל תַּעַזְבֵנוּ.
אַל תַּעַזְבֵנוּ, יְיָ אֱלֹהֵינוּ, אַל תִּרְחַק מִמֶּנּוּ.

עֲשֵׂה עִמָּנוּ אוֹת לְטוֹבָה וְיִרְאוּ שׂוֹנְאֵינוּ וְיֵבוֹשׁוּ,
כִּי אַתָּה יְיָ עֲזַרְתָּנוּ וְנִחַמְתָּנוּ.

אֲמָרֵינוּ הַאֲזִינָה יְיָ, בִּינָה הֲגִיגֵנוּ.
יִהְיוּ לְרָצוֹן אִמְרֵי פִינוּ וְהֶגְיוֹן לִבֵּנוּ לְפָנֶיךָ, יְיָ צוּרֵנוּ וְגוֹאֲלֵנוּ.

כִּי לְךָ יְיָ הוֹחָלְנוּ, אַתָּה תַעֲנֶה, אֲדֹנָי אֱלֹהֵינוּ.

We are seated

אֱלֹהֵינוּ וֵאלֹהֵי אֲבוֹתֵינוּ, אַל תַּעַזְבֵנוּ וְאַל תִּטְּשֵׁנוּ וְאַל תַּכְלִימֵנוּ וְאַל תָּפֵר בְּרִיתְךָ אִתָּנוּ. קָרְבֵנוּ לְתוֹרָתֶךָ, לַמְּדֵנוּ מִצְוֹתֶיךָ, הוֹרֵנוּ דְרָכֶיךָ. הַט לִבֵּנוּ לְיִרְאָה אֶת־שְׁמֶךָ וּמוֹל אֶת־לְבָבֵנוּ לְאַהֲבָתֶךָ וְנָשׁוּב אֵלֶיךָ בֶּאֱמֶת וּבְלֵב שָׁלֵם. וּלְמַעַן שִׁמְךָ הַגָּדוֹל תִּמְחַל וְתִסְלַח לַעֲוֹנֵינוּ, כַּכָּתוּב בְּדִבְרֵי קָדְשֶׁךָ: לְמַעַן שִׁמְךָ יְיָ, וְסָלַחְתָּ לַעֲוֹנִי כִּי רַב הוּא.

Sh'ma Koleinu

We rise

Hear our voice, Lord our God, pity us, save us,
Accept our prayer with compassion and kindness.

Help us return to You, and we shall return;
Renew our lives as when we were young.

Cast us not away from Your Presence,
Take not Your holy spirit from us.

Cast us not away when we are old,
When our strength is gone do not abandon us.

Do not abandon us, Lord our God, do not be far from us.

Show us a sign of grace, in spite of our foes;
For You are our help and our comfort.

Hear our words, O Lord, and consider our inmost thoughts.

May the words of our mouth and the meditations of our heart
Be acceptable to You, O Lord, our Rock and our Redeemer.

For You we wait, our God; You, O Lord, will answer.

We are seated

Our God and God of our fathers, forsake us not, shame us not. Break not Your covenant with us. Bring us nearer to Your Torah, teach us Your commandments, show us Your ways. Soften our hardened hearts so that we may love and revere You, returning to You wholeheartedly. As the Psalmist sang: "For Your own sake, Lord, pardon my sin though it is great."

*This confession of faith expresses the profound
reciprocity between God and man.*

אֱלֹהֵֽינוּ וֵאלֹהֵי אֲבוֹתֵֽינוּ, סְלַח לָֽנוּ, מְחַל לָֽנוּ, כַּפֶּר־לָֽנוּ.

כִּי אָֽנוּ עַמֶּֽךָ וְאַתָּה אֱלֹהֵֽינוּ, אָֽנוּ בָנֶֽיךָ וְאַתָּה אָבִֽינוּ.

אָֽנוּ עֲבָדֶֽיךָ וְאַתָּה אֲדוֹנֵֽנוּ, אָֽנוּ קְהָלֶֽךָ וְאַתָּה חֶלְקֵֽנוּ.

אָֽנוּ נַחֲלָתֶֽךָ וְאַתָּה גוֹרָלֵֽנוּ, אָֽנוּ צֹאנֶֽךָ וְאַתָּה רוֹעֵֽנוּ.

אָֽנוּ כַרְמֶֽךָ וְאַתָּה נוֹטְרֵֽנוּ, אָֽנוּ פְעֻלָּתֶֽךָ וְאַתָּה יוֹצְרֵֽנוּ.

אָֽנוּ רַעְיָתֶֽךָ וְאַתָּה דוֹדֵֽנוּ, אָֽנוּ סְגֻלָּתֶֽךָ וְאַתָּה קְרוֹבֵֽנוּ.

אָֽנוּ עַמֶּֽךָ וְאַתָּה מַלְכֵּֽנוּ, אָֽנוּ מַאֲמִירֶֽךָ וְאַתָּה מַאֲמִירֵֽנוּ.

*This confession of faith expresses the profound
contrast between God and man.*

אָֽנוּ עַזֵּי פָנִים וְאַתָּה רַחוּם וְחַנּוּן. אָֽנוּ קְשֵׁי עֹֽרֶף וְאַתָּה אֶֽרֶךְ אַפַּֽיִם.
אָֽנוּ מְלֵאֵי עָוֹן וְאַתָּה מָלֵא רַחֲמִים. אָֽנוּ יָמֵֽינוּ כְּצֵל עוֹבֵר וְאַתָּה הוּא
וּשְׁנוֹתֶֽיךָ לֹא יִתָּֽמּוּ.

אֱלֹהֵֽינוּ וֵאלֹהֵי אֲבוֹתֵֽינוּ, תָּבֹא לְפָנֶֽיךָ תְּפִלָּתֵֽנוּ וְאַל תִּתְעַלַּם
מִתְּחִנָּתֵֽנוּ, שֶׁאֵין אֲנַֽחְנוּ עַזֵּי פָנִים וּקְשֵׁי עֹֽרֶף לוֹמַר לְפָנֶֽיךָ, יְיָ
אֱלֹהֵֽינוּ וֵאלֹהֵי אֲבוֹתֵֽינוּ, צַדִּיקִים אֲנַֽחְנוּ וְלֹא חָטָֽאנוּ, אֲבָל אֲנַֽחְנוּ
חָטָֽאנוּ.

*This confession of faith expresses the profound
reciprocity between God and man.*

Our God and God of our fathers, forgive us, pardon us, grant us atonement.

For we are Your people, and You our God.

We are your children, and You our Father.

We are Your servants, and You our Master.

We are Your congregation, and You our only One.

We are Your heritage, and You our Destiny.

We are Your flock, and You our Shepherd.

We are Your vineyard, and You our Watchman.

We are Your creatures, and You our Creator.

We are Your faithful, and You our Beloved.

We are Your treasure, and You our Protector.

We are Your subjects, and You our King.

We have chosen You, and You have chosen us.

*This confession of faith expresses the profound
contrast between God and man.*

We are insolent, but You are gracious and compassionate. We are obstinate, but You are patient. We excel at sin, but You excel at mercy. Our days are a passing shadow, while You are eternal, Your years without end.

Hear our prayer; do not ignore our plea. We are neither so insolent nor so obstinate as to claim that we are righteous, without sin, for we have surely sinned.

Vidui

Congregation rises

אָשַׁמְנוּ, בָּגַדְנוּ, גָּזַלְנוּ, דִּבַּרְנוּ דֹפִי.

הֶעֱוִינוּ, וְהִרְשַׁעְנוּ, זַדְנוּ, חָמַסְנוּ,

טָפַלְנוּ שֶׁקֶר. יָעַצְנוּ רָע, כִּזַּבְנוּ, לַצְנוּ,

מָרַדְנוּ, נִאַצְנוּ, סָרַרְנוּ, עָוִינוּ,

פָּשַׁעְנוּ, צָרַרְנוּ, קִשִּׁינוּ עֹרֶף. רָשַׁעְנוּ,

שִׁחַתְנוּ, תִּעַבְנוּ, תָּעִינוּ, תִּעְתָּעְנוּ.

Congregation is seated

סַרְנוּ מִמִּצְוֹתֶיךָ וּמִמִּשְׁפָּטֶיךָ הַטּוֹבִים וְלֹא שָׁוָה לָנוּ, וְאַתָּה צַדִּיק עַל כָּל־הַבָּא עָלֵינוּ, כִּי אֱמֶת עָשִׂיתָ וַאֲנַחְנוּ הִרְשָׁעְנוּ.

הִרְשַׁעְנוּ וּפָשַׁעְנוּ, לָכֵן לֹא נוֹשָׁעְנוּ. וְתֵן בְּלִבֵּנוּ לַעֲזֹב דֶּרֶךְ רֶשַׁע וְחִישׁ לָנוּ יֶשַׁע, כַּכָּתוּב עַל יַד נְבִיאֶךָ: יַעֲזֹב רָשָׁע דַּרְכּוֹ וְאִישׁ אָוֶן מַחְשְׁבֹתָיו, וְיָשֹׁב אֶל יְיָ וִירַחֲמֵהוּ וְאֶל אֱלֹהֵינוּ כִּי יַרְבֶּה לִסְלוֹחַ.

אֱלֹהֵינוּ וֵאלֹהֵי אֲבוֹתֵינוּ, סְלַח וּמְחַל לַעֲוֹנוֹתֵינוּ בְּיוֹם הַשַּׁבָּת הַזֶּה וּבְיוֹם הַכִּפּוּרִים הַזֶּה. מְחֵה וְהַעֲבֵר פְּשָׁעֵינוּ וְחַטֹּאתֵינוּ מִנֶּגֶד עֵינֶיךָ וְכֹף אֶת־יִצְרֵנוּ לְהִשְׁתַּעְבֶּד־לָךְ, וְהַכְנַע עָרְפֵּנוּ לָשׁוּב אֵלֶיךָ וְחַדֵּשׁ כִּלְיוֹתֵינוּ לִשְׁמֹר פִּקּוּדֶיךָ וּמוֹל אֶת־לְבָבֵנוּ לְאַהֲבָה וּלְיִרְאָה אֶת־

Vidui

Congregation rises

Ashamnu bagadnu gazalnu dibarnu dofi.
He'evinu vehirshanu zadnu ḥamasnu
talfalnu shaker. Ya'atznu ra, kizavnu latznu
maradnu ni'atznu sararnu 'avinu
pashanu tzararnu kishinu 'oref. Rashanu
shiḥatnu ti'avnu ta'inu titanu.

We abuse, we betray, we are cruel.
We destroy, we embitter, we falsify.
We gossip, we hate, we insult.
We jeer, we kill, we lie.
We mock, we neglect, we oppress.
We pervert, we quarrel, we rebel.
We steal, we transgress, we are unkind.
We are violent, we are wicked, we are xenophobic.
We yield to evil, we are zealots for bad causes.

Congregation is seated

We have ignored Your commandments and statutes, and it has not profited us. You are just, we have stumbled. You have acted faithfully, we have been unrighteous.

We have sinned, we have transgressed. Therefore we have not been saved. Endow us with the will to forsake evil; save us soon. Thus Your prophet Isaiah declared: "Let the wicked forsake his path, and the unrighteous man his plottings. Let him return to the Lord, who will show him compassion. Let him return to our God, who will surely forgive him."

Our God and God of our fathers, forgive and pardon our sins *on this Shabbat and* on this Yom Kippur. Answer our prayers by removing our transgressions from Your sight. Subdue our impulse to evil; submit us to Your service, that we may return to You. Renew our will to observe Your precepts. Soften our

שְׁמֶךָ, כַּכָּתוּב בְּתוֹרָתֶךָ: וּמָל יְיָ אֱלֹהֶיךָ אֶת־לְבָבְךָ וְאֶת־לְבַב זַרְעֶךָ, לְאַהֲבָה אֶת־יְיָ אֱלֹהֶיךָ בְּכָל־לְבָבְךָ וּבְכָל־נַפְשְׁךָ לְמַעַן חַיֶּיךָ.

הַזְּדוֹנוֹת וְהַשְּׁגָגוֹת אַתָּה מַכִּיר. הָרָצוֹן וְהָאֹנֶס, הַגְּלוּיִים וְהַנִּסְתָּרִים לְפָנֶיךָ הֵם גְּלוּיִים וִידוּעִים. מָה אָנוּ, מֶה חַיֵּינוּ, מֶה חַסְדֵּנוּ, מַה־צִּדְקֵנוּ, מַה־יִּשְׁעֵנוּ, מַה־כֹּחֵנוּ, מַה־גְּבוּרָתֵנוּ. מַה־נֹּאמַר לְפָנֶיךָ, יְיָ אֱלֹהֵינוּ וֵאלֹהֵי אֲבוֹתֵינוּ, הֲלֹא כָּל־הַגִּבּוֹרִים כְּאַיִן לְפָנֶיךָ וְאַנְשֵׁי הַשֵּׁם כְּלֹא הָיוּ וַחֲכָמִים כִּבְלִי מַדָּע וּנְבוֹנִים כִּבְלִי הַשְׂכֵּל, כִּי רֹב מַעֲשֵׂיהֶם תֹּהוּ וִימֵי חַיֵּיהֶם הֶבֶל לְפָנֶיךָ. וּמוֹתַר הָאָדָם מִן הַבְּהֵמָה אָיִן, כִּי הַכֹּל הָבֶל.

מַה־נֹּאמַר לְפָנֶיךָ יוֹשֵׁב מָרוֹם וּמַה־נְּסַפֵּר לְפָנֶיךָ שׁוֹכֵן שְׁחָקִים.
הֲלֹא כָּל־הַנִּסְתָּרוֹת וְהַנִּגְלוֹת אַתָּה יוֹדֵעַ.

שִׁמְךָ מֵעוֹלָם עוֹבֵר עַל פֶּשַׁע. שַׁוְעָתֵנוּ תַּאֲזִין בְּעָמְדֵנוּ לְפָנֶיךָ בִּתְפִלָּה. תַּעֲבֹר עַל פֶּשַׁע לְעַם שָׁבֵי פֶשַׁע. תִּמְחֶה אַשְׁמָתֵינוּ מִנֶּגֶד עֵינֶיךָ.

אַתָּה יוֹדֵעַ רָזֵי עוֹלָם וְתַעֲלוּמוֹת סִתְרֵי כָל־חָי. אַתָּה חוֹפֵשׂ כָּל־חַדְרֵי־בָטֶן וּבוֹחֵן כְּלָיוֹת וָלֵב. אֵין דָּבָר נֶעְלָם מִמֶּךָּ וְאֵין נִסְתָּר מִנֶּגֶד עֵינֶיךָ.

וּבְכֵן יְהִי רָצוֹן מִלְּפָנֶיךָ יְיָ אֱלֹהֵינוּ וֵאלֹהֵי אֲבוֹתֵינוּ שֶׁתִּסְלַח לָנוּ עַל כָּל־חַטֹּאתֵינוּ וְתִמְחַל לָנוּ עַל כָּל־עֲוֹנוֹתֵינוּ וּתְכַפֶּר־לָנוּ עַל כָּל־פְּשָׁעֵינוּ.

hardened hearts so that we may love and revere You, as it is written in Your Torah: "And the Lord your God will soften your heart and the heart of your children, so that you will love the Lord your God with all your heart and with all your being, that you may live."

You know our sins, whether deliberate or not, whether committed willingly or under compulsion, whether in public or in private. What are we? What is our piety? What is our righteousness, our attainment, our power, our might? What can we say, Lord our God and God of our fathers? Compared to You, all the mighty are nothing, the famous are non-existent, the wise lack wisdom, the clever lack reason. For most of their actions are meaninglessness, the days of their lives emptiness. Man's superiority to the beast is an illusion. All life is a fleeting breath.

What can we say to You, what can we tell You?
You know all things, secret and revealed.

You always forgive transgressions. Hear the cry of our prayer. Pass over the transgressions of a people who turn away from transgression. Blot out our sins from Your sight.

You know the mysteries of the universe, the secrets of everyone alive. You probe our innermost depths. You examine our thoughts and desires. Nothing escapes You, nothing is hidden from You.

May it therefore be Your will, Lord our God and God of our fathers, to forgive us all our sins, to pardon all our iniquities, to grant us atonement for all our transgressions.

We rise to confess our moral failures.

עַל חֵטְא שֶׁחָטָאנוּ לְפָנֶיךָ בְּאֹנֶס,
וְעַל חֵטְא שֶׁחָטָאנוּ לְפָנֶיךָ בְּרָצוֹן.
עַל חֵטְא שֶׁחָטָאנוּ לְפָנֶיךָ בַּסֵּתֶר,
וְעַל חֵטְא שֶׁחָטָאנוּ לְפָנֶיךָ בַּגָּלוּי.
עַל חֵטְא שֶׁחָטָאנוּ לְפָנֶיךָ בְּשׁוֹגֵג,
וְעַל חֵטְא שֶׁחָטָאנוּ לְפָנֶיךָ בְּמֵזִיד.

וְעַל כֻּלָּם אֱלוֹהַּ סְלִיחוֹת, סְלַח לָנוּ, מְחַל לָנוּ, כַּפֶּר־לָנוּ.

We are seated

וְעַל מִצְוַת עֲשֵׂה וְעַל מִצְוַת לֹא תַעֲשֶׂה, בֵּין שֶׁיֶּשׁ־בָּהּ קוּם עֲשֵׂה וּבֵין שֶׁאֵין בָּהּ קוּם עֲשֵׂה, אֶת־הַגְּלוּיִים לָנוּ וְאֶת־שֶׁאֵינָם גְּלוּיִים לָנוּ. אֶת־הַגְּלוּיִים לָנוּ כְּבָר אֲמַרְנוּם לְפָנֶיךָ וְהוֹדִינוּ לְךָ עֲלֵיהֶם, וְאֶת־שֶׁאֵינָם גְּלוּיִים לָנוּ לְפָנֶיךָ הֵם גְּלוּיִים וִידוּעִים, כַּדָּבָר שֶׁנֶּאֱמַר: הַנִּסְתָּרֹת לַייָ אֱלֹהֵינוּ, וְהַנִּגְלֹת לָנוּ וּלְבָנֵינוּ עַד־עוֹלָם לַעֲשׂוֹת אֶת־כָּל־דִּבְרֵי הַתּוֹרָה הַזֹּאת. כִּי אַתָּה סָלְחָן לְיִשְׂרָאֵל וּמָחֳלָן לְשִׁבְטֵי יְשֻׁרוּן בְּכָל־דּוֹר וָדוֹר וּמִבַּלְעָדֶיךָ אֵין לָנוּ מֶלֶךְ מוֹחֵל וְסוֹלֵחַ אֶלָּא אָתָּה.

וְדָוִד עַבְדְּךָ אָמַר לְפָנֶיךָ: שְׁגִיאוֹת מִי יָבִין, מִנִּסְתָּרוֹת נַקֵּנִי. נַקֵּנוּ יְיָ אֱלֹהֵינוּ מִכָּל־פְּשָׁעֵינוּ וְטַהֲרֵנוּ מִכָּל־טֻמְאוֹתֵינוּ וּזְרֹק עָלֵינוּ מַיִם טְהוֹרִים וְטַהֲרֵנוּ, כַּכָּתוּב עַל יַד נְבִיאֶךָ: וְזָרַקְתִּי עֲלֵיכֶם מַיִם טְהוֹרִים וּטְהַרְתֶּם, מִכֹּל טֻמְאוֹתֵיכֶם וּמִכָּל־גִּלּוּלֵיכֶם אֲטַהֵר אֶתְכֶם.

מִיכָה עַבְדְּךָ אָמַר לְפָנֶיךָ: מִי אֵל כָּמוֹךָ נֹשֵׂא עָוֹן וְעֹבֵר עַל פֶּשַׁע לִשְׁאֵרִית נַחֲלָתוֹ, לֹא הֶחֱזִיק לָעַד אַפּוֹ כִּי חָפֵץ חֶסֶד הוּא. יָשׁוּב יְרַחֲמֵנוּ יִכְבֹּשׁ עֲוֹנֹתֵינוּ, וְתַשְׁלִיךְ בִּמְצֻלוֹת יָם כָּל־חַטֹּאתָם.

We rise to confess our moral failures.

We have sinned against You unwillingly,

And we have sinned against You willingly.

We have sinned against You in secret,

And we have sinned against You openly.

We have sinned against You by mistake,

And we have sinned against You purposely.

V'al kulam Elo-ah seliḥot, selaḥ lanu, meḥal lanu, kapper lanu.

For all these sins, forgiving God, forgive us, pardon us, grant us atonement.

We are seated

Forgive us the breach of all commandments and prohibitions, whether involving deeds or not, whether known to us or not. The sins known to us we have acknowledged, and those unknown to us are surely known to You, as the Torah states: "The secret things belong to the Lord our God, but the things that are revealed belong to us, and to our children forever, that we may fulfill all the words of this Torah."

Your servant David cried out to You: "Who can discern his own errors? Cleanse me, therefore, of secret sin." Cleanse us, Lord, of all our transgressions; purify us of all our impurities, as Ezekiel spoke in Your name: "I will sprinkle clean water upon you, and you shall be cleansed; of all your impurities and all your idolatries will I cleanse you."

And Your servant Micah declared: "Who is like You, forgiving iniquity and pardoning the transgression of the remnant of Your people? You do not maintain anger forever, for You delight in lovingkindness. You will again have compassion upon us, subduing our sins, casting all our sins into the depths of the sea.

וְכָל־חַטֹּאת עַמְּךָ בֵּית יִשְׂרָאֵל תַּשְׁלִיךְ. תִּתֵּן אֱמֶת לְיַעֲקֹב חֶסֶד לְאַבְרָהָם, אֲשֶׁר נִשְׁבַּעְתָּ לַאֲבֹתֵינוּ מִימֵי קֶדֶם.

וְאַתָּה רַחוּם מְקַבֵּל שָׁבִים, וְעַל הַתְּשׁוּבָה מֵרֹאשׁ הִבְטַחְתָּנוּ וְעַל הַתְּשׁוּבָה עֵינֵינוּ מְיַחֲלוֹת לָךְ.

אֱלֹהֵינוּ וֵאלֹהֵי אֲבוֹתֵינוּ, מְחַל לַעֲוֹנוֹתֵינוּ בְּיוֹם הַשַּׁבָּת הַזֶּה וּבְיוֹם הַכִּפּוּרִים הַזֶּה מְחֵה וְהַעֲבֵר פְּשָׁעֵינוּ וְחַטֹּאתֵינוּ מִנֶּגֶד עֵינֶיךָ, כָּאָמוּר: אָנֹכִי אָנֹכִי הוּא מֹחֶה פְשָׁעֶיךָ לְמַעֲנִי, וְחַטֹּאתֶיךָ לֹא אֶזְכֹּר. וְנֶאֱמַר: מָחִיתִי כָעָב פְּשָׁעֶיךָ וְכֶעָנָן חַטֹּאתֶיךָ, שׁוּבָה אֵלַי כִּי גְאַלְתִּיךָ. וְנֶאֱמַר: כִּי בַיּוֹם הַזֶּה יְכַפֵּר עֲלֵיכֶם לְטַהֵר אֶתְכֶם מִכֹּל חַטֹּאתֵיכֶם לִפְנֵי יְיָ תִּטְהָרוּ. אֱלֹהֵינוּ וֵאלֹהֵי אֲבוֹתֵינוּ, רְצֵה בִמְנוּחָתֵנוּ קַדְּשֵׁנוּ בְּמִצְוֹתֶיךָ וְתֵן חֶלְקֵנוּ בְּתוֹרָתֶךָ, שַׂבְּעֵנוּ מִטּוּבֶךָ וְשַׂמְּחֵנוּ בִּישׁוּעָתֶךָ וְהַנְחִילֵנוּ יְיָ אֱלֹהֵינוּ בְּאַהֲבָה וּבְרָצוֹן שַׁבַּת קָדְשֶׁךָ וְיָנוּחוּ בָהּ יִשְׂרָאֵל מְקַדְּשֵׁי שְׁמֶךָ וְטַהֵר לִבֵּנוּ לְעָבְדְּךָ בֶּאֱמֶת, כִּי אַתָּה סָלְחָן לְיִשְׂרָאֵל וּמָחֳלָן לְשִׁבְטֵי יְשֻׁרוּן בְּכָל־דּוֹר וָדוֹר וּמִבַּלְעָדֶיךָ אֵין לָנוּ מֶלֶךְ מוֹחֵל וְסוֹלֵחַ אֶלָּא אָתָּה. בָּרוּךְ אַתָּה יְיָ מֶלֶךְ מוֹחֵל וְסוֹלֵחַ לַעֲוֹנוֹתֵינוּ וְלַעֲוֹנוֹת עַמּוֹ בֵּית יִשְׂרָאֵל וּמַעֲבִיר אַשְׁמוֹתֵינוּ בְּכָל־שָׁנָה וְשָׁנָה, מֶלֶךְ עַל כָּל־הָאָרֶץ מְקַדֵּשׁ הַשַּׁבָּת וְ יִשְׂרָאֵל וְיוֹם הַכִּפּוּרִים.

Accept our prayer

רְצֵה יְיָ אֱלֹהֵינוּ בְּעַמְּךָ יִשְׂרָאֵל וּבִתְפִלָּתָם וְהָשֵׁב אֶת־הָעֲבוֹדָה לִדְבִיר בֵּיתֶךָ וּתְפִלָּתָם בְּאַהֲבָה תְקַבֵּל בְּרָצוֹן וּתְהִי לְרָצוֹן תָּמִיד עֲבוֹדַת יִשְׂרָאֵל עַמֶּךָ. וְתֶחֱזֶינָה עֵינֵינוּ בְּשׁוּבְךָ לְצִיּוֹן בְּרַחֲמִים. בָּרוּךְ אַתָּה יְיָ הַמַּחֲזִיר שְׁכִינָתוֹ לְצִיּוֹן.

You will show faithfulness to Jacob and enduring love to Abraham, as You promised our fathers from days of old."

For You are compassionate, welcoming those who turn back to You. You have made repentance possible since the dawn of Creation. Because of repentance, we can look hopefully to You.

Our God and God of our fathers, forgive our sins on this *Shabbat and this* Yom Kippur. Blot out and disregard our transgressions, as Isaiah declared in Your name: "I alone blot out your transgressions, for My sake; your sins I shall not recall. I have swept away your transgressions like a cloud, your sins like mist. Return to Me, for I have redeemed you." And the Torah promises: "For on this day atonement shall be made for you, to cleanse you; of all your sins before the Lord shall you be cleansed."

Our God and God of our fathers *accept our Shabbat offering of rest,* make our lives holy with Your commandments and let Your Torah be our portion. Fill our lives with Your goodness, and gladden us with Your triumph. *Lovingly and willing, Lord our God, grant that we inherit the gift of Shabbat forever, so that Your people Israel who hallow Your name will always find rest on this day.* Cleanse our hearts to serve You faithfully, for You forgive and pardon the people Israel in every generation. Except for You we have no King who pardons and forgives. Praised are You, Lord, King who pardons and forgives our sins and the sins of all His people Israel, absolving us of guilt each year, King of all the earth who sanctifies *Shabbat,* the people Israel and Yom Kippur.

Accept our prayer

Accept the prayer of Your people Israel as lovingly as it is offered. Restore worship to Your sanctuary. May the worship of Your people Israel always be acceptable to You. May we bear witness to Your merciful return to Zion. Praised are You, Lord who restores His Presence to Zion.

We thank You for life and for Your love

Congregation reads this paragraph silently, while Ḥazzan chants the next paragraph.

מוֹדִים אֲנַחְנוּ לָךְ שָׁאַתָּה הוּא יְיָ אֱלֹהֵינוּ וֵאלֹהֵי אֲבוֹתֵינוּ אֱלֹהֵי כָל־בָּשָׂר יוֹצְרֵנוּ יוֹצֵר בְּרֵאשִׁית. בְּרָכוֹת וְהוֹדָאוֹת לְשִׁמְךָ הַגָּדוֹל וְהַקָּדוֹשׁ עַל שֶׁהֶחֱיִיתָנוּ וְקִיַּמְתָּנוּ. כֵּן תְּחַיֵּנוּ וּתְקַיְּמֵנוּ וְתֶאֱסֹף גָּלֻיּוֹתֵינוּ לְחַצְרוֹת קָדְשֶׁךָ לִשְׁמֹר חֻקֶּיךָ וְלַעֲשׂוֹת רְצוֹנֶךָ וּלְעָבְדְּךָ בְּלֵבָב שָׁלֵם עַל שֶׁאֲנַחְנוּ מוֹדִים לָךְ. בָּרוּךְ אֵל הַהוֹדָאוֹת.

Ḥazzan:

מוֹדִים אֲנַחְנוּ לָךְ שָׁאַתָּה הוּא יְיָ אֱלֹהֵינוּ וֵאלֹהֵי אֲבוֹתֵינוּ לְעוֹלָם וָעֶד, צוּר חַיֵּינוּ מָגֵן יִשְׁעֵנוּ אַתָּה הוּא. לְדוֹר וָדוֹר נוֹדֶה לְּךָ וּנְסַפֵּר תְּהִלָּתֶךָ עַל חַיֵּינוּ הַמְּסוּרִים בְּיָדֶךָ וְעַל נִשְׁמוֹתֵינוּ הַפְּקוּדוֹת לָךְ וְעַל נִסֶּיךָ שֶׁבְּכָל־יוֹם עִמָּנוּ וְעַל נִפְלְאוֹתֶיךָ וְטוֹבוֹתֶיךָ שֶׁבְּכָל־עֵת עֶרֶב וָבֹקֶר וְצָהֳרָיִם. הַטּוֹב כִּי לֹא כָלוּ רַחֲמֶיךָ וְהַמְרַחֵם כִּי לֹא תַמּוּ חֲסָדֶיךָ מֵעוֹלָם קִוִּינוּ לָךְ.

וְעַל כֻּלָּם יִתְבָּרַךְ וְיִתְרוֹמַם שִׁמְךָ מַלְכֵּנוּ תָּמִיד לְעוֹלָם וָעֶד.

Congregation and Ḥazzan:

אָבִינוּ מַלְכֵּנוּ, זְכֹר רַחֲמֶיךָ וּכְבֹשׁ כַּעַסְךָ, וְכַלֵּה דֶּבֶר וְחֶרֶב וְרָעָב וּשְׁבִי וּמַשְׁחִית וְעָוֹן וּשְׁמָד וּמַגֵּפָה וּפֶגַע רַע וְכָל־מַחֲלָה וְכָל־תְּקָלָה וְכָל־קְטָטָה וְכָל־מִינֵי פֻרְעָנִיּוֹת וְכָל־גְּזֵרָה רָעָה וְשִׂנְאַת חִנָּם, מֵעָלֵינוּ וּמֵעַל כָּל־בְּנֵי בְרִיתֶךָ.

וּכְתֹב לְחַיִּים טוֹבִים כָּל־בְּנֵי בְרִיתֶךָ.

וְכֹל הַחַיִּים יוֹדוּךָ סֶּלָה וִיהַלְלוּ אֶת־שִׁמְךָ בֶּאֱמֶת הָאֵל יְשׁוּעָתֵנוּ וְעֶזְרָתֵנוּ סֶלָה. בָּרוּךְ אַתָּה יְיָ הַטּוֹב שִׁמְךָ וּלְךָ נָאֶה לְהוֹדוֹת.

We thank You for life and for Your love

*Congregation reads this paragraph silently,
while Ḥazzan chants the next paragraph.*

We proclaim that You are the Lord our God and God of our fathers, Creator of all who created us, God of all flesh. We praise You and thank You for granting us life and for sustaining us. May You continue to do so, and may You gather our exiles, that we may all fulfill Your commandments and serve You wholeheartedly, doing Your will. For this shall we thank You. Praised be God to whom thanksgiving is due.

Ḥazzan:

We proclaim that You are the Lord our God and God of our fathers throughout all time. You are the Rock of our lives, the Shield of our salvation. We thank You and praise You through all generations, for our lives are in Your hand, our souls are in Your charge. We thank You for Your miracles which daily attend us, for Your wondrous kindness, morning, noon and night. Your mercy and love are boundless. We have always placed our hope in You.

For all these blessings we shall ever praise and exalt You.

Congregation and Ḥazzan:

Our Father, our King, let Your compassion overwhelm Your wrath, for us and for all the people of Your covenant. Bring an end to pestilence and plundering, fighting and famine, captivity, destruction, plague and affliction, every illness and misfortune, calamity and quarrel, every evil decree and causeless hatred.

Inscribe all the people of Your covenant for a good life.

May every living creature thank You and praise You faithfully, our deliverance and our help. Praised are You, beneficent Lord to whom all praise is due.

Bless us with peace

אֱלֹהֵינוּ וֵאלֹהֵי אֲבוֹתֵינוּ, בָּרְכֵנוּ בַבְּרָכָה הַמְשֻׁלֶּשֶׁת בַּתּוֹרָה הַכְּתוּבָה עַל יְדֵי מֹשֶׁה עַבְדֶּךָ, הָאֲמוּרָה מִפִּי אַהֲרֹן וּבָנָיו כֹּהֲנִים עַם קְדוֹשֶׁךָ, כָּאָמוּר:

Ḥazzan:	*Congregation:*
יְבָרֶכְךָ יְיָ וְיִשְׁמְרֶךָ.	כֵּן יְהִי רָצוֹן.
יָאֵר יְיָ פָּנָיו אֵלֶיךָ וִיחֻנֶּךָּ.	כֵּן יְהִי רָצוֹן.
יִשָּׂא יְיָ פָּנָיו אֵלֶיךָ וְיָשֵׂם לְךָ שָׁלוֹם.	כֵּן יְהִי רָצוֹן.

שִׂים שָׁלוֹם בָּעוֹלָם, טוֹבָה וּבְרָכָה חֵן וָחֶסֶד וְרַחֲמִים עָלֵינוּ וְעַל כָּל־יִשְׂרָאֵל עַמֶּךָ. בָּרְכֵנוּ אָבִינוּ כֻּלָּנוּ כְּאֶחָד בְּאוֹר פָּנֶיךָ, כִּי בְאוֹר פָּנֶיךָ נָתַתָּ לָּנוּ, יְיָ אֱלֹהֵינוּ, תּוֹרַת חַיִּים וְאַהֲבַת חֶסֶד וּצְדָקָה וּבְרָכָה וְרַחֲמִים וְחַיִּים וְשָׁלוֹם. וְטוֹב בְּעֵינֶיךָ לְבָרֵךְ אֶת־עַמְּךָ יִשְׂרָאֵל בְּכָל־עֵת וּבְכָל־שָׁעָה בִּשְׁלוֹמֶךָ.

Congregation and Ḥazzan:

בְּסֵפֶר חַיִּים בְּרָכָה וְשָׁלוֹם וּפַרְנָסָה טוֹבָה נִזָּכֵר וְנִכָּתֵב לְפָנֶיךָ אֲנַחְנוּ וְכָל־עַמְּךָ בֵּית יִשְׂרָאֵל לְחַיִּים טוֹבִים וּלְשָׁלוֹם.

בָּרוּךְ אַתָּה יְיָ עוֹשֵׂה הַשָּׁלוֹם.

Some congregations add Avinu Malkeinu, *page 472.*

Bless us with peace

Bless us, our God and God of our fathers, with the threefold blessing written in the Torah by Moses, Your servant, pronounced by Aaron and by his sons, the consecrated priests of Your people:

Ḥazzan: *Congregation:*

May the Lord bless you and guard you.　　*Kein yehi ratzon.*

May the Lord show you favor and be gracious to you.　　*Kein yehi ratzon.*

May the Lord show you kindness and grant you peace.　　*Kein yehi ratzon.*

Grant peace, happiness and blessing to the world, with grace, love and mercy for us and for all the people Israel. Bless us, our Father, one and all, with Your light; for by that light did You teach us Torah and life, love and tenderness, justice, mercy and peace. May it please You to bless Your people Israel in every season and at all times with Your gift of peace.

Congregation and Ḥazzan:

May we and the entire House of Israel be remembered and recorded in the Book of life, blessing, sustenance and peace.

Praised are You, Lord, Source of peace.

Some congregations add Avinu Malkeinu, page 473.

Kaddish Shalem

Ḥazzan:

יִתְגַּדַּל וְיִתְקַדַּשׁ שְׁמֵהּ רַבָּא בְּעָלְמָא דִּי בְרָא כִרְעוּתֵהּ, וְיַמְלִיךְ מַלְכוּתֵהּ בְּחַיֵּיכוֹן וּבְיוֹמֵיכוֹן וּבְחַיֵּי דְכָל־בֵּית יִשְׂרָאֵל בַּעֲגָלָא וּבִזְמַן קָרִיב, וְאִמְרוּ אָמֵן.

Congregation and Ḥazzan:

יְהֵא שְׁמֵהּ רַבָּא מְבָרַךְ לְעָלַם וּלְעָלְמֵי עָלְמַיָּא.

Ḥazzan:

יִתְבָּרַךְ וְיִשְׁתַּבַּח וְיִתְפָּאַר וְיִתְרוֹמַם וְיִתְנַשֵּׂא וְיִתְהַדַּר וְיִתְעַלֶּה וְיִתְהַלַּל שְׁמֵהּ דְּקֻדְשָׁא בְּרִיךְ הוּא, לְעֵלָּא לְעֵלָּא מִכָּל־בִּרְכָתָא וְשִׁירָתָא תֻּשְׁבְּחָתָא וְנֶחֱמָתָא דַּאֲמִירָן בְּעָלְמָא, וְאִמְרוּ אָמֵן.

תִּתְקַבַּל צְלוֹתְהוֹן וּבָעוּתְהוֹן דְּכָל־יִשְׂרָאֵל קֳדָם אֲבוּהוֹן דִּי בִשְׁמַיָּא, וְאִמְרוּ אָמֵן.

יְהֵא שְׁלָמָא רַבָּא מִן שְׁמַיָּא וְחַיִּים עָלֵינוּ וְעַל כָּל־יִשְׂרָאֵל, וְאִמְרוּ אָמֵן.

עוֹשֶׂה שָׁלוֹם בִּמְרוֹמָיו הוּא יַעֲשֶׂה שָׁלוֹם עָלֵינוּ וְעַל כָּל־יִשְׂרָאֵל, וְאִמְרוּ אָמֵן.

Kaddish Shalem

Ḥazzan:

Hallowed and enhanced may He be throughout the world of
His own creation. May He cause His sovereignty soon to be ac-
cepted, during our life and the life of all Israel. And let us say:
Amen.

Congregation and Ḥazzan:

Ye-hei shmei raba meva-rakh l'alam ul'almei 'almaya.

May He be praised throughout all time.

Ḥazzan:

Glorified and celebrated, lauded and praised, acclaimed and
honored, extolled and exalted may the Holy One be, far beyond
all song and psalm, beyond all tributes which man can utter.
And let us say: Amen.

May the prayers and pleas of the whole House of Israel be ac-
cepted by our Father in Heaven. And let us say: Amen.

Let there be abundant peace from Heaven, with life's goodness
for us and for all the people Israel. And let us say: Amen.

He who brings peace to His universe will bring peace to us and
to all the people Israel. And let us say: Amen.

יִזְכֹּר

MEMORIAL SERVICE

Ḥazzan:

יְיָ מָה אָדָם וַתֵּדָעֵהוּ, בֶּן־אֱנוֹשׁ וַתְּחַשְּׁבֵהוּ.
אָדָם לַהֶבֶל דָּמָה, יָמָיו כְּצֵל עוֹבֵר.
בַּבֹּקֶר יָצִיץ וְחָלָף, לָעֶרֶב יְמוֹלֵל וְיָבֵשׁ.
תָּשֵׁב אֱנוֹשׁ עַד דַּכָּא, וַתֹּאמֶר שׁוּבוּ בְנֵי אָדָם.
שׁוּבָה יְיָ עַד מָתָי, וְהִנָּחֵם עַל עֲבָדֶיךָ.

There is a time for everything;
there is a time for all things under the sun:

a time to be born and a time to die

a time to laugh and a time to cry

a time to dance and a time to mourn

a time to seek and a time to lose

a time to forget and a time to remember.

This day in sacred convocation we remember those who gave us life.

This day we remember those who enriched our life with love and with beauty, with kindness and compassion, with thoughtfulness and understanding.

This day we renew the bonds that bind us to those who have gone the way of all the earth.

As we reflect upon those whose memory moves us this day, we seek consolation, and the strength and the insight born of faith.

Tender as a father with his children,
the Lord is merciful with His worshipers.

He knows how we are fashioned;
He remembers that we are dust.

The days of man are as grass;
he flourishes as a flower in the field.

The wind passes over it and it is gone,
and no one can recognize where it grew.

But the Lord's compassion for His worshipers,
His righteousness to children's children,
remain, age after age, unchanging.

Three score and ten our years may number,
four score years if granted the vigor.

Laden with trouble and travail,
life quickly passes, it flies away.

Teach us to use all of our days, O Lord,
that we may attain a heart of wisdom.

Grant us of Your love in the morning,
that we may joyously sing all our days.

שִׁוִּיתִי יְיָ לְנֶגְדִּי תָמִיד, כִּי מִימִינִי בַּל אֶמּוֹט.
לָכֵן שָׂמַח לִבִּי וַיָּגֶל כְּבוֹדִי, אַף בְּשָׂרִי יִשְׁכֹּן לָבֶטַח.

When I stray from You, O Lord, my life is as death;
but when I cleave to You, even in death I have life.

You embrace the souls of the living and the dead.

The earth inherits that which perishes.

But only the dust returns to dust;
the soul, which is God's, is immortal.

The Lord has compassion for His creatures.

He has planted eternity within our soul,
granting us a share in His unending life.

He redeems our life from the grave.

During our brief life on earth He gives us choices.

We can cherish hopes, embrace values and perform deeds which death cannot destroy.

May we all be charitable in deed and in thought,
in memory of those we love who walk the earth no longer.

May we live unselfishly, in truth and love and peace, so that we will be remembered as a blessing, as we this day lovingly remember those whose lives endure as a blessing.

Our generations are bound to each other as children now remember their parents. Love is strong as death as husbands and wives now remember their mates, as parents now remember their children. Memory conquers death's dominion as we now remember our brothers and sisters, grandparents and other relatives and friends.

The death of those we now remember left gaping holes in our lives. But we are grateful for the gift of their lives. And we are strengthened by the blessings which they left us, by precious memories which comfort and sustain us as we recall them this day.

Each congregant reads silently the appropriate passages among those which follow. Personal meditations may also be added.

We rise.

In memory of a father

יִזְכֹּר אֱלֹהִים נִשְׁמַת אָבִי מוֹרִי שֶׁהָלַךְ לְעוֹלָמוֹ. הִנְנִי נוֹדֵר [נוֹדֶרֶת] צְדָקָה בְּעַד הַזְכָּרַת נִשְׁמָתוֹ. אָנָּא תְּהִי נַפְשׁוֹ צְרוּרָה בִּצְרוֹר הַחַיִּים וּתְהִי מְנוּחָתוֹ כָּבוֹד, שֹׂבַע שְׂמָחוֹת אֶת־פָּנֶיךָ, נְעִימוֹת בִּימִינְךָ נֶצַח. אָמֵן.

May God remember the soul of my father who has gone to his eternal home. In loving testimony to his life I pledge charity to help perpetuate ideals important to him. Through such deeds, and through prayer and memory, is his soul bound up in the bond of life. May I prove myself worthy of the gift of life and the many other gifts with which he blessed me. May these moments of meditation link me more strongly with his memory and with our entire family. May he rest eternally in dignity and peace. Amen.

In memory of a mother

יִזְכֹּר אֱלֹהִים נִשְׁמַת אִמִּי מוֹרָתִי שֶׁהָלְכָה לְעוֹלָמָהּ. הִנְנִי נוֹדֵר
[נוֹדֶרֶת] צְדָקָה בְּעַד הַזְכָּרַת נִשְׁמָתָהּ. אָנָּא תְּהִי נַפְשָׁהּ צְרוּרָה
בִּצְרוֹר הַחַיִּים וּתְהִי מְנוּחָתָהּ כָּבוֹד, שֹׂבַע שְׂמָחוֹת אֶת־פָּנֶיךָ,
נְעִימוֹת בִּימִינְךָ נֶצַח. אָמֵן.

May God remember the soul of my mother who has gone to her eternal home. In loving testimony to her life I pledge charity to help perpetuate ideals important to her. Through such deeds, and through prayer and memory, is her soul bound up in the bond of life. May I prove myself worthy of the gift of life and the many other gifts with which she blessed me. May these moments of meditation link me more strongly with her memory and with our entire family. May she rest eternally in dignity and peace. Amen.

In memory of a husband

יִזְכֹּר אֱלֹהִים נִשְׁמַת בַּעֲלִי שֶׁהָלַךְ לְעוֹלָמוֹ. הִנְנִי נוֹדֶרֶת צְדָקָה בְּעַד
הַזְכָּרַת נִשְׁמָתוֹ. אָנָּא תְּהִי נַפְשׁוֹ צְרוּרָה בִּצְרוֹר הַחַיִּים וּתְהִי מְנוּחָתוֹ
כָּבוֹד, שֹׂבַע שְׂמָחוֹת אֶת־פָּנֶיךָ, נְעִימוֹת בִּימִינְךָ נֶצַח. אָמֵן.

May God remember the soul of my husband who has gone to his eternal home. In loving testimony to his life I pledge charity to help perpetuate ideals important to him. Through such deeds, and through prayer and memory, is his soul bound up in the bond of life. Love is strong as death, deep bonds of love are indissoluble. The memory of our companionship and love leads me out of loneliness into all that we shared which still endures. May he rest eternally in dignity and peace. Amen.

In memory of a wife

יִזְכֹּר אֱלֹהִים נִשְׁמַת אִשְׁתִּי שֶׁהָלְכָה לְעוֹלָמָהּ. הִנְנִי נוֹדֵר צְדָקָה בְּעַד הַזְכָּרַת נִשְׁמָתָהּ. אָנָּא תְּהִי נַפְשָׁהּ צְרוּרָה בִּצְרוֹר הַחַיִּים וּתְהִי מְנוּחָתָהּ כָּבוֹד, שֹׂבַע שְׂמָחוֹת אֶת־פָּנֶיךָ, נְעִימוֹת בִּימִינְךָ נֶצַח. אָמֵן.

May God remember the soul of my wife who has gone to her eternal home. In loving testimony to her life I pledge charity to help perpetuate ideals important to her. Through such deeds and through prayer and memory is her soul bound up in the bond of life. "Many women have done superbly, but you surpass them all." Love is strong as death, deep bonds of love are indissoluble. The memory of our companionship and love leads me out of loneliness into all that we shared which still endures. May she rest eternally in dignity and peace. Amen.

In memory of a son

יִזְכֹּר אֱלֹהִים נִשְׁמַת בְּנִי הָאָהוּב מַחְמַד עֵינַי שֶׁהָלַךְ לְעוֹלָמוֹ. הִנְנִי נוֹדֵר [נוֹדֶרֶת] צְדָקָה בְּעַד הַזְכָּרַת נִשְׁמָתוֹ. אָנָּא תְּהִי נַפְשׁוֹ צְרוּרָה בִּצְרוֹר הַחַיִּים וּתְהִי מְנוּחָתוֹ כָּבוֹד, שֹׂבַע שְׂמָחוֹת אֶת־פָּנֶיךָ, נְעִימוֹת בִּימִינְךָ נֶצַח. אָמֵן.

May God remember the soul of my beloved son who has gone to his eternal home. In loving testimony to his life I pledge charity to help perpetuate ideals important to him. Through such deeds, and through prayer and memory, is his soul bound up in the bond of life. I am grateful for the sweetness of his life and for what he did accomplish. May he rest eternally in dignity and peace. Amen.

In memory of a daughter

יִזְכֹּר אֱלֹהִים נִשְׁמַת בִּתִּי הָאֲהוּבָה מַחְמַד עֵינַי שֶׁהָלְכָה לְעוֹלָמָהּ.
הִנְנִי נוֹדֵר [נוֹדֶרֶת] צְדָקָה בְּעַד הַזְכָּרַת נִשְׁמָתָהּ. אָנָּא תְּהִי
נַפְשָׁהּ צְרוּרָה בִּצְרוֹר הַחַיִּים וּתְהִי מְנוּחָתָהּ כָּבוֹד, שֹׂבַע שְׂמָחוֹת
אֶת פָּנֶיךָ, נְעִימוֹת בִּימִינְךָ נֶצַח. אָמֵן.

May God remember the soul of my beloved daughter who has gone to her eternal home. In loving testimony to her life I pledge charity to help perpetuate ideals important to her. Through such deeds, and through prayer and memory, is her soul bound up in the bond of life. I am grateful for the sweetness of her life and for what she did accomplish. May she rest eternally in dignity and peace. Amen.

In memory of other relatives and friends

יִזְכֹּר אֱלֹהִים נִשְׁמוֹת קְרוֹבַי וְרֵעַי שֶׁהָלְכוּ לְעוֹלָמָם. הִנְנִי נוֹדֵר
[נוֹדֶרֶת] צְדָקָה בְּעַד הַזְכָּרַת נִשְׁמוֹתֵיהֶם. אָנָּא תִּהְיֶינָה נַפְשׁוֹתֵיהֶם
צְרוּרוֹת בִּצְרוֹר הַחַיִּים וּתְהִי מְנוּחָתָם כָּבוֹד, שֹׂבַע שְׂמָחוֹת
אֶת־פָּנֶיךָ, נְעִימוֹת בִּימִינְךָ נֶצַח. אָמֵן.

May God remember the soul of ____________ and of all relatives and friends who have gone to their eternal home. In loving testimony to their lives I pledge charity to help perpetuate ideals important to them. Through such deeds, and through prayer and memory, are their souls bound up in the bond of life. May these moments of meditation link me more strongly with their memory. May they rest eternally in dignity and peace. Amen.

In memory of martyrs

יִזְכֹּר אֱלֹהִים נִשְׁמוֹת כָּל־אַחֵינוּ בְּנֵי יִשְׂרָאֵל שֶׁמָּסְרוּ אֶת־נַפְשָׁם עַל קִדּוּשׁ הַשֵּׁם. הִנְנִי נוֹדֵר [נוֹדֶרֶת] צְדָקָה בְּעַד הַזְכָּרַת נִשְׁמוֹתֵיהֶם. אָנָּא יִשָּׁמַע בְּחַיֵּינוּ הֵד גְּבוּרָתָם וּמְסִירוּתָם וְיֵרָאֶה בְּמַעֲשֵׂינוּ טֹהַר לִבָּם וְתִהְיֶינָה נַפְשׁוֹתֵיהֶם צְרוּרוֹת בִּצְרוֹר הַחַיִּים וּתְהִי מְנוּחָתָם כָּבוֹד, שֹׂבַע שְׂמָחוֹת אֶת־פָּנֶיךָ, נְעִימוֹת בִּימִינְךָ נֶצַח. אָמֵן.

May God remember the souls of our brethren, martyrs of our people, who gave their lives for the sanctification of His name. In their memory do I pledge charity. May their bravery, dedication and purity be reflected in our lives. May their souls be bound up in the bond of life. And may they rest eternally in dignity and peace. Amen.

The rabbi reads aloud, in memory of congregants who died during the past year.

We lovingly recall the members of our congregation who have passed away since we gathered in this sanctuary on last Yom Kippur. They have a special place in our hearts. We pray this day that all who have sustained the loss of loved ones in the year gone by be granted comfort and strength.

Exalted, compassionate God, comfort the bereaved families of this congregation. Help all of us to perpetuate the worthy values in the lives of those no longer with us, whose names we respectfully recall:

(names are read)

May their memory endure as a blessing. And let us say: Amen.

Chanted by Ḥazzan

In memory of the six million

אֵל מָלֵא רַחֲמִים שׁוֹכֵן בַּמְּרוֹמִים הַמְצֵא מְנוּחָה נְכוֹנָה תַּחַת כַּנְפֵי הַשְּׁכִינָה בְּמַעֲלוֹת קְדוֹשִׁים וּטְהוֹרִים כְּזֹהַר הָרָקִיעַ מַזְהִירִים, אֶת־נִשְׁמוֹת כָּל־אַחֵינוּ בְּנֵי יִשְׂרָאֵל, אֲנָשִׁים נָשִׁים וָטַף, שֶׁנֶּהֶרְגוּ וְשֶׁנִּטְבְּחוּ וְשֶׁנִּשְׂרְפוּ וְשֶׁנֶּחְנְקוּ. בְּגַן עֵדֶן תְּהִי מְנוּחָתָם. אָנָּא בַּעַל הָרַחֲמִים, הַסְתִּירֵם בְּסֵתֶר כְּנָפֶיךָ לְעוֹלָמִים וּצְרֹר בִּצְרוֹר הַחַיִּים אֶת־נִשְׁמוֹתֵיהֶם. יְיָ הוּא נַחֲלָתָם, וְיָנוּחוּ בְשָׁלוֹם עַל מִשְׁכְּבוֹתֵיהֶם. וְנֹאמַר אָמֵן.

Exalted, compassionate God, grant perfect peace in Your sheltering Presence, among the holy and the pure, to the souls of all our brethren, men, women and children of the House of Israel who were slaughtered and burned. May their memory endure, inspiring truth and loyalty in our lives. May their souls thus be bound up in the bond of life. May they rest in peace. And let us say: Amen.

In memory of all the dead

אֵל מָלֵא רַחֲמִים שׁוֹכֵן בַּמְּרוֹמִים הַמְצֵא מְנוּחָה נְכוֹנָה תַּחַת כַּנְפֵי הַשְּׁכִינָה בְּמַעֲלוֹת קְדוֹשִׁים וּטְהוֹרִים כְּזֹהַר הָרָקִיעַ מַזְהִירִים אֶת־נִשְׁמוֹת כָּל־אֵלֶּה שֶׁהִזְכַּרְנוּ הַיּוֹם לִבְרָכָה שֶׁהָלְכוּ לְעוֹלָמָם, בְּגַן עֵדֶן תְּהִי מְנוּחָתָם. אָנָּא בַּעַל הָרַחֲמִים, הַסְתִּירֵם בְּסֵתֶר כְּנָפֶיךָ לְעוֹלָמִים וּצְרֹר בִּצְרוֹר הַחַיִּים אֶת־נִשְׁמוֹתֵיהֶם. יְיָ הוּא נַחֲלָתָם, וְיָנוּחוּ בְשָׁלוֹם עַל מִשְׁכְּבוֹתֵיהֶם. וְנֹאמַר אָמֵן.

Exalted, compassionate God, grant perfect peace among the holy and the pure, in Your sheltering Presence, to the souls of all our beloved who have gone to their eternal home. May their memory endure as inspiration for deeds of charity and goodness in our lives. May their souls thus be bound up in the bond of life. May they rest in peace. And let us say: Amen.

יְיָ רֹעִי לֹא אֶחְסָר.

The Lord is my shepherd, I shall not want.

בִּנְאוֹת דֶּשֶׁא יַרְבִּיצֵנִי,

He gives me repose in green meadows.

עַל מֵי מְנֻחוֹת יְנַהֲלֵנִי. נַפְשִׁי יְשׁוֹבֵב,

He leads me beside the still waters to revive my spirit.

יַנְחֵנִי בְמַעְגְּלֵי־צֶדֶק לְמַעַן שְׁמוֹ.

He guides me on the right path, for that is His nature.

גַּם כִּי אֵלֵךְ בְּגֵיא צַלְמָוֶת
לֹא אִירָא רָע כִּי אַתָּה עִמָּדִי,

Though I walk in the valley of the shadow of death,
I fear no harm, for You are with me.

שִׁבְטְךָ וּמִשְׁעַנְתֶּךָ הֵמָּה יְנַחֲמֻנִי.

Your staff and Your rod comfort me.

תַּעֲרֹךְ לְפָנַי שֻׁלְחָן נֶגֶד צֹרְרָי,

You prepare a banquet for me in the presence of my foes.

דִּשַּׁנְתָּ בַשֶּׁמֶן רֹאשִׁי, כּוֹסִי רְוָיָה.

You anoint my head with oil; my cup overflows.

אַךְ טוֹב וָחֶסֶד יִרְדְּפוּנִי כָּל־יְמֵי חַיָּי,

Surely goodness and kindness shall be my portion
all the days of my life.

וְשַׁבְתִּי בְּבֵית יְיָ לְאֹרֶךְ יָמִים.

And I shall dwell in the House of the Lord forever.

Psalm 23

Our Creator, the King of kings, delights in life. Because of His love for us and because we are so few, each of us is important in His kingdom. Though we are flesh and blood, we are irreplaceable. When one of the House of Israel dies, there is a loss of glory in His kingdom, and His grandeur is diminished. Therefore, brethren of the House of Israel, all of you who mourn and all of you who remember on this day, let us fix our hearts on our Father in Heaven, our King and our Redeemer, and let us pray for ourselves, and for Him too, that He and His kingdom be hallowed and enhanced, glorified and celebrated.

Mourner's Kaddish

For translation, and the text in Aramaic, turn the page.

Yit-gadal ve-yit-kadash shmei raba, b'alma divra khir'utei ve-yamlikh mal-khutei be-ḥayei-khon uve'yomei-khon uve-ḥayei di-khol beit yisrael ba-agala u-vizman kariv v'imru amen.

Ye-hei shmei raba meva-rakh l'alam ul'almei 'almaya.

Yit-barakh ve-yish-tabaḥ ve-yitpa'ar ve-yitromam ve-yitnasei ve-yit-hadar ve-yit'aleh ve-yit-halal shmei di-kudsha brikh hu, l'eila l'eila mikol bir-khata ve-shirata tush-be-ḥata ve-neḥe-mata da-amiran b'alma, v'imru amen.

Ye-hei shlama raba min shmaya ve-ḥayim aleinu v'al kol yisrael v'imru amen.

Oseh shalom bimromav hu ya'aseh shalom aleinu v'al kol yisrael v'imru amen.

Mourner's Kaddish

יִתְגַּדַּל וְיִתְקַדַּשׁ שְׁמֵהּ רַבָּא בְּעָלְמָא דִּי בְרָא כִרְעוּתֵהּ, וְיַמְלִיךְ מַלְכוּתֵהּ בְּחַיֵּיכוֹן וּבְיוֹמֵיכוֹן וּבְחַיֵּי דְכָל־בֵּית יִשְׂרָאֵל בַּעֲגָלָא וּבִזְמַן קָרִיב, וְאִמְרוּ אָמֵן.

יְהֵא שְׁמֵהּ רַבָּא מְבָרַךְ לְעָלַם וּלְעָלְמֵי עָלְמַיָּא.

יִתְבָּרַךְ וְיִשְׁתַּבַּח וְיִתְפָּאַר וְיִתְרוֹמַם וְיִתְנַשֵּׂא וְיִתְהַדַּר וְיִתְעַלֶּה וְיִתְהַלַּל שְׁמֵהּ דְּקֻדְשָׁא בְּרִיךְ הוּא, לְעֵלָּא לְעֵלָּא מִכָּל־בִּרְכָתָא וְשִׁירָתָא תֻּשְׁבְּחָתָא וְנֶחֱמָתָא דַּאֲמִירָן בְּעָלְמָא, וְאִמְרוּ אָמֵן.

יְהֵא שְׁלָמָא רַבָּא מִן שְׁמַיָּא וְחַיִּים עָלֵינוּ וְעַל כָּל־יִשְׂרָאֵל, וְאִמְרוּ אָמֵן.

עוֹשֶׂה שָׁלוֹם בִּמְרוֹמָיו הוּא יַעֲשֶׂה שָׁלוֹם עָלֵינוּ וְעַל כָּל־יִשְׂרָאֵל, וְאִמְרוּ אָמֵן.

Hallowed and enhanced may He be throughout the world of His own creation. May He cause His sovereignty soon to be accepted, during our life and the life of all Israel. And let us say: Amen.

May He be praised throughout all time.

Glorified and celebrated, lauded and praised, acclaimed and honored, extolled and exalted may the Holy One be, far beyond all song and psalm, beyond all tributes which man can utter. And let us say: Amen.

Let there be abundant peace from Heaven, with life's goodness for us and for all the people Israel. And let us say: Amen.

He who brings peace to His universe will bring peace to us and to all the people Israel. And let us say: Amen.

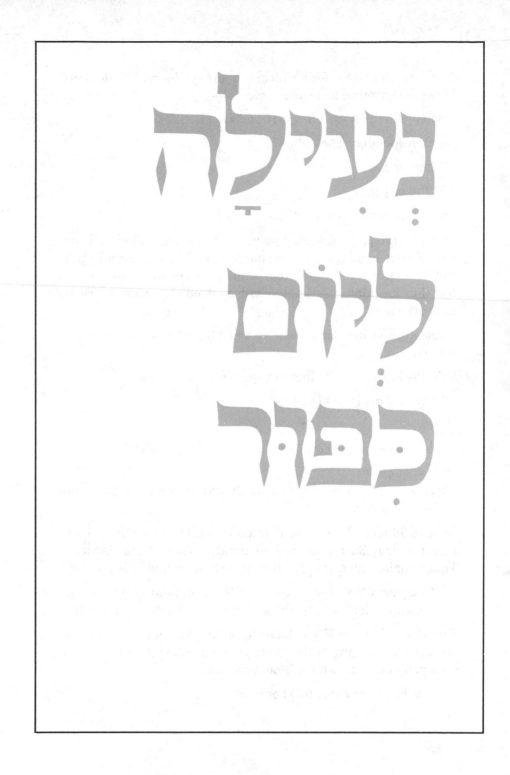

נְעִילָה לְיוֹם כִּפּוּר

YOM KIPPUR CONCLUDING SERVICE

One late afternoon, Rabbi Joshua ben Levi found Elijah standing at the entrance to a cave.

"When will the Messiah come?" he asked.

Elijah responded, "Ask *him*."

"Where is he?"

"At the city gate."

"How will I recognize him?"

"He sits among the diseased poor. All of the others loosen every one of their bandages at the same time and bind them all again. But *he* loosens and binds the bandages over his sores one by one. For he thinks: Perhaps I will be needed; I must be ready to go at once."

Rabbi Joshua ben Levi went to see him. "Shalom to you, my teacher.

Said the Messiah: "Shalom to you, ben Levi."

"When will his lordship come?"

"Today!"

Rabbi Joshua returned to Elijah, who asked, "What did he tell you?"

"Surely he lied to me, for he said that he is coming today—and he has not come."

Replied Elijah: "You misunderstood him. He was citing Scripture for you. Surely he had in mind a verse from Psalms— Today shall I come, if only all of you would listen to My voice."

Thus says the Lord: Blessed is the man who listens to Me, watching daily at My gates, for he who finds Me finds life.

Said the Holy One: If you have come to a house of worship, do not remain standing at the outer gate, but enter gate after gate, until you have reached the innermost gate.

The gates are made to be entered.

Open for us the gates
even as they are closing.

> *The sun is low, the hour is late;*
> *let us enter the gates at last.*

When a man begins life, countless gates stand waiting to be opened. But as he walks through the years, gates close behind him, one by one.

> *Remember the unopened gates.*
> *Open them before they are locked.*

The gates do not stay open forever. We walk through the years, and they shut behind us. And at the end they are all closed, except the one final gate which we must enter.

> *Today shall I come*
> *if only all of you*
> *would listen to My voice.*

Before it is too late, let us open the gates that lead to blessing and beauty, enter the gates of Torah and tranquility, go through the gates of kindness and compassion. Let us open the gates to those things in life which abide eternally . . . before the gates swing shut, before all of them are closed.

> *Do not remain standing at the outer gate.*

The gates are made to be entered.

> *The sun is low, the hour is late.*
> *Let us enter the gates at last.*

Ashrei

אַשְׁרֵי יוֹשְׁבֵי בֵיתֶךָ, עוֹד יְהַלְלְוּךָ סֶּלָה.

אַשְׁרֵי הָעָם שֶׁכָּכָה לּוֹ, אַשְׁרֵי הָעָם שֶׁיְיָ אֱלֹהָיו.

תְּהִלָּה לְדָוִד.

אֲרוֹמִמְךָ אֱלוֹהַי הַמֶּלֶךְ וַאֲבָרְכָה שִׁמְךָ לְעוֹלָם וָעֶד.

בְּכָל־יוֹם אֲבָרְכֶךָּ וַאֲהַלְלָה שִׁמְךָ לְעוֹלָם וָעֶד.

גָּדוֹל יְיָ וּמְהֻלָּל מְאֹד וְלִגְדֻלָּתוֹ אֵין חֵקֶר.

דּוֹר לְדוֹר יְשַׁבַּח מַעֲשֶׂיךָ וּגְבוּרֹתֶיךָ יַגִּידוּ.

הֲדַר כְּבוֹד הוֹדֶךָ וְדִבְרֵי נִפְלְאֹתֶיךָ אָשִֽׂיחָה.

וֶעֱזוּז נוֹרְאֹתֶיךָ יֹאמֵרוּ וּגְדוּלָּתְךָ אֲסַפְּרֶנָּה.

זֵכֶר רַב טוּבְךָ יַבִּיעוּ וְצִדְקָתְךָ יְרַנֵּנוּ.

חַנּוּן וְרַחוּם יְיָ, אֶרֶךְ אַפַּיִם וּגְדָל־חָסֶד.

טוֹב יְיָ לַכֹּל וְרַחֲמָיו עַל כָּל־מַעֲשָׂיו.

יוֹדוּךָ יְיָ כָּל־מַעֲשֶׂיךָ וַחֲסִידֶיךָ יְבָרְכוּכָה.

כְּבוֹד מַלְכוּתְךָ יֹאמֵרוּ וּגְבוּרָתְךָ יְדַבֵּרוּ.

לְהוֹדִיעַ לִבְנֵי הָאָדָם גְּבוּרֹתָיו וּכְבוֹד הֲדַר מַלְכוּתוֹ.

מַלְכוּתְךָ מַלְכוּת כָּל־עֹלָמִים וּמֶמְשַׁלְתְּךָ בְּכָל־דּוֹר וָדֹר.

סוֹמֵךְ יְיָ לְכָל־הַנֹּפְלִים וְזוֹקֵף לְכָל־הַכְּפוּפִים.

Ashrei

Blessed are they who dwell in Your house; they shall praise You forever.

Blessed the people who are so favored; blessed the people whose God is the Lord.

David sang: I glorify You, my God, my King;
I praise You throughout all time.

Every day do I praise You, exalting Your glory forever.

Great is the Lord, and praiseworthy;
His greatness exceeds definition.

One generation lauds Your works to another.
Declaring Your mighty deeds.

They tell of Your wonders, and of Your glorious splendor.

They speak of Your greatness, and of Your awesome power.

They recall Your goodness: they sing of Your faithfulness.

Gracious and compassionate is the Lord;
Patient, and abounding in love.

To all the Lord is good; His compassion embraces all creatures.

All of Your creatures shall praise You;
The faithful shall repeatedly bless You.

They shall describe Your glorious kingdom, declaring Your power;

And men will know of Your might, the splendor of Your dominion.

Your kingdom is an everlasting kingdom;

Your dominion endures for all generations.

The Lord supports all who stumble,

He raises all who are bowed down.

עֵינֵי כֹל אֵלֶיךָ יְשַׂבֵּרוּ וְאַתָּה נוֹתֵן לָהֶם אֶת־אָכְלָם בְּעִתּוֹ.
פּוֹתֵחַ אֶת־יָדֶךָ וּמַשְׂבִּיעַ לְכָל־חַי רָצוֹן.
צַדִּיק יְיָ בְּכָל־דְּרָכָיו וְחָסִיד בְּכָל־מַעֲשָׂיו.
קָרוֹב יְיָ לְכָל־קֹרְאָיו, לְכֹל אֲשֶׁר יִקְרָאֻהוּ בֶאֱמֶת.
רְצוֹן יְרֵאָיו יַעֲשֶׂה וְאֶת־שַׁוְעָתָם יִשְׁמַע וְיוֹשִׁיעֵם.
שׁוֹמֵר יְיָ אֶת־כָּל־אֹהֲבָיו וְאֵת כָּל־הָרְשָׁעִים יַשְׁמִיד.
תְּהִלַּת יְיָ יְדַבֶּר־פִּי וִיבָרֵךְ כָּל־בָּשָׂר שֵׁם קָדְשׁוֹ לְעוֹלָם וָעֶד.
וַאֲנַחְנוּ נְבָרֵךְ יָהּ מֵעַתָּה וְעַד עוֹלָם. הַלְלוּיָהּ.

U-va Le-tzion

וּבָא לְצִיּוֹן גּוֹאֵל וּלְשָׁבֵי פֶשַׁע בְּיַעֲקֹב, נְאֻם יְיָ. וַאֲנִי זֹאת בְּרִיתִי אוֹתָם אָמַר יְיָ, רוּחִי אֲשֶׁר עָלֶיךָ וּדְבָרַי אֲשֶׁר שַׂמְתִּי בְּפִיךָ, לֹא יָמוּשׁוּ מִפִּיךָ וּמִפִּי זַרְעֲךָ וּמִפִּי זֶרַע זַרְעֲךָ, אָמַר יְיָ, מֵעַתָּה וְעַד עוֹלָם. וְאַתָּה קָדוֹשׁ, יוֹשֵׁב תְּהִלּוֹת יִשְׂרָאֵל. וְקָרָא זֶה אֶל זֶה וְאָמַר: קָדוֹשׁ קָדוֹשׁ קָדוֹשׁ יְיָ צְבָאוֹת, מְלֹא כָל־הָאָרֶץ כְּבוֹדוֹ.

וּמְקַבְּלִין דֵּן מִן דֵּן וְאָמְרִין, קַדִּישׁ בִּשְׁמֵי מְרוֹמָא עִלָּאָה בֵּית שְׁכִינְתֵּהּ, קַדִּישׁ עַל אַרְעָא עוֹבַד גְּבוּרְתֵּהּ, קַדִּישׁ לְעָלַם וּלְעָלְמֵי עָלְמַיָּא. יְיָ צְבָאוֹת מַלְיָא כָל־אַרְעָא זִיו יְקָרֵהּ.

וַתִּשָּׂאֵנִי רוּחַ וָאֶשְׁמַע אַחֲרַי קוֹל רַעַשׁ גָּדוֹל: בָּרוּךְ כְּבוֹד יְיָ מִמְּקוֹמוֹ.

וּנְטָלַתְנִי רוּחָא וְשִׁמְעֵת בַּתְרַי קָל זִיעַ סַגִּיא דִּמְשַׁבְּחִין וְאָמְרִין: בְּרִיךְ יְקָרָא דַי יְיָ מֵאֲתַר בֵּית שְׁכִינְתֵּהּ.

יְיָ יִמְלֹךְ לְעֹלָם וָעֶד.

יְיָ מַלְכוּתֵהּ קָאֵם לְעָלַם וּלְעָלְמֵי עָלְמַיָּא.

All eyes look hopefully to You, to receive their food in due time.

You open Your hand and all the living feast upon Your favor.

In all His paths the Lord is faithful,
In all His deeds He is loving.

To all who call the Lord is near,
To all who call upon Him in truth.

He fulfills the desire of those who revere Him;
He hears their cry and delivers them.

All who love the Lord He preserves.
but all the wicked He destroys.

My mouth shall praise the Lord.

Let all flesh praise His name throughout all time.

We shall praise the Lord now and always. Halleluyah!

U-va Le-tzion

The Lord has assured a redeemer for Zion,
for those in the House of Jacob who turn from sin.

The Lord has said, This is My covenant with them:

My spirit shall remain with you and with your descendants.
My word shall be upon your lips now and forever.

For You, O Lord, are holy, enthroned upon the praises of
the people Israel.

Holy, holy, holy Lord of hosts; His glory fills the whole world.

The Lord shall reign throughout all time.

יְיָ אֱלֹהֵי אַבְרָהָם יִצְחָק וְיִשְׂרָאֵל אֲבֹתֵינוּ שָׁמְרָה־זֹּאת לְעוֹלָם לְיֵצֶר מַחְשְׁבוֹת לְבַב עַמֶּךָ, וְהָכֵן לְבָבָם אֵלֶיךָ. וְהוּא רַחוּם יְכַפֵּר עָוֹן וְלֹא יַשְׁחִית, וְהִרְבָּה לְהָשִׁיב אַפּוֹ, וְלֹא יָעִיר כָּל־חֲמָתוֹ. כִּי אַתָּה אֲדֹנָי טוֹב וְסַלָּח, וְרַב חֶסֶד לְכָל־קֹרְאֶיךָ. צִדְקָתְךָ צֶדֶק לְעוֹלָם וְתוֹרָתְךָ אֱמֶת. תִּתֵּן אֱמֶת לְיַעֲקֹב חֶסֶד לְאַבְרָהָם, אֲשֶׁר נִשְׁבַּעְתָּ לַאֲבֹתֵינוּ מִימֵי קֶדֶם. בָּרוּךְ אֲדֹנָי יוֹם יוֹם, יַעֲמָס־לָנוּ הָאֵל יְשׁוּעָתֵנוּ, סֶלָה. יְיָ צְבָאוֹת עִמָּנוּ, מִשְׂגָּב לָנוּ אֱלֹהֵי יַעֲקֹב, סֶלָה. יְיָ צְבָאוֹת, אַשְׁרֵי אָדָם בֹּטֵחַ בָּךְ. יְיָ הוֹשִׁיעָה, הַמֶּלֶךְ יַעֲנֵנוּ בְיוֹם קָרְאֵנוּ.

בָּרוּךְ הוּא אֱלֹהֵינוּ שֶׁבְּרָאָנוּ לִכְבוֹדוֹ וְהִבְדִּילָנוּ מִן הַתּוֹעִים וְנָתַן לָנוּ תּוֹרַת אֱמֶת וְחַיֵּי עוֹלָם נָטַע בְּתוֹכֵנוּ. הוּא יִפְתַּח לִבֵּנוּ בְּתוֹרָתוֹ וְיָשֵׂם בְּלִבֵּנוּ אַהֲבָתוֹ וְיִרְאָתוֹ וְלַעֲשׂוֹת רְצוֹנוֹ וּלְעָבְדוֹ בְּלֵבָב שָׁלֵם לְמַעַן לֹא נִיגַע לָרִיק וְלֹא נֵלֵד לַבֶּהָלָה. יְהִי רָצוֹן מִלְּפָנֶיךָ יְיָ אֱלֹהֵינוּ וֵאלֹהֵי אֲבוֹתֵינוּ שֶׁנִּשְׁמֹר חֻקֶּיךָ בָּעוֹלָם הַזֶּה וְנִזְכֶּה וְנִחְיֶה וְנִרְאֶה וְנִירַשׁ טוֹבָה וּבְרָכָה לִשְׁנֵי יְמוֹת הַמָּשִׁיחַ וּלְחַיֵּי הָעוֹלָם הַבָּא. לְמַעַן יְזַמֶּרְךָ כָבוֹד וְלֹא יִדֹּם, יְיָ אֱלֹהַי לְעוֹלָם אוֹדֶךָּ. בָּרוּךְ הַגֶּבֶר אֲשֶׁר יִבְטַח בַּייָ, וְהָיָה יְיָ מִבְטַחוֹ. בִּטְחוּ בַייָ עֲדֵי עַד, כִּי בְּיָהּ יְיָ צוּר עוֹלָמִים. וְיִבְטְחוּ בְךָ יוֹדְעֵי שְׁמֶךָ, כִּי לֹא עָזַבְתָּ דֹרְשֶׁיךָ יְיָ. יְיָ חָפֵץ לְמַעַן צִדְקוֹ, יַגְדִּיל תּוֹרָה וְיַאְדִּיר.

We rise.

Lord our God and God of our fathers,
impress this forever upon Your people,
directing our heart toward You:

God is merciful, granting atonement for sin.

You do not destroy; You avert punishment.
Again and again You suppress Your wrath.

The Lord is kind and forgiving, loving all who call to Him.

Your righteousness is everlasting, Your Torah is truth.

You will be faithful to Jacob, merciful to Abraham,
fulfilling the promise You made to our fathers.

Praised is the Lord who daily bears our burden;
He is the God of our deliverance.

Lord of hosts, blessed is the man who trusts in You.

O Lord, help us; answer us, O King, when we call.

He set us apart from those who go astray
by giving us His Torah, planting within us life eternal.

May He open our hearts to His Torah, inspiring us to to love
and revere Him, wholeheartedly to serve Him.

Thus shall we not labor in vain,
nor shall our children suffer confusion.

May we obey God's precepts, to be worthy of the Messianic era,
to attain a share of happiness in the world to come.

Blessed is the man who trusts in the Lord.

Trust in the Lord for ever and ever;
the Lord God is an unfailing stronghold.

Those who love Him trust in Him;
He never forsakes those who seek Him.

The Lord, through His righteousness,
exalts the Torah with greatness and glory.

We rise.

Ḥatzi Kaddish

Ḥazzan:

יִתְגַּדַּל וְיִתְקַדַּשׁ שְׁמֵהּ רַבָּא בְּעָלְמָא דִּי בְרָא כִרְעוּתֵהּ, וְיַמְלִיךְ מַלְכוּתֵהּ בְּחַיֵּיכוֹן וּבְיוֹמֵיכוֹן וּבְחַיֵּי דְכָל־בֵּית יִשְׂרָאֵל בַּעֲגָלָא וּבִזְמַן קָרִיב, וְאִמְרוּ אָמֵן.

Congregation and Ḥazzan:

יְהֵא שְׁמֵהּ רַבָּא מְבָרַךְ לְעָלַם וּלְעָלְמֵי עָלְמַיָּא.

Ḥazzan:

יִתְבָּרַךְ וְיִשְׁתַּבַּח וְיִתְפָּאַר וְיִתְרוֹמַם וְיִתְנַשֵּׂא וְיִתְהַדָּר וְיִתְעַלֶּה וְיִתְהַלַּל שְׁמֵהּ דְּקֻדְשָׁא בְּרִיךְ הוּא, לְעֵלָּא לְעֵלָּא מִכָּל־בִּרְכָתָא וְשִׁירָתָא תֻּשְׁבְּחָתָא וְנֶחֱמָתָא דַּאֲמִירָן בְּעָלְמָא, וְאִמְרוּ אָמֵן.

Amidah

We stand in silent prayer, which ends on page 718.

כִּי שֵׁם יְיָ אֶקְרָא, הָבוּ גֹדֶל לֵאלֹהֵינוּ.
אֲדֹנָי שְׂפָתַי תִּפְתָּח וּפִי יַגִּיד תְּהִלָּתֶךָ.

בָּרוּךְ אַתָּה יְיָ אֱלֹהֵינוּ וֵאלֹהֵי אֲבוֹתֵינוּ, אֱלֹהֵי אַבְרָהָם אֱלֹהֵי יִצְחָק וֵאלֹהֵי יַעֲקֹב, הָאֵל הַגָּדוֹל הַגִּבּוֹר וְהַנּוֹרָא אֵל עֶלְיוֹן גּוֹמֵל חֲסָדִים טוֹבִים וְקוֹנֵה הַכֹּל, וְזוֹכֵר חַסְדֵי אָבוֹת וּמֵבִיא גוֹאֵל לִבְנֵי בְנֵיהֶם לְמַעַן שְׁמוֹ בְּאַהֲבָה.

זָכְרֵנוּ לְחַיִּים מֶלֶךְ חָפֵץ בַּחַיִּים,
וְכָתְבֵנוּ בְּסֵפֶר הַחַיִּים לְמַעַנְךָ אֱלֹהִים חַיִּים.

מֶלֶךְ עוֹזֵר וּמוֹשִׁיעַ וּמָגֵן. בָּרוּךְ אַתָּה יְיָ מָגֵן אַבְרָהָם.

Ḥatzi Kaddish

Ḥazzan:

Hallowed and enhanced may He be throughout the world of His own creation. May He cause His sovereignty soon to be accepted, during our life and the life of all Israel. And let us say: Amen.

Congregation and Ḥazzan:

Ye-hei shmei raba meva-rakh l'alam ul'almei 'almaya.

May He be praised throughout all time,

Ḥazzan:

Glorified and celebrated, lauded and praised, acclaimed and honored, extolled and exalted may the Holy One be, far beyond all song and psalm, beyond all tributes which man can utter. And let us say: Amen.

Amidah

We stand in silent prayer, which ends on page 719.

When I call upon the Lord, give glory to our God.
Open my mouth, O Lord, and my lips will proclaim Your praise.

Praised are You, Lord our God and God of our fathers, God of Abraham, of Isaac and of Jacob, great, mighty, awesome, exalted God, bestowing lovingkindness and creating all things. You remember the pious deeds of our fathers, and will send a redeemer to their children's children because of Your love and for the sake of Your glory.

Remember us that we may live, O King who delights in life. Seal us in the Book of Life, for Your sake, living God.

You are the King who helps and saves and shields. Praised are You, Lord, Shield of Abraham.

אַתָּה גִּבּוֹר לְעוֹלָם אֲדֹנָי מְחַיֵּה מֵתִים אַתָּה רַב לְהוֹשִׁיעַ. מְכַלְכֵּל חַיִּים בְּחֶסֶד מְחַיֵּה מֵתִים בְּרַחֲמִים רַבִּים, סוֹמֵךְ נוֹפְלִים וְרוֹפֵא חוֹלִים וּמַתִּיר אֲסוּרִים וּמְקַיֵּם אֱמוּנָתוֹ לִישֵׁנֵי עָפָר. מִי כָמוֹךָ בַּעַל גְּבוּרוֹת וּמִי דּוֹמֶה לָּךְ, מֶלֶךְ מֵמִית וּמְחַיֶּה וּמַצְמִיחַ יְשׁוּעָה.

מִי כָמוֹךָ אַב הָרַחֲמִים, זוֹכֵר יְצוּרָיו לְחַיִּים בְּרַחֲמִים.

וְנֶאֱמָן אַתָּה לְהַחֲיוֹת מֵתִים. בָּרוּךְ אַתָּה יְיָ מְחַיֵּה הַמֵּתִים.

אַתָּה קָדוֹשׁ וְשִׁמְךָ קָדוֹשׁ וּקְדוֹשִׁים בְּכָל־יוֹם יְהַלְלוּךָ סֶּלָה.

וּבְכֵן תֵּן פַּחְדְּךָ יְיָ אֱלֹהֵינוּ עַל כָּל־מַעֲשֶׂיךָ וְאֵימָתְךָ עַל כָּל־מַה־שֶּׁבָּרָאתָ, וְיִירָאוּךָ כָּל־הַמַּעֲשִׂים וְיִשְׁתַּחֲווּ לְפָנֶיךָ כָּל־הַבְּרוּאִים, וְיֵעָשׂוּ כֻלָּם אֲגֻדָּה אַחַת לַעֲשׂוֹת רְצוֹנְךָ בְּלֵבָב שָׁלֵם, כְּמוֹ שֶׁיָּדַעְנוּ יְיָ אֱלֹהֵינוּ שֶׁהַשִּׁלְטוֹן לְפָנֶיךָ, עֹז בְּיָדְךָ וּגְבוּרָה בִּימִינֶךָ וְשִׁמְךָ נוֹרָא עַל כָּל־מַה־שֶּׁבָּרָאתָ.

וּבְכֵן תֵּן כָּבוֹד יְיָ לְעַמֶּךָ תְּהִלָּה לִירֵאֶיךָ וְתִקְוָה לְדוֹרְשֶׁיךָ וּפִתְחוֹן פֶּה לַמְיַחֲלִים לָךְ, שִׂמְחָה לְאַרְצֶךָ וְשָׂשׂוֹן לְעִירֶךָ וּצְמִיחַת קֶרֶן לְדָוִד עַבְדֶּךָ וַעֲרִיכַת נֵר לְבֶן־יִשַׁי מְשִׁיחֶךָ בִּמְהֵרָה בְיָמֵינוּ.

וּבְכֵן צַדִּיקִים יִרְאוּ וְיִשְׂמָחוּ וִישָׁרִים יַעֲלֹזוּ וַחֲסִידִים בְּרִנָּה יָגִילוּ, וְעוֹלָתָה תִּקְפָּץ־פִּיהָ וְכָל־הָרִשְׁעָה כֻּלָּה כְּעָשָׁן תִּכְלֶה כִּי תַעֲבִיר מֶמְשֶׁלֶת זָדוֹן מִן הָאָרֶץ.

וְתִמְלֹךְ אַתָּה יְיָ לְבַדֶּךָ עַל כָּל־מַעֲשֶׂיךָ בְּהַר צִיּוֹן מִשְׁכַּן כְּבוֹדֶךָ וּבִירוּשָׁלַיִם עִיר קָדְשֶׁךָ, כַּכָּתוּב בְּדִבְרֵי קָדְשֶׁךָ: יִמְלֹךְ יְיָ לְעוֹלָם אֱלֹהַיִךְ צִיּוֹן לְדֹר וָדֹר, הַלְלוּיָהּ.

קָדוֹשׁ אַתָּה וְנוֹרָא שְׁמֶךָ וְאֵין אֱלוֹהַּ מִבַּלְעָדֶיךָ, כַּכָּתוּב: וַיִּגְבַּהּ יְיָ צְבָאוֹת בַּמִּשְׁפָּט, וְהָאֵל הַקָּדוֹשׁ נִקְדַּשׁ בִּצְדָקָה. בָּרוּךְ אַתָּה יְיָ הַמֶּלֶךְ הַקָּדוֹשׁ.

Your might, O Lord, is boundless. Your lovingkindness sustains the living. Your great mercies give life to the dead. You support the falling, heal the ailing, free the fettered. You keep Your faith with those who sleep in dust. Whose power can compare with Yours? You are the master of life and death and deliverance.

Whose mercy can compare with Yours, merciful Father?
In mercy You remember Your creatures with life.

Faithful are You in giving life to the dead. Praised are You, Lord. Master of life and death.

Holy are You and holy is Your name. Holy are those who praise You daily.

O Lord our God, let all Your creatures sense Your awesome power, let all that You have fashioned stand in fear and trembling. Let all mankind pledge You their allegiance, united wholeheartedly to carry out Your will. For we know, Lord our God, that Your sovereignty, Your power and Your awesome majesty are supreme over all creation.

Grant honor, Lord, to Your people, glory to those who revere You, hope to those who seek You and confidence to those who await You. Grant joy to Your land and gladness to Your city. Kindle the lamp of Your anointed servant, David, by fulfilling our prayers for the days of Messiah soon, in our days.

Then will the righteous be glad, the upright rejoice, the pious celebrate in song. When You remove the tyranny of arrogance from the earth, evil will be silenced, all wickedness will vanish like smoke.

Then You alone will rule all creation from Mount Zion, Your glorious throne, from Jerusalem, Your holy city. So is it written in the Psalms of David: The Lord will reign through all generations; your God, Zion, will reign forever. Halleluyah!

Holy, awesome, there is no God but You. Thus is it written by Your prophet: The Lord is exalted in justice, His holiness is seen in lovingkindness. Praised are You, Lord, holy King.

אַתָּה בְחַרְתָּנוּ מִכָּל־הָעַמִּים, אָהַבְתָּ אוֹתָנוּ וְרָצִיתָ בָּנוּ וְרוֹמַמְתָּנוּ מִכָּל־הַלְּשׁוֹנוֹת וְקִדַּשְׁתָּנוּ בְּמִצְוֹתֶיךָ וְקֵרַבְתָּנוּ מַלְכֵּנוּ לַעֲבוֹדָתֶךָ וְשִׁמְךָ הַגָּדוֹל וְהַקָּדוֹשׁ עָלֵינוּ קָרָאתָ.

וַתִּתֶּן־לָנוּ יְיָ אֱלֹהֵינוּ בְּאַהֲבָה אֶת־יוֹם הַשַּׁבָּת הַזֶּה לִקְדֻשָּׁה וְלִמְנוּחָה וְאֶת־יוֹם הַכִּפּוּרִים הַזֶּה לִמְחִילָה וְלִסְלִיחָה וּלְכַפָּרָה וְלִמְחָל־בּוֹ אֶת־כָּל־עֲוֹנוֹתֵינוּ בְּאַהֲבָה מִקְרָא קֹדֶשׁ זֵכֶר לִיצִיאַת מִצְרָיִם.

אֱלֹהֵינוּ וֵאלֹהֵי אֲבוֹתֵינוּ, יַעֲלֶה וְיָבוֹא וְיַגִּיעַ וְיֵרָאֶה וְיֵרָצֶה וְיִשָּׁמַע וְיִפָּקֵד וְיִזָּכֵר זִכְרוֹנֵנוּ וּפִקְדוֹנֵנוּ, וְזִכְרוֹן אֲבוֹתֵינוּ וְזִכְרוֹן מָשִׁיחַ בֶּן־דָּוִד עַבְדֶּךָ וְזִכְרוֹן יְרוּשָׁלַיִם עִיר קָדְשֶׁךָ וְזִכְרוֹן כָּל־עַמְּךָ בֵּית יִשְׂרָאֵל לְפָנֶיךָ לִפְלֵיטָה וּלְטוֹבָה וּלְחֵן וּלְחֶסֶד וּלְרַחֲמִים וּלְחַיִּים וּלְשָׁלוֹם בְּיוֹם הַכִּפּוּרִים הַזֶּה. זָכְרֵנוּ יְיָ אֱלֹהֵינוּ בּוֹ לְטוֹבָה, וּפָקְדֵנוּ בוֹ לִבְרָכָה, וְהוֹשִׁיעֵנוּ בוֹ לְחַיִּים. וּבִדְבַר יְשׁוּעָה וְרַחֲמִים חוּס וְחָנֵּנוּ וְרַחֵם עָלֵינוּ וְהוֹשִׁיעֵנוּ כִּי אֵלֶיךָ עֵינֵינוּ, כִּי אֵל מֶלֶךְ חַנּוּן וְרַחוּם אָתָּה.

אֱלֹהֵינוּ וֵאלֹהֵי אֲבוֹתֵינוּ, מְחַל לַעֲוֹנוֹתֵינוּ בְּיוֹם הַשַּׁבָּת הַזֶּה וּבְיוֹם הַכִּפּוּרִים הַזֶּה, מְחֵה וְהַעֲבֵר פְּשָׁעֵינוּ וְחַטֹּאתֵינוּ מִנֶּגֶד עֵינֶיךָ, כָּאָמוּר: אָנֹכִי אָנֹכִי הוּא מֹחֶה פְשָׁעֶיךָ לְמַעֲנִי, וְחַטֹּאתֶיךָ לֹא אֶזְכֹּר. וְנֶאֱמַר: מָחִיתִי כָעָב פְּשָׁעֶיךָ וְכֶעָנָן חַטֹּאתֶיךָ, שׁוּבָה אֵלַי כִּי גְאַלְתִּיךָ. וְנֶאֱמַר: כִּי בַיּוֹם הַזֶּה יְכַפֵּר עֲלֵיכֶם לְטַהֵר אֶתְכֶם מִכֹּל חַטֹּאתֵיכֶם לִפְנֵי יְיָ תִּטְהָרוּ. אֱלֹהֵינוּ וֵאלֹהֵי אֲבוֹתֵינוּ, רְצֵה בִמְנוּחָתֵנוּ קַדְּשֵׁנוּ בְּמִצְוֹתֶיךָ וְתֵן חֶלְקֵנוּ בְּתוֹרָתֶךָ, שַׂבְּעֵנוּ מִטּוּבֶךָ וְשַׂמְּחֵנוּ בִּישׁוּעָתֶךָ וְהַנְחִילֵנוּ יְיָ אֱלֹהֵינוּ בְּאַהֲבָה וּבְרָצוֹן שַׁבַּת קָדְשֶׁךָ וְיָנוּחוּ בָהּ יִשְׂרָאֵל מְקַדְּשֵׁי שְׁמֶךָ וְטַהֵר לִבֵּנוּ לְעָבְדְּךָ בֶּאֱמֶת, כִּי אַתָּה סָלְחָן לְיִשְׂרָאֵל וּמָחֳלָן לְשִׁבְטֵי יְשֻׁרוּן בְּכָל־דּוֹר וָדוֹר וּמִבַּלְעָדֶיךָ אֵין לָנוּ מֶלֶךְ מוֹחֵל וְסוֹלֵחַ אֶלָּא אָתָּה. בָּרוּךְ אַתָּה יְיָ מֶלֶךְ מוֹחֵל

You have chosen us of all nations for Your service by loving and favoring us as bearers of Your Torah. You have exalted us as a people by sanctifying us with Your commandments, identifying us with Your great and holy name.

Lord our God, in love You have given us *this Shabbat for sanctity and rest, and* this Yom Kippur for pardon, forgiveness and atonement, to pardon us for all our sins, a day for holy assembly and for recalling the Exodus from Egypt.

Our God and God of our fathers, on this Yom Kippur remember our fathers and be gracious to us. Consider the people standing before You praying for the days of Messiah and for Jerusalem Your holy city. Grant us life, well-being, lovingkindness and peace. Bless us, Lord our God, with all that is good. Remember Your promise of mercy and redemption. Be merciful to us and save us, for we place our hope in You, gracious and merciful God and King.

Our God and God of our fathers, forgive our sins on this *Shabbat and this* Yom Kippur. Blot out and pass over our transgressions, as Isaiah declared in Your name: "I alone blot out your transgressions, for My sake; your sins I shall not recall. I have swept away your transgressions like a cloud, your sins like mist. Return to Me, for I have redeemed you." And the Torah promises: "For on this day atonement shall be made for you, to cleanse you; of all your sins before the Lord shall you be cleansed."

Our God and God of our fathers *accept our Shabbat offering of rest,* make our lives holy with Your commandments and let Your Torah be our portion. Fill our lives with Your goodness, and gladden us with Your triumph. *Lovingly and willingly, Lord our God, grant that we inherit the gift of Shabbat forever, so that Your people Israel who hallow Your name will always find rest on this day.* Cleanse our hearts to serve You faithfully, for You forgive and pardon the people Israel in every generation. Except for You we have no King who pardons and forgives.

וְסוֹלֵחַ לַעֲוֹנוֹתֵינוּ וְלַעֲוֹנוֹת עַמּוֹ בֵּית יִשְׂרָאֵל וּמַעֲבִיר אַשְׁמוֹתֵינוּ בְּכָל־שָׁנָה וְשָׁנָה, מֶלֶךְ עַל כָּל־הָאָרֶץ מְקַדֵּשׁ הַשַּׁבָּת וְ יִשְׂרָאֵל וְיוֹם הַכִּפּוּרִים.

רְצֵה יְיָ אֱלֹהֵינוּ בְּעַמְּךָ יִשְׂרָאֵל וּבִתְפִלָּתָם וְהָשֵׁב אֶת־הָעֲבוֹדָה לִדְבִיר בֵּיתֶךָ וּתְפִלָּתָם בְּאַהֲבָה תְקַבֵּל בְּרָצוֹן וּתְהִי לְרָצוֹן תָּמִיד עֲבוֹדַת יִשְׂרָאֵל עַמֶּךָ. וְתֶחֱזֶינָה עֵינֵינוּ בְּשׁוּבְךָ לְצִיּוֹן בְּרַחֲמִים. בָּרוּךְ אַתָּה יְיָ הַמַּחֲזִיר שְׁכִינָתוֹ לְצִיּוֹן.

מוֹדִים אֲנַחְנוּ לָךְ שָׁאַתָּה הוּא יְיָ אֱלֹהֵינוּ וֵאלֹהֵי אֲבוֹתֵינוּ לְעוֹלָם וָעֶד, צוּר חַיֵּינוּ מָגֵן יִשְׁעֵנוּ אַתָּה הוּא. לְדוֹר וָדוֹר נוֹדֶה לְּךָ וּנְסַפֵּר תְּהִלָּתֶךָ עַל חַיֵּינוּ הַמְּסוּרִים בְּיָדֶךָ וְעַל נִשְׁמוֹתֵינוּ הַפְּקוּדוֹת לָךְ וְעַל נִסֶּיךָ שֶׁבְּכָל־יוֹם עִמָּנוּ וְעַל נִפְלְאוֹתֶיךָ וְטוֹבוֹתֶיךָ שֶׁבְּכָל־עֵת עֶרֶב וָבֹקֶר וְצָהֳרָיִם. הַטּוֹב כִּי לֹא כָלוּ רַחֲמֶיךָ וְהַמְרַחֵם כִּי לֹא תַמּוּ חֲסָדֶיךָ מֵעוֹלָם קִוִּינוּ לָךְ.

וְעַל כֻּלָּם יִתְבָּרַךְ וְיִתְרוֹמַם שִׁמְךָ מַלְכֵּנוּ תָּמִיד לְעוֹלָם וָעֶד. וַחֲתֹם לְחַיִּים טוֹבִים כָּל־בְּנֵי בְרִיתֶךָ.

וְכֹל הַחַיִּים יוֹדוּךָ סֶּלָה וִיהַלְלוּ אֶת־שִׁמְךָ בֶּאֱמֶת הָאֵל יְשׁוּעָתֵנוּ וְעֶזְרָתֵנוּ סֶלָה. בָּרוּךְ אַתָּה יְיָ הַטּוֹב שִׁמְךָ וּלְךָ נָאֶה לְהוֹדוֹת.

שִׂים שָׁלוֹם בָּעוֹלָם, טוֹבָה וּבְרָכָה חֵן וָחֶסֶד וְרַחֲמִים עָלֵינוּ וְעַל כָּל־יִשְׂרָאֵל עַמֶּךָ. בָּרְכֵנוּ אָבִינוּ כֻּלָּנוּ כְּאֶחָד בְּאוֹר פָּנֶיךָ, כִּי בְאוֹר פָּנֶיךָ נָתַתָּ לָּנוּ, יְיָ אֱלֹהֵינוּ, תּוֹרַת חַיִּים וְאַהֲבַת חֶסֶד וּצְדָקָה וּבְרָכָה וְרַחֲמִים וְחַיִּים וְשָׁלוֹם. וְטוֹב בְּעֵינֶיךָ לְבָרֵךְ אֶת־עַמְּךָ יִשְׂרָאֵל בְּכָל־עֵת וּבְכָל־שָׁעָה בִּשְׁלוֹמֶךָ.

Praised are You, Lord, King who pardons and forgives our sins and the sins of all His people Israel, absolving us of guilt each year, King of all the earth who sanctifies Shabbat, the people Israel and Yom Kippur.

Accept the prayer of Your people Israel as lovingly as it is offered. Restore worship to Your sanctuary. May the worship of Your people Israel always be acceptable to You. May we bear witness to Your merciful return to Zion. Praised are You, Lord who restores His Presence to Zion.

We proclaim that You are the Lord our God and God of our fathers throughout all time. You are the Rock of our lives, the Shield of our salvation. We thank You and praise You through all generations, for our lives are in Your hand, our souls are in Your charge. We thank You for Your miracles which daily attend us, for Your wondrous kindness, morning, noon and night. Your mercy and love are boundless. We have always placed our hope in You.

For all these blessings we shall ever praise and exalt You. Seal all the people of Your covenant for a good life.

May every living creature thank You and praise You faithfully, our deliverance and our help. Praised are You, beneficent Lord to whom all praise is due.

Grant peace, happiness and blessing to the world, with grace, love, and mercy for us and for all the people Israel. Bless us, our Father, one and all, with Your light; for by that light did You teach us Torah and life, love and tenderness, justice, mercy and peace. May it please You to bless Your people Israel in every season and at all times with Your gift of peace.

בְּסֵפֶר חַיִּים בְּרָכָה וְשָׁלוֹם וּפַרְנָסָה טוֹבָה נִזָּכֵר וְנֵחָתֵם לְפָנֶיךָ אֲנַחְנוּ וְכָל־עַמְּךָ בֵּית יִשְׂרָאֵל לְחַיִּים טוֹבִים וּלְשָׁלוֹם.

בָּרוּךְ אַתָּה יְיָ עוֹשֵׂה הַשָּׁלוֹם.

אֱלֹהֵינוּ וֵאלֹהֵי אֲבוֹתֵינוּ, תָּבוֹא לְפָנֶיךָ תְּפִלָּתֵנוּ וְאַל תִּתְעַלַּם מִתְּחִנָּתֵנוּ, שֶׁאֵין אֲנַחְנוּ עַזֵּי פָנִים וּקְשֵׁי עֹרֶף לוֹמַר לְפָנֶיךָ, יְיָ אֱלֹהֵינוּ וֵאלֹהֵי אֲבוֹתֵינוּ, צַדִּיקִים אֲנַחְנוּ וְלֹא חָטָאנוּ, אֲבָל אֲנַחְנוּ חָטָאנוּ.

אָשַׁמְנוּ, בָּגַדְנוּ, גָּזַלְנוּ, דִּבַּרְנוּ דֹפִי.
הֶעֱוִינוּ, וְהִרְשַׁעְנוּ, זַדְנוּ, חָמַסְנוּ,
טָפַלְנוּ שֶׁקֶר. יָעַצְנוּ רָע, כִּזַּבְנוּ, לַצְנוּ,
מָרַדְנוּ, נִאַצְנוּ, סָרַרְנוּ, עָוִינוּ,
פָּשַׁעְנוּ, צָרַרְנוּ, קִשִּׁינוּ עֹרֶף. רָשַׁעְנוּ,
שִׁחַתְנוּ, תִּעַבְנוּ, תָּעִינוּ, תִּעְתָּעְנוּ.

סַרְנוּ מִמִּצְוֹתֶיךָ וּמִמִּשְׁפָּטֶיךָ הַטּוֹבִים וְלֹא שָׁוָה לָנוּ, וְאַתָּה צַדִּיק עַל כָּל־הַבָּא עָלֵינוּ, כִּי אֱמֶת עָשִׂיתָ וַאֲנַחְנוּ הִרְשָׁעְנוּ. מַה־נֹּאמַר לְפָנֶיךָ יוֹשֵׁב מָרוֹם וּמַה־נְּסַפֵּר לְפָנֶיךָ שׁוֹכֵן שְׁחָקִים. הֲלֹא כָּל־הַנִּסְתָּרוֹת וְהַנִּגְלוֹת אַתָּה יוֹדֵעַ.

אַתָּה נוֹתֵן יָד לְפוֹשְׁעִים וִימִינְךָ פְשׁוּטָה לְקַבֵּל שָׁבִים. וַתְּלַמְּדֵנוּ יְיָ אֱלֹהֵינוּ לְהִתְוַדּוֹת לְפָנֶיךָ עַל כָּל־עֲוֹנוֹתֵינוּ, לְמַעַן נֶחְדַּל מֵעֹשֶׁק יָדֵינוּ, וּתְקַבְּלֵנוּ בִּתְשׁוּבָה שְׁלֵמָה לְפָנֶיךָ כְּאִשִּׁים וּכְנִיחוֹחִים, לְמַעַן דְּבָרֶיךָ אֲשֶׁר אָמָרְתָּ. אֵין קֵץ לְאִשֵּׁי חוֹבוֹתֵינוּ וְאֵין מִסְפָּר לְנִיחוֹחֵי אַשְׁמוֹתֵינוּ. וְאַתָּה יוֹדֵעַ שֶׁאַחֲרִיתֵנוּ רִמָּה וְתוֹלֵעָה, לְפִיכָךְ הִרְבֵּיתָ סְלִיחָתֵנוּ. מָה אָנוּ, מֶה חַיֵּינוּ, מֶה חַסְדֵּנוּ, מַה־צִּדְקֵנוּ, מַה־יִּשְׁעֵנוּ, מַה־כֹּחֵנוּ, מַה־גְּבוּרָתֵנוּ. מַה־נֹּאמַר לְפָנֶיךָ, יְיָ אֱלֹהֵינוּ

May we and the entire House of Israel be remembered and sealed in the Book of life, blessing, sustenance and peace.

Praised are You, Lord, Source of peace.

Our God and God of our fathers, hear our prayer; do not ignore our plea. We are neither so brazen nor so arrogant to claim that we are righteous, without sin, for we have surely sinned.

We abuse, we betray, we are cruel.

We destroy, we embitter, we falsify.

We gossip, we hate, we insult.

We jeer, we kill, we lie.

We mock, we neglect, we oppress.

We pervert, we quarrel, we rebel.

We steal, we transgress, we are unkind.

We are violent, we are wicked, we are xenophobic.

We yield to evil, we are zealots for bad causes.

We have ignored Your commandments and statutes, but it has not profited us. You are just, we have stumbled. You have acted faithfully, we have been unrighteous. What can we say to You; what can we tell you? You know everything, secret and revealed.

You extend a welcome to transgressors, ready to embrace those who turn in repentance. You have taught us to confess all our sins to You, that we may cease doing violence to our lives. Accept us in wholehearted repentance, as You have promised. Endless are the guilt-offerings that would have been required of us in ancient Temple times. But we are destined for the worm, and therefore have You provided us with abundant means of pardon.

What are we? What is our piety? What is our righteousness, our attainment, our power, our might? What can we say, Lord

וֵאלֹהֵי אֲבוֹתֵינוּ, הֲלֹא כָּל־הַגִּבּוֹרִים כְּאַיִן לְפָנֶיךָ וְאַנְשֵׁי הַשֵּׁם כְּלֹא הָיוּ, וַחֲכָמִים כִּבְלִי מַדָּע וּנְבוֹנִים כִּבְלִי הַשְׂכֵּל, כִּי רֹב מַעֲשֵׂיהֶם תֹּהוּ וִימֵי חַיֵּיהֶם הֶבֶל לְפָנֶיךָ. וּמוֹתַר הָאָדָם מִן הַבְּהֵמָה אָיִן, כִּי הַכֹּל הָבֶל.

אַתָּה הִבְדַּלְתָּ אֱנוֹשׁ מֵרֹאשׁ וַתַּכִּירֵהוּ לַעֲמֹד לְפָנֶיךָ. כִּי מִי יֹאמַר לְךָ מַה־תִּפְעַל, וְאִם יִצְדַּק מַה־יִּתֶּן־לָךְ. וַתִּתֶּן־לָנוּ יְיָ אֱלֹהֵינוּ בְּאַהֲבָה אֶת־יוֹם הַכִּפּוּרִים הַזֶּה, קֵץ וּמְחִילָה וּסְלִיחָה עַל כָּל־עֲוֹנוֹתֵינוּ, לְמַעַן נֶחְדַּל מֵעֹשֶׁק יָדֵנוּ, וְנָשׁוּב אֵלֶיךָ לַעֲשׂוֹת חֻקֵּי רְצוֹנְךָ בְּלֵבָב שָׁלֵם.

וְאַתָּה בְּרַחֲמֶיךָ הָרַבִּים רַחֵם עָלֵינוּ, כִּי לֹא תַחְפֹּץ בְּהַשְׁחָתַת עוֹלָם, שֶׁנֶּאֱמַר: דִּרְשׁוּ יְיָ בְּהִמָּצְאוֹ, קְרָאֻהוּ בִּהְיוֹתוֹ קָרוֹב. וְנֶאֱמַר: יַעֲזֹב רָשָׁע דַּרְכּוֹ וְאִישׁ אָוֶן מַחְשְׁבֹתָיו, וְיָשֹׁב אֶל יְיָ וִירַחֲמֵהוּ, וְאֶל אֱלֹהֵינוּ כִּי יַרְבֶּה לִסְלוֹחַ. וְאַתָּה אֱלוֹהַּ סְלִיחוֹת, חַנּוּן וְרַחוּם, אֶרֶךְ אַפַּיִם וְרַב חֶסֶד וֶאֱמֶת וּמַרְבֶּה לְהֵיטִיב. וְרוֹצֶה אַתָּה בִּתְשׁוּבַת רְשָׁעִים, וְאֵין אַתָּה חָפֵץ בְּמִיתָתָם, שֶׁנֶּאֱמַר: אֱמֹר אֲלֵיהֶם, חַי אָנִי, נְאֻם אֲדֹנָי אֱלֹהִים, אִם אֶחְפֹּץ בְּמוֹת הָרָשָׁע, כִּי אִם בְּשׁוּב רָשָׁע מִדַּרְכּוֹ וְחָיָה, שׁוּבוּ שׁוּבוּ מִדַּרְכֵיכֶם הָרָעִים וְלָמָּה תָמוּתוּ בֵּית יִשְׂרָאֵל. וְנֶאֱמַר: הֶחָפֹץ אֶחְפֹּץ מוֹת רָשָׁע, נְאֻם אֲדֹנָי אֱלֹהִים, הֲלוֹא בְּשׁוּבוֹ מִדְּרָכָיו וְחָיָה. וְנֶאֱמַר: כִּי לֹא אֶחְפֹּץ בְּמוֹת הַמֵּת, נְאֻם אֲדֹנָי אֱלֹהִים, וְהָשִׁיבוּ וִחְיוּ. כִּי אַתָּה סָלְחָן לְיִשְׂרָאֵל וּמָחֳלָן לְשִׁבְטֵי יְשֻׁרוּן בְּכָל־דּוֹר וָדוֹר, וּמִבַּלְעָדֶיךָ אֵין לָנוּ מֶלֶךְ מוֹחֵל וְסוֹלֵחַ אֶלָּא אָתָּה.

our God and God of our fathers? Compared to You, all the mighty are nothing, the famous are non-existent, the wise lack wisdom, the clever lack reason. For most of their actions are meaninglessness, the days of their lives emptiness. Man's superiority to the beast is an illusion. All life is a fleeting breath.

But You distinguished man from the start, deeming him worthy to stand in Your Presence. For who would challenge Your deeds? And even if man should be righteous, what do You gain? Lovingly have You given us this Day of Atonement, an end to all our sins in pardon and forgiveness, that we may cease doing violence to our lives, that we may turn to You, fulfilling Your statutes wholeheartedly.

Grant us compassion from Your abundant store of compassion. For You do not desire destruction, as Your prophet Isaiah declared: "Seek the Lord while He may be found, call to Him while He is near. Let the wicked man abandon his ways, and the evil man his thoughts. Let him return to the Lord who will have compassion for him, let him return to our God who freely forgives." Forgiving God, You are gracious and compassionate, patient, abounding in kindness and faithfulness. You desire the return of the wicked, not their death, as You have proclaimed through Your prophet Ezekiel: "As I live, says the Lord God, I do not desire the death of the wicked, but that he abandon his ways and live. Turn, turn from your wicked ways, for why should you die, House of Israel?" And it is written: "Do I desire the death of the wicked? Do I not prefer that he abandon his ways and live? . . . I do not desire anyone's death. Turn then, and live." For You pardon and forgive the House of Israel in every generation. But for You we have no King who pardons and forgives.

At the conclusion of the Amidah, personal prayers may be added.

אֱלֹהַי, עַד שֶׁלֹּא נוֹצַרְתִּי אֵינִי כְדַי וְעַכְשָׁו שֶׁנּוֹצַרְתִּי כְּאִלּוּ לֹא נוֹצַרְתִּי. עָפָר אֲנִי בְּחַיַּי, קַל וָחֹמֶר בְּמִיתָתִי, הֲרֵי אֲנִי לְפָנֶיךָ כִּכְלִי מָלֵא בוּשָׁה וּכְלִמָּה. יְהִי רָצוֹן מִלְּפָנֶיךָ יְיָ אֱלֹהַי וֵאלֹהֵי אֲבוֹתַי שֶׁלֹּא אֶחֱטָא עוֹד, וּמַה־שֶּׁחָטָאתִי לְפָנֶיךָ מָרֵק בְּרַחֲמֶיךָ הָרַבִּים, אֲבָל לֹא עַל יְדֵי יִסּוּרִים וָחֳלָיִים רָעִים.

תִּשְׁמְרֵנִי מִן הַפְּנִיּוֹת וְהַגֵּאוּת וּמִן הַכַּעַס וְהַקַּפְּדָנוּת וְהָעַצְבוּת וְהָרְכִילוּת וּשְׁאָר מִדּוֹת רָעוֹת.

וְתַצִּילֵנִי מִקִּנְאַת אִישׁ בְּרֵעֵהוּ וְלֹא תַעֲלֶה קִנְאַת אָדָם עַל לִבִּי וְלֹא קִנְאָתִי עַל אֲחֵרִים. אַדְּרַבָּה, תֵּן בְּלִבִּי שֶׁאֶרְאֶה מַעֲלַת חֲבֵרַי וְלֹא חֶסְרוֹנוֹ.

עוֹשֶׂה שָׁלוֹם בִּמְרוֹמָיו הוּא יַעֲשֶׂה שָׁלוֹם עָלֵינוּ וְעַל כָּל־יִשְׂרָאֵל, וְאִמְרוּ אָמֵן.

*At the conclusion of the Amidah, personal prayers
may be added, before or instead of the following.*

Before I was born, I had no significance. And now that I have been born, I am of equal worth. Dust am I though I live; surely after death will I be dust. In Your Presence, aware of my frailty, I am totally embarrassed and confused. May it be Your will, Lord my God and God of my fathers, to help me abstain from further sin. With Your great compassion wipe away the sins I have committed against You, though not by means of suffering.

Keep me far from petty thoughts and petty pride, far from anger, impatience, despair, gossip and all bad traits.

Let me not be overwhelmed by jealousy of others; let others not be overwhelmed by jealousy of me. Grant me the gift of seeing other people's merits, not their faults.

He who brings peace to His universe will bring peace to us and to all the people Israel. And let us say: Amen.

GOD OF ABRAHAM, ISAAC AND JACOB

The term "God of Abraham, Isaac and Jacob" is semantically different from a term such as "the God of truth, goodness and beauty." Abraham, Isaac and Jacob do not signify ideas, principles or abstract values. Nor do they stand for teachers or thinkers. . . . Abraham, Isaac and Jacob are not principles to be comprehended but lives to be continued. The life of him who joins the covenant of Abraham continues the life of Abraham. For the present is not apart from the past. . . . Abraham endures forever. We are Abraham, Isaac, Jacob.

אֵל נוֹרָא עֲלִילָה   אֵל נוֹרָא עֲלִילָה
הַמְצֵא לָנוּ מְחִילָה   בִּשְׁעַת הַנְּעִילָה.

מְתֵי מִסְפָּר קְרוּאִים   לְךָ עַיִן נוֹשְׂאִים
וּמְסַלְדִים בְּחִילָה   בִּשְׁעַת הַנְּעִילָה.

שׁוֹפְכִים לְךָ נַפְשָׁם   מְחֵה פִּשְׁעָם וְכַחֲשָׁם
הַמְצִיאֵם מְחִילָה   בִּשְׁעַת הַנְּעִילָה.

הֱיֵה לָהֶם לְסִתְרָה   וְחַלְּצֵם מִמְּאֵרָה
וְחָתְמֵם לְהוֹד וּלְגִילָה   בִּשְׁעַת הַנְּעִילָה.

חֹן אוֹתָם וְרַחֵם   וְכָל־לוֹחֵץ וְלוֹחֵם
עֲשֵׂה בָהֶם פְּלִילָה   בִּשְׁעַת הַנְּעִילָה.

זְכֹר צִדְקַת אֲבִיהֶם   וְחַדֵּשׁ אֶת־יְמֵיהֶם
כְּקֶדֶם וּתְחִלָּה   בִּשְׁעַת הַנְּעִילָה.

קְרָא נָא שְׁנַת רָצוֹן   וְהָשֵׁב שְׁאֵרִית הַצֹּאן
לְאָהֳלִיבָה וְאָהֳלָה   בִּשְׁעַת הַנְּעִילָה.

Awesome God, let us live; forgive.

The gates are closing.

Our merits few, we look to You.

The gates are closing.

Save us from foes; Your power just, in You we trust.

The gates are closing.

Our ancestors great, our merits few, our lives renew.

The gates are closing.

In spite of sin, again help us begin.

The gates are closing.

Your flock embrace, with love and grace.

The gates are closing.

In great compassion, forgiveness fashion.

The gates are closing.

Let joy, not strife, embrace our life.

The gates are closing.

Redemption bring, that we may sing,

Though the gates are closing.

Amidah

The Ark remains open throughout the Ḥazzan's repetition of the Amidah, during which it is customary to stand.

God of our fathers

בָּרוּךְ אַתָּה יְיָ אֱלֹהֵינוּ וֵאלֹהֵי אֲבוֹתֵינוּ, אֱלֹהֵי אַבְרָהָם אֱלֹהֵי יִצְחָק וֵאלֹהֵי יַעֲקֹב, הָאֵל הַגָּדוֹל הַגִּבּוֹר וְהַנּוֹרָא אֵל עֶלְיוֹן גּוֹמֵל חֲסָדִים טוֹבִים וְקוֹנֵה הַכֹּל, וְזוֹכֵר חַסְדֵי אָבוֹת וּמֵבִיא גוֹאֵל לִבְנֵי בְנֵיהֶם לְמַעַן שְׁמוֹ בְּאַהֲבָה.

מִסּוֹד חֲכָמִים וּנְבוֹנִים, וּמִלֶּמֶד דַּעַת מְבִינִים, אֶפְתְּחָה פִּי בִּתְפִלָּה וּבְתַחֲנוּנִים, לְחַלּוֹת וּלְחַנֵּן פְּנֵי מֶלֶךְ מָלֵא רַחֲמִים מוֹחֵל וְסוֹלֵחַ לַעֲוֹנִים.

זָכְרֵנוּ לְחַיִּים מֶלֶךְ חָפֵץ בַּחַיִּים,
וְחָתְמֵנוּ בְּסֵפֶר הַחַיִּים לְמַעַנְךָ אֱלֹהִים חַיִּים.

מֶלֶךְ עוֹזֵר וּמוֹשִׁיעַ וּמָגֵן. בָּרוּךְ אַתָּה יְיָ מָגֵן אַבְרָהָם.

Master of nature

אַתָּה גִּבּוֹר לְעוֹלָם אֲדֹנָי מְחַיֵּה מֵתִים אַתָּה רַב לְהוֹשִׁיעַ. מְכַלְכֵּל חַיִּים בְּחֶסֶד מְחַיֵּה מֵתִים בְּרַחֲמִים רַבִּים, סוֹמֵךְ נוֹפְלִים וְרוֹפֵא חוֹלִים וּמַתִּיר אֲסוּרִים וּמְקַיֵּם אֱמוּנָתוֹ לִישֵׁנֵי עָפָר. מִי כָמוֹךָ בַּעַל גְּבוּרוֹת וּמִי דּוֹמֶה לָּךְ, מֶלֶךְ מֵמִית וּמְחַיֶּה וּמַצְמִיחַ יְשׁוּעָה.

מִי כָמוֹךָ אַב הָרַחֲמִים, זוֹכֵר יְצוּרָיו לְחַיִּים בְּרַחֲמִים.

וְנֶאֱמָן אַתָּה לְהַחֲיוֹת מֵתִים. בָּרוּךְ אַתָּה יְיָ מְחַיֵּה הַמֵּתִים.

Amidah

The Ark remains open throughout the Ḥazzan's repetition of the Amidah, during which it is customary to stand.

God of our fathers

Praised are You, Lord our God and God of our fathers, God of Abraham, of Isaac and of Jacob, great, mighty, awesome, exalted God, bestowing lovingkindness and creating all things. You remember the pious deeds of our fathers, and will send a redeemer to their children's children because of Your love and for the sake of Your glory.

Prompted by teachings of our sages, guided by traditions of the ages, I open my mouth in prayer and petition, before the merciful King who forgives our sins at this time of contrition.

Zokhrei-nu l'ḥayyim melekh ḥafeitz b'ḥayyim
v'ḥot-meinu b'seifer ha-ḥayyim, l'ma-ankha Elohim ḥayyim.

Remember us that we may live, O King who delights in life. Seal us in the Book of Life, for Your sake, living God.

You are the King who helps and saves and shields. Praised are You, Lord, Shield of Abraham.

Master of nature

Your might, O Lord, is boundless. Your lovingkindness sustains the living. Your great mercies give life to the dead. You support the falling, heal the ailing, free the fettered. You keep Your faith with those who sleep in dust. Whose power can compare with Yours? You are the master of life and death and deliverance.

Whose mercy can compare with Yours, merciful Father?
In mercy You remember Your creatures with life.

Faithful are You in giving life to the dead. Praised are You, Lord, Master of life and death.

Holy, awesome God

יִמְלֹךְ יְיָ לְעוֹלָם אֱלֹהַיִךְ צִיּוֹן לְדֹר וָדֹר, הַלְלוּיָהּ.
וְאַתָּה קָדוֹשׁ, יוֹשֵׁב תְּהִלּוֹת יִשְׂרָאֵל, אֵל נָא.

Ḥazzan and congregation:

שְׁמַע נָא, סְלַח נָא הַיּוֹם, עֲבוּר כִּי פָנָה יוֹם,
וּנְהַלֶּלְךָ נוֹרָא וְאָיֹם, קָדוֹשׁ.

וּבְכֵן לְךָ תַעֲלֶה קְדֻשָּׁה, כִּי אַתָּה אֱלֹהֵינוּ מֶלֶךְ מוֹחֵל וְסוֹלֵחַ.

פִּתְחוּ־לָנוּ שַׁעֲרֵי־צֶדֶק, נָבוֹא בָם נוֹדֶה יָהּ.
דְּלָתֶיךָ דָּפַקְנוּ רַחוּם וְחַנּוּן
נָא אַל תְּשִׁיבֵנוּ רֵיקָם מִלְּפָנֶיךָ.

פְּתַח לָנוּ וּלְכָל־יִשְׂרָאֵל אַחֵינוּ בְּכָל־מָקוֹם:
שַׁעֲרֵי אוֹרָה, שַׁעֲרֵי בְרָכָה, שַׁעֲרֵי גִילָה, שַׁעֲרֵי דִיצָה,
שַׁעֲרֵי הוֹד וְהָדָר, שַׁעֲרֵי וָעַד טוֹב, שַׁעֲרֵי זְכִיּוֹת, שַׁעֲרֵי חֶדְוָה,
שַׁעֲרֵי טָהֳרָה, שַׁעֲרֵי יְשׁוּעָה, שַׁעֲרֵי כַפָּרָה, שַׁעֲרֵי לֵב טוֹב,
שַׁעֲרֵי מְחִילָה, שַׁעֲרֵי נֶחָמָה, שַׁעֲרֵי סְלִיחָה, שַׁעֲרֵי עֶזְרָה,
שַׁעֲרֵי פַּרְנָסָה טוֹבָה, שַׁעֲרֵי צְדָקָה, שַׁעֲרֵי קוֹמְמִיּוּת,
שַׁעֲרֵי רְפוּאָה שְׁלֵמָה, שַׁעֲרֵי שָׁלוֹם, שַׁעֲרֵי תְשׁוּבָה.

וְחָתְמֵנוּ בְּסֵפֶר הַחַיִּים לִבְרָכָה וְלִקְדֻשָּׁה,
כִּי אַתָּה קָדוֹשׁ וְשִׁמְךָ קָדוֹשׁ וּשְׁעָרֶיךָ בִּקְדֻשָּׁה נִכָּנֵס.

Holy, awesome God

The Lord shall reign through all generations; your God, Zion, shall reign forever. Halleluyah! You are holy, enthroned upon the praises of the people Israel, who beseech You.

Ḥazzan and congregation:

Hear us this day and forgive, for the day is passing. Another year has passed from view; help us to return to You, awesome, holy God.

Our *Kedushah* ascends only to You, for You, our God, are a forgiving King.

Open for us the gates of righteousness;

then shall we enter, praising the Lord.

Open the gates, open them wide.

We knock at Your gates, merciful God;
please do not turn us away empty-handed.

Open the gates, Lord, open the gates
for us and for our brethren everywhere.

Open the gates that yield what we yearn for:

Blessing and brotherhood, compassion and kindness,

devotion and dignity, faith and forgiveness,

hope and healing, justice and joy,

life and love, peace and pardon,

solace and sustenance, Torah and tranquility.

Open the gates, Lord; show us the way to enter.

Seal our fate in the Book of Life.

Heal us with holiness.

For You are holy, Your name is holy,
and we hope all creation will join singing "holy."

Kedushah

We recite Kedushah while standing. The congregation chants the indented lines aloud.

וּבְהֶם תָּעֳרַץ וְתֻקְדַּשׁ, כְּסוֹד שִׂיחַ שַׂרְפֵי־קֹֽדֶשׁ, הַמַּקְדִּישִׁים שִׁמְךָ בַּקֹּֽדֶשׁ, כַּכָּתוּב עַל יַד נְבִיאֶֽךָ, וְקָרָא זֶה אֶל זֶה וְאָמַר:

> קָדוֹשׁ קָדוֹשׁ קָדוֹשׁ יְיָ צְבָאוֹת מְלֹא כָל־הָאָֽרֶץ כְּבוֹדוֹ.

כְּבוֹדוֹ מָלֵא עוֹלָם, מְשָׁרְתָיו שׁוֹאֲלִים זֶה לָזֶה אַיֵּה מְקוֹם כְּבוֹדוֹ, לְעֻמָּתָם בָּרוּךְ יֹאמֵֽרוּ:

> בָּרוּךְ כְּבוֹד יְיָ מִמְּקוֹמוֹ.

מִמְּקוֹמוֹ הוּא יִֽפֶן בְּרַחֲמִים וְיָחֹן עַם הַמְיַחֲדִים שְׁמוֹ עֶֽרֶב וָבֹֽקֶר בְּכָל־יוֹם תָּמִיד פַּעֲמַֽיִם בְּאַהֲבָה שְׁמַע אוֹמְרִים:

> שְׁמַע יִשְׂרָאֵל יְיָ אֱלֹהֵֽינוּ יְיָ אֶחָד.

הוּא אֱלֹהֵֽינוּ הוּא אָבִֽינוּ הוּא מַלְכֵּֽנוּ הוּא מוֹשִׁיעֵֽנוּ, וְהוּא יַשְׁמִיעֵֽנוּ בְּרַחֲמָיו שֵׁנִית לְעֵינֵי כָּל־חָי, לִהְיוֹת לָכֶם לֵאלֹהִים:

> אֲנִי יְיָ אֱלֹהֵיכֶם.

אַדִּיר אַדִּירֵֽנוּ יְיָ אֲדוֹנֵֽינוּ, מָה אַדִּיר שִׁמְךָ בְּכָל־הָאָֽרֶץ. וְהָיָה יְיָ לְמֶֽלֶךְ עַל כָּל־הָאָֽרֶץ, בַּיּוֹם הַהוּא יִהְיֶה יְיָ אֶחָד וּשְׁמוֹ אֶחָד. וּבְדִבְרֵי קָדְשְׁךָ כָּתוּב לֵאמֹר:

> יִמְלֹךְ יְיָ לְעוֹלָם אֱלֹהַֽיִךְ צִיּוֹן לְדֹר וָדֹר, הַלְלוּיָהּ.

Kedushah

We recide Kedushah while standing. The congregation chants the indented lines aloud.

We hallow Your name as celestial choirs hallow Your name, as in Your prophet's vision: The angels called one to another:

Ka-dosh ka-dosh ka-dosh Ado-nai tz'va-ot, m'lo khol ha-aretz k'vo-do.

Holy, holy, holy Lord of hosts. The whole world is filled with His glory.

His glory fills the universe. When one angelic chorus asks, "Where is His glory?" another responds with praise:

Barukh k'vod Ado-nai mi-m'komo.

Praised is the Lord's glory throughout the universe.

May He turn in compassion, granting mercy to His people who twice daily, morning and evening, proclaim His Oneness with love:

Sh'ma yisra-el Ado-nai Elo-hei-nu Ado-nai eḥad.

Hear, O Israel: The Lord our God, the Lord is One.

He is our God and our Father. He is our King and our Redeemer. And in His mercy again will He declare, before all the world:

A-ni Ado-nai Elo-hei-khem.

I am the Lord your God.

Our Lord eternal, how magnificent Your name in all the world. The Lord shall be acknowledged King of all the earth. On that day the Lord shall be One and His name One. And thus sang the Psalmist:

Yim-lokh Ado-nai l'olam Elo-ha-yikh tzi-yon ledor va-dor ha-le-lu-yah.

The Lord shall reign through all generations; your God, Zion, shall reign forever. Halleluyah.

לְדוֹר וָדוֹר נַגִּיד גָּדְלֶךָ, וּלְנֵצַח נְצָחִים קְדֻשָּׁתְךָ נַקְדִּישׁ. וְשִׁבְחֲךָ אֱלֹהֵינוּ מִפִּינוּ לֹא יָמוּשׁ לְעוֹלָם וָעֶד כִּי אֵל מֶלֶךְ גָּדוֹל וְקָדוֹשׁ אָתָּה.

חֲמֹל עַל מַעֲשֶׂיךָ, וְתִשְׂמַח בְּמַעֲשֶׂיךָ, וְיֹאמְרוּ לְךָ חוֹסֶיךָ בְּצַדֶּקְךָ עֲמוּסֶיךָ, תֻּקְדַּשׁ אָדוֹן עַל כָּל־מַעֲשֶׂיךָ.

וּבְכֵן תֵּן פַּחְדְּךָ יְיָ אֱלֹהֵינוּ עַל כָּל־מַעֲשֶׂיךָ וְאֵימָתְךָ עַל כָּל־מַה־שֶּׁבָּרָאתָ, וְיִירָאוּךָ כָּל־הַמַּעֲשִׂים וְיִשְׁתַּחֲווּ לְפָנֶיךָ כָּל־הַבְּרוּאִים, וְיֵעָשׂוּ כֻלָּם אֲגֻדָּה אַחַת לַעֲשׂוֹת רְצוֹנְךָ בְּלֵבָב שָׁלֵם, כְּמוֹ שֶׁיָּדַעְנוּ יְיָ אֱלֹהֵינוּ שֶׁהַשִּׁלְטוֹן לְפָנֶיךָ, עֹז בְּיָדְךָ וּגְבוּרָה בִּימִינֶךָ וְשִׁמְךָ נוֹרָא עַל כָּל־מַה־שֶּׁבָּרָאתָ.

וּבְכֵן תֵּן כָּבוֹד יְיָ לְעַמֶּךָ תְּהִלָּה לִירֵאֶיךָ וְתִקְוָה לְדוֹרְשֶׁיךָ וּפִתְחוֹן פֶּה לַמְיַחֲלִים לָךְ, שִׂמְחָה לְאַרְצֶךָ וְשָׂשׂוֹן לְעִירֶךָ וּצְמִיחַת קֶרֶן לְדָוִד עַבְדֶּךָ וַעֲרִיכַת נֵר לְבֶן־יִשַׁי מְשִׁיחֶךָ בִּמְהֵרָה בְיָמֵינוּ.

וּבְכֵן צַדִּיקִים יִרְאוּ וְיִשְׂמָחוּ וִישָׁרִים יַעֲלֹזוּ וַחֲסִידִים בְּרִנָּה יָגִילוּ, וְעוֹלָתָה תִּקְפָּץ־פִּיהָ וְכָל־הָרִשְׁעָה כֻּלָּהּ כְּעָשָׁן תִּכְלֶה כִּי תַעֲבִיר מֶמְשֶׁלֶת זָדוֹן מִן הָאָרֶץ.

וְתִמְלֹךְ אַתָּה יְיָ לְבַדֶּךָ עַל כָּל־מַעֲשֶׂיךָ בְּהַר צִיּוֹן מִשְׁכַּן כְּבוֹדֶךָ וּבִירוּשָׁלַיִם עִיר קָדְשֶׁךָ, כַּכָּתוּב בְּדִבְרֵי קָדְשֶׁךָ: יִמְלֹךְ יְיָ לְעוֹלָם אֱלֹהַיִךְ צִיּוֹן לְדֹר וָדֹר, הַלְלוּיָהּ.

קָדוֹשׁ אַתָּה וְנוֹרָא שְׁמֶךָ וְאֵין אֱלוֹהַ מִבַּלְעָדֶיךָ, כַּכָּתוּב: וַיִּגְבַּהּ יְיָ צְבָאוֹת בַּמִּשְׁפָּט, וְהָאֵל הַקָּדוֹשׁ נִקְדַּשׁ בִּצְדָקָה. בָּרוּךְ אַתָּה יְיָ הַמֶּלֶךְ הַקָּדוֹשׁ.

We shall declare Your greatness through all generations, hallow Your holiness to all eternity. Your praise will never leave our lips, for You are God and King, great and holy.

Have mercy for Your creatures, and rejoice in them. When in mercy You acquit Your flock on this day of judgment, those who trust in You shall declare: Be hallowed, Lord, through all You have created.

O Lord our God, let all Your creatures sense Your awesome power, let all that You have fashioned stand in fear and trembling. Let all mankind pledge You their allegiance, united wholeheartedly to carry out Your will. For we know, Lord our God, that Your sovereignty, Your power and Your awesome majesty are supreme over all creation.

Grant honor, Lord, to Your people, glory to those who revere You, hope to those who seek You and confidence to those who await You. Grant joy to Your land and gladness to Your city. Kindle the lamp of Your anointed servant, David, by fulfilling our prayers for the days of Messiah soon, in our days.

Then will the righteous be glad, the upright rejoice, the pious celebrate in song. When You remove the tyranny of arrogance from the earth, evil will be silenced, all wickedness will vanish like smoke.

Then You alone will rule all creation from Mount Zion, Your glorious throne, from Jerusalem, Your holy city. So is it written in the Psalms of David: The Lord will reign through all generations; your God, Zion, will reign forever. Halleluyah!

Holy, awesome, there is no God but You. Thus is it written by Your prophet: The Lord is exalted in justice, His holiness is seen in lovingkindness. Praised are You, Lord, holy King.

You sanctify this day of pardon and forgiveness

אַתָּה בְחַרְתָּנוּ מִכָּל־הָעַמִּים, אָהַבְתָּ אוֹתָנוּ וְרָצִיתָ בָּנוּ וְרוֹמַמְתָּנוּ
מִכָּל־הַלְּשׁוֹנוֹת וְקִדַּשְׁתָּנוּ בְּמִצְוֹתֶיךָ וְקֵרַבְתָּנוּ מַלְכֵּנוּ לַעֲבוֹדָתֶךָ
וְשִׁמְךָ הַגָּדוֹל וְהַקָּדוֹשׁ עָלֵינוּ קָרָאתָ.

וַתִּתֶּן־לָנוּ יְיָ אֱלֹהֵינוּ בְּאַהֲבָה אֶת־יוֹם הַשַּׁבָּת הַזֶּה לִקְדֻשָּׁה וְלִמְנוּחָה
וְאֶת־יוֹם הַכִּפּוּרִים הַזֶּה לִמְחִילָה וְלִסְלִיחָה וּלְכַפָּרָה וְלִמְחָל־בּוֹ
אֶת־כָּל־עֲוֹנוֹתֵינוּ בְּאַהֲבָה מִקְרָא קֹדֶשׁ זֵכֶר לִיצִיאַת מִצְרָיִם.

אֱלֹהֵינוּ וֵאלֹהֵי אֲבוֹתֵינוּ, יַעֲלֶה וְיָבוֹא וְיַגִּיעַ וְיֵרָאֶה וְיֵרָצֶה וְיִשָּׁמַע
וְיִפָּקֵד וְיִזָּכֵר זִכְרוֹנֵנוּ וּפִקְדוֹנֵנוּ, וְזִכְרוֹן אֲבוֹתֵינוּ וְזִכְרוֹן מָשִׁיחַ בֶּן־
דָּוִד עַבְדֶּךָ וְזִכְרוֹן יְרוּשָׁלַיִם עִיר קָדְשֶׁךָ וְזִכְרוֹן כָּל־עַמְּךָ בֵּית
יִשְׂרָאֵל לְפָנֶיךָ לִפְלֵיטָה וּלְטוֹבָה וּלְחֵן וּלְחֶסֶד וּלְרַחֲמִים וּלְחַיִּים
וּלְשָׁלוֹם בְּיוֹם הַכִּפּוּרִים הַזֶּה. זָכְרֵנוּ יְיָ אֱלֹהֵינוּ בּוֹ לְטוֹבָה, וּפָקְדֵנוּ
בוֹ לִבְרָכָה, וְהוֹשִׁיעֵנוּ בוֹ לְחַיִּים. וּבִדְבַר יְשׁוּעָה וְרַחֲמִים חוּס
וְחָנֵּנוּ וְרַחֵם עָלֵינוּ וְהוֹשִׁיעֵנוּ כִּי אֵלֶיךָ עֵינֵינוּ, כִּי אֵל מֶלֶךְ חַנּוּן
וְרַחוּם אָתָּה.

Seliḥot

Ḥazzan and congregation:

פְּתַח לָנוּ שַׁעַר, בְּעֵת נְעִילַת שַׁעַר, כִּי פָנָה יוֹם.
הַיּוֹם יִפְנֶה, הַשֶּׁמֶשׁ יָבוֹא וְיִפְנֶה, נָבוֹאָה שְׁעָרֶיךָ.
אָנָּא אֵל נָא, שָׂא נָא, סְלַח נָא, מְחַל נָא, חֲמָל־נָא,
רַחֶם־נָא, כַּפֶּר־נָא, כְּבֹשׁ חֵטְא וְעָוֹן.

You sanctify this day of pardon and forgiveness

You have chosen us of all nations for Your service by loving and favoring us as bearers of Your Torah. You have exalted us as a people by sanctifying us with Your commandments, identifying us with Your great and holy name.

Lord our God, in love You have given us *this Shabbat for sanctity and rest, and* this Yom Kippur for pardon, forgiveness and atonement, to pardon us for all our sins, a day for holy assembly and for recalling the Exodus from Egypt.

Our God and God of our fathers, on this Yom Kippur remember our fathers and be gracious to us. Consider the people standing before You praying for the days of Messiah and for Jerusalem Your holy city. Grant us life, well-being, lovingkindness and peace. Bless us, Lord our God, with all that is good. Remember Your promise of mercy and redemption. Be merciful to us and save us, for we place our hope in You, gracious and merciful God and King.

Seliḥot

Ḥazzan and congregation:

Open for us the gates, even as they are closing.

The day is waning, the sun is low.

The hour is late, a year has slipped away.

Let us enter the gates at last.

Lord, have compassion. Pardon, forgive, take pity.

Grant us atonement. Help us to conquer our iniquity and sin.

*God's covenant of compassion leads to forgiveness
and atonement.*

אֵל מֶֽלֶךְ יוֹשֵׁב עַל כִּסֵּא רַחֲמִים, מִתְנַהֵג בַּחֲסִידוּת, מוֹחֵל עֲוֹנוֹת
עַמּוֹ, מַעֲבִיר רִאשׁוֹן רִאשׁוֹן, מַרְבֶּה מְחִילָה לְחַטָּאִים וּסְלִיחָה
לְפוֹשְׁעִים. עוֹשֶׂה צְדָקוֹת עִם כָּל־בָּשָׂר וָרֽוּחַ, וְלֹא כְרָעָתָם תִּגְמֹל.

אֵל הוֹרֵֽיתָ לָֽנוּ לוֹמַר שְׁלשׁ עֶשְׂרֵה, זְכָר־לָֽנוּ הַיּוֹם בְּרִית שְׁלשׁ
עֶשְׂרֵה, כְּהוֹדַעְתָּ לֶעָנָו מִקֶּֽדֶם, וְכֵן כָּתוּב: וַיֵּֽרֶד יְיָ בֶּעָנָן וַיִּתְיַצֵּב
עִמּוֹ שָׁם, וַיִּקְרָא בְשֵׁם יְיָ. וַיַּעֲבֹר יְיָ עַל פָּנָיו וַיִּקְרָא:

The covenant

יְיָ יְיָ אֵל רַחוּם וְחַנּוּן, אֶֽרֶךְ אַפַּֽיִם וְרַב חֶֽסֶד וֶאֱמֶת
נֹצֵר חֶֽסֶד לָאֲלָפִים נֹשֵׂא עָוֹן וָפֶֽשַׁע וְחַטָּאָה, וְנַקֵּה.

וְסָלַחְתָּ לַעֲוֹנֵֽנוּ וּלְחַטָּאתֵֽנוּ, וּנְחַלְתָּֽנוּ.

סְלַח לָֽנוּ אָבִֽינוּ כִּי חָטָֽאנוּ, מְחַל לָֽנוּ מַלְכֵּֽנוּ כִּי פָשָֽׁעְנוּ.
כִּי אַתָּה יְיָ טוֹב וְסַלָּח וְרַב חֶֽסֶד לְכָל־קוֹרְאֶֽיךָ.

Because of our frailty we sin, we have constant faults and
failures. Because God's compassion is greater than His justice,
He forgives. We now recall His covenant of compassion, which
leads to forgiveness and atonement.

Our God and King, enthroned upon compassion, rules with lovingkindness, forgives the transgressions of His people, and repeatedly pardons. He generously forgives sin, and deals mercifully with all mortals.

You have taught us, Lord, to recite the words which You proclaimed to Moses, declaring Your attributes of mercy. Remember in our favor Your covenant of compassion which You then revealed. Thus it is written in Your Torah: The Lord descended in a cloud and stood with him there, and proclaimed the name Lord. The Lord passed before him and proclaimed:

The covenant

THE LORD, THE LORD IS GRACIOUS AND COMPASSIONATE, PATIENT, ABOUNDING IN KINDNESS AND FAITHFULNESS, ASSURING LOVE FOR A THOUSAND GENERATIONS, FORGIVING INIQUITY, TRANSGRESSION AND SIN, AND GRANTING PARDON.

Exodus 34:6–7

Then Moses prayed: "Pardon our iniquity and our sin; claim us for Your own."

Forgive us, our Father, for we have sinned.
Pardon us, our King, for we have transgressed.

You, O Lord, are generous and forgiving.
Great is Your Love for all who call to You.

אֶנְקַת מְסַלְדֶיךָ, תַּעַל לִפְנֵי כִסֵּא כְבוֹדֶךָ, מַלֵּא מִשְׁאֲלוֹת עַם
מְיַחֲדֶךָ, שׁוֹמֵעַ תְּפִלַּת בָּאֵי עָדֶיךָ.

יִשְׂרָאֵל נוֹשַׁע בַּיְיָ תְּשׁוּעַת עוֹלָמִים, גַּם הַיּוֹם יִוָּשְׁעוּ מִפִּיךָ שׁוֹכֵן
מְרוֹמִים, כִּי אַתָּה רַב סְלִיחוֹת וּבַעַל הָרַחֲמִים.

יַחְבִּיאֵנוּ צֵל יָדוֹ תַּחַת כַּנְפֵי הַשְּׁכִינָה, חֹן יָחֹן כִּי יִבְחֹן לֵב עָקֹב
לְהָכִינָה, קוּמָה נָא אֱלֹהֵינוּ עֻזָּה עֻזִּי נָא, יְיָ לְשַׁוְעָתֵנוּ הַאֲזִינָה.

יַשְׁמִיעֵנוּ סָלַחְתִּי, יוֹשֵׁב בְּסֵתֶר עֶלְיוֹן, בִּימִין יֶשַׁע לְהִוָּשַׁע עַם
עָנִי וְאֶבְיוֹן, בְּשַׁוְּעֵנוּ אֵלֶיךָ נוֹרָאוֹת בְּצֶדֶק תַּעֲנֵנוּ, יְיָ הֱיֵה עוֹזֵר
לָנוּ.

זְכָר־לָנוּ בְּרִית רִאשׁוֹנִים כַּאֲשֶׁר אָמַרְתָּ. זָכְרֵנוּ בְּחֶסֶד עוֹלָם
וּבְרַחֲמִים גְּדוֹלִים, כְּמָה שֶׁכָּתוּב: בְּרֶגַע קָטֹן עֲזַבְתִּיךָ, וּבְרַחֲמִים
גְּדוֹלִים אֲקַבְּצֵךְ. בְּשֶׁצֶף קֶצֶף הִסְתַּרְתִּי פָנַי רֶגַע מִמֵּךְ וּבְחֶסֶד
עוֹלָם רִחַמְתִּיךְ, אָמַר גֹּאֲלֵךְ יְיָ. כִּי הֶהָרִים יָמוּשׁוּ וְהַגְּבָעוֹת
תְּמוּטֶינָה, וְחַסְדִּי מֵאִתֵּךְ לֹא יָמוּשׁ וּבְרִית שְׁלוֹמִי לֹא תָמוּט,
אָמַר מְרַחֲמֵךְ יְיָ.

The covenant

יְיָ יְיָ אֵל רַחוּם וְחַנּוּן, אֶרֶךְ אַפַּיִם וְרַב חֶסֶד וֶאֱמֶת
נֹצֵר חֶסֶד לָאֲלָפִים נֹשֵׂא עָוֹן וָפֶשַׁע וְחַטָּאָה, וְנַקֵּה.

אֶזְכְּרָה אֱלֹהִים וְאֶהֱמָיָה בִּרְאוֹתִי כָל־עִיר עַל תִּלָּהּ בְּנוּיָה
וְעִיר הָאֱלֹהִים מֻשְׁפֶּלֶת הָיְתָה עַד שְׁאוֹל תַּחְתִּיָּה.
עָרֵי קָדְשְׁךָ הָיוּ מִדְבָּר, צִיּוֹן מִדְבָּר הָיָתָה, יְרוּשָׁלַיִם שְׁמָמָה.
בֵּית קָדְשֵׁנוּ וְתִפְאַרְתֵּנוּ אֲשֶׁר הִלְּלוּךָ אֲבֹתֵינוּ
הָיָה לִשְׂרֵפַת אֵשׁ, וְכָל־מַחֲמַדֵּינוּ הָיָה לְחָרְבָּה.

The prayers of those who praise You approach Your glorious throne.

Answer those who proclaim Your Oneness; claim them for Your own.

Today as in times past save the House of Israel; let us live.
For You, Master of mercy, do readily forgive.

O Lord, hear our cry; with Your Presence embrace us.
Search out our wayward heart; and strengthen us, be gracious.

Unfathomable God, we wait to hear Your words, "I do forgive."
When we feel downtrodden and despairing, in mercy help us live.

Remember the covenant made with our ancestors. Fulfill Your promise made through Your prophet Isaiah: I did forsake you for a little while, but with great compassion will I take you back. I did turn from you in a rush of wrath, but with lasting love will I show you mercy. So promises the Lord, your Redeemer. The mountains may move and the hills may shake, but My love shall be immovable and My covenant of peace shall not be shaken. So says the Lord who has compassion upon you.

The covenant

THE LORD, THE LORD GOD IS GRACIOUS AND COMPASSIONATE, PATIENT, ABOUNDING IN KINDNESS AND FAITHFULNESS, ASSURING LOVE FOR A THOUSAND GENERATIONS, FORGIVING INIQUITY, TRANSGRESSION AND SIN, AND GRANTING PARDON.

Exodus 34:6–7

We witness the world about us, we see great cities flourish;
and we recall great cities of our past in their devastation.
Zion was a wilderness, Jerusalem a desolation.
Our sacred House of God so glorious, in which our fathers sang God's praise in ancient days, was burned to the ground.

אֶזְכְּרָה אֱלֹהִים וְאֶשְׂמְחָה בִּרְאוֹתִי אֶת־עִיר הָאֱלֹהִים
שׁוּב עַל תִּלָּהּ בְּנוּיָה, יְרוּשָׁלַיִם כַּלָּה יְרוּשָׁלַיִם שֶׁל זָהָב.
כִּי הִנְנִי בוֹרֵא שָׁמַיִם חֲדָשִׁים וָאָרֶץ חֲדָשָׁה, נְאֻם יְיָ,
וְלֹא תִזָּכַרְנָה הָרִאשֹׁנוֹת וְלֹא תַעֲלֶינָה עַל לֵב.
כִּי אִם שִׂישׂוּ וְגִילוּ עֲדֵי עַד אֲשֶׁר אֲנִי בוֹרֵא,
כִּי הִנְנִי בוֹרֵא אֶת־יְרוּשָׁלַיִם גִּילָה וְעַמָּהּ מָשׂוֹשׂ.

שִׂמְחוּ אֶת־יְרוּשָׁלַיִם וְגִילוּ בָהּ כָּל־אֹהֲבֶיהָ
שִׂישׂוּ אִתָּהּ מָשׂוֹשׂ כָּל־הַמִּתְאַבְּלִים עָלֶיהָ.
לְמַעַן תִּינְקוּ וּשְׂבַעְתֶּם מִשֹּׁד תַּנְחֻמֶיהָ,
לְמַעַן תָּמֹצּוּ וְהִתְעַנַּגְתֶּם מִזִּיז כְּבוֹדָהּ.
וְגַלְתִּי בִירוּשָׁלַיִם וְשַׂשְׂתִּי בְעַמִּי,
וְלֹא יִשָּׁמַע בָּהּ עוֹד קוֹל בְּכִי וְקוֹל זְעָקָה.
זְאֵב וְטָלֶה יִרְעוּ כְאֶחָד וְאַרְיֵה כַּבָּקָר יֹאכַל תֶּבֶן וְנָחָשׁ עָפָר לַחְמוֹ,
לֹא יָרֵעוּ וְלֹא יַשְׁחִיתוּ בְּכָל־הַר קָדְשִׁי, אָמַר יְיָ.
לֹא יִשָּׁמַע עוֹד חָמָס בְּאַרְצֵךְ, שֹׁד וָשֶׁבֶר בִּגְבוּלָיִךְ.
לֹא יָבוֹא עוֹד שִׁמְשֵׁךְ וִירֵחֵךְ לֹא יֵאָסֵף,
כִּי יְיָ יִהְיֶה־לָּךְ לְאוֹר עוֹלָם וְשָׁלְמוּ יְמֵי אֶבְלֵךְ.

רַחֶם־נָא קְהַל עֲדַת יְשֻׁרוּן. סְלַח וּמְחַל עֲוֹנָם, וְהוֹשִׁיעֵנוּ אֱלֹהֵי יִשְׁעֵנוּ.

שַׁעֲרֵי שָׁמַיִם פְּתַח וְאוֹצָרְךָ הַטּוֹב לָנוּ תִפְתַּח. תּוֹשִׁיעַ וְרִיב אַל תִּמְתַּח, וְהוֹשִׁיעֵנוּ אֱלֹהֵי יִשְׁעֵנוּ.

We mourn its destruction, and the ruin of Jerusalem of old.

And in gratitude and joy we celebrate Jerusalem of gold.

Behold, says the Lord, I create new heavens and a new earth.

Jerusalem I create to be a joy, her people a delight.

Rejoice with Jerusalem. Celebrate with her, all who love her, all who once mourned her.

*Satisfy yourself with her consolations, drink deeply
of her abundant glory.*

I will rejoice in Jerusalem, exult in my people.

No sound of weeping, no cries for help shall be heard in her.

Wolves and lambs shall feed together, lions shall eat straw like cattle.

*None shall injure, none shall destroy in all My holy
mountain, says the Lord.*

The sound of violence shall be heard no more in your land.

*Desolation and destruction shall not be found within your
borders.*

Your sun shall never set, your moon shall never wane.

*For the Lord shall be your everlasting light, your God shall
be your splendor. And the days of your mourning shall
come to an end.*

Have mercy for the whole House of Israel; forgive and pardon their sins. Save us, God of our salvation.

Open the gates of heaven, open Your bounteous storehouse. Help us, rebuke us not. Save us, God of our salvation.

This confession of faith expresses the profound reciprocity between God and man.

אֱלֹהֵינוּ וֵאלֹהֵי אֲבוֹתֵינוּ, סְלַח לָנוּ, מְחַל לָנוּ, כַּפֶּר־לָנוּ.

כִּי אָנוּ עַמֶּךָ וְאַתָּה אֱלֹהֵינוּ, אָנוּ בָנֶיךָ וְאַתָּה אָבִינוּ.

אָנוּ עֲבָדֶיךָ וְאַתָּה אֲדוֹנֵנוּ, אָנוּ קְהָלֶךָ וְאַתָּה חֶלְקֵנוּ.

אָנוּ נַחֲלָתֶךָ וְאַתָּה גוֹרָלֵנוּ, אָנוּ צֹאנֶךָ וְאַתָּה רוֹעֵנוּ.

אָנוּ כַרְמֶךָ וְאַתָּה נוֹטְרֵנוּ, אָנוּ פְעֻלָּתֶךָ וְאַתָּה יוֹצְרֵנוּ.

אָנוּ רַעְיָתֶךָ וְאַתָּה דוֹדֵנוּ, אָנוּ סְגֻלָּתֶךָ וְאַתָּה קְרוֹבֵנוּ.

אָנוּ עַמֶּךָ וְאַתָּה מַלְכֵּנוּ, אָנוּ מַאֲמִירֶךָ וְאַתָּה מַאֲמִירֵנוּ.

This confession of faith expresses the profound contrast between God and man.

אָנוּ עַזֵּי פָנִים וְאַתָּה רַחוּם וְחַנּוּן. אָנוּ קְשֵׁי עֹרֶף וְאַתָּה אֶרֶךְ אַפַּיִם. אָנוּ מְלֵאֵי עָוֹן וְאַתָּה מָלֵא רַחֲמִים. אָנוּ יָמֵינוּ כְּצֵל עוֹבֵר וְאַתָּה הוּא וּשְׁנוֹתֶיךָ לֹא יִתָּמּוּ.

אֱלֹהֵינוּ וֵאלֹהֵי אֲבוֹתֵינוּ, תָּבוֹא לְפָנֶיךָ תְּפִלָּתֵנוּ וְאַל תִּתְעַלַּם מִתְּחִנָּתֵנוּ, שֶׁאֵין אֲנַחְנוּ עַזֵּי פָנִים וּקְשֵׁי עֹרֶף לוֹמַר לְפָנֶיךָ, יְיָ אֱלֹהֵינוּ וֵאלֹהֵי אֲבוֹתֵינוּ, צַדִּיקִים אֲנַחְנוּ וְלֹא חָטָאנוּ, אֲבָל אֲנַחְנוּ חָטָאנוּ.

*This confession of faith expresses the profound
reciprocity between God and man.*

Our God and God of our fathers, forgive us, pardon us,
grant us atonement.

For we are Your people, and You our God.

We are Your children, and You our Father.

We are Your servants, and You our Master.

We are Your congregation, and You our only One.

We are Your heritage, and You our Destiny.

We are Your flock, and You our Shepherd.

We are Your vineyard, and You our Watchman.

We are Your creatures, and You our Creator.

We are Your faithful, and You our Beloved.

We are Your treasure, and You our Protector.

We are Your subjects, and You our King.

We have chosen You, and You have chosen us.

*This confession of faith expresses the profound
contrast between God and man.*

We are insolent, but You are gracious and compassionate. We
are obstinate, but You are patient. We excel at sin, but You excel
at mercy. Our days are a passing shadow, while You are eternal,
Your years without end.

Hear our prayer; do not ignore our plea. We are neither so
insolent nor so obstinate as to claim that we are righteous,
without sin, for we have surely sinned.

Vidui

אָשַֽׁמְנוּ, בָּגַֽדְנוּ, גָּזַֽלְנוּ, דִּבַּֽרְנוּ דֹֽפִי.

הֶעֱוִֽינוּ, וְהִרְשַֽׁעְנוּ, זַֽדְנוּ, חָמַֽסְנוּ,

טָפַֽלְנוּ שֶֽׁקֶר. יָעַֽצְנוּ רָע, כִּזַּֽבְנוּ, לַֽצְנוּ,

מָרַֽדְנוּ, נִאַֽצְנוּ, סָרַֽרְנוּ, עָוִֽינוּ,

פָּשַֽׁעְנוּ, צָרַֽרְנוּ, קִשִּֽׁינוּ עֹֽרֶף. רָשַֽׁעְנוּ,

שִׁחַֽתְנוּ, תִּעַֽבְנוּ, תָּעִֽינוּ, תִּעְתָּֽעְנוּ.

סַֽרְנוּ מִמִּצְוֹתֶֽיךָ וּמִמִּשְׁפָּטֶֽיךָ הַטּוֹבִים וְלֹא שָֽׁוָה לָֽנוּ, וְאַתָּה צַדִּיק עַל כָּל־הַבָּא עָלֵֽינוּ, כִּי אֱמֶת עָשִֽׂיתָ וַאֲנַֽחְנוּ הִרְשָֽׁעְנוּ. מַה־נֹּאמַר לְפָנֶֽיךָ יוֹשֵׁב מָרוֹם וּמַה־נְּסַפֵּר לְפָנֶֽיךָ שׁוֹכֵן שְׁחָקִים. הֲלֹא כָּל־הַנִּסְתָּרוֹת וְהַנִּגְלוֹת אַתָּה יוֹדֵֽעַ.

אַתָּה נוֹתֵן יָד לְפוֹשְׁעִים וִימִינְךָ פְשׁוּטָה לְקַבֵּל שָׁבִים. וַתְּלַמְּדֵֽנוּ יְיָ אֱלֹהֵֽינוּ לְהִתְוַדּוֹת לְפָנֶֽיךָ עַל כָּל־עֲוֹנוֹתֵֽינוּ, לְמַֽעַן נֶחְדַּל מֵעֹֽשֶׁק יָדֵֽינוּ, וּתְקַבְּלֵֽנוּ בִּתְשׁוּבָה שְׁלֵמָה לְפָנֶֽיךָ כְּאִשִּׁים וּכְנִיחוֹחִים, לְמַֽעַן דְּבָרֶֽיךָ אֲשֶׁר אָמָֽרְתָּ. אֵין קֵץ לְאִשֵּׁי חוֹבוֹתֵֽינוּ וְאֵין מִסְפָּר לְנִיחוֹחֵי אַשְׁמוֹתֵֽנוּ. וְאַתָּה יוֹדֵֽעַ שֶׁאַחֲרִיתֵֽנוּ רִמָּה וְתוֹלֵעָה, לְפִיכָךְ הִרְבֵּֽיתָ סְלִיחָתֵֽנוּ. מָה אָֽנוּ, מֶה חַיֵּֽינוּ, מֶה חַסְדֵּֽנוּ, מַה־צִּדְקֵֽנוּ, מַה־יִּשְׁעֵֽנוּ, מַה־כֹּחֵֽנוּ, מַה־גְּבוּרָתֵֽנוּ. מַה־נֹּאמַר לְפָנֶֽיךָ, יְיָ אֱלֹהֵֽינוּ וֵאלֹהֵי אֲבוֹתֵֽינוּ, הֲלֹא כָּל־הַגִּבּוֹרִים כְּאַֽיִן לְפָנֶֽיךָ וְאַנְשֵׁי הַשֵּׁם

Vidui

Ashamnu bagadnu gazalnu dibarnu dofi.
He'evinu vehirshanu zadnu ḥamasnu
tafalnu shaker. Ya'atznu ra, kizavnu latznu
maradnu ni'atznu sararnu 'avinu
pashanu tzararnu kishinu 'oref. Rashanu
shiḥatnu ti'avnu ta'inu titanu.

We abuse, we betray, we are cruel.
We destroy, we embitter, we falsify.
We gossip, we hate, we insult.
We jeer, we kill, we lie.
We mock, we neglect, we oppress.
We pervert, we quarrel, we rebel.
We steal, we transgress, we are unkind.
We are violent, we are wicked, we are xenophobic.
We yield to evil, we are zealots for bad causes.

We have ignored Your commandments and statutes, but it has
not profited us. You are just, we have stumbled. You have acted
faithfully, we have been unrighteous. What can we say to You;
what can we tell you? You know everything, secret and revealed.

You extend a welcome to transgressors, ready to embrace those
who turn in repentance. You have taught us to confess all our
sins to You, that we may cease doing violence to our lives.
Accept us in wholehearted repentance, as You have promised.
Endless are the guilt-offerings that would have been required of
us in ancient Temple times. But we are destined for the worm,
and therefore have You provided us with abundant means of
pardon.

What are we? What is our piety? What is our righteousness,
our attainment, our power, our might? What can we say, Lord
our God and God of our fathers? Compared to You, all the

כְּלֹא הָיוּ, וַחֲכָמִים כִּבְלִי מַדָּע וּנְבוֹנִים כִּבְלִי הַשְׂכֵּל, כִּי רֹב מַעֲשֵׂיהֶם תֹּהוּ וִימֵי חַיֵּיהֶם הֶבֶל לְפָנֶיךָ. וּמוֹתַר הָאָדָם מִן הַבְּהֵמָה אָיִן, כִּי הַכֹּל הָבֶל.

אַתָּה הִבְדַּלְתָּ אֱנוֹשׁ מֵרֹאשׁ וַתַּכִּירֵהוּ לַעֲמֹד לְפָנֶיךָ. כִּי מִי יֹאמַר לְךָ מַה־תִּפְעַל, וְאִם יִצְדַּק מַה־יִּתֶּן־לָךְ. וַתִּתֶּן־לָנוּ יְיָ אֱלֹהֵינוּ בְּאַהֲבָה אֶת־יוֹם הַשַּׁבָּת הַזֶּה וְאֶת־יוֹם הַכִּפּוּרִים הַזֶּה, קֵץ וּמְחִילָה וּסְלִיחָה עַל כָּל־עֲוֹנוֹתֵינוּ, לְמַעַן נֶחְדַּל מֵעֹשֶׁק יָדֵנוּ, וְנָשׁוּב אֵלֶיךָ לַעֲשׂוֹת חֻקֵּי רְצוֹנְךָ בְּלֵבָב שָׁלֵם.

וְאַתָּה בְּרַחֲמֶיךָ הָרַבִּים רַחֵם עָלֵינוּ, כִּי לֹא תַחְפֹּץ בְּהַשְׁחָתַת עוֹלָם, שֶׁנֶּאֱמַר: דִּרְשׁוּ יְיָ בְּהִמָּצְאוֹ, קְרָאֻהוּ בִּהְיוֹתוֹ קָרוֹב. וְנֶאֱמַר: יַעֲזֹב רָשָׁע דַּרְכּוֹ וְאִישׁ אָוֶן מַחְשְׁבֹתָיו, וְיָשֹׁב אֶל יְיָ וִירַחֲמֵהוּ, וְאֶל אֱלֹהֵינוּ כִּי יַרְבֶּה לִסְלוֹחַ. וְאַתָּה אֱלוֹהַּ סְלִיחוֹת, חַנּוּן וְרַחוּם, אֶרֶךְ אַפַּיִם וְרַב חֶסֶד וֶאֱמֶת וּמַרְבֶּה לְהֵיטִיב. וְרוֹצֶה אַתָּה בִּתְשׁוּבַת רְשָׁעִים, וְאֵין אַתָּה חָפֵץ בְּמִיתָתָם, שֶׁנֶּאֱמַר: אֱמֹר אֲלֵיהֶם, חַי אָנִי, נְאֻם אֲדֹנָי אֱלֹהִים, אִם אֶחְפֹּץ בְּמוֹת הָרָשָׁע, כִּי אִם בְּשׁוּב רָשָׁע מִדַּרְכּוֹ וְחָיָה, שׁוּבוּ שׁוּבוּ מִדַּרְכֵיכֶם הָרָעִים וְלָמָּה תָמוּתוּ בֵּית יִשְׂרָאֵל. וְנֶאֱמַר: הֶחָפֹץ אֶחְפֹּץ מוֹת רָשָׁע, נְאֻם אֲדֹנָי אֱלֹהִים, הֲלוֹא בְּשׁוּבוֹ מִדְּרָכָיו וְחָיָה. וְנֶאֱמַר: כִּי לֹא אֶחְפֹּץ בְּמוֹת הַמֵּת, נְאֻם אֲדֹנָי אֱלֹהִים, וְהָשִׁיבוּ וִחְיוּ. כִּי אַתָּה סָלְחָן לְיִשְׂרָאֵל וּמָחֳלָן לְשִׁבְטֵי יְשֻׁרוּן בְּכָל־דּוֹר וָדוֹר, וּמִבַּלְעָדֶיךָ אֵין לָנוּ מֶלֶךְ מוֹחֵל וְסוֹלֵחַ אֶלָּא אָתָּה.

אֱלֹהֵינוּ וֵאלֹהֵי אֲבוֹתֵינוּ, מְחַל לַעֲוֹנוֹתֵינוּ בְּיוֹם הַשַּׁבָּת הַזֶּה וּבְיוֹם הַכִּפּוּרִים הַזֶּה, מְחֵה וְהַעֲבֵר פְּשָׁעֵינוּ וְחַטֹּאתֵינוּ מִנֶּגֶד עֵינֶיךָ, כָּאָמוּר: אָנֹכִי אָנֹכִי הוּא מֹחֶה פְשָׁעֶיךָ לְמַעֲנִי, וְחַטֹּאתֶיךָ לֹא אֶזְכֹּר. וְנֶאֱמַר:

mighty are nothing, the famous are non-existent, the wise lack wisdom, the clever lack reason. For most of their actions are meaninglessness, the days of their lives emptiness. Man's superiority to the beast is an illusion. All life is a fleeting breath.

But you distinguished man from the start, deeming him worthy to stand in Your Presence. For who would challenge Your deeds? And even if man should be righteous, what do You gain? Lovingly have You given us *this Shabbat and* this Day of Atonement, an end to all our sins in pardon and forgiveness, that we may cease doing violence to our lives, that we may turn to You, fulfilling Your statutes wholeheartedly.

Grant us compassion from Your abundant store of compassion. For You do not desire destruction, as Your prophet Isaiah declared: "Seek the Lord while He may be found, call to Him while He is near. Let the wicked man abandon his ways, and the evil man his thoughts. Let him return to the Lord who will have compassion for him, let him return to our God who freely forgives." Forgiving God, You are gracious and compassionate, patient, abounding in kindness and faithfulness. You desire the return of the wicked, not their death, as You have proclaimed through Your prophet Ezekiel: "As I live, says the Lord God, I do not desire the death of the wicked, but that he abandon his ways and live. Turn, turn from your wicked ways, for why should you die, House of Israel?" And it is written: "Do I desire the death of the wicked? Do I not prefer that he abandon his ways and live? . . . I do not desire anyone's death. Turn then, and live." For You pardon and forgive the House of Israel in every generation. But for You we have no King who pardons and forgives.

Our God and God of our fathers, forgive our sins on this *Shabbat and this* Yom Kippur. Blot out and disregard our transgressions, as Isaiah declared in Your name: "I alone blot out your transgressions, for My sake; your sins I shall not recall.

מָחִיתִי כָעָב פְּשָׁעֶיךָ וְכֶעָנָן חַטֹּאתֶיךָ, שׁוּבָה אֵלַי כִּי גְאַלְתִּיךָ. וְנֶאֱמַר:
כִּי בַיּוֹם הַזֶּה יְכַפֵּר עֲלֵיכֶם לְטַהֵר אֶתְכֶם מִכֹּל חַטֹּאתֵיכֶם לִפְנֵי
יְיָ תִּטְהָרוּ. אֱלֹהֵינוּ וֵאלֹהֵי אֲבוֹתֵינוּ, רְצֵה בִמְנוּחָתֵנוּ קַדְּשֵׁנוּ
בְּמִצְוֹתֶיךָ וְתֵן חֶלְקֵנוּ בְּתוֹרָתֶךָ, שַׂבְּעֵנוּ מִטּוּבֶךָ וְשַׂמְּחֵנוּ בִּישׁוּעָתֶךָ
וְהַנְחִילֵנוּ יְיָ אֱלֹהֵינוּ בְּאַהֲבָה וּבְרָצוֹן שַׁבַּת קָדְשֶׁךָ וְיָנוּחוּ בָהּ
יִשְׂרָאֵל מְקַדְּשֵׁי שְׁמֶךָ וְטַהֵר לִבֵּנוּ לְעָבְדְּךָ בֶּאֱמֶת, כִּי אַתָּה סָלְחָן
לְיִשְׂרָאֵל וּמָחֳלָן לְשִׁבְטֵי יְשֻׁרוּן בְּכָל־דּוֹר וָדוֹר וּמִבַּלְעָדֶיךָ אֵין
לָנוּ מֶלֶךְ מוֹחֵל וְסוֹלֵחַ אֶלָּא אָתָּה. בָּרוּךְ אַתָּה יְיָ מֶלֶךְ מוֹחֵל
וְסוֹלֵחַ לַעֲוֹנוֹתֵינוּ וְלַעֲוֹנוֹת עַמּוֹ בֵּית יִשְׂרָאֵל וּמַעֲבִיר אַשְׁמוֹתֵינוּ
בְּכָל־שָׁנָה וְשָׁנָה, מֶלֶךְ עַל כָּל־הָאָרֶץ מְקַדֵּשׁ הַשַּׁבָּת וְ יִשְׂרָאֵל
וְיוֹם הַכִּפּוּרִים.

Accept our prayer

רְצֵה יְיָ אֱלֹהֵינוּ בְּעַמְּךָ יִשְׂרָאֵל וּבִתְפִלָּתָם וְהָשֵׁב אֶת־הָעֲבוֹדָה
לִדְבִיר בֵּיתֶךָ וּתְפִלָּתָם בְּאַהֲבָה תְקַבֵּל בְּרָצוֹן וּתְהִי לְרָצוֹן תָּמִיד
עֲבוֹדַת יִשְׂרָאֵל עַמֶּךָ. וְתֶחֱזֶינָה עֵינֵינוּ בְּשׁוּבְךָ לְצִיּוֹן בְּרַחֲמִים.
בָּרוּךְ אַתָּה יְיָ הַמַּחֲזִיר שְׁכִינָתוֹ לְצִיּוֹן.

We thank You for life and for Your love

Congregation reads this paragraph silently, while
Ḥazzan chants the next paragraph.

מוֹדִים אֲנַחְנוּ לָךְ שָׁאַתָּה הוּא יְיָ אֱלֹהֵינוּ וֵאלֹהֵי אֲבוֹתֵינוּ אֱלֹהֵי כָל־בָּשָׂר יוֹצְרֵנוּ
יוֹצֵר בְּרֵאשִׁית. בְּרָכוֹת וְהוֹדָאוֹת לְשִׁמְךָ הַגָּדוֹל וְהַקָּדוֹשׁ עַל שֶׁהֶחֱיִיתָנוּ וְקִיַּמְתָּנוּ. כֵּן
תְּחַיֵּנוּ וּתְקַיְּמֵנוּ וְתֶאֱסֹף גָּלֻיּוֹתֵינוּ לְחַצְרוֹת קָדְשֶׁךָ לִשְׁמֹר חֻקֶּיךָ וְלַעֲשׂוֹת רְצוֹנֶךָ
וּלְעָבְדְּךָ בְּלֵבָב שָׁלֵם עַל שֶׁאֲנַחְנוּ מוֹדִים לָךְ. בָּרוּךְ אֵל הַהוֹדָאוֹת.

I have swept away your transgressions like a cloud, your sins like mist. Return to Me, for I have redeemed you." And the Torah promises: "For on this day atonement shall be made for you, to cleanse you; of all your sins before the Lord shall you be cleansed."

Our God and God of our fathers *accept our Shabbat offering of rest,* make our lives holy with Your commandments and let Your Torah be our portion. Fill our lives with Your goodness, and gladden us with Your triumph. *Lovingly and willingly, Lord our God, grant that we inherit the gift of Shabbat forever, so that Your people Israel who hallow Your name will always find rest on this day.* Cleanse our hearts to serve You faithfully, for You forgive and pardon the people Israel in every generation. Except for You we have no King who pardons and forgives. Praised are You, Lord, King who pardons and forgives our sins and the sins of all His people Israel, absolving us of guilt each year, King of all the earth who sanctifies *Shabbat,* the people Israel and Yom Kippur.

Accept our prayer

Accept the prayer of Your people Israel as lovingly as it is offered. Restore worship to Your sanctuary. May the worship of Your people Israel always be acceptable to You. May we bear witness to Your merciful return to Zion. Praised are You, Lord who restores His Presence to Zion.

We thank You for life and for Your love

Congregation reads this paragraph silently, while Ḥazzan chants the next paragraph.

We proclaim that You are the Lord our God and God of our fathers, Creator of all who created us, God of all flesh. We praise You and thank You for granting us life and for sustaining us. May You continue to do so, and may You gather our exiles, that we may all fulfill Your commandments and serve You wholeheartedly, doing Your will. For this shall we thank You. Praised be God to whom thanksgiving is due.

Ḥazzan:

מוֹדִים אֲנַחְנוּ לָךְ שָׁאַתָּה הוּא יְיָ אֱלֹהֵינוּ וֵאלֹהֵי אֲבוֹתֵינוּ לְעוֹלָם וָעֶד, צוּר חַיֵּינוּ מָגֵן יִשְׁעֵנוּ אַתָּה הוּא. לְדוֹר וָדוֹר נוֹדֶה לְּךָ וּנְסַפֵּר תְּהִלָּתֶךָ עַל חַיֵּינוּ הַמְּסוּרִים בְּיָדֶךָ וְעַל נִשְׁמוֹתֵינוּ הַפְּקוּדוֹת לָךְ וְעַל נִסֶּיךָ שֶׁבְּכָל־יוֹם עִמָּנוּ וְעַל נִפְלְאוֹתֶיךָ וְטוֹבוֹתֶיךָ שֶׁבְּכָל־עֵת עֶרֶב וָבֹקֶר וְצָהֳרָיִם. הַטּוֹב כִּי לֹא כָלוּ רַחֲמֶיךָ וְהַמְרַחֵם כִּי לֹא תַמּוּ חֲסָדֶיךָ מֵעוֹלָם קִוִּינוּ לָךְ.

וְעַל כֻּלָּם יִתְבָּרַךְ וְיִתְרוֹמַם שִׁמְךָ מַלְכֵּנוּ תָּמִיד לְעוֹלָם וָעֶד.

Congregation and Ḥazzan:

אָבִינוּ מַלְכֵּנוּ, זְכֹר רַחֲמֶיךָ וּכְבֹשׁ כַּעַסְךָ, וְכַלֵּה דֶּבֶר וְחֶרֶב וְרָעָב וּשְׁבִי וּמַשְׁחִית וְעָוֹן וּשְׁמַד וּמַגֵּפָה וּפֶגַע רַע וְכָל־מַחֲלָה וְכָל־תַּקָּלָה וְכָל־קְטָטָה וְכָל־מִינֵי פֻרְעָנִיּוֹת וְכָל־גְּזֵרָה רָעָה וְשִׂנְאַת חִנָּם, מֵעָלֵינוּ וּמֵעַל כָּל־בְּנֵי בְרִיתֶךָ.

וַחֲתֹם לְחַיִּים טוֹבִים כָּל־בְּנֵי בְרִיתֶךָ.

וְכֹל הַחַיִּים יוֹדוּךָ סֶּלָה וִיהַלְלוּ אֶת־שִׁמְךָ בֶּאֱמֶת הָאֵל יְשׁוּעָתֵנוּ וְעֶזְרָתֵנוּ סֶלָה. בָּרוּךְ אַתָּה יְיָ הַטּוֹב שִׁמְךָ וּלְךָ נָאֶה לְהוֹדוֹת.

Bless us with peace

אֱלֹהֵינוּ וֵאלֹהֵי אֲבוֹתֵינוּ, בָּרְכֵנוּ בַבְּרָכָה הַמְשֻׁלֶּשֶׁת בַּתּוֹרָה הַכְּתוּבָה עַל יְדֵי מֹשֶׁה עַבְדֶּךָ, הָאֲמוּרָה מִפִּי אַהֲרֹן וּבָנָיו כֹּהֲנִים עַם קְדוֹשֶׁךָ, כָּאָמוּר:

Ḥazzan:

We proclaim that You are the Lord our God and God of our fathers throughout all time. You are the Rock of our lives, the Shield of our salvation. We thank You and praise You through all generations, for our lives are in Your hand, our souls are in Your charge. We thank You for Your miracles which daily attend us, for Your wondrous kindness, morning, noon and night. Your mercy and love are boundless. We have always placed our hope in You.

For all these blessings we shall ever praise and exalt You.

Congregation and Ḥazzan:

Our Father, our King, let Your compassion overwhelm Your wrath, for us and for all the people of Your covenant. Bring an end to pestilence and plundering, fighting and famine, captivity, destruction, plague and affliction, every illness and misfortune, calamity and quarrel, every evil decree and causeless hatred.

Seal all the people of Your covenant for a good life.

May every living creature thank You and praise You faithfully, our deliverance and our help. Praised are You, beneficent Lord to whom all praise is due.

Bless us with peace

Bless us, our God and God of our fathers, with the threefold blessing written in the Torah by Moses, Your servant, pronounced by Aaron and by his sons, the consecrated priests of Your people:

Congregation: *Ḥazzan:*

יְבָרֶכְךָ יְיָ וְיִשְׁמְרֶךָ. כֵּן יְהִי רָצוֹן.

יָאֵר יְיָ פָּנָיו אֵלֶיךָ וִיחֻנֶּךָּ. כֵּן יְהִי רָצוֹן.

יִשָּׂא יְיָ פָּנָיו אֵלֶיךָ וְיָשֵׂם לְךָ שָׁלוֹם. כֵּן יְהִי רָצוֹן.

שִׂים שָׁלוֹם בָּעוֹלָם, טוֹבָה וּבְרָכָה חֵן וָחֶסֶד וְרַחֲמִים עָלֵינוּ וְעַל כָּל־יִשְׂרָאֵל עַמֶּךָ. בָּרְכֵנוּ אָבִינוּ כֻּלָּנוּ כְּאֶחָד בְּאוֹר פָּנֶיךָ, כִּי בְאוֹר פָּנֶיךָ נָתַתָּ לָּנוּ, יְיָ אֱלֹהֵינוּ, תּוֹרַת חַיִּים וְאַהֲבַת חֶסֶד וּצְדָקָה וּבְרָכָה וְרַחֲמִים וְחַיִּים וְשָׁלוֹם. וְטוֹב בְּעֵינֶיךָ לְבָרֵךְ אֶת־עַמְּךָ יִשְׂרָאֵל בְּכָל־עֵת וּבְכָל־שָׁעָה בִּשְׁלוֹמֶךָ.

Congregation and Ḥazzan:

בְּסֵפֶר חַיִּים בְּרָכָה וְשָׁלוֹם וּפַרְנָסָה טוֹבָה נִזָּכֵר וְנֵחָתֵם לְפָנֶיךָ אֲנַחְנוּ וְכָל־עַמְּךָ בֵּית יִשְׂרָאֵל לְחַיִּים טוֹבִים וּלְשָׁלוֹם.

בָּרוּךְ אַתָּה יְיָ עוֹשֵׂה הַשָּׁלוֹם.

Ḥazzan:	_Congregation:_
May the Lord bless you and guard you.	_Kein yehi ratzon._
May the Lord show favor and be gracious to you.	_Kein yehi ratzon._
May the Lord show you kindness and grant you peace.	_Kein yehi ratzon._

Grant peace, happiness and blessing to the world, with grace, love and mercy for us and for all the people Israel. Bless us, our Father, one and all, with Your light; for by that light did You teach us Torah and life, love and tenderness, justice, mercy and peace. May it please You to bless Your people Israel in every season and at all times with Your gift of peace.

Congregation and Ḥazzan:

May we and the entire House of Israel be remembered and sealed in the Book of life, blessing, sustenance and peace.

Praised are You, Lord, Source of peace.

Avinu Malkeinu

OUR FATHER, OUR KING

אָבִֽינוּ מַלְכֵּֽנוּ, חָטָֽאנוּ לְפָנֶֽיךָ.

אָבִֽינוּ מַלְכֵּֽנוּ, אֵין לָֽנוּ מֶֽלֶךְ אֶלָּא אָֽתָּה.

אָבִֽינוּ מַלְכֵּֽנוּ, עֲשֵׂה עִמָּֽנוּ לְמַֽעַן שְׁמֶֽךָ.

אָבִֽינוּ מַלְכֵּֽנוּ, חַדֵּשׁ עָלֵֽינוּ שָׁנָה טוֹבָה.

אָבִֽינוּ מַלְכֵּֽנוּ, בַּטֵּל מֵעָלֵֽינוּ כָּל־גְּזֵרוֹת קָשׁוֹת.

אָבִֽינוּ מַלְכֵּֽנוּ, בַּטֵּל מַחְשְׁבוֹת שׂוֹנְאֵֽינוּ.

אָבִֽינוּ מַלְכֵּֽנוּ, הָפֵר עֲצַת אוֹיְבֵֽינוּ.

אָבִֽינוּ מַלְכֵּֽנוּ, כַּלֵּה כָּל־צַר וּמַשְׂטִין מֵעָלֵֽינוּ.

אָבִֽינוּ מַלְכֵּֽנוּ, כַּלֵּה דֶּֽבֶר וְחֶֽרֶב וְרָעָב, וּשְׁבִי וּמַשְׁחִית וְעָוֺן וּשְׁמָד מִבְּנֵי בְרִיתֶֽךָ.

אָבִֽינוּ מַלְכֵּֽנוּ, סְלַח וּמְחַל לְכָל־עֲוֺנוֹתֵֽינוּ.

אָבִֽינוּ מַלְכֵּֽנוּ, מְחֵה וְהַעֲבֵר פְּשָׁעֵֽינוּ וְחַטֹּאתֵֽינוּ מִנֶּֽגֶד עֵינֶֽיךָ.

אָבִֽינוּ מַלְכֵּֽנוּ, הַחֲזִירֵֽנוּ בִּתְשׁוּבָה שְׁלֵמָה לְפָנֶֽיךָ.

אָבִֽינוּ מַלְכֵּֽנוּ, שְׁלַח רְפוּאָה שְׁלֵמָה לְחוֹלֵי עַמֶּֽךָ.

אָבִֽינוּ מַלְכֵּֽנוּ, זָכְרֵֽנוּ בְּזִכָּרוֹן טוֹב לְפָנֶֽיךָ.

אָבִֽינוּ מַלְכֵּֽנוּ, חָתְמֵֽנוּ בְּסֵֽפֶר חַיִּים טוֹבִים.

אָבִֽינוּ מַלְכֵּֽנוּ, חָתְמֵֽנוּ בְּסֵֽפֶר גְּאֻלָּה וִישׁוּעָה.

אָבִֽינוּ מַלְכֵּֽנוּ, חָתְמֵֽנוּ בְּסֵֽפֶר פַּרְנָסָה וְכַלְכָּלָה.

אָבִֽינוּ מַלְכֵּֽנוּ, חָתְמֵֽנוּ בְּסֵֽפֶר זְכֻיּוֹת.

אָבִֽינוּ מַלְכֵּֽנוּ, חָתְמֵֽנוּ בְּסֵֽפֶר סְלִיחָה וּמְחִילָה.

Avinu Malkeinu

OUR FATHER, OUR KING

Avinu malkeinu, we have sinned against You.
Avinu malkeinu, we have no King but You.
Avinu malkeinu, help us for Your own sake.
Avinu malkeinu, grant us a blessed New Year.

Avinu malkeinu, annul all evil decrees against us.
Avinu malkeinu, annul the plots of our enemies.
Avinu malkeinu, frustrate the designs of our foes.
Avinu malkeinu, rid us of tyrants.
Avinu malkeinu, rid us of pestilence, sword, famine, captivity, sin and destruction.

Avinu malkeinu, forgive and pardon all our sins.
Avinu malkeinu, ignore the record of our transgressions.

Avinu malkeinu, help us return to You fully repentant.
Avinu malkeinu, send complete healing to the sick.
Avinu malkeinu, remember us with favor.

Avinu malkeinu, seal us in the Book of happiness.
Avinu malkeinu, seal us in the Book of deliverance.
Avinu malkeinu, seal us in the Book of prosperity.
Avinu malkeinu, seal us in the Book of merit.
Avinu malkeinu, seal us in the Book of forgiveness.

אָבִֽינוּ מַלְכֵּֽנוּ, הַצְמַח לָֽנוּ יְשׁוּעָה בְּקָרוֹב.

אָבִֽינוּ מַלְכֵּֽנוּ, הָרֵם קֶֽרֶן יִשְׂרָאֵל עַמֶּֽךָ.

אָבִֽינוּ מַלְכֵּֽנוּ, שְׁמַע קוֹלֵֽנוּ, חוּס וְרַחֵם עָלֵֽינוּ.

אָבִֽינוּ מַלְכֵּֽנוּ, קַבֵּל בְּרַחֲמִים וּבְרָצוֹן אֶת־תְּפִלָּתֵֽנוּ.

אָבִֽינוּ מַלְכֵּֽנוּ, נָא אַל תְּשִׁיבֵֽנוּ רֵיקָם מִלְּפָנֶֽיךָ.

אָבִֽינוּ מַלְכֵּֽנוּ, זְכֹר כִּי עָפָר אֲנָֽחְנוּ.

אָבִֽינוּ מַלְכֵּֽנוּ, חֲמֹל עָלֵֽינוּ וְעַל עוֹלָלֵֽינוּ וְטַפֵּֽנוּ.

אָבִֽינוּ מַלְכֵּֽנוּ, עֲשֵׂה לְמַֽעַן הֲרוּגִים עַל שֵׁם קָדְשֶֽׁךָ.

אָבִֽינוּ מַלְכֵּֽנוּ, עֲשֵׂה לְמַֽעַן טְבוּחִים עַל יִחוּדֶֽךָ.

אָבִֽינוּ מַלְכֵּֽנוּ, עֲשֵׂה לְמַֽעַן בָּאֵי בָאֵשׁ וּבַמַּֽיִם עַל קִדּוּשׁ שְׁמֶֽךָ.

אָבִֽינוּ מַלְכֵּֽנוּ, עֲשֵׂה לְמַעַנְךָ אִם לֹא לְמַעֲנֵֽנוּ.

אָבִֽינוּ מַלְכֵּֽנוּ, חָנֵּֽנוּ וַעֲנֵֽנוּ, כִּי אֵין בָּֽנוּ מַעֲשִׂים,
עֲשֵׂה עִמָּֽנוּ צְדָקָה וָחֶֽסֶד וְהוֹשִׁיעֵֽנוּ.

The Ark is closed, and we remain standing.

Ḥazzan and congregation:

שְׁמַע יִשְׂרָאֵל יְיָ אֱלֹהֵֽינוּ יְיָ אֶחָד.

Ḥazzan and congregation (three times):

בָּרוּךְ שֵׁם כְּבוֹד מַלְכוּתוֹ לְעוֹלָם וָעֶד.

Ḥazzan and congregation (seven times):

יְיָ הוּא הָאֱלֹהִים.

We are seated.

Avinu malkeinu, hasten our deliverance.
Avinu malkeinu, exalt Your people Israel.
Avinu malkeinu, hear us; show us mercy and compassion.
Avinu malkeinu, accept our prayer with favor and mercy.
Avinu malkeinu, do not turn us away unanswered.

Avinu malkeinu, remember that we are dust.
Avinu malkeinu, have pity for us and for our children.

Avinu malkeinu, act for those who were slaughtered
for proclaiming Your unique holiness.
Avinu malkeinu, act for the sake of those who went through
fire and water to sanctify You.
Avinu malkeinu, act for Your sake if not for ours.
Avinu malkeinu, answer us though we have no deeds to plead
our cause; save us with mercy and lovingkindness.

Avinu malkeinu, ḥoneinu va'aneinu, kee ein banu ma'asim
Asei eemanu tzedakah vaḥesed vehoshee-einu.

   The Ark is closed, and we remain standing.

   Ḥazzan and congregation:

Sh'ma yisra-el Adonai Elo-heinu Adonai eḥad.

Hear, O Israel: the Lord our God, the Lord is One.

   Ḥazzan and congregation (three times):

Ba-rukh sheim k'vod mal-khuto l'olam va-ed.

Praised be His glorious sovereignty throughout all time.

   Ḥazzan and congregation (seven times):

Adonai hu ha-Elohim.

The Lord alone is God.

   We are seated.

Kaddish Shalem

Ḥazzan:

יִתְגַּדַּל וְיִתְקַדַּשׁ שְׁמֵהּ רַבָּא בְּעָלְמָא דִּי בְרָא כִרְעוּתֵהּ, וְיַמְלִיךְ מַלְכוּתֵהּ בְּחַיֵּיכוֹן וּבְיוֹמֵיכוֹן וּבְחַיֵּי דְכָל־בֵּית יִשְׂרָאֵל בַּעֲגָלָא וּבִזְמַן קָרִיב, וְאִמְרוּ אָמֵן.

Congregation and Ḥazzan:

יְהֵא שְׁמֵהּ רַבָּא מְבָרַךְ לְעָלַם וּלְעָלְמֵי עָלְמַיָּא.

Ḥazzan:

יִתְבָּרַךְ וְיִשְׁתַּבַּח וְיִתְפָּאַר וְיִתְרוֹמַם וְיִתְנַשֵּׂא וְיִתְהַדַּר וְיִתְעַלֶּה וְיִתְהַלַּל שְׁמֵהּ דְּקֻדְשָׁא בְּרִיךְ הוּא, לְעֵלָּא לְעֵלָּא מִכָּל־בִּרְכָתָא וְשִׁירָתָא תֻּשְׁבְּחָתָא וְנֶחֱמָתָא דַּאֲמִירָן בְּעָלְמָא, וְאִמְרוּ אָמֵן.

תִּתְקַבַּל צְלוֹתְהוֹן וּבָעוּתְהוֹן דְּכָל־יִשְׂרָאֵל קֳדָם אֲבוּהוֹן דִּי בִשְׁמַיָּא, וְאִמְרוּ אָמֵן.

יְהֵא שְׁלָמָא רַבָּא מִן שְׁמַיָּא וְחַיִּים עָלֵינוּ וְעַל כָּל־יִשְׂרָאֵל, וְאִמְרוּ אָמֵן.

עוֹשֶׂה שָׁלוֹם בִּמְרוֹמָיו הוּא יַעֲשֶׂה שָׁלוֹם עָלֵינוּ וְעַל כָּל־יִשְׂרָאֵל, וְאִמְרוּ אָמֵן.

We rise, and the shofar is sounded.

תְּקִיעָה גְדוֹלָה

Ḥazzan and congregation:

לְשָׁנָה הַבָּאָה בִּירוּשָׁלָיִם.

We remain standing for the evening service.

Kaddish Shalem

Ḥazzan:

Hallowed and enhanced may He be throughout the world of His own creation. May He cause His sovereignty soon to be accepted, during our life and the life of all Israel. And let us say: Amen.

Congregation and Ḥazzan:

Ye-hei shmei raba meva-rakh l'alam ul'almei 'almaya.
May He be praised throughout all time.

Ḥazzan:

Glorified and celebrated, lauded and praised, acclaimed and honored, extolled and exalted may the Holy One be, far beyond all song and psalm, beyond all tributes which man can utter. And let us say: Amen.

May the prayers and pleas of the whole House of Israel be accepted by our Father in Heaven. And let us say: Amen.

Let there be abundant peace from Heaven, with life's goodness for us and for all the people Israel. And let us say: Amen.

He who brings peace to His universe will bring peace to us and to all the people Israel. And let us say: Amen.

We rise, and the shofar is sounded.

TEKIAH GEDOLAH

Ḥazzan and congregation:

L'shanah ha-ba-ah bi-rusha-layim.
Next year in Jerusalem.

We remain standing for the evening service.

Evening Service

וְהוּא רַחוּם, יְכַפֵּר עָוֹן וְלֹא יַשְׁחִית, וְהִרְבָּה לְהָשִׁיב אַפּוֹ, וְלֹא יָעִיר כָּל־חֲמָתוֹ. יְיָ הוֹשִׁיעָה, הַמֶּלֶךְ יַעֲנֵנוּ בְיוֹם קָרְאֵנוּ.

Barkhu

Ḥazzan:

בָּרְכוּ אֶת־יְיָ הַמְבֹרָךְ.

Congregation and Ḥazzan:

בָּרוּךְ יְיָ הַמְבֹרָךְ לְעוֹלָם וָעֶד.

בָּרוּךְ אַתָּה יְיָ אֱלֹהֵינוּ מֶלֶךְ הָעוֹלָם אֲשֶׁר בִּדְבָרוֹ מַעֲרִיב עֲרָבִים. בְּחָכְמָה פּוֹתֵחַ שְׁעָרִים וּבִתְבוּנָה מְשַׁנֶּה עִתִּים וּמַחֲלִיף אֶת־הַזְּמַנִּים וּמְסַדֵּר אֶת־הַכּוֹכָבִים בְּמִשְׁמְרוֹתֵיהֶם בָּרָקִיעַ כִּרְצוֹנוֹ. בּוֹרֵא יוֹם וָלָיְלָה, גּוֹלֵל אוֹר מִפְּנֵי חֹשֶׁךְ וְחֹשֶׁךְ מִפְּנֵי אוֹר, וּמַעֲבִיר יוֹם וּמֵבִיא לָיְלָה וּמַבְדִּיל בֵּין יוֹם וּבֵין לָיְלָה, יְיָ צְבָאוֹת שְׁמוֹ. אֵל חַי וְקַיָּם, תָּמִיד יִמְלֹךְ עָלֵינוּ לְעוֹלָם וָעֶד. בָּרוּךְ אַתָּה יְיָ הַמַּעֲרִיב עֲרָבִים.

אַהֲבַת עוֹלָם בֵּית יִשְׂרָאֵל עַמְּךָ אָהָבְתָּ. תּוֹרָה וּמִצְוֹת חֻקִּים וּמִשְׁפָּטִים אוֹתָנוּ לִמַּדְתָּ. עַל כֵּן יְיָ אֱלֹהֵינוּ בְּשָׁכְבֵנוּ וּבְקוּמֵנוּ נָשִׂיחַ בְּחֻקֶּיךָ, וְנִשְׂמַח בְּדִבְרֵי תוֹרָתֶךָ וּבְמִצְוֹתֶיךָ לְעוֹלָם וָעֶד. כִּי הֵם חַיֵּינוּ וְאֹרֶךְ יָמֵינוּ וּבָהֶם נֶהְגֶּה יוֹמָם וָלָיְלָה. וְאַהֲבָתְךָ אַל תָּסִיר מִמֶּנּוּ לְעוֹלָמִים. בָּרוּךְ אַתָּה יְיָ אוֹהֵב עַמּוֹ יִשְׂרָאֵל.

Evening Service

God is merciful. He pardons sin and does not destroy. He restrains His wrath; He is generous and forgiving. O Lord, help us. Answer us, O King, when we call.

Barkhu

Ḥazzan:

PRAISE THE LORD, SOURCE OF BLESSING.

Congregation and Ḥazzan:

PRAISED BE THE LORD, SOURCE OF BLESSING, THROUGHOUT ALL TIME.

Barukh Adonai ha-mevorakh l'olam va'ed.

Praised are You, Lord our God, King of the universe whose word brings the evening dusk. You open the gates of dawn with wisdom, change the day's divisions with understanding, set the succession of seasons, and arrange the stars in the sky according to Your will. Lord of the heavenly hosts, You create day and night, rolling light away from darkness and darkness away from light. Eternal God, Your rule shall embrace us forever. Praised are You, Lord, for each evening's dusk.

With constancy You have loved Your people Israel, teaching us Torah and *mitzvot*, statutes and laws. Therefore, Lord our God, when we lie down to sleep and when we rise, we shall think of Your laws and speak of them, rejoicing in Your Torah and *mitzvot* always. For they are our life and the length of our days; we will meditate on them day and night. Never take away Your love from us. Praised are You, Lord who loves His people Israel.

If there is no minyan, add:

אֵל מֶ֫לֶךְ נֶאֱמָן

K'riat Sh'ma

שְׁמַ֖ע יִשְׂרָאֵ֑ל יְהוָ֥ה אֱלֹהֵ֖ינוּ יְהוָ֥ה ׀ אֶחָֽד׃

Silently:

בָּרוּךְ שֵׁם כְּבוֹד מַלְכוּתוֹ לְעוֹלָם וָעֶד.

וְאָ֣הַבְתָּ֔ אֵ֖ת יְהוָ֣ה אֱלֹהֶ֑יךָ בְּכָל־לְבָבְךָ֥ וּבְכָל־נַפְשְׁךָ֖ וּבְכָל־
מְאֹדֶֽךָ׃ וְהָי֞וּ הַדְּבָרִ֣ים הָאֵ֗לֶּה אֲשֶׁ֨ר אָנֹכִ֧י מְצַוְּךָ֛ הַיּ֖וֹם עַל־לְבָבֶֽךָ׃
וְשִׁנַּנְתָּ֣ם לְבָנֶ֔יךָ וְדִבַּרְתָּ֖ בָּ֑ם בְּשִׁבְתְּךָ֤ בְּבֵיתֶ֙ךָ֙ וּבְלֶכְתְּךָ֣ בַדֶּ֔רֶךְ
וּֽבְשָׁכְבְּךָ֖ וּבְקוּמֶֽךָ׃ וּקְשַׁרְתָּ֥ם לְא֖וֹת עַל־יָדֶ֑ךָ וְהָי֥וּ לְטֹטָפֹ֖ת בֵּ֥ין
עֵינֶֽיךָ׃ וּכְתַבְתָּ֛ם עַל־מְזֻז֥וֹת בֵּיתֶ֖ךָ וּבִשְׁעָרֶֽיךָ׃

וְהָיָ֗ה אִם־שָׁמֹ֤עַ תִּשְׁמְעוּ֙ אֶל־מִצְוֺתַ֔י אֲשֶׁ֧ר אָנֹכִ֛י מְצַוֶּ֥ה אֶתְכֶ֖ם
הַיּ֑וֹם לְאַהֲבָ֞ה אֶת־יְהוָ֤ה אֱלֹהֵיכֶם֙ וּלְעָבְד֔וֹ בְּכָל־לְבַבְכֶ֖ם וּבְכָל־
נַפְשְׁכֶֽם׃ וְנָתַתִּ֧י מְטַֽר־אַרְצְכֶ֛ם בְּעִתּ֖וֹ יוֹרֶ֣ה וּמַלְק֑וֹשׁ וְאָסַפְתָּ֣ דְגָנֶ֔ךָ
וְתִֽירֹשְׁךָ֖ וְיִצְהָרֶֽךָ׃ וְנָתַתִּ֛י עֵ֥שֶׂב בְּשָׂדְךָ֖ לִבְהֶמְתֶּ֑ךָ וְאָכַלְתָּ֖ וְשָׂבָֽעְתָּ׃
הִשָּׁמְר֣וּ לָכֶ֔ם פֶּ֥ן־יִפְתֶּ֖ה לְבַבְכֶ֑ם וְסַרְתֶּ֗ם וַעֲבַדְתֶּם֙ אֱלֹהִ֣ים אֲחֵרִ֔ים
וְהִשְׁתַּחֲוִיתֶ֖ם לָהֶֽם׃ וְחָרָ֨ה אַף־יְהוָ֜ה בָּכֶ֗ם וְעָצַ֤ר אֶת־הַשָּׁמַ֙יִם֙
וְלֹא־יִהְיֶ֣ה מָטָ֔ר וְהָ֣אֲדָמָ֔ה לֹ֥א תִתֵּ֖ן אֶת־יְבוּלָ֑הּ וַאֲבַדְתֶּ֣ם מְהֵרָ֗ה
מֵעַל֙ הָאָ֣רֶץ הַטֹּבָ֔ה אֲשֶׁ֥ר יְהוָ֖ה נֹתֵ֥ן לָכֶֽם׃ וְשַׂמְתֶּם֙ אֶת־דְּבָרַ֣י אֵ֔לֶּה
עַל־לְבַבְכֶ֖ם וְעַל־נַפְשְׁכֶ֑ם וּקְשַׁרְתֶּ֨ם אֹתָ֤ם לְאוֹת֙ עַל־יֶדְכֶ֔ם וְהָי֥וּ
לְטוֹטָפֹ֖ת בֵּ֥ין עֵינֵיכֶֽם׃ וְלִמַּדְתֶּ֥ם אֹתָ֛ם אֶת־בְּנֵיכֶ֖ם לְדַבֵּ֣ר בָּ֑ם
בְּשִׁבְתְּךָ֤ בְּבֵיתֶ֙ךָ֙ וּבְלֶכְתְּךָ֣ בַדֶּ֔רֶךְ וּֽבְשָׁכְבְּךָ֖ וּבְקוּמֶֽךָ׃ וּכְתַבְתָּ֛ם

If there is no minyan, add:

God is a faithful King

K'riat Sh'ma

HEAR, O ISRAEL: THE LORD OUR GOD, THE LORD IS ONE.

Silently:

Praised be His glorious sovereignty throughout all time.

Love the Lord your God with all your heart, with all your soul, with all your might. And these words which I command you this day shall you take to heart. You shall diligently teach them to your children. You shall repeat them at home and away, morning and night. You shall bind them as a sign upon your hand, they shall be a reminder above your eyes, and you shall inscribe them upon the doorposts of your homes and upon your gates.

Deuteronomy 6:4–9

If you will earnestly heed the commandments I give you this day, to love the Lord your God and to serve Him with all your heart and all your soul, then I will favor your land with rain at the proper season—rain in autumn and rain in spring—and you will have an ample harvest of grain and wine and oil. I will assure abundance in the fields for your cattle. You will eat to contentment. Take care lest you be tempted to forsake God and turn to false gods in worship. For then the wrath of the Lord will be directed against you. He will close the heavens and hold back the rain; the earth will not yield its produce. You will soon disappear from the good land which the Lord gives you.

Therefore, impress these words of Mine upon your heart. Bind them as a sign upon your hand, and let them be a reminder above your eyes. Teach them to your children. Repeat them at home and away, morning and night. Inscribe them upon the

עַל־מְזוּז֥וֹת בֵּיתֶ֖ךָ וּבִשְׁעָרֶֽיךָ׃ לְמַ֨עַן יִרְבּ֤וּ יְמֵיכֶם֙ וִימֵ֣י בְנֵיכֶ֔ם עַ֚ל הָֽאֲדָמָ֔ה אֲשֶׁ֨ר נִשְׁבַּ֧ע יְהוָ֛ה לַאֲבֹתֵיכֶ֖ם לָתֵ֣ת לָהֶ֑ם כִּימֵ֥י הַשָּׁמַ֖יִם עַל־הָאָֽרֶץ׃

וַיֹּ֥אמֶר יְהוָ֖ה אֶל־מֹשֶׁ֥ה לֵּאמֹֽר׃ דַּבֵּ֞ר אֶל־בְּנֵ֤י יִשְׂרָאֵל֙ וְאָמַרְתָּ֣ אֲלֵהֶ֔ם וְעָשׂ֨וּ לָהֶ֥ם צִיצִ֛ת עַל־כַּנְפֵ֥י בִגְדֵיהֶ֖ם לְדֹרֹתָ֑ם וְנָֽתְנ֛וּ עַל־צִיצִ֥ת הַכָּנָ֖ף פְּתִ֥יל תְּכֵֽלֶת׃ וְהָיָ֣ה לָכֶם֮ לְצִיצִת֒ וּרְאִיתֶ֣ם אֹת֗וֹ וּזְכַרְתֶּם֙ אֶת־כָּל־מִצְוֺ֣ת יְהוָ֔ה וַעֲשִׂיתֶ֖ם אֹתָ֑ם וְלֹ֤א תָת֜וּרוּ אַחֲרֵ֤י לְבַבְכֶם֙ וְאַחֲרֵ֣י עֵֽינֵיכֶ֔ם אֲשֶׁר־אַתֶּ֥ם זֹנִ֖ים אַחֲרֵיהֶֽם׃ לְמַ֣עַן תִּזְכְּר֔וּ וַעֲשִׂיתֶ֖ם אֶת־כָּל־מִצְוֺתָ֑י וִהְיִיתֶ֥ם קְדֹשִׁ֖ים לֵאלֹהֵיכֶֽם׃ אֲנִ֞י יְהוָ֣ה אֱלֹהֵיכֶ֗ם אֲשֶׁ֨ר הוֹצֵ֤אתִי אֶתְכֶם֙ מֵאֶ֣רֶץ מִצְרַ֔יִם לִהְי֥וֹת לָכֶ֖ם לֵאלֹהִ֑ים אֲנִ֖י יְהוָ֥ה אֱלֹהֵיכֶֽם׃

אֱמֶת וֶאֱמוּנָה כָּל־זֹאת וְקַיָּם עָלֵינוּ כִּי הוּא יְיָ אֱלֹהֵינוּ וְאֵין זוּלָתוֹ וַאֲנַחְנוּ יִשְׂרָאֵל עַמּוֹ. הַפּוֹדֵנוּ מִיַּד מְלָכִים, מַלְכֵּנוּ הַגּוֹאֲלֵנוּ מִכַּף כָּל־הֶעָרִיצִים, הָאֵל הַנִּפְרָע לָנוּ מִצָּרֵינוּ וְהַמְשַׁלֵּם גְּמוּל לְכָל־אוֹיְבֵי נַפְשֵׁנוּ, הָעוֹשֶׂה גְדוֹלוֹת עַד אֵין חֵקֶר וְנִפְלָאוֹת עַד אֵין מִסְפָּר, הַשָּׂם נַפְשֵׁנוּ בַּחַיִּים וְלֹא נָתַן לַמּוֹט רַגְלֵנוּ, הַמַּדְרִיכֵנוּ עַל בָּמוֹת אוֹיְבֵינוּ וַיָּרֶם קַרְנֵנוּ עַל כָּל־שׂוֹנְאֵינוּ, הָעוֹשֶׂה לָּנוּ נִסִּים וּנְקָמָה בְּפַרְעֹה אוֹתוֹת וּמוֹפְתִים בְּאַדְמַת בְּנֵי חָם, הַמַּכֶּה בְעֶבְרָתוֹ כָּל־בְּכוֹרֵי מִצְרָיִם וַיּוֹצֵא אֶת־עַמּוֹ יִשְׂרָאֵל מִתּוֹכָם לְחֵרוּת עוֹלָם, הַמַּעֲבִיר בָּנָיו בֵּין גִּזְרֵי יַם סוּף, אֶת־רוֹדְפֵיהֶם וְאֶת־שׂוֹנְאֵיהֶם בִּתְהוֹמוֹת טִבַּע, וְרָאוּ בָנָיו גְּבוּרָתוֹ שִׁבְּחוּ וְהוֹדוּ לִשְׁמוֹ. וּמַלְכוּתוֹ בְּרָצוֹן קִבְּלוּ עֲלֵיהֶם. מֹשֶׁה וּבְנֵי יִשְׂרָאֵל לְךָ עָנוּ שִׁירָה בְּשִׂמְחָה רַבָּה, וְאָמְרוּ כֻלָּם׃

doorposts of your homes and upon your gates. Then your days and the days of your children will endure as the days of the heavens over the earth, on the land which the Lord swore to give to your fathers.

Deuteronomy 11:13–21

The Lord said to Moses: Instruct the people Israel that in every generation they shall put fringes on the corners of their garments, and bind a thread of blue to the fringe of each corner. Looking upon these fringes you will be reminded of all the commandments of the Lord and fulfill them, and not be seduced by your heart or led astray by your eyes. Then you will remember and observe all My commandments and be holy before your God. I am the Lord your God who brought you out of the land of Egypt to be your God. I, the Lord, am your God.

Numbers 15:37–41

We affirm the truth that He is our God, that there is no other, and that we are His people Israel. He redeems us from the power of kings, delivers us from the hand of all tyrants. He brings judgment upon our oppressors, retribution upon all our mortal enemies. He performs wonders beyond understanding, marvelous things beyond all reckoning. He has maintained us among the living. He has not allowed our steps to falter. He guided us to triumph over mighty foes, exalted our strength over all our enemies. He vindicated us with miracles before Pharaoh, with signs and wonders in the land of Egypt. In wrath He smote all of Egypt's firstborn, bringing His people to lasting freedom. He led His children through divided waters as their pursuers sank in the sea.

When His children beheld His might they sang in praise of Him, gladly accepting His sovereignty. Moses and the people Israel sang with great joy this song to the Lord:

מִי־כָמֹֽכָה בָּאֵלִם יְיָ,
מִי כָּמֹֽכָה נֶאְדָּר בַּקֹּֽדֶשׁ,
נוֹרָא תְהִלֹּת, עֹֽשֵׂה פֶֽלֶא.

מַלְכוּתְךָ רָאוּ בָנֶֽיךָ בּוֹקֵֽעַ יָם לִפְנֵי מֹשֶׁה, זֶה אֵלִי עָנוּ וְאָמְרוּ:

יְיָ יִמְלֹךְ לְעֹלָם וָעֶד.

וְנֶאֱמַר: כִּי פָדָה יְיָ אֶת־יַֽעֲקֹב, וּגְאָלוֹ מִיַּד חָזָק מִמֶּֽנּוּ. בָּרוּךְ אַתָּה יְיָ גָּאַל יִשְׂרָאֵל.

הַשְׁכִּיבֵֽנוּ, יְיָ אֱלֹהֵֽינוּ, לְשָׁלוֹם וְהַעֲמִידֵֽנוּ מַלְכֵּֽנוּ לְחַיִּים, וּפְרֹשׂ עָלֵֽינוּ סֻכַּת שְׁלוֹמֶֽךָ וְתַקְּנֵֽנוּ בְּעֵצָה טוֹבָה מִלְּפָנֶֽיךָ וְהוֹשִׁיעֵֽנוּ לְמַֽעַן שְׁמֶֽךָ. וְהָגֵן בַּעֲדֵֽנוּ וְהָסֵר מֵעָלֵֽינוּ אוֹיֵב דֶּֽבֶר וְחֶֽרֶב וְרָעָב וְיָגוֹן, וְהָסֵר שָׂטָן מִלְּפָנֵֽינוּ וּמֵאַחֲרֵֽינוּ. וּבְצֵל כְּנָפֶֽיךָ תַּסְתִּירֵֽנוּ כִּי אֵל שׁוֹמְרֵֽנוּ וּמַצִּילֵֽנוּ אָֽתָּה, כִּי אֵל מֶֽלֶךְ חַנּוּן וְרַחוּם אָֽתָּה. וּשְׁמֹר צֵאתֵֽנוּ וּבוֹאֵֽנוּ לְחַיִּים וּלְשָׁלוֹם מֵעַתָּה וְעַד עוֹלָם. בָּרוּךְ אַתָּה יְיָ שׁוֹמֵר עַמּוֹ יִשְׂרָאֵל לָעַד.

בָּרוּךְ יְיָ לְעוֹלָם, אָמֵן וְאָמֵן. בָּרוּךְ יְיָ מִצִּיּוֹן, שֹׁכֵן יְרוּשָׁלָֽיִם, הַלְלוּיָהּ. בָּרוּךְ יְיָ אֱלֹהִים, אֱלֹהֵי יִשְׂרָאֵל, עֹשֵׂה נִפְלָאוֹת לְבַדּוֹ. וּבָרוּךְ שֵׁם כְּבוֹדוֹ לְעוֹלָם, וְיִמָּלֵא כְבוֹדוֹ אֶת־כָּל־הָאָֽרֶץ, אָמֵן וְאָמֵן. יְהִי כְבוֹד יְיָ לְעוֹלָם, יִשְׂמַח יְיָ בְּמַעֲשָׂיו. יְהִי שֵׁם יְיָ מְבֹרָךְ מֵעַתָּה וְעַד עוֹלָם. כִּי לֹא יִטֹּשׁ יְיָ אֶת־עַמּוֹ בַּעֲבוּר שְׁמוֹ הַגָּדוֹל, כִּי הוֹאִיל יְיָ לַעֲשׂוֹת אֶתְכֶם לוֹ לְעָם. וַיַּרְא

Mi khamokha ba-eilim Adonai, mi kamokha nedar bakodesh nora te-hilot oseh feleh.

Who is like You, Lord, among all that is worshipped?
Who is like You, majestic in holiness,
awesome in splendor, working wonders?

Your children beheld Your sovereignty as You divided the sea before Moses. "This is my God," they responded, declaring:

Adonai yimlokh l'olam va'ed.

"The Lord shall reign throughout all time."

And thus it is written: "The Lord has rescued Jacob; He redeemed him from those more powerful." Praised are You, Lord, Redeemer of the people Israel.

Help us, our Father, to lie down in peace; and awaken us to life again, our King. Spread over us Your shelter of peace, guide us with Your good counsel. Save us for the sake of Your mercy. Shield us from enemies and pestilence, from starvation, sword and sorrow. Remove the evil forces that surround us, shelter us in the shadow of Your wings. You, O God, guard us and deliver us. You are a gracious and merciful King. Guard our coming and our going, grant us life and peace, now and always. Praised are You, O Lord, eternal guardian of Your people Israel.

Praised is the Lord forever. Amen! Amen! Let praise of the Lord come forth from Zion; praise Him who dwells in Jerusalem. Halleluyah! Praised is the Lord, God of Israel. He alone works wondrous deeds. Praised is His glory forever. The glory of the Lord shall be forever; the Lord shall rejoice in His works. His glory fills the world. Amen! Praised is the glory of the Lord now and always. For the sake of His glory He will not abandon His people; the Lord desires to make you His own.

כָּל־הָעָם וַיִּפְּלוּ עַל פְּנֵיהֶם, וַיֹּאמְרוּ: יְיָ הוּא הָאֱלֹהִים, יְיָ הוּא הָאֱלֹהִים. וְהָיָה יְיָ לְמֶלֶךְ עַל כָּל־הָאָרֶץ, בַּיּוֹם הַהוּא יִהְיֶה יְיָ אֶחָד וּשְׁמוֹ אֶחָד. יְהִי חַסְדְּךָ יְיָ עָלֵינוּ, כַּאֲשֶׁר יִחַלְנוּ לָךְ. הוֹשִׁיעֵנוּ, אֱלֹהֵי יִשְׁעֵנוּ וְקַבְּצֵנוּ וְהַצִּילֵנוּ מִן הַגּוֹיִם, לְהֹדוֹת לְשֵׁם קָדְשֶׁךָ, לְהִשְׁתַּבֵּחַ בִּתְהִלָּתֶךָ. כָּל־גּוֹיִם אֲשֶׁר עָשִׂיתָ יָבוֹאוּ וְיִשְׁתַּחֲווּ לְפָנֶיךָ, אֲדֹנָי, וִיכַבְּדוּ לִשְׁמֶךָ. כִּי גָדוֹל אַתָּה וְעֹשֵׂה נִפְלָאוֹת, אַתָּה אֱלֹהִים לְבַדֶּךָ. וַאֲנַחְנוּ עַמְּךָ וְצֹאן מַרְעִיתֶךָ, נוֹדֶה לְּךָ לְעוֹלָם, לְדוֹר וָדֹר נְסַפֵּר תְּהִלָּתֶךָ.

בָּרוּךְ יְיָ בַּיּוֹם, בָּרוּךְ יְיָ בַּלָּיְלָה, בָּרוּךְ יְיָ בְּשָׁכְבֵנוּ, בָּרוּךְ יְיָ בְּקוּמֵנוּ, כִּי בְיָדְךָ נַפְשׁוֹת הַחַיִּים וְהַמֵּתִים. אֲשֶׁר בְּיָדוֹ נֶפֶשׁ כָּל־חָי, וְרוּחַ כָּל־בְּשַׂר אִישׁ. בְּיָדְךָ אַפְקִיד רוּחִי, פָּדִיתָה אוֹתִי, יְיָ אֵל אֱמֶת. אֱלֹהֵינוּ שֶׁבַּשָּׁמַיִם, יַחֵד שִׁמְךָ וְקַיֵּם מַלְכוּתְךָ תָּמִיד וּמְלֹךְ עָלֵינוּ לְעוֹלָם וָעֶד.

יִרְאוּ עֵינֵינוּ וְיִשְׂמַח לִבֵּנוּ, וְתָגֵל נַפְשֵׁנוּ בִּישׁוּעָתְךָ בֶּאֱמֶת, בֶּאֱמֹר לְצִיּוֹן מָלַךְ אֱלֹהָיִךְ. יְיָ מֶלֶךְ, יְיָ מָלָךְ, יְיָ יִמְלֹךְ לְעֹלָם וָעֶד. כִּי הַמַּלְכוּת שֶׁלְּךָ הִיא וּלְעוֹלְמֵי עַד תִּמְלֹךְ בְּכָבוֹד, כִּי אֵין לָנוּ מֶלֶךְ אֶלָּא אָתָּה. בָּרוּךְ אַתָּה יְיָ הַמֶּלֶךְ בִּכְבוֹדוֹ תָּמִיד יִמְלֹךְ עָלֵינוּ לְעוֹלָם וָעֶד, וְעַל כָּל־מַעֲשָׂיו.

When the people saw the wonders wrought by God, they fell to the ground in worship, exclaiming: The Lord, He is God; the Lord, He is God. The Lord shall be King of all the earth; on that day the Lord shall be One and His name One. Let Your mercy be upon us, as our hope is in You. Help us, Lord our God, and deliver us. Gather us, and free us from oppression, that we may praise Your glory, that we may be exalted in praising You. All the nations You have created, Lord, will worship You and glorify You. Great are You, wondrous are Your deeds; You alone are God. We are Your people, the flock You shepherd. We will never cease thanking You, recounting Your praises to all generations.

Praised is the Lord by day and praised by night, praised when we lie down and praised when we rise up. In Your hands are the souls of the living and the dead, the life of every creature, the breath of all flesh. Into Your hand I entrust my spirit; You will redeem me, Lord God of truth. Our God in Heaven, assert the unity of Your rule; affirm Your sovereignty, and reign over us forever.

May our eyes behold, our hearts rejoice, and our souls be glad in our sure deliverance, when it shall be said to Zion: Your God is King. The Lord is King, the Lord was King, the Lord shall be King throughout all time. All sovereignty is Yours; unto all eternity only You reign in glory, only You are King. Praised are You, Lord and glorious King, eternal Ruler over us, and over all creation.

Ḥatzi Kaddish

Ḥazzan:

יִתְגַּדַּל וְיִתְקַדַּשׁ שְׁמֵהּ רַבָּא בְּעָלְמָא דִּי בְרָא כִרְעוּתֵהּ, וְיַמְלִיךְ מַלְכוּתֵהּ בְּחַיֵּיכוֹן וּבְיוֹמֵיכוֹן וּבְחַיֵּי דְכָל־בֵּית יִשְׂרָאֵל בַּעֲגָלָא וּבִזְמַן קָרִיב, וְאִמְרוּ אָמֵן.

Congregation and Ḥazzan:

יְהֵא שְׁמֵהּ רַבָּא מְבָרַךְ לְעָלַם וּלְעָלְמֵי עָלְמַיָּא.

Ḥazzan:

יִתְבָּרַךְ וְיִשְׁתַּבַּח וְיִתְפָּאַר וְיִתְרוֹמַם וְיִתְנַשֵּׂא וְיִתְהַדַּר וְיִתְעַלֶּה וְיִתְהַלַּל שְׁמֵהּ דְּקֻדְשָׁא בְּרִיךְ הוּא, לְעֵלָּא מִן כָּל־בִּרְכָתָא וְשִׁירָתָא תֻּשְׁבְּחָתָא וְנֶחֱמָתָא דַּאֲמִירָן בְּעָלְמָא, וְאִמְרוּ אָמֵן.

Ḥatzi Kaddish

Ḥazzan:

Hallowed and enhanced may He be throughout the world of His own creation. May He cause His sovereignty soon to be accepted, during our life and the life of all Israel. And let us say: Amen.

Congregation and Ḥazzan:

Ye-hei shmei raba meva-rakh l'alam ul'almei 'almaya.

May He be praised throughout all time.

Ḥazzan:

Glorified and celebrated, lauded and praised, acclaimed and honored, extolled and exalted may the Holy One be, beyond all song and psalm, beyond all tributes which man can utter. And let us say: Amen.

Amidah

We rise for silent prayer, which ends on page 774.

אֲדֹנָי שְׂפָתַי תִּפְתָּח וּפִי יַגִּיד תְּהִלָּתֶךָ.

בָּרוּךְ אַתָּה יְיָ אֱלֹהֵינוּ וֵאלֹהֵי אֲבוֹתֵינוּ, אֱלֹהֵי אַבְרָהָם אֱלֹהֵי
יִצְחָק וֵאלֹהֵי יַעֲקֹב, הָאֵל הַגָּדוֹל הַגִּבּוֹר וְהַנּוֹרָא אֵל עֶלְיוֹן גּוֹמֵל
חֲסָדִים טוֹבִים וְקוֹנֵה הַכֹּל, וְזוֹכֵר חַסְדֵי אָבוֹת וּמֵבִיא גוֹאֵל לִבְנֵי
בְנֵיהֶם לְמַעַן שְׁמוֹ בְּאַהֲבָה.

מֶלֶךְ עוֹזֵר וּמוֹשִׁיעַ וּמָגֵן. בָּרוּךְ אַתָּה יְיָ מָגֵן אַבְרָהָם.

אַתָּה גִּבּוֹר לְעוֹלָם אֲדֹנָי מְחַיֵּה מֵתִים אַתָּה רַב לְהוֹשִׁיעַ. מְכַלְכֵּל
חַיִּים בְּחֶסֶד מְחַיֵּה מֵתִים בְּרַחֲמִים רַבִּים, סוֹמֵךְ נוֹפְלִים וְרוֹפֵא
חוֹלִים וּמַתִּיר אֲסוּרִים וּמְקַיֵּם אֱמוּנָתוֹ לִישֵׁנֵי עָפָר. מִי כָמוֹךָ בַּעַל
גְּבוּרוֹת וּמִי דוֹמֶה לָּךְ, מֶלֶךְ מֵמִית וּמְחַיֶּה וּמַצְמִיחַ יְשׁוּעָה.

וְנֶאֱמָן אַתָּה לְהַחֲיוֹת מֵתִים. בָּרוּךְ אַתָּה יְיָ מְחַיֵּה הַמֵּתִים.

אַתָּה קָדוֹשׁ וְשִׁמְךָ קָדוֹשׁ וּקְדוֹשִׁים בְּכָל־יוֹם יְהַלְלוּךָ סֶּלָה.
בָּרוּךְ אַתָּה יְיָ הָאֵל הַקָּדוֹשׁ.

אַתָּה חוֹנֵן לְאָדָם דַּעַת וּמְלַמֵּד לֶאֱנוֹשׁ בִּינָה. אַתָּה חוֹנַנְתָּנוּ לְמַדַּע
תּוֹרָתֶךָ וַתְּלַמְּדֵנוּ לַעֲשׂוֹת חֻקֵּי רְצוֹנֶךָ. וַתַּבְדֵּל, יְיָ אֱלֹהֵינוּ, בֵּין
קֹדֶשׁ לְחוֹל, בֵּין אוֹר לְחֹשֶׁךְ, בֵּין יִשְׂרָאֵל לָעַמִּים, בֵּין יוֹם
הַשְּׁבִיעִי לְשֵׁשֶׁת יְמֵי הַמַּעֲשֶׂה. אָבִינוּ מַלְכֵּנוּ, הָחֵל עָלֵינוּ הַיָּמִים
הַבָּאִים לִקְרָאתֵנוּ לְשָׁלוֹם, חֲשׂוּכִים מִכָּל־חֵטְא וּמְנֻקִּים מִכָּל־
עָוֹן וּמְדֻבָּקִים בְּיִרְאָתֶךָ. וְחָנֵּנוּ מֵאִתְּךָ דֵּעָה בִּינָה וְהַשְׂכֵּל. בָּרוּךְ
אַתָּה יְיָ חוֹנֵן הַדָּעַת.

Amidah

We stand in silent prayer, which ends on page 775.

Open my mouth, O Lord, and my lips will proclaim Your praise.

Praised are You, Lord our God and God of our fathers, God of Abraham, of Isaac and of Jacob, great, mighty, awesome, exalted God, bestowing lovingkindness and creating all things. You remember the pious deeds of our fathers, and will send a redeemer to their children's children because of Your love and for the sake of Your glory.

You are the King who helps and saves and shields. Praised are You, Lord, Shield of Abraham.

Your might, O Lord, is boundless. Your lovingkindness sustains the living, Your great mercies give life to the dead. You support the falling, heal the ailing, free the fettered. You keep Your faith with those who sleep in dust. Whose power can compare with Yours? You are the master of life and death and deliverance. Faithful are You in giving life to the dead. Praised are You, Lord, Master of life and death.

Holy are You and holy is Your name. Holy are those who praise You daily. Praised are You, Lord and holy God.

You graciously endow man with intelligence, You teach him wisdom and understanding. You favored us with the knowledge of Torah, You instructed us to perform Your commandments. You set apart the sacred from the profane, even as You separated light from darkness, singled out Israel from among the nations, and distinguished Shabbat from all other days. Our Father, our King, may the coming days bring us peace. May they be free of sin and cleansed of wrongdoing; may they find us more closely attached to You. Grant us knowledge, discernment and wisdom. Praised are You, Lord, for the gift of knowledge.

הֲשִׁיבֵנוּ אָבִינוּ לְתוֹרָתֶךָ וְקָרְבֵנוּ מַלְכֵּנוּ לַעֲבוֹדָתֶךָ, וְהַחֲזִירֵנוּ בִּתְשׁוּבָה שְׁלֵמָה לְפָנֶיךָ. בָּרוּךְ אַתָּה יְיָ הָרוֹצֶה בִּתְשׁוּבָה.

סְלַח לָנוּ אָבִינוּ כִּי חָטָאנוּ, מְחַל לָנוּ מַלְכֵּנוּ כִּי פָשָׁעְנוּ, כִּי מוֹחֵל וְסוֹלֵחַ אָתָּה. בָּרוּךְ אַתָּה יְיָ חַנּוּן הַמַּרְבֶּה לִסְלֹחַ.

רְאֵה נָא בְעָנְיֵנוּ וְרִיבָה רִיבֵנוּ וּגְאָלֵנוּ מְהֵרָה לְמַעַן שְׁמֶךָ, כִּי גוֹאֵל חָזָק אָתָּה. בָּרוּךְ אַתָּה יְיָ גּוֹאֵל יִשְׂרָאֵל.

רְפָאֵנוּ יְיָ וְנֵרָפֵא, הוֹשִׁיעֵנוּ וְנִוָּשֵׁעָה, כִּי תְהִלָּתֵנוּ אָתָּה. וְהַעֲלֵה רְפוּאָה שְׁלֵמָה לְכָל־מַכּוֹתֵינוּ, כִּי אֵל מֶלֶךְ רוֹפֵא נֶאֱמָן וְרַחֲמָן אָתָּה. בָּרוּךְ אַתָּה יְיָ רוֹפֵא חוֹלֵי עַמּוֹ יִשְׂרָאֵל.

בָּרֵךְ עָלֵינוּ יְיָ אֱלֹהֵינוּ אֶת־הַשָּׁנָה הַזֹּאת וְאֶת־כָּל־מִינֵי תְבוּאָתָהּ לְטוֹבָה, וְתֵן בְּרָכָה עַל פְּנֵי הָאֲדָמָה וְשַׂבְּעֵנוּ מִטּוּבֶךָ וּבָרֵךְ שְׁנָתֵנוּ כַּשָּׁנִים הַטּוֹבוֹת. בָּרוּךְ אַתָּה יְיָ מְבָרֵךְ הַשָּׁנִים.

תְּקַע בְּשׁוֹפָר גָּדוֹל לְחֵרוּתֵנוּ וְשָׂא נֵס לְקַבֵּץ גָּלֻיּוֹתֵינוּ וְקַבְּצֵנוּ יַחַד מֵאַרְבַּע כַּנְפוֹת הָאָרֶץ. בָּרוּךְ אַתָּה יְיָ מְקַבֵּץ נִדְחֵי עַמּוֹ יִשְׂרָאֵל.

הָשִׁיבָה שׁוֹפְטֵינוּ כְּבָרִאשׁוֹנָה וְיוֹעֲצֵינוּ כְּבַתְּחִלָּה, וְהָסֵר מִמֶּנּוּ יָגוֹן וַאֲנָחָה, וּמְלֹךְ עָלֵינוּ אַתָּה יְיָ לְבַדְּךָ בְּחֶסֶד וּבְרַחֲמִים וְצַדְּקֵנוּ בַּמִּשְׁפָּט. בָּרוּךְ אַתָּה יְיָ מֶלֶךְ אוֹהֵב צְדָקָה וּמִשְׁפָּט.

וְלַמַּלְשִׁינִים אַל תְּהִי תִקְוָה וְכָל־הָרִשְׁעָה כְּרֶגַע תֹּאבֵד. וְכָל־אוֹיְבֶיךָ מְהֵרָה יִכָּרֵתוּ וּמַלְכוּת זָדוֹן מְהֵרָה תְעַקֵּר וּתְשַׁבֵּר וּתְמַגֵּר וְתַכְנִיעַ בִּמְהֵרָה בְיָמֵינוּ. בָּרוּךְ אַתָּה יְיָ שׁוֹבֵר אוֹיְבִים וּמַכְנִיעַ זֵדִים.

עַל הַצַּדִּיקִים וְעַל הַחֲסִידִים וְעַל זִקְנֵי עַמְּךָ בֵּית יִשְׂרָאֵל וְעַל פְּלֵיטַת סוֹפְרֵיהֶם וְעַל גֵּרֵי הַצֶּדֶק וְעָלֵינוּ יֶהֱמוּ נָא רַחֲמֶיךָ יְיָ

Our Father, bring us back to Your Torah. Our King, draw us near to Your service. Lead us back to You, truly repentant. Praised are You, Lord who welcomes repentance.

Forgive us, our Father, for we have sinned; pardon us, our King, for we have transgressed, for You forgive and pardon. Praised are You, gracious and forgiving Lord.

Behold our affliction and deliver us. Redeem us soon for the sake of Your name, for You are the mighty Redeemer. Praised are You, Lord, Redeemer of the people Israel.

Heal us, O Lord, and we shall be healed. Help us and save us, for You are our glory. Grant perfect healing for all our afflictions, faithful and merciful God of healing. Praised are You, Lord, Healer of His people.

Lord our God, make this a blessed year. May its varied produce bring us happiness. Bring blessing upon the whole earth. Bless the year with Your abounding goodness. Praised are You, Lord who blesses the years.

Sound the great shofar to herald our freedom, raise high the banner to gather all exiles. Gather the dispersed from the corners of the earth. Praised are You, Lord who gathers our exiles.

Restore our judges as in days of old, restore our counsellors as in former times. Remove from us sorrow and anguish. Reign alone over us with lovingkindness; with justice and mercy sustain our cause. Praised are You, Lord, King who loves justice.

Frustrate the hopes of those who malign us; let all evil very soon disappear. Let all Your enemies soon be destroyed. May You quickly uproot and crush the arrogant; may You subdue and humble them in our time. Praised are You, Lord who humbles the arrogant.

Let Your tender mercies be stirred for the righteous, the pious and the leaders of the House of Israel, toward devoted scholars and faithful proselytes. Be merciful to us of the House of Israel.

אֱלֹהֵֽינוּ, וְתֵן שָׂכָר טוֹב לְכָל הַבּוֹטְחִים בְּשִׁמְךָ בֶּאֱמֶת, וְשִׂים חֶלְקֵֽנוּ עִמָּהֶם לְעוֹלָם וְלֹא נֵבוֹשׁ כִּי בְךָ בָּטָֽחְנוּ. בָּרוּךְ אַתָּה יְיָ מִשְׁעָן וּמִבְטָח לַצַּדִּיקִים.

וְלִירוּשָׁלַֽיִם עִירְךָ בְּרַחֲמִים תָּשׁוּב וְתִשְׁכּוֹן בְּתוֹכָהּ כַּאֲשֶׁר דִּבַּֽרְתָּ, וּבְנֵה אוֹתָהּ בְּקָרוֹב בְּיָמֵֽינוּ בִּנְיַן עוֹלָם וְכִסֵּא דָוִד מְהֵרָה לְתוֹכָהּ תָּכִין. בָּרוּךְ אַתָּה יְיָ בּוֹנֵה יְרוּשָׁלָֽיִם.

אֶת־צֶֽמַח דָּוִד עַבְדְּךָ מְהֵרָה תַצְמִֽיחַ וְקַרְנוֹ תָּרוּם בִּישׁוּעָתֶֽךָ, כִּי לִישׁוּעָתְךָ קִוִּֽינוּ כָּל־הַיּוֹם. בָּרוּךְ אַתָּה יְיָ מַצְמִֽיחַ קֶֽרֶן יְשׁוּעָה.

שְׁמַע קוֹלֵֽנוּ יְיָ אֱלֹהֵֽינוּ, חוּס וְרַחֵם עָלֵֽינוּ, וְקַבֵּל בְּרַחֲמִים וּבְרָצוֹן אֶת־תְּפִלָּתֵֽנוּ, כִּי אֵל שׁוֹמֵֽעַ תְּפִלּוֹת וְתַחֲנוּנִים אָֽתָּה. וּמִלְּפָנֶֽיךָ מַלְכֵּֽנוּ רֵיקָם אַל תְּשִׁיבֵֽנוּ. כִּי אַתָּה שׁוֹמֵֽעַ תְּפִלַּת עַמְּךָ יִשְׂרָאֵל בְּרַחֲמִים. בָּרוּךְ אַתָּה יְיָ שׁוֹמֵֽעַ תְּפִלָּה.

רְצֵה יְיָ אֱלֹהֵֽינוּ בְּעַמְּךָ יִשְׂרָאֵל וּבִתְפִלָּתָם וְהָשֵׁב אֶת־הָעֲבוֹדָה לִדְבִיר בֵּיתֶֽךָ וּתְפִלָּתָם בְּאַהֲבָה תְקַבֵּל בְּרָצוֹן וּתְהִי לְרָצוֹן תָּמִיד עֲבוֹדַת יִשְׂרָאֵל עַמֶּֽךָ. וְתֶחֱזֶֽינָה עֵינֵֽינוּ בְּשׁוּבְךָ לְצִיּוֹן בְּרַחֲמִים. בָּרוּךְ אַתָּה יְיָ הַמַּחֲזִיר שְׁכִינָתוֹ לְצִיּוֹן.

מוֹדִים אֲנַֽחְנוּ לָךְ שָׁאַתָּה הוּא יְיָ אֱלֹהֵֽינוּ וֵאלֹהֵי אֲבוֹתֵֽינוּ לְעוֹלָם וָעֶד, צוּר חַיֵּֽינוּ מָגֵן יִשְׁעֵֽנוּ אַתָּה הוּא. לְדוֹר וָדוֹר נֽוֹדֶה לְךָ וּנְסַפֵּר תְּהִלָּתֶֽךָ עַל חַיֵּֽינוּ הַמְּסוּרִים בְּיָדֶֽךָ וְעַל נִשְׁמוֹתֵֽינוּ הַפְּקוּדוֹת לָךְ וְעַל נִסֶּֽיךָ שֶׁבְּכָל־יוֹם עִמָּֽנוּ וְעַל נִפְלְאוֹתֶֽיךָ וְטוֹבוֹתֶֽיךָ שֶׁבְּכָל־עֵת עֶֽרֶב וָבֹֽקֶר וְצָהֳרָֽיִם. הַטּוֹב כִּי לֹא כָלוּ רַחֲמֶֽיךָ וְהַמְרַחֵם כִּי לֹא תַֽמּוּ חֲסָדֶֽיךָ מֵעוֹלָם קִוִּֽינוּ לָךְ.

וְעַל כֻּלָּם יִתְבָּרַךְ וְיִתְרוֹמַם שִׁמְךָ מַלְכֵּֽנוּ תָּמִיד לְעוֹלָם וָעֶד.

Reward all who trust in You, cast our lot with those who are faithful to You. May we never come to despair, for our trust is in You. Praised are You, Lord who sustains the righteous.

Have mercy, Lord, and return to Jerusalem, Your city. May Your Presence dwell there as You promised. Rebuild it now, in our days and for all time. Re-establish there the majesty of David, Your servant. Praised are You, Lord who rebuilds Jerusalem.

Bring to flower the shoot of Your servant David. Hasten the advent of Messianic redemption. Each and every day we hope for Your deliverance. Praised are You, Lord who assures our deliverance.

Lord our God, hear our voice. Have compassion upon us, pity us, accept our prayer with loving favor. You listen to entreaty and prayer. Do not turn us away unanswered, our King, for You mercifully heed Your people's supplication. Praised are You, Lord who hears prayer.

Accept the prayer of Your people Israel as lovingly as it is offered. Restore worship to Your sanctuary. May the worship of Your people Israel always be acceptable to You. May we bear witness to Your merciful return to Zion. Praised are You, Lord who restores His Presence to Zion.

We proclaim that You are the Lord our God and God of our fathers throughout all time. You are the Rock of our lives, the Shield of our salvation. We thank You and praise You through all generations, for our lives are in Your hand, our souls are in Your charge. We thank You for Your miracles which daily attend us, for Your wondrous kindness, morning, noon and night. Your mercy and love are boundless. We have always placed our hope in You.

For all these blessings we shall ever praise and exalt You.

וְכֹל הַחַיִּים יוֹדְוּךָ סֶּלָה וִיהַלְלוּ אֶת־שִׁמְךָ בֶּאֱמֶת הָאֵל יְשׁוּעָתֵנוּ וְעֶזְרָתֵנוּ סֶלָה. בָּרוּךְ אַתָּה יְיָ הַטּוֹב שִׁמְךָ וּלְךָ נָאֶה לְהוֹדוֹת.

שָׁלוֹם רָב עַל יִשְׂרָאֵל עַמְּךָ וְעַל כָּל־יוֹשְׁבֵי תֵבֵל תָּשִׂים לְעוֹלָם כִּי אַתָּה הוּא מֶלֶךְ אָדוֹן לְכָל־הַשָּׁלוֹם. וְטוֹב בְּעֵינֶיךָ לְבָרֵךְ אֶת־עַמְּךָ יִשְׂרָאֵל בְּכָל־עֵת וּבְכָל־שָׁעָה בִּשְׁלוֹמֶךָ. בָּרוּךְ אַתָּה יְיָ הַמְבָרֵךְ אֶת־עַמּוֹ יִשְׂרָאֵל בַּשָּׁלוֹם.

אֱלֹהַי, נְצֹר לְשׁוֹנִי מֵרָע וּשְׂפָתַי מִדַּבֵּר מִרְמָה, וְלִמְקַלְלַי נַפְשִׁי תִדֹּם וְנַפְשִׁי כֶּעָפָר לַכֹּל תִּהְיֶה. פְּתַח לִבִּי בְּתוֹרָתֶךָ וּבְמִצְוֹתֶיךָ תִּרְדֹּף נַפְשִׁי. וְכֹל הַחוֹשְׁבִים עָלַי רָעָה, מְהֵרָה הָפֵר עֲצָתָם וְקַלְקֵל מַחֲשַׁבְתָּם. עֲשֵׂה לְמַעַן שְׁמֶךָ, עֲשֵׂה לְמַעַן יְמִינֶךָ, עֲשֵׂה לְמַעַן קְדֻשָּׁתֶךָ, עֲשֵׂה לְמַעַן תּוֹרָתֶךָ, לְמַעַן יֵחָלְצוּן יְדִידֶיךָ הוֹשִׁיעָה יְמִינְךָ וַעֲנֵנִי. יִהְיוּ לְרָצוֹן אִמְרֵי־פִי וְהֶגְיוֹן לִבִּי לְפָנֶיךָ, יְיָ צוּרִי וְגֹאֲלִי. עוֹשֶׂה שָׁלוֹם בִּמְרוֹמָיו הוּא יַעֲשֶׂה שָׁלוֹם עָלֵינוּ וְעַל כָּל־יִשְׂרָאֵל, וְאִמְרוּ אָמֵן.

May every living creature thank You and praise You faithfully, our deliverance and our help. Praised are You, beneficent Lord to whom all praise is due.

Grant true and lasting peace to Your people Israel and to all who dwell on earth, for You are the King of supreme peace. May it please You to bless Your people Israel at all times with Your gift of peace. Praised are You, Lord who blesses His people Israel with peace.

My God, keep my tongue from telling evil, my lips from speaking lies. Help me ignore those who slander me. Let me be humble before all. Open my heart to Your Torah, so that I may pursue Your commandments. Frustrate the designs of those who plot evil against me. Make nothing of their schemes. Do so for the sake of Your power, Your holiness and Your Torah. Answer my prayer for the deliverance of Your people. May the words of my mouth and the meditations of my heart be acceptable to You, my Rock and my Redeemer. He who brings peace to His universe will bring peace to us, to the people Israel and to all mankind. Amen.

Kaddish Shalem

Ḥazzan:

יִתְגַּדַּל וְיִתְקַדַּשׁ שְׁמֵהּ רַבָּא בְּעָלְמָא דִּי בְרָא כִרְעוּתֵהּ, וְיַמְלִיךְ מַלְכוּתֵהּ בְּחַיֵּיכוֹן וּבְיוֹמֵיכוֹן וּבְחַיֵּי דְכָל־בֵּית יִשְׂרָאֵל בַּעֲגָלָא וּבִזְמַן קָרִיב, וְאִמְרוּ אָמֵן.

Congregation and Ḥazzan:

יְהֵא שְׁמֵהּ רַבָּא מְבָרַךְ לְעָלַם וּלְעָלְמֵי עָלְמַיָּא.

Ḥazzan:

יִתְבָּרַךְ וְיִשְׁתַּבַּח וְיִתְפָּאַר וְיִתְרוֹמַם וְיִתְנַשֵּׂא וְיִתְהַדַּר וְיִתְעַלֶּה וְיִתְהַלַּל שְׁמֵהּ דְּקֻדְשָׁא בְּרִיךְ הוּא, לְעֵלָּא מִן כָּל־בִּרְכָתָא וְשִׁירָתָא תֻּשְׁבְּחָתָא וְנֶחֱמָתָא דַּאֲמִירָן בְּעָלְמָא, וְאִמְרוּ אָמֵן.

תִּתְקַבַּל צְלוֹתְהוֹן וּבָעוּתְהוֹן דְּכָל־יִשְׂרָאֵל קֳדָם אֲבוּהוֹן דִּי בִשְׁמַיָּא, וְאִמְרוּ אָמֵן.

יְהֵא שְׁלָמָא רַבָּא מִן שְׁמַיָּא וְחַיִּים עָלֵינוּ וְעַל כָּל־יִשְׂרָאֵל, וְאִמְרוּ אָמֵן.

עוֹשֶׂה שָׁלוֹם בִּמְרוֹמָיו הוּא יַעֲשֶׂה שָׁלוֹם עָלֵינוּ וְעַל כָּל־יִשְׂרָאֵל, וְאִמְרוּ אָמֵן.

Kaddish Shalem

Ḥazzan:

Hallowed and enhanced may He be throughout the world of His own creation. May He cause His sovereignty soon to be accepted, during our life and the life of all Israel. And let us say: Amen.

Congregation and Ḥazzan:

Ye-hei shmei raba meva-rakh l'alam ul'almei 'almaya.
May He be praised throughout all time.

Ḥazzan:

Glorified and celebrated, lauded and praised, acclaimed and honored, extolled and exalted may the Holy One be, beyond all song and psalm, beyond all tributes which man can utter. And let us say: Amen.

May the prayers and pleas of the whole House of Israel be accepted by our Father in Heaven. And let us say: Amen.

Let there be abundant peace from Heaven, with life's goodness for us and for all the people Israel. And let us say: Amen.

He who brings peace to His universe will bring peace to us and to all the people Israel. And let us say: Amen.

Havdalah

This paragraph is omitted in the synagogue.

הִנֵּה אֵל יְשׁוּעָתִי אֶבְטַח וְלֹא אֶפְחָד, כִּי עָזִּי וְזִמְרָת יָהּ יְיָ וַיְהִי לִי לִישׁוּעָה. וּשְׁאַבְתֶּם מַיִם בְּשָׂשׂוֹן מִמַּעַיְנֵי הַיְשׁוּעָה. לַייָ הַיְשׁוּעָה, עַל עַמְּךָ בִרְכָתֶךָ סֶּלָה. יְיָ צְבָאוֹת עִמָּנוּ, מִשְׂגָּב לָנוּ אֱלֹהֵי יַעֲקֹב, סֶלָה. לַיְּהוּדִים הָיְתָה אוֹרָה וְשִׂמְחָה וְשָׂשֹׂן וִיקָר. כֵּן תִּהְיֶה לָּנוּ. כּוֹס יְשׁוּעוֹת אֶשָּׂא, וּבְשֵׁם יְיָ אֶקְרָא.

בָּרוּךְ אַתָּה יְיָ אֱלֹהֵינוּ מֶלֶךְ הָעוֹלָם, בּוֹרֵא פְּרִי הַגָּפֶן.

On Saturday night add blessing over spices.

בָּרוּךְ אַתָּה יְיָ אֱלֹהֵינוּ מֶלֶךְ הָעוֹלָם, בּוֹרֵא מִינֵי בְשָׂמִים.

בָּרוּךְ אַתָּה יְיָ אֱלֹהֵינוּ מֶלֶךְ הָעוֹלָם, בּוֹרֵא מְאוֹרֵי הָאֵשׁ.

בָּרוּךְ אַתָּה יְיָ אֱלֹהֵינוּ מֶלֶךְ הָעוֹלָם, הַמַּבְדִּיל בֵּין קֹדֶשׁ לְחוֹל, בֵּין אוֹר לְחֹשֶׁךְ, בֵּין יִשְׂרָאֵל לָעַמִּים, בֵּין יוֹם הַשְּׁבִיעִי לְשֵׁשֶׁת יְמֵי הַמַּעֲשֶׂה. בָּרוּךְ אַתָּה יְיָ הַמַּבְדִּיל בֵּין קֹדֶשׁ לְחוֹל.

Havdalah

This paragraph is omitted in the synagogue.

God is my deliverance; confident is my trust in Him. The Lord is my strength, my song, my deliverance. Joyfully shall you drink from the fountains of deliverance. The Lord will rescue; the Lord will bless His people. Selah. The Lord of hosts is with us, the God of Jacob is our fortress. Lord of hosts, happy is the man who trusts in You. Lord and King, answer us when we call, and rescue us. Grant us the blessings of light, of gladness and of honor which the miracle of Your deliverance brought to our fathers. I lift up the cup of deliverance! I call upon the Lord.

Praised are You, ᴸord our God, King of the universe who creates the fruit of the vine.

On Saturday night add blessing over spices.

Praised are You, Lord our God, King of the universe who creates fragrant spices.

Praised are You, Lord our God, King of the universe who creates the lights of fire.

Praised are You, Lord our God, King of the universe who has endowed all creation with distinctive qualities, who has differentiated between light and darkness, between sacred and profane, between the people Israel and other people, and between the seventh day and the other days of the week. Praised are You, Lord who differentiates between the sacred and the profane.

Aleinu

עָלֵינוּ לְשַׁבֵּחַ לַאֲדוֹן הַכֹּל, לָתֵת גְּדֻלָּה לְיוֹצֵר בְּרֵאשִׁית, שֶׁלֹּא עָשָׂנוּ כְּגוֹיֵי הָאֲרָצוֹת וְלֹא שָׂמָנוּ כְּמִשְׁפְּחוֹת הָאֲדָמָה, שֶׁלֹּא שָׂם חֶלְקֵנוּ כָּהֶם וְגוֹרָלֵנוּ כְּכָל־הֲמוֹנָם. וַאֲנַחְנוּ כּוֹרְעִים וּמִשְׁתַּחֲוִים וּמוֹדִים לִפְנֵי מֶלֶךְ מַלְכֵי הַמְּלָכִים הַקָּדוֹשׁ בָּרוּךְ הוּא, שֶׁהוּא נוֹטֶה שָׁמַיִם וְיוֹסֵד אָרֶץ וּמוֹשַׁב יְקָרוֹ בַּשָּׁמַיִם מִמַּעַל וּשְׁכִינַת עֻזּוֹ בְּגָבְהֵי מְרוֹמִים. הוּא אֱלֹהֵינוּ אֵין עוֹד. אֱמֶת מַלְכֵּנוּ אֶפֶס זוּלָתוֹ, כַּכָּתוּב בְּתוֹרָתוֹ: וְיָדַעְתָּ הַיּוֹם וַהֲשֵׁבֹתָ אֶל לְבָבֶךָ כִּי יְיָ הוּא הָאֱלֹהִים בַּשָּׁמַיִם מִמַּעַל וְעַל הָאָרֶץ מִתָּחַת, אֵין עוֹד.

עַל כֵּן נְקַוֶּה לְךָ יְיָ אֱלֹהֵינוּ לִרְאוֹת מְהֵרָה בְּתִפְאֶרֶת עֻזֶּךָ, לְהַעֲבִיר גִּלּוּלִים מִן הָאָרֶץ וְהָאֱלִילִים כָּרוֹת יִכָּרֵתוּן, לְתַקֵּן עוֹלָם בְּמַלְכוּת שַׁדַּי וְכָל־בְּנֵי בָשָׂר יִקְרְאוּ בִשְׁמֶךָ, לְהַפְנוֹת אֵלֶיךָ כָּל־רִשְׁעֵי־אָרֶץ. יַכִּירוּ וְיֵדְעוּ כָּל־יוֹשְׁבֵי תֵבֵל כִּי לְךָ תִּכְרַע כָּל־בֶּרֶךְ תִּשָּׁבַע כָּל־לָשׁוֹן. לְפָנֶיךָ יְיָ אֱלֹהֵינוּ יִכְרְעוּ וְיִפֹּלוּ וְלִכְבוֹד שִׁמְךָ יְקָר יִתֵּנוּ, וִיקַבְּלוּ כֻלָּם אֶת־עֹל מַלְכוּתֶךָ וְתִמְלֹךְ עֲלֵיהֶם מְהֵרָה לְעוֹלָם וָעֶד, כִּי הַמַּלְכוּת שֶׁלְּךָ הִיא וּלְעוֹלְמֵי עַד תִּמְלֹךְ בְּכָבוֹד, כַּכָּתוּב בְּתוֹרָתֶךָ: יְיָ יִמְלֹךְ לְעֹלָם וָעֶד. וְנֶאֱמַר: וְהָיָה יְיָ לְמֶלֶךְ עַל כָּל־הָאָרֶץ, בַּיּוֹם הַהוּא יִהְיֶה יְיָ אֶחָד וּשְׁמוֹ אֶחָד.

Aleinu

We rise to our duty to praise the Lord of all the world, to acclaim the Creator. He made our lot unlike that of other people, assigning us a unique destiny. We bend the knee and bow, proclaiming Him as King of kings, the Holy One praised be He, who stretched forth the heavens and established the earth. He is God, our King. There is no other.

Va'anaḥnu kor'im u-mish-taḥavim u-modim
lifnei melekh malkhei ha-melakhim ha-kadosh barukh hu.

And so we hope in You, Lord our God, soon to see Your splendor, sweeping idolatry away so that false gods will be utterly destroyed, perfecting earth by Your kingship so that all mankind will invoke Your name, bringing all the earth's wicked back to You, repentant. Then all who live will know that to You every knee must bend, every tongue pledge loyalty. To You, Lord, may all men bow in worship, may they give honor to Your glory. May everyone accept the rule of Your kingship. Reign over all, soon and for all time. Sovereignty is Yours in glory, now and forever. Thus is it written in Your Torah: The Lord reigns for ever and ever. Such is the assurance of Your prophet Zechariah: The Lord shall be acknowledged King of all the earth. On that day the Lord shall be One and His name One.

Ve-ne'emar ve-haya Adonai le-melekh 'al kol ha'aretz,
bayom ha-hu yiyeh Adonai eḥad u-she-mo eḥad.

Mourner's Kaddish

Mourners and those observing Yahrzeit rise.

יִתְגַּדַּל וְיִתְקַדַּשׁ שְׁמֵהּ רַבָּא בְּעָלְמָא דִּי בְרָא כִרְעוּתֵהּ, וְיַמְלִיךְ מַלְכוּתֵהּ בְּחַיֵּיכוֹן וּבְיוֹמֵיכוֹן וּבְחַיֵּי דְכָל־בֵּית יִשְׂרָאֵל בַּעֲגָלָא וּבִזְמַן קָרִיב, וְאִמְרוּ אָמֵן.

Congregation and mourner:

יְהֵא שְׁמֵהּ רַבָּא מְבָרַךְ לְעָלַם וּלְעָלְמֵי עָלְמַיָּא.

Mourner:

יִתְבָּרַךְ וְיִשְׁתַּבַּח וְיִתְפָּאַר וְיִתְרוֹמַם וְיִתְנַשֵּׂא וְיִתְהַדַּר וְיִתְעַלֶּה וְיִתְהַלַּל שְׁמֵהּ דְּקֻדְשָׁא בְּרִיךְ הוּא, לְעֵלָּא מִן כָּל־בִּרְכָתָא וְשִׁירָתָא תֻּשְׁבְּחָתָא וְנֶחֱמָתָא דַּאֲמִירָן בְּעָלְמָא, וְאִמְרוּ אָמֵן.

יְהֵא שְׁלָמָא רַבָּא מִן שְׁמַיָּא וְחַיִּים עָלֵינוּ וְעַל כָּל־יִשְׂרָאֵל, וְאִמְרוּ אָמֵן.

עוֹשֶׂה שָׁלוֹם בִּמְרוֹמָיו הוּא יַעֲשֶׂה שָׁלוֹם עָלֵינוּ וְעַל כָּל־יִשְׂרָאֵל, וְאִמְרוּ אָמֵן.

Psalm 27 may be added, page 424.

Mourner's Kaddish

Mourners and those observing Yahrzeit rise.

Yit-gadal ve-yit-kadash shmei raba, b'alma divra khir'utei ve-yamlikh mal-khutei be-ḥayei-khon uve'yomei-khon uve-ḥayei di-khol beit yisrael ba-agala u-vizman kariv v'imru amen.

Congregation and mourner:

Ye-hei shmei raba meva-rakh l'alam ul'almei 'almaya.

Mourner:

Yit-barakh ve-yish-tabaḥ ve-yitpa'ar ve-yitromam ve-yitnasei ve-yit-hadar ve-yit'aleh ve-yit-halal shmei di-kudsha brikh hu, l'eila min kol bir-khata ve-shirata tush-be-ḥata ve-neḥe-mata da-amiran b'alma, v'imru amen.

Ye-hei shlama raba min shmaya ve-ḥayim aleinu v'al kol yisrael v'imru amen.

Oseh shalom bimromav hu ya'aseh shalom aleinu v'al kol yisrael v'imru amen.

Psalm 27 may be added, page 425.

ADDITIONAL

SERVICES

FOR

ROSH

HASHANAH

Afternoon Service

אַשְׁרֵי יוֹשְׁבֵי בֵיתֶךָ, עוֹד יְהַלְלוּךָ סֶּלָה.
אַשְׁרֵי הָעָם שֶׁכָּכָה לּוֹ, אַשְׁרֵי הָעָם שֶׁיְיָ אֱלֹהָיו.

תְּהִלָּה לְדָוִד.
אֲרוֹמִמְךָ אֱלוֹהַי הַמֶּלֶךְ וַאֲבָרְכָה שִׁמְךָ לְעוֹלָם וָעֶד.
בְּכָל־יוֹם אֲבָרְכֶךָּ וַאֲהַלְלָה שִׁמְךָ לְעוֹלָם וָעֶד.
גָּדוֹל יְיָ וּמְהֻלָּל מְאֹד וְלִגְדֻלָּתוֹ אֵין חֵקֶר.
דּוֹר לְדוֹר יְשַׁבַּח מַעֲשֶׂיךָ וּגְבוּרֹתֶיךָ יַגִּידוּ.
הֲדַר כְּבוֹד הוֹדֶךָ וְדִבְרֵי נִפְלְאֹתֶיךָ אָשִׂיחָה.
וֶעֱזוּז נוֹרְאֹתֶיךָ יֹאמֵרוּ וּגְדוּלָּתְךָ אֲסַפְּרֶנָּה.
זֵכֶר רַב טוּבְךָ יַבִּיעוּ וְצִדְקָתְךָ יְרַנֵּנוּ.
חַנּוּן וְרַחוּם יְיָ, אֶרֶךְ אַפַּיִם וּגְדָל־חָסֶד.
טוֹב יְיָ לַכֹּל וְרַחֲמָיו עַל כָּל־מַעֲשָׂיו.
יוֹדוּךָ יְיָ כָּל־מַעֲשֶׂיךָ וַחֲסִידֶיךָ יְבָרְכוּכָה.
כְּבוֹד מַלְכוּתְךָ יֹאמֵרוּ וּגְבוּרָתְךָ יְדַבֵּרוּ.
לְהוֹדִיעַ לִבְנֵי הָאָדָם גְּבוּרֹתָיו וּכְבוֹד הֲדַר מַלְכוּתוֹ.
מַלְכוּתְךָ מַלְכוּת כָּל־עֹלָמִים וּמֶמְשַׁלְתְּךָ בְּכָל־דּוֹר וָדֹר.
סוֹמֵךְ יְיָ לְכָל־הַנֹּפְלִים וְזוֹקֵף לְכָל־הַכְּפוּפִים.
עֵינֵי כֹל אֵלֶיךָ יְשַׂבֵּרוּ וְאַתָּה נוֹתֵן לָהֶם אֶת־אָכְלָם בְּעִתּוֹ.
פּוֹתֵחַ אֶת־יָדֶךָ וּמַשְׂבִּיעַ לְכָל־חַי רָצוֹן.
צַדִּיק יְיָ בְּכָל־דְּרָכָיו וְחָסִיד בְּכָל־מַעֲשָׂיו.
קָרוֹב יְיָ לְכָל־קֹרְאָיו, לְכֹל אֲשֶׁר יִקְרָאֻהוּ בֶאֱמֶת.
רְצוֹן יְרֵאָיו יַעֲשֶׂה וְאֶת־שַׁוְעָתָם יִשְׁמַע וְיוֹשִׁיעֵם.
שׁוֹמֵר יְיָ אֶת־כָּל־אֹהֲבָיו וְאֵת כָּל־הָרְשָׁעִים יַשְׁמִיד.
תְּהִלַּת יְיָ יְדַבֶּר־פִּי וִיבָרֵךְ כָּל־בָּשָׂר שֵׁם קָדְשׁוֹ לְעוֹלָם וָעֶד.
וַאֲנַחְנוּ נְבָרֵךְ יָהּ מֵעַתָּה וְעַד עוֹלָם. הַלְלוּיָהּ.

Ḥatzi Kaddish

יִתְגַּדַּל וְיִתְקַדַּשׁ שְׁמֵהּ רַבָּא בְּעָלְמָא דִּי בְרָא כִרְעוּתֵהּ, וְיַמְלִיךְ מַלְכוּתֵהּ בְּחַיֵּיכוֹן וּבְיוֹמֵיכוֹן וּבְחַיֵּי דְכָל־בֵּית יִשְׂרָאֵל בַּעֲגָלָא וּבִזְמַן קָרִיב, וְאִמְרוּ אָמֵן.

Congregation and Ḥazzan:

יְהֵא שְׁמֵהּ רַבָּא מְבָרַךְ לְעָלַם וּלְעָלְמֵי עָלְמַיָּא.

Ḥazzan:

יִתְבָּרַךְ וְיִשְׁתַּבַּח וְיִתְפָּאַר וְיִתְרוֹמַם וְיִתְנַשֵּׂא וְיִתְהַדַּר וְיִתְעַלֶּה וְיִתְהַלַּל שְׁמֵהּ דְּקֻדְשָׁא בְּרִיךְ הוּא, לְעֵלָּא מִן כָּל־בִּרְכָתָא וְשִׁירָתָא תֻּשְׁבְּחָתָא וְנֶחֱמָתָא דַּאֲמִירָן בְּעָלְמָא, וְאִמְרוּ אָמֵן.

Amidah

כִּי שֵׁם יְיָ אֶקְרָא הָבוּ גֹדֶל לֵאלֹהֵינוּ.
אֲדֹנָי שְׂפָתַי תִּפְתָּח וּפִי יַגִּיד תְּהִלָּתֶךָ.

בָּרוּךְ אַתָּה יְיָ אֱלֹהֵינוּ וֵאלֹהֵי אֲבוֹתֵינוּ, אֱלֹהֵי אַבְרָהָם אֱלֹהֵי יִצְחָק וֵאלֹהֵי יַעֲקֹב, הָאֵל הַגָּדוֹל הַגִּבּוֹר וְהַנּוֹרָא אֵל עֶלְיוֹן גּוֹמֵל חֲסָדִים טוֹבִים וְקוֹנֵה הַכֹּל, וְזוֹכֵר חַסְדֵי אָבוֹת וּמֵבִיא גוֹאֵל לִבְנֵי בְנֵיהֶם לְמַעַן שְׁמוֹ בְּאַהֲבָה.

מֶלֶךְ עוֹזֵר וּמוֹשִׁיעַ וּמָגֵן. בָּרוּךְ אַתָּה יְיָ מָגֵן אַבְרָהָם.

אַתָּה גִּבּוֹר לְעוֹלָם אֲדֹנָי מְחַיֵּה מֵתִים אַתָּה רַב לְהוֹשִׁיעַ. מְכַלְכֵּל חַיִּים בְּחֶסֶד מְחַיֵּה מֵתִים בְּרַחֲמִים רַבִּים, סוֹמֵךְ נוֹפְלִים וְרוֹפֵא חוֹלִים וּמַתִּיר אֲסוּרִים וּמְקַיֵּם אֱמוּנָתוֹ לִישֵׁנֵי עָפָר. מִי כָמוֹךָ בַּעַל גְּבוּרוֹת וּמִי דּוֹמֶה לָּךְ, מֶלֶךְ מֵמִית וּמְחַיֶּה וּמַצְמִיחַ יְשׁוּעָה.
וְנֶאֱמָן אַתָּה לְהַחֲיוֹת מֵתִים. בָּרוּךְ אַתָּה יְיָ מְחַיֵּה הַמֵּתִים.

787 EVE OF ROSH HASHANAH

When reciting silently:

אַתָּה קָדוֹשׁ וְשִׁמְךָ קָדוֹשׁ וּקְדוֹשִׁים בְּכָל־יוֹם יְהַלְלוּךָ סֶּלָה. בָּרוּךְ אַתָּה יְיָ הָאֵל הַקָּדוֹשׁ.

Continue silent Amidah below.

When Hazzan chants the Amidah, the Kedushah is added
The congregation chants the indented portions aloud.

נְקַדֵּשׁ אֶת־שִׁמְךָ בָּעוֹלָם כְּשֵׁם שֶׁמַּקְדִּישִׁים אוֹתוֹ בִּשְׁמֵי מָרוֹם, כַּכָּתוּב עַל יַד נְבִיאֶךָ, וְקָרָא זֶה אֶל זֶה וְאָמַר:

קָדוֹשׁ קָדוֹשׁ קָדוֹשׁ יְיָ צְבָאוֹת, מְלֹא כָל־הָאָרֶץ כְּבוֹדוֹ. לְעֻמָּתָם בָּרוּךְ יֹאמֵרוּ:

בָּרוּךְ כְּבוֹד יְיָ מִמְּקוֹמוֹ.

וּבְדִבְרֵי קָדְשְׁךָ כָּתוּב לֵאמֹר:

יִמְלֹךְ יְיָ לְעוֹלָם אֱלֹהַיִךְ צִיּוֹן לְדֹר וָדֹר, הַלְלוּיָהּ.

לְדוֹר וָדוֹר נַגִּיד גָּדְלֶךָ, וּלְנֵצַח נְצָחִים קְדֻשָּׁתְךָ נַקְדִּישׁ. וְשִׁבְחֲךָ אֱלֹהֵינוּ מִפִּינוּ לֹא יָמוּשׁ לְעוֹלָם וָעֶד כִּי אֵל מֶלֶךְ גָּדוֹל וְקָדוֹשׁ אָתָּה. בָּרוּךְ אַתָּה יְיָ הָאֵל הַקָּדוֹשׁ.

Silent Amidah continues here:

אַתָּה חוֹנֵן לְאָדָם דַּעַת וּמְלַמֵּד לֶאֱנוֹשׁ בִּינָה. חָנֵּנוּ מֵאִתְּךָ דֵּעָה בִּינָה וְהַשְׂכֵּל. בָּרוּךְ אַתָּה יְיָ חוֹנֵן הַדָּעַת.

הֲשִׁיבֵנוּ אָבִינוּ לְתוֹרָתֶךָ וְקָרְבֵנוּ מַלְכֵּנוּ לַעֲבוֹדָתֶךָ, וְהַחֲזִירֵנוּ בִּתְשׁוּבָה שְׁלֵמָה לְפָנֶיךָ. בָּרוּךְ אַתָּה יְיָ הָרוֹצֶה בִּתְשׁוּבָה.

סְלַח לָנוּ אָבִינוּ כִּי חָטָאנוּ, מְחַל לָנוּ מַלְכֵּנוּ כִּי פָשָׁעְנוּ, כִּי מוֹחֵל וְסוֹלֵחַ אָתָּה. בָּרוּךְ אַתָּה יְיָ חַנּוּן הַמַּרְבֶּה לִסְלֹחַ.

רְאֵה נָא בְעָנְיֵנוּ וְרִיבָה רִיבֵנוּ וּגְאָלֵנוּ מְהֵרָה לְמַעַן שְׁמֶךָ, כִּי גּוֹאֵל חָזָק אָתָּה. בָּרוּךְ אַתָּה יְיָ גּוֹאֵל יִשְׂרָאֵל.

רְפָאֵנוּ יְיָ וְנֵרָפֵא, הוֹשִׁיעֵנוּ וְנִוָּשֵׁעָה, כִּי תְהִלָּתֵנוּ אָתָּה. וְהַעֲלֵה
רְפוּאָה שְׁלֵמָה לְכָל־מַכּוֹתֵינוּ, כִּי אֵל מֶלֶךְ רוֹפֵא נֶאֱמָן וְרַחֲמָן
אָתָּה. בָּרוּךְ אַתָּה יְיָ רוֹפֵא חוֹלֵי עַמּוֹ יִשְׂרָאֵל.

בָּרֵךְ עָלֵינוּ יְיָ אֱלֹהֵינוּ אֶת־הַשָּׁנָה הַזֹּאת וְאֶת־כָּל־מִינֵי תְבוּאָתָהּ
לְטוֹבָה, וְתֵן בְּרָכָה עַל פְּנֵי הָאֲדָמָה וְשַׂבְּעֵנוּ מִטּוּבֶךָ וּבָרֵךְ
שְׁנָתֵנוּ כַּשָּׁנִים הַטּוֹבוֹת. בָּרוּךְ אַתָּה יְיָ מְבָרֵךְ הַשָּׁנִים.

תְּקַע בְּשׁוֹפָר גָּדוֹל לְחֵרוּתֵנוּ וְשָׂא נֵס לְקַבֵּץ גָּלֻיּוֹתֵינוּ וְקַבְּצֵנוּ
יַחַד מֵאַרְבַּע כַּנְפוֹת הָאָרֶץ. בָּרוּךְ אַתָּה יְיָ מְקַבֵּץ נִדְחֵי עַמּוֹ
יִשְׂרָאֵל.

הָשִׁיבָה שׁוֹפְטֵינוּ כְּבָרִאשׁוֹנָה וְיוֹעֲצֵינוּ כְּבַתְּחִלָּה, וְהָסֵר מִמֶּנּוּ יָגוֹן
וַאֲנָחָה, וּמְלֹךְ עָלֵינוּ אַתָּה יְיָ לְבַדְּךָ בְּחֶסֶד וּבְרַחֲמִים וְצַדְּקֵנוּ
בַּמִּשְׁפָּט. בָּרוּךְ אַתָּה יְיָ מֶלֶךְ אוֹהֵב צְדָקָה וּמִשְׁפָּט.

וְלַמַּלְשִׁינִים אַל תְּהִי תִקְוָה וְכָל־הָרִשְׁעָה כְּרֶגַע תֹּאבֵד. וְכָל־
אוֹיְבֶיךָ מְהֵרָה יִכָּרֵתוּ וּמַלְכוּת זָדוֹן מְהֵרָה תְעַקֵּר וּתְשַׁבֵּר וּתְמַגֵּר
וְתַכְנִיעַ בִּמְהֵרָה בְיָמֵינוּ. בָּרוּךְ אַתָּה יְיָ שׁוֹבֵר אוֹיְבִים וּמַכְנִיעַ
זֵדִים.

עַל הַצַּדִּיקִים וְעַל הַחֲסִידִים וְעַל זִקְנֵי עַמְּךָ בֵּית יִשְׂרָאֵל וְעַל
פְּלֵיטַת סוֹפְרֵיהֶם וְעַל גֵּרֵי הַצֶּדֶק וְעָלֵינוּ יֶהֱמוּ נָא רַחֲמֶיךָ יְיָ
אֱלֹהֵינוּ, וְתֵן שָׂכָר טוֹב לְכֹל הַבּוֹטְחִים בְּשִׁמְךָ בֶּאֱמֶת, וְשִׂים
חֶלְקֵנוּ עִמָּהֶם לְעוֹלָם וְלֹא נֵבוֹשׁ כִּי בְךָ בָּטָחְנוּ. בָּרוּךְ אַתָּה יְיָ
מִשְׁעָן וּמִבְטָח לַצַּדִּיקִים.

וְלִירוּשָׁלַיִם עִירְךָ בְּרַחֲמִים תָּשׁוּב וְתִשְׁכֹּן בְּתוֹכָהּ כַּאֲשֶׁר דִּבַּרְתָּ,
וּבְנֵה אוֹתָהּ בְּקָרוֹב בְּיָמֵינוּ בִּנְיַן עוֹלָם וְכִסֵּא דָוִד מְהֵרָה לְתוֹכָהּ
תָּכִין. בָּרוּךְ אַתָּה יְיָ בּוֹנֵה יְרוּשָׁלָיִם.

אֶת־צֶמַח דָּוִד עַבְדְּךָ מְהֵרָה תַצְמִיחַ וְקַרְנוֹ תָּרוּם בִּישׁוּעָתֶךָ, כִּי לִישׁוּעָתְךָ קִוִּינוּ כָּל־הַיּוֹם. בָּרוּךְ אַתָּה יְיָ מַצְמִיחַ קֶרֶן יְשׁוּעָה.

שְׁמַע קוֹלֵנוּ יְיָ אֱלֹהֵינוּ, חוּס וְרַחֵם עָלֵינוּ, וְקַבֵּל בְּרַחֲמִים וּבְרָצוֹן אֶת־תְּפִלָּתֵנוּ, כִּי אֵל שׁוֹמֵעַ תְּפִלּוֹת וְתַחֲנוּנִים אָתָּה. וּמִלְּפָנֶיךָ מַלְכֵּנוּ רֵיקָם אַל תְּשִׁיבֵנוּ. כִּי אַתָּה שׁוֹמֵעַ תְּפִלַּת עַמְּךָ יִשְׂרָאֵל בְּרַחֲמִים. בָּרוּךְ אַתָּה יְיָ שׁוֹמֵעַ תְּפִלָּה.

רְצֵה יְיָ אֱלֹהֵינוּ בְּעַמְּךָ יִשְׂרָאֵל וּבִתְפִלָּתָם וְהָשֵׁב אֶת־הָעֲבוֹדָה לִדְבִיר בֵּיתֶךָ וּתְפִלָּתָם בְּאַהֲבָה תְקַבֵּל בְּרָצוֹן וּתְהִי לְרָצוֹן תָּמִיד עֲבוֹדַת יִשְׂרָאֵל עַמֶּךָ. וְתֶחֱזֶינָה עֵינֵינוּ בְּשׁוּבְךָ לְצִיּוֹן בְּרַחֲמִים. בָּרוּךְ אַתָּה יְיָ הַמַּחֲזִיר שְׁכִינָתוֹ לְצִיּוֹן.

When Ḥazzan chants the Amidah, congregation reads this paragraph silently, while Ḥazzan chants the next paragraph.

מוֹדִים אֲנַחְנוּ לָךְ שָׁאַתָּה הוּא יְיָ אֱלֹהֵינוּ וֵאלֹהֵי אֲבוֹתֵינוּ אֱלֹהֵי כָל־בָּשָׂר יוֹצְרֵנוּ יוֹצֵר בְּרֵאשִׁית. בְּרָכוֹת וְהוֹדָאוֹת לְשִׁמְךָ הַגָּדוֹל וְהַקָּדוֹשׁ עַל שֶׁהֶחֱיִיתָנוּ וְקִיַּמְתָּנוּ. כֵּן תְּחַיֵּנוּ וּתְקַיְּמֵנוּ וְתֶאֱסֹף גָּלֻיּוֹתֵינוּ לְחַצְרוֹת קָדְשֶׁךָ לִשְׁמֹר חֻקֶּיךָ וְלַעֲשׂוֹת רְצוֹנֶךָ וּלְעָבְדְךָ בְּלֵבָב שָׁלֵם עַל שֶׁאֲנַחְנוּ מוֹדִים לָךְ. בָּרוּךְ אֵל הַהוֹדָאוֹת.

מוֹדִים אֲנַחְנוּ לָךְ שָׁאַתָּה הוּא יְיָ אֱלֹהֵינוּ וֵאלֹהֵי אֲבוֹתֵינוּ לְעוֹלָם וָעֶד, צוּר חַיֵּינוּ מָגֵן יִשְׁעֵנוּ אַתָּה הוּא. לְדוֹר וָדוֹר נוֹדֶה לְּךָ וּנְסַפֵּר תְּהִלָּתֶךָ עַל חַיֵּינוּ הַמְּסוּרִים בְּיָדֶךָ וְעַל נִשְׁמוֹתֵינוּ הַפְּקוּדוֹת לָךְ וְעַל נִסֶּיךָ שֶׁבְּכָל־יוֹם עִמָּנוּ וְעַל נִפְלְאוֹתֶיךָ וְטוֹבוֹתֶיךָ שֶׁבְּכָל־עֵת עֶרֶב וָבֹקֶר וְצָהֳרָיִם. הַטּוֹב כִּי לֹא כָלוּ רַחֲמֶיךָ וְהַמְרַחֵם כִּי לֹא תַמּוּ חֲסָדֶיךָ מֵעוֹלָם קִוִּינוּ לָךְ.

וְעַל כֻּלָּם יִתְבָּרַךְ וְיִתְרוֹמַם שִׁמְךָ מַלְכֵּנוּ תָּמִיד לְעוֹלָם וָעֶד.
וְכֹל הַחַיִּים יוֹדוּךָ סֶּלָה וִיהַלְלוּ אֶת־שִׁמְךָ בֶּאֱמֶת הָאֵל יְשׁוּעָתֵנוּ וְעֶזְרָתֵנוּ סֶלָה. בָּרוּךְ אַתָּה יְיָ הַטּוֹב שִׁמְךָ וּלְךָ נָאֶה לְהוֹדוֹת.

שָׁלוֹם רָב עַל יִשְׂרָאֵל עַמְּךָ וְעַל כָּל־יוֹשְׁבֵי תֵבֵל תָּשִׂים לְעוֹלָם
כִּי אַתָּה הוּא מֶלֶךְ אָדוֹן לְכָל־הַשָּׁלוֹם. וְטוֹב בְּעֵינֶיךָ לְבָרֵךְ אֶת־
עַמְּךָ יִשְׂרָאֵל בְּכָל־עֵת וּבְכָל־שָׁעָה בִּשְׁלוֹמֶךָ. בָּרוּךְ אַתָּה יְיָ
הַמְבָרֵךְ אֶת־עַמּוֹ יִשְׂרָאֵל בַּשָּׁלוֹם.

אֱלֹהַי, נְצֹר לְשׁוֹנִי מֵרָע וּשְׂפָתַי מִדַּבֵּר מִרְמָה, וְלִמְקַלְלַי נַפְשִׁי
תִדֹּם וְנַפְשִׁי כֶּעָפָר לַכֹּל תִּהְיֶה. פְּתַח לִבִּי בְּתוֹרָתֶךָ וּבְמִצְוֹתֶיךָ
תִּרְדֹּף נַפְשִׁי. וְכֹל הַחוֹשְׁבִים עָלַי רָעָה, מְהֵרָה הָפֵר עֲצָתָם
וְקַלְקֵל מַחֲשַׁבְתָּם. עֲשֵׂה לְמַעַן שְׁמֶךָ, עֲשֵׂה לְמַעַן יְמִינֶךָ, עֲשֵׂה
לְמַעַן קְדֻשָּׁתֶךָ, עֲשֵׂה לְמַעַן תּוֹרָתֶךָ, לְמַעַן יֵחָלְצוּן יְדִידֶיךָ הוֹשִׁיעָה
יְמִינְךָ וַעֲנֵנִי. יִהְיוּ לְרָצוֹן אִמְרֵי־פִי וְהֶגְיוֹן לִבִּי לְפָנֶיךָ, יְיָ צוּרִי
וְגֹאֲלִי. עוֹשֶׂה שָׁלוֹם בִּמְרוֹמָיו הוּא יַעֲשֶׂה שָׁלוֹם עָלֵינוּ וְעַל כָּל־
יִשְׂרָאֵל, וְאִמְרוּ אָמֵן.

Kaddish Shalem, page 776
Aleinu, page 780
Mourner's Kaddish, page 782

Tashlikh

*On the first day of Rosh Hashanah (on the second day when the first
day is Shabbat) in the afternoon it is customary to gather at a
body of water for a ritual which demonstrates that sin can be
separated from our lives. Into the water we symbolically cast our
sins of the year gone by, and we reaffirm our intention that life
in the new year will be informed by a new heart and a new spirit.*

מִי־אֵל כָּמֽוֹךָ נֹשֵׂא עָוֹן וְעֹבֵר עַל פֶּשַׁע לִשְׁאֵרִית נַחֲלָתוֹ,
לֹא הֶחֱזִיק לָעַד אַפּוֹ כִּי חָפֵץ חֶסֶד הוּא. יָשׁוּב יְרַחֲמֵֽנוּ
יִכְבֹּשׁ עֲוֺנֹתֵֽינוּ וְתַשְׁלִיךְ בִּמְצֻלוֹת יָם כָּל־חַטֹּאתָם. תִּתֵּן
אֱמֶת לְיַעֲקֹב חֶסֶד לְאַבְרָהָם אֲשֶׁר נִשְׁבַּֽעְתָּ לַאֲבֹתֵֽינוּ
מִֽימֵי קֶֽדֶם.

Who is God like You, forgiving iniquity and pardoning the
transgression of the remnant of Your people? You do not
maintain anger forever but You delight in lovingkindness. You
will again have compassion upon us, subduing our sins,
casting all our sins into the depths of the sea. You will show
faithfulness to Jacob and enduring love to Abraham, as You
promised our fathers from days of old.

Micah 7:18-20

לֹא יָרֵֽעוּ וְלֹא יַשְׁחִֽיתוּ בְּכָל־הַר קָדְשִׁי כִּי מָלְאָה הָאָֽרֶץ
דֵּעָה אֶת־יְיָ כַּמַּֽיִם לַיָּם מְכַסִּים.

None shall hurt or destroy in all My holy mountain, for the
love of the Lord shall fill the earth as the waters fill the sea.

Isaiah 11:9

*It is customary to read and reflect upon additional appropriate passages.
Selections from this Mahzor may be chosen for this purpose at the
discretion of the participants, who may want to pay special attention to the
following pages: 228, 358-359, 437-439, 527-531.*

Evening Service

וְהוּא רַחוּם, יְכַפֵּר עָוֹן וְלֹא יַשְׁחִית, וְהִרְבָּה לְהָשִׁיב אַפּוֹ, וְלֹא יָעִיר כָּל־חֲמָתוֹ. יְיָ הוֹשִׁיעָה, הַמֶּלֶךְ יַעֲנֵנוּ בְיוֹם קָרְאֵנוּ.

בָּרְכוּ אֶת־יְיָ הַמְבֹרָךְ.

בָּרוּךְ יְיָ הַמְבֹרָךְ לְעוֹלָם וָעֶד.

בָּרוּךְ אַתָּה יְיָ אֱלֹהֵינוּ מֶלֶךְ הָעוֹלָם אֲשֶׁר בִּדְבָרוֹ מַעֲרִיב עֲרָבִים. בְּחָכְמָה פּוֹתֵחַ שְׁעָרִים וּבִתְבוּנָה מְשַׁנֶּה עִתִּים וּמַחֲלִיף אֶת־הַזְּמַנִּים וּמְסַדֵּר אֶת־הַכּוֹכָבִים בְּמִשְׁמְרוֹתֵיהֶם בָּרָקִיעַ כִּרְצוֹנוֹ. בּוֹרֵא יוֹם וָלָיְלָה, גּוֹלֵל אוֹר מִפְּנֵי חֹשֶׁךְ וְחֹשֶׁךְ מִפְּנֵי אוֹר, וּמַעֲבִיר יוֹם וּמֵבִיא לָיְלָה וּמַבְדִּיל בֵּין יוֹם וּבֵין לָיְלָה, יְיָ צְבָאוֹת שְׁמוֹ. אֵל חַי וְקַיָּם, תָּמִיד יִמְלֹךְ עָלֵינוּ לְעוֹלָם וָעֶד. בָּרוּךְ אַתָּה יְיָ הַמַּעֲרִיב עֲרָבִים.

אַהֲבַת עוֹלָם בֵּית יִשְׂרָאֵל עַמְּךָ אָהָבְתָּ. תּוֹרָה וּמִצְוֹת חֻקִּים וּמִשְׁפָּטִים אוֹתָנוּ לִמַּדְתָּ. עַל כֵּן יְיָ אֱלֹהֵינוּ בְּשָׁכְבֵנוּ וּבְקוּמֵנוּ נָשִׂיחַ בְּחֻקֶּיךָ, וְנִשְׂמַח בְּדִבְרֵי תוֹרָתֶךָ וּבְמִצְוֹתֶיךָ לְעוֹלָם וָעֶד. כִּי הֵם חַיֵּינוּ וְאֹרֶךְ יָמֵינוּ וּבָהֶם נֶהְגֶּה יוֹמָם וָלָיְלָה. וְאַהֲבָתְךָ אַל תָּסִיר מִמֶּנּוּ לְעוֹלָמִים. בָּרוּךְ אַתָּה יְיָ אוֹהֵב עַמּוֹ יִשְׂרָאֵל.

K'riat Sh'ma

שְׁמַע יִשְׂרָאֵל יְהוָה אֱלֹהֵינוּ יְהוָה | אֶחָד׃

בָּרוּךְ שֵׁם כְּבוֹד מַלְכוּתוֹ לְעוֹלָם וָעֶד.

וְאָהַבְתָּ֗ אֵ֚ת יְהֹוָ֣ה אֱלֹהֶ֑יךָ בְּכָל־לְבָבְךָ֥ וּבְכָל־נַפְשְׁךָ֖ וּבְכָל־מְאֹדֶֽךָ׃ וְהָי֞וּ הַדְּבָרִ֣ים הָאֵ֗לֶּה אֲשֶׁ֨ר אָנֹכִ֧י מְצַוְּךָ֛ הַיּ֖וֹם עַל־לְבָבֶֽךָ׃ וְשִׁנַּנְתָּ֣ם לְבָנֶ֔יךָ וְדִבַּרְתָּ֖ בָּ֑ם בְּשִׁבְתְּךָ֤ בְּבֵיתֶ֙ךָ֙ וּבְלֶכְתְּךָ֣ בַדֶּ֔רֶךְ וּֽבְשָׁכְבְּךָ֖ וּבְקוּמֶֽךָ׃ וּקְשַׁרְתָּ֥ם לְא֖וֹת עַל־יָדֶ֑ךָ וְהָי֥וּ לְטֹטָפֹ֖ת בֵּ֥ין עֵינֶֽיךָ׃ וּכְתַבְתָּ֛ם עַל־מְזֻז֥וֹת בֵּיתֶ֖ךָ וּבִשְׁעָרֶֽיךָ׃

וְהָיָ֗ה אִם־שָׁמֹ֤עַ תִּשְׁמְעוּ֙ אֶל־מִצְוֺתַ֔י אֲשֶׁ֧ר אָנֹכִ֛י מְצַוֶּ֥ה אֶתְכֶ֖ם הַיּ֑וֹם לְאַהֲבָ֞ה אֶת־יְהֹוָ֤ה אֱלֹֽהֵיכֶם֙ וּלְעָבְד֔וֹ בְּכָל־לְבַבְכֶ֖ם וּבְכָל־נַפְשְׁכֶֽם׃ וְנָתַתִּ֧י מְטַֽר־אַרְצְכֶ֛ם בְּעִתּ֖וֹ יוֹרֶ֣ה וּמַלְק֑וֹשׁ וְאָסַפְתָּ֣ דְגָנֶ֔ךָ וְתִֽירֹשְׁךָ֖ וְיִצְהָרֶֽךָ׃ וְנָתַתִּ֛י עֵ֥שֶׂב בְּשָׂדְךָ֖ לִבְהֶמְתֶּ֑ךָ וְאָכַלְתָּ֖ וְשָׂבָֽעְתָּ׃ הִשָּֽׁמְר֣וּ לָכֶ֔ם פֶּן־יִפְתֶּ֖ה לְבַבְכֶ֑ם וְסַרְתֶּ֗ם וַעֲבַדְתֶּם֙ אֱלֹהִ֣ים אֲחֵרִ֔ים וְהִשְׁתַּחֲוִיתֶ֖ם לָהֶֽם׃ וְחָרָ֨ה אַף־יְהֹוָ֜ה בָּכֶ֗ם וְעָצַ֤ר אֶת־הַשָּׁמַ֙יִם֙ וְלֹא־יִהְיֶ֣ה מָטָ֔ר וְהָ֣אֲדָמָ֔ה לֹ֥א תִתֵּ֖ן אֶת־יְבוּלָ֑הּ וַאֲבַדְתֶּ֣ם מְהֵרָ֗ה מֵעַל֙ הָאָ֣רֶץ הַטֹּבָ֔ה אֲשֶׁ֥ר יְהֹוָ֖ה נֹתֵ֥ן לָכֶֽם׃ וְשַׂמְתֶּם֙ אֶת־דְּבָרַ֣י אֵ֔לֶּה עַל־לְבַבְכֶ֖ם וְעַֽל־נַפְשְׁכֶ֑ם וּקְשַׁרְתֶּ֨ם אֹתָ֤ם לְאוֹת֙ עַל־יֶדְכֶ֔ם וְהָי֥וּ לְטוֹטָפֹ֖ת בֵּ֥ין עֵינֵיכֶֽם׃ וְלִמַּדְתֶּ֥ם אֹתָ֛ם אֶת־בְּנֵיכֶ֖ם לְדַבֵּ֣ר בָּ֑ם בְּשִׁבְתְּךָ֤ בְּבֵיתֶ֙ךָ֙ וּבְלֶכְתְּךָ֣ בַדֶּ֔רֶךְ וּֽבְשָׁכְבְּךָ֖ וּבְקוּמֶֽךָ׃ וּכְתַבְתָּ֛ם עַל־מְזוּז֥וֹת בֵּיתֶ֖ךָ וּבִשְׁעָרֶֽיךָ׃ לְמַ֨עַן יִרְבּ֤וּ יְמֵיכֶם֙ וִימֵ֣י בְנֵיכֶ֔ם עַ֚ל הָֽאֲדָמָ֔ה אֲשֶׁ֨ר נִשְׁבַּ֧ע יְהֹוָ֛ה לַאֲבֹתֵיכֶ֖ם לָתֵ֣ת לָהֶ֑ם כִּימֵ֥י הַשָּׁמַ֖יִם עַל־הָאָֽרֶץ׃

וַיֹּ֥אמֶר יְהֹוָ֖ה אֶל־מֹשֶׁ֥ה לֵּאמֹֽר׃ דַּבֵּ֞ר אֶל־בְּנֵ֤י יִשְׂרָאֵל֙ וְאָמַרְתָּ֣ אֲלֵהֶ֔ם וְעָשׂ֨וּ לָהֶ֥ם צִיצִ֛ת עַל־כַּנְפֵ֥י בִגְדֵיהֶ֖ם לְדֹרֹתָ֑ם וְנָֽתְנ֛וּ עַל־צִיצִ֥ת הַכָּנָ֖ף פְּתִ֥יל תְּכֵֽלֶת׃ וְהָיָ֣ה לָכֶם֮ לְצִיצִת֒ וּרְאִיתֶ֣ם אֹת֗וֹ וּזְכַרְתֶּם֙ אֶת־כָּל־מִצְוֺ֣ת יְהֹוָ֔ה וַעֲשִׂיתֶ֖ם אֹתָ֑ם וְלֹ֨א תָת֜וּרוּ אַחֲרֵ֤י

לְבַבְכֶם וְאַחֲרֵי עֵינֵיכֶם אֲשֶׁר־אַתֶּם זֹנִים אַחֲרֵיהֶם: לְמַעַן תִּזְכְּרוּ וַעֲשִׂיתֶם אֶת־כָּל־מִצְוֹתָי וִהְיִיתֶם קְדשִׁים לֵאלֹהֵיכֶם: אֲנִי יְהוָה אֱלֹהֵיכֶם אֲשֶׁר הוֹצֵאתִי אֶתְכֶם מֵאֶרֶץ מִצְרַיִם לִהְיוֹת לָכֶם לֵאלֹהִים אֲנִי יְהוָה אֱלֹהֵיכֶם:

אֱמֶת וֶאֱמוּנָה כָּל־זֹאת וְקַיָּם עָלֵינוּ כִּי הוּא יְיָ אֱלֹהֵינוּ וְאֵין זוּלָתוֹ וַאֲנַחְנוּ יִשְׂרָאֵל עַמּוֹ. הַפּוֹדֵנוּ מִיַּד מְלָכִים, מַלְכֵּנוּ הַגּוֹאֲלֵנוּ מִכַּף כָּל־הֶעָרִיצִים, הָאֵל הַנִּפְרָע לָנוּ מִצָּרֵינוּ וְהַמְשַׁלֵּם גְּמוּל לְכָל־אוֹיְבֵי נַפְשֵׁנוּ, הָעוֹשֶׂה גְדוֹלוֹת עַד אֵין חֵקֶר וְנִפְלָאוֹת עַד אֵין מִסְפָּר, הַשָּׂם נַפְשֵׁנוּ בַּחַיִּים וְלֹא נָתַן לַמּוֹט רַגְלֵנוּ, הַמַּדְרִיכֵנוּ עַל בָּמוֹת אוֹיְבֵינוּ וַיָּרֶם קַרְנֵנוּ עַל כָּל־שׂוֹנְאֵינוּ, הָעוֹשֶׂה לָּנוּ נִסִּים וּנְקָמָה בְּפַרְעֹה אוֹתוֹת וּמוֹפְתִים בְּאַדְמַת בְּנֵי חָם, הַמַּכֶּה בְעֶבְרָתוֹ כָּל־בְּכוֹרֵי מִצְרָיִם וַיּוֹצֵא אֶת־עַמּוֹ יִשְׂרָאֵל מִתּוֹכָם לְחֵרוּת עוֹלָם, הַמַּעֲבִיר בָּנָיו בֵּין גִּזְרֵי יַם סוּף, אֶת־רוֹדְפֵיהֶם וְאֶת־שׂוֹנְאֵיהֶם בִּתְהוֹמוֹת טִבַּע, וְרָאוּ בָנָיו גְּבוּרָתוֹ שִׁבְּחוּ וְהוֹדוּ לִשְׁמוֹ. וּמַלְכוּתוֹ בְּרָצוֹן קִבְּלוּ עֲלֵיהֶם. מֹשֶׁה וּבְנֵי יִשְׂרָאֵל לְךָ עָנוּ שִׁירָה בְּשִׂמְחָה רַבָּה, וְאָמְרוּ כֻלָּם:

מִי־כָמֹכָה בָּאֵלִם יְיָ,
מִי כָּמֹכָה נֶאְדָּר בַּקֹּדֶשׁ,
נוֹרָא תְהִלֹּת, עֹשֵׂה פֶלֶא.

מַלְכוּתְךָ רָאוּ בָנֶיךָ בּוֹקֵעַ יָם לִפְנֵי מֹשֶׁה, זֶה אֵלִי עָנוּ וְאָמְרוּ:

יְיָ יִמְלֹךְ לְעֹלָם וָעֶד.

וְנֶאֱמַר: כִּי פָדָה יְיָ אֶת־יַעֲקֹב, וּגְאָלוֹ מִיַּד חָזָק מִמֶּנּוּ. בָּרוּךְ אַתָּה יְיָ גָּאַל יִשְׂרָאֵל.

הַשְׁכִּיבֵנוּ, יְיָ אֱלֹהֵינוּ, לְשָׁלוֹם וְהַעֲמִידֵנוּ מַלְכֵּנוּ לְחַיִּים, וּפְרֹשׂ

עָלֵינוּ סֻכַּת שְׁלוֹמֶךָ וְתַקְּנֵנוּ בְּעֵצָה טוֹבָה מִלְּפָנֶיךָ וְהוֹשִׁיעֵנוּ
לְמַעַן שְׁמֶךָ. וְהָגֵן בַּעֲדֵנוּ וְהָסֵר מֵעָלֵינוּ אוֹיֵב דֶּבֶר וְחֶרֶב וְרָעָב
וְיָגוֹן, וְהָסֵר שָׂטָן מִלְּפָנֵינוּ וּמֵאַחֲרֵינוּ. וּבְצֵל כְּנָפֶיךָ תַּסְתִּירֵנוּ כִּי
אֵל שׁוֹמְרֵנוּ וּמַצִּילֵנוּ אָתָּה, כִּי אֵל מֶלֶךְ חַנּוּן וְרַחוּם אָתָּה.
וּשְׁמֹר צֵאתֵנוּ וּבוֹאֵנוּ לְחַיִּים וּלְשָׁלוֹם מֵעַתָּה וְעַד עוֹלָם. בָּרוּךְ
אַתָּה יְיָ שׁוֹמֵר עַמּוֹ יִשְׂרָאֵל לָעַד.

בָּרוּךְ יְיָ לְעוֹלָם, אָמֵן וְאָמֵן. בָּרוּךְ יְיָ מִצִּיּוֹן, שֹׁכֵן יְרוּשָׁלָיִם,
הַלְלוּיָהּ. בָּרוּךְ יְיָ אֱלֹהִים, אֱלֹהֵי יִשְׂרָאֵל, עֹשֵׂה נִפְלָאוֹת לְבַדּוֹ.
וּבָרוּךְ שֵׁם כְּבוֹדוֹ לְעוֹלָם, וְיִמָּלֵא כְבוֹדוֹ אֶת־כָּל־הָאָרֶץ, אָמֵן
וְאָמֵן. יְהִי כְבוֹד יְיָ לְעוֹלָם, יִשְׂמַח יְיָ בְּמַעֲשָׂיו. יְהִי שֵׁם יְיָ
מְבֹרָךְ מֵעַתָּה וְעַד עוֹלָם. כִּי לֹא יִטֹּשׁ יְיָ אֶת־עַמּוֹ בַּעֲבוּר
שְׁמוֹ הַגָּדוֹל, כִּי הוֹאִיל יְיָ לַעֲשׂוֹת אֶתְכֶם לוֹ לְעָם. וַיַּרְא
כָּל־הָעָם וַיִּפְּלוּ עַל פְּנֵיהֶם, וַיֹּאמְרוּ: יְיָ הוּא הָאֱלֹהִים, יְיָ הוּא
הָאֱלֹהִים. וְהָיָה יְיָ לְמֶלֶךְ עַל כָּל־הָאָרֶץ, בַּיּוֹם הַהוּא יִהְיֶה
יְיָ אֶחָד וּשְׁמוֹ אֶחָד. יְהִי חַסְדְּךָ יְיָ עָלֵינוּ, כַּאֲשֶׁר יִחַלְנוּ לָךְ.
הוֹשִׁיעֵנוּ, אֱלֹהֵי יִשְׁעֵנוּ וְקַבְּצֵנוּ וְהַצִּילֵנוּ מִן הַגּוֹיִם, לְהֹדוֹת לְשֵׁם
קָדְשֶׁךָ, לְהִשְׁתַּבֵּחַ בִּתְהִלָּתֶךָ. כָּל־גּוֹיִם אֲשֶׁר עָשִׂיתָ יָבוֹאוּ וְיִשְׁתַּחֲווּ
לְפָנֶיךָ, אֲדֹנָי, וִיכַבְּדוּ לִשְׁמֶךָ. כִּי גָדוֹל אַתָּה וְעֹשֵׂה נִפְלָאוֹת,
אַתָּה אֱלֹהִים לְבַדֶּךָ. וַאֲנַחְנוּ עַמְּךָ וְצֹאן מַרְעִיתֶךָ, נוֹדֶה לְּךָ
לְעוֹלָם, לְדוֹר וָדֹר נְסַפֵּר תְּהִלָּתֶךָ.

בָּרוּךְ יְיָ בַּיּוֹם, בָּרוּךְ יְיָ בַּלָּיְלָה, בָּרוּךְ יְיָ בְּשָׁכְבֵּנוּ, בָּרוּךְ
יְיָ בְּקוּמֵנוּ, כִּי בְיָדְךָ נַפְשׁוֹת הַחַיִּים וְהַמֵּתִים. אֲשֶׁר בְּיָדוֹ נֶפֶשׁ
כָּל־חָי, וְרוּחַ כָּל־בְּשַׂר אִישׁ. בְּיָדְךָ אַפְקִיד רוּחִי, פָּדִיתָה אוֹתִי,
יְיָ אֵל אֱמֶת. אֱלֹהֵינוּ שֶׁבַּשָּׁמַיִם, יַחֵד שִׁמְךָ וְקַיֵּם מַלְכוּתְךָ תָּמִיד
וּמְלֹךְ עָלֵינוּ לְעוֹלָם וָעֶד.

יִרְאוּ עֵינֵינוּ וְיִשְׂמַח לִבֵּנוּ, וְתָגֵל נַפְשֵׁנוּ בִּישׁוּעָתְךָ בֶּאֱמֶת, בֶּאֱמֹר לְצִיּוֹן מָלַךְ אֱלֹהָיִךְ. יְיָ מֶלֶךְ, יְיָ מָלָךְ, יְיָ יִמְלֹךְ לְעֹלָם וָעֶד. כִּי הַמַּלְכוּת שֶׁלְּךָ הִיא וּלְעוֹלְמֵי עַד תִּמְלֹךְ בְּכָבוֹד, כִּי אֵין לָנוּ מֶלֶךְ אֶלָּא אָתָּה. בָּרוּךְ אַתָּה יְיָ הַמֶּלֶךְ בִּכְבוֹדוֹ תָּמִיד יִמְלֹךְ עָלֵינוּ לְעוֹלָם וָעֶד, וְעַל כָּל־מַעֲשָׂיו.

Ḥatzi Kaddish

יִתְגַּדַּל וְיִתְקַדַּשׁ שְׁמֵהּ רַבָּא בְּעָלְמָא דִּי בְרָא כִרְעוּתֵהּ, וְיַמְלִיךְ מַלְכוּתֵהּ בְּחַיֵּיכוֹן וּבְיוֹמֵיכוֹן וּבְחַיֵּי דְכָל־בֵּית יִשְׂרָאֵל בַּעֲגָלָא וּבִזְמַן קָרִיב, וְאִמְרוּ אָמֵן.

יְהֵא שְׁמֵהּ רַבָּא מְבָרַךְ לְעָלַם וּלְעָלְמֵי עָלְמַיָּא.

יִתְבָּרַךְ וְיִשְׁתַּבַּח וְיִתְפָּאַר וְיִתְרוֹמַם וְיִתְנַשֵּׂא וְיִתְהַדָּר וְיִתְעַלֶּה וְיִתְהַלָּל שְׁמֵהּ דְּקֻדְשָׁא בְּרִיךְ הוּא, לְעֵלָּא לְעֵלָּא מִכָּל־בִּרְכָתָא וְשִׁירָתָא תֻּשְׁבְּחָתָא וְנֶחֱמָתָא דַּאֲמִירָן בְּעָלְמָא, וְאִמְרוּ אָמֵן.

Amidah

אֲדֹנָי שְׂפָתַי תִּפְתָּח וּפִי יַגִּיד תְּהִלָּתֶךָ.

בָּרוּךְ אַתָּה יְיָ אֱלֹהֵינוּ וֵאלֹהֵי אֲבוֹתֵינוּ, אֱלֹהֵי אַבְרָהָם אֱלֹהֵי יִצְחָק וֵאלֹהֵי יַעֲקֹב, הָאֵל הַגָּדוֹל הַגִּבּוֹר וְהַנּוֹרָא אֵל עֶלְיוֹן גּוֹמֵל חֲסָדִים טוֹבִים וְקוֹנֵה הַכֹּל, וְזוֹכֵר חַסְדֵי אָבוֹת וּמֵבִיא גוֹאֵל לִבְנֵי בְנֵיהֶם לְמַעַן שְׁמוֹ בְּאַהֲבָה.

זָכְרֵנוּ לְחַיִּים מֶלֶךְ חָפֵץ בַּחַיִּים,
וְכָתְבֵנוּ בְּסֵפֶר הַחַיִּים לְמַעַנְךָ אֱלֹהִים חַיִּים.
מֶלֶךְ עוֹזֵר וּמוֹשִׁיעַ וּמָגֵן. בָּרוּךְ אַתָּה יְיָ מָגֵן אַבְרָהָם.

אַתָּה גִּבּוֹר לְעוֹלָם אֲדֹנָי מְחַיֵּה מֵתִים אַתָּה רַב לְהוֹשִׁיעַ. מְכַלְכֵּל חַיִּים בְּחֶסֶד מְחַיֵּה מֵתִים בְּרַחֲמִים רַבִּים, סוֹמֵךְ נוֹפְלִים וְרוֹפֵא חוֹלִים וּמַתִּיר אֲסוּרִים וּמְקַיֵּם אֱמוּנָתוֹ לִישֵׁנֵי עָפָר. מִי כָמוֹךָ בַּעַל גְּבוּרוֹת וּמִי דוֹמֶה לָּךְ, מֶלֶךְ מֵמִית וּמְחַיֶּה וּמַצְמִיחַ יְשׁוּעָה.
מִי כָמוֹךָ אַב הָרַחֲמִים, זוֹכֵר יְצוּרָיו לְחַיִּים בְּרַחֲמִים.
וְנֶאֱמָן אַתָּה לְהַחֲיוֹת מֵתִים. בָּרוּךְ אַתָּה יְיָ מְחַיֵּה הַמֵּתִים.

אַתָּה קָדוֹשׁ וְשִׁמְךָ קָדוֹשׁ וּקְדוֹשִׁים בְּכָל־יוֹם יְהַלְלוּךָ סֶּלָה. בָּרוּךְ אַתָּה יְיָ הַמֶּלֶךְ הַקָּדוֹשׁ.

אַתָּה חוֹנֵן לְאָדָם דַּעַת וּמְלַמֵּד לֶאֱנוֹשׁ בִּינָה. אַתָּה חוֹנַנְתָּנוּ מַדַּע תּוֹרָתֶךָ וַתְּלַמְּדֵנוּ לַעֲשׂוֹת חֻקֵּי רְצוֹנֶךָ. וַתַּבְדֵּל, יְיָ אֱלֹהֵינוּ, בֵּין קֹדֶשׁ לְחוֹל, בֵּין אוֹר לְחֹשֶׁךְ, בֵּין יִשְׂרָאֵל לָעַמִּים, בֵּין יוֹם הַשְּׁבִיעִי לְשֵׁשֶׁת יְמֵי הַמַּעֲשֶׂה. אָבִינוּ מַלְכֵּנוּ, הָחֵל עָלֵינוּ הַיָּמִים הַבָּאִים לִקְרָאתֵנוּ לְשָׁלוֹם, חֲשׂוּכִים מִכָּל־חֵטְא וּמְנֻקִּים מִכָּל־עָוֹן וּמְדֻבָּקִים בְּיִרְאָתֶךָ. וְחָנֵּנוּ מֵאִתְּךָ דֵּעָה בִּינָה וְהַשְׂכֵּל. בָּרוּךְ אַתָּה יְיָ חוֹנֵן הַדָּעַת.

הֲשִׁיבֵנוּ אָבִינוּ לְתוֹרָתֶךָ וְקָרְבֵנוּ מַלְכֵּנוּ לַעֲבוֹדָתֶךָ, וְהַחֲזִירֵנוּ בִּתְשׁוּבָה שְׁלֵמָה לְפָנֶיךָ. בָּרוּךְ אַתָּה יְיָ הָרוֹצֶה בִּתְשׁוּבָה.

סְלַח לָנוּ אָבִינוּ כִּי חָטָאנוּ, מְחַל לָנוּ מַלְכֵּנוּ כִּי פָשָׁעְנוּ, כִּי מוֹחֵל וְסוֹלֵחַ אָתָּה. בָּרוּךְ אַתָּה יְיָ חַנּוּן הַמַּרְבֶּה לִסְלֹחַ.

רְאֵה נָא בְעָנְיֵנוּ וְרִיבָה רִיבֵנוּ וּגְאָלֵנוּ מְהֵרָה לְמַעַן שְׁמֶךָ, כִּי גוֹאֵל חָזָק אָתָּה. בָּרוּךְ אַתָּה יְיָ גּוֹאֵל יִשְׂרָאֵל.

רְפָאֵנוּ יְיָ וְנֵרָפֵא, הוֹשִׁיעֵנוּ וְנִוָּשֵׁעָה, כִּי תְהִלָּתֵנוּ אָתָּה. וְהַעֲלֵה רְפוּאָה שְׁלֵמָה לְכָל־מַכּוֹתֵינוּ, כִּי אֵל מֶלֶךְ רוֹפֵא נֶאֱמָן וְרַחֲמָן אָתָּה. בָּרוּךְ אַתָּה יְיָ רוֹפֵא חוֹלֵי עַמּוֹ יִשְׂרָאֵל.

בָּרֵךְ עָלֵינוּ יְיָ אֱלֹהֵינוּ אֶת־הַשָּׁנָה הַזֹּאת וְאֶת־כָּל־מִינֵי תְבוּאָתָהּ לְטוֹבָה, וְתֵן בְּרָכָה עַל פְּנֵי הָאֲדָמָה וְשַׂבְּעֵנוּ מִטּוּבֶךָ וּבָרֵךְ שְׁנָתֵנוּ כַּשָּׁנִים הַטּוֹבוֹת. בָּרוּךְ אַתָּה יְיָ מְבָרֵךְ הַשָּׁנִים.

תְּקַע בְּשׁוֹפָר גָּדוֹל לְחֵרוּתֵנוּ וְשָׂא נֵס לְקַבֵּץ גָּלֻיּוֹתֵינוּ וְקַבְּצֵנוּ יַחַד מֵאַרְבַּע כַּנְפוֹת הָאָרֶץ. בָּרוּךְ אַתָּה יְיָ מְקַבֵּץ נִדְחֵי עַמּוֹ יִשְׂרָאֵל.

הָשִׁיבָה שׁוֹפְטֵינוּ כְּבָרִאשׁוֹנָה וְיוֹעֲצֵינוּ כְּבַתְּחִלָּה, וְהָסֵר מִמֶּנּוּ יָגוֹן וַאֲנָחָה, וּמְלוֹךְ עָלֵינוּ אַתָּה יְיָ לְבַדְּךָ בְּחֶסֶד וּבְרַחֲמִים וְצַדְּקֵנוּ בַּמִּשְׁפָּט. בָּרוּךְ אַתָּה יְיָ הַמֶּלֶךְ הַמִּשְׁפָּט.

וְלַמַּלְשִׁינִים אַל תְּהִי תִקְוָה וְכָל־הָרִשְׁעָה כְּרֶגַע תֹּאבֵד. וְכָל־אוֹיְבֶיךָ מְהֵרָה יִכָּרֵתוּ וּמַלְכוּת זָדוֹן מְהֵרָה תְעַקֵּר וּתְשַׁבֵּר וּתְמַגֵּר וְתַכְנִיעַ בִּמְהֵרָה בְיָמֵינוּ. בָּרוּךְ אַתָּה יְיָ שׁוֹבֵר אוֹיְבִים וּמַכְנִיעַ זֵדִים.

עַל הַצַּדִּיקִים וְעַל הַחֲסִידִים וְעַל זִקְנֵי עַמְּךָ בֵּית יִשְׂרָאֵל וְעַל פְּלֵיטַת סוֹפְרֵיהֶם וְעַל גֵּרֵי הַצֶּדֶק וְעָלֵינוּ יֶהֱמוּ נָא רַחֲמֶיךָ יְיָ אֱלֹהֵינוּ, וְתֵן שָׂכָר טוֹב לְכֹל הַבּוֹטְחִים בְּשִׁמְךָ בֶּאֱמֶת, וְשִׂים חֶלְקֵנוּ עִמָּהֶם לְעוֹלָם וְלֹא נֵבוֹשׁ כִּי בְךָ בָּטָחְנוּ. בָּרוּךְ אַתָּה יְיָ מִשְׁעָן וּמִבְטָח לַצַּדִּיקִים.

וְלִירוּשָׁלַֽיִם עִירְךָ בְּרַחֲמִים תָּשׁוּב וְתִשְׁכֹּן בְּתוֹכָהּ כַּאֲשֶׁר דִּבַּֽרְתָּ, וּבְנֵה אוֹתָהּ בְּקָרוֹב בְּיָמֵֽינוּ בִּנְיַן עוֹלָם וְכִסֵּא דָוִד מְהֵרָה לְתוֹכָהּ תָּכִין. בָּרוּךְ אַתָּה יְיָ בּוֹנֵה יְרוּשָׁלָֽיִם.

אֶת־צֶֽמַח דָּוִד עַבְדְּךָ מְהֵרָה תַצְמִֽיחַ וְקַרְנוֹ תָּרוּם בִּישׁוּעָתֶֽךָ, כִּי לִישׁוּעָתְךָ קִוִּֽינוּ כָּל־הַיּוֹם. בָּרוּךְ אַתָּה יְיָ מַצְמִֽיחַ קֶֽרֶן יְשׁוּעָה.

שְׁמַע קוֹלֵֽנוּ יְיָ אֱלֹהֵֽינוּ, חוּס וְרַחֵם עָלֵֽינוּ, וְקַבֵּל בְּרַחֲמִים וּבְרָצוֹן אֶת־תְּפִלָּתֵֽנוּ, כִּי אֵל שׁוֹמֵֽעַ תְּפִלּוֹת וְתַחֲנוּנִים אָֽתָּה. וּמִלְּפָנֶֽיךָ מַלְכֵּֽנוּ רֵיקָם אַל תְּשִׁיבֵֽנוּ. כִּי אַתָּה שׁוֹמֵֽעַ תְּפִלַּת עַמְּךָ יִשְׂרָאֵל בְּרַחֲמִים. בָּרוּךְ אַתָּה יְיָ שׁוֹמֵֽעַ תְּפִלָּה.

רְצֵה יְיָ אֱלֹהֵֽינוּ בְּעַמְּךָ יִשְׂרָאֵל וּבִתְפִלָּתָם וְהָשֵׁב אֶת־הָעֲבוֹדָה לִדְבִיר בֵּיתֶֽךָ וּתְפִלָּתָם בְּאַהֲבָה תְקַבֵּל בְּרָצוֹן וּתְהִי לְרָצוֹן תָּמִיד עֲבוֹדַת יִשְׂרָאֵל עַמֶּֽךָ. וְתֶחֱזֶֽינָה עֵינֵֽינוּ בְּשׁוּבְךָ לְצִיּוֹן בְּרַחֲמִים. בָּרוּךְ אַתָּה יְיָ הַמַּחֲזִיר שְׁכִינָתוֹ לְצִיּוֹן.

מוֹדִים אֲנַֽחְנוּ לָךְ שָׁאַתָּה הוּא יְיָ אֱלֹהֵֽינוּ וֵאלֹהֵי אֲבוֹתֵֽינוּ לְעוֹלָם וָעֶד, צוּר חַיֵּֽינוּ מָגֵן יִשְׁעֵֽנוּ אַתָּה הוּא. לְדוֹר וָדוֹר נֽוֹדֶה לְּךָ וּנְסַפֵּר תְּהִלָּתֶֽךָ עַל חַיֵּֽינוּ הַמְּסוּרִים בְּיָדֶֽךָ וְעַל נִשְׁמוֹתֵֽינוּ הַפְּקוּדוֹת לָךְ וְעַל נִסֶּֽיךָ שֶׁבְּכָל־יוֹם עִמָּֽנוּ וְעַל נִפְלְאוֹתֶֽיךָ וְטוֹבוֹתֶֽיךָ שֶׁבְּכָל־עֵת עֶֽרֶב וָבֹֽקֶר וְצָהֳרָֽיִם. הַטּוֹב כִּי לֹא כָלוּ רַחֲמֶֽיךָ וְהַמְרַחֵם כִּי לֹא תַֽמּוּ חֲסָדֶֽיךָ מֵעוֹלָם קִוִּֽינוּ לָךְ.

וְעַל כֻּלָּם יִתְבָּרַךְ וְיִתְרוֹמַם שִׁמְךָ מַלְכֵּֽנוּ תָּמִיד לְעוֹלָם וָעֶד.

וּכְתֹב לְחַיִּים טוֹבִים כָּל־בְּנֵי בְרִיתֶֽךָ.

וְכֹל הַחַיִּים יוֹדֽוּךָ סֶּֽלָה וִיהַלְלוּ אֶת־שִׁמְךָ בֶּאֱמֶת הָאֵל יְשׁוּעָתֵֽנוּ וְעֶזְרָתֵֽנוּ סֶֽלָה. בָּרוּךְ אַתָּה יְיָ הַטּוֹב שִׁמְךָ וּלְךָ נָאֶה לְהוֹדוֹת.

שָׁלוֹם רָב עַל יִשְׂרָאֵל עַמְּךָ וְעַל כָּל־יוֹשְׁבֵי תֵבֵל תָּשִׂים לְעוֹלָם
כִּי אַתָּה הוּא מֶלֶךְ אָדוֹן לְכָל־הַשָּׁלוֹם. וְטוֹב בְּעֵינֶיךָ לְבָרֵךְ אֶת־
עַמְּךָ יִשְׂרָאֵל בְּכָל־עֵת וּבְכָל־שָׁעָה בִּשְׁלוֹמֶךָ.

בְּסֵפֶר חַיִּים בְּרָכָה וְשָׁלוֹם וּפַרְנָסָה טוֹבָה נִזָּכֵר וְנִכָּתֵב לְפָנֶיךָ
אֲנַחְנוּ וְכָל־עַמְּךָ בֵּית יִשְׂרָאֵל לְחַיִּים טוֹבִים וּלְשָׁלוֹם.

בָּרוּךְ אַתָּה יְיָ עוֹשֵׂה הַשָּׁלוֹם.

אֱלֹהַי, נְצֹר לְשׁוֹנִי מֵרָע וּשְׂפָתַי מִדַּבֵּר מִרְמָה, וְלִמְקַלְלַי נַפְשִׁי תִדֹּם
וְנַפְשִׁי כֶּעָפָר לַכֹּל תִּהְיֶה. פְּתַח לִבִּי בְּתוֹרָתֶךָ וּבְמִצְוֹתֶיךָ תִּרְדֹּף
נַפְשִׁי. וְכֹל הַחוֹשְׁבִים עָלַי רָעָה, מְהֵרָה הָפֵר עֲצָתָם וְקַלְקֵל
מַחֲשַׁבְתָּם. עֲשֵׂה לְמַעַן שְׁמֶךָ, עֲשֵׂה לְמַעַן יְמִינֶךָ, עֲשֵׂה לְמַעַן
קְדֻשָּׁתֶךָ, עֲשֵׂה לְמַעַן תּוֹרָתֶךָ, לְמַעַן יֵחָלְצוּן יְדִידֶיךָ הוֹשִׁיעָה יְמִינְךָ
וַעֲנֵנִי. יִהְיוּ לְרָצוֹן אִמְרֵי־פִי וְהֶגְיוֹן לִבִּי לְפָנֶיךָ, יְיָ צוּרִי וְגֹאֲלִי. עוֹשֶׂה
שָׁלוֹם בִּמְרוֹמָיו הוּא יַעֲשֶׂה שָׁלוֹם עָלֵינוּ וְעַל כָּל־יִשְׂרָאֵל, וְאִמְרוּ
אָמֵן.

Kaddish Shalem, page 319
Havdalah, page 778
Aleinu, page 320
Mourner's Kaddish, page 321

Sources

Unless otherwise noted, the selections listed below have been adapted or translated by the editor, who is also responsible for the notes and English selections not listed. Sources for most of the basic Hebrew texts are not listed. As noted in the preface, the editor's final version of the text translation incorporates extensive passages and suggestions from the work of Rabbi Gershon Hadas.

Page 3: Note on the shofar ... Rabbi Samson Raphael Hirsch, nineteenth-century Germany, *Horeb*

Page 3: Note on the Musaf service ... Rabbi Fritz A. Rothschild

Page 19: In Your image ... Written in French by Miriam Kubovy. English based upon Shulamit Kalugai's Hebrew translation; *May we embrace* ... Adapted from the Hebrew of Rabbi Nathan Sternhartz (1780-1845), Ukraine, from *Likutei Tefillot*, part two, 5

Page 39: My God ... Personal meditation with which Mar bar Ravina (fourth-century Babylonia) concluded the Amidah—Berakhot 17a; *Creator of beginnings* ... Adapted from a prayer in *Sha'arei Tzion*, Prague, 1662

Page 43: Said the Holy One ... Based upon Leviticus Rabbah 29:12

Page 45: Father ... Hebrew by Hillel Zeitlin (1871-1943), Russia and Poland

Page 49: When hatred ... Adapted from words of Martin Buber (1878-1965), Germany and Israel

Page 51: In recalling ... Adapted from words of S. Y. Agnon (1888-1970), Galicia and Israel

Page 55: Yigdal ... Hebrew by Daniel ben Judah, fourteenth-century Italy

Page 59: I hereby accept ... Rabbi Isaac Luria, sixteenth-century Palestine

Page 101: O laud the Lord ... English translation by Mary Herbert, Countess of Pembroke (1561-1621)

Page 103: At dawn ... Hebrew by Solomon ibn Gabirol, eleventh-century Spain

Page 128: That life ... Rabbi Morris Joseph (1848-1930), England; *Every human being* ... Mishnah Sanhedrin 4:5; *Every person* ... Martin Buber (1878-1965), Germany and Israel, *The Way of Man; This is a basic* ... Moses Maimonides (1135-1204), Spain and Egypt, *Mishneh Torah*, Laws of Repentance 5:3

Page 129: I call ... Deuteronomy 30:19; *Rabbi Eliezer said* ... Shabbat 153a; *Repentance* ... Bahya ibn Pakuda, eleventh-century Spain, *Duties of the Heart*, chapter 10; *We must begin* ... Martin Buber (1878-1965), Germany and Israel, *The Way of Man; There are three* ... After Isaiah 6:10

Page 130: Man's great guilt ... Rabbi Simhah Bunam of Przysucha (1765-1827), Poland; Do not think ... Moses Maimonides, Spain and Egypt, Mishneh Torah, Laws of Repentance 7:3; Our Rabbis taught ... Kiddushin 40b; Let not the repentant ... Moses Maimonides, Mishneh Torah, Laws of Repentance 7:4

Page 131: Return ... Pesikta d'rav Kahana, edited by Solomon Buber, 163b; Where are you ... Martin Buber (1878-1965), Germany and Israel, The Way of Man

Page 133: Trembling ... Hebrew by Rabbi Yekutiel ben Moses, eleventh-century Germany

Page 135: With heart ... Hebrew by Rabbi Simeon bar Isaac, tenth-century Germany

Page 137: Our God ... Hebrew by Eleazar Kallir, sixth-century Palestine

Page 139: The Lord is King ... Hebrew by Eleazar Kallir

Page 141: Let us now ... Hebrew by Eleazar Kallir

Page 163: Private meditation ... Navah Harlow. Hebrew on page 162 adapted from Rabbi Nathan Sternhartz (1780-1845), Ukraine

Pages 169-181: Translations of the Torah Readings are taken from the new Jewish Publication Society translation, The Torah

Page 197: A prayer for our country ... Louis Ginzberg (1873-1953), Russia, Germany, United States

Page 199: A prayer for peace ... Adapted and translated from the Hebrew of Rabbi Nathan Sternhartz (1780-1845), Ukraine, from Likutei Tefillot, part two, 53

Page 202: The shofar exclaims ... Moses Maimonides, Spain and Egypt, Mishneh Torah, Laws of Repentance 3:4; When the Holy One ... Leviticus Rabbah 29:3

Page 203: The happenings ... Martin Buber (1878-1965), Germany and Israel, Israel and the World; Said Rabbi Abahu ... Rosh Hashanah 16a; Our God ... Adapted from traditional prayer

Page 228: When we really begin ... Rabbi Stanley Rabinowitz, adapted by Rabbi Shamai Kanter and Rabbi Jack Riemer

Page 229: Man is always ... Will Herberg, Judaism and Modern Man; The heavens ...; Every man ... Will Herberg, op. cit.

Page 230: Love ... Martin Buber (1878-1965), Germany and Israel, The Way of Man; When the Holy One ... Ecclesiastes Rabbah 7:28; The Day of Remembrance ... Rabbi Morris Joseph (1848-1930), England; At the last ... Shabbat 31a

Page 231: When a man ... Rabbi Shmelke of Nikolsburg, eighteenth century; The righteousness ... Will Herberg, op. cit.

Page 232: On the day ... Pesikta d'rav Kahana, edited by Solomon Buber, 269; Days are scrolls ... Bahya ibn Pakuda, eleventh-century Spain, Duties of the Heart, chapter 11; Revelation ... Will Herberg, Judaism and Modern Man

Page 233: God revealed ... Rabbi Max Arzt; Resistance ... Will Herberg, op. cit.; There is a great gulf ... Rabbi Seymour Siegel

Page 234: The Lord ... Zephaniah 3:9; The kingdom ... Leo Baeck (1873-1956), Germany and England, The Essence of Judaism

Page 235: Thus says ... Jeremiah 9:22-24; For this is ... Jeremiah 31:33-34; Then will righteousness ... Leo Baeck (1873-1956), Germany and England op. cit.; They shall not ... Isaiah 11:9

Page 241: We acclaim ... Hebrew by Kalonymus ben Meshullam, eleventh-century Germany

Page 247: We believe ... Hebrew by Yannai, sixth-century Palestine

Page 251: All the world ... Hebrew anonymous, seventh- or eighth-century Palestine

Page 256: Hear ... Midrash Lekah Tov to Deuteronomy 6:4

Page 257: O incognito ... A. M. Klein, Poems; To Live ... Will Herberg

Page 264: On this day ... Based upon Deuteronomy 5:1-18

Page 272: A man ... Martin Buber (1878-1965), Germany and Israel

Page 273: Revelation ... Martin Buber (1878-1965), Germany and Israel, Israel and the World; Make joyful noise ... Psalms 98:4-9

Page 291: Rabbi Elazar ... Berakhot 64a

Page 299: The sense for the realness ... Abraham Joshua Heschel (1907-1972), Poland and the United States, God in Search of Man

Page 309: Translation from the Jewish Publication Society

Page 328: Note on fasting ... Rabbi Seymour Siegel

Page 343: Abraham Joshua Heschel (1907-1972), Poland and the United States, God in Search of Man

Page 347: Meditation ... Based upon a prayer, tefillah zakah, by Rabbi Abraham Danzig (1748-1820), Poland and Lithuania

Page 358: When Adam ... Abraham Joshua Heschel, op. cit.

Page 383: Keep me far ... From a prayer by Rabbi Elimelekh of Lizhensk, eighteenth-century Galicia; This is how ... Abraham Joshua Heschel, op. cit.

Page 389: Your path ... Fragments from a poem by Yosé ben Yosé, fifth-century Palestine

Page 393: The Lord, I am He ... Hebrew from Sefer Habakashah by Moshe Hakohen Niral, Metz, 1788. Based upon sources in Rosh Hashanah 17b and Tosafot

Page 395: Whom can I accuse ... Hebrew by Avraham ben Shmuel, thirteenth-century Spain

Page 399: All the vows ... Hebrew by Z'ev Falk. Translation by Rabbi Stanley Schachter

Page 402: Merely ... Anthony Hecht, The Hard Hours

Page 413: Let me not swerve ... Hillel Bavli (1892-1961), Lithuania and United States. Translated by Rabbi Norman Tarnor

Page 421: The purpose ... Adapted from words of Martin Buber

Page 427: Yigdal ... Hebrew by Daniel ben Judah, fourteenth-century Italy

Page 437: When Rabbi Yohanan ... Berakhot 28; Our acts ... Isaiah 59:12-15; How is the sinner ... Pesikta d'rav Kahana, edited by Solomon Buber, 158b

Page 438: Haughtiness ... Bahya ibn Pakuda, eleventh-century Spain, *Duties of the Heart;* There is no limit ... Will Herberg, *Judaism and Modern Man;* Pride ... Solomon Schechter (1847-1915), Rumania, England, United States; *Man was created* ... Sanhedrin 38a; *Forgive* ... Ben Sira 28:2-7; *Atonement* ... Leo Baeck (1873-1956), Germany and England, *The Essence of Judaism*

Page 439: Six things ... Proverbs 6:16-19; *Who deserves* ... Psalms 24:3-5; *Even God prays* ... Berakhot 7a

Page 443: Our God ... Hebrew by Eleazar Kallir, sixth-century Palestine

Page 445: Let us now ... Hebrew by Eleazar Kallir

Page 451: Whom can I accuse ... Hebrew by Avraham ben Shmuel, thirteenth-century Spain.

Page 483: Private meditation ... Navah Harlow. Hebrew on page 482 adapted from Rabbi Nathan Sternhartz (1780-1845), Ukraine

Pages 489-497: Translation of the Torah Reading taken from the new Jewish Publication Society translation, *The Torah*

Page 507: A prayer for our country ... Louis Ginzberg (1873-1953), Russia, Germany, United States

Page 509: A prayer for peace ... Adapted and translated from the Hebrew of Rabbi Nathan Sternhartz (1780-1845), Ukraine, from *Likutei Tefillot,* part two, 53

Page 527: Whenever ... Numbers 5:6-7; *Self-deceit* ... Joanne Greenberg; *If a person* ... Moses Maimonides, Spain and Egypt, *Mishneh Torah,* Laws of Repentance 1:1

Page 528: Atonement: ... Hermann Cohen (1842-1918), Germany, *Judische Schriften,* translated by William Wolff; *The first Temple* ... Yoma 9b; *Moral* ... Will Herberg, *Judaism and Modern Man*

Page 529: You shall walk ... Tanna d'vei Eliyahu 135; *God loves all men* ... Will Herberg, *Judaism and Modern Man;* Idolatry ... Will Herberg, *Judaism and Modern Man;* Keep ... Psalms 34:14-15; *You shall not* ... Bava Metzia 58b

Page 530: Once a person ... Yoma 86b; *Whoever spreads* ... Jonah ben Abraham Gerondi, thirteenth-century Spain, *Iggeret Hateshuvah,* quoting Arakhin 15b and Sanhedrin 103a; *If one who has sinned* ... Song of Songs Rabbah 5:2

Page 531: You may have grown old ... Rabbi Samson Raphael Hirsch, nineteenth-century Germany, *Judaism Eternal,* translated by I. Grunfeld

Page 537: We acclaim ... Hebrew by Kalonymus ben Meshullam, eleventh-century Germany

Page 543: We believe ... Hebrew by Yannai, sixth-century Palestine

Page 553: The Lord, I am He ... Hebrew from *Sefer Habakashah* by Moshe Hakohen Niral, Metz, 1788. Based upon sources in Rosh Hashanah 17b and Tosafot

Page 555: Of steel and iron ... Hebrew by Hayyim Nahman Bialik (1874-1934), Eastern Europe and Palestine, English adapted from an English translation by Helena Frank of Bialik's Yiddish translation; *Rabbi Akiba* ... Berakhot 61b

Page 557: *We walk* ... Hebrew by Hayyim Nahman Bialik. English adapted from an English translation by Helena Frank of Bialik's Yiddish translation.

Page 559: *They say* ... Sanhedrin 14a; *Rabbi Hanina* ... Avodah Zarah 18a

Page 561: *Warsaw* ... Hebrew by Hillel Bavli (1892-1961), Lithuania and United States

Page 562: *Confusion* ... From Psalms 44:16-26

Page 563: ... *cousin, whose cry* ... A. M. Klein, *The Second Scroll*

Page 564: *If the prophets* ... Nelly Sachs (1891-1970), Germany and Sweden, *O the Chimneys*

Page 565: *We will renew* ... Soma Morgenstern, *The Third Pillar*

Page 576: *Merely* ... Anthony Hecht, *The Hard Hours*

Page 581: *We have sinned* ... Hebrew by Rabbi Avraham Holtz

Page 603: Service of the Kohen Gadol, through middle of page 613, Hebrew adapted from the Mishnah of Yoma

Page 613: *How glorious* ... From chapter 50 of Ben Sira

Page 615: *The Temple* ... Based upon Avot d'Rabbi Natan 11a

Page 617: *Let us now praise* ... Based upon chapter 50 of Ben Sira

Page 625-631: Translations of the Torah Readings are taken from the new Jewish Publication Society translation, *The Torah*

Pages 633-639: Translation of Jonah is taken from the Jewish Publication Society

Page 651: *This was the procedure* ... Mishnah Ta'anit 2:1, *Before* ... Pesahim 54a; *Before creating man* ... Pirkei d'Rabbi Eliezer 11; *The Book of Jonah* ... Dr. Sheldon H. Blank

Page 652: *Only through love* ... Dr. Ernst Simon; *The prophet* ... Hayyim Greenberg (1889-1953), *The Inner Eye*

Page 653: *There were once* ... Berakhot 10a; *How does a man find* ... Seder Eliyahu Rabbah 23; *Every person* ... Rabbi Simhah Bunam of Przysucha (1765-1827), Poland

Page 692: *The Lord is* ... Psalm 23

Page 693: *Our Creator* ... Adaped from words of S. Y. Agnon (1878-1965), Galicia and Israel

Page 698: *One late afternoon* ... Sanhedrin 98a

Page 719: *Keep me far* ... From a prayer by Rabbi Elimelekh of Lizhensk, eighteenth-century Galicia; *The term* ... Abraham Joshua Heschel (1907-1972), Poland and the United States, *God in Search of Man*

Page 721: *Awesome God* ... Hebrew by Moses ibn Ezra (1055-after 1135), Spain

Page 735: *We witness* ... First two Hebrew lines from piyyut by Rabbi Amittai ben Shefatiah, tenth-century Italy; reading based upon a suggestion by Cantor Abraham Lubin

Page 737: *Behold* ... Based on Isaiah, chapters 60, 64, 65, and 66